Wilfried F. Schoeller

ALFRED DÖBLIN

Eine Biographie

Für Herrn Dr. Volk
mit besten Grüßen
Wilfried F. Schoeller
30.08.2011

Carl Hanser Verlag

Für Christina,
Gefährtin meiner
Lebens- und Papierrouten

1 2 3 4 5 15 14 13 12 11

ISBN 978-3-446-23769-8

Satz: Greiner & Reichel, Köln
Druck und Bindung: Friedrich Pustet, Regensburg
Printed in Germany

INHALT

3
POLITIK, NATUR, ZUKUNFT UND DAS ICH
AUFBRÜCHE DES PROTEUS
1920–1924

4
REPUBLIK, ROMAN, RUHM
DIE LAUFBAHN DES VERWANDLUNGSKÜNSTLERS
1925–1932

5
FLUCHTEN, NORNENGARN UND DASEINSSIEGE
EXIL IN DER SCHWEIZ UND IN FRANKREICH
1933–1940

6
FILM, DEMUT, STUMMHEIT UND PAPIER
VERSCHOLLEN IN AMERIKA
1940–1945

7
WIEDERAUFBAU, GLAUBE UND POLITIK
NACHKRIEGSJAHRE
1945–1949

8
GLAUBE, ZWEIFEL, TAO UND TRAUER
DIE SPÄTEN JAHRE
1949–1957

… dann Biographien, geschrieben von Leuten, die im übrigen keine Ahnung haben, wie ein Mensch aussieht, wie ein Mensch wächst, und wer von uns weiß das auch wirklich, aber das nennt sich Biographie.

Schriftstellerei und Dichtung, 1928

IM VERSTECK

Wer sich Alfred Döblin, dem Gebieter über tausend Reiche, dem Herrscher über Ich und Er, dem Pan-Epiker und Geschichtengott, nähert, ist von der Komplexität jeder Begegnung mit ihm rasch überzeugt. Döblin hat sich des öfteren um seine Lebensgeschichte bitten lassen, um dann doch wenig von sich zu erzählen. Er plauderte gerne über sich, noch lieber mit sich im Duett, in unterschiedlichen Rollen, plänkelte gegen seine Umgebung, aber er hatte meist abwiegelnde oder ausweichende Schutzbehauptungen parat, wenn es um mehr ging. Undurchdringlich zu sein: das wollte er früh, das gehörte zu seinem Lebensvorsatz. Anfangs musste er sich schützen. Seine literarischen Neigungen hatten mit der Verachtung der Mutter und wohl auch ihrer Brüder, der gewerbetreibenden *Holzonkels,* zu rechnen und erprobten sich im Versteck. Ein tiefsitzender Reflex gegen jedes Artifizielle ist ihm davon geblieben – und von ihm oft durchkreuzt worden. Im Roman *Der schwarze Vorhang,* dem Werk des 25-Jährigen, hatte es programmatisch geheißen: *Monaden sind wir und haben keine Fenster.* Er wappnete sich gegen jeden Voyeurismus des Publikums, etwa am Schluss einer autobiographischen Skizze von 1922: *Von meiner seelischen Entwicklung kann ich nichts sagen; da ich selbst Psychoanalyse treibe, weiß ich, wie falsch jede Selbstäußerung ist. Bin mir außerdem psychisch ein Rühr-mich-nicht-an und nähere mich mir nur in der Entfernung der epischen Erzählung. Also via China und Heiliges Römisches Reich 1630.* Ironisch belustigt und ein wenig polemisch im Unterton, könnte er darauf verweisen, dass er dennoch mit autobiographischen Hinweisen nicht gespart habe.

Die Prosa *Doktor Döblin,* entstanden, als er sich den Vierzig näherte, blieb unveröffentlicht und fragmentarisch in der Schublade und diente wohl nur der Selbstverständigung, wie man seine seelischen Nöte eben manchmal zu Papier bringen möchte. Erst Mitte der zwanziger Jahre begann er, den Einzelnen in sein episches Recht zu setzen. Bis dahin war, alles in allem, das Ich eine zu vermeidende oder zu sprengende Größe. Diese Wende hatte Folgen auch für seine Bereitschaft, von sich selbst zu sprechen. 1928 verstand er sich auf einen autobiographischen *Ersten Rückblick* in 13 Abschnitten. Doch erzählte er nicht nur von Herkunft und Familie, von Vaterflucht und Schuldrama, sondern erprobte die Vielfalt der Texte über den Blick auf sich selbst; da gibt es neben Auskünften den Dialog, den grenzwissenschaftlichen Streifzug, die

Variation des Gleichen, eine *Gespenstersonate*. Die letzte Geschichte, *Leben Jacks, des Bauchaufschlitzers,* bringt keine Einblicke in die Person, sondern versiegelt sie im grotesken Gelächter: Das Monster Jack sitzt am Schluss an der Ladenkasse. Von dieser Szene aus ist ein Rückverweis auf den Autor versperrt.

Es gehört zu Döblins Eigenart, dass er den Vorhang vor seinem autobiographischen Ich nach Belieben auf- und zugezogen hat. Erst in der Ratlosigkeit der ersten Exiljahre werden Selbstdarstellung und Roman in größerem Umfang zusammengeführt: In *Pardon wird nicht gegeben* berief er sich mit bislang nicht gekannter Deutlichkeit auf die *Familiengeschichte mit autobiographischem Einschlag*. Und der Buchtitel ist auf seinen Clan gemünzt. Er meinte: *Das ist ein Fortschritt. Ich wagte mich an den Herd heran.* Aber bereits nach diesem Roman fand wiederum eine ausholende Gegenbewegung statt. In den beiden Zyklen, der *Amazonas*-Trilogie und der Tetralogie *November 1918,* tauchte der Epiker erneut weg in die größtmögliche Irredenta stofflicher Ferne. Erst die Flucht aus Frankreich, das Studium des Christentums, die völlige Verfremdung seiner Existenz in der amerikanischen Verschollenheit, die von Bitterkeit durchsetzte Rückkehr zwangen ihn, seine *Schicksalsreise* nachzuzeichnen. Rasch fortschreitende Krankheiten und die Trauer um seine Toten erforderten von ihm Rechenschaft in *Epilog* und *Journal,* bestimmten ihn zu Aufzeichnungen und Diktaten über sich und seine Auffassungen, seine wenigen Gewissheiten und seine Versäumnisse. Die nachwirkende Katastrophe seines Sohnes Wolfgang, die auf eine geheimnisvolle Weise mit dem frühen Vaterverlust korrespondiert, nötigte ihn außerdem zur rückschauenden Reflexion. Sein letzter Roman *Hamlet oder Die lange Nacht nimmt ein Ende* spiegelt Familiengeschichte in mythologischen Erzählungen und bindet sie in einen Gegenzauber: den von der Allmacht und der Heilungskraft des Erzählens, das gleichzeitig ein Akt der Entblößung ist. Die Familie wird durch die erzählten Geschichten in dem Maße destruiert, in dem sich die seelischen Wunden des heimgekehrten Sohnes schließen. Das ist sein großartiges Schlusswort als Romancier: das Erzählen vom Zerfall einer Familie und von der Heilung des Sohnes durch die Erkenntniskraft der Fiktion. Anderswo hat er seine Person in der anorganischen Natur versenkt. Im *Epilog* von 1948 findet sich die Versicherung: Das Werk, *das war ich, meine Art zu dieser Zeit, und dann noch mehr: etwas, was unpersönlich, als Natur in mir arbeitete und sich im Geistigen, im Phantastischen zu formen beliebte, ein Meteor, eine Steinbildung, die sich aus meiner Substanz löste.*

Er hat das meiste im Dunkeln gelassen, was ihn persönlich betraf. Den Zusammenhang seines Werks, das einen geradezu kosmogonischen Radius hat, deutet er nur vage an. Die Krisen der Produktion verschweigt er fast immer. Das heroische Dennoch, sich in die größten Schreibprojekte seines Lebens zu stürzen, gerade wenn die Aussicht auf Publikation am dunkelsten war: nicht einmal erwähnt. Die erotischen Konstellationen in einigen seiner frühen Erzählungen sind ebenso unbelichtet wie die seelischen Substanzen, die ihn zu seinen oft grellen Weibsbildern brachten. Von seinem Leben inszenierte er vor allem die Verweigerung, Auskünfte darüber zu geben.

Aber wenn er sich denn doch darauf verstehen wollte, erzeugt er einen mächtigen Sog, eine detektivische Lust, der Person auf die Spur zu kommen, inmitten all dieses Geschriebenen, das ihm immer wieder zu Papier wurde, seiner Existenz, ihren Sprüngen, Rissen, Zeichnungen nachzuspüren. Es ist unterhalb dieser oft strahlenden Schreiblust und Experimentierfreude nichts anderes als ein fortgesetztes Drama sichtbar. Jede Biographie über Alfred Döblin sucht also den Widerspruch zu seiner Abweisung: *Wo fängt es an, wo hört es auf? Man frage nicht danach.*

Er hat sich seinen geistigen Weg vorwiegend durch Romane gebahnt. Mit ihnen tastete er sich im Dunkel und in den Abgründen, denen er nicht ausweichen konnte, voran. Erzählen ist der Suchvorgang. Das heißt auch: die großen Werke des Epikers Döblin unterliegen einem Wandel, der durch Finden und neuerliches Verwerfen eintritt. Ihr Vorsatz ist am Ende nicht mehr der gleiche wie am Anfang. Und jeder Roman wirft dem nächsten einen Ball zu; das hat er selbst so behauptet. Eine stabile autobiographische Begründung des Schreibens, die in seinem unübersichtlichen Feld der Prosa als Geländer dienen könnte, liegt nicht vor. Noch im späten *Journal 1952/53* beharrte er darauf, dass er seine Bücher nicht *hergerufen* habe, sie hätten sich von selbst eingestellt: *Sie sind ganz von ungefähr zu mir gekommen, ich wäre nicht im Stande, tief in ihre Entstehung hineinzuleuchten, ich habe mich ehrlich zum Geburtshelfer hergegeben, oder war ich nur der Uterus in dem sie entstanden.* Er hat darauf bestanden, dass das Geschriebene eine eigene, selbständige Wirklichkeit darstelle, dass nicht er seine Bücher hervorgebracht, dass vielmehr sie ihn benutzt und aufgebraucht hätten. Zu seinem *Lebensgesetz* gehört: *Und nicht ich habe erlebt, sondern die äußeren Dinge haben mich erlebt.*

In einer Festschrift für die Kölner Schriftstellerin Adele Gernhard, über deren Verbindung zu Döblin nichts Näheres bekannt ist, hat er einige Seiten über das Eigenleben seiner Bücher veröffentlicht. Sie sind demnach *Lebewesen.* Sie entstehen als *Ablösung aus meinem mir unverständlichen Daseinskern.* Das Werk ähnelt einem Astralkörper, es *zieht etwas Wolkenartiges wie ein Gewand hinter sich her.* Die Werke gleiten *bei einer gewissen Dun-*

kelheit aus ihm. Der Verstand könne um sie herumtänzeln, aber er könne sie, durch zu viel rationale Fürsorge, auch abtöten. Das Buch stamme nicht aus der personalen Existenz: *Es ist aus einem mitgeborenen Zentralpunkt, einer Keimzelle in mir entstanden wie der junge Sproß aus dem »Auge« einer Pflanze.* Die Bücher bilden demnach Eigennaturen, sind keinesfalls Abbilder, sondern Parallelwesen. In seinem *Journal* hat er sich ganz im Sinne des Aufklärungsphilosophen Julien Offray de La Mettrie als Teil eines Getriebes, als Funktion gedeutet, was der Anonymität Vorschub leistet. Döblin verkörpert sich in einem Zusammenhang, der auf ihn hin – und gleichermaßen von ihm wegweist.

Man ist bei ihm, dem *Kilometerfresser von Papier, Literschlucker von Tinte,* wie er sich selbstironisch gegenüber Gerhart Hauptmann 1922 titulierte, vor keinem Widerspruch sicher. Man kann in manchen seiner Bücher etwas von seinen Fährnissen und Schmerzen, seinen Verwundungen und seiner Verzweiflung ermessen. Aber von seiner biographisch fassbaren Person ist er höchst selten ausgegangen: *Eine wirkliche Autobiographie ist nicht möglich. Man kann Vorgänge und Ereignisse seines eigenen Lebens berichten und auch Betrachtungen daran anschließen, aber tiefer geht es nicht. Wie soll man es auch machen, wie soll man an sich herankommen? Wir tauchen in diesen Schlund und bringen immer nur irgendein Bild mit. Denn man kann nicht zugleich der Mann sein, der in den Spiegel schaut, und der Spiegel.* Was für eine Schutzbehauptung steckt dahinter?

Man kann den literarischen Weg Döblins als einen Versuch verstehen, gegen die Faktizität des eigenen Lebens eine Schreibbiographie zu entwerfen. Die Bücher bedingen demnach den Aggregatzustand des Subjekts. Verbunden ist damit ein endloser Kampf um das Selbst zwischen Verbergen und Enthüllen im Wald der Fiktionen. Eine Lebensdramatik sondergleichen arbeitet auf diesem Döblinschen Manövergebiet: immer neu anzusetzen, sich selbst zu verwerfen mitsamt der gefundenen Lösung, allein die energetische Spannung zwischen dieser Schreibbiographie und der Alltagserfahrung mit ihren ungezählten Katastrophen und novellistischen Großereignissen auszuhalten. Oft wirkt dieses Leben von Tätigkeiten geradezu überwuchert, sind die Verwundungen und Traumata, die er erfuhr, wie unter einer Isolierschicht aus Manuskriptpapier verdeckt.

Eine Paradoxie von Hingabe und Schreibaktion bestimmt seine Biographie. Seine Lebensgeschichte ist ohne den ständigen Anblick seines Werks nicht zu denken. Auf *ihn* fällt kein Licht, wenn es nicht beleuchtet wird. Seine Biographie wird von seinem Werk entworfen: er ist, ganz im Sinne Heinrich Manns, der gute Wortarbeiter. Diese Sachlage begründet auch die zahlreichen

Werkverweise in diesem Buch, das nicht mit einer monographischen Arbeit verwechselt werden sollte. Mich hat immer die Beziehung des Urhebers zu seinem Werk fasziniert, die Aktion des Schreibens, das Atmen des Werks im Verfasser, wie es sich in ihm vorarbeitet und wie es in ihm weiterlebt.

Dies Leben Alfred Döblins ist nicht für sich nachzuzeichnen, nur im Reibungsfeld der *Tatsachenphantasie*. Er steht nicht wie sein Gegenspieler Thomas Mann geradezu körperlich vor seinem Werk und bindet es zusammen. Er ist nicht wie jener ausgestattet mit der Autorität eines Klassikers und mit einem Fundus an lebensgeschichtlichem Material, eingekleidet in den Ornat der Repräsentanz, versehen mit einem Chor von beflissenen Deutern, die sich wie Angehörige um ihn sammeln. Wo der Lübecker Patriziersohn stand, wusste er Deutschland hinter sich oder glaubte wenigstens daran. Jede noch so schwächliche Misshelligkeit erschien ihm als Gefährdung seiner Daseinshöhe. Wo Döblin steht, ist eine bestimmte Leere, eine Freifläche. Um ihn herum ist die Verlorenheit des Neuerers und Modernisten, dem niemals eine Mehrheit folgen wollte; die Einsamkeit dessen, der über ein Riesenwerk gebeugt ist; die Verwirrung, die aus seiner Verschollenheit entstand. Seine Kühnheiten des Selbstwiderspruchs wecken nicht unbedingt breites Vertrauen.

Für Alfred Döblin war es in Deutschland immer zu früh oder zu spät. Aber er selbst hat einiges zum Bild eines Titanen ohne Hinterland beigetragen. Seine Produktion verschwand oft unter den langen Schatten seiner Polemiken. Tucholsky hat über seine »penetrante Besserwisserei« geklagt. Döblin, auch Schulmeister und Verwerfungsclown, hat der Bereitwilligkeit der Kritik, von ihm abzusehen, Vorschub geleistet.

Als Günter Grass 1967 über ihn als seinen »Lehrer« schrieb, galt seine Bewunderung einem weithin Unbekannten. Seitdem hat sich vieles geändert: eine riesige (wenn auch noch immer nicht vollständige) Werkausgabe von rund 40 Bänden liegt vor, Döblianer in aller Welt beugen sich über seine Bücher und haben ein vielverästeltes Deutungswerk angehäuft, der Nachlass ist im Deutschen Literaturarchiv in Marbach bestens geordnet und nun ohne Einschränkungen zugänglich. Doch vertraut sind darüber hinaus mit seinem Werk nur wenige Leser. Dieser Abstand zwischen Deutungswissen und Ahnungslosigkeit soll mit meiner Arbeit überbrückt werden.

Der Biograph Alfred Döblins hat mehrere Lebensromane miteinander zu verknüpfen, hat einen Mann in der ewigen Revolte zu vergegenwärtigen, der mit tausend Fäden an sein Jahrhundert gespannt ist und doch eine zeitlose Zeit anvisiert, muss sich selbst die Rolle eines Turbulenzengenerators anmaßen. Döblin hat sein Publikum notorisch mit Neuansätzen konfrontiert – und damit wohl auch überfordert. In einer Spur bot er sich als spöttischer Atheist dar, in einer anderen entfaltete er sich als Gottsucher und Religionserprober. Döblin war zeit seines Lebens gläubig, nur wechselte mit beinahe jedem Roman die Religion oder die Philosophie: Nietzsche, Schopenhauer, Spinoza, Augustinus, Kierkegaard, der Fortschritt, die Moderne und die Technik, der Taoismus, der Sozialismus, indische Weisheiten, die Naturmystik, Exkursionen ins Judentum, der Katholizismus gehören dazu.

Er ist vor allem ein Erzähler, der noch die vorschriftliche Rolle des Rhapsoden im Blickfeld hat, Erfinder auch von Theaterstücken, von Filmskripts und von Hörspielen, von Gelegenheitstexten, zwei Reisebeschreibungen, Religionsgesprächen, einer Musikphilosophie, philosophischen Traktaten, passionierter Berliner, Radiobastler. Jüdischer Kleinbürger und französischer Offizier, Kassenarzt und Mystiker, Gottsucher, Expressionist, Surrealist, Berliner Homer und Emigrant. Als er 1926 vom »Berliner Tageblatt« aufgefordert wurde, sich an einer Umfrage unter dem Titel »Der Künstler hinter der Maske der äußeren Erscheinung« zu beteiligen, antwortete er mit der witzigen Glosse *Gleiswechsel im Hirnkasten*. Sie gipfelt in der ironisch sibyllinischen Aussage: *Ich habe einen Bahnhof in mir; von dem gehen viele Züge aus. Manchmal fährt bloß einer, manchmal mehrere zugleich. Ich schicke mal den, mal den vor. Manchmal, wenn der eine läuft, kann der andere sich nicht halten und läuft auch.*

Proteus Döblin ist einer der sperrigsten unter den modernen Schriftstellern. Er verhielt sich keinesfalls wie Bert Brecht, der eine geläufige Ideologie bediente, um seine Abweichungen davon markieren zu können, der von »Versuchen« sprach, wenn er sich zum Klassiker stilisierte. Alfred Döblin durchschritt riesige Räume, und bei diesen erzählerischen Exkursionen häuften sich die erzwungenen Lebensparadoxien. Er wollte nur zu Hause sein in Berlin, dem er seinen berühmtesten Roman widmete, und musste vor den Nazis nach Frankreich und in die USA fliehen. Als früher Rückkehrer wollte er 1945 und danach helfen, wurde aber als Exilant mit seinen Absichten vielfach durchkreuzt und kaltgestellt. Er hing mit tausend Fäden am Ich und sah es durch die Kollektive zersprengt. Er war lebenslang auf der Suche nach dem richtigen Gott und bekannte sich schließlich zum Christentum, sah aber beim Ende doch wenig Tröstliches am Horizont.

Seine Bücher verdanken sich keinen Bürostunden; er stellte es so dar, als verfassten sie sich gleichsam selber, als könnte kein äußeres Ereignis den Erzählfluss aufhalten. Das war eine der Lieblingsfährten, die er für die Mitwelt legen wollte: der Autor in der Dienerschule seines Werks. Seine Bücher warten mit den Techniken der Montage, des Zitats, der Satzzertrümmerung, mit der Onomatopoesie des schreienden Alltags und mit Mythengemurmel auf, erweisen seinen avancierten Sinn für Konstruktion und wirken doch wie aus Rausch und Sprachverfallenheit, unwillkürlicher Phantasie und obsessiver Bilderflut geboren. Die Selbsterschaffung im Schreiben verlief triumphaler als die von Thomas Mann, jedenfalls eruptiver, gewaltsamer, war das immerwährende Experiment einer Rebellion der Vorstellungskraft. Er ist der Lenker ungeheurer Buchstabenwelten, die Kreuzung der literarischen Routen, die in die Moderne, in die großen Mythen, zu den phantastischen Epen, zur Zärtlichkeit des realistischen Beobachters führen. Wie damit zurechtkommen? Dieses Werk ist kaum zu überblicken allein wegen seines Umfangs, der um einiges mehr, als Thomas Mann geschrieben hat.

Und vor allem: von welcher Position aus?

Als erster Grundsatz erscheint es mir wichtig, die Schwierigkeiten im Umgang mit der biographischen Person zum Ostinato dieses Versuches zu machen. Deshalb gibt es in diesem Buch häufig Fragezeichen. Döblin besteht nicht auf Lösungen, vielmehr auf Experimenten – eine selbstbewusste Unsicherheit. Sie hält ihn in Gang, trägt ihn über die Lebenskatastrophen hinweg. Wer diesen Stoff besichtigt, wird instand gesetzt, ihre ungeheuerliche Dramatik zu verstehen: das Trauma der Vaterflucht, das ihn lebenslang begleitet; der preußische Schulzwang, der diesen Außenseiter demütigt; die familiäre Verachtung von Literatur, gegen die sich der angehende Literat schützen muss; eine übermächtige Mutter, aus deren Bannkreis er sich kaum lösen kann; eine abgebrochene wissenschaftliche Karriere; eine von Anfang an unglückliche Ehe und dazu ein jahrzehntelang anhaltendes Liebesverhältnis, das immer wieder abgewürgt wird im Bestreben, nicht die Eheflucht des Vaters zu wiederholen; die Sorgen um fünf Söhne; der mit offenem Neid quittierte Erfolg des einzig so empfundenen Konkurrenten Thomas Mann; die Erfolglosigkeit des Schriftstellers, der gleichwohl in aller Munde war; der gewöhnliche und dann mörderische Antisemitismus, der dem Juden Döblin galt und der einigen Mitgliedern der Familie das Leben kostete, die Schrecken der Fluchten, der Selbstmord eines Sohnes in französischer Uniform 1940, am Vortag des Waffenstillstandes; die Verschollenheit im amerikanischen Exil; die deprimierenden Erfahrungen in Adenauers Nachkriegsdeutschland; die stille, aber formulierte Verachtung, die der Christ erfuhr; 1953 die erneute Emigration nach Paris, der Fluch der Krankheiten, die Physis als Membran der Schicksalsschläge, mehr als drei Jahre am Schluss die Matratzengruft in Spitälern und Sanatorien. Man muss das alles ausbreiten, nicht um seiner selbst willen oder des Tremolos wegen, sondern um zu ermessen, aus welchem Dunkel sein Werk strahlt. Er hat dieses einzigartige Gebäude über diesem Dasein errichtet, und es wirkt nirgendwo wie eine Ausflucht oder wie die Aberration in den eskapistischen Traum. Es gibt von ihm keine Hinweise, wie er diese Selbstrettung bewerkstelligt hat. Wer ihm nahetritt, stößt auf fundamentale Rätsel seiner Schreibexistenz. Für bestimmte Konstellationen in diesem Schreiberleben oder doch genauer: erschriebenen Leben? kommt es vor allem darauf an, diese Rätsel sorgsam zu präparieren, ohne ihnen – etwa mit Hilfe der Psychologie – eine Erklärung aufdrängen zu wollen.

Er ist für fast jeden Roman durch ein Glaubensgebäude oder durch einen Kulturkreis durchgegangen, ist dann zu neuen Ufern aufgebrochen, allerdings mit den Sedimenten der zurückliegenden geistigen Welt im Gepäck. Ist sein christlicher Glaube nicht doch viel schütterer und offener, als er systemgläubigen Wissenschaftlern erscheinen mag? In der *November*-Tetralogie ist ihm das Christentum gleichsam zugewandert. Man kann es lokalisieren: ab dem zweiten Band. Doch im späten Roman *Hamlet oder Die lange Nacht nimmt ein Ende* gibt es einen Verzicht auf eine christliche Schlusswendung: Ist das noch ein Zeichen für die Freiheiten, die sich der Christ Döblin nahm, oder schon ein Ausdruck von Freiheit zum Nichts?

Für das Urteil über den aus Amerika bereits im November 1945 heimgekehrten Döblin, den einzigen prominenten Autor, der sofort nach Westdeutschland zurückkehrte, als es ihm möglich war, ist dieses Daseinsrätsel ungemein wichtig.

Ein Ärgernis besteht in seiner politischen Essayistik. Es steht, wie alles beim Dualisten Döblin, unter dem Signum des Gegensatzes. Je näher man an ihn herantritt, desto widersprüchlicher wird er. Er predigt Vernunft und Aufklärung, sie sind seine heraldischen Zeichen, aber sie hindern ihn nicht, im nächsten Moment sich in Naturmystik zu versenken. Verstand und das, was Leiden schafft: gleichviel. Im Reich der alleinigen und ausschließlichen Ratio ist Döblin ein vaterlandsloser Geselle. Er ist Rationalist in dem Sinne, dass er über die Grenzen der Vernunft nachdenkt. Das hat manchen Forscher zu wüsten Urteilen veranlasst.

Döblins Widersprüche bilden ein Gewebe: Spruch und Widerspruch, nicht voneinander zu trennen. Wer da überbetont und wer unterbetont ist, kann man, angesichts der Geschwindigkeit der Umkehrungen, kaum ausmachen. Warum nur hat der Nach- und Vordenker Döblin nicht gewartet, bis das eine oder andere zur Ruhe kam: geklärt und stillgelegt? Aber gerade das hat er gescheut: die Stilllegung. Es kommt in diesem biographischen Versuch darauf an, ein Denken zu beleuchten, das Resultate nicht verabsolutiert, das sich der Suchbewegung widmet, das in aller Treue zum Werk nach wandelbaren Lösungen strebt. Der Unruhe, dem Denken, das Köder auslegt, das auch davon handelt, dass es eine verlorene Sache ist, gilt die Aufmerksamkeit. Gerade darin kann ja die Modernität Döblins auch liegen: dass man seinem Denken als einer mehrstimmigen Polarität zusehen kann, dass es in dem, was es anbietet, nie zu Ende kommen will. So wird sich diese Biographie Alfred Döblins auch den Falsifikationen widmen, mit denen er sich befasst hat, und seinen Irrtümern, aus denen er sich herauswand.

Seines Umfangs wegen liegt das Werk dieses Schriftstellers noch immer wie ein Sperrriegel da und harrt auf eine umfangreiche Gesamtbesichtigung – mit allen Risiken, die solch ozenaische Bemühung mit sich bringt, der Unschärfe im einzelnen, der Vorläufigkeit. Eine solche Gesamtschau des Epikers, Privatmythologen, politischen Schriftstellers und Feuilletonisten wird hier versucht. Entscheidend ist die Konstellation, die sich als Modell in diesem Meer an Einzelheiten abzeichnet: der Autor vor seinem Werk, seinem Gegenüber. Der Autor als Akteur, der handelt, indem er schreibt, aber auch derjenige, der von seinem Werk gelesen und gezeichnet wird.

Eine Zentralperspektive auf Alfred Döblin verbietet sich von selbst. Angestrebt ist die Blickweise des Facettenauges: viele Einzelaugen in abweichender Richtung setzen ein Großbild aus unterschiedlichen Bildpunkten zusammen.

Meine Arbeit war und ist vor allem im Ganzen den Abenteuern verpflichtet, denen preußische Juden, Existentialisten, anarchische Außenseiter, Emigranten in mehrfacher Ausprägung, verschollene Meister, Experimentatoren im abgelaufenen Jahrhundert ausgesetzt waren. Sie haben eine Königsfigur: Bruno Alfred Döblin, gestorben 1957 im Psychiatrischen Landeskrankenhaus Emmendingen, dorthin für die letzten drei Wochen verbracht, weil anderswo für ihn kein Platz zum Sterben sich fand. Von ihr soll erzählt werden.

1

ARMUT, DUNKEL, WAHN UND FREIHEIT
DIE GEBURT DES SCHRIFTSTELLERS
1878–1913

Ich nehme alles in Bausch und Bogen an, so wie es dasteht, verteidige es und widersetze mich, wenn man versucht, hier Unmöglichkeiten und Irrtümer nachzuweisen. Auch der Nachweis von Widersprüchen läßt mich kalt: denn es gilt der Satz: »Ein guter Baum trägt gute Früchte.« Wenn ich einen guten Baum vor mir habe, so weiß ich, daß seine Früchte gut sind. Es werden nach Jahrtausenden andere unsere Vorstellungen prüfen und werden auch unsere Vorstellungen naiv und märchenhaft finden.

Der Kampf mit dem Engel, 1952

KINDHEIT IN STETTIN

Andere schrieben von den Wonnen des Retour, von der unerlösten Sehnsucht nach Gestern, wenn sie ihres ersten Jahrzehnts gedachten; Alfred Döblin musterte seinen Kindheitsort unwirsch und befremdet. Mit seinen Sätzen im Ohr wird sich kein Tourist von Berlin aus auf den Weg nach Osten machen, um das heimische Umfeld dieses Schriftstellers zu mustern. *Stettin, eine trübe verkommende Provinzstadt nach seiner Erinnerung, mit einem grellen Jahrmarkt auf dem Paradeplatz, Spielplätzen auf den Treppenabsätzen eines tief herabsteigenden Rathauses.* Dem Lokalpatriotismus, dem zum Beispiel der Kollege Carl Ludwig Schleich, Dichterarzt wie er, anhing, indem er seine Kindheit in Stettin als besonnte Vergangenheit ausgab, wollte er keineswegs frönen. Doch handelte es sich immerhin seit fast einem halben Jahrtausend um die Hauptstadt Pommerns, Mitglied der Hanse, um einen Umschlagplatz für Getreide und Zucker sowie um die bedeutendste Hafenstadt Preußens, an der Oder, nur 25 Kilometer von der Ostsee entfernt. Über ein System von Kanälen wurde die Stadt Ende des 19. Jahrhunderts auch mit der Nordsee und dem schlesischen Industrierevier verbunden. Schon zu Döblins Kinderzeiten machte sich der Bädertourismus bemerkbar. Stettin war durch zahlreiche Parks und Gärten aufgelockert, war im deutschen Osten die Stadt mit dem meisten Grün. Das barocke Rathaus zwischen zwei Marktplätzen: eindrucksvoll. Ein Bürgerhaus sticht hervor: das ockerfarbene Loitzenhaus, benannt nach der Handelsdynastie der Familie Loitz, den »Fuggern des Nordens« mit eigener Handelsflotte. Darüber, auf dem Triglav-Hügel, die Residenz der Herzöge von Pommern. Mit den Informationen, die Döblin über Stettin lieferte, käme man nicht durch die Stadt. Nichts vom altslawischen Gott Triglav, dem Herrscher über Erde, Himmel und Hölle, kein Königstor findet Erwähnung, keine Erinnerung fällt auf die Chrobry-Wälle mit der Hakenterrasse. Döblins Blick auf sein Früher ist farbenblind, kennt nur das Grau.

Als junger Arzt kam er 1906 nach Stettin zurück und stellte sich im Krankenhaus vor, wurde aber wohl wegen seiner jüdischen Herkunft nicht angestellt. Das verleidete ihm endgültig das Revier der frühen Jahre: *Die Stadt hat mir also wieder die kalte Schulter gezeigt.* Stettin hat sich durch diese Zurückweisung noch mehr verändert. Den Paradeplatz fand er nun *ungewöhnlich langweilig.* Gegen diesen durch Scham und Erinnerungslast getrübten Blick kam der Augenschein nicht an. *Die Häuser waren niedrig.* An anderer

Der Vater Max Döblin
Vor der Jahrhundertwende

Stelle hat er Stettin noch massiver abgetan: *Ich stelle fest, daß ich in dieser Seestadt geboren bin, möchte es aber ebenso wie die Stadt dabei bewenden lassen.*

Ein handtuchschmales Haus, marineblau gestrichen, eine Fassade im Retrostil, trägt eine Gedenktafel. Hier, im damaligen, im Zweiten Weltkrieg reichlich zerstörten Bollwerk 37, ist Bruno Alfred Döblin am 10. August 1878 geboren. Zwei weitere Anschriften der Familie wären der Vollständigkeit nach hinzuzufügen: Wilhelmstraße und Friedrichstraße, aber an beiden Namen hängt nichts mehr.

Beide Eltern stammten aus jüdischen Häusern, hatten aber das Ghetto und die Glaubensstrenge längst hinter sich. Sein Großvater väterlicherseits, der noch besser Jiddisch als Deutsch sprach, stammte aus Posen und hatte eine Emilie Jessel geheiratet – eine Verwandte des Operettenkomponisten Leopold Jessel. Durch diese Verbindung mag die auffällige Musikalität in die Familie gekommen sein. Döblins Vater Max arbeitete als Schneider bereits seit 1855 in Stettin. Der Großvater mütterlicherseits, Simon Freudenheim, der als *Dorfkaufmann mit Materialwaren* handelte, scheint ein kleines Vermögen angehäuft zu haben und übertrug einen gewissen bürgerlichen Dünkel auf seine Tochter Sophie. Sie wurde in Samter, einer von der Geschichte unbelichteten Kreisstadt in der Provinz Posen, geboren und blieb bis zu ihrer Heirat im Elternhaus; Schulbildung hat sie wenig genossen. Ihr Sohn Alfred überliefert von ihr einige stehende Redensarten von bescheidener Weisheit, etwa *Wie einem ein Haus einfällt, fällt's mir auf den Kopf.* Ihre Brüder waren schon 1865 nach Berlin und Breslau gegangen und haben es mit dem Import von Edelhölzern, mit Holzhandel und Möbelfabrikation weit gebracht. Döblins Eltern heirateten 1871, im Jahr der Reichsgründung, besser gesagt: der 25-jährige arme Schlucker Max Döblin und die zwei Jahre ältere Sophie Freudenheim wurden miteinander verheiratet, *er macht eine gute Partie mit der Freudenheim, eine schöne Person und Geld.* Döblins Vater betrieb zunächst ein Konfektionsgeschäft, das vermutlich von der Mitgift seiner Frau finanziert war. Er konnte damit nicht reüssieren und richtete danach einen Zuschneidebetrieb mit mehreren Angestellten ein, der nach Döblins Aussage florierte, wenn auch, eine unklare Situation, bei der Auflösung des Geschäfts enorme Schulden zu verzeichnen waren. *Gearbeitet wurde im Auftrage einiger fremder Firmen, er entsinnt sich, häufig den Namen einer solchen angeblich großen Hamburger Firma mit Respekt, mit tiefem Respekt ausgesprochen gehört zu haben.* Die Herrenkonfektion gehörte im damaligen Stettin zu den bevorzugten Branchen.

Fünf Kinder folgten einander auf dem Fuß: 1873 Ludwig, der Kaufmann wurde und später die Familie ernährte, bis er wegen privater und geschäftlicher Schwierigkeiten 1930 Hand an sich legte; 1874 Meta, die auf die Mutter kam und die 1919 in Berlin starb, als sie beim Milchholen für ihr Kind von einem Granatsplitter tödlich getroffen wurde; 1876 Hugo, der Schauspieler wurde und nach Zürich emigrierte, wo er 1960 starb; 1880 Kurt, der ebenfalls Kaufmann wurde, nicht mehr rechtzeitig aus Deutschland emigrieren konnte und 1940 in Auschwitz ebenso umgebracht wurde wie seine Frau, außerdem die nachgeborene Schwester Bianca, von der nirgendwo die Rede ist, weil sie bereits als Einjährige starb. In diesem Elternhaus waren bürgerliche Sicherheiten niemals verbürgt, eher der unaufhörliche Beginn; die Daseinsimprovisation, aber auch Tapferkeit und Lebensenergie waren gefragt, die unbeherrschbare Katastrophenwolke, genannt »Schicksal«, schwebte schon früh über der Familie.

Alfred Döblin betonte, er sei als Kind viel auf den Straßen herumgelaufen, das Bild des Spaziergängers gehört zu seiner Ausstattung. Von den Lokalitäten, die er aufsuchte, hat er jedoch nur Spärliches berichtet. Wie oft wird er durch das Berliner Tor gegangen sein? Wie oft hat sich der Junge auf dem Rossmarkt getummelt, dem städtischen Handelszentrum mit den Tuchhallen, den Gildehäusern der Krämer und Schneider? Keine Verbindung hat er gezogen von den stuckbewehrten Mietskasernen um den Kaiser-Wilhelm-Platz zu ähnlichen Prospekten in Kreuzberg und auf dem Prenzlauer Berg in Berlin. An einen Auftritt Kaiser Wilhelms erinnerte er sich, *Fürst Bismarck war dabei, der hatte einen runzligen gelben kleinen Kopf unter einem ungeheuren blanken Kürassierhelm; dieser Zug verwunderte ihn mehr, als er ihm imponierte, besonders der viel gepriesene Bismarck enttäuschte ihn.* Aber Döblin hat sich das Bild des Reichskanzlers bewahrt: noch 60 Jahre später wird er in der Erzählung *Der Oberst und der Dichter* die krächzende, hohe Stimme des Fürsten memorieren.

Gelegentlich rief er einige Einzelheiten auf, zum Beispiel den Weg *mit dem*

Die Mutter Sophie Döblin, geb. Freudenheim
Um 1905

Dampfer und zu Fuß nach Gotzlow. Ein wenig Assoziation zur Familiengeschichte gewährt der Siebenmantelturm: die mittelalterliche Bastei soll ihren Namen von einem Schneiderlein haben, das im Turm für den Herzog sieben Seidenmäntel nähen sollte, das jedoch mit dem teuren Stoff heimlich in die Ferne retirierte. Bei dieser Sage mochte er später vielleicht mit Gründen an den Vater denken. Die Stadt war wegen ihres regen Fischhandels bis zum Zweiten Weltkrieg die »Heringsresidenz« genannt, weshalb Döblin gelegentlich sich und seine Geschwister als *Vollheringe* titulierte. Ausschweifende Einzelheiten sind aus dieser Kindheit nicht überliefert.

Der Biograph ist seiner Absicht nach ein Einbrecher. Er will in eine geschützte Zone vordringen. Was aber, wenn der Schutz einer Panzerung gleicht wie die Selbsterlebensbeschreibung in der Stettiner Topographie? Die Informationen, die Döblin preisgibt, wirken wie vom Schweigen eingekreist – eine Art von Vermeidung, da die Erinnerung schmerzt. Im Alter von 62 Jahren, bei der Flucht aus Frankreich, wird er wiederum mit Stettin konfrontiert werden: sein Herkunftsort im französischen Pass erregt Verdacht.

Er hielt die Stadt im Rückblick für belanglos, wenn auch für ein kleines Paradies. Ein seltsamer, unaufgelöster Widerspruch: einerseits die Nichtswürdigkeit der Kulissen, andererseits das Wunderland. Das hat mit dem ersten, lebenslang vorhaltenden Trauma zu tun, das sich beim Zehnjährigen gebildet hat und das vom Ehekrieg der Eltern herrührt. Ihre Verbindung war von Anfang an problematisch, weil auf Unvereinbarkeiten gebaut. Die Mutter war mit einem nüchternen praktischen Sinn ausgestattet, wird vom Sohn als treusorgende Frau dargestellt, wenn auch nicht ohne rabiate Entschlossenheit, den Lebensweg der Kinder zu bestimmen. Der Vater hingegen war musisch veranlagt, *verfügte über ein ganzes Arsenal von Begabungen,* erteilte dem Sohn die ersten Klavierstunden, komponierte, spielte mehrere Instrumente, sang im Chor der Synagoge mit, schrieb Gelegenheitsgedichte, tuschte kleine Landschaften und befasste sich mit dem Entwerfen von Kostümen.

Der Vater vererbte dem Sohn auch den freien Umgang mit Philosophie, die bei Döblin sich niemals zu einem System fügt, die in immer neuen Anläufen und Wendungen sich als enthusiastische Vorläufigkeit behauptet und als Element des Erzählens changiert. Ein anderes Erbe offenbart sich in einer wie achtlos erzählten Charakteristik des Vaters: *Es ist in ihm etwas von einem Genießer des Schmerzes.* Das kann man auf Alfred Döblins frühe Übungen beziehen, seine Texte zu verwerfen, zu vernichten bzw. zu verstecken oder sich als ihr Urheber in ihnen zu verstecken. Damit opfert er einen Teil seines Selbst dem von seiner Mutter offensiv vertretenen Pragmatismus. Dem Vater, der verworfenen Figur, widmet der Sohn hingegen viel mehr Beschreibung als der Mutter. *Er war mit vielen Neigungen und Begabungen gesegnet, und man kann wohl sagen: was ihm seine Begabungen einbrachten, nahmen ihm seine Neigungen wieder weg. So daß also die Natur in diesem Mann ein merkwürdiges Gleichgewicht hergestellt hat.*

Der Vater war in keinem Fach seiner Talente ausgebildet. *Er war – ethnologisch – das Opfer der Umsiedlung. Alle seine Werte waren umgewertet und entwertet. Darum, darum also gedieh seine Ehe nicht.* Es ist eine Version des Dramas der Juden auf Wanderschaft, zu dem Döblin seinen Vater verurteilt sah. Die Mutter assimilierte sich in einer bürgerlichen Erwerbssphäre, deren Ordnung geistfeindlich war, und lehnte andere Möglichkeiten ab, so dass der Mann ihr als Versager *erscheinen mußte.* Er hingegen trug in sich die alte Liebe zur Schrift und zum Buch samt vieler anderer musischer Gaben, ein Erbteil jener jüdischen Tradition, die er, durch die Anforderungen der Assimilation entwurzelt, nicht ausleben konnte. In praktischen Fragen der Religion waren jedoch die elterlichen Rollen vertauscht. Der Vater war auf dem säkularen Weg, die Mutter hielt wenigstens an jüdischen Traditionen und Gebräuchen fest. Ihr Erinnerungsbild hat sich für Jahrzehnte festgesetzt. Im Bericht über seine Flucht aus Frankreich memorierte es der Sohn: die Mutter still dasitzend, mit einem hebräischen Buch, an hohen jüdischen Feiertagen die heiligen Texte lesend. Er hat, der beiden so unterschiedlichen Eltern gedenkend, ihren Anteil an seiner eigenen Konstitution mit einer gewissen Lakonik buchstabiert. Döblin war von den Bildern des Patriarchen, von jüdischem Gesetz und Traditionstreue, dieser Erbschaft des Ostjudentums, auf seiner späteren Polenreise gewiss angezogen. Aber schon in seiner Kindheit konnte der Vater diese Rolle nicht ausfüllen.

Döblin wurde zwar als Jude geführt, doch stellte diese Entscheidung der Eltern an ihn keine besonderen Anforderungen und galt für wenig. In der

Stettin, Hafengelände
Postkarte um 1910

Schule nahm er am protestantischen Religionsunterricht nicht teil, am jüdischen kaum. Über Anfangsgründe des Jiddischen oder des Hebräischen ist er niemals hinausgelangt: *Ich hatte zwischen Ilias und Odyssee, zwischen Edda, Nibelungen und Gudrunlied wenig Sinn für die Frühgeschichte des Volkes Israel, das später zerstreut und aufgelöst wurde. Und die Lehre, das eigentlich Religiöse, – ich las sie und hörte sie. Es war und blieb eine oberflächliche Lektüre. Keinerlei Gefühl kam dabei auf, keine Bindung stellte sich ein.* Er war als Schüler immerhin Nutznießer der Feiertage beider Religionen. Die Eltern gingen kaum mehr als zum Neujahrs- und zum Versöhnungsfest in die Synagoge. Das liberale preußische Judentum in seiner Familie wurde ihm erst viel später, in den frühen dreißiger Jahren, zur kritischen Anschauung vom assimilierten Typus, der keinen Schatten werfen kann. Man hört den autobiographischen Rumor mit, wenn er in *Ende und Wende der Emanzipation* (Juni/Juli 1934) solche Existenz beschrieb, die auf keinen richtigen Bestand mehr setzt als auf *eine zusammenschmelzende Familientradition, einige Feiertage und Gebräuche, eine menschenfreundliche Gesinnung.* Das nannte er *Subtraktionsjudentum, eine schwache und traurige Sache.* Davon losgekommen ist er aber nie mehr.

Sein Judentum hatte immerhin zwei Seiten: eine innerfamiliäre und das verzerrte Bild in der Öffentlichkeit: *Ich hörte zu Hause, schon in Stettin, meine Eltern wären jüdischer Abkunft und wir bildeten eine jüdische Familie. Viel mehr merkte ich innerhalb der Familie vom Judentum nicht. Draußen begegnete mir der Antisemitismus, wie selbstverständlich.*

Den Weg nach Westen, in die Assimilation, hat Döblins späterer Vertrauter Robert Minder als den prägenden gezeichnet. Döblin, der sich erst im Alter von fast 50 Jahren dem Judentum wieder annäherte, ließ sich seine Zugehörigkeit durch den Antisemitismus niemals vorschreiben. Erstmals in der Weimarer Republik setzte er sich damit auseinander, nahm verschiedene Anläufe dazu, diskutierte ein wenig mit Zionisten herum, hielt einige Reden, bis er 1924 zu einer zweimonatigen Reise nach Polen aufbrach, um die ostjüdische Welt seiner Vorfahren kennenzulernen.

Ein halbes Jahr lang wurde er als – vermutlich – 12-Jähriger auf die Bar Mizwa, die Aufnahme in die jüdische Gemeinde, vorbereitet. Der Religionsunterricht in der Schule sei *eine Farce* gewesen, dies nun *eine Schande.* Die Schilderung der Präliminarien ist von scharfem Spott durchsetzt. Er geißelt die Veräußerung des religiösen Geschehens, als er zu einer Rede angehalten wird: *Diese Rede hatte gut fünf normale Schreibmaschinenseiten Umfang, enthielt einen fromm sein sollenden, hochmoralischen, mit Citaten geschmückten blühenden Unsinn, es war eine beispiellose rhetorische Kanzelgespreiztheit, die wir unseren Gästen verzapfen mußten, – die darauf schon eingestellt waren.* Den Text mussten die Jungen auswendig als Tischrede vortragen, und das sei die Hauptbeschäftigung des Vorbereitungsunterrichts gewesen. Mit ähnlich schnaubendem Hohn hat Döblin nur noch die Pauker und den Mathematikunterricht bedacht.

Prägend war für den Jungen nicht die Gemeinde, sondern das früh eingebrannte Kainszeichen der Nichtzugehörigkeit: *Negativ aber, von außen erfuhr ich von klein auf, daß ich »Jude« war. Nur die Kehrseite des Judeseins, die Herabsetzung, Verachtung, den bösen giftigen Haß der Verfolger habe ich kennen gelernt – und akzeptiert.* Zum Fünfzigsten, als er sich einen perspektivenreichen Lebensabriss, eher den Entwurf eines Stereoblicks auf die eigene Kindheit und Jugend, erschrieb, führte er einen weiteren Grund für seine Absonderung an: er habe eine innere Welt besessen, die er mit den anderen Kindern nicht teilen konnte und die ihn von den anderen abhielt: *Aber ich muß Ihnen doch noch genauer die »Kraft des Schweigens« vorstellen, von der ich sprach und die eigentlich die Mißhandlung provoziert hat und sie auch überwunden hat. Ich erinnere mich aus meiner ganz frühen Kindheit, daß ich oft nicht zum Spielen gegangen bin, sondern friedlich zu Hause herumgesessen habe. Mit acht, neun Jahren las ich schon lieber als ich Krei-*

sel spielte, und ich war dabei gar nicht verdrossen oder zurückgestoßen. Beachten Sie das letztere! Mir war es auf meine Art bequemer und durchaus wohl in mir. Ohne greifbare Gedanken zu haben, war ich schon als Kleines in mir beschäftigt, von etwas unterhalten, das wohlig und ruhig in einer Art Halbdunkel agierte.

Ostern 1885 wurde er in die Vorschule des Königl. Friedrich-Wilhelm-Realgymnasiums in der Stettiner Elisabethenstraße aufgenommen. Längst als er mit zehn in die Sexta kam, war er mit dem Aufbau seiner inneren Welt beschäftigt: während die Geschwister spielten, las er. Er war infolge einer Rachitis ein zartes Kind und war so kurzsichtig, dass er bereits in jungen Jahren eine Brille tragen musste. Wegen seines großen Schädels verliehen ihm die Geschwister den Spitznamen *Dickkopf.*

1888 das Dreikaiserjahr: Am 9. März starb Kaiser Wilhelm I., am 15. Juni sein Sohn Friedrich III. nach nur 99 Tagen an der Macht. Am gleichen Tag bestieg Wilhelm II. den Thron. Bei dem Stettiner *Vollhering* regten sich Gefühle verwirrender Unsicherheit: Die Schule fiel aus, Glocken läuteten, der Lehrer hielt in der Klasse eine Rede über das schwere Ereignis. *Ich weiß dann auf dem Nachhauseweg nicht, ob man jetzt weinen muß, zu Hause finde ich alles ruhig, und man nimmt von nichts Notiz.* Auch noch die Krönung Wilhelms II. erlebte Döblin aus der Pommerschen Entfernung vom hauptstädtischen Geschehen. Aber seine Generation war denn doch an die Imperialitäten des Reiches stärker gebunden und von ihnen geprägt, als er selbst zugeben mochte oder als es ihm erschien.

1875, drei Jahre vor Döblin, wurde Thomas Mann in Lübeck geboren. Da lassen sich Entfernungen abmessen, die größer sind als die wenig mehr als 300 Kilometer zwischen den beiden Hansestädten. Nichts von dessen großbürgerlicher Atmosphäre, einem ererbten Vermögen, das mit seinen jährlichen 120 Goldmark Zinsen für Thomas Mann ausreichte, um ein Dasein als freier Schriftsteller zu führen. Bei Döblin gibt es keine Heimatstadt als »geistige Lebensform«. Es sind halb abgerissene, aus dem Dunkel der Zeitvergessenheit geholte Anekdoten, Bruchstücke einer Vorzeit, nur wenige Gedächtnisspuren, die sich bei ihm mit der Stadt verbinden. Doch immerhin auffällig ist diese Spur im *Wadzek*-Roman und dann auch in *Pardon wird nicht gegeben. Verflucht soll Stettin sein und Gotzlow, Podejuch und das ganze Pommern,* schilt Schneemann im *Wadzek,* als er nach Berlin aufbricht, auf den ersten Seiten. Etwas anders ist die Stimmungslage in einem nicht verwendeten Passus des Romans*: Er sagte träumerisch: »Stettin ist eine idyllische Landschaft. Wer sie anders auffaßt, wird ihr nicht gerecht. Die schlechte Polizei gehört zum Stil. Das Ganze ist zurückgeblieben: etwas schlampige Häuser, etwas bäuri-*

sche Kleider, platte Gesichter, Lokalnachrichten: das gehört zu Stettin. Etwas Hinterlassenes, Trauriges, das sich nicht erheben kann. Die Stadt müßte an Schweden zurück, dann würde sie wieder werden. Kommt nie vor. Ob nicht Schweden die Zauberformel Stettins wäre?«

Ein einziges Mal kam der inzwischen berühmt gewordene Schriftsteller Döblin nach Stettin zurück. Im November 1930 las er aus seinem autobiographischen *Ersten Rückblick* und aus dem *Alexanderplatz*-Roman. Was wohl mögen die Zuhörer gedacht haben, als sie Döblin so wegwerfend über die gemeinsame Heimatstadt reden hörten …

Ausführlicher als von der Stadt hat er von seiner Kindheitslektüre berichtet. In einem Brief an den Pädagogen Josef Prestel schildert er (um 1930) die erste Begegnung des Neunjährigen mit dem Buch in Gestalt von Kolportage: Beim Erwerb von »Chromoglasbildern« wurden Hefte mit Hintertreppengeschichten mitgeliefert. *Die drei Romane, welche die beiden Hefte brachten, haben mich kolossal erregt. Ich habe sie in ein bis zwei Tagen verschlungen, dann die Woche auf Sonnabend gewartet. In den Heften – etwa 50 Fortsetzungen – wimmelte es von edlen Taten, grausigen Foltereien, ganz besonders chikanösen Tötungen.* Die Kolportage als der literarische Urstoff, der die kindliche Phantasie und die Gefühle bewegt, der pädagogisch unziemliche Bildervorrat haben ihn monatelang erregt. In seinem Brief an Josef Prestel findet sich auch eine Art Handlungsanweisung für den richtigen Eifer im Umgang mit den Kindern. Man kann von einer heiteren Umkehrung der guten Absichten sprechen. Er empfahl für Kinder zwischen fünf und sieben Jahren die *Übeltaten* Wilhelm Buschs, dann Karl May und die Seinen: *Später können sie nicht genug bekommen an Räuberei mit Spannung, wie blödsinnige Indianeraffairen mit Morden, Jagden, vergifteten Pfeilen, wüster Phantastik. Sie müssen bestimmt Partei ergreifen können: dann schlagen sie sich, als wenn sie alles selbst erleben, durch das Buch durch.* Er widersprach allen erzieherischen Absichten: Man könne *nur ganz ungefähr dirigieren.* Er bekannte sich zur ungeregelten Lesewonne, verschenke Abenteuerbücher *mit möglichst viel haarsträubendem Blödsinn.* Und er schickte dem Jugendschrifttumsexperten Prestel noch eine höhnische Frage hinterher, indem er den Brief mit der Sottise beendete: *Wie kommen auch wir gänzlich unerzogenen Erwachsenen dazu Kinder zu erziehen?*

Auf dem Jahrmarkt prägte sich ihm eine Schreckensszene ein, an die er noch 30 Jahre später erinnerte: eine Moritat, *grell bemalte Leinwand, entsetzliche Totschlagsszene; der Junge lief ganz verwirrt nach Hause, das Bild konnte er nicht loswerden, es ängstigte ihn viel; lange Jahre später noch verließ ihn nicht der schreckliche Eindruck, dessen Pein er sich zu entziehen suchte.* Eine Urszene seiner Bücher scheint sich damals gebildet zu haben: der Tod, wie er in seinem Erstlingsroman *Der schwarze Vorhang* eintritt, die vielerzählten Schrecken im *Wang-lun* und im *Wallenstein,* die grässlichen Morde an Karl Liebknecht und Rosa Luxemburg in *November 1918,* eine ganze Beispielreihe der jähen Todesarten ist möglicherweise auf solche frühkindliche Oppression zurückzuführen. Ein merkwürdiger Schatten der Stadt fällt auf ein späteres Jahr Döblins: Als er sich 1940 auf der Flucht aus Frankreich befindet, zeigt er einen untadeligen französischen Pass vor. Aber die Angabe seines Geburtsorts erregt Verdacht, und er wird insgeheim als feindlicher Ausländer eingestuft. Stettin – das Wort ist auch in dieser Hinsicht zu vermeiden.

STRINDBERG IN DER NÄHSTUBE

Das frühe Träumen und Phantasieren führte dazu, dass seine Schulzeugnisse meistens ebenso mittelmäßig waren wie die der Brüder Mann. Das Familienleben blieb ohne nachhaltigen Eindruck. Der Vater sei viel außer Haus gewesen, habe sich mit Mamsells vergnügt. Wahrscheinlich hat er noch eine Brücke zwischen ihm und der Schule gebildet. Als er weg war, entstand ein Bruch. Das könnte die Geschichte des Schulversagers Döblin erklären.

Ein Trauma, das ein Leben lang vorhalten wird: Der 42-jährige Vater täuscht im Juli 1888 eine Reise nach Mainz vor, der Sohn bindet ihm zum Abschied noch die Stiefel zu – ein geradezu biblisches Bild. Aus Hamburg schreibt Max Döblin, dass er gedenke, mit einer zwanzig Jahre jüngeren Angestellten, der »Schneidermamsell« Henriette Zander, nach New York aufzubrechen. Über die Familie bricht damit eine Katastrophe herein. Der Vater hinterließ seine Zuschneidestube mit großen Schulden und ohne Aussicht auf Weiterführung. Bereits im September des gleichen Jahres erfolgte die Liquidation. Vielleicht war nicht allein die amouröse Verbindung für die Flucht des Vaters ausschlaggebend; vielleicht wollte er damit auch einem lastenden Schuldenberg entrinnen.

Alfred Döblin wurde aus der Sexta, in die er erst Ostern des Jahres aufgenommen worden war, zurückgeholt und in die private »Schönschreibschule« einer Frau Sauter gesteckt, praktisch also aus der Schule entfernt und einer pädagogischen Aufbewahrungsstelle übergeben. Falls es dort tatsächlich auch um Kalligraphie gegangen sein sollte, so ist sie an Döblin spurlos vorbeigegangen. Seine Handschrift ist zwar meistens ebenmäßig, aber nur für wenige Spezialisten leserlich.

Der Vater schiffte sich am 8. Juli 1888 in Hamburg ein und kam am 23. Juli mit seiner Geliebten in New York an. Die Vorbereitungen für sein neues Leben in Amerika waren auch nicht weit gediehen: In New York wollte er anscheinend in einem Schneiderbetrieb namens »Döblin« (man kann eine verwandtschaftliche Beziehung vermuten) am Broadway Fuß fassen, aber das gelang ihm nicht, so dass er bald wieder in Hamburg war und sich am 22. September 1888 dort polizeilich anmeldete.

Der Flucht vorausgegangen waren jahrelange Auseinandersetzungen zwischen den Eltern, amouröse Exkursionen des Vaters, schließlich die Verbindung mit der jungen Angestellten. *Meine Mutter hatte ihr aufgelauert, Tätlichkeiten waren vorgekommen – wenn ich mich recht besinne, auch zwischen den Eheleuten. Es gab ein Tohuwabohu bei uns in Stettin, Verwandte der Mutter kamen, Geschäftsfreunde des Vaters, die Bestände wurden aufgenommen, an den hinterlassenen Schulden hatte meine Mutter noch viele Jahre abzuzahlen.*

Der Vater-Sohn-Konflikt prägte die Jugend dieses Schriftstellers wie zwei Jahrzehnte später eine Generation von Expressionisten – Walter Hasenclever, Johannes R. Becher, Arnolt Bronnen zum Beispiel, bis hin zu dem Skandal um den Freud-Schüler Otto Gross, der von seinem Vater polizeilich verfolgt und ins Irrenhaus gesteckt wurde. Franz Kafka hat 1919 seinen »Brief an den Vater« geschrieben (und niemals losgeschickt). Es handelte sich bei ihm um die Verwerfung des großen lähmenden Schattens, der auf rohe Weise präsenten, übermächtigen Allmacht. Döblins Problem dagegen ist der Vaterverlust, das Fehlen des Schattens, das patriarchale Nichts, das vom Jungen unter anderem auch als Schande empfunden wurde: *Zuletzt nach der Familienkatastrophe gehe ich an der Hand meiner Mutter die Linden entlang, ich schäme mich, ich denke, alle Leute sehen es uns an.*

Über die Frau mit ihren fünf Kindern brach eine schier ausweglose Familienkatastrophe herein, als ihr Mann retirierte, um das alte Leben mit seinen nicht lösbaren Fesseln gegen ein neues auszutauschen. Beim Sohn öffnete sich eine Wunde der Verlassenheit. Der Bruch war tief und nicht mehr zu überbrücken. Anscheinend hatte er das Gefühl, dass vor allem *er* vom Vater verlassen wurde. Dessen Entscheidung wollte er nicht wiederholen, weshalb er lebenslang an seiner Ehe festhielt, obwohl sie immer wieder fraglich und gefährdet war.

Im jahrelangen Ehekrieg der Eltern haben die Kinder nach Döblins Zeugnis stets zur Mutter gehalten. In späteren Äußerungen wird jedoch spürbar, dass er in eine komplexe double-bind-Situation geraten ist: Vater und Mutter nicht nur als antagonistisches Paar, sondern auch je einzeln paradox im Blickwinkel des Sohnes. Die Flucht wiederholt sich immer wieder in Döblins Ro-

Die Geschwister.
Von links: Hugo, Alfred, Meta, Kurt und Ludwig
Um 1888

manen: im *Wadzek*-Roman; in *Pardon wird nicht gegeben* und noch im letzten Roman *Hamlet oder Die lange Nacht nimmt ein Ende.*

Ohne den Schutz der Romanfiktion konnte erst der 50-Jährige darüber schreiben, als er in *Erster Lebensrückblick* zeittypische Deformationen, eigene Beschädigungen, seine Verstörung bedachte. Man könnte anfangs meinen, er nehme diesen Tiefenblick in die eigene Geschichte nicht allzu schwer. Er sitzt in einem Café auf dem Alexanderplatz, unterhält sich mit einem Bekannten, streift vom einen Thema zum anderen; auch die Psychoanalyse wird berührt, und leichthändig wirft der Erzähler hin: *Sie erzählen da von Freud, mit der Erniedrigung, oder Adler. Nach denen entwickelt sich die ganze Welt aus Defekten. Erst ist ein Loch da, und dann entsteht was drum rum. Aber bei mir ist damit prinzipiell nichts zu machen! Defekte, die habe ich wie jeder anständige Mensch. Im übrigen steht bei mir geschrieben: ich bin hier zu Haus, und es geht mir gut, es geht mir vorzüglich.*

Aber diese wegwerfende Geste trügt. Der Erzähler wird in einen inneren Dialog verwickelt, der ihm zum Zwang wird und der die leichtfertige Sicherheit dieser Bemerkung wegwischt. In drei jeweils anderen Anläufen kommt er auf die Kindheitserlebnisse in Stettin zurück, und jedes Mal fällt es ihm schwerer, zu diesem Anfang vorzudringen. Der Widerwille nimmt zu: *Du sollst noch einmal davon sprechen. – Aber was denn! Von dieser Sache? Ich hab es schon zweimal gesagt. Warum denn? – Du wirst es schon sehen, du weißt es schon, fang nur an. – Ich weiß nicht. – Fang an.* Die erste Version bietet noch lässige Ironie auf; es geht eben um allzu verständliche Amouren des Vaters, um Allzumenschliches, um erotische faites divers: *Der Mann lebte in starker Unruhe. Er hatte die Weite der Natur entdeckt und die Mannigfaltigkeit der Stettinerinnen. Er wechselte die Quellen seiner Erquickung. Erst später gewöhnte er sich an eine, und das war das Allerschlimmste, denn diese Quelle war nun zufälligerweise nicht seine Frau. Eigentlich muß man sagen, das Gegenteil wäre ein Zufall gewesen. Denn es gibt notorisch Millionen Frauen auf der Welt; warum soll ein Mann grade seine eigene Frau lieben? Das wäre doch ein höchst merkwürdiges Zusammentreffen! So war es bei meinem Vater.* Aber der sarkastische Ton dieser Fassung lässt sich nicht durchhalten, er bietet keinen Schutz. Die Geschichte fordert ihr Recht in einer zweiten Version: aus der Perspektive der Mutter. Nun, da er von ihr nicht mehr distanziert spricht, setzt ein schneidend urteilender Moralismus ein: *Der Mann hat sich in verbrecherischer Weise aus einer wahrscheinlich schweren Situation gerettet. Er war roh genug, seine ganze Familie den Verwandten seiner Frau aufzubürden. Er dachte sich: verkommen werden sie nicht, das Hemd ist mir näher als der Rock. Über Nacht hatte er uns alle in Not gestoßen und zu Bettlern gemacht. Er war ein Lump, nehmt alles nur in allem.* Diese Version errichtet einen Staketenzaun vielleicht auch gegen eigene Anfechtungen, den Freuden der frei schweifenden Erotik zu frönen, formuliert eine von der Mutter erlernte Haltung, Pflichten zu erfüllen, sich ihnen gewachsen zu zeigen, spielt auch ihr Arbeitsethos vor.

Eine dritte Version muss erzählt werden, und sie erweist sich als die prekärste: zu berichten als Sohn dieses verworfenen Vaters und ihm Gerechtigkeit wie Verständnis widerfahren zu lassen. Das innere Gegenüber verändert dabei seine Rolle, wird regelrecht zum Therapeuten, der nicht nur die peinigenden Kalamitäten mildern, sondern auf einen Freispruch von der ganzen Geschichte drängen will. Döblin holt aus, erzählt die Lebensumstände und die unterschiedlichen Herkünfte der Eltern. Die Mutter aus dem hinterwäldlerischen Samter, der Umzug ihrer Holzhändler-Brüder nach Berlin: *Das waren alles sehr lebhafte, aktive praktische Leute.* Sie erweisen sich als eine gestaltungskräftige und stolze Kaufmannsfamilie. Vor diesem Hintergrund wird das Porträt des Vaters entworfen: Er ist schwach, nachgiebig, ohne besondere Antriebe – *ein triebhaftes Wesen, ohne allen Ehrgeiz. In dem Mann, ja ich seh ihn noch vor mir, war etwas Weichliches, Schlaffes, Schwächliches und Ruhendes. Er lebte so hin mit seinen Gaben. Er schlenderte, fühlte sich nie eigentlich unglücklich. Ein Windhund, nehmt alles nur in allem. Aber kein unedles Tier.* Dass dieses Paar nicht zusammenpasst, ist schon klar, bevor es ausgesprochen wird. Auch der Vater erscheint in dieser Version als Opfer: Seine Mutter habe nicht viel Respekt vor ihm gehabt. *Sie nannte ihn »gebildeter Hausknecht«. Ein böses Wort. Ein schlimmes Kapitel, dieser Kaufmanns- und Geldstolz in der Familie meiner Mutter.* Man ist beim mütterlichen Zweig der Familie nur in der Sphäre des Geldes und des Verdienens, Kunst bleibt fremd und verächtlich: *Nein, nicht bloß unbekannt, sondern lä-*

cherlich! Es war Anlaß zum Höhnen, zum Ironisieren. Wie wenn Indianer oder Neger zu uns kommen und die Kinder sie ausspotten. Eine fürchterliche Sache. Von dieser Seite her kam eine der Minen, über der die Ehe meiner Mutter mit diesem vielbegabten weichlichen Mann aufflog. Die Empathie für den Vater steigert sich in unverhohlenes Verständnis für seine erotischen Eskapaden und seine Flucht aus der Familie: *Er rückt, er rückt einfach aus, dieser Mann. Es tut mir wohl, das so zu sehen.* Unversehens verschattet die Erinnerung an eigene Erfahrungen mit der Mutter das Bild: *Ich kann davon sprechen, denn ich habe diesen Hohn, diese Borniertheit, diese bittere, anmaßende Härte selbst kennengelernt. Ich hätte nicht gewagt, nicht wagen dürfen, meine Schreibereien zu Hause zu zeigen. Es wußte lange Jahre niemand zu Hause, daß ich schrieb.* Die dreifache Annäherung an den Vater endet mit einer Verweigerung von Eindeutigkeit: *Man gelangt zu keinem Urteil. Nur zu einem Kopfsenken.* Wer sich das Verfahren dieses Rückblicks vor Augen hält, wird die biographische »Wahrheit« über Alfred Döblin nicht mehr als einen einlinigen Verlauf, sondern nur als Spurengeflecht vergegenwärtigen können. Da ist die liebende, fürsorgliche Mutter, die sich für ihre Kinder abrackert, die aber von ihrem zweitjüngsten Sohn Alfred nichts versteht und die seine literarischen Neigungen ablehnt; da ist auf der anderen Seite der Vater, der gerade ihn verwöhnt, der aber auf eine schmähliche Weise aus der Familie flieht und damit auch den Sohn verrät. Zwei Doppelwelten, wechselseitig, vor allem aber im Sohn gespiegelt. Er ist die Hauptperson, die diese Konflikte bündelt und ausagiert. Der Vater war nur Flüchtling, der Sohn versteht sich als Akteur der elterlichen Konflikte und prägenden Defizite – und zugleich als ein Rebell gegen diese Problematik.

Wie wenig er freilich davon hielt, sich als Opfer zu sehen, wie sehr er vermeiden wollte, als Beute des Schicksals zu erscheinen, geht aus seinen gelegentlichen Selbstdefinitionen hervor. In dem Text *Das Öl auf meinen Federn,* einem undatierten Typoskriptblatt mit eigenhändigen Korrekturen, entwirft er das Lebensgesetz eines Unberührbaren: *Es ist mir nicht viel begegnet. Ich bin immer wie ein Vogel gewesen, der im Wasser schwimmt, aber von dem das Wasser, als wenn seine Federn beölt wären, abfließt. Ich erinnere mich von Kind auf dauernd einer gewissen seelischen Aura, einer Dunsthülle, die ich um mich herumtrug. Ich habe von meinem Leben nicht den Eindruck irgend einer Entwicklung, dagegen sehr deutlich des Ruhens, einer Unbeweglichkeit.* Er hat sich dabei zum Kastenmitglied der Unberührbaren stilisiert.

Doch wird Döblin im elterlichen Konflikt zwischen Erwerb und Ausdruck zum Verlierer. Den Erfolg der Kaufleute und Händler in seiner Familie wird er nicht einmal annäherungsweise erzielen. Als ihm einmal mit dem Roman *Berlin Alexanderplatz* der größere Erfolg winkt, ist es dafür bereits wieder zu spät. Und noch etwas anderes tritt aus diesem Konflikt der Eltern hervor: In seinen Romanen und Erzählungen wird der Geschlechterkampf in einer geradezu mythischen Dimension ausgetragen.

EINE GEBURT IN BERLIN

Im Oktober 1888 reiste die 44-jährige Sophie Döblin mit ihren fünf Kindern, damals zwischen acht und 18 Jahren alt, von Stettin nach Berlin. Mit der B. ST. E., der Berlin-Stettiner Eisenbahn, werden sie schätzungsweise vier Stunden Fahrzeit benötigt haben, der Zug hielt, das lässt sich noch feststellen, zwischendurch an sieben Stationen. Sie kamen am Abend, als es schon dunkel war, am Stettiner Bahnhof an, in der Nähe der Borsigschen Maschinenfabrik nördlich der Invalidenstraße, in Berlin-Mitte. Es handelte sich um eine Flucht. Die Brüder von Sophie Döblin in Berlin hatten sich erboten, die Angehörigen aufzunehmen und für ihren Unterhalt etwas beizusteuern.

Alfred Döblin hat mit einem Abstand von knapp 40 Jahren diese Szene zum ersten Mal beschrieben. Mit einer als ironische Sachlichkeit getarnten Scham enthüllt er eine kindliche Demütigung auf dieser Fahrt: *Meine Mutter unterhielt sich im Zug mit Leuten, die die Stadt kannten. Unsere Gegend, die Blumenstraße, wurde sehr schlechtgemacht, da sind viele Fabriken und Rauch, das Gespräch war sehr lebhaft und in einem Fluß. Ich wagte nichts zu sagen, genauer, etwas zu fragen. Ich saß in Geburtswehen. Mir wurde bänglich und immer bänglicher. Es betraf meinen Bauch. Die Wehen nahmen an Heftigkeit zu. Und als wir uns den Häusern Berlins näherten, war ich am Ende meiner Kraft. Ich stand am Fenster, es war finster, spät abends, ich gab nach. Das Kind war da, es lief in meine Hose, mir wurde wohler, ich stand in einer Pfütze. Dann setzte ich mich beruhigt.* – Die Malaise seiner Blase deutet auf Unruhe, ja Panik hin, aber die innere Lage wird von einem Firnis überdeckt. Kein Wort der Sentimentalität oder des Jammers findet in diesen lakonischen Bericht: Der Erzähler will die Szene mit Empfindungen nicht kolorieren. Nur noch ein einziges weiteres Ereignis ist für ihn erwähnenswert: die Passage durch das nächtliche Berlin mit der Stadtbahn zur Jannowitzbrücke: *Nachher fuhren wir durch die fremde große Stadt, und da geschah das zweite Wunder. Wir setzten uns in einen Zug auf einem hellen Bahnhof. Der fuhr ab, durch die Nacht, fuhr ein paar Minuten, dann hielt er, und – wir waren wieder auf demselben Bahnhof. Ich glaubte mich zu irren. Aber das Spiel wiederholte sich zwei-, dreimal. Wir fuhren, derselbe Bahnhof kam, und nachher stiegen wir aus und waren bald zu Hause.* Der Junge war einer Sinnestäuschung erlegen. Dem Kind kam es vor, als sei es im Kreis gefahren und immer wieder zum Ausgangspunkt zurückgekehrt. Im Rückblick auf den Zehnjährigen wird damit eine Grundfigur aufgerufen: das Rätsel des Kreises, unter den die Biographie dieses Schriftstellers gestellt ist.

Rund 40 Jahre nach dieser Flucht erzählt Alfred Döblin in *Pardon wird nicht gegeben* die Geschichte einer Frau, die mit drei Kindern vor den Gläubigern nach Berlin flieht, dort nichts Gutes zu erwarten hat und schließlich auch noch erlebt, dass ihr Ältester, der das Opfer ihres Ehrgeizes war, zu Tode kommt. Das ist das Geschick des Sohnes Ludwig, der den Vater zu ersetzen hatte. Er heißt im Roman Karl, und der Jüngere ist Erich genannt, und aus Meta ist Mariechen geworden. Für den Bruder Hugo gab es im Roman keine Verwendung. Der Vater ist von Anfang an weggeräumt: als Pächter eines Gutes, das er, eines Umbaus wegen, mit Schulden überhäuft hat, ist er ganz und gar tot, unter der Erde. Er war *ein Unhold und ihrer aller Liebling gewesen,* und dieses Bild passt mehr auf die wirkliche als auf die Romanfigur. Ansonsten aber wird es schon ziemlich genau so gewesen sein, wie es der Erzähler berichtet, wenn er sich in die Familiengeschichte bohrt und wenn die Witwe im Zug nach Berlin sitzt: *Sie nahm mit die drei Kinder, ein gelähmtes Herz und die Armut. Sie hatte die erste Partie ihres Lebens verloren. Es war fraglich, ob noch eine zweite kam.*

Mitlesen könnten wir beim Nachvollzug dieser Reise ein Gedicht des Naturalisten Julius Hart, »Auf der Fahrt nach Berlin«, drei Jahre zuvor erschienen, und eine Strophe erscheint so, als sei sie für den zehnjährigen Neuankömmling verfasst: »Vorbei, vorüber! Und ein geller Pfiff! / Weiß fliegt der Dampf, … ein Knirschen an den Schienen! / Die Bremse stöhnt laut unter starkem Griff … / Langsamer nun! Es glänzt in allen Mienen! / Glashallen über uns und lautes Menschenwirrn,--- / Halt! Und ›Berlin!‹ Hinaus aus engem Wagen! / ›Berlin!‹ ›Berlin!‹ Nun hoch die junge Stirn, / Ins wilde Leben laß dich mächtig tragen!«

Dem Vorgang selbst gibt Döblin in seinem ersten veröffentlichten Lebensrückblick eine überraschende Wendung: Er nennt, was Flucht war, eine *Nachgeburt,* behauptet, in seinem Kindheitsort Stettin nur *vorgeboren* zu sein. Damit schob er seine ersten zehn Jahre in den Dämmer der Nebensächlichkeit ab.

Die Döblins werden Zuflucht gefunden haben wie im Roman: vermutlich eine *ganz kleine finstere und wüste Wohnung, die Küche gleich am Eingang, dann eine Stube,* hat sie aufgenommen, und wenn der Älteste die ersten Gänge in die Großstadt unternimmt, Warenmagazine, die Börse, ein Museum mit preußisch-patriotischen Historienschinken besichtigt, sehen wir mit den Augen eines Halbwüchsigen, wie er das Riesenrevier erkundet. In seinem Lebensbericht fehlt, was in einer Romanszene zur herzzerreißenden Steigerung der mütterlichen Verlorenheit wird: ihre Rebellion gegen die Gläubiger, ihre Daseinsmüdigkeit und ihr vergeblicher Versuch, sich mit Gas aus der Welt zu schaffen. Hat es einen solchen Suizidversuch nur auf der Romanbühne gegeben? Nichts hindert, so offen liegt es da, das Gesicht der Mutter sehr naturalistisch als die Versteinerung der Katastrophe und der Bettelexistenz zu studieren: *Sie sah gewiß nicht nach Milde und Liebe aus. Aber wie sie jetzt dastand, zeigte sie, beinah unschuldig, daß ihr Gesicht in seiner Härte und Strenge sich nicht selbst geformt hatte. Wer sah nicht, wie sie jetzt den Nacken zurückbog, daß sie eine Gefangene war, die sich in Kampf und Fluchtversuchen verhärtet hatte, und hier waren die Zeichen des Kampfes, die Erbitterung des Zurückgeworfenwerdens, aber auch die nie auszulöschende menschliche Sehnsucht. Ihr Gesicht war vielleicht ein Steinanger, aber einer, den Blumen zerbrachen.*

Mit anderthalb Millionen Einwohnern war Berlin um die Zeit, als Döblin ankam, die drittgrößte Stadt in Europa nach London und Paris. »Berlin wird Weltstadt«: Mit diesem Slogan hat Berlin viel historische Zeit verlebt. Doch hat der Ort, an dem Döblin eintraf, im Roman des Theodor Fontane noch etwas Verbummeltes. »Irrungen, Wirrungen«, genau im Jahr dieser *Nachgeburt* erschienen, wartet noch mit viel Ländlichkeit auf: freie Felder am Kurfürstendamm, der noch »die Zukunftsstraße« genannt und der Tiergartenstraße den Rang ablaufen wird, Vorstadtidyllen wie Pankow werden eingemeindet, man erwägt Landpartien, Wilmersdorf ist wirklich noch ein Dorf. Der Panoramablick ist Fontane aber schon nicht mehr möglich. Er wandert bei dem jungen Zeitungskorrespondenten Alfred Kerr als greise Größe die Potsdamer Straße entlang: »Er hat das Gesicht eines friedlichen pensionierten Offiziers aus den dreißiger Jahren. Über dem ganzen Mann schwebt im Äußeren, auch in der Kleidung, bis auf Halsbinde und Kragen, ein Hauch der guten alten Zeit.«

Diese Erfahrung des ländlichen Berlin, eine gewisse Verschollenheitsstimmung, wird dem jungen Döblin noch zugänglich gewesen sein, aber auch die andere: Das Wort von »Spreechicago« statt »Spreeathen« kam in Umlauf. Literarisch gesehen hatte die Stadt allerdings um die Jahrhundertwende wenig literarische Lautsprecher ihres Wandels. In Prosa ist die Großstadt Berlin nur ein toter Winkel, ausschließlich in der Lyrik ist sie als Moderne und Asphaltinferno gegenwärtig. Erst Döblin wird die Stadt als lebendes Tier und atmenden Koloss vorführen, erstmals im (1914 geschriebenen) *Wadzek*-Roman.

Noch immer wirkte der Bauboom nach, der mit den französischen Kontributionen nach dem Krieg von 1870/71 eingesetzt hatte. Das Deutsche Reich hatte beim Friedensschluss den unterlegenen Franzosen die ungeheure Summe von fünf Milliarden Francs an Reparationen abgepresst, was zu einem bis dahin nie da gewesenen Aufschwung führte. Diese Kontributionen waren um zwei Drittel höher als die Bargeldsummen, die 1870 in den deutschen Staaten kursierten. Das Geld wurde vor allem in den Festungsbau, in Eisenbahnen sowie in die Entwicklung Berlins gesteckt. Bombastische historistische Monumente wurden in der wilhelminischen Ära hochgezogen: seit 1884 der Reichstag, seit 1894 der Dom. Infolge des stürmischen Zuzugs von Arbeitskräften dehnten sich im Osten die Fluchten der Mietskasernen aus – baumlose, öde Straßen, gesäumt von Blocks mit mehreren Hinterhöfen. Das Zille-Milieu wuchs ins Abnorme, und der junge Döblin hatte selbst seine leidvolle Erfahrung damit: *Denn bin ich nicht selber lange Jahre durch die engen dunklen Straßen gegangen, über die Höfe und Hinterhöfe, und bin die Quergebäude hinaufgeklettert? Das schrecklichste Ding, das ich sah, heißt Wohnungsnot; es nannte sich so. Es geht nichts über die bürokratischen Klischees. Sie übertreffen den Dichter. Bis zu meinem vierzehnten Jahr habe ich selbst im Osten der Stadt, in einer fensterlosen Kammer, in einem Bett zusammen mit meinem jüngeren Bruder geschlafen (der später von den Bringern eines neuen Fortschritts samt seiner Frau vergast wurde).*

Um 1905 lebten in Groß-Berlin bereits etwa drei Millionen Einwohner. Bewegung wurde zum Inbild der Stadt, die Stadt-, Ring- und Vorortbahnen pulsierten als Adern des städtischen Verkehrs, sie gehören zur Heraldik der Moderne. Vor allem anderen nahm Döblin die Stadt als Geräuschmetropole wahr, der großstädtische und industrielle Lärm dringt bereits in den Roman *Wadzeks Kampf mit der Dampfturbine* ein.

Diese Ankunft an einem Oktoberabend des Jahres 1888 ist die Initiation in den Zauber der Mobilität, eine Einführung ins Dasein des notorischen Städtebewohners, und sie bot mehr als das Vademecum, das sich aus den gleitenden Blicken eines Flaneurs ergibt. In der Folgezeit übte er sich in der leidenschaftlichen Inbesitznahme der Prospekte, der Menschenmassen, ihrer Rekordsucht, ihrer sprachlichen Marotten, ihrer unermesslich gespiegelten Vielheit. Es war zweifellos eine Flucht nach Berlin, aber darin eingelagert der Aufbruch, die Lossagung von der Provinz. Mochte Friedrich Lienhard 1905 seine Parole »Los von Berlin!« rufen: Döblin hätte ihm schon als blutjunger Aspirant der Literatur die Gegenparole »Hinein nach Berlin!« entgegenschleudern können. Noch der alte Schriftsteller erinnerte sich seiner inneren Wendung gegen das Land: *Verlangen nach einem Aufenthalt in Dörfern, empfand ich nie; Bauern waren kurios, nichts »urtümliches«, sondern eine besondere Gruppe Menschen, die den Boden bearbeiteten, samt ihren Familien und wahrscheinlich nichts zu lachen hatten.* Die Stadt selbst erobert sich in den beiden Jahrzehnten vor und nach der Jahrhundertwende eine Präsenz des Jetzt, die Else Lasker-Schüler meinte, als sie der Metropole ihre Formel zusprach, hier sei »die Uhr der Kunst, die nicht nach noch vor geht«. Döblin wurde zum Ausdrucksorgan jener Kräfte, die damals die Stadt umwälzten, der Menschenmassen, die nach Berlin strömten, der Technik und Industrie, die sie umgruben, der neuen Tonalität der Straßen.

Man könnte ihn als literarischen Demiurgen des öffentlichen Lichts beschreiben, das Emil Rathenau, Gründer der A.E.G., in die Berliner Nacht brachte. Die Elektrifizierung erregte Döblin geradezu; über den Straßenbahnen war ein Netz von Drähten gespannt, die Pferde für die Droschken hatten ausgedient. *Und das rebelliert, konspiriert, brütet rechts, brütet links, demonstriert, Mieter, Hausbesitzer, Juden, Antisemiten, Arme, Proletarier, Klassenkämpfer, Schieber, abgerissene Intellektuelle, kleine Mädchen, Demimonde, Oberlehrer, Elternbeiräte, Gewerkschaften, zweitausend Organisationen, zehntausend Zeitungen, zwanzigtausend Berichte, fünf Wahrheiten. Es glänzt und spritzt. Ich müßte ein Lügner sein, wenn ich verhehlte: öfter möchte ich auskneifen, das Geld fehlt; aber ebenso oft würde ich zurückkehren. Simson, der nach seinen Haaren verlangt.* Dieses Eingeständnis, das von der feurigen Zunge eines Berlin-Elias herrührt, stammt von 1922, aber Döblin hätte es schon lange zuvor tremolieren können. Der Junge, auf dem Weg zur Kroll-Oper, bestaunt im Gewölbe die Maschinen und versäumt darüber den Beginn der Aufführung: *Was es da unten im Keller gab? Keine Natur. Ich hatte aber dies bis da noch nicht gesehen und erlebt. Drei oder vier mächtige, breit hingelagerte metallische Wesen, an denen sich blitzende Teile rhythmisch bewegten. Sie lagerten sie auf einem spiegelglatten Boden. Es waren Dynamos, für die Licht- und Krafterzeugung, ich wußte es. Im Physikunterricht hatten wir das nötige Theoretische erfahren. Aber ich hatte sie noch nie erlebt. Sie griffen mir ans Herz. Das war die Maschine. So sah sie aus. So! Geist vom Geiste der Großstadt.* Nach Abitur und Studium benötigte er nicht einmal ein Jahrzehnt, um dieses Großstadtbild in den Roman zu bringen. Seine Ausschweifung an Beschreibungslust hat er früh betrieben, eine ethnographische Alltagsschule eröffnet, am Panorama für bewegliche Stadtbewohner gezeichnet. Zeitlebens verstand er sich als einen *Vollberliner.*

Bis zu seiner Flucht aus Deutschland 1933 hat er fast nur im Berliner Osten gelebt: zunächst aus Armut, dann aus Gewohnheit, schließlich auch aus Neigung, wegen des Beobachtungsfeldes und wegen seiner unveränderlichen

Parteinahme für die Armen, denen er sich ohne Einschränkung zugehörig wusste. Erst in seinem Rückblick zu seinem 50. Geburtstag, als er an seinem Roman *Berlin Alexanderplatz* arbeitete, befiel ihn eine gewisse Sehnsucht, in die Genusshälfte der Stadt zu ziehen: *Mir fällt ein: ich möchte hier manchmal weg, nach dem Westen. Es gibt die Bäume, der Zoo ist da, das Aquarium und dann gar der Botanische Garten mit den Treibhäusern, die dampfen – ah, das sind leckere Dinge.* 1933 trug er das Bild der Großstadt mit sich ins Exil, memorierte es im Roman *Pardon wird nicht gegeben,* in Paris und Los Angeles, schrieb öfter als Ortsangabe in seinen Briefen versehentlich »Berlin« hin. Erst als er 1946 das Nachkriegsberlin zum ersten Mal besuchte, löste sich das magische Band: der Schock über die Zerstörungen zerstörte die Sehnsucht nach der Metropole, wenn auch keineswegs ganz.

EIN TRAUMA: SCHULZWANG

Anfangs wurde die Familie beim Onkel Rudolf Freudenheim untergebracht, dann zog sie in eine kleine, schäbige Wohnung in der Blumenstraße, in der Alfred Döblin zunächst die dritte Klasse der Gemeindeschule besuchte. Erst ab Ostern 1891 sah er wieder ein Gymnasium von innen. In Berlin wird es ihm ähnlich ergangen sein wie dem 16-jährigen Alexander Granach, der in seinem autobiographischen Roman »Da geht ein Mensch« über sich als Neuberliner schrieb: »Hier kam ich nicht in eine Stadt. Hier kam eine Stadt über mich. Hier fühlte ich mich überfallen, attackiert, nach allen Seiten gerissen von einem neuen Rhythmus, neuen Menschen, einer neuen Sprache, neuen Sitten und Gebräuchen. Ich mußte an mich halten, Augen aufreißen, Muskeln anspannen, um nicht überrannt, nicht zermalmt, nicht zerquetscht zu werden.«

Der Fabriklärm, der Gestank, die Ratten und die Feuchtigkeit: Demütigungen der Armut, die er erfuhr und über die er später wie ungerührt berichtete. Die Landkarte der Not ergibt sich aus den Wohnungen, in denen sie hausten: von der Blumenstraße nach der Landsberger nahe dem Friedrichshain (Ende September 1889), dann in den vierten Stock einer Wohnung in der Marsiliusstraße, gegenüber einer Fabrik, von wo aus er in den Hof seiner Gemeindeschule blicken konnte; dann der Grüne Weg (1896), wohin einmal der Vater besuchsweise kam, die Wallnertheaterstraße (bis 1902), die Markusstraße (bis 1906), schließlich die Memeler Straße an der Warschauer Brücke. Die Mutter wohnte zuletzt Parkaue 10, bei ihrem ältesten Sohn Ludwig. Die Familie war aus einer gewissen Stettiner Wohlhabenheit in ein Stadium geraten, wo man bereits von proletarischen Verhältnissen sprechen konnte. In ihrer Not war die Mutter, wenn man einen Hinweis im Roman *Pardon wird nicht gegeben* als autobiographisch versteht, vom Geld besessen wie weiland Vater Goriot bei Honoré de Balzac. Das wird sich bei seiner Ehefrau Erna wiederholen: sie füllte in dieser Hinsicht die Rolle der Mutter aus.

Klaus Schröter hat mit der Herablassung des marxistischen Stubendogmatikers für die sozialen und inneren Verhältnisse, in denen die Familie steckte, Friedrich Engels' Stigma-Wort von den »Kleinbürgern« aufgeboten. Aber gerade diese verächtliche Floskel wird zum Ehrentitel, wenn man den energischen und mutigen Daseinskampf der Familie bedenkt. Die Mutter, *im Exil in Berlin, war mit uns und dem Haushalt von morgens bis abends beschäftigt.* Sie wird von ihrem Sohn als nicht sehr gebildet charakterisiert. Sie sprach Deutsch, *aber auch Polnisch und schon etwas abgeschwächt Jiddisch.* Wenn sie an Verwandte schrieb, benutzte sie gerne hebräische Buchstaben, *die an Türkisch oder Arabisch erinnern; von meinem Vater ist mir das nicht bekannt.* Sie vermietete eine Zeitlang Zimmer, um Geld zu bekommen, betrieb die Hauswirtschaft allein, sie konnte sich ein Dienstmädchen nicht leisten.

Döblins Antriebe kamen aus dem als Makel und Verwundung empfundenen jüdischen Kleinbürgertum. Aber wie Hans Magnus Enzensberger den marxistischen Verdammungsaposteln 1976 entgegenhielt: Dieses Kleinbürgertum garantierte Experiment und Wagemut, Produktivität und kulturelle Prägekraft. Der Kleinbürger als die emblematische Figur der Moderne, ihr Fortschrittsdenken als eine Flucht nach vorn: genau das hat sich in Alfred Döblin erfüllt. Noch einmal gab sich die Mutter der Hoffnung hin, das Ehe- und Vaterdrama lösen zu können: von April bis September 1891 lebte die Familie in Hamburg, Laufgraben 35, nahe Sternschanze, einem vorwiegend von Juden bevölkerten Viertel, für ein halbes Jahr wiederum mit Max Döblin zusammen. Man wohnte *viel schöner als in Berlin, im dritten Stock, ein Feld resp. ein eingezäunter rasiger Exerzierplatz lag viereckig weit vor ihnen, drüben stand die Kaserne.* Der Vater nahm eine Stelle in einem Betrieb an, in dem er schon früher gearbeitet hatte, aber die Eheprobe dauerte nur dieses zusammenhängende halbe Jahr. Der Junge kam in eine Volksschule nach Uhlenhorst, konnte sich aber den Verhältnissen nur schwer anpassen, was nicht verwundert. Die Elbe habe er nie gesehen. Die Ehe wurde bald wieder verdüstert. Anonyme Schreiber behaupteten, das Verhältnis mit der Schneidermamsell Henriette Zander bestünde weiter. *Die Mutter hatte dringenden Verdacht, daß ihr Gemahl sich in Amerika zum zweiten Mal habe trauen lassen, das Wort »Bigamie« fiel oft, aber es waren nur Besprechungen der Mutter mit den ältesten Geschwistern. Man war eine geschlossene Gruppe gegen den Vater, den man wenig sah. Es hieß auch gelegentlich: der Vater und jene*

Döblins Berliner Schule. Das Köllnische Gymnasium
Um 1910

Mamsell hatten ein Kind. Nur das eine ist nachweisbar: die Mamsell wohnte in der Nähe. Als die Mutter ihrer ansichtig wurde, zog sie mit den Kindern wieder nach Berlin. *Es war ein schöner Sommerausflug gewesen.*

Nach dem gescheiterten Aussöhnungsversuch hat der Vater die Familie in Berlin noch zweimal besucht: vom 12. Februar bis 25. März 1895 und vom 29. Januar bis 1. Juni 1897. Man kann aus der Dauer dieser »Besuche« vermuten, dass noch zweimal eine Wiederanknüpfung erprobt wurde, aber jedes Mal misslang. Döblin selbst hat darüber nichts mehr verlauten lassen. Er wischte diese Episoden einfach weg: *Mein Vater hat später sehr darunter gelitten. Sagen wir: etwas gelitten. Sagen wir: gar nicht. Er ist vorsichtigerweise nämlich nicht wiedergekommen.* Der Vater hat bei seinem zweiten Versuch, sich in Berlin der Familie zu nähern, Arbeit gesucht, aber er hat die Stelle, die er fand, nicht angetreten. Er verabschiedete sich endgültig, indem er vom Lehrter Bahnhof kurz vor seiner Rückkehr nach Hamburg ein Abschiedstelegramm schrieb.

Sophie Döblin beerbte ihren vermögenden Bruder Rudolf Freudenheim, der am 4. März 1908 gestorben war. Um dieses Vermögen zu erhalten, ließ sie sich im gleichen Jahr scheiden. Max Döblin lebte mit Henriette Zander bis an sein Lebensende zusammen. Er wurde im Hamburger Adressbuch unter verschiedenen Berufen geführt: 1894 als Schneider, 1913 als Inhaber einer Knabenkonfektion, 1916 als »Kaufmann«.

Im Schlussbild, das der Sohn Alfred zeichnet, ist der Vater wieder in die Wunschform des würdigen Alten, eines Patriarchen gerückt: *Der Mann hatte zuletzt einen ehrwürdigen weißen Bart, trug seine goldene Brille und sah wie ein alter Volksschullehrer aus. Er hat sich viel mit Freimaurerei beschäftigt.* Ludwig Döblin, ältester der Söhne, besuchte als einziges Mitglied der Familie den Vater gelegentlich in Hamburg. Das Paar lebte in ärmlichen Verhältnissen, bis Max Döblin am 22. April 1921 in Hamburg mit 74 Jahren an Kehlkopfkrebs starb. Ludwig Döblin fuhr zur Beerdigung, *es ging sonst keiner mit.* Henriette Zander *war selbst leidend, konnte sich wenig bewegen.* Sie wurde 1923 ins Krankenhaus St. Georg aufgenommen, dort am 2. April 1924 in das Versorgungsheim und Heilanstalt Oberaltenallee gebracht, wo sie fünf Wochen später, am 10. Mai 1924, starb.

Die Familie trat langsam aus dem Stadium des Bettelns heraus, hauptsächlich durch die Arbeit des ältesten Bruders. Man kann einen Konflikt vermuten: Reibereien zwischen der Mutter und ihren Brüdern, die mit der materiellen Unterstützung, die sie gewährten, wohl feste Vorstellungen über die Lebensführung der Familie verband. Der Gegensatz zwischen den reichen Onkeln und der bettelarmen Sippschaft war gewiss nur schwer zu überbrücken. Die Vorbehalte gegenüber der Schwester mit ihrem reichlichen Kindersegen, aber ohne Mann, werden öfter laut geworden sein. Der älteste Sohn Ludwig war das Instrument solcher Spannungen: er wurde aus der Schule genommen, musste eine kaufmännische Lehre bei der Stoffwarenhandlung Nathan Israel beginnen. Bald wurde er dem Onkel Rudolf Freudenheim zur weiteren Ausbildung überstellt. Er trat in dessen Geschäft ein, erst als Angestellter, dann als Teilhaber. 1901, nach zwei Jahren, machte er sich selbständig und gründete die Firma Ludwig Döblin und Martin Mamlock, Ausländ. Hölzer u. Fournier, Markusstr. 5. Bis 1903, als er Käte Leipziger heiratete, finanzierte er die Familie.

Er konnte (oder musste) sogar zum *Ernährer der Familie*, zum *zweiten Vater* aufsteigen, bot damit einen gewissen Schutz. Mit dem Druck und mit den Rollen, die er übernommen hat, kam er lange zurecht, aber 1930 brach eine doppelte Krise über ihn herein: geschäftlicher Misserfolg und eine nicht bewältigte Amoure. Er brachte sich um: er war auch das späte Opfer der Familienkatastrophe.

Erst drei Jahre nach der Flucht aus Stettin durfte Alfred Döblin wieder eine höhere Schule besuchen; wegen seiner guten Leistungen wurde er ins Köllnische Gymnasium als Freischüler aufgenommen. Es handelte sich um das erste Realgymnasium Berlins mit 15 Klassenräumen für jeweils 40 bis 50 Schüler; zufällig haben es auch Horst Wessel und Erich Mielke durchlaufen. Schulgeld hätte die Mutter nicht bezahlen können. Als einziges unter den Geschwistern durfte Alfred eine höhere Schule besuchen, die Wahl wird auf ihn als den intelligentesten gefallen sein. Einer sollte es, stellvertretend für die anderen, schaffen – die alte Aufstiegsgeschichte. Die Verpflichtung, den Ansprüchen, auch denen der Onkel, zu entsprechen, war wohl eine schwere Bürde. Aber der erwachsene Döblin schweigt sich über diesen familiären Druck aus. Auf die Schule hat er stellvertretend all die Unbill übertragen, die von den überwachen Argusaugen der Familie ausging. Die literarischen Neigungen, ein müßiger Zeitvertreib, eine Ablenkung vom Ziel, mussten verheimlicht werden. *Im Übrigen las ich in »früher Jugend«, also vom 10. bis 14. Jahr, wahllos, was ich bekam, Zeitungen, Geschichtsbücher, und habe an nichts eine besondere Erinnerung. Ich weiß aber noch, daß Heldensagen, antike und deutsche, und Volksmärchen mich ganz kalt ließen. Die erste »edlere« Erinnerung stammt aus dem 13. und 14. Jahr, wo ich im Theater den »Prinzen von Homburg« und »Don Carlos« sah. Im »Carlos« war es aber besonders die schwüle Szene mit der Eboli, – bläuliches Licht und Diwan –, die es mir antat.* Von solch ungeregelter, wilder, »wahlloser« Lektüre, vom Tohuwabohu der Bücherseiten blieb ein Bildervorrat übrig wie eine surreale Traumschrift.

Er trat mit 13 wieder in die Sexta ein, in der er schon in Stettin gewesen war, war also auf die Wiederholung eines Anfangs verwiesen und war den Lehrern wegen seiner störrischen Mokanz vermutlich verhasst. Mit 15 Jahren, gibt er an, sei er noch Klassenprimus gewesen, dann sanken seine Leistungen rapide ab. *Daran waren die geistigen Physiognomien der Lehrer schuld. Es waren Verärgerte, Philister, Beamtentypen. Als einmal unter meinen Schulbüchern Schopenhauer und Kant gefunden wurden, sagte der Ordinarius: Sie könnten auch was Besseres tun, als Das zu lesen.* Er sei zur Schule gegangen wie zu einem Dienst. *Als Achtzehnjähriger schlug man mich noch. Als Zwanzigjähriger wurde ich auf eine Strafbank gesetzt.*

Die Schule akzentuierte den familiären Konflikt neu. Der Flucht des Patriarchen, die seinen Wunsch nach väterlicher Zuwendung zurückließ, entsprachen die Schikanen der Schule, die Autorität beanspruchte, aber ihn durch die Zurückweisung des jüdischen Kindes, die verachtende Annullierung seiner geistigen Sphäre, mit seiner Zuschreibung zu den aufsässigen Rebellen stigmatisierte. In der Schule trug er wiederum die Auseinandersetzungen aus, die er mit seinem Vater nicht führen konnte: Die preußische Institution als Ersatz für die fehlende Person, an der man sich reiben und mit der man seine Kräfte messen konnte. Er übertrug die Schulerfahrungen auf die *Kollektivbestie Staat* und entwickelte sein Rebellentum: ein am deutschen Anarchismus sich schulende Widerstandskraft des Einzelnen, der sich keinen Institutionen oder kollektiven Lehren ausliefert.

Schulfreunde werden in Döblins Erinnerungen kaum erwähnt. Als hätten sie alle in der Luft gelebt oder als wären sie durchsichtig gewesen. Keiner, der mit ihm jugendliche Abenteuer geteilt hätte, ist im Rückblick ausgeführt. Es blieb bei der Selbsterschaffung fast ohne Nennung von Zuschauern. Eine der raren Ausnahmen bildet Kurt Neimann. Er war gleich alt, machte ein Jahr früher (1899) sein Abitur. Er *spielte glänzend Klavier und komponierte* selbst. Neimann brachte ihm Brahms und Richard Wagner nahe, er studierte Jura, wurde Rechtsanwalt. An seinem Namen hängt eine unvergängliche juristische Formel: »Kauf bricht nicht Miete«, hat er 1907 in einem Fachaufsatz geschrieben. Neimann hat es nicht geschafft, Deutschland nach 1933 zu verlassen. Seine »arische« Frau verließ ihn, er erblindete und kam 1944 im Konzentrationslager Theresienstadt um.

Ganz so isoliert und einsam, wie er sich darstellte, kann der junge Döblin aber doch nicht gewesen sein. Die Einsamkeit gehört zu seiner Selbstinszenierung. Einer seiner Mitschüler war Moritz Goldstein, der später Journalist wurde und unter dem Pseudonym »Inquit« Nachfolger des legendären Gerichtsreporters Sling bei der »Vossischen Zeitung«. Goldstein emigrierte zunächst nach Italien. Döblin verschaffte ihm ein Einreisevisum nach Frankreich, und buchstäblich am letztmöglichen Tag, dem 11. März 1939, konnte sich Goldstein retten. Im gleichen Jahr verwendete sich Döblin für ihn mit einem Gutachten bei der »American Guild«. In seinen Erinnerungen »Berliner Jahre« hat Goldstein ein lebhaftes Bild seines Mitschülers bewahrt: »Er war älter als wir alle, auch menschlich reifer und wusste mehr. Er verbarg dies alles unter einer gewissen Albernheit, die ihn auch nicht verließ, als er ein ausgewachsener und berühmter Mann geworden war. Wir zeigten uns unsere ersten schriftstellerischen Versuche und fanden sie gegenseitig schlecht.« Und als Mitschüler wenigstens zu erwähnen ist Ernst Heilmann, zwei Jahre jünger als Döblin, später Journalist und Politiker, Vorsitzender der SPD-Fraktion im Preußischen Landtag. Mit ihm verkehrte Döblin in einem Diskussionszirkel der zwanziger Jahre. Heilmann wurde im April 1940 im KZ Buchenwald ermordet. Aus dieser Schülergeneration ging auch Heinrich Goldstein (auch: Filareto Kavernido) hervor, ein Phantast, der, von Land zu Land gejagt, e[illegible] gentümliche Urkommunen gründete, sich als Nachfolger von Zarat[illegible] verstand und in Prophetentracht umherwandelte. 1937 erinnerte si[illegible] an Werner Karfunkelstein, der mit ihm das Köllnische Gymn[illegible] hatte und unter dem Pseudonym Werner Daya für anarchistische Blätter schrieb; später soll er den völkischen Dietrich Eckart, den Mentor Hitlers, auf manches gebracht haben. Das wusste Döblin wohl nicht, sonst hätte er nicht 1937 in der »Pariser Tageszeitung« seiner gedacht.

Eine bestimmte Religion hat ihn auch auf dem Gymnasium nicht angezogen, und das hat anscheinend niemanden gestört: *Wir beteten evangelisch, dann zogen wir, mehr oder weniger jüdisch, katholisch oder gar nichts, in den entsprechenden allein seligmachenden Spezial-Religions-Unterricht.* Die stürmische stoffliche Entwicklung, die Ende des 19. Jahrhunderts in die Schule eindrang, hat wohl seine Gleichgültigkeit gegenüber der Religion mitbestimmt. Der national unzuverlässige Goethe war endlich neben Schiller als vaterländischer Klassiker nobilitiert, war kanonisch geworden und diente der bürgerlichen Innenausstattung. In der Physikstunde wurde ein bedingungsloser Materialismus gepredigt: *Da saß nun auf dem Katheder ein Mann, der nicht einmal den Begriff »Kraft« duldete, weil das an überirdische Mächte erinnere.* Der eiserne Rationalismus, getarnt als moderne Naturwissenschaften, wurde exerziert wie in gleichem Maße der sozialistische aus dem wilhelminischen Deutschland verbannt werden sollte. Turnvater Jahn, einst im Frankfurter Parlament, war vollständig in den nationalen Komment eingegangen. *Turnen zwischendurch: das alleinseligmachende Preußentum, die Monarchie und Zollern über alles. Wotan im Hintergrund. Gesangstunde, Chorstunde: frisch nach Häckel die »Schöpfung« von Haydn, oder Gesänge, die »bloß schön« waren.*

Wir aber waren jung, unverdorben und merkten gar nichts (...), da wir 10 Jahre vollauf beschäftigt waren mit dem Versetztwerden und dem heroischen Rebellen- und Makkabäerkampf gegen die Machthaber auf dem Katheder. (...) Mein Haß auf sie wird unauslöschlich sein!

In seiner Autobiographie *Erster Rückblick* war das Schultrauma auch nach 30 Jahren noch ungebrochen. In dem darin enthaltenen Text *Gespenstersonate* hält im *X-Gymnasium* ein ehemaliger Schüler ein Tribunal über seine abgelebten Lehrer. Er hat sie zu einer imaginären Zusammenkunft einberufen. Nun sind sie tote Seelen und der Einladende will nichts anderes als beweisen, dass sie schon immer Abgestorbene waren. Unvorhergesehen wird der Gerichtstag über die Lehrer zu einem über den ehemaligen Schüler, seine Ticks und Behinderungen, seinen Mangel an Offenheit, seinen Hang, sich verletzen zu lassen. Einer der Lehrer erinnert sich an den Schüler als an eine *traurige Figur.*

Der Erzähler bricht in allgemeine Empörung aus: *Die Herren brauchten sich ja nicht zu beherrschen, ihnen hatte Gott den Mund und die üble Laune gegeben, uns die Ohren und die Parole: stillgestanden.* Der Freiplatz wurde Döblin tatsächlich wegen verschlechterter Leistungen bereits wieder in der Tertia oder Sekunda entzogen.

Früh begeistert sich der Schüler für die Musik, für Richard Wagner und Hugo Wolf. In den oberen Klassen habe er zu Haydn und Mozart gefunden. Auch sang er im Chor, der Hector Berlioz' »Fausts Verdammnis« in der Kroll-Oper aufführte. Das spielt im Verlauf seiner Werkgeschichte eine gewisse Rolle, wenn man zum Beispiel die frühe kleine Meisterprosa *Die Segelfahrt* heranzieht. Aber niemals nimmt Richard Wagner den Rang des Verworfenen oder des Bewunderten ein wie bei Heinrich und Thomas Mann, obwohl Döblin im Vergleich zu den beiden viel mehr musikalisches Talent aufzuweisen hatte.

Döblin war drei Jahre älter als der Durchschnitt seiner Mitschüler und ihnen entfremdet, weil vermutlich innerlich hoch überlegen. Er sonderte sich ab. Einem Mitschüler kam es in der Erinnerung vor, dass er ständig in sich vertieft auf dem Schulhof herumgelaufen sei. Die Absonderung hat wohl die Lehrer gegen ihn aufgebracht, aber es waren auch die Götter seiner Jugend, die bei ihnen unerwünscht waren: *Ich bin nicht von Haus aus aufsässig. Ich habe mich immer nur in einer anderen Welt aufgehalten als sie. Ich habe und hatte mein Pflichtgefühl, meine Strenge, meine Sachlichkeit. Sie nimmt es mit Ihrer auf. Ich habe gewußt, warum sie meine scheinbare, nur gegen Sie gerichtete Schlaffheit und Apathie reizte. Sie rochen hinter Hölderlin, Schopenhauer, Nietzsche etwas Schlimmes, Gefährliches. Sie sagten »Empörung« und »Sittliche Unreife«, aber es war ihr »Nein« zu meiner Welt.* Die Scham über die Degradierung und Demütigung einer durch alle seelischen Nöte gehenden Schülerexistenz konnte er nur schwer begütigen. Noch im fortgeschrittenen Alter kam er auf die Schule zurück. 1931 schrieb er die Polemik *Wider die abgelebte Simultanschule.* Eigentümlich groß macht er diese preußische Anstalt, zu einem übermächtigen Phantom, um sie dann in Gestalt ihrer einzelnen Karyatiden, den Lehrern, zu demontieren.

Erst spät finden sich eine gewisse Anerkennung und sachliche Würdigung der Schule. Sie brachte ihn immerhin dazu, seine inneren Konstanten zu entwickeln, die ihm die Erschaffung dieses Riesenwerks überhaupt ermöglichten: *Preußische* Strenge, Sachlichkeit, Nüchternheit, Fleiß zählte er als Tugenden des Berliner Gymnasiums auf.

MODERN, EINE VERSUCHSANORDNUNG

1892 habe er als 14-Jähriger unter der Schulbank ein kleines blaues Heft geführt, in das er *allgemeine, politische, wie ich sie verstand, religiöse Ideen* eintrug: *Das Schreiben war über mich gekommen, ich weiß nicht wie. Ich zeigte die Notizen keinem, aber ich kam nicht aus dem Schreiben heraus. Es wurden niemals Gedichte.* An einen Satz erinnerte er sich genau, er schien ihm bewahrenswert: *Gott sei das Gute.* So findet sich am Ursprung seiner Aufzeichnungen ein Hinweis auf die Beschäftigung mit der Religion, wenn auch nicht auf eine bestimmte. Und wenn es vielleicht gar nichts Gewichtiges bedeutete, sondern eine in die eigenen Aufzeichnungen verirrte Formel aus dem Religionsunterricht war: er wollte später diese Setzung, er wollte in seiner frühesten Schrift ein Leitmotiv seines Lebens verankert wissen.

Das blaue Heft hat sich nicht erhalten. Aber es gibt einige Seiten aus Schulheften, auf die er sich Aufzeichnungen machte. Es findet sich darin ein Märchenfragment mit 13 Seiten, eine Erzählung mit vier Seiten und ein Manuskript über Musik mit fünf Blatt. Der erste umfangreichere Text stammt vom 18-Jährigen: exakt auf den 6.10.1896 datierte er die Prosaskizze *Modern. Ein Bild aus der Gegenwart*: 15 blass karierte, beidseitig beschriebene Blätter, an den Rändern und Ecken ein- und abgerissen, bilden das erste zusammenhängende literarische Zeugnis Alfred Döblins. Einige Motive und literarische Proben werden bereits sichtbar: das stilistische Experiment, die innere Dramatisierung des Geschehens, das Ineinander von Fiktion und Fakten. Der Mittelteil, ein Aufsatz über die Unterdrückung der Frau im Kapitalismus, eine Erörterung, ist einmontiert in die fragmentarische Erzählung über ein junges Mädchen, das nach Berlin kommt, um Arbeit zu finden, was misslingt, so dass es mit der Versuchung zur Prostitution konfrontiert wird. Das zeigt die Unsicherheit des Anfängers über die Form, aber es finden sich schon Vorboten des inneren Monologs, wenn das Mädchen, zwischen Trieb und Ehrbarkeit schwankend, mit vielen Ausrufezeichen und Gedankenstrichen seine innere Not äußert.

Er fordert eine neue Eheform, die Gleichstellung der Frau und dazu noch die Abschaffung des ökonomischen Systems: *Und die Hauptursache alles Übels: der Kapitalismus – auch er wird fallen – mit ihm Vieles andre --- und eine neue Welt wird erblühen, schöner – besser als jetzt, eine Welt, in der Alle gleiche Arbeitspflicht haben, gleichen Genuß von der Arbeit und ohne Arbeit kein Genuß und keine Arbeit ohne Genuß, ja, die Arbeit sei selbst ein Genuß!!* Frohgemut entdeckte der junge Döblin den Sozialismus für sich – um ihn danach für mehr als zwei Jahrzehnte zu vergessen und sich seiner erst wieder mit dem Ende des Ersten Weltkriegs und der Novemberrevolution zu erinnern. Beeindruckt war er von August Bebel, dessen Schrift »Die Frau und der Sozialismus«, 1895 in der 25. Auflage erschienen, er mit seinem Aufsatz paraphrasierte. Er schrieb damit an einer Selbstermächtigung zum Rebellentum. Möglicherweise hat er sich in dem Bild der jungen Näherin Bertha eine vage Vorstellung von der Schneidermamsell Henriette Zander gemacht, die mit seinem Vater nach Amerika durchgebrannt war.

Wichtiger als der Aufsatz war der erzählerische Text, in den dieser Aufsatz eingelagert ist. Es geht um die Abenteuer eines vom Dorf in die Großstadt gezogenen stellungslosen Mädchens. Zum ersten Mal vertiefte sich Döblin in die Berliner Topographie. Die Stadt, die Menschen auf den Straßen, alles wird gleichsam außerhalb der Privatsphäre gemustert, stellt sich in Bewegung dar. Die Sätze sind noch ungelenk, die Beobachtungen noch nicht besonders originell, noch fehlt der Witz und die ironische Verliebtheit ins Getriebe, aber schon treten gestische und sensorische Einzelheiten hervor: *Geschäftiges Leben flutet in der Leipzigerstraße. Auf dem Trottoir drängte sich ein Pêle-mêle von allen Ständen, allen Berufen. Naserümpfend betrachtete da die »Weltdame« die Erzeugnisse der Hutindustrie und wies ihrer Begleiterin die ungeschickte Form dieser oder jener eleganten Kapotte. Über ihrer Schulter schaute kritischen Blicks ein junger Mann, anscheinend vom Fach, auf die Dekorationen und die Anordnung der Sorten. Er blies mit zufriedner Miene den Rauch einer schlechten Cigarre der Dame ins Gesicht, die sofort indigniert und empörter Miene vorbeirauschte. Hübsche Geschäftsmädchen mit beweglicher Figur eilten Arm in Arm vorüber; sie stießen und drängten und kicherten, ungeniert jedem Herrn ins Gesicht sehend.* Schon in dieser Prosa findet sich eine Grundfigur, die auszufüllen, persönlich zu verkörpern, ihren Gewinn abzuschöpfen ihm nahelag wie kaum eine andere: der Spaziergänger und beobachtende Passant. Mochten auch die Accessoires des Bummlers nicht zum armen Jungen aus dem Osten passen, so doch gewiss die Attitüden: Neugier für die Einzelheiten, das Behagen im Fluten des Verkehrs, der Genuss der vorbeiziehenden Dinge und Menschen. Die wenigen Seiten sind der früheste Ausdruck seiner *Tatsachenphantasie,* zu deren Formulierung er erst 1913 fand, aber die Ausstattung war schon dem Schüler eigen. Die Stadt erschien ihm bereits als Gesten- und Ausdruckstheater.

Die Jugend des Zeitalters schien in Kaiser Wilhelm II., der acht Jahre vor der Abfassung von *Modern* den Thron bestiegen hatte, ihre Verkörperung zu finden. Er setzte auf industrielles Wachstum, überseeische Kolonien und imperialistische Entfaltung, auf eine Dynamik, die Berlin ins Riesenformat brachte, die Geographie der Straßen umwühlte, ihre Kulissen veränderte, die

Mobilität schlagartig erhöhte, die Blicksensationen steigerte. Für diesen stürmischen Wechsel ist *Modern* ein erster Fingerzeig. Die Topographie ist genau benannt: Friedrichstraße, Dönhoffplatz, Molkemarkt, *Straße nach Straße.* Ein ländliches Requisit, ein Heuwagen, hält den städtischen Verkehr auf, wird beiseitegeschafft, inmitten der städtischen Eile ist ein solches Gefährt ein Störenfried. Ostentativ werden solche Marken gesetzt, aber rasch, wie selbst in Eile, quasi noch unterwegs, um zu einem Ziel zu kommen, wird dieser Gestus ausprobiert. Nach *Modern* hat Döblin allerdings lange keinen weiteren Text über die Stadt geschrieben. Das Bild musste ausreifen und sich verdichten. Erst 1910 wagte sich der Städtebewohner mit dem Text *Das märkische Ninive* wieder an das Thema, doch bedurfte es der Wirkung des Futurismus, damit er sich im *Wadzek*–Roman an die Großstadt machen konnte.

Solche Exerzitien auf dem Papier wie die Skizze *Modern* entfremdeten Döblin vom Gros seiner Mitschüler vollends. Ihre Verwerfung ist schon der Studie *Modern* eingeschrieben. Ihnen gilt ein verachtungsvoller Seitenblick; sie sind wie jene bürgerlichen Frauen an nichts interessiert. Er verglich sie mit den höheren Töchtern, denen die Frauenfrage gleichgültig war. Für ihn bestand *zwischen ihnen und den Gymnasiasten kein großer Unterschied, die in den seltensten Fällen zu sehen verstehen oder sich um »solchen Unsinn« gar nicht kümmern.* Gemeint war freilich mehr als nur der Abstand eines Jungliteraten zu seinen jüngeren Mitschülern. Inbegriffen war auch die verschwiegene Kehrseite, das Leiden an der Distanz.

Aus großem zeitlichem Anstand, der manches vereinfacht, glaubte er, dass er sehr früh der Metaphysik verfallen sei, sich aber habe ihnen entziehen wollen.

UNTER DEM GÖTTERHIMMEL DER VORBILDER

Die Propheten, mit denen er in seiner Schulzeit umging, haben Bücher hinterlassen, seine Selbsterziehung betrieb er durch Lektüre. *Den »Hyperion« von Hölderlin trug ich zwischen 1898 und 1900 mit mir herum, in einem zuletzt völlig aufgelösten Reclambändchen. – So aufmerksam und so intensiv las man ihn wohl damals im allgemeinen noch nicht.* Im Kern ging es mit Hölderlin um die Hinwendung zur Natur. Mit der Tertia datierte er den Weg zu Heinrich von Kleist. Von dessen Dramen war er bewegt, sie haben sich in sein eigenes Werk eingegraben. *Diese beiden, Kleist und Hölderlin, wurden meine geistigen Paten. Ich stand mit ihnen gegen das Ruhende, das Bürgerliche, Gesättigte und Mäßige.* Ein Satz aus dem »Hyperion« könnte etwas zu

Döblins »Schicksalslied« beisteuern: »Das ist der Gewinn, den uns Erfahrung gibt, daß wir nichts Treffliches uns denken, ohne sein ungestaltes Gegenteil!« Am präzisesten hat wohl Robert Minder diese Zeichnung des jungen Döblin durch seine Lesegötter beschrieben: »Die wahren Nothelfer von Döblins früher Jugend waren zwei Unbekannte, Unbehauste, die später im System der Diktatur zwangsangesiedelt wurden: Kleist und Hölderlin. Beide in starren Schulen ohne Vaterliebe herangewachsen, mutter- und schwestergebunden, ihr Leben lang auf der Vatersuche, beide an Goethe zerschellt, der auch Döblin immer fremd geblieben ist.«

Vielleicht bereits 1897, also noch tief in der Schulzeit, *fiel Dostojewski zuerst auf mich.* Er begegnete ihm in einer kleinen Lesehalle eines Berliner Vereins für ethische Kultur, über den heute nichts mehr zu ermitteln ist. Raskolnikow habe er *Abend für Abend* in einer Verleihbuchhandlung in der Schönhauser Straße gelesen – *bei Tag wurde Goethe und Schiller gepaukt.* Dostojewski war anscheinend ein Schlüsselerlebnis für den Widerstand gegen die *disziplinscharfe versklavende Schule.* In dem Aufsatz *Erlebnis zweier Kräfte* hat Döblin 1923 seiner frühen Dostojewski-Lektüre gedacht: *Nichts kam gegen die Stärke dieser Erregungen auf. Hier war Widerstreben, Energie, Revolution. (…) Sie* [die Lektüre] *hebelte mich endgültig aus Schule und Ästhetik heraus. In eine undeutlich, aber heftig gefühlte Offensive gegen den ästhetischen Klüngel wurde ich getrieben.* Die deutschen Klassiker, da Lernstoff, mussten leiden: *In die Atmosphäre der Abneigung wurde Goethe mit eingeschoben.* Aufbrechende Neigungen für die Künstlerproblematik im »Tasso«, aber auch für Sophokles und Homer wurden von der Leidenschaft für Dostojewski verschlungen. Er ließ sich hinreißen, denn hier war *Widerstreben, Energie, Revolution.* Aber er las nicht im Fortgang der Bücher, sondern nach den Stellen, die ihn packten, ziemlich gleichgültig gegen den Gang der Handlung. Er konnte auf diese Weise manche Stellen vielfach lesen, ohne dass er auf den Mittelteil oder das Ende achtete. Das Modell des Romans, den man zerteilen kann wie einen Regenwurm, ohne dass seine einzelnen Abschnitte sterben, findet sich bereits in der Eigenart dieser Lektüre vorgebildet.

Das Ensemble der Weimarer Klassiker verschwand für einige Zeit aus seinem Gesichtskreis. Die Gleichgültigkeit gegenüber dem Kanon aus der Paukersphäre verband sich mit einem antibürgerlichen Affekt, *und wie richtete sich mein Zorn gegen den kalten, gar zu wohl temperierten Goethe.* Er wurde nicht müde, in der Erinnerung seinen damaligen Abstand zur ästhetischen Sphäre der Klassiker zu markieren. Er suchte nach Reizen und Erregungen, die von ihnen nicht ausgingen. Er nannte seine Leseabenteuer *unliterarisch.* Das Schlüsselwort wird in seine Terminologie eingehen und präpariert werden: der Schriftsteller als unliterarische Größe. *Ich »las« die Bücher und später zahllose andere so – wie die Flamme das Holz »liest«!* Wedekind, der Wegweiser so vieler jugendlicher Empörer um die Jahrhundertwende, hatte auf Döblin kaum Einfluss. *Ungeheuer regte mich der »Raskolnikow« auf. Es war weit mehr als die Erregung bei der Lektüre eines spannenden Buches. Nein, es war überhaupt nicht Romanlektüre, das Gebiet der Literatur überhaupt war überschritten; und nicht einmal gesprengt worden wie literarische Grenzen. Ich war nach Hölderlin und Kleist auf ein neues Gebiet geführt.* Kleist, Nietzsche und Dostojewski: Die Namen führt er auf, als seien sie die Pfeiler seiner Selbstkonstruktion.

In der Prima oder schon vorher fand die Begegnung mit Nietzsche statt. Er habe bei ihm geradezu physische Resonanzen erzeugt: *Ich erinnere mich, wie ich im Zimmer sitze und nach der Lektüre der »Genealogie der Moral« das Buch schließe, beiseitelege und mit einem Heft bedecke, buchstäblich zitternd, fröstelnd, und wie ich aufstehe, außer mir, im Zimmer auf und abgehe und am Ofen stehe. Ich wußte nicht, was mir geschah, was man mir hier antat.*

Lange Monate war er eingesponnen in die Lektüre Schopenhauers, die wiederum wohl in das Leseerlebnis Hölderlin eingelagert war. Der Pessimismus in »Die Welt als Wille und Vorstellung« konnte sich mit der Resignation Hyperions verbinden. Mit Hölderlin mag er die Sicherheit einer Sprache des Abstandes gewonnen haben. Mit Kleists »Penthesilea« die Explosivkraft des Eros studiert haben, an Schopenhauer, wohl einem intensiven Lektüre-Zwischenspiel, die Exerzitien seiner Schwermut durchprobiert, mit Dostojewski das große Spiel um Schuld und Schicksal geprobt und den Außenseiter als Großfigur erlebt, mit Nietzsche den bürgerlichen Moralkodex gesprengt haben. Allesamt waren sie für ihn Erweiterungsgötter, chimärische Autoritäten, die er für sein Selbst und für seine Lossagung benötigte, da die reale in Gestalt des Vaters fehlte. Er hat ihnen eine geradezu rührende Treue bewahrt. Hölderlin hat er noch 1923 gegen nationalistische Deuter in Schutz genommen. Er sei keineswegs der deutscheste Deutsche, wozu er nun gemacht werde; er wollte ein Grieche sein und habe sich darüber mitgeteilt. Noch in der *Schicksalsreise* sprach er von den beiden als *Kameraden, wie Brüder, diese beiden Herrlichen, – Unseligen.* Die Konfrontation zwischen Dostojewski und Goethe hat sich jahrzehntelang erhalten. Goethe erschien ihm als das Inbild des *muffigen Gottes der Gebildeten, der Vertrockneten, vom Volk Abgefallenen.* Den Platz Dostojewskis nahm später Stendhal ein. Döblin buchstabierte an diesem Wechsel der Götter in seinem Lesehimmel eine veränderte Lebenseinstellung. Er begann, an dem Franzosen *das Nüchterne, Skeptische,*

Beobachtende, Sachliche zu schätzen. Die Rotation der Leitfiguren war durch die veränderte Haltung zum literarischen Material, durch zunehmende technische Distanz und Übersicht bestimmt. Er konnte nun mit einem eigenen Fundus operieren: *Während ich bisher länger eingeatmet hatte, wurde jetzt die Ausatmung tiefer und länger.* Diese Rückschau auf eigene Lesewirkungen und Lesearten hat Döblin im chronologischen Ungefähr belassen, jedenfalls nicht genau datiert. Auch kommt er in den verschiedenen autobiographischen Texten kaum auf die gleichen Gestalten zurück. Der Fundus der Autoritäten wechselt im Verlauf der Rückblicke das Personal. Schon als Gymnasiast habe er *am intensivsten Spinoza* gelesen, schreibt er anderswo. Auch Augustinus wird gelegentlich als früher Patron genannt. Man kann davon ausgehen, dass dieser Prozess der Selbstfindung eines Literaten für ihn auch nicht genauer beschreibbar war, da er in Sprüngen verlief.

Aus dem Ersten Weltkrieg kam er mit einer Ausgabe von Goethes Gesprächen mit Eckermann zurück. In seiner Rückschau listete Döblin nun die Vorzüge Goethes auf, die ihm bei der Lektüre aufgefallen waren. Sie ergeben in vielen Punkten eine Überlagerung mit der Selbstsicht, eine Interferenz. Unter anderen sind dies: *der Wechsel seiner seelischen Färbung. Seine Freude am Denken, an guten Gedanken. Die Weite seiner Interessen.* Das *Gefühl, daß man an alles heranmuß. Hinter allem, in allem steckt etwas. Das Nebeneinander von heftigen Begierden und größter Ruhe und Sachlichkeit.* Über diesen von den frühen Zwängen und der Bildungshuberei entlasteten Goethe spielt er seine Selbstdeutung vor: *Ein Mensch, der Gedanken hat, viele, wechselnde. Er schüttelt sie von sich ab und stellt sich wieder neu hin.*

DER SCHÜLERROMAN: JAGENDE ROSSE

Die Hinterlassenschaft der Schulzeit waren nicht nur Bitternis und Empörung, sondern auch die heimliche Probe eines literarischen Vermögens, das sich aus dem seelischen Apart und dem Reservat des Ichs heraus nährte. Noch kurz vor dem Abitur schloss er das Manuskript seines ersten Romans *Jagende Rosse* ab. *Er wurde zwischen Schularbeiten und Nachhilfestunden, die ich zu geben hatte, geschrieben.* Er hat später milde ironisch und vielleicht insgeheim ein wenig stolz über seinen Erstling berichtet, wollte ihn aber offensichtlich nicht zum Druck geben: das Büchlein ist zu seinen Lebzeiten nicht erschienen. *Ein lyrischer Ich-Roman. Gar keine Handlung; nur seelischer Entwicklungsgang in lyrischer bildhafter Beschreibung. Es treten keine Personen neben dem Ich auf.*

Der Held ist im Anfang in jugendlicher ländlicher Enge; dann stürzt er sich in das Leben, das breit als Meer geschildert wird, dann lassen seine Begierden nach, und das Problem des Buches taucht auf: was bleibt nach den Begierden? Der Held geht in die eisige Aszese, in die Selbstversenkung, wo er »die Wahrheit« sucht. Schon glaubt er sich am Ziel, – da sieht er: er hat sich im Kreis gedreht; es sind seine Begierden in anderer Form. – Dann abfallende Handlung: seine Verzweiflung, Resignation, schließlich tobsüchtige Krise: und nun nach Schwäche und Rekonvaleszenz Durchbruch zum offenen Leben. Ein verschollener Schubladentext, aber er wird mit großer Aufmerksamkeit bedacht.

Viele Einwände sind dagegen zu mobilisieren: ein kitschig schwülstiger Jugendstil herrscht vor, Hölderlins »Hyperion« leistet bis in einzelne Bilder hinein Patendienste. Und doch erzeugt der Vorspruch: *Den Manen Hölderlins in Liebe und Verehrung gewidmet* ein Missverständnis. Dieser Text orientiert sich gewiss am »Hyperion«, aber genauso am frühen, um Weltheilung bemühten Rainer Maria Rilke in vagen Sätzen wie: *Auf weißem Rosse, die Arme weit ausgebreitet und die Haare flattern wild im Wind, reitet es, jagt es; ja es naht mir, – du meine wetternde Lust, du mein singender Schmerz. Ein süßer Heiland kommt auf die Erde.* Dabei stört weniger der hohe Ton für sich als vielmehr der gestische Singsang, der sich der Fidus-Bilder und der Emblematik des l'art nouveau bedient, der seinen Abstand zu den Sätzen des Berliner Alltags in *Modern* mit jeder Zeile erzeugen will. Dieses Elaborat eines ins Schwärmen verliebten Herzens gehört ganz zu Recht, wie auch der Autor befand, zu den *stillen Bewohnern des Rollschranks,* die das Licht der Öffentlichkeit zu Lebzeiten des Verfassers nicht erblickten. Erst die Döblin-Philologie hat die 136 Manuskript-Seiten eines schwarzgrau marmorierten Heftes 1981 ans Tageslicht gefördert.

Aber Döblins Einschätzung seines Romanerstlings ist seltsam uneindeutig. Er dementierte gelegentlich die Verschollenheit, in der er nach seinem Willen verbleiben sollte: *Sehr Bitteres, Sonderbares, Schamhaftes hängt an diesem kleinen Buch, das ich übrigens ganz mit meinem Namen zeichne.* Das will etwas besagen: dass er das Werkchen mit seinem Namen firmieren wollte. Es bezeichnet den Beginn des Romanciers, auch wenn mehr als ein ganzes Jahrzehnt der Prosaversuche, der Selbsterprobung in einem anderen Beruf, der Zerstreuung und der vereinzelten Erzählungen vergehen sollte, bis der erste große Romanwurf mit dem *Wang-lun* gelang und auch wenn der Autor die Stilattitüde seiner Prosa *Jagende Rosse* erst ganz und gar ablegen musste.

In 53 Abschnitten, die man als Stufen einer Seelenleiter verstehen könnte, werden die Empfindungen, Widersprüche, Aufschwünge und Abstürze eines Einzelnen notiert. Der da spricht, hat nur sich zum Inhalt, kein Gegenüber stört diese Großwoge aus lyrisierten Sätzen. Dieser Selbstbefasser ist ein emphatisch Singender: die Musik spielt eine große Rolle und weist vor auf die Musikphilosophie, die Döblin in *Gespräche mit Kalypso* ein gutes Jahrzehnt später veröffentlichte. Die Lichter der Natur, der Wechsel der Jahreszeiten, Wald und Meer sind Schlüsselwörter für das Gesamtwerk Döblins und hier wie in einem Wortregister guter Vorsätze versammelt.

Schon vorgegeben ist die Ich-Spaltung, die in vollendeter Manier die Erzählung *Die Ermordung einer Butterblume* 1911 vorführen wird. Hier findet sich bereits auf der zweiten Seite die Bemerkung, *ein Narr und irr bin ich.* Vor dem Studium der Psychiatrie liegt eine innere Disposition: nicht der Irrenarzt allein gebiert dieses zersprengte Ich, die Spaltung ist im Jungen bereits angelegt, bevor er sie an Patienten beobachtete. Die innere Disposition hat ihn als Psychiater, als professionellen Beobachter des Ich-Zerfalls, erschaffen. Die Diversion ist das Prinzip dieses Seelenganges, der den Aufbruch kennt, aber nicht ein Ziel. *Oh Lust und Weite. Ungeduldig hebt es sich auf, auffliegen will ich. Wie ich ihm mit Sinn und Atem entgegenlechze; Lust will meine Glieder umspülen.* Dieses Ich ist ein Oxymoron des Wünschens, dem Widerspruch preisgegeben. In manchen Partien ist bereits ein frühexpressionistischer Ton vernehmbar. Der da, sehr nach Nietzsche, Lust will, rechnet sich zu den Verdammten: *Jetzt gilts die Qual zu fressen, fluchbeladen zu Grunde zu gehen.*

Döblin schickte das Manuskript an den damals hochgeachteten Kritiker Fritz H. Mauthner. Der bat, da seine Sehkraft schwach sei, ihm Teile vorzulesen. Der Schüler machte sich in den Grunewald auf, um Mauthner zu besuchen, unterwegs verließ ihn der Mut, und er kehrte um. Er bat den Adressaten schriftlich um Rücksendung, postlagernd, unter einem Pseudonym. Mit diesem Decknamen konnte sich Döblin nicht ausweisen, so lagerte das Manuskript unerreichbar auf dem Postamt. Döblin schrieb es nach dem Abklingen der Verzweiflung aus den Notizen noch einmal neu, und diese zweite Fassung ruhte bei seinen unveröffentlichten Manuskripten.

Was hat diesen absurden Trick, mit dem er sich selbst ins Bockshorn jagte, verursacht? Die Episode über den verheimlichten und verhinderten Dichter fehlt in keinem größeren autobiographischen Rückblick Döblins. Er, der nichts von psychologischer Deutung des Autors, nichts von Psychoanalyse in der Literatur hielt, lässt an dieser Stelle tief blicken: es ist die Erbschaft des Vaters, des *gebildeten Hausknechts,* der Verwerfung aller musischen Möglichkeiten durch die Mutter, die ihrerseits stark und entschlossen ihre Kinder durchbrachte, es ist die Verurteilung von Literatur, die er im zweiten Glied für sich übernahm, als Scham und inneren Stolz, als Verheimlichung und Versagensgefühl. Mit dieser Erbschaft hat er seinen Weg in die Literatur angetreten.

Auch er ist – wie die Brüder Mann – entlaufen, aber nicht dem Bannkreis eines patrizischen Bürgertums, sondern der kläglichen Armseligkeit eines kunstfremden Umfelds.

Er wollte keinesfalls, dass die Mutter seine Elaborate zu Gesicht bekam: *Es war ihr eine Spielerei, das Schreiben, eine Zeitvergeudung, unwürdig eines ernsten Menschen.* Ohne rabiate Verwerfung des poetischen Hokuspokus hätte sie wahrscheinlich ihr Werk, den Erhalt der Familie, nicht leisten können. Ihre Stärken beruhten auf Abgrenzungen und auf Verzicht. Er wollte sich vor ihrer Verachtung von Bildung und Kultur schützen oder noch mehr vor der Wiederholung von Szenen, denen sein Vater in den elterlichen Auseinandersetzungen ausgesetzt war. Das Verhalten der Mutter war *noch ganz ein Charakterzug der Menschen, die aus kleinen Verhältnissen in das »Reich« kamen und viel Geld verdienen mußten.* Jedenfalls wollte er das Image des tätigen, dem Fortkommen verpflichteten Sohnes nicht durch die Zweifels- und Enthusiasmus-Masse Literatur beeinträchtigt wissen.

1900, DAS ABITUR

In der Schule verschlimmerten sich seine Noten drastisch. Aus dem interessierten Schüler wurde ein innerlich abwesender, der immer mehr nachließ. Literatur, Philosophie und Musik werden ihn hinreichend abgelenkt haben, eine Apathie empfand er gegenüber der Mathematik. Wegen seiner miserablen Note in diesem Fach musste er die Oberprima wiederholen. Aber gerade der verhassten Mathematik sollte er nicht entkommen. Zur Absurdität seiner Biographie gehört, dass sein Sohn Wolfgang ein mathematisches Genie war und schon als Student mit wissenschaftlichen Arbeiten glänzte.

Als 22-Jähriger machte Döblin am 13. September 1900 sein Abitur. Von den zehn Fächern, in denen er geprüft wurde, erhielt er nur in Englisch und Musik die Note »Gut«, in den anderen nur ein »Genügend«. In der Rubrik »Hebräisch«: ein Strich. Man bescheinigte ihm, dass er neuneinhalb Jahre auf dem Gymnasium war. Noch einmal spielte der 50-Jährige die Szene vor, in die er anscheinend oft verwickelt war: das Gericht über den Abweichler. Bei der mündlichen Abiturprüfung wird er als erster aufgerufen. Der Schulrat donnert ihn zusammen: *Er schwenkte über mich eine Fahne, die ich kannte. Es war schmachvoll, beispiellos, was ich mir anhören mußte. Ich wurde wie ein Strolch, wie der dümmste Junge angeschrien. Angepöbelt. Wegen meines Betragens. Daß ich nicht verdient hätte, zur Prüfung zugelassen zu werden. Der Ausdruck »sittliche Unreife« fiel ein paar Mal.* Er musste stillhalten gegenüber der wilhelminischen Autorität, um nicht noch einmal durchzufallen und den Schulzwang zu verlängern. Er selbst hat sein Abitur stereotyp auf ein Jahr später datiert, unbekannt aus welchen Gründen. Wahrscheinlich wollte er unbewusst seiner Verspätung einen kalendarischen Ausdruck geben. Das Reifezeugnis fiel ziemlich vernichtend aus: »Sein Betragen war gesetzlich, sein Fleiß ausreichend.« Zu seinen Leistungen im Fach Deutsch schrieb der Fachlehrer: »Seine Aufsätze hatten meist befriedigenden Inhalt, wenn auch nicht immer in gehörig überlegter und mit genügender Sorgfalt ausgeführter Darstellung. Der Prüfungsaufsatz genügte. Von den im Unterrichte behandelten Dichtungen und Abhandlungen hat er sich eine sichere Kenntnis angeeignet und folgte der Besprechung stets mit regem Eifer und recht klarem Verstand. Genügend.« Das ganze Zeugnis, das Döblin später als Dokument der unhaltbaren schulischen Zustände veröffentlichte, wirkt wie der Verriss eines Hochbegabten. Döblin selbst gab (in einem Beiblatt zum *Ersten Rückblick* von 1928) dem Bruch zwischen sich und der schulischen Umgebung eine eigene, souveräne Deutung, als er die größten Schmerzen weit hinter sich gelassen hatte. Menschen seiner Art sei es nicht gegeben, *in gewöhnlicher Weise freundlich und nett* zu sein, das lerne sich erst später. Er habe nicht sprechen können, habe geschwiegen. Die oberflächliche Sprache der Kommunikation habe ihm nicht zur Verfügung gestanden: *Ich kannte schon eine andere, mit einer anderen Syntax und Grammatik. Und wie bin ich dann später an die Objekte herangewachsen, nein, aus ihnen herausgewachsen. Die Namen, die andere den Dingen geben, habe ich abgelehnt; ich stand schon in einem andern, natürlichen Duzverhältnis zu den Dingen.* Da merkt man die Selbststilisierung: den literarischen Aufbruch möglichst früh anzusetzen. Mit anderen Worten: er wollte schreiben, er lebte aus dem Abstand zu den Schülerwonnen der Gewöhnlichkeit, er erfasste sich schwerer als seine Mitschüler, er bereitete sich auf etwas anderes vor als sie. Dem Mitschüler Moritz Goldstein war der Habitus des Kompennälers noch nach mehr als zwei Jahrzehnten gegenwärtig: »Wir zeigten einander auch unsere ersten literarischen Versuche und fanden sie gegenseitig schwach. Während der Pausen aber liefest Du gern mit gesenktem Kopfe und raschen Schritten allein über den Schulhof. Ob Du wirklich grübeltest oder bloß so tatest, war mir nicht ganz klar. Und alles in allem kamst Du uns Kameraden ein wenig wunderlich und den Lehrern ein wenig aufsässig vor.«

Für den Schulrat hatte er außerdem einen entscheidenden Mangel, den er niemals kaschieren konnte: er war *nicht von seiner staatlich konzessionierten Art.* Wegen solch antisemitischen Comments an der Schule sei es nicht einmal zu einer gemeinsamen Abiturfeier gekommen. Alfred Döblin verließ das Köllnische Gymnasium am 13. September 1900. Hermann Hesse, Heinrich Mann, Emil Strauß und Robert Musil haben über die Nöte der Pubertät, die Verwirrungen des Heranwachsens und über die Katastrophen des Schülerdaseins Romane bzw. eine Erzählung geschrieben, Frank Wedekind sein Drama »Frühlingserwachen«. Alfred Döblin hat Vergleichbares am eigenen Leib erfahren.

Man kann sich die Rabiatheit dieses Konflikts nicht scharf genug vorstellen. Heilung besteht nur in der Lossagung von den Institutionen: von jeglicher Organisation, die Macht hat, den Forderungen der Öffentlichkeit, Partei und Kirche. Max Stirners Bibel des Individualanarchismus, »Der Einzige und sein Eigentum«, die im Gefolge der Nietzsche-Begeisterung ab 1893 in zahlreichen Ausgaben wieder erschienen war, ist an dieser Lossagung wohl maßgeblich beteiligt. Noch der 50-jährige Döblin wird mit Trotz behaupten: *Ich diene noch heute keinem Staat.* Aber in diesem Bekenntnis wird auch offensichtlich, dass es sich um tradierten kindlichen Trotz, um ein Ritual der Regression handelt. Der Konflikt zwischen dem Einzigen und den Anderen ist nicht auflösbar, er regiert die zentrale Motivik seines Werks. Wang-lun wird zwischen Rebellion und Ergebung ins Geschick seine *Sprünge* vollziehen, Wallenstein und Kaiser Ferdinand bilden ein Paar, das den Gegensatz von Macht und Machtverzicht ausagiert. Der Einzelgänger Franz Biberkopf will vergeblich zur Gemeinschaft gelangen, der Revolutionär Friedrich Becker in *November 1918* pendelt zwischen Aufstand und christlicher Ergebung, und noch im letzten Roman greift die Hamletseele Edward Allison vergebens nach einer Lösung zwischen Wirklichkeit und Wahrheit. Gerade diese motorischen Gegensatzpaare bilden einen Antrieb für den Erzähler Döblin.

STUDIUM IN BERLIN

Die Familie wollte, dass er einen Brotberuf wähle, Zahnarzt zum Beispiel, Literatur und Philosophie kamen für sie nicht in Frage. Auch hatte die zeitgenössische deutsche Literatur, Döblin nennt Hauptmann und Stefan George, in seinen Augen gegen Dostojewski und Ibsen keine Chance; von daher gab es anscheinend keine Verlockung, etwa Philologie zu studieren. Er entschied anders: *Ich hatte mich aber viel mit Philosophie beschäftigt und wollte weiter erkennen, was die Welt im Innersten zusammenhält. Mir fehlte aber die Anschauung und die Kenntnis der Natur. Darum ging ich in gewisser Weise auf den Plan der Familie ein und stimmte zu, zwar nicht Zahnarzt, aber Mediziner zu werden. Denn hier konnte ich Naturwissenschaften treiben und bekam auch den realen Menschen zu sehen. Ich wollte erfahren, wie es allgemein, ganz allgemein um den Menschen steht.* Ihm sei es darum gegangen, Wahrheiten zu ermitteln, die nicht durch den Begriff gelaufen waren. Er schrieb sich am 17. Oktober 1900 an der Berliner Friedrich-Wilhelms-Universität für das Medizinstudium ein, betrieb aber ein Doppelstudium: er belegte auch geisteswissenschaftliche Fächer. Er betonte die Wichtigkeit dieses geistigen Doppellebens, bestand in seinen Briefen auf dem *cand. med. et phil.* Vermutlich aber hat er das vor der Familie verheimlicht, denn sein Onkel Rudolf und sein ältester Bruder Ludwig finanzierten ihn. Die Zweigleisigkeit wird als Methode erprobt. Er besuchte philosophische Vorlesungen von Friedrich Paulsen, aber auch von Max Dessoir, dem Begründer der Parapsychologie. Döblins Neigung zum Okkultismus ist durch diesen akademischen Lehrer vermutlich bestätigt und vertieft worden. Adolf Lasson vermittelte ihm Hegel- und Aristoteles-Kenntnisse. Den *damals völlig toten Hegel* habe er *mit innigstem Behagen* gelesen, aber zum Hegelianer hat sich Döblin nicht entwickelt.

Später hat er sein geisteswissenschaftliches Studium etwas anders dargestellt. Ende 1927 bekannte er gegenüber Werner Milch, dass die Philosophie an ihm abgeglitten sei, vor allem die kantische: *Aber vielleicht bemerken Sie und es gelingt besser meine Gedanken zu outrifizieren, – besser, das heißt schärfer, – wenn Sie berücksichtigen: ich habe schon als Student (wo ich Kant beim alten Paulsen hörte), einen tiefen Widerwillen gegen Kant wie gegen alle Erkenntnistheorie gehabt. Im Seminar von Rickert in Freiburg (1904/5) habe ich unverändert diese Qual und diese Abscheu gefühlt. Ich mochte auch Rickert selbst nicht, geschweige seine badischen Anfänge, – in Bücher von Husserl, Scheler u. s. w. blickte ich hinein; ich mochte sie alle nicht, ich fühlte: ich werde alle diese Dinge einmal gut wissen, nein erkennen, wenn ich soweit bin, wenn ich es will, wenn ich es brauche; es hat keinen Sinn hier zu ruhen, und jetzt zu suchen.* Im Berliner Abgangszeugnis ist auch eine Vorlesung des Altphilologen Ulrich von Wilamowitz-Moellendorf über »Griechische Literatur der Kaiserzeit« dokumentiert. Man kann wohl davon ausgehen, dass Döblin in Berlin nicht sehr zielgerichtet studiert hat, sondern sich von seinen Neigungen und seiner intellektuellen Neugier treiben ließ.

Der engere Bereich der Medizin hat ihn damals eher angeödet als gefesselt. Aber die Lehrstuhlinhaber des Fachs waren zu dieser Zeit mit großem Selbstbewusstsein ausgestattet. Die Labormedizin machte enorme Fortschritte: Bakteriologie, Immunologie und Virologie wurden eigene Fachgebiete. Virchow hatte sich um die Erforschung des Zellaufbaus verdient gemacht. Jede physiologische Störung geht demnach auf krankhafte Veränderungen der Körperzellen zurück. Dem Chirurgen Ernst von Bergmann, der die Instrumente erstmals mit Dampf sterilisierte, sah er beim Operieren zu. Die Physik wurde stärker denn je auf den Patienten angewandt, er wurde zu einer messbaren Größe. Döblin fand an der technischen Ausrichtung des Fachs jedoch wenig Gefallen: *Ich gestehe offen: es war höchst langweilig, und ich machte mir absolut nichts darüber vor, daß mich die Namen der Knochen und Gelenke und die Muskelzuckungen, die peristaltischen Bewegungen des Darms und der Mechanismus der Urinsekretion nicht interessierten.* Er war philosophisch orientiert, wollte, Faust ironisch zitierend, *wissen, was die Welt im Innersten zusammenhält.* Ihm ging es nicht darum, dort aktiv zu werden, wo der Anatom seine Schnitte anlegte. Medizin war für Döblin Wahrheitskunde, hatte einen ontologischen, auch einen existentiellen Aspekt. Später, *aber erst in der Klinik,* lernte er *das Staunen vor den kranken Menschen.*

In der Psychiatrie galt damals fast uneingeschränkt der Satz Wilhelm Griesingers, dass jede psychische Störung auf eine Veränderung im Gehirn zurückgehen müsse. Carl Wernicke gab zwischen 1897 und 1904 einen anatomisch-pathologischen Atlas des Gehirns heraus. Emil Kraepelin kämpfte in München um eine Klassifikation der Geisteskranken und verstärkte die empirische Beobachtung der Patienten. Der Schweizer Psychiater Eugen Bleuler teilte die Psychosen in zwei Formenkreise ein und entwickelte den Begriff der Schizophrenie. Eine ungemein spannungsreiche und elektrisierende Atmosphäre ergab sich damit für die Psychiatrie; in sie wuchs der stud. med. Alfred Döblin hinein.

Im Rückblick lebt dieser allseitig interessierte Student aber in einer dreifachen Verneinung. Er habe nach Wahrheit gesucht, aber nach einer, die *nicht durch Begriffe gelaufen und hierbei verdünnt und zerfasert war.* Er wollte auch die *bloße Philosophie* nicht und *noch weniger den lieben Augenschein der Kunst.* Er habe die Literatur und ihre Urheber verachtet. Die Wahl der Medizin erscheint in seinen späteren Begründungen manchmal nur als das kleinere Übel. Mit dieser Ausstattung an Verneinungen hätte er es schwer haben müssen, den eigenen Weg zu finden, aber das Gegenteil war der Fall. Er studierte fleißig und mit gutem Erfolg, er bot das Gegenteil dessen, was der Schüler gezeigt hatte. Trotz aller Kautelen, Abschweifungen und auseinanderlaufenden Interessen bestand Döblin das Vorklinikum in Berlin mit der Gesamtnote »Gut«.

ERWACHEN, FRÜHE ERZÄHLUNGEN

In seinen autobiographischen Bemerkungen wird die Selbstkritik bisweilen bis zur Übung der Selbstverachtung getrieben: *Auch von meinem eigenen Schreiben hielt ich etwa so viel, wie ein Mensch, der an einem chronischen Schnupfen leidet, von dem Schnupfen etwas hält.* Dagegen aber spricht der Augenschein; mitten im Studium schrieb er unbeirrt vor sich hin. Zu erwähnen sind zwei frühe Erzählungen, die Döblin 1901 verwirrenderweise mit dem gleichen Titel *Erwachen* versah und sie damit nahe aneinanderrückte; für eine abweichende Fassung der einen Geschichte wählte er den Titel *Adonis*, die andere (ungleich schwächere) wurde vom Döblin-Herausgeber Anthony W. Riley schließlich mit dem Originaltitel *Erwachen* versehen.

Es ist unerfindlich, warum dieser junge Mann nicht von seiner inneren Dramatik gelähmt wurde – wenn man seine Prosa mit ihrer nur wenig gespielten, kaum literarisierten Melancholie gegen den offensichtlich höchst aktiven, wissbegierigen Studenten setzt. In *Adonis* gibt es einen Vorspruch, der die *alten Gespenster* ruft und sie auffordert, sich von ihm zu wenden, *damit ich nicht ganz an eurer Schwermut verderbe.* Ein exaltiertes Trio findet zusammen: Johannes in seiner unbestimmten Verzweiflung, sein ehemaliger Lehrer, der Mönch Benediktus, der das Ziel verfolgt, *Menschenseelen wollten wir schmieden, zu Lanzen, beschwingten Lanzen, himmelfroh*, und Hertha, die den verzweifelten Träumer Johannes zu halten und zu trösten versucht. Johannes nennt sich auch einen armen Prometheus, er ist eine Phantasmagorie des verrückten Hölderlin, der sich fremde Namen aneignete. Er bildet einen *poetischen* Wort- und Redeentwurf des Irren, aber noch kein klinisch-diagnostischer Blick mustert ihn. Zeitlich liegt also vor dem Irrenarzt Döblin der Versuch eines künstlerischen Entwurfs von innerer Spaltung, vor dem Fachstudium ein Vorwissen.

Die andere, mit *Erwachen* titulierte Erzählung entstand zwischen dem 19. und 30. Juli 1901 und findet sich in einem Heft des Medizinstudenten zusammen mit Notizen zur Organischen Chemie. Eine faszinierende Parallelwelt breitet sich da aus: die naturwissenschaftlichen Studien neben dem Entwurf eines Dichters, der staunend und resignierend zugleich vor dem Leben steht. Ein lyrisierender Ich-Erzähler blickt von den Büchern auf und schaut in die Welt: *Wie ein Stern in der Nacht erhebt sich mir das Leben, so lachend, süß und groß.* Aber in die Sehnsucht mischt sich ein Rückblicksgefühl; es memoriert vergangene Schmerzen, das Zuspät verdunkeln die Nacht des Betrachtenden. Das Herz, zu seinem Recht offenbar noch immer nicht gekommen, ist ein *altes*, es schlägt im Retrotakt. Er will ins Leben hinein und weiß, dass dies nur erreichbar ist durch das Vergessen des früheren Selbst. Er will überleben, indem er sich eine Maske zulegt, die ihm allmählich anwächst.

Döblin hat von der entstehenden Doppelrolle des Arztes und des Schriftstellers gelegentlich ein harmonisches Bild zweier einander berührender Linien gegeben: *Daß ich nun als Mediziner mich in den Kliniken herumbewegte und beobachtete, ging in merkwürdiger Weise zusammen mit meiner literarischen Neigung, mit dem Phantasieren, und es ergaben sich die ersten besonderen Verschmelzungen.* Aber die innere Spaltung, das Ausagieren der Widersprüche ist dem Poeten Döblin schon bekannt, bevor sie der Student in Begriffe zu fassen versteht. Sie gehört zu seiner frühen Selbstaussprache. Und es vollzieht in diesen beiden Niederschriften bereits die Einübung in die – später triumphalen – Künste des Romanciers: das Orchester der Stimmen und Figuren, die Kakophonie der Stimmen, die inneren Monologe, die Selbstaussprache im mythologischen Zusammenhang werden bereits erprobt. Der Erzähler wird über den Medizinschriftsteller siegen.

Pathetisch angehoben von pueriler Egozentrik sind diese frühen Texte, zu denen auch zwei Selbstverständigungen über *Nietzsches Morallehre* und *Der Wille zur Macht als Erkenntnis bei Nietzsche* gehören. An ihm machte er einen ihn selbst genauso bestimmenden Gegensatz zwischen Agnostizismus und Mystizismus aus. »Gott ist tot«: der Satz führte zu seinen eigenen Fragen und bedeutete oft auch deren Schubumkehr. Schon seit seiner frühesten Jugend habe ihn das Rätsel von Gott und Welt beschäftigt. Nietzsche: diesen Namen hat Döblin mehr als 50-mal in seinem Werk plaziert. Kein anderer Philosoph ist so häufig genannt, auch Freud nicht und keinesfalls Karl Marx. Die Nietzsche-Lektüre um 1902 erschloss ihm einen – allerdings immer wieder vehement verworfenen – Gott: *Ich erinnere mich, wie ich im Zimmer sitze und nach der Lektüre der »Genealogie der Moral« das Buch schließe, beiseitelege und mit einem Heft bedecke, buchstäblich zitternd, fröstelnd, und wie ich aufstehe, außer mir, im Zimmer auf und abgehe und am Ofen stehe. Ich wußte nicht, was mir geschah, was man mir hier antat. Kannte ich Gott, trotz alledem? Gott, gegen den es hier ging? Wußte ich von Ihm? Ahnte und ersehnte ich ihn? Ich weiß es nicht.* Merkwürdig viel Wert gelegt hat Döblin auf manche seiner frühen Versuche, als er dem Pennälerdasein entwachsen war. Den allerersten Roman verbannte er zwar aus der Öffentlichkeit, die Auseinandersetzungen mit Nietzsche blieben ungedruckt, aber von den ersten beiden Prosaversuchen gibt es so reinliche, leserliche Manuskripte, dass die Annahme naheliegt, er habe sie zum Druck vorbereitet. Daraus wurde nichts: erst 1923 erschien die Skizze *Erwachen* in der »Vossischen Zeitung«, als Talentprobe eines längst entwachsenen Schriftstellers.

KÜNSTLERLEBEN

Döblin suchte bereits als Student Anschluss zur künstlerischen Boheme und zur sich bildenden Avantgarde in Berlin. Gemeinsam mit seinem Schulfreund Kurt Neimann lernte er den Musiker Georg Lewin (1878–1941) kennen, einen Arztsohn aus der nahen Holzmarktstraße. Angeblich wurde der Medizinstudent von einem Freund, dem Frauenarzt Philipp Jakobi, eingeführt. Lewin hatte 1900 den Künstlernamen »Herwarth Walden« angenommen, der von seiner Frau Else Lasker-Schüler stammte, und ließ ihn in seine Personalpapiere eintragen. Walden hat sie aus einer unglücklichen Ehe mit dem Arzt Berthold Lasker befreit. Er hatte Musikwissenschaften studiert, war vom Komponisten Conrad Ansorge ausgebildet worden, komponierte Opern, Sinfonien, Klavierwerke und Lieder, war als Musiklehrer tätig. Seine ersten Auftritte waren, wenn man Döblin folgen mag und ihn seine Erinnerung nicht trügt, denn nachgewiesen ist das Faktum nicht, im Beethovenverein in der Aula des Mädchen-Lyzeums, Ifflandstraße. *Es war immer Leben und Auftrieb um ihn.* Mit Döblin verband ihn gewiss, dass auch er sich nicht als Jude oder als Deutscher verstand, sondern vor allem als Berliner. Walden war unermüdlich mit der Sammlung und der Propagierung der Berliner Moderne befasst; er erwies sich im kommenden Jahrzehnt als meisterhafter Organisator der künstlerischen Gegenöffentlichkeit. Er vertonte Lieder vor allem von Richard Dehmel, Arno Holz und Peter Hille; als Komponist verstummte er nach 1910 allmählich, aber der Klaviervirtuose hielt sich. Herwarth Walden war viele Jahre lang mit Arnold Schönberg befreundet. Nach der Eheschließung mit Else Lasker-Schüler, der weitaus stärksten poetischen Kraft in dieser Runde, scharte er junge Schriftsteller, Künstler und Musiker im Café des Westens um sich. Er gründete 1904 einen »Verein für Kunst« in Berlin und wurde sein Geschäftsführer. Es handelte sich um ein Veranstaltungsforum für Literatur, Musik, Kunst und Architektur. Damit war ein neues Zentrum mit großer Ausstrahlung geschaffen, und Walden erwies sich als ein ungemein leichthändiger Organisator, der wie nebenbei Rezitationsabende, Vorträge und Konzerte veranstaltete, auch wenn seine finanziellen Kapazitäten seiner planenden Energie keinesfalls standhielten. Sein Konzept hatte von Anfang an viele Luftwurzeln: Walden blieb den Eingeladenen oft das Honorar schuldig.

Der Beginn der Bekanntschaft zwischen Döblin und Walden lässt sich nicht sicher datieren. Ende Januar 1904 schickte Döblin einen Brief an Herwarth Walden; er hatte von seinen Liedern gehört und wollte ihn für einen Dehmel-Abend gewinnen. Eine gewisse Bekanntschaft aus den Augenwinkeln scheint schon zuvor vorhanden gewesen zu sein. In diesem ersten Jahrzehnt war Herwarth Walden ein bevorzugter Partner für Döblin; die meisten seiner Briefe und Karten, die sich aus dieser Zeit erhalten haben, wenden sich an Walden. Wären sie verlorengegangen, müsste man den jungen Schriftsteller und Arzt als ziemlich einsilbig bezeichnen. Sie bezeugen einen lebhaften persönlichen Umgang miteinander, der freilich oft genug unterbrochen wurde, weil Döblin mit Arbeit überhäuft war, in Freiburg studierte oder sich seinen Medizinerpflichten nicht entledigen konnte. Sie künden allerdings auch von einer lange anhaltenden, eigenartigen Förmlichkeit: erst nach neun Jahren, 1913, findet sich in den Briefen das vertrauliche »Du«.

Döblin meinte später, dass dieser Kreis, aus dem heraus der Expressionismus mit kreiert wurde, keinerlei politische Absichten verfolgt habe: *Damals galt uns Politik gar nichts. Sie war der Alltag. Sie war eine Angelegenheit der Spießer. Gegen Musik und Literatur kam sie nicht auf. Es war die ruhige Zeit des Kaiserreichs. Wohlstand entwickelte sich. Es gehörte in der bürgerlichen Welt zum guten Ton, patriotisch zu sein.* Die Erinnerung hat die Verhältnisse offensichtlich etwas vereinfacht: Die antibürgerlichen Bohemefiguren Peter Hille und Erich Mühsam etwa saßen ebenfalls am Tisch, die Brüder Hart und Gustav Landauer entwickelten damals die anarchistische Programmatik und schrieben an sozialistischen Manifesten wie »Von der Absonderung zur Gemeinschaft«. Die anarchistische Zeitschrift »Der arme Teufel« war in diesem Kreis mehr als bekannt: Erich Mühsam schrieb in diesem Organ der libertären Opposition. An Erich Mühsam erinnerte Döblin noch 1948: *Er war ein grundgütiger Mensch, daher sein ständiger menschlicher Protest und seine Liebe zu Pflanzen und Tieren. Er versäumte zuletzt seiner Tiere wegen den Moment der Flucht, wurde gefaßt und im Lager aufgehängt.* Nicht zu vergessen ist in diesem Zusammenhang auch das Berliner anarchistische Wochenblatt »Kampf. Zeitschrift für gesunden Menschenverstand«, dessen »Neue Folge«, von Johannes Holzmann (Senna Hoy) seit 1904 herausgegeben, auch Beiträge von Peter Hille, Else Lasker-Schüler, Paul Scheerbart und Herwarth Walden enthielt. Die zivilisationskritische, antibourgeoise Intention der »Neuen Gemeinschaft« hat sich bei Döblin festgesetzt, damals wohl nur als Gedankenvorrat. Eine lebenskräftige Spur des Landauerschen Anarchismus, der sich auf Tolstoi berief, ist bei ihm noch bis in seine christliche Spätzeit hinein nachweisbar. Lebensreform, Alternativbewegung und der Bohemekult eines Stanislaw Przybyszewski gehörten zu Döblins frühen Erfahrungen, auch wenn er sie für seine eigene Lebensführung nicht übernahm und anscheinend mit einer traumwandlerischen Immunität gegenüber allem Bummelantentum ausgestattet war. Jedenfalls war Döblin nicht nur in einem künstlerischen sondern auch in einem hochpolitischen Umfeld anzutreffen, das mit politischen Parteien allerdings nichts zu schaffen hatte.

Döblin betrieb neben seinem Studium selbst einen literarischen Club, über den so gut wie nichts bekannt ist. Der Medizinstudent war erster Vorsitzender der literarischen Abteilung der »Finkenschaft«, einer Gruppe freier, d. h. nicht korporierter Studenten, und organisierte im März 1904 eine Lesung Richard Dehmels. Der Abend hat einen enthusiasmierten Kronzeugen, Julius Bab. Er berichtete über einen anschließenden Kneipenbesuch gemeinsam mit dem bewunderten Vorbild in der italienischen Weinstube Dalbelli an der Potsdamer Brücke: »In einem kleinen runden Raum saß man beisammen, eng, aber voll Begeisterung, und von einer rauschhaften Gehobenheit, die viel mehr von Dehmels Versen und Ansorges Musik als von Dalbellis Wein stammte. Feurige Sprüche in Vers und Prosa wurden ausgebracht, und schließlich verlangte man stürmisch nach einer Äußerung von Dehmel. Er sträubte sich geraume Zeit; aber dann plötzlich stand er auf dem Tisch; oben zwischen den Weingläsern ragte die mächtige Gestalt.« Döblin fügte noch im Alter diesem Abend eine Anekdote zu. In seinem *Journal 1952/53* schrieb er: *Und da ist mir in Erinnerung geblieben mein Klingenwechsel mit Dehmel. Ich hob mein Glas und sagte: »Es stellt sein Licht nicht untern Schemel der große Dichter Richard Dehmel.« Darauf Lächeln und Schmunzeln. Nach kurzer Zeit klopft Dehmel an sein Glas und antwortet mir: »Wäre nicht der Attentäter dieser Döblin, so würde ich ihn arg vermöblin.«* Das Dalbelli war in diesen Jahren ein Treffpunkt der künstlerischen Avantgarde, der lebensreformerischen und anarchistischen Außenseiter. Es verkehrten dort häufig neben den bereits erwähnten Größen der Sexualforscher Magnus Hirschfeld, der Verfasser eines ersten deutschen Vagabundenromans und Herausgeber einer dreibändigen Sammlung »Lieder aus dem Rinnstein«, der frühexpressionistische Poet Peter Baum, der Maler Ludwig Meidner und gelegentlich August Strindberg.

Außerdem war Döblin in einer anderen Gruppe engagiert, die sich »Die Vögel« nannte und Aristophanes las. Ein früher Hinweis auf das emigrantische Selbstverständnis, auf das »Apart« (von dem auch der junge Heinrich Mann träumte): in der Komödie wird ein »Vogelstaat« gegründet, der aus der politischen Realität Athens herausführt. Herwarth Walden hatte das Talent, so sein Ruf, um sich Menschen zu sammeln wie andere Bücher. In seinem Kreis wurde Döblin auch mit Ansorge, den Schriftstellern Rudolf Blümner, Arno Holz, Liliencron, Paul Scheerbart, den Kritikern Samuel Lublinski und Siegmund Kalischer bekannt.

Am 7. Mai 1904 starb Peter Hille, Guru der Boheme um die Jahrhundertwende, bewundertes Vorbild Else Lasker-Schülers, nach einem Zusammenbruch im Krankenhaus Lichterfelde. Döblin, damals nicht in Berlin, hat später seines Todes gedacht: *Er war im Tiergarten von einer Bank gefallen, es heißt im Schlaf, es folgte eine Kopfverletzung und eine Wundrose.* Dieser Unfall hatte sich jedoch anders zugetragen. Hille erlitt am 27. April 1904 auf dem Bahnhof Zehlendorf einen Blutsturz. Die Brüder Hart brachten ihn ins Krankenhaus, wo er starb. In der Berliner Finkenschaft wollte Döblin, als Student in Freiburg im Studium, sofort eine größere Hille-Feier veranstalten. Die erste, ein wenig tapsig neugierige Frage an Herwarth Walden lautete, wie die Frau Gemahlin (Else Lasker-Schüler) die Nachricht von Hilles Tod aufgenommen habe.

Herwarth Walden, mit dem der persönliche Verkehr zwanglos war, denn er wohnte um die Ecke, hatte als literarische Hausheilige Richard Dehmel, Frank Wedekind und Paul Scheerbart. Döblin trat in diesem Kreis der Älteren und Erfolgreichen anscheinend sehr selbstverständlich auf. Kein Hinweis findet sich auf einen Konflikt mit der Rolle des Schriftstellers. Vielleicht wurde gerade dieses Selbstbewusstsein im Kreis um Herwarth Walden gestärkt und testiert.

DER SCHWARZE VORHANG

Eigentlich hätte Döblin 1903 seinen Militärdienst ableisten müssen. Er war Anwärter auf den Einjährigen-Freiwilligendienst: ein Wehrpflichtiger mit höherem Schulabschluss, dem die Offizierslaufbahn und die eigene Wahl des Truppenteils offenstand. Von der Königlichen Ober-Ersatzkommission im Bezirk Berlin wurde er jedoch am 7. Juni 1903 als Medizinstudent zurückgestellt und zum Landsturm ersten Aufgebots, zum Dienst ohne Waffe, verwiesen. Das bedeutete: erst im Kriegsfall musste er mit der Einberufung zum Dienst als Militärarzt rechnen.

Im gleichen Jahr schrieb er, neben dem Doppelstudium her, seinen zweiten Roman, der im eigenhändigen Manuskript den Titel *Worte und Zufälle* trägt und im Untertitel als *Der schwarze Vorhang* ausgewiesen ist. Später hat Döblin die beiden Zeilen vertauscht. Erzählt wird von der obsessiven Sexualität eines Jungen Johannes, der in sich das Janusgesicht von Liebe und Hass ausprägt. Der Eros wird dem Heranwachsenden zum einzigen und ausschließlichen Problem, das ihn in Besitz nimmt. Bei seinen Anfällen von Grausamkeit quält er, von Gefühlswidersprüchen geradezu gejagt, seinen Hund zu Tode und pflegt die Blumen über dessen Grab. Darüber wird er zum brütenden Träumer.

Der Roman zeigt ganz und gar unverdeckt ein komplexes Ausweichmanöver, nämlich die Homosexualität des Adoleszenten: *Johannes schenkte ihm Konfekt und Bonbons, litt dankbar, in seiner mütterlichen Angst ihn zu verlieren, unter seinen Launen.* Die gleichgeschlechtliche Versuchung entlastet ihn von der Identifikation mit dem Vater: er kann einer männlichen Figur die Mutterrolle zuweisen. In diesem Spannungs- und Kraftfeld sind die Männerpaare zu verstehen, die Döblins Romane bevölkern, heißen sie Wang-lun und Ma-noh, Wadzek und Rommel, Wallenstein und Ferdinand, Manas und Schiwa, Biberkopf und Reinhold, Marduk und Jonathan, aber kein einziger dokumentarischer Hinweis hat sich auf eine entsprechende Neigung ihres Urhebers bisher auffinden lassen. Vielmehr entwirft er Paarmodelle, bei denen das männliche und das weibliche Prinzip im Mann ausagiert werden sollen. Das Musterbild dieses Homosexuellen hat er der Literatur entnehmen können. Seit 1898 gab Magnus Hirschfeld sein »Jahrbuch für sexuelle Zwischenstufen« heraus, in dem er eine Theorie vom dritten Typus, dem des Homosexuellen, auf einer Spannungsskala zwischen dem männlichen und dem weiblichen Prinzip entwickelte. Mit diesem Sexualforscher war Döblin früh bekannt.

Döblin lieferte in einem Brief an einen Verleger einen Umriss des Buches: *Absicht ist: eine Geschichte des Liebestriebes eines Menschen. Wie dieser Trieb aus der natürlichen Isolierung des »Helden« herausdrängt, ihn zu Pflanze, Tier, Freund, schließlich zur »Heldin« und zum Mord an ihr führt, soll psychologisch entwickelt werden.* Das klingt wie die Nachschrift eines komplizierten theoretischen Textes, als versuchte Übersetzung in ambitiöse Literatur, die nicht gelingen mag.

Der Roman hat eine andersgeartete Rückseite: die mangelnden sexuellen Kenntnisse des jungen Döblin. Man kann das Buch mit seinen Grellheiten als Ausdruck seiner eigenen Lebensverhinderung und Liebesproblematik lesen, seiner Not. Sehr offen stellte er an anderer Stelle dar, wie er sich mit praktischen Kenntnissen der weiblichen Anatomie verspätet hat: *Ja, als er das erste Semester Medizin studierte in seinem dreiundzwanzigsten Jahr, wußte er noch nichts Genaues und wunderte sich bei seinem ersten Gang durch die Anatomiesäle in Berlin über die weiblichen Leichen, die offenbar einen Schnitt in der Mitte unterhalb des Schambogens hatten; er wollte immer einen der Arbeitskameraden danach interpellieren, tat es nicht aus Schamgefühl, – er hätte sich unsterblich blamiert.* Ungelöst, wohl kaum erprobt war für den jungen Döblin die Erotik: zwischen Sehnsucht und Mutterbarriere zu diesem Zeitpunkt allemal; die schrillen Konflikte in *Der schwarze Vorhang* weisen darauf hin. Das Werk signalisiert den Willen, den Bann zu lösen, freilich in einem ganz anderen Sinn als in einem selbsttherapeutischen Freisprechen. Vielmehr geht es um das Erzählen eines pathologischen Modells: die Vexierung der Gefühle. Aus unerfülltem Begehren entspringen Hass und sein Wahn, die Mordlust. In der Verzeichnung, die der Vampirismus bietet, ist das eigene Erleben deponiert. Die immer wieder, wenn auch ohne jeden Beleg behauptete Homosexualität Döblins erweist sich in diesem Text eben als ein solcher Mechanismus der Verkehrung von Empfindungen.

Ein schreiender Expressionismus bricht sich Bahn: *Menschenstöhnen schlägt zum Himmel. Zankende Hände packen sich, erbarmenlos loht Aug gegen Aug. Der Mensch soll nicht allein sein. Jammern, Betteln, fliehendes Wimmern an allen Türen, verzweifeltes Rauben und Morden. Eine himmlische Stimme ruft; hinter einer himmelsüßen Maske sperrt sich ein Maul auf, funkeln zwei heiße Augen, höhnend: die unersättliche Verlassenheit.*

Liebe: ihr bester Biß und gelles Gelächter.

Wie aber verhält es sich mit der Theorie von den *Worten und Zufällen*? Die Sprache löst sich ab von der Wirklichkeit, Johannes spielt ein kaltes Spiel mit dem Wort »Liebe«, das sehr verschiedene Bedeutungen haben kann, als hingen viele ungleiche Dinge an den einzelnen Wörtern. Sie bezeichnen nicht etwas eindeutig Fixiertes, den gleichen Sachverhalt, das nämliche Ding. Sie sind dem Zufall preisgegeben, sind seine *Trabanten*. Sprache und Schrift werden zu sinnlosen *Buchstaben, Zahlen und Zeichen*. Nicht eine höhere Ordnung gruppiert das Geschehen, sondern die Willkür: *Erpreßt hat der Zufall mir mein Schicksal*. Es gibt allerdings einen Trost in diesem Geschick: das Gesetz der Natur, die mit ihren Elementen alles wieder auflöst.

Döblin experimentierte mit dem weitgehenden Verzicht auf äußere Handlung. Seine Frage lautete, wie man einen Roman der eruptiven Besessenheiten, der tobenden Innenwelt, der *Stichflamme* der Sexualität erzählen kann, ohne die Prosa an die sogenannte äußere Wirklichkeit zu binden. Das Buch ist aus diesem Grunde vor allem mit Lese-Reminiszenzen eingerüstet. Neben Kleist und Hölderlin steht eine lange Beispielreihe weiterer Schriftsteller in diesem Roman herum. Der Geschlechterhass erinnert an Strindberg, Johannes bezieht sich auf Faust, sieht Irene als Lilith und assoziiert die Figur der Arlésienne aus einer Geschichte von Alphonse Daudet. Der Biss in den Hals hat ein Vorbild zwar in Kleists »Penthesilea«, die auf diese Weise Achill anfällt, Johannes denkt dabei aber an eine Selbstbefreiung zur »Tat« – wie vor ihm Raskolnikow aus ähnlichem Motiv zum Mörder wurde. Der Mord an einer Dirne bezieht sich auf Wedekind. Ein Romänchen, gefertigt aus den Papieren eines Eklektikers, radikal in seiner sprachlichen Besessenheit, die aus dem Sprachzweifel resultiert, die eigene Lebensverhinderung steil ins Pathologische getrieben und doch wiederum kühl kalkuliert als intellektueller Versuch über jene Sprachskepsis, die um diese Zeit allenthalben als literarisches Motiv aufbrach und ihren Theoretiker in Fritz H. Mauthner hatte.

Döblin unternahm viel, um das Manuskript des Romans zum Druck zu hieven. Er schickte es beispielsweise am 9. April 1904 an den Verleger Axel Juncker und winkte damit, er könne *den Ihnen bekannten Berliner Kritiker S. Lublinski* bitten, ein Gutachten beizusteuern. Doch der ließ sich nicht bitten: auch nach einem Monat hatte Döblin nichts Aufbauendes in der Hand, und es dürfte auch dabei geblieben sein.

Rilke, damals Lektor bei Juncker, fertigte ein vernichtendes Gutachten an. Er konnte mit diesem Autor nicht das Geringste anfangen. Er verurteilte, dass Döblin seinem Stoff ständig mit Gewaltsamkeit begegne: »Betrachtet man aber den Styl, so erweist er sich als sehr künstlich zusammengefügt, als uneinheitlich, als Verlegenheitsausweg aus einem schwülen Nichtsagenkönnen.« Im »Sturm« wurde das Manuskript vom Februar bis Juli 1912 in Fortsetzungen gedruckt und war mit seinen expressionistischen Vorgriffen nun in einer weitaus besseren Verständnislage. Aber noch immer wollte sich für das Werk kein Buchverleger finden. Erst 1919 ließ sich der S. Fischer Verlag herbei, diesen zweiten Roman Döblins an die Öffentlichkeit zu bringen. Der Autor, der das Manuskript schon für den Nachlass reserviert hatte, quittierte die Wiederbegegnung mit ironischem Humor. Die Zeit für diesen Hundert-Seiten-Roman war allerdings schon wieder fortgeschritten: die Rezensenten bemängelten, dass zwischen Innen- und Außenwelt nicht zu unterscheiden sei, monierten Krankhaftes in der Dichtung, sahen in dem Büchlein etwas Unausgegorenes.

STUDIUM IN FREIBURG

Am 16. April 1904 erhielt Döblin sein Abgangszeugnis von der Berliner Universität. Er ging anschließend nach Freiburg i. Br., um sein Medizinstudium fortzusetzen und sich als Psychiater zu spezialisieren. Er verstand sich dort allerdings noch immer auf Abschweifungen, hörte zum Beispiel bei dem Freiburger Philosophen Heinrich Rickert. Warum aber zog es den Vollberliner Döblin überhaupt in die Provinz? Er hätte sich an Ort und Stelle spezialisieren können, wo doch an der Kaiser-Wilhelm-Akademie und an der Friedrich-Wilhelms-Universität einige Koryphäen der Pathologie und der Hirnpsychiatrie versammelt waren. Vielleicht wollte er sich für einen konzentrierten Abschluss des Studiums dem hauptstädtischen Trubel entziehen. Aber wahrscheinlicher ist ein anderer Grund: Der Wechsel nach Freiburg ging wohl

Nach dem Studium
Um 1908

auf eine bewusste Entscheidung für den Ordinarius Alfred Erich Hoche zurück. Er gehörte mit seinem Antipoden Emil Kraepelin damals zu den renommiertesten Psychiatern in Deutschland. 1902 hatte er den Lehrstuhl und die Psychiatrische Klinik in Freiburg übernommen und unterrichtete dort mehr als 30 Jahre. Hoche betrat faszinierendes wissenschaftliches Neuland. Im gleichen Jahr, in dem er seine Freiburger Domäne in Besitz nahm, veröffentlichte er eine Schrift »Die Freiheit des Willens vom Standpunkte der Psychopathologie«, und sie war geeignet, Döblin auf das heftigste anzuziehen. Sie ergibt eine verblüffende geistige Brücke zum Doppelstudenten. Hoche kritisierte darin, »daß bisher der Versuch nur wenig gemacht worden ist, die ärztlichen Erfahrungen über abnormes Seelenleben bei der Erörterung der Willensfrage heranzuziehen und zu verwerten; allerdings fehlt ja dem Arzte meist die Schulung im philosophischen Denken und Schreiben«. Solche Sätze dürften eine enorme Anziehungskraft auf den Philosophie- und Medizinstudenten ausgeübt haben, daran konnte der ganze Döblin sich abarbeiten. Die Freiheit des Willens sah Hoche für nicht gegeben an, er wollte darin nur eine subjektive Spiegelung des allgemeinen Freiheitsgefühls erkennen. Das war ein aus Schopenhauer gewonnener Befund, und Hoche wie Döblin hatten den Philosophen eindringlich konsultiert. Als Mediziner sah Hoche keinen prinzipiellen Unterschied zwischen Gesunden und psychiatrischen Patienten. Für beide Gruppen galt die gleiche Disposition: Verhalten, sei es regelkonform oder abnorm, ging für ihn auf materiale Bedingtheiten des Psychischen zurück. Von dieser wissenschaftlichen Annahme konnte ein angehender Schriftsteller, der aus seiner Innenschau eine erste Vorstellung von der Ich-Spaltung gewonnen hatte, mehr als affiziert sein.

Einen Monat nach seinem Abgang von der Berliner Universität wurde Döblin in Freiburg immatrikuliert. Zum ersten Mal in seinem Leben bezog er ein eigenes Zimmer außerhalb der mütterlichen Wohnung, genoss wohl den Abstand zur Familie und die neue Selbständigkeit, fühlte sich aber bald vereinsamt. Er las in Freiburg begierig das Feuilleton des »Berliner Tageblatts«, was seine Sehnsucht nach Auseinandersetzung mit großstädtischen kulturellen Themen gewiss nicht abgebaut hat. Er schwieg mit sich, und um nicht ganz allein zu sein, begann er bisweilen laut vor sich hin zu singen. Ihm seien *solche entsetzlichen Abende und Halbnächte in Freiburg gut in die Erinnerung geätzt*, wo ihm seine Stimme wie die eines Fremden vorgekommen war. Immerhin nicht ausgeschlossen ist ein Austausch zwischen Döblin und Mauthner, der 1905 von Berlin nach Freiburg zog und ein Jahr später einen Essay über Spinoza veröffentlichte. Erst 1909 zog er weiter nach Meersburg an den Bodensee. Und ganz so einsam, wie sich Döblin gegenüber Herwarth Walden darstellte, scheint er nicht gewesen zu sein. Ein halbes Jahrhundert später beichtete er Robert Minder, dass er in Freiburg ein folgenreiches Verhältnis zu einem jungen Mädchen eingegangen sei: *In der letzten Studienzeit bekam sie ein Kind: es starb rasch, ich hatte Glück.*

Im August 1904 brach Döblin wieder nach Berlin auf, um dort die Semesterferien zu verbringen. Er absolvierte im Sanatorium Birkenau von Berlin-Lichtenrade ein medizinisches Praktikum, besuchte Lesungen, die Herwarth Walden in seinem »Verein für Kunst« organisierte. Er schrieb die Novelle *Astralia*, wandte sich auch anderen Geschichten zu.

Mit Beginn des Wintersemesters musste er jedoch wieder zurück nach Freiburg und sich auf seine Doktorarbeit vorbereiten. Zu Beginn des Novembers 1904 vermeldete er Herwarth Walden seine erneute Ankunft in der badischen Eremitage. Nach der Turbulenz nun wieder die quietistische Abgeschiedenheit: *Wenn ich Ruhe wünsche, kann ich hier welche finden, – die Stadt handelt en gros damit.* Acht Tage später schrieb er – zehnmal länger – an Waldens Frau, Else Lasker-Schüler, amüsiert schnoddrig, aber auch weich und ein wenig hingebungsvoll. Er schilderte das Interieur seines Zimmers, als wollte er sie damit indirekt einladen, und fügte hinzu: *Ihr Buch an einem Ehrenplatz auf einem Aufsatz.* Eine empfindsam schwärmerische Seele spricht sich aus und vergisst auch nicht, den neuen Gedichtband »Der siebente Tag« der Adressatin zu erwähnen. Döblin berührte im übrigen in diesem Brief ein spirituelles Erlebnis. Er hatte am Tag zuvor das Hochamt im Münster besucht und war am Nachmittag noch einmal in die Kirche zurückgekehrt. Und er knüpfte daran eine überraschende Voraussage an: *Ich werde vielleicht noch einmal sehr gläubig werden, fällt mir ein. Warum soll jetzt hier kein Geist anklopfen? Immerfort geschieht das Wunderbare; wenn man zu denken versucht, wird alles Bekannte unbekannt; das Rätsel steht unglaublich dicht vor der Tür.* Er wandte sich gegen den aufgeklärten Liberalismus, der über die Religion spotte. Und er fügte einen verwirrenden Satz an: *Das Beste, was wir können, ist beten.* Ein Bekenntnis zum Glauben oder zu gothic? Hing Else Lasker-Schüler nicht dem Okkultismus an und wollte er ihr sich damit annähern? Hat er sie vielleicht gar ein wenig umworben? Sie solle sein Bekenntnis nicht *katholisch mißverstehen.* Er meine etwas Allgemeines, ein Geheimnis in einem noch vagen Ausdruck, nämlich *das Unbegreifliche, Dunkle dieser ganzen Erdangelegenheit.* Seine Bemerkung bleibt ein Tasten mit unklaren Wörtern. Vielleicht vertiefte er sich auch nur in die Seligkeiten des Symbolismus und des fin de siècle, die zum Beispiel in der Geschichte *Das Stiftsfräulein und der Tod* (vom Frühjahr 1905) zum Ausdruck kommen, und das Ganze war nicht mehr als ästhetisierende Geisterbewirtschaftung.

Dafür existiert ein anderer literarischer Beleg: die Erzählung *Mariä Empfängnis.* Darin gibt es wie bei Fra Angelico eine Schar einander liebender Mädchen; bei Donner und Doria, Erdbeben und zuckendem Licht empfängt Maria, wobei Adjektive wie Duftmarken und Sphärenklänge die Szenerie ausstaffieren.

Walden hatte als dritten der Abende im »Verein der Kunst« eine Lesung von Thomas Mann angekündigt. Als Döblin nichts davon in den Berliner Blättern lesen konnte, fragte er neugierig an, aber das Ereignis war verschoben worden und hatte noch nicht stattgefunden. In den nächsten Brief Döblins an Walden schleicht sich ein wenig Eifersucht, gepaart mit Ironie, auf Thomas Mann ein: *Daß ein Cellosolo vorausgeht, ist sehr geschmackvoll; es paßt, ich weiß nicht wieso, zu Mann. Und ohne Klavier: so ist Mann auch, – eben bloß Mann, nein: ein dunkler tiefer sehnsüchtig ernster Gesang, aber künstlerisch gehalten, mit »Haltung«? – Hoffentlich stellt sich der Billetverkauf aussichtsvoll.* – In dieser Zeit verfolgte er die Produktion von Thomas Mann mit gespannter Aufmerksamkeit und mit einer schon spürbaren, aber noch nicht ausformulierten Reserve. Ein möglicher Rivale besichtigt den anderen und weiß um die Verwandtschaft. Tatsächlich gab es zwischen den Erzählungen des jungen Thomas Mann und den Versuchen Alfred Döblins durchaus ein verbindendes Motivgeflecht: Der Degout auf die bürgerlichen Ordnungen und Sicherheiten gehört vor allem dazu, aber auch die Figur des asketischen Mönchs, die Lebensverneinung und als komplementärer Ausdruck die Sehnsucht nach Liebe wie der desillusionierte, zynische Blick auf sie. Das sind einige Stichworte, die sie beide verbinden. Die *Memoiren des Blasierten,* in denen Döblin 1902/03 quasi am Roman *Der schwarze Vorhang* weitergeschrieben hatte, und die Thomas-Mann-Erzählung »Tobias Mindernickel« verlaufen nebeneinander her.

DIE DOKTORARBEIT

Unvorstellbar wenig Zeit hat er benötigt, um seine Doktorarbeit zu schreiben. In seiner freien Zeit hatte er Praktika zu absolvieren. Er hat »in Gegenwart des Lehrers des Assistenzarztes 2 Kreissende selbständig entbunden«, wie ihm Ende Juli 1904 von der Universitätsfrauenklinik bescheinigt wurde. Offenbar war er ein Musterstudent. Das Freiburger »Studien- und Sittenzeugnis« von 1904, das Hoche nur als einen Namen aus fast einem Dutzend Professoren ausweist, enthält auch die Bemerkung: »Hinsichtlich des Betragens ist nichts Nachteiliges zur Anzeige gekommen.« Er schlug Alfred Hoche ein Thema für seine Promotion vor, das weniger psychiatrisch als internistisch klingt, aber er stieß auf Ablehnung: *Meine schönen Blutdruckuntersuchungen hat der Professor als »nicht ausführbar im Rahmen dieser Klinik« nicht genehmigt.* Stattdessen verpflichtete ihn Hoche auf ein Problem aus dem engeren wissenschaftlichen Umkreis psychiatrischer Forschung, mit dem Döblin im November 1904 noch nicht richtig vertraut war und ein wenig wegwerfend umging; gegenüber Walden meinte er, es handle sich um *eine seltene Geisteskrankheit, die nach schwerer Nervenkrankheit sich manchmal einstellt, wie es scheint, eine Alkoholsache.* Da war er noch nicht richtig orientiert: Bei diesem Säuferwahnsinn ging es um eine Schnittstelle wissenschaftlicher Kontroversen über die Ursachen von Geisteskrankheit. Sind sie erblich bedingt beziehungsweise durch organische Defekte angelegt, oder werden sie durch seelische Einflüsse hervorgerufen? Alfred Hoche kämpfte gegen eine psychologische Ableitung von Geisteskrankheiten, hielt die Psychoanalyse für unergiebig und stellte sich strikt gegen Sigmund Freud. Er arbeitete an seiner Syndromenlehre und übertrug seinem Schüler die Untersuchung eines Bereichs, den ein russischer Neurologe bereits 1880 umrissen hatte. Sergej Sergejewitsch Korsakow hatte damals die Veränderung des Gehirns durch chronischen Alkoholismus beschrieben. Irreparable Erinnerungslücken treten bei dem Probanden auf. Die Merkfähigkeitsstörung wird jedoch oft mit alten, erhalten gebliebenen Erinnerungen verdeckt, die Lücken werden mit Phantasieinhalten gefüllt.

Über diese hirnorganische Denkstörung sollte Döblin arbeiten. In Hoches psychiatrische Klinik war ein Paradefall eingeliefert worden. Es ging um einen Landwirt, den sein Sohn in die Anstalt verbracht hatte. Döblin besuchte ihn häufig und protokollierte dessen Gedächtnisverlust wie dessen Ersatzleistungen der Phantasie. Nach einem Delirium tremens galt der Patient bei seinen Angehörigen als verrückt. An diesem Fall nahm Döblin höchsten Anteil: auf ihn baute er seine gesamte Dissertation auf und zugleich protokollierte er

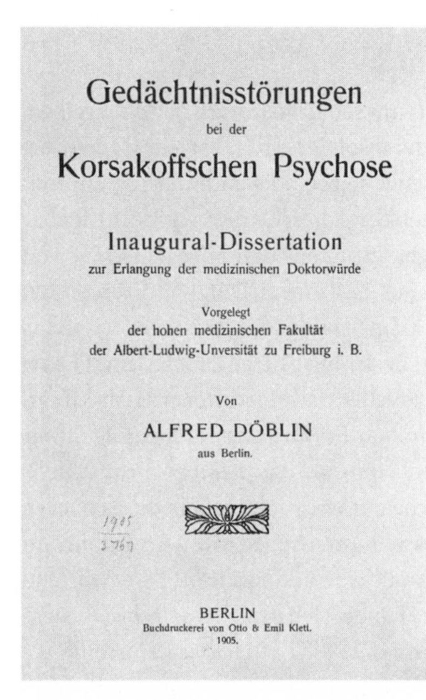

Gedächtnisstörungen

bei der

Korsakoffschen Psychose

Inaugural-Dissertation

zur Erlangung der medizinischen Doktorwürde

Vorgelegt
der hohen medizinischen Fakultät
der Albert-Ludwig-Unversität zu Freiburg i. B.

Von

ALFRED DÖBLIN

aus Berlin.

BERLIN
Buchdruckerei von Otto & Emil Klett.
1905.

Döblins Dissertation
1905

das aberwitzige Gerede mit Humor und dem Verständnis des Literaten fürs Fabulieren: *Abenteuerliche Räubergeschichten, merkwürdige Seefahrten, Begegnungen mit exotischem Getier werden vorgebracht und mit reichem, oft minutiösem Detail ausgeschmückt.*

In dieser Spur wollte Döblin weiterkommen. Für ihn handelte es sich um *Gedächtnistäuschungen, Fehlerinnern, Paramnesien.* Der Verlust betrifft die Erinnerungen an kurz zurückliegende Zeiten und verbreitert sich; große Felder werden ausgelöscht. Döblin fragte: Was tritt an die Stelle des Verlusts? Er nannte das *Confabulation* und spezifizierte damit einen Begriff, den es seit Ende des 18. Jahrhunderts allgemein für »falsches Erinnern« gab. Das leergeräumte Magazin des Gedächtnisses wird von anderen Vorstellungen als den bisher inventarisierten besetzt. Diesem Vorgang widmet Döblin seine wissenschaftliche Aufmerksamkeit und seine – eher literarische – Fallbeschreibung, wobei exemplarisch eine »Poetik des Vergessens« umrissen wird.

Gemeint ist nicht ein Unterbinden des Erinnerns, sondern dessen eigentümliche Modifikation. Döblin baut eine spekulative, aber höchst folgenreiche Brücke zwischen Psychiatrie und Poetik. *Confabulationen* sind das Potential der Kreativität: kombinatorische Kräfte, Deckerinnerungen, Realerfahrung von minutiösen Erfindungen, assoziative Erweiterungen, Halluzinationen, Ideenflucht, Logik des Irregulären. Das Vergessen und die geistige Aktivität gehören demnach zusammen. Das klinische Bild der »Depersonalisation« (eine Worterfindung des belgischen Psychiaters Gerard Heymans) hat eine ästhetische Entsprechung: die Emanzipation der Wahrnehmung vom ordnenden Subjekt, die Selbstbefreiung der Dinge, die auf die entgrenzte Person zurückblicken. Der Doktorand Döblin verabschiedet sich von der Vorstellung, dass im Hirn ein organischer Defekt vorliege, der den seelischen auslöst. Das Vergessen ist der Anfang eines Produktionsvorgangs: *Ich bin nicht Ich, son-*

dern die Straße, die Laternen, dies und jenes Ereignis, weiter nichts. Das ist später seine poetische Folgerung aus diesem klinischen Befund. Er arbeite *wie ein Steinklopfer,* bekannte er gegenüber Walden und fühlte sich von *zugleich Examensarbeit, Doktorarbeit, Poeterei und Philosophie* überfordert. Man spürt in diesen Briefen an Walden die übermäßige Konzentration, die sich wie eine Beklemmung auf ihn legte. Er verordnete sich eine Schreibpause, das hat er wenigstens behauptet; daran gehalten hat er sich keineswegs. Herwarth Walden war sein Ratgeber, wohl auch sein Lektor und Antreiber und sein Archivar. Von ihm erbat er im Dezember 1904 die Manuskripte, die bei ihm verwahrt waren, denn *ich möchte meine Kinder um mich versammeln insbesondere meinen Novellenmanuskriptband mir einbinden lassen, und mich am Einband laben.* Eine Geste des selbstironischen Trotzes gegen den (vorläufigen) Status des ungedruckten Schriftstellers. Immerhin zwei Romane und die Manuskripte von vermutlich neun Erzählungen lagen vor.

Seine Doktorarbeit trug den Titel *Gedächtnisstörungen bei der Korsakoffschen Psychose* und war seiner Mutter gewidmet. Hoche soll ihn gefragt haben, woher er seine Erkenntnis über die verändernde Wirkung chronischen Alkoholkonsums auf das Gehirn beziehe, er habe geantwortet: *ich stelle mir das so vor.* Döblin erzählt von seinem Fall so angeregt und plastisch, dass man den Schriftsteller auf jeder Seite spürt.

Mit dieser Schrift über die Konsequenzen der Amnesie erhält die Arbeit des Vergessens einen literarischen Rang. Die Fiktion ist demzufolge nicht mehr nur Nachahmung (Mimesis) von Realität, vielmehr eine eigene Wirklichkeit. Mit spürbarer Freude erzählt Döblin von den *Confabulationen* des Kranken. Der hat Luther vor 20 Jahren gesehen, »es war ein großes Gedränge um ihn«. Gefragt, wo er selbst sich befinde, nennt er oft diverse Wirtshäuser und nicht die Klinik. In Hasel, wo er herstammt, ist es Mode, im Rathaus zu Bett zu liegen. Dann ist er wieder auf einem Schiff in Nordamerika. Tiere in Bilderbüchern erkennt der Kranke wie auch Farben nach kurzer Zeit nicht wieder. Aber das Erinnern und die Ausfälle lassen sich nicht systematisieren. Der Patient glaubt, er sei nach Amerika geschickt worden, um Vieh zu kaufen, und schon vier Monate unterwegs. Er hält sich in St. Louis auf, er befindet sich in »Constantinopolitan«. Das Jahr umfasst nur fünf Monate, die anderen sind Bismarck geschenkt, der verteilt sie an verdiente Bürger. »Ein Monat sieht lang und schwarz aus.« Mit sichtlicher Freude notiert der werdende Irrenarzt solch krause Originalität. Er ist ganz bei sich und ganz beim Probanden, und es wird verständlich, wenn er wenige Jahre später – sehr hölderlinisch – behauptet: *Damals bemerkte ich, daß ich nur zwei Kategorien Menschen ertragen kann neben Pflanzen, Tieren und Steinen: nämlich Kinder und Irre. Die-*

se liebte ich immer wirklich. Und wenn man mich fragt, zu welcher Nation ich gehöre, so werde ich sagen: weder zu den Deutschen noch zu den Juden, sondern zu den Kindern und den Irren.

Er kam auch auf den Unterschied zwischen krankhaften und poetischen *Confabulationen* zu sprechen. Er mochte sich selbst meinen, als er des Schriftstellers *schwachem contrahierten Puls, bleicher kalter Haut, glühendem Kopfe, glänzenden blutunterlaufenen Augen* sich widmete (wobei der Anteil der Clownerie kaum zu leugnen ist), den Patienten mit seinen nüchtern geäußerten Phantasien hingegen davon abhob. Aber viel weiter kam er nicht. Bei beiden Typen ist die Erfindung eine Realität, nicht nur eine Luft- oder Widerspiegelung, sondern ein ganzes, unteilbares Substitut.

Die Schulung zum Arzt hat auch den Dichter entwickelt: *Aber ich bewahre dem schlanken, nicht großen Mann mit der Doktorsbrille ein gutes Gedächtnis und würde mich eigentlich freuen, wenn Sie mir verraten würden, was dieser Anonymus, dem ich selber nicht Autor, sondern bloß Mensch gewesen bin, Ihnen über mich erzählt hat.* Dazu denken muss man die entstehende Psychoanalyse als Herausforderung, auch wenn nicht zu klären ist, ab wann genau sich Döblin mit ihr auseinandersetzte. Die erste Erwähnung findet sich in einem wissenschaftlichen Aufsatz über *Aufmerksamkeitsstörungen bei Hysterie,* der 1909/10 in einem Fachblatt erschien. Kurz erwähnt wird darin Freuds Studie »Zur Psychopathologie des Alltags«, aber die genauere Kenntnis dieses Textes ist nicht wahrscheinlich. Robert Musil nannte die Psychoanalyse eine »finster drohende und lockende Nachbarmacht« des Dichters und ging auf Distanz. Döblin war da ganz anderer Auffassung, weil er den Arzt in sich für den Dichter nutzbar machen konnte. Aber er hätte sich, falls Freud von seinen Erzählungen Notiz genommen hätte, vermutlich einen unguten Verweis eingehandelt: Schon 1906 wandte sich Freud in dem Aufsatz »Psychopathische Figuren auf der Bühne« gegen jede Literarisierung von Krankengeschichten. Da hat ihn Döblin triumphal widerlegt. Döblins Weg führte im ersten Jahrzehnt nach 1900 von der Ich-Zergliederung wie im *Schwarzen Vorhang* über die Analyse des Arztes bis zur Weltbeschreibung und zur Methodik des depersonalen Erzählens.

Anfang April 1905 hatte sich seine Stimmung aufgehellt: in einem Monat wollte er seine akademische Ausbildung beendet haben und dann wieder zurück in Berlin sein. Es dauerte dann allerdings noch bis zum 10. Juli, dass er die ärztliche Abschlussprüfung absolvieren konnte. Alfred Hoche promovierte ihn nach nur einem Jahr mit der Note »Gut«. Neun Tage zuvor, während niemand anderer in seiner Lage an Literatur gedacht hätte, schrieb er noch rasch die (ungedruckt gebliebene) Erzählung *Staatsmathe-*

matik. Bereits am 9. August erhielt er vom Großherzoglich-Badischen Ministerium des Innern die Approbation, das an sich vorgesehene praktische Jahr wurde ihm erlassen. Sein Doktordiplom wurde ihm am 25. September überreicht. Zeit zur Erholung oder zum Bummeln ließen seine Finanzen nicht zu: er musste sich sofort eine Stelle als Arzt suchen. Er bewarb sich erfolglos in Berlin, aber auch in Stettin, wohin er zum Vorstellungsgespräch reiste und wahrscheinlich infolge antisemitischer Vorbehalte der Klinikleitung nicht angestellt wurde.

Was hat Döblin von seinem Lehrer Hoche mitgenommen? Schon in der Dissertation wird dessen wissenschaftlicher Widersacher Erich Kraepelin als Referenzgröße angeführt. Döblin verstand sich ganz auf dessen Bemühen, die Einteilung der Geisteskrankheiten solle sich vornehmlich aus der Beobachtung ihrer jeweiligen Eigenart ergeben. Ein solches Vorgehen lehnte Hoche ab: er suchte nach organischen Ursachen. Döblins Doktorarbeit entsprach zwar durchaus dem Vorstellungsrahmen seines Lehrers: für den Gedächtnisverlust des Patienten und seine *Confabulationen* werden organische Veränderungen durch den Einfluss des Alkohols verantwortlich gemacht. Aber zugleich enthält diese Arbeit eine Krankengeschichte in getreuer Beobachtung, wie sie Hoche in seine eigenen Arbeiten nicht aufgenommen hätte. Somit erfüllte Döblin das Programm seines Doktorvaters und unterminierte es zugleich mit dem Vorbild Kraepelin.

Auf die Entwicklung des Erzählers hat Hoche keinen Einfluss gehabt. Wenn Döblin 1913 in seinem *Berliner Programm* forderte: *Man lerne von der Psychiatrie,* so hätte er Hoche wohl kaum als Lehrmeister angeben wollen. Gerade das Studium der Krankenbilder mit ihren Einzelheiten, die Hoche nicht für das Wichtigste hielt, half dem Erzähler Döblin auf. Kraepelin und sein Freiburger Antipode waren auf einem Debattierfeld der Psychiatrie ineinander verbissen, aber Hoche hat für sich einen noch nachhaltigeren Gegner ausgemacht: Sigmund Freuds Psychoanalyse galt die ganze Verachtung des Polemikers. Er wandte sich früh dagegen, doch konnten wohl die Kardinalsätze seiner Philippiken erst einige Jahre nach Döblins Freiburger Studentenzeit von der wissenschaftlichen Öffentlichkeit wahrgenommen werden. Es gibt keinen Hinweis darauf, dass sich Hoche bis 1905 gegen den Verfasser der »Traumdeutung« (1900), der Schrift »Zur Psychopathologie des Alltagslebens« (1901), von »Der Witz und seine Beziehung zum Unbewußten« (1905) oder der »Drei Abhandlungen zur Sexualtheorie« (1905) ausgesprochen hätte. Aber Freud wurde bald danach Hoches Dauerfeind. Der Freiburger Psychiater sah in der Psychoanalyse gar einen Abfall von der menschlichen Gesundheit: »Ihre Grundlage ist eine morbide Doktrin, eine Heilslehre für

Dekadente, für Schwächlinge aller Arten – und deren wird es immer genug geben.« Döblin musste sich also, um Freuds Lehre näherzukommen, von Hoche lösen. Die beiden Götter konnten nicht nebeneinander existieren.

Döblin übte auch eine auffällige Zurückhaltung gegenüber seinem Lehrer: von einer einzigen sachlich begründeten Anfrage abgesehen, ist keine weitere Korrespondenz überliefert. Hoche wiederum hat seinen inzwischen berühmten Schüler in seinen Erinnerungen »Jahresringe« (1934) nicht erwähnt. Er scheint von dessen Büchern nichts gelesen zu haben: die Beispielreihe der erwähnenswerten Prosaisten endet für ihn mit Eduard von Keyserling. An theoretischen Auseinandersetzungen über die Psychiatrie hat sich Döblin nicht beteiligt. Auf den Kampf Hoches gegen Freud kam Döblin jedoch in einer Satire zu sprechen. Am Ende des *Alexanderplatz*-Romans von 1929 sitzt Franz Biberkopf in der Irrenanstalt Berlin-Buch, spricht und isst nicht. Die Ärzte beugen sich ratlos über ihn. Die Älteren erklären ihn zum Simulanten, behaupten, er habe einen Defekt im Mittelhirn, und wollen ihn mit rüden Methoden, die aus der Kriegspsychiatrie stammen, in seinem Widerstand brechen. Die anderen, Jüngeren, sind Freudianer, wollen seine seelischen Defekte erkunden. Aber auch sie kommen nicht weiter: er spricht ja nicht mit ihnen. Der Streit zwischen den Hirnpsychiatern (ähnlich Hoche) und den Seelendoktoren (wie Freud) geht unentschieden weiter, bis Franz Biberkopf mit den Resten seiner Existenz von sich aus ins Leben zurückkehrt. Ihm war auf Erden nicht zu helfen, so hat er sich selbst geholfen. In dieser Wendung wird jeder ärztliche Fraktionskampf nichtig und komisch.

IRRENARZT IN KARTHAUS-PRÜLL

Die Ferien nach seiner Abschlussprüfung verbrachte er in Berlin und schrieb an einem Einakter, *Lydia und Mäxchen.* Seit Mitte November 1905 praktizierte er als Psychiater in der Kreisirrenanstalt Karthaus-Prüll bei Regensburg. Anfangs scheint ihm seine Tätigkeit gefallen zu haben. Nach einer Woche berichtete er Herwarth Walden gut gelaunt von einem umgänglichen Chef, einem Bechsteinflügel, der ihm zur Verfügung stehe, und Kollegen, die *lieblich trivial Zither und Geige* spielten. Auf diese Weise wurde er anscheinend mit den Wonnen der bayerischen Volksmusik bekannt. Seit seiner Ankunft habe er das Anstaltsgelände noch nicht verlassen: *Ich sitze hier unter lauter absolut Verrückten. Wahnsinnig interessante Fälle zum Teil. Hab wenig zu tun eigentlich, netter Direktor; bin bis heute noch nicht aus den Anstaltsmauern gekommen seit fast 1 Woche. Ich habe 150 Weiber in meiner*

Hut; die Anstalt hat 650 Patienten. (...) Reichlich ist alles vorhanden, Ochsen, Hühner und Idioten.

Die Klinikleitung stellte ihn als vierten Assistenzarzt ein, mit einem Jahresgehalt von 1500 Mark, nach dem Tarif für »für nichtpragmatische Beamte, sowie mit freier Verpflegung in I. Classe, Wohnung, Beheizung und Beleuchtung«. In der Hierarchie der Ärzte stand er somit auf der untersten Stufe. Man sah über das Hindernis hinweg, dass er »Israelit« war, wie aus einer Bleistiftnotiz am Rand der Akte vermerkt war; in der Personalnot stellte man in Karthaus-Prüll sogar einen Juden ein.

Der »dirigierende« Oberarzt der Anstalt war zu Döblins Zeiten ein Johannes Feldkirchner; er stand ihr als Direktor bis 1916, insgesamt 22 Jahre lang, vor. Ein Chronist von Karthaus-Prüll vermerkt lakonisch trocken: »Feldkirchners großes Verdienst auf dem Gebiet der Therapie war die Einführung der Bettbehandlung.« Der Chefarzt hatte sich einige Neuerungen in der psychiatrischen Praxis einfallen lassen, war aber wohl aus Geldmangel nicht in der Lage, den Status der Verwahranstalt zu verändern. Feldkirchner hatte schon zuvor aus der stürmisch gewachsenen Zahl von Kranken die Unruhigen und die Störenfriede herausholen und in Einzelzimmern unterbringen wollen. 1905 war ein entsprechender Neubau bezogen worden. Es gab im Jahr darauf zwar Plätze für 560 Patienten, aber die Anstalt war schon ein Jahr danach mit 632 Kranken überbelegt, so dass die gewünschte Erleichterung nicht eintrat. Feldkirchner wollte Werkstätten einrichten; ihm schwebte eine Art Arbeitstherapie vor, aber wegen der engen räumlichen Verhältnisse hatte er damit nicht den gewünschten Erfolg. Um Patienten ruhigzustellen, wurden Ermüdungsbäder angewandt, die Renitenten in Zwangsjacken gesteckt oder der Kunst des Wickels unterzogen, wobei mehrere Männer nach einer festen Schnürtechnik die Patienten mit Tüchern so einbanden, dass ihre Arme fest an den Körper gepresst waren und sie nicht mehr um sich schlagen konnten. An Medizin standen nur Sedative wie Morphium und Chloral zur Verfügung. Das war damals die herrschende Praxis, und sosehr sich Feldkirchner anscheinend bemühte, Neues auszuprobieren, blieb angesichts der Gegebenheiten nur wenig Spielraum.

An Herwarth Walden schreibt Döblin Anfang 1906: *Ich treibe hauptsächlich Psychiatrie; ist nämlich kein so einfaches Terrain. Aus dem 100. kommt man ins 1000.; froh bin ich, daß ich einige philosophische Ahnung habe. Jetzt brüte ich richtig über anthropologischen Dingen; nächtens werde ich noch an die Geschichte geworfen.* Er hat nur 116 Seiten Krankenberichte verfasst. Das erscheint wenig angesichts seiner Mitteilung über die vielen Patienten, die er zu betreuen hatte. Nur über 90 seiner 150 Probanden finden sich Ein-

Die erste Stelle: Kreisirrenanstalt Karthaus-Prüll

träge, deren Handschrift man Döblin zuordnen kann. Bisweilen hat er ganze Gespräche aufgezeichnet, wobei der Originalton mit seinen Stauungen, Unterbrechungen, Abbrüchen und Verstößen geglättet ist. Der Arzt versteht sich auf vollständige, übergreifende Sätze, setzt sich als Medium der Aufzeichnungen über Gestotter, Gestammel und Gefasel seiner Anvertrauten hinweg. Eine breit gestreute Neugier ist diesen Akten nicht unbedingt anzumerken: sie verzeichnen biographische Details, Hinweise auf die Krankengeschichte, Auffälligkeiten, familiengeschichtliche Besonderheiten, falls von Belang, kaum mehr. Aber es gibt in diesem Material eine überragende Aufmerksamkeit für den Habitus und die Aufführung der Patienten.

Eigene Urteile in den Krankenakten waren wohl nicht gefragt, und da mit den vorhandenen medizinischen Mitteln Heilung kaum möglich war, blieben die Fallbeschreibungen weitgehend statisch, in einem Berichtsschema. Ein Beispiel sei angeführt: der Fall einer »Eisenmeistertochter«, 49 Jahre alt, ledig, schon öfter in Karthaus gewesen. Döblin fasst Beobachtungen von Dezember 1905 bis April 1906 zusammen. Von therapeutischen Maßnahmen ist mit keinem Wort die Rede. Er beschreibt das Äußere, Physiognomie, Gebärdensprache und Reden: *Kräftige Person, die stereotyp die rechte Hand auf dem Rücken hält, die linke über den Unterleib und da scheuert. Unkomponierter leerer Gesichtsausdruck. Orientiert zeitlich, örtlich, ihr Verhalten wechselt zwischen apathischem Sitzen, zusammengesunken, wie begossen, – dann rastlosem Umherwandern mit lautem Sprechen, – schließlich durchdringendem Schreien, verzweifeltem Weinen und Geheul, mit Zwang zur Isolation. Der Inhalt ihrer Vorstellungen: »Ich will mein Geld, meine 2000 M; ich will mein Wasch und meine weißen Kleider. Der König Ludwig soll mich gesund machen. Draußen werden die Leute umgebracht. Ich heirate Kaiser Wilhelm, oder König Ludwig etc.« Sie hört das Fallen der Richtbeile; Gespenster und schwarze Männer kommen nachts in den Korridor, ohne Kopf. Auf dem Baume draußen sitzt der Erbprinz von Thurn und Taxis, das junge Kind, dem man ein Schabernack spiele indem man ihn hinauftrüge, aber nicht herunternehme. Die Vorstellungen werden inkohärent aneinandergereiht. Ist schwer fixierbar, faßt Fragen relat. Gut auf, gleitet aber sehr rasch in ihren Wahn ab.* Bei diesem Zitat handelt es sich etwa um die Hälfte des Krankenberichts. Die angefügte Diagnose ist lapidar und klingt unabänderlich: *Also Schwachsinn mit Resten von Größenwahn und Beeinträchtigungsideen insbesondere hypochondrischer Art; Verlauf in monotonen Erregungen, bei blühender Halluzinose.*

Man merkt rasch: der Arzt ist in einer Sackgasse, weil seine Aufgabe nur darin besteht, die Verwahrten zu klassifizieren. In den Akten ist jedoch ein Vorrat an Wahrnehmungen versammelt, von dem der Erzähler mindestens ein Jahrzehnt lang Gebrauch macht. In den medizinischen Berichten selbst ist ein Übergang zum Erzählen nicht ersichtlich. Aber der Epiker Döblin konnte sich an der Kasuistik der Fälle schulen, das Repertoire der Verrückung studieren, von den physiognomischen Auffälligkeiten ein Repertoire des gestischen Erzählens erlernen.

Er hatte Sehnsucht nach Berlin, forderte den Freund auf, er solle ihm die wichtigsten Ereignisse in der Hauptstadt wenigstens aufzählen. Immer wieder schielte er nach der Metropole, stöberte die Zeitungen nach Besprechungen von Walden-Abenden durch: Hanns Heinz Ewers und Else Lasker-Schüler, Alfred Mombert und Maxim Gorki waren an der Reihe.

Entweder wurde er von seinen Kollegen und Vorgesetzten in die Obliegenheiten des Dienstes nicht integriert, oder er nahm viel Zeit für sich in Anspruch. Jedenfalls erscheint es merkwürdig, dass er drei Wochen nach seinem Amtsantritt schreiben konnte, er sei *nicht zu sehr beschäftigt*, und nach insgesamt sieben Wochen in Karthaus-Prüll angesichts der Überfüllung der Anstalt: *Indessen hab ich einen Tagesplan, den ich Ihnen zur Erholung verschreiben möchte. So ruhig, so ohne »Lüftlein«. Ich hab mehr Zeit für mich, als ich jemals hatte.* Er vermeldete die Niederschrift zweier fachlicher Aufsätze: der eine befasste sich mit *Jungfräulichkeit*, der andere mit *Qualität und*

Kausalität, eine nicht gerade anspruchsvolle Arbeit, eher eine kleine Nebenbeschäftigung. Immerhin hat er die Zeit genutzt: *eine Reihe Bemerkungen und Einfälle zur Ästhetik, die meine Zettelmappe beschweren*, Vorstudien zum späteren Werk *Gespräche mit Kalypso über die Musik* sind Anfang Januar 1906 erwähnt.

LYDIA UND MÄXCHEN

Sein Hauptaugenmerk galt der angemessenen Präsentation einer Talentprobe in Berlin: zur Aufführung gelangte dort sein Stück *Lydia und Mäxchen. Verbeugung in einem Akt.* Die erste, handschriftliche Fassung findet sich in einem blauen Oktavheft, ist datiert auf den 12. September 1905 und wird im Untertitel noch als *Groteske* ausgewiesen. Sechs Wochen später war das Werkchen fertig. Walden bat ihn um einen Prolog, neun Tage vor der Premiere lehnte er das Ansinnen ab. Dennoch hat sich im Nachlass Waldens ein Text Döblins erhalten, den man als Vorspruch ansehen kann – eine Ladung Nonsens. *Lydia und Mäxchen* wirkt wie eine theatralische Einübung in den späteren Dadaismus eines Kurt Schwitters. Bühnenrequisiten leben auf, proben die Revolte gegen den Dichter und den Regisseur, denen die Texte entgleiten. Lydia wird im Sarg auf die Bühne getragen und von Max revitalisiert, worauf die beiden nicht wie im Märchen ein Liebespaar abgeben, sondern in Streit verfallen. Der Klabautermann tritt aus seinem Bild an der Wand und erledigt die beiden mit einer Art Handgranate. Ein modernistischer Spaß, durchaus schon in jener Manier der Verfremdung, die Brecht später an Döblin schätzte und studierte. Die Emanzipation der Dinge und der Figuren von Verfasser und Regisseur wirkt nicht nur als frühexpressionistische Groteske, sondern auch als ein Exempel für den Eigenlauf der späteren Romane, die ihren Urheber wie ein Schreibmedium nutzen, wie eine Vorbotschaft des Großerzählers, der sich selbst nur im ausführenden Dienst der Werke sieht.

Aus der bayerischen Enklave fragte Döblin Herwarth Walden, der sich des Stücks angenommen hatte, nach der szenischen Qualität, nach dem Verlauf der Proben; es ärgerte ihn heftig, dass er nicht in Berlin dabei sein konnte. Er gab Walden eine ebenso ausschweifende wie bürokratische Deutung mit auf die Proben: Lydia und Mäxchen *in ihrem Wandel sind nicht wenig diffizil zu spielen, denk ich. Das Zwangsmäßige in ihrem Verhalten und Reden, stockend, flüsternd, eine vielfache Inkongruenz von Wort und Ausdrucksweise muß hervorstechen. Bis sie ihre Natur gezeigt haben, die hassenden liebenden Bestien, das eisige, lieblose in ihrer Liebe, der Hohn auf Wärme und*

Zartheit, das Geständnis ihrer »phönikischen« Lust an Kampf und Mord sich abmoduliert. Lydia erst zart, dann ängstlich, erschreckt, entsetzt, schließlich wild, offen und mänadisch. Max aus dem Weichen hindurch zum härteren Ernst; mehr erstarrend, schließlich eigentlich nicht den Anblick eines Handelnden bietend, sondern wie einem Banne folgend, maskenhaft, wenig Bewegungen. Vor so viel Autorenansprüchen hätte der Regisseur, falls er die Deutung nicht stillschweigend von sich gewiesen hätte, geradezu kapitulieren müssen.

Ganz und gar nervös wurde Döblin, als in Berlin die Uraufführung stattfand und er von Regensburg nicht wegkam. Am 1. Dezember fand die Premiere in Waldens Gesellschaft der Freunde des »Vereins für Kunst« in der Potsdamer Straße statt. Gemeinsam mit *Lydia und Mäxchen* hatte auch Paul Scheerbarts fünfaktige Groteske »Herr Kammerdiener Kneetschke« Premiere. Für seinen theatralischen Jugendstreich wählte Döblin ein Pseudonym: er gab als Verfasser einen *Alfred Börne* vor. Er fürchtete, dass seine Familie Wind bekommen könnte, und wollte sich deren Vorhaltungen nicht aussetzen. Doch sickerte in der Künstlerszene die wahre Identität des Autors durch, und Döblin wurde geradezu ängstlich, denn er befürchtete häusliche Folgen: *Jeh, wie ich mich darüber ärgere, daß man mich beim Namen genannt hat; es waren auch zu viel »Mitwisser« da. Ich habe, wenn ich zu Besuch nach Hause komme, hämische, ironische etc. Bemerkungen in Hülle zu gewärtigen, falls man da etwas gelesen hat.*

Kein Geringerer als der Kritiker Monty Jacobs nahm sich der Unzulänglichkeiten der Aufführung einen Tag nach der Premiere mit gelassen-ironischem Gleichmut an: »Als Kunst der Zukunft mag wohl auch Alfred Börnes Groteske *Lydia und Mäxchen* gelten. Doch das mißgünstige Schicksal, im Bunde mit Mimenkatarrh und böser Akustik, entzog uns Gegenwartsmenschen unter den Zuschauern fast völlig die nicht ganz entbehrliche Kenntnis des Textes. So genossen wir auch diese Schöpfung als Pantomime. Einige bürgerliche Vorurteile mußten freilich zur Erhöhung des Genusses geopfert werden.« Als Döblin das Echo wahrgenommen hatte, war er anscheinend beruhigt; nun wollte er das Werk gerne möglichst bald veröffentlichen. An Herwarth Walden: *A propos: was halten Sie davon, es drucken zu lassen? 44 weitgeschriebene Seiten, ist das kostspielig? Vor allem: halten Sie was davon?* Der Straßburger Wissenschaftsverleger J. Singer übernahm das Stück und lieferte die Buchausgabe bereits im April 1906 aus; sie war auf Kosten des Verfassers gedruckt worden. Der Publikationsort lag geographisch weit genug von Berlin entfernt, so dass die Familie nichts davon erfahren musste. Mit dem Verlag war er sehr zufrieden. Wenn man die kolossale Folge der späteren Döblin-

Romane in Betracht zieht, entbehrt es nicht der grotesken Ironie, dass der angehende Schriftsteller mit einem schmalen Einakter debütierte.

Döblin war animiert, seine Karriere als Dramatiker fortzusetzen. 1907 machte er sich Notizen zu einem *Franziskus*-Drama, aber es reichte nur zu allerersten Niederschriften: sechs Blatt, die er immerhin sorgsam aufbewahrte. Die Problematik ist skizziert: *Das Weib als Fallstrick.* Es folgte *Comteß Mizzi* nach einer realen Vorlage, einem Skandal in Wien, der sich im Frühjahr 1908 ereignet hat. Döblin schrieb daran wohl 1909, jedenfalls war das Manuskript im Februar/März 1910 abgeschlossen; das Stück sollte in Waldens Zeitschrift »Der Sturm« erscheinen, doch es kam nicht dazu. So blieb der Text ein *stiller Bewohner des Rollschranks.*

In Karthaus-Prüll spitzten sich latente Konflikte zu. Döblin scheint die Stelle, ja den Klinikbetrieb überhaupt falsch eingeschätzt zu haben. Er stieß auf Widerstand, wohl weil er trotz seiner Jugend glaubte, seine Kollegen belehren zu müssen. Antisemitismus war in seiner Umgebung auch im Spiel. Erhalten ist nur die briefliche Beschreibung der einen Seite; Döblin prangerte seine Kollegen an. Dann folgte eine Beleidigungsklage gegen den Oberarzt, der sich vom medizinischen Nachwuchs nichts gefallen lassen wollte. Döblin meldete etwas blasiert nach Berlin: *Die Situation hab ich nur aus Trotz noch ein bissel ertragen, schließlich langweilts einen ja; man fühlt sich ja auch zu gut für solche Kleinstädtereien. Ich habe auch zu sehr ihre Kgl. bayrische Ruhe gestört.*

Rund 300 Tage, insgesamt knapp 11 Monate hat der junge Arzt in Karthaus-Prüll verbracht. Der fachliche Ertrag war bescheiden: die medizinischen Artikel, die er schrieb, häufen sich erst an anderen Orten und zu einem späteren Zeitpunkt. Und die künstlerische Bilanz war auch nicht gerade eindrucksvoll. Er hat sich selbst nicht als literarischen Frühstarter missverstanden.

PSYCHIATER IN BERLIN-BUCH

Ich geh in nicht zu langer Zeit von hier fort. Kurtchen wird Ihnen sagen, warum. – Eine eigenartige Zurückhaltung gegenüber Walden: Fürchtete er, dass jemand Unbefugter mitlas? War es konstitutionelle Geheimniskrämerei? Dann setzte er kurze Zeit später nach: *bestimmt* gehe er zum 1. Oktober 1906, wohl schon früher, wenn er in Berlin eine Stelle finde. Doch blieb er skeptisch wegen seines weiteren Berufswegs; er hatte den bürgerlichen Antisemitismus auf der Rechnung: *Würde mich recht freuen, wenn ich in Buch ankäme; aber – ich bin kein Arier; bin neugierig, was aus meiner Beamtung wird. Es ist kein Vergnügen, andauernd »die Treppen der Fremde« zu steigen, totalement solo.* Am 13. September wusste er es dem Freund doch wenigstens im Telegrammstil mitzuteilen, dass er in Buch anfangen könne.

Nun also die Irrenanstalt in Buch, Lindenberger Weg, ab Mitte Oktober 1906. Die Einrichtung, die dritte ihrer Art in Berlin, war von dem Stararchitekten Ludwig Hoffmann geplant worden und glich mehr einer Gartenstadt als einer Verwahrstation für Geisteskranke: eine großzügige Anlage aus zehn Bauten, um eine Mittelachse angelegt, jeweils zur Hälfte für Männer und Frauen. Döblin, der wiederum als Assistenzarzt arbeitete, gehörte zum Erstpersonal der neu erbauten Klinik. Sie wurde im Herbst dieses Jahres belegt. Tatsächlich handelte es sich um die architektonisch modernste Anlage weit und breit. In Buch wurde auch auf kulturelle Aktivitäten besonderer Wert gelegt. Es gab einen Festsaal für Theateraufführungen der Patienten, eine Bibliothek, Lesezimmer und Billardzimmer. Zu Döblins Zeiten arbeiteten dort neben dem Direktor Heinrich Alfred Richter vier Oberärzte, 12 Assistenzärzte, 174 Pfleger und 150 Pflegerinnen. Die Aufstellung signalisiert eine gute personelle Situation. 23 Jahre später wird der Erzähler Döblin noch einmal an die ärztliche Wirkungsstätte zurückkehren. Franz Biberkopf in *Berlin Alexanderplatz* will bei einer Großrazzia der Polizei sterben, den Tod durch eine Kugel suchen, aber vergeblich: er macht nur Bekanntschaft mit einem Gummiknüppel und wird in die Irrenanstalt Buch eingeliefert. Sie ist der Schauplatz von Delir und Heilung des Helden. Er wird wegen Unzurechnungsfähigkeit freigesprochen. Beschrieben ist im Roman das Verwahrhaus 212 der forensischen Psychiatrie, wie es sich 1906 darstellte: *Das feste Haus liegt im freien Gelände, auf dem offenen, ganz flachen Land, der Wind, der Regen, der Schnee, die Kälte, der Tag und die Nacht, die können das Haus umdrängen mit aller Kraft und mit aller Macht. Keine Straßen halten die Elemente auf, es sind nur wenige Bäume und Sträucher, dann stehen noch ein paar Telegraphenstangen da, aber sonst sind nur Regen und Schnee, Wind, Kälte, Tag und Nacht da.* Döblins vorauseilende Sorge, er werde auch in Berlin-Buch mit Antisemitismus konfrontiert werden, erwies sich anscheinend als unbegründet. Unter den unmittelbaren Kollegen finden sich auch andere jüdische Namen: Levy, Löwenstein und Karl Birnbaum zum Beispiel, der sich besondere Verdienste um die forensische Psychiatrie erwarb und Haftpsychosen von Straftätern untersuchte. Döblin konzentrierte sich in Berlin-Buch auf ärztliche Forschung und arbeitete an Fachartikeln.

Ein Foto, datiert auf Oktober 1907, zeigt ihn inmitten von Pflegerinnen des Hauses 208, eines von zwei Pflegehäusern für Schwerkranke in der Frauen-

Die Krankenschwester
Frieda Kunke
Um 1912

abteilung. Vermutlich hat er dort am häufigsten gearbeitet. Bei der Einstudierung einer Theateraufführung zur Einweihung der Gesellschaftsräume in der Anstalt lernte er die Krankenschwester Frieda Luise Kunke ein Jahr nach seiner Anstellung in Buch kennen. Auf den Seiten eines Haushaltsbuchs, in dem sonst noch Angaben für Lebensmittel notiert sind, findet sich, datiert auf den 27. Oktober 1907, ein Gedicht, gedacht als hochfeierlicher Preis der Anstalt. »Die Hallen schritt ich aufwärts, ungesehen, / Die Ruhe lockte, und so steh ich hier vor Euch, / in Eures Prunksaals weißen Höhen, / In Eurer Fröhlichkeiten Spielrevier.« Und so geht es, in gehobener Rede und antikem Versmaß, zehn Strophen zu je acht Zeilen dahin. Undenkbar, dass sie selbst es ersonnen haben könnte. Es handelt sich wahrscheinlich um ein parodistisches Elaborat des dichtenden Jungpsychiaters, das als Prolog für das Fest gedacht war und das Frieda Kunke als eine der jüngsten unter den Schwestern vortrug. Es entspann sich eine heftige, anhaltende Liebesgeschichte, die nicht nur wegen der Minderjährigkeit des Mädchens sorgfältig verheimlicht werden musste. Die Anstaltsordnung untersagte jegliche Erotik zwischen dem Dienstpersonal.

Eine Aufnahme zeigt Frieda Kunke, rührend zart und schlank, in gefältelter weißer Schwesterntracht über dem langen schwarzen Rock, vor einer Landschaftstapete, neben einem runden Empire-Tischchen mit einigen medizinischen Utensilien, offensichtlich im Atelier des Fotografen. Die Linke berührt, vom Lichtbildner so arrangiert, etwas unbeholfen die Tischplatte. Sie erfüllt ganz und gar die angewiesene Pose. Vielleicht gibt ihre Art von Ergebung einen winzigen Hinweis auf die Rolle, die sie gegenüber dem 13 Jahre älteren Assistenzarzt einnahm.

Alfred Döblin soll ihr sehr zugetan gewesen sein; er kam lange Zeit nicht von ihr los. Vier Jahre lang dauerte das Verhältnis. Im Alter hat Döblin seinem Freund Robert Minder einige Bruchstücke seiner erotischen Biographie gebeichtet. Doch sind die Bemerkungen mit einiger Reserve zu bedenken. Die Auskünfte existieren nur in kurzen, bisweilen telegrammartigen Notizen Minders. Sie sind nicht ausgearbeitet und von Döblin nicht korrigiert worden. Hörfehler und Sachirrtümer in diesem Material sind nachweisbar. Demnach habe sich Frieda Kunke an den Arzt gehängt. Er habe ihr in einer schwachen Stunde in einem Hotel am Küstriner Platz die Verlobung zugesagt. Man wird wohl nicht fehlgehen, wenn man mit dem jungen Mädchen Döblins sexuelle Befreiung verbindet: eine gewisse Unbedenklichkeit, aber auch – über alle Bildungsschranken und soziale Grenzen hinweg – eine wechselseitige Verfallenheit.

Zwar gibt es keine schriftlichen Zeugnisse dafür, aber man hat in dieser Causa mit dem Döblinschen Familienrat zu rechnen. Wenigstens die Mutter wurde zunächst eingeweiht und mehr: um Entscheidungshilfe gebeten. Der Passus in *Sommerliebe* klingt so, als wäre er aus einem Brief in die Geschichte montiert: *Es ist mir eine schreckliche Erinnerung, ich brachte sie zu meiner Mutter, und die sagte nein. Es war ein wochenlanger Kampf, aber meine Mutter hatte schon recht, und ich weiß, daß man Pflichten hat und daß man seinem Gefühl nicht blind folgen darf. Es war ein schreckliches Ende, ein schreckliches langes Jahr. Ich bin aus der Sache nicht herausgekommen, wie ich hineingeraten bin.* Der Familienrat sprach, Döblin lässt es durchblicken, ein eindeutiges Urteil: Er durfte Frieda Kunke nicht heiraten, denn er sollte vermutlich nicht mit einem armen Mädchen in die Welt schreiten, er sollte nach oben heiraten. Im übrigen wird auch hinderlich gewesen sein, dass Frieda Kunke nicht jüdisch war. Er hätte sie aber, solange er in Berlin-Buch arbeitete, auch aus anderen Gründen nicht heiraten können: Die geltende Gesindeordnung stand dagegen. Eine Heirat vor Ablauf des fünften Dienstjahres war den Pflegern untersagt. Und Pflegerinnen mussten mit der Eheschließung sowieso aus dem Dienst ausscheiden.

Aus einer devot vorgebrachten brieflichen Bitte vom 20. Februar 1907 an seinen Lehrer Alfred Hoche geht hervor, in welchem Bereich er als Arzt forschen wollte. Er bat ihn um Auskunft über die blutverändernde Wirkung von Adrenalinpräparaten oder eines anderen, vergleichbaren Mittels. Mit Strophantin hatte er es, ohne gewünschten Erfolg, bereits versucht. Was wollte er studieren? *Es handelt sich um die Frage, welchen Einfluß sicher herzustellende Druckvariationen auf Erregungszustände, Stimmungszustände haben bei den einzelnen Psychosengruppen.* Er suchte also nach einem Schlüssel für den Zusammenhang von physiologischen Gegebenheiten und Geisteskrankheiten. Die Lehrbücher der Pharmakologie konnten zu diesem Zeitpunkt nur unzulängliche Auskünfte geben. Hoche wusste allerdings auch keinen Rat und meinte, entsprechende Mittel stünden wahrscheinlich noch nicht zur Verfügung.

Döblin hat sich in diesen Jahren auch wissenschaftlich betätigt und mindestens vier Fachaufsätze veröffentlicht. Er befasste sich mit *Dämmerzuständen* (1908), *Melancholie* (1908), *Aufmerksamkeitszuständen bei Hysterie* (1909) und *Wahnbildung im Senium* (1910), die beiden letzten Artikel veröffentlichte er in dem von Hoche mitherausgegebenen »Archiv für Psychiatrie und Nervenkrankheiten«. Seit seiner Doktorarbeit suchte er einen Umriss der pathologischen Phantasie zu zeichnen. Die Mehrzahl der Prosastücke, auch manche wissenschaftlichen Texte, laufen auf diesen einen Punkt hinaus: die bisweilen kuriose, ihn humoristisch anmutende Reihe von Gaukeleien der Einbildungskraft, Obsessionen, Ticks, Surrealismen und Deckgeschichten zu beobachten und aus ihnen einen eigenen Ausdruck des Erzählens zu entwickeln.

Immer sprach in diesen medizinischen Artikeln der Arzt mit seiner eigenen Terminologie, doch der Schriftsteller war sein neugieriger, in diesen medizinischen Arbeiten notgedrungen stummer Zuschauer. Aber er machte sich, wenn auch nur sporadisch, selbst bemerkbar. Wenigstens zwei seiner frühen Erzählungen sind vermutlich in Berlin-Buch entstanden.

Von den Dichterärzten seiner Generation hebt er sich deutlich ab. Der gleichaltrige Hans Carossa, der seit 1903 als Arzt praktizierte, hat niemals eine ähnliche Osmose angestrebt. Und Gottfried Benn sah seine Praxis eher als Broterwerb. Döblin verhielt sich ganz anders: es gibt von ihm keinerlei Vorbehalte gegen die ärztliche Tätigkeit. Er hat mehr als zwei Dutzend fachwissenschaftliche und populär geschriebene Medizinartikel verfasst.

Psychiatrische Erfahrungen hatte er sich in seinem Freiburger Studium kaum sammeln können, dafür war das akademische Abschlussjahr zu kurz und seine Arbeitszeit zu ausgefüllt. Hoche scheute sich eher vor diesem individualisierenden Material. Erst in den Anstalten von Karthaus-Prüll und Berlin-Buch konnte Döblin Fallgeschichten über seinen in der Dissertation beschriebenen Patienten hinaus sammeln. Dafür blieben ihm nicht mehr als zweieinhalb Jahre, doch erwarb er sich in dieser Zeit einen sicheren diagnostischen Blick.

Er fand – bei anhaltendem Interesse an den Auffälligkeiten der Geisteskranken – zwei Auswege: als Arzt wandte er sich der inneren Medizin zu, und der Schriftsteller übernahm die Beschreibungsintensität des Naturwissenschaftlers. In *Das Testament in der Isolierzelle* (1910) entwickelte er das Bild einer Depression, die in manische Züge umschlägt: *Die Frau markiert die Theaterprinzessin, legt Puder auf, nimmt starkes Parfüm, macht Liebhaber-*

aufführungen mit, – zu Hause geht alles drunter und drüber – das nennt er als Arzt ziemlich konventionell *Entartungspsychopathien,* aber herausragend ist die Schilderung der Schrulligkeiten.

Während er in Buch tätig war, setzte sich die Psychoanalyse auch in Berlin langsam durch. 1907 eröffnete Karl Abraham eine psychiatrisch-neurologische Praxis, in der auch nach psychoanalytischen Gesichtspunkten gearbeitet wurde. Ein Jahr später fand die erste Zusammenkunft der Berliner Psychoanalytischen Vereinigung mit Karl Abraham, Iwan Bloch, Magnus Hirschfeld und anderen statt. Hat er an diesen Neuerungen teilgehabt? Bisher haben sich keine Belege dafür auffinden lassen.

Döblin arbeitete bis Juni 1908 in Berlin-Buch. Dann war seine Stellung wegen seiner Beziehung zu der Pflegerin Frieda Kunke unhaltbar geworden, er musste das Dienstverhältnis beenden. Wie sehr er im Kollegenkreis geschätzt wurde und wie sehr bei der Trennung der Comment und nicht etwas anderes die entscheidende Rolle spielt, geht aus seinem Abgangszeugnis hervor: Kein Wort war zu lesen über den – sicher von manchen spießigen Kollegen so empfundenen – Anstaltsskandal. Es wurde ihm bescheinigt: »Er hat sich als ein kenntnisreicher und begabter Arzt erwiesen, seinen Dienst stets mit großer Gewissenhaftigkeit verrichtet und ein warmes Herz für die Patienten gehabt.«

DER JOURNALIST TRITT AUF

1908 trat Döblin in einer neuen Rolle auf. Mit dem Text *Die Witwe Steinheil,* abgedruckt in der von Walden redigierten Zeitschrift »Der Morgen«, debütierte er in einem Fach, in dem er gleich von Anfang an, ohne weitere Anläufe, Meisterschaft erreichte. Die Dynamik der Wachstumsbrüche, der sozialen *crashs* und des Daseinsschwindels erzeugte in den Großstädten eine Kette von Kriminalfällen, der Seelenarzt wie der Schriftsteller ist ihr Kommentator. Hingetuscht wird als erstes das Persönlichkeitsbild einer Pseudologin. Hier spricht der Mediziner als Feuilletonist, in denkbar knappen, eindringlichen Sätzen. Es handelte sich um einen Fall, der im Sensationsjournalismus breitgetreten wurde: ein erwürgter Maler und seine strangulierte Geliebte, daneben die geknebelte Ehefrau, drei unbekannte schwarze Männer, *eine Bluttat der Apachen* und jede Menge Mutmaßungen. Aber Döblin legte sich den Fall aus Frankreich nicht als Sensation zurecht. Noch ist der Kriminalfall nicht abgeschlossen, als Döblin die kruden, rätselhaften Einzelheiten zu einem Persönlichkeitsbild ordnet, das gleichermaßen einen psychiatrischen wie einen literarischen Entwurf darstellt, eine *pseudologica phantastica*. Die Witwe Steinheil erweist sich für ihn als Organisatorin des gesamten Geschehens, als die große Täuscherin. An ihr wird *das Persönlichkeitsbewußtsein der Degenerativen* entwickelt. Dem Psychiater geht es nicht um die Indizienkette eines Kriminalfalls, sondern um die Vorgehensweise einer gestörten Persönlichkeit. Die Angeklagte wisse nunmehr nichts Genaues mehr über ihre Tat, alles sei durch die *affektvoll verlebte Folgezeit stark verwischt, Bewußtseinstrübung* und *Gedächtnisdefekt* ergeben eine leergefegte innere Bühne. Die *Witwe Steinheil* bestätigt noch einmal die These des Doktoranden Döblin, dass die Amnesie, das radikale Vergessen, die *Confabulationen* erzeuge.

Das Porträt ist wie in einer Atempause skizziert. Solche mit der Verve des ersten hintergründigen Blicks hingeeilten Momentaufnahmen, Camera-obscura-Blicke, Feuilletons hat er in der Folgezeit öfter geschrieben, in den zwanziger Jahren in enormer Zahl. Sie haben zwei erleuchtete Zentren: das Theater und den Gerichtssaal, aber sie nehmen auch die Peripherie in Augenschein: Strandkinder, das kritische Alter des Mannes, die Wirkung des Lichts auf den Menschen, Kopfschmerzen und stilistische Verfehlungen, die Zeichenkraft von Plakaten. Ein Physiognomiker, bebend der Oberfläche ergeben, übt sich ein. Die Straße wird ihm zur Bühne, die wogende Masse zur Szenerie, alle Welt ein Theater. Keinen Wurstel wird der Journalist Döblin auslassen, kein Tingeltangel ist ihm zu abseitig. Zusehen und Berichten bieten einen erotischen Kitzel. In diesem Mosaikbildern der besten Laune, der spöttischen Heiterkeit und des gehobenen Taumels gibt es keine ästhetische Hierarchie; Döblin trägt keine Bedeutungsmonstranz vor sich her.

Er übt sich in einer Disziplin, in der er es ein Jahrzehnt später unter dem Pseudonym *Linke Poot* zu hinreißenden Sottisen und Pirouetten der Boshaftigkeit bringt: in der animierten Glosse, der hochkomischen Nichtigkeit, der zärtlichen Karikatur, dem Tanz von Sätzen um den Marterpfahl der Ironie. Die Aussicht, dass Richard Strauss künftig bei Hagenbeck Konzerte veranstalten könnte, erregt ihn zum Höhenflug der absurdesten Vorschläge, die Kunst und die Bestien zu mischen. Eine Zirkuspantomime verführt ihn zu einer Groteske, in der eine weibliche Brust, *gummigekräftigt, wie eine Blähung von (*Maximilian) *Harden,* sich ertüchtigt. Damit warf er einem der einflussreichsten Publizisten des Kaiserreichs den Fehdehandschuh des Spotts hin. Ob es um den christlichen Gottesdienst als circensisches Ereignis samt Klagen über die Gottlosigkeit der Welt geht, um eine Frau Amtsgericht, die in der Isolierzelle sitzt, um den Vergleich zwischen Varieté und Konzertsaal, um Visitationen Berliner Konzertsäle oder Theater – fast immer strahlt der Antiklassiker, Döblin poussiert den Antikanon der Unwichtigkeiten. In einer Miniatur über Karl Kraus hat er seine Art gedeutet: *Er gestattet sich seine Privatsache als ein öffentliches Übel zu empfinden. Er wiederholt beschwörend zum ahnenstolzen Papier: »Nur kein Pathos, mein Lieber, kein Pathos.«*

Dazwischen irrlichtert ein gebildeter Medizinschriftsteller wie ein Kobold, der dem Publikum beispielsweise die *Betriebswerkzeuge* der Sexualorgane mit pädagogischem Eifer nahezubringen weiß, der über die Arterienverkalkung wie über Stoffwechselstörungen, über die Pflege des Säuglings und über die Zuckerkrankheit dozieren kann. Insgesamt 14 solcher populärmedizinischer Artikel hat Döblin 1913/14 in der Zeitung »Neues Wiener Journal« veröffentlicht. Der Romancier hat diesen Gleichgewichtskünstler der einen treffenden Manuskriptseite, den Wörterposeur des Augenblicks, den Enthusiasten der Miniatur und Volkspädagogen im Kleinformat ins Vergessen verbannt. Aber was einstmals der kleine Text »unter dem Strich«, die feuilletonistische Marginalie war, kann man nicht nur von Kurt Tucholsky, Alfred Polgar, Erich Kästner et aliis lernen, sondern auch von Alfred Döblin. Vier Bände, rund 1500 Druckseiten, umfassen diese sogenannten *Kleinen Schriften.*

INTERNIST AM URBAN

Seit Sommer 1908 arbeitete Döblin im Städtischen Krankenhaus in Kreuzberg. Neben seiner Tätigkeit als Internist betrieb er experimentelle Forschung: *Ich trieb mich Jahre hindurch durch die Krankensäle und besonders die Laboratorien. Mäuse, Meerschweinchen, Hunde begegneten mir da in den Laboratorien: vorn im Pavillon suchte man die Menschen zu heilen, hinten die Tiere zu töten. Es war ein frischeres, aktiveres Leben als in den Irrenanstalten, es war ein ständiges Flottieren der Kranken. Dazu war da eine Unmasse gar nicht zu bewältigender Beobachtungen und Daten in Büchern und Zeitschriften, und alles wunderbar exakt, mitteilbar, kontrollierbar. Bis spät in den Nächten lag ich in den biologischen Laboratorien, und auf dem Rückweg strich ich durch die Krankenstation: da kamen die Fiebernden, Vergiftungen herein; war das ein Leben.* Sein Weg führte ihn weg vom Determinismus Darwinscher Prägung, nach dem die Geisteskrankheiten vorbestimmt waren. Er wollte auf einen naturwissenschaftlichen Erfahrungsgrund kommen, revidierte seine Abwehr gegen das medizinische Faktenwissen, mit der er sein Berliner Studium belastet hatte.

Mit dem Wechsel zum Krankenhaus Am Urban war die Wendung zur inneren Medizin verbunden. Er kam bei seinen psychiatrischen Studien nicht weiter; vermutlich hat ihn der Erzähler, der zu seinem Recht kommen woll-

Der Internist
Am Urban
Um 1910

te, zum ersten Mal daran gehindert. *Das Dunkel, das um diese Kranken war, wollte ich lichten helfen. Die psychische Analyse, fühlte ich, konnte es nicht tun. Man muß hinein in das Leibliche, aber nicht in die Gehirne, vielleicht in die Drüsen, den Stoffwechsel. Und so gab ich mich einige Jahre an die Innere Medizin.* Die psychiatrische Praxis in den Irrenanstalten mochte Döblin als Sackgasse empfinden. Aber er wurde noch kurz vor seinem Abschied als Irrenarzt ein Mitglied im Deutschen Verein für Psychiatrie, nahm 1908 an insgesamt vier von fünf seiner Sitzungen in Berlin teil. Außerdem hat er die beiden letzten seiner drei größeren wissenschaftlichen Arbeiten zur Psychiatrie erst 1909 und 1910 veröffentlicht. Ein abrupter Wechsel vollzieht sich anders. Der definitive Abschied von der Hirnpsychiatrie mit ihrem ausweglosen Determinismus ergab sich durch eine Überschneidung mit internistischer Arbeit. Er hielt beim Verein für innere Medizin und Kinderheilkunde einen Vortrag über einen Fall von »Osteomalazie« (Knochenerweichung), befasste sich mit Nasenbluten bei der Influenza, widmete sich der Bestimmung eines Ferments, studierte Blutkörperchen und ihre »Permeabilität« (Durchlässigkeit); er forschte über »die nervöse Regulierung der Körpertemperatur«, entweder allein oder gemeinsam mit Kollegen, unter anderen mit Louis Ruyter Radcliffe Grote, dem er ein halbes Jahrhundert später wieder begegnen sollte.

Seine Fachaufsätze beziehen sich auf alle Gebiete der inneren Medizin. Er befasste sich intensiv mit der damals aufkommenden Labormedizin, mit der Erforschung des Stoffwechsels und der Diabetologie. Er schrieb über klassische Krankheiten wie Typhus und Pneumonie (Lungenentzündung), über mögliche Unterschiede bei der Sterblichkeitsrate von Kindern, die von Muttermilch oder Eiweißprodukten ernährt werden. Er publizierte eine Arbeit über den Nachweis eiweißabbauender Fermente im Urin, über Blutzucker, die Beeinflussung der Körpertemperatur durch das Nervensystem. Er schrieb über Temperatursteigerungen, Salvarsanbehandlung von Säuglingen.

Warum hat er nicht eine Karriere als Wissenschaftler eingeschlagen? Im Stillen angestrebt hat er sie ja wohl, das geht allein aus der Zahl seiner Fachartikel hervor. Es wurde oft vermutet, dass ihn daran der grassierende Antisemitismus unter den Medizinern gehindert habe. An seinem Arbeitsplatz war das Gegenteil richtig, wenn auch wohl die Ausnahme: Döblin arbeitete im Krankenhaus Am Urban mit zahlreichen jüngeren jüdischen Kollegen. Döblin hat sich über die Möglichkeiten wie über die Chancen einer entsprechenden Berufswahl ausgeschwiegen. Diese medizinischen Artikel waren doch wohl als Bausteine einer vorgestellten Universitätslaufbahn gedacht. Warum kam es nicht dazu? Naheliegend für diesen Verzicht sind soziale Bedingungen: Assistenzärzte konnten damals von ihrem Verdienst kaum leben; sie mussten, um Karriere machen zu können, in der Regel über einen entsprechenden materiellen Hintergrund verfügen. Döblin war, als er am Urban-Krankenhaus begann, bereits 30 Jahre alt und hätte, ohne weitere Finanzierung durch den Bruder, noch jahrelang für den unsicheren Rang eines Privatdozenten kämpfen müssen. Eine Berufung zum Professor war mehr als ungewiss: damals waren die meisten Ärzte in deutschnationalen oder rechtsradikalen Korporationen organisiert.

Dazu kam das ungeklärte Problem der Rivalität zwischen Arzt und Schriftsteller, zwischen den beiden Polen in ihm. Er wollte sich wohl die Zweigleisigkeit nicht verbauen und fand den Kompromiss: eine Anstellung, die ihm nicht die literarische Stimme nahm. Die Doppelrolle, die er vielleicht unbewusst anstrebte, ist auch der genaueste Ausdruck einer inneren Spannung; sie aufrechtzuerhalten hieß, den mütterlichen Rationalismus und das künstlerische väterliche Erbteil in Balance zu halten.

Eine weitere, wenn auch lösbare Kalamität ergab sich durch die Anstaltsregeln: ein Assistenzarzt durfte nicht verheiratet sein und musste im Krankenhaus-Gelände wohnen. Zu umgehen war diese Vorschrift gewiss nicht. Aber Döblin hätte heiraten und dann an eine andere Klinik wechseln können.

ERNA REISS

Auf Döblins Station famulierte die 21-jährige Medizinalassistentin Erna Reiss. Sie war die Tochter eines jüdischen Schuhhändlers, die Enkelin eines Bankiers. Das Familienbild ist bunt gemischt. Der Vater Jacob Julius Reiss, 1839 in Stuttgart geboren, starb schon 1907, also vor der Bekanntschaft seiner Tochter mit dem jungen Arzt Döblin. Von der Mutter Henriette, geb. Calm, ist so gut wie nichts bekannt.

Erna hatte zwei bekanntere Onkel: den Verleger Erich und den Opernsänger Albert Reiss. Es gab einen Bruder Alfred, den Besitzer einer Papierfabrik, der sich später als Farmer in Brasilien betätigte; die taubstumme Schwester Margaret, die zunächst in einer entsprechenden Berliner Anstalt unterrichtet, dann in die Psychiatrie von Berlin-Buch eingeliefert wurde. Unter dem Einfluss eines Priesters konvertierte sie zum Katholizismus. Sie wurde um 1940 von der Gestapo abgeholt und im Rahmen der Euthanasie-Tötungen mit Gas umgebracht. Vielleicht erklärt sich Erna Döblins späterer Deutschenhass auch durch diesen Mord, und Döblin war möglicherweise durch die Geschichte seiner Schwägerin besonders aufmerksam für die Erzählungen eines Kollegen, der über diese Art der »Rassenhygiene« berichtete und dessen Material er in dem Artikel *Die Fahrt ins Blaue* (1946) ausbreitete.

Das Recht zum medizinischen Vollstudium einschließlich der Promotion wurde Frauen in Preußen nach 1900 erst spät gewährt: acht Jahre nachdem es in Universitätsstädten wie Freiburg und Heidelberg eingeführt worden war. Mit ihren Kommilitoninnen gehörte Erna Reiss zu den jungen Frauen, die damals ein Medizinstudium wagten; sie machten nicht mehr als 5 Prozent aus. Erna Reiss kann man als eine Pionierin oder – um mit Kleist zu sprechen – als »Amazone« verstehen. Döblin traf auf eine gut aussehende, elegante und sehr selbständige junge Frau. Das Problem, dass er sich bereits in Buch mit einem Verhältnis zu einer Pflegerin in dienstliche Schwierigkeiten gebracht hatte, behelligte ihn anscheinend nicht weiter. Er traf sich auch weiterhin mit Frieda Kunke und führte offensichtlich ein Dreiecksverhältnis. Frieda Kunke verkörperte wahrscheinlich einen Typus, den er anderthalb Jahrzehnte später in der hingebungsvollen Yolla Niclas wiederfand – bei allen Unterschieden der Bildung und des Milieus. Einen Monat vor seiner Verlobung mit Erna Reiss zeugte er mit Frieda Kunke ein Kind. Der gemeinsame Sohn Bodo wurde am 14. Oktober 1911 geboren und vom Vater im April 1912 anerkannt. Paradoxerweise bereitete gerade diese Legitimation Bodo später Schwierigkeiten: er galt in der Zeit des Nationalsozialismus als Halbjude, verlor seine Stellung im Polizeidienst, wurde aber dennoch zur Wehrmacht eingezogen und diente zwei Jahre lang. Er hätte mit dem Gewehr auf seine Halbbrüder Klaus und Wolfgang, die in der französischen Armee standen, anlegen müssen, wenn sie einander begegnet wären.

Der Schatten einer Wiederholung fällt auf Alfred Döblins Handlungsweise (oder lustvolle Sorglosigkeit). Er hat etwas Ähnliches verübt wie der Vater an der Familie: er hat die Mutter seines Kindes sitzen lassen wegen einer anderen. Er hatte es nicht vermieden, »den Vater im Schlechten, das man gar nicht mehr für schlecht hielt, nachzuahmen, Gleiches zu tun, schuldig zu werden gegen das Versprechen zu lieben«, wie Alfred Koeppen hellsichtig schrieb. Frieda Kunke, deren Kind bei ihren Eltern in Holstein aufwuchs, lebte nicht lange, sie wurde nur 26 Jahre alt. Am 19. Januar 1918 starb sie an Tuberkulose im Rudolf-Virchow-Krankenhaus.

Die Beziehung zu Erna Reiss war anscheinend von Anfang an mit Spannungen und Komplikationen verbunden. Vom Sommersemester 1910 bis zum Sommersemester 1911 hielt sie sich in Jena auf, wo ein Freund lebte; anscheinend gab es den Versuch einer – wenigstens zeitweiligen – Trennung oder Prüfung. Döblin konnte seinerseits die Liebesgeschichte mit Frieda Kunke ausleben. Döblins Familie hingegen drang bald auf Heirat. Döblin wollte nicht mit einer heimlichen Freundin in die Ehe gehen und gestand der Zukünftigen seine Liaison. Ihre Antwort sei für ihn, so nach Aufzeichnungen Robert Minders, mehr als überraschend gewesen: sie habe ihrerseits brieflich ihre Amoure und eine heimliche Abtreibung in Belgien gebeichtet. Weiter in Minders Notizen, ohne Möglichkeit einer Prüfung: »Der Brief hat AD. zerschmettert: Gefühl, daß etwas gestorben ist. Konnte den Brief nicht in der Tasche behalten. War wie Eisen schwer. Hat ihn in einem Regenschirmständer gleich angezündet, hat ein heißes Bad genommen, sich komplett gesäubert.« Unter diesen Umständen übte sich Alfred Döblin in einer gewissen Zurückhaltung wegen einer Heirat; er habe Erna Reiss sogar um Auflösung der Verbindung gebeten, aber die Döblin-Familie scheint nicht lockergelassen zu haben. Schließlich verlobte er sich mit ihr am 13. Februar 1911, an ihrem Geburtstag. Der späte Döblin beschreibt dieses Datum, als handle es sich um den Tag der Hinrichtung: *Da Erna an der Verlobung festhielt, wurde diese gegen meinen Willen vollzogen: Man bat mich, Klavier zu spielen und zu singen; ich schlug Brahms vor: »O Tod, wie süß bist du.« Alles verlief friedlich. Ich zog begossen ab ins Krankenhaus, sagte mir: Ich habe mir den Hals abgeschnitten.* Damit hatte Döblin wie unter Zwang die Konstellation seiner Eltern für sich übernommen: wider Willen verheiratet, mit einer Frau, die in zahlreichen Motiven und Handlungsmustern seiner Mutter glich. Die beiden führten eine offene Beziehung: Auch von ihr werden, wenigstens nach Gesprächsnotizen Minders, weitere Verhält-

Döblin und seine Verlobte
Erna Reiss
1911

nisse bezeugt. »Die ersten Jahre der Ehe: hatte noch frühere Verhältnisse aufrecht erhalten – sie hatte genug auf dem Kerbholz.« Aber zum Pakt der freien Liebe konnten sich die beiden nicht verstehen, dafür waren sie zu bürgerlich. So rieben sich von Anfang an Ansprüche an gemeinsame Lebensführung und jeweilige Unabhängigkeit aneinander und erzeugten Spannungen, die nicht zu lösen waren.

Wer es darauf anlegt, in den zu dieser Zeit geschriebenen Erzählungen Döblins nach biographischen Verschlüsselungen zu suchen, kann vielfach fündig werden. Vor allem die Geschichte *Die Verwandlung* ist dazu geeignet. Sie ist Erna Reiss gewidmet. (Eine gedruckte Zueignung an sie gibt es nur noch in der *Schicksalsreise*.) Das ist ein deutliches Zeichen: die *wilde Königin* und der *Prinzgemahl* können nicht zueinanderfinden, da sie zu unterschiedlich sind; jeweils suchen sie andere Lieben. Allmählich aber ändert sich das Nebeneinander, wandelt sich zu einer inneren Beziehung, wenn auch um den Preis, dass die beiden ins Wasser gehen. Auf Erden ist ihnen nicht zu helfen. Döblin gibt in dieser Erzählung eines Paares, dem ein pastoses Idyll auf einer fernen Insel, eben die Verwandlung, gelingt, bis die beiden untergehen, eine Art literarischer Prognose für die Verbindung von Erna und Alfred und widmet die Prosa seiner Frau – immerhin eine werbende Geste, die auch seine Verdüsterung und Notlage zeigt. In Wirklichkeit war der Bund, den sie eingingen, von Anfang an unauflöslich. Döblin hätte das Erbteil der väterlichen Liederlichkeit siegen lassen müssen, und daran hinderte ihn eine instinktsichere Zurückhaltung; im übrigen hätte er, falls er mit Erna Reiss brechen wollte, auch mit seiner Mutter wenigstens symbolisch brechen müssen. Das war ihm angesichts der Dankbarkeit, auf die ihn Sophie Döblin verpflichtete, unmöglich. So bestand diese Verbindung, gegen die so vieles sprach, ein Leben lang und wurde ebenso lang erbittert in Frage gestellt.

Am 23. Januar 1912 heirateten Erna Reiss und Alfred Döblin, sein Bruder

Hugo und Herwarth Walden fungierten als Trauzeugen. Er war 34 Jahre alt und sie 24. Die Gründung des Hausstandes hat ihn wohl nicht interessiert. Er bekannte später: *Ich habe mir vor acht Jahren nicht einmal die Möbel angesehen, in denen ich wohnen sollte und noch heute wohne; ich schickte andere hin.* Die Geschichte *Die Verwandlung* beginnt mit einem erhellenden Satz: *Die ersten Jahre der Ehe dieser beiden, der Königin und des Prinzgemahls, waren friedlos verlaufen.* Bereits sieben Monate nach der Heirat erschien sein Text *Jungfräulichkeit*, der zu einem bemerkenswert sarkastischen Fazit kommt: *Wenn die Ehe sich zur Alleinform und zum sichtbaren Ausdruck geschlechtlicher Beziehungen aufwerfen will, so zeigt sie sich damit ohne Bewusstsein ihrer eigenen Natur; denn sie hat es nicht wesentlich mit Sexualität zu tun. Und ebenso töricht ist die Forderung, alle Sexualbeziehungen im Rahmen der Ehe zu erfüllen, als wolle man verlangen, nur zur Mahlzeit und in bestimmten Lokalen Hunger zu haben.* In der Erzählung *Linie Dresden – Bukarest* wird ein Freibeuter der Liebe vorgestellt, ein Hasardeur der Herzen, der Mutter und Tochter verführt. Die Mutter schimpft über ihn: *Es war ja ein Lump, ein Strolch.* Und die Tochter fügt hinzu: *Er war solch Lügner, dieser Mann. Er war so flink mit Lügen und allem. Er war so flink.* Taucht da, ironisch verdreht ins Porträt eines durchtrainierten Sportlers (den der schmächtige Döblin keineswegs vorstellen konnte), der Partner in den Schimpfkanonaden seiner Frau auf?

Robert Minder lüpfte an einer Stelle die Decke über den Zustand dieser Ehe. Erna Reiss sei »kultiviert, erotisch, ambitiös, sozial auf gleicher Stufe« gewesen, aber sie habe Döblin dennoch nicht entsprochen; sie sei »der reinkarnierte Muttertyp mit der Ambivalenz von Hege- und Kastrationskomplexen« gewesen. Das sind starke Deutungsworte, und sie enthalten in sich einen Widerspruch: wie kann ein Muttertyp gleichzeitig die erotische Partnerin sein? Minder bezeichnete die Verbindung öfter auch als eine »furchtbare Ehe«. Aber es ist zumindest zu fragen, ob Minder nicht dramatisch übertreibt. Er war mit ähnlich polemischem Talent wie Döblin ausgestattet, und es liegt nahe, dass die beiden bei ihren späten intimen Gesprächen die Sachlage steigerten. Im übrigen wären wohl auch Verbindungen anderer Frauen mit einer so komplexen und jähen Natur wie Döblin gescheitert oder in kurrente Schwierigkeiten geraten.

Immerhin hat Erna Döblin einen großen Teil der Lebenspraxis geregelt; sie verortete ihn im Alltag, auch um den Preis einer krankhaften Fixierung aufs Monetäre, worüber ihr jüngster Sohn Stefan klagt. Sie übernahm später die Rolle einer Arzthelferin in der Praxis. Sie kümmerte sich um die Kindererziehung, verwaltete das Geld, war sich für keinen Bettelbrief zu schade. Sie vor allem kämpfte bei der Flucht aus Frankreich mit den Behörden, setzte sich zäh gegen beamteten Unwillen durch. Es ist fraglich, ob Döblin ohne sie den Weg aus dem besetzten Frankreich gefunden hätte. Ein Rätsel bleibt, warum sie ihr Studium nicht abschloss und unmittelbar nach der Heirat in den Haushalt abbog. Ihre Selbständigkeit wäre größer, ihrer beider materielle Grundlage wäre verbessert gewesen. Einen Spaltweit öffnet eine Mitteilung Minders die Tür zu diesem Rätsel: Erna war angeblich Epileptikerin. Vermutlich hätte sie deshalb nicht die Approbation erlangt. Im übrigen behauptet Minder, dass sich Döblin ihr durch die Krankheit verpflichtet wusste: »Epilepsie: sah oft die Anfälle von Erna Döblin. War distanziert von ihr erotisch: aber litt mit ihr. Sie war schon von der Medizin zurückgeworfen worden: also Minderung seines Urteils.«

1912 vollzog Döblin nach eigener Aussage einen nebensächlich wirkenden, aber folgenreichen Schritt: er verließ die jüdische Gemeinde. Die Entscheidung steht höchstwahrscheinlich in Zusammenhang mit seiner Heirat. Erna Reiss und der erste Sohn waren evangelisch getauft, die weiteren Kinder wurden (mit Ausnahme des Jüngsten, Stefan) von der Mutter in der Schule als protestantisch angemeldet. Komplikationen, die sich aus unterschiedlichen religiösen Bindungen ergeben könnten, wollte er nicht. Der Entschluss, die jüdische Gemeinde zu verlassen (und ihr nie mehr beizutreten), markiert die größtmögliche Entfernung von seiner Herkunft – und nicht erst der Eintritt in die katholische Religionsgemeinschaft von 1941. Mit der Heirat verbunden war auch eine zweite, folgenreiche Notwendigkeit: Mit 33 Jahren musste er sich auch vom Krankenhaus Am Urban verabschieden. Das Protokoll des Hauses vermerkt am 30. Januar 1911: »Dem Assistenzarzt Dr. S. ist durch die Anstaltsdirektion ein ernster Verweis zu erteilen. Von seiner Entlassung wird in Rücksicht darauf abgesehen, daß er anscheinend in gutem Glauben die Meldung von seiner Verheiratung unterlassen hat. Es wird grundsätzlich beschlossen: a) in Zukunft sollen verheiratete Assistenzärzte nicht mehr in Krankenhäusern beschäftigt werden …« Ein wenig schlechtes Gewissen vermeint man in dieser Akte zu vernehmen. Die Anstellung ging zu Ende: *Ich hatte geheiratet und darum durfte ich nicht bleiben.* Das ist durchaus doppelsinnig zu verstehen: das Reglement sah einen Verbleib in der Klinik nach einer Heirat zwischen Arzt und studentischer Praktikantin nicht vor.

Seine wissenschaftlichen Studien, seine biochemischen Arbeiten und klinischen Untersuchungen hat er bis 1913 fortgeführt, nach dem Abschied vom Urban-Krankenhaus in der 1. Medizinischen Klinik der Charité, wo ihm ein Laborplatz angeboten wurde. Das spricht dafür, dass er die Trennung von der Klinik nicht gerade vorbereitet hatte. Und er wusste zu berichten, dass er nach seiner Heirat *nicht freiwillig die Geborgenheit als angestellter Arzt im Krankenhaus am Urban in Berlin aufgegeben* hat. Er geriet in neue Schwierigkeiten, als er Kassenarzt wurde, in die ihn anfangs *fürchterlich abstoßende Tagespraxis* eintrat. Er hatte Sehnsucht nach dem Labor, deshalb nahm er das Angebot eines wissenschaftlichen Arbeitsplatzes durch die Charité an. Aber das war eine auslaufende Tätigkeit: Die literarische Produktion setzte stürmisch ein und überwältigte ihn, *es war fast ein Dammbruch.*

KRITIK UND FEUILLETON UM 1910

Döblin musste nun für eine Familie sorgen. Nirgendwo taucht die helfende Hand oder die Regie der Reiss-Familie auf. Sie führt in den autobiographischen Notaten Döblins nicht einmal eine Schattenrolle: sie ist einfach nicht vorhanden, die Schwiegermutter wird nur ein einziges Mal ironisch erwähnt. Das lässt wohl darauf schließen, dass die Mutter von Erna Reiss die materiellen Probleme des jungen Paares nicht in die Hand nehmen wollte oder konnte. Vielleicht war der Schwiegersohn auch unerwünscht, weil er aus zu kleinen Verhältnissen stammte. Bei der Hochzeit wurde Gütertrennung zwischen Erna und Alfred Döblin vereinbart. Auch diese Regelung könnte einen Hinweis auf Vorbehalte gegenüber dem schriftstellernden Jungarzt abgeben. Die beiden haben diese Regelung ganz und gar vergessen, bis Erna Döblin nach dem Tod ihres Mannes unliebsam darauf gestoßen wurde.

Parallel zu seiner Arbeit als Anstaltsarzt hatte Döblin sein literarisches Feld verbreitert und vertieft. Schon aus kleinen, anekdotischen Anlässen erwuchs ihm Literatur: Im Juli 1909 besuchte Döblin mit der Mutter die Weltausstellung in Brüssel, fuhr drei Tage später nach Ostende und zu seiner verheirateten Schwester Meta nach Antwerpen. Der kurze Aufenthalt gab die Initialzündung für *Die Segelfahrt,* eine seiner besten Erzählungen. Und es fällt auf, an wie wenig äußere Eindrücke dieser Selbsterschaffer gebunden war.

In Berlin hatte er mit Herwarth Walden einen Gefährten, der für die Entfaltung des jungen Schriftstellers die idealen Voraussetzungen mitbrachte. Als Musiker, Theatermann, Menschenfischer und Impresario erfolgreich (wenn auch ständig in Geldverlegenheit), erwies er sich seit 1908 auch als genialer Zeitschriftengründer und Redakteur.

Ein Jahr später übernahm Walden die Redaktion der glanzvoll ausgestatteten Zeitschrift »Das Theater. Illustrierte Halbmonatsschrift für internationale Bühnenkunst«. Döblin hat dort sieben Beiträge veröffentlicht. Auch von den trivialen Wonnen der frühen Filme, die noch Jahrmarktsensationen waren, hielt er sich keineswegs fern. Er empfahl der Aufmerksamkeit *die Kientopps; im Norden, Süden, Osten und Westen liegen sie; in verräucherten Stuben, Ställen, unbrauchbaren Läden, in großen Sälen, weiten Theatern.* Er verfolgte ihre Programme mit der gleichen ungeschmälerten Leidenschaft wie der Schüler früher die Kolportageliteratur, und er leitete, wie später Brecht, von diesen ruckenden, flackernden Bildern einen eigenen Stil der Verfremdung ab. Auch der Arzt konnte und wollte mitwitzeln: *Deutlich erhellt: Der Kientopp ist ein vorzügliches Mittel gegen den Alkoholismus, schärfste Konkurrenz der Sechserdestillen; man achte, ob die Leberzirrhose und die Geburten epileptischer Kinder nicht in den nächsten zehn Jahren zurückgehen. Man nehme dem Volk und der Jugend nicht die Schundliteratur noch den Kientopp; sie brauchen die sehr blutige Kost ohne die breite Mehlpampe der volkstümlichen Literatur und die wäßrigen Aufgüsse der Moral.* Wenige Jahre später sollte er unter dem Eindruck der frühen Stummfilme sein Ideal eines *Kinostils* verkünden.

Am »Theater« hatte Döblin gründlich etwas auszusetzen. Die Kollegen Kritiker bezeichnete er als *Schriftstinker,* der Schauspieler, Rezitator und Schriftsteller Rudolf Blümner, sonst durchweg gelobt, war nun *des Pathos eines Schmierenschauspielers würdig,* Anmerkungen von »Trust«, unter dessen Decknamen Döblin wiederum Blümner vermutete, fand er *m. E. völlig verquetscht, gedanklich platt; wozu ist das?*. Die Peinlichkeit bestand darin, dass sich hinter diesem Pseudonym Walden selbst verborgen hielt. (Auch Döblin hat das Pseudonym ab und zu benutzt.) Man musste sich als Redakteur beim Umgang mit dem Großtalent der Attacke offensichtlich mit unverwundbarem Gleichmut wappnen. An Walden, im November 1909: Er glaube nicht daran, dass man eine Theaterzeitschrift mit *so ausgesprochener Theaterfeindlichkeit,* wie von der versammelten Kritik geboten, machen könne: *Es muss irgendwo irgendwann der positive Wert Erfüllung finden, ferner auch die positive Urteilskraft der Schreiber hervortreten, sie müssen auch nicht dauernd sich prästieren und witzeln. Ich lasse mir in einer Zeitschrift einen oder zwei eigenwillige Herren gefallen, aber so zusammengesperrt, bis auf Ausnahmen, jeder bemüht zu poetisieren, Eigenart zu markieren, ist fast unerträglich.* Da hatte er, übrigens in schrillem Gegensatz zu seiner eigenen Schreibpraxis, wiederum einen Anfall von gravitätischem Konservativismus. Einen Monat später, bei der nächsten Nummer, im Dezember 1909, in der auch Else Lasker-Schüler vertreten war, wollte er seinen Ausfall wieder gutmachen und lobte das Heft: *Mir gefiel das Redaktionelle, das Arrangement von Mannigfaltigkeit vorzüglich, die Nummer scheint mir darin fast vorbildlich.*– So suchte er mit abruptem Bewegungswechsel auszugleichen, wenn ihn sein Temperament zum ätzenden Verriss hingerissen hatte.

Nach zehn Nummern wurde Walden fristlos entlassen; seine spätere Frau Nell Walden schreibt, er habe sich geweigert, Reklamenotizen redaktionell einzusetzen. Ein halbes Jahrzehnt lang hatte er für die Avantgarde gekämpft; kaum ein anderer hätte daran mit solcher Beharrlichkeit gearbeitet. Und Döblin war in all diesen Zeitschriften als feste Größe mit eigenen Beiträgen vertreten.

Walden sah sich nach seinem fortgesetzten Fiasko als Redakteur gezwungen, nun in eigener Regie aufzutreten. Er wollte ursprünglich, ohne eigene Mittel, eine Zeitschrift herausbringen, die »Die Stadt« heißen sollte, dann »Der Komet«. Als die erste Nummer am 3. März 1910 erschien, nannte sie sich »Der Sturm. Wochenschrift für Kultur und die Künste«. Der Titel stammte von Else Lasker-Schüler. Ohne die Mithilfe von Karl Kraus in Wien hätte sie wohl nicht erscheinen können: zwei Jahre lang hat er den »Sturm« großzügig unterstützt und daran auch die Hoffnung auf eine Berliner Dependance seiner »Fackel« geknüpft. Die Konfrontation mit der bürgerlichen Presse und mit dem etablierten Literatur- und Theaterbetrieb waren Programm. In der Schusslinie des »Sturms« stand vor allem das liberale »Berliner Tageblatt«, mit dem es zu einem spektakulären Krach kam. Neben der »Aktion« war der »Sturm« das wichtigste Organ des Expressionismus. Döblin-Herausgeber Walter Muschg meinte, Döblin habe der Generation derer angehört, die vom Expressionismus erweckt worden seien. Mit viel größerem Recht könnte man behaupten, er habe den Expressionismus mit erschaffen. Mindestens die Hälfte seiner 12 in seiner ersten Sammlung veröffentlichten Erzählungen leistet Beiträge dazu. In literarischer Hinsicht war Döblin der Hauptlieferant des »Sturms« – vor allem gemessen an der Palette der Sujets, die er in der Zeitschrift behandelte. Walden gab ihm jahrelang die Möglichkeit, seine verschiedenen literarischen Wege, die er mehr oder weniger gleichzeitig eingeschlagen hatte, zusammenzuführen.

Döblin betätigte sich als Kritiker, schrieb Geschichten, war Journalist, Medizinexperte, Leitartikler, wies frühe Proben als Romancier vor. Er veröffentlichte eine von mehreren geplanten Stadterkundungen unter dem Titel *Das märkische Ninive* im »Sturm«. Berlin sieht so aus, wie es dem aus Stettin gekommenen Jungen bei seiner *Nachgeburt* vorgekommen sein mag: ein Untier, ein Durcheinander, *unterwühlt von Eisenbahnen, mit dem Gewimmel gehetzter Arbeitstiere, die keine betenden Hände heben mögen, röchelnd aus Lungen voll giftiger Fabrikdämpfe, und statt unzähliger Götter schleichen unzählige Krankheiten herum und mischen sich erbarmungsvoll unter das arme Volk.* Aber der 33-Jährige mustert Berlin auch keck als *Lust- und Sündenstadt* – und kommt dabei auf nur bescheidene Chancen, vom rechten Weg abzukommen. Nicht die Wonnen antiker Bäder, die Freuden von Korinth und Tanagra tauchen auf: *Unfromme Religionen wirtschaften, jede Art Zank, Erwerbsneid meistert die Seelen, Durst und Durst, und Hunger, Hunger – man betet nur zur Gottheit Zeit; unfähig, die Zeit zu erschöpfen, windet man sich nach Unsterblichkeit.* Etwas verwegen altklug, aber doch mit der heiteren Ironie dessen, der sich dem zugehörig weiß, was Berlin ausmacht, mischt der Beobachter ein Gran Selbstdeutung und Selbstbeschreibung in die der Stadt. Er wollte sich in mehreren Feuilletons Berlin widmen. *Das märkische Ninive* ist ein Eröffnungsspiel mit Sätzen, die Ouvertüre eines Bummlers, aber mehr ist nicht erschienen.

Die stärksten Bindungen hatte Walden wohl an Franz Marc und an August Stramm. Aber deren Autonomie der Kunst wollte Döblin nicht mitmachen. Walden, der Kritik nicht vertrug, wird früh verletzt gewesen sein. Vielleicht hat er Döblin in seinen Ambitionen missverstanden, gemeindete ihn als »Sturm«-Dichter ein, was hieß: als künstlerischen Wortingenieur. *Walden, der unermüdliche Antreiber, Propagator und Organisator, steckte in dauernder Geldklemme. Er ließ drucken und drucken, er fand immer neue Drucker. In der Literatur bildete sein ganzes Entzücken August Stramm, in der Malerei die Abstrakten, Kandinsky und Klee. Ich will nicht Kokoschka vergessen, dessen Plakat am klarsten den Charakter der jungen Bewegung ausdrückte: das Bild eines ernsten jungen Mannes, der in seine offene Brust hineinzeigt.* Das war ein Plakatentwurf für den »Sturm«. Oskar Kokoschka lebte als Mitarbeiter in Berlin; er war 1910/11 dorthin gekommen. Ohne seine Zeichnungen war der frühe »Sturm« mit seinen großformatigen, in Antiqua gedruckten Heften gar nicht zu denken.

Der »Sturm« musste gelegentlich mit dem heftigen Missfallen Döblins rechnen. Am 7. Januar 1911 teilte er Walden lakonisch, fast abgrundtief beleidigt, mit: *Lieber H. W., eben sehe ich den letzten »Sturm« an; bitte: schicken Sie ihn mir nicht weiter. Ich mag ihn nicht.* Das fragliche Heft enthielt vor allem Texte von Freunden: Salomo Friedländer, Paul Scheerbart, Paul Zech, dazu eine Zeichnung von Kokoschka und einen Artikel von August Strindberg. Was nur war gegen diese Nummer einzuwenden? Vermutlich nicht das Geringste, aber Döblin war verstimmt, weil Walden ihm Manuskripte zurückgeschickt hatte, anstatt sie zu drucken. In diesem Heft war er nicht vertreten. Der Autor spielte gegenüber dem Herausgeber über die Bande, dies aber geräuschvoll.

Karl Kraus rechnete Döblin neben Else Lasker-Schüler zu Waldens herausragenden Mitarbeitern. Befremdlicherweise zählte er auch Siegmund Kalischer dazu. Eine engere Beziehung zwischen Kraus und Döblin hat sich nicht eingestellt, aber es gab einige Bemühungen dazu. Döblin schrieb eine Rezension über Karl Kraus; sie wurde im »Sturm« aber nicht gedruckt, da sich Kraus und Walden inzwischen verkracht hatten.

Insgesamt 53 Beiträge Döblins finden sich bis 1913 im »Sturm«, auch gab es weitere, bisher nicht aufgeschlüsselte, unter dem gemeinschaftlich benutzten Pseudonym T. Rust bzw. Trust.

GESPRÄCHE MIT KALYPSO ÜBER DIE MUSIK

Schon vor Döblins 24. Lebensjahr war bei ihm der Stern Richard Wagners aufgegangen, aber er verblasste auch wieder zugunsten von Johannes Brahms, und Hugo Wolf begann am Firmament des Musikliebhabers zu funkeln. Ab 1904 finden sich die ersten schriftlichen Spuren von musiktheoretischen Überlegungen Döblins. Er arbeitete daran, als er im Sommer ein Praktikum im Sanatorium Birkenau in Lichtenrade absolvierte. Seit Ende 1905 verfolgte er das Projekt intensiver und schrieb die Notizen als *Gespräche mit Kalypso über die Musik* aus. Ein Gemälde hatte ihn angeregt: Arnold Böcklins »Odysseus und Kalypso«. In einer vermutlich noch nicht endgültigen Fassung lag der Text 1907 vor. *Es werden da Personen an die Insel der Kalypso verschlagen, außerhalb unserer Welt, und kommen mit dieser noch immer lebenden Göttin, die sie aufnimmt, in Gespräche. Es werden abenteuerliche Unterhaltungen zwischen den Schiffbrüchigen und der ehemals so leichtfertigen Göttin.*

Schon in den neunziger Jahren hatte der blutjunge Döblin auf einigen Seiten unvollständige Bemerkungen über Wagner notiert. Er war mit Musik von früh an vertraut. Walden war Komponist und, folgt man dem Urteil der Zeitgenossen, ein ausgezeichneter Pianist. Döblin war mit Arnold Schönberg gut bekannt. Auch sein Schulkamerad Kurt Neimann war ein ausgesprochener Musikkenner und galt als ausgezeichneter Pianist. Die zeitgenössische Musik war im ersten Jahrzehnt nach der Jahrhundertwende der Literatur wie der bildenden Kunst an Modernismus um einiges voraus. Es lag also nahe, über die Musik, die ihn umgab, an eigene Erwartungen und Absichten sich heranzutasten. So kommt er in den 11 Gesprächen zwar immer wieder auf die Musik zurück, aber die Abschweifungen nehmen einen auffälligen Platz ein. Vermutlich bilden die Texte auch Unterhaltungen mit Walden nach – auch wenn die Vorstellung schwerfällt, die beiden hätten sich des gewählten Tons und des erlesen artifiziellen Stils dieser Schrift bedient.

Anfang 1910 bot er Walden die *Musikästhetik* an und gleichzeitig das Stück

Comteß Mizzi. Das wollte der Herausgeber des »Sturms« nicht abdrucken, aber bei den Gesprächen griff er zu; bis auf eine Folge erschienen sie zwischen März und August 1910 im »Sturm«.

Das Personal und der Rahmen der Dialoge gehen auf die Odyssee zurück. Nachdem Odysseus den Gesang der Sirenen und die Seeungeheuer von Scylla und Charybdis schadlos überstanden hat, stürzt ihn die Mannschaft seines Schiffes ins Unglück. Trotz seiner Warnung bringt sie die heiligen Rinder des Sonnengottes Helios um. Aus dem sich anschließenden Inferno kann sich Odysseus auf die Insel Ogygia retten, wo die Nymphe Kalypso in einer Grotte lebt. Sie umgarnt den Schiffbrüchigen und hält ihn sieben Jahre fest. Ihrer beider Gespräche, begleitet von zwei Dialogen eines alten und eines jungen Vogelmenschen, ergeben diese Schrift. Odysseus ist ein zerlumpter Musiker, der zunächst von Kalypso am Nasenring herumgeführt wird, dann aber durch seine Reden ihre Aufmerksamkeit erfährt. Die Gespräche reichen von Flötentönen und Geschrei, über Töne und Geräusche, Tonleitern, Tonfolgen, Rhythmik bis zum Musiker selbst. Sie folgen keinem roten Faden; sie sammeln ein, was auf den Wegen der bilderlosen Musik, aber auch der Sprache, der Kunst, der Mythologie, der inneren Welten sich darbietet. Döblin führte in diesen Dialogen ein Gespräch über die Umbrüche und Verschiebungen in den Künsten, wie er sie in sich austrug. Es entstand ein Hin und Her über einen ästhetischen Prozess, der zum Zeitpunkt der Niederschrift keineswegs abgeschlossen, nicht einmal ihm selbst ganz übersichtlich war. Keine Eindeutigkeit, aber auch kein dialektisches Spiel ist erkennbar, vielmehr eine Textur aus Stimmen, aufeinanderfolgend oder im Widerspruch, abstrakte Arabesken, oft nur poetologische Kritzeleien, hinter vorgehaltener Musikermaske von Sprache handelnd. In seinen Bemerkungen *Nutzen der Musik für die Literatur* hat er zwei Jahrzehnte später immer noch an der Parallelisierung der beiden Künste festgehalten, ja sogar kühn behauptet: *Man kann in der Musik leichter und freier denken, auch tiefer denken, als in der Sprache.*

An den Entwurf einer geschlossenen Poetik selbst wagt sich der junge Döblin nicht heran. Wenn man unterstellt, dass die eher theoretischen Texte über den Roman und das Erzählen, die er seit 1913 veröffentlichte, den großen Werken meistens hinterherlaufen, nachträgliche Rationalisierungen (oder Beschwörungen) des Geschaffenen sind, kann man behaupten: Döblin weicht auf die Musik aus, denn noch fehlt ihm das Werk. Aber die *Gespräche mit Kalypso* eröffnen eine Galerie von Dialogbüchern bis hin zu den großen Wechselreden über den christlichen Glauben in *Der unsterbliche Mensch, Der Oberst und der Dichter* im und nach dem Zweiten Weltkrieg.

Der »Sturm« hatte sich mit einer Umfrage im April 1911 in eine laufende Debatte um Geburtenrate und Empfängnisverhütung eingeschaltet. Anlass war ein Artikel des sozialistischen Theoretikers Eduard Bernstein. Der ganze Zorn des Polemikers Döblin schlug über ihm zusammen. *Diese männliche Gouvernante* sei zwar für die Erlaubnis zur Verhütung, verweigere den Menschen jedoch die Mittel dazu. *Geben Sie einem Frosch die Erlaubnis, Luft ungehindert zu schnappen und setzen ihn ins Vakuum!* Bernstein, *dem Eiertänzer, den Pseudologiker und Sophisten,* sei nicht zu helfen.

In den Jahren von 1910 bis 1912 hat Walden seinen bevorzugten Autor und Freund mit einer großen Zahl von Veröffentlichungen im »Sturm« bedacht. Der Roman *Der schwarze Vorhang* wurde abgedruckt, die *Gespräche mit Kalypso* erwiesen den Radius seiner ästhetischen Reflexion, der Journalist, der Arzt, der Feuilletonist und der Polemiker konnten sich erproben. Das meiste, was Döblin unveröffentlicht in seinen Schubladen angesammelt hatte, brachte Walden an die Öffentlichkeit. Ohne ihn hätte sich dieser in alle Richtungen tastende Autor in der Öffentlichkeit über den Beginn des Ersten Weltkriegs hinaus verspätet. Im August 1911 beteiligte sich Döblin mit Karl Kraus, Adolf Loos, Else Lasker-Schüler und Herwarth Walden im »Verein für Kunst« an einem Autorenabend für Peter Altenberg, im Dezember durfte Döblin selbst dort lesen.

Und wer weiß: vielleicht wäre auch der Verlagsvertrag mit S. Fischer ohne den Plafond der Veröffentlichungen im »Sturm« 1914 nicht zustande gekommen. Walden hat auch den größten Teil der Erzählungen gedruckt, die dann unter dem überaus attraktiven Titel *Die Ermordung einer Butterblume* erschienen sind.

BILD

Döblin las 1910 einmal aus den *Gesprächen mit Kalypso* öffentlich vor; Rudolf Kayser erinnerte sich dieses Augenblicks im Hinterzimmer eines Berliner Cafés: »Ein behender, kleiner Mann mit rötlichem Spitzbart und scharfen Augengläsern springt an das Pult, liest lebhaft und nie ermüdend aus einem Manuskript ›Gespräche mit Kalypso. Über die Musik‹, liest mit großer Leidenschaft, halb belehrend, halb verkündend, Denker und Dichter zugleich. Es ist Alfred Döblin. Wir Zwanzigjährigen ahnten damals den Beginn einer neuen Lebensvision: in der das Ich seine Mauern sprengt, die Monade Fenster in die Welt aufreißt und Gemeinschaft hat mit der Magie der Kräfte und Stimmen der ganzen Welt.«

DIE ERMORDUNG EINER BUTTERBLUME

Vermutlich beflügelt von seinem publizistischen Erfolg in Waldens Zeitschrift, unternahm Döblin energische Versuche, seine im ersten Jahrzehnt des Jahrhunderts entstandenen Erzählungen in Buchform zu publizieren. Er klebte aus den Ausrissen des »Sturms«, der fast alle seiner Geschichten veröffentlichte, ein Ansichtsexemplar zusammen und schickte es Ende 1911 an Martin Buber, damals Außenlektor des Verlags Rütten & Loening in Frankfurt am Main. Aber der hat nicht angebissen – und auch sonst niemand. Döblin legte Mitte Januar 1912 gegenüber Buber nach, lockte ihn mit dem Plan, er *fundiere insgleichen einen Roman.* Aber auch dieser Vorstoß führte zu keinem Erfolg. Dann aber ging es sehr schnell: Schon Mitte November 1912 erschien die Sammlung mit dem etwas irreführenden Druckvermerk »1913« bei Georg Müller in München.

12 Stücke enthält dieser erste Geschichtenband Döblins, den er unter dem Titel *Die Ermordung einer Butterblume* veröffentlichte. Er hatte sich mit dem ersten richtigen Buch, zusammengestellt aus den *tröpfelnden Novellen des verflossenen Jahrzehnts,* nach eigener Vorstellung verspätet. Schon 1904 hatte er in Freiburg seine bis dato geschriebenen Erzählungen versammelt, um sie zu veröffentlichen. Aber damals wurde nichts aus dem Plan. In den meisten Stücken des Bandes widmete sich Döblin den Psychotikern, in einigen auch ihrem besonderen Sprachbild. Geradezu methodisch ging er ans Werk.

1902/03, als er an seinem zweiten Roman schrieb, hatte er die Geschichte *Mariä Empfängnis* aus dem Konvolut von *Der schwarze Vorhang* herausgelöst, befreite sie damit zur Eigenständigkeit. Die wollte jedoch nicht recht gelingen: Zu kitschig koloriert sie ein jugendstiliges katholisches Andachtsbildchen, zu durchsichtig ist die Glaubensdraperie und die Sanftheit als Attitüde. Aber anvisiert wird das Unerhörte jenseits der Wirklichkeit: wie Maria den Gottessohn empfängt, aufgefasst als Einfall eines Wahns in die Mädchenidylle. Im Frühjahr 1905 folgte *Das Stiftsfräulein und der Tod,* die Geschichte einer Absonderung, erzählt nur aus Gesten und ungedeuteten Vorgängen. Das Stiftsfräulein wird gewahr, dass bald der Tod herantritt, und sie behandelt ihn als Geliebten. Zu den frühesten Erzählungen gehört *Die Tänzerin und der Leib*: eine Balletteuse wird krank, kommt in die Klinik; sie betrachtet ihren Leib als einen Fremden, der sie nun am Tanzen hindert. Sie besteht mit pathologischer Folgerichtigkeit immer mehr auf der Trennung zwischen sich und dem Körper, bis sie sich mit dem Messer ersticht, nachdem sie die Szene zuvor gezeichnet hat.

Der junge Schriftsteller wollte das Geheimnis, die Unerklärlichkeit des Menschen, die Unzugänglichkeit seiner Daseinsrätsel, die Unergründlichkeit der Psyche als Motivik seiner Prosa fixieren. Der psychotische Sonderfall ist das bevorzugte Gebiet seiner Suche. Doch holt er seine Stoffe auch aus der Trivialliteratur, aus dem fingierten Polizeibericht und aus der Schauerromantik. Eine der seltsamsten Geschichten in diesem ersten Erzählungsband Döblins ist einem psychotischen Arzt, einer willenlosen blonden Frau und einem entschlossenen *Parterregymnastiker* gewidmet. Die Geschichte *Der Dritte* wird aus unauflöslichen Paradoxien aufgebaut. Das chauvinistische Machtspiel aus den Kasematten des Sadomasochismus wird hier als böse Burleske vorgeführt – und eine psychologische Begründung ist verweigert.

Der Ich-Erzähler in den Aufzeichnungen *Die Memoiren des Blasierten* berichtet unter innerem Zwang von seinen Liebesnöten. Er verfasst eine *Klag- und Warnschrift* gegen das Wort »Liebe«; gefangen im Geschlechterkampf, erzählt er von der Fremdheit der Frau, dass er sie über die Sexualität hinaus nicht erreicht hat, dass die Liebe nur *eine müßige Rederei* sei. Aus dem Innern des Wahns bricht sein Hass auf und macht sich auf Gedankenreise: Frauen gilt es zu vergewaltigen, man sollte sie nur als Huren in der Gesellschaft dulden und zu diesem Zweck *Dirnenakademien* einrichten, damit sie ihren Sexualdienst praktisch erlernen. Er redet sich wie ein wilhelminischer Polizist in grausige Ordnungsphantasien hinein: *Es müßte von Staatswegen gegen die Liebe eingeschritten werden, wie gegen den Alkohol und die Tuberkulose.* Döblin hat diesem defekten Typus eigene Seelenlinien eingeritzt. Darauf deutet die Diskretion hin, mit der er seine Erzählung behandelte: er wollte sie nicht im »Sturm« abdrucken lassen, wollte dafür keine schriftliche Erklärung geben und ließ den Text erst in der Buchausgabe erscheinen – im Verbund mit anderen, die diese Selbstentäußerung im Format eines ausweglosen Psychotikers unkenntlich machten.

Eine der großen Absagen an die psychologisierende Literatur des späten 19. Jahrhunderts, noch vom Sog des Fin de Siècle erfasst, aber ganz und gar als moderne Satzarchitektur aufgefasst, bietet *Die Segelfahrt.* Ein magischer Raum des Geschehens, das – wie die Sturmwelle des Meeres den Schwimmer – den Einzelnen wegreißt und unterwirft. Ein Lebemann namens Copetta, halb Don Juan, halb mythischer Verlorener, lernt im Seebad Ostende eine Frau kennen. Auf einer gemeinsamen Segeltour lässt er sich von einer Woge über Bord spülen. Die Frau geht nach Paris, gibt sich jedem Mann hin, trägt die Krankheiten des Lasters weiter, macht also sich zur Beute und unterwirft sich die anderen. Nach einem Jahr kehrt sie zurück ans Meer, rudert hinaus und wird von dem auftauchenden Bild Copettas, eine Art von Meeres-

Schauplatz von *Die Ermordung einer Butterblume*
Schlossberg in Freiburg, 1905

dämon, in den Tod gelockt. Die nicht datierte, aber wohl 1910 geschriebene Erzählung ist die nächste Nachbarin der *Gespräche mit Kalypso.* Was dort über die Techniken der Musik beredet wird, gilt genauso für die Prosa: *In diesen unscheinbaren Bestimmungen der Wiederkehr, sei es in Wiederholung, sei es in Nachahmung, sei es in Abänderung, liegt die Quelle des reichen musikalischen Zusammenhangs.* Die einzelnen Bildmotive werden mit Raffinesse und äußerstem Kalkül eingesetzt. Die Erzählung nimmt sich die größtmögliche Freiheit von psychologischen Begründungen. Die Geschichte oszilliert zu anderen Künsten. Die Klänge von Wagners »Fliegendem Holländer«, aber auch von Debussys sinfonischem Werk »La mer«, wenige Jahre zuvor entstanden, scheinen über der Szenerie zu schweben.

Mit der Erzählung *Die Segelfahrt* hat Döblin seinen weitesten und rauschmächtigsten Bildraum erstmals in Szene gesetzt: das Meer. Vom Wasser und vom Strömen, von der übermächtigen Bewegung der Natur wird er nicht nur erzählen, sie bilden fortan auch die zentralen Metaphern für das Erzählen selbst. So wird er die Entstehung seines ersten großen Romans *Die drei Sprünge des Wang-lun* ins Bild des unwillkürlichen Phantasiestroms und der Überschwemmung setzen.

Die herausragende Leistung des jungen Erzählers ist auf 1905, auf das letzte Studienjahr in Freiburg, zurückzudatieren. Döblin gab an, er sei eines Tages beim Spazieren über den Schlossberg nach dem Wald von St. Ottilien auf die Situation gekommen, die die Titelgeschichte *Die Ermordung einer Butterblume* prägt. Sein Wissen *von Zwangsvorstellungen und anderen geistigen Anomalien* hat sich mit der Beobachtung einer ganz und gar harmlosen Szene verbunden: *Es liefen da Jungens über die Wiese und hieben mit ihren Stecken fröhlich die unschuldigen schönen Blüten ab, daß die Köpfe nur so flogen. Ich dachte an die Beklemmungen, die wohl ein feinfühliger Mensch oder, wenn man will, auch belasteter Mensch nach einem solchen Massenmord empfinden würde. Auch andere seltsame Geschichten fabulierte ich hier zusammen.* Im Gespräch mit dem Freund Robert Minder ließ Döblin tiefer blicken. Seine Vereinsamung in Freiburg sei der Urgrund dieser Geschichte über die Spaltungen Michael Fischers.

Zum ersten Mal wieder seit Georg Büchners Erzählung »Lenz« sind psychiatrische Befunde in dieser Dichte der deutschen Literatur eingeschrieben. Viele klinische Befunde aus den frühen Erzählungen Döblins sind hier in einer geradezu idealtypischen Engführung auf eine Figur projiziert. Der Einzelne wird damit zur Bühne eines Geschehens, das mit Schocknähe von der Depersonalisation berichtet. Auf knapp 15 Seiten wird *Die Ermordung einer Butterblume* aus dem Kopf eines Desperaten erzählt, in unerhörter Wahrnehmungstreue der Verstörung eines Spaziergängers namens Michael Fischer, der sich des Verbrechens eines Blumenmords bezichtigt.

Ihm zerfällt die Wahrnehmung, die Grenze zwischen erster und dritter Person; zwischen Ich und dem Anderen weiß er nicht mehr zu unterscheiden. Ich ist auch Nicht-Ich, und die Butterblumen sind Stimmen, die man abtöten muss. Der Wahn ergreift die ganze Person bis auf winzige Pausen, in denen die Wirrnis zurückläuft wie die Welle ins Meer. Dann branden die Schübe wieder an, überfluten die Haltepunkte der Orientierung, reißen den involvierten Leser in einen halluzinatorischen Strudel. Fischer richtet der angeblich ermordeten Blume ein Bankkonto ein, betreibt einen Gottesdienst mit ihr, hegt und pflegt eine andere in effigie, bis seine Haushälterin den Plunder wegwirft und er in Gelächter ausbricht. Nun ist er befreit und darf zu Taten ohne Gewissensbisse schreiten.

Diese Prosa ist ein Geniestreich der Inszenierung psychiatrischen Wissens und der Entfaltung eines ästhetischen Stilwillens. Von der Hirnpsychiatrie war Döblins Lehrer Alfred Hoche hergekommen: jeder psychischen Erkrankung lag demnach eine organische Ursache zugrunde. Mit der Enthauptung der Blume ist wohl ein ironischer Konnex zur Hirnforschung Hoches verbunden. Der Wahn von der geköpften Blume kann durchaus als Befreiungsgeste gegenüber dieser frenetisch verengten Auffassung gelesen werden. Eine weitere Deutungschance eröffnet sich, wenn man sich die Attacke des Freiburger Hirnforschers gegen den freien Willen vergegenwärtigt. Dann läge ein parodistischer Spaß zugrunde: der verwirrte Michael Fischer alias Alfred Hoche, der den Menschen die Freiheit des Denkens nimmt.

Doch die wirkliche Sensation der Erzählung *Die Ermordung einer Butterblume* ist künstlerischer Art: die Aufspaltung des Ichs in verschiedene Stimmen, hin zu den redenden Dingen. Das ergibt eine epochale Lossagung vom autonomen Ich und seiner Spiegelfigur, dem allwissenden Erzähler. Der Erzähler bemächtigt sich des Patienten nicht in der Weise, wie es der Nervenarzt getan hätte. Dem wäre er vor allem Studienmaterial gewesen. Der Erzähler aber hat Empathie, löst sich vom Basiliskenblick des Nervenwissenschaftlers. Der ganz und gar eigene Humor dieser Geschichte speist sich aus der Beobachtung der Abweichung, des Grotesken, Verdrehten, des entstellten Sinns, aus der Körpersprache des Unglücks.

Von diesem einen Text ging eine Neuheit sondergleichen aus; er leuchtete aber auch zurück in die Geschichte, bis zu den Gedichten Hölderlins im Turm, und er warf einen Vorschein auf den Irrsinn, mit dem sich die deutsche Literaturgeschichte des 20. Jahrhunderts noch beschäftigen sollte und musste. *Die Ermordung einer Butterblume* ist das erste, grandiose Zeugnis wilden Denkens in der deutschen Literatur in diesem Jahrzehnt.

Döblin war für die Generation der expressionistischen Kollegen als Modernist und Avantgarde-Künstler durch seine Texte im »Sturm« bereits ausgewiesen, auch wenn er das breite Publikum nicht erreichte. Deshalb stammten die wichtigsten Kritiken zur Sammlung *Die Ermordung einer Butterblume* von Kollegen und bewiesen ihre Wertschätzung des Autors. Es zeichnet sich schon bei diesem ersten Prosaband ein Muster an Wirkung ab, das die lange Liste seiner literarischen Bücher begleiten sollte: ein Schriftsteller vorwiegend als Anreger und Anstifter von anderen Schriftstellern.

Kurt Pinthus sah ihn auf dem Weg zum Wortkunstwerk: das konnte Döblin nicht behagen. Im »Sturm« befasste sich Joseph Adler mit dem Band und lobte ihn in den höchsten Tönen, hob seine Kraft zu Mischungen und das Stimmengestöber hervor, hielt seine Phantasie für einzigartig. Der Kritiker saß jedoch einer gewissen Unkenntnis auf, als er Döblin für seine exemplarische Kürze lobte: »Schriftsteller, die zeitraubende Romane schreiben, sollte man unter Kuratel stellen. Zeit ist doch Geld, und unsere vor allem. Man möchte den Verschwendern zurufen: Seid kurz wie Döblin.« Ausgerechnet der Kritiker des Döblinschen Hausorgans war in seine weitere Tätigkeit als Romanschreiber nicht eingeweiht.

KASSENPRAXIS

Nennen wir es die Hinterlassenschaft des Klinikarztes, was Erna Döblin 1957 Robert Minder kurz vor ihrem Tod übergab: 47 Blätter eines Laboratoriumsjournals, vier Patientenbücher (247 Blätter mit 25 Blatt Belegen), 80 Blätter mit naturwissenschaftlichen und medizinischen Aufzeichnungen. Diese darin dokumentierte, nicht gar so kleine Laufbahn ging 1911 zu Ende – wohl nicht ganz freiwillig. Seine Schwiegermutter hätte Döblin die Mittel für eine akademische Karriere vielleicht vorstrecken können, wollte das junge Paar aber anscheinend nicht in dieser Absicht bestärken. Man ist auf Vermutungen angewiesen. Die Lebensumstände der Reiss-Mutter und die Beziehung zu ihrem Schwiegersohn sind im Dunkeln geblieben. Er eröffnete in der Blücherstraße 18 am Halleschen Tor, in Kreuzberg, im Oktober 1911 eine Kassenpraxis und ließ sich zunächst als praktischer Arzt und Geburtshelfer nieder: das versprach die meiste Kundschaft. Aber die Patienten ließen auf sich warten und machten sich rar. 1911 war für ihn deshalb ein Katastrophenjahr. Das Wort kann auf seine materielle Lage, jedoch auch auf seine Eheanbahnung gemünzt sein.

Nun also firmierte er als praktischer Arzt. Mit der Benennung seiner fachspezifischen Kenntnisse ist er öfter freihändig umgegangen: Später bezeichnete er sich als Internisten und Nervenarzt. Intensive Kenntnisse als Neurologe konnte er sich bis zu diesem Zeitpunkt jedoch nicht erworben haben: weder im Studium noch in den Anstalten von Karthaus-Prüll und Berlin-Buch. Aber diese Doppelannonce seiner Befähigung war nicht ungewöhnlich. Erst nach dem Ersten Weltkrieg wurde die Facharztordnung formuliert; 1924 wurden 14 Spezialfächer als verbindlicher Kanon festgelegt, spezielle Kenntnisse mussten erst dann nachgewiesen werden. Im »Sturm« (Nr. 84) findet sich in einem Brief von Else Lasker-Schüler an Herwarth Walden und Kurt Neimann eine Döblin betreffende ironische Bemerkung: »Heute nur ein paar Neuigkeiten! Erstens: *Dr. Alfred Döblin* hat sich als Geburtshelfer und noch für ›alles‹ niedergelassen. Auf seinem Schild in der Blücherstraße 18 am Halleschen Tor steht geschrieben, dass er Oberarzt am Urban war. So eine Reklame!« An Selbstbewusstsein hat es dem Arzt in dieser Zeit anscheinend genauso wenig gefehlt wie dem Schriftsteller.

Die Ablösung vom wissenschaftlichen Arbeiten war kein einfacher Austausch mit der Praxis des Kassenarztes. Er verabschiedete sich von einem Netzwerk, das ihn getragen und das ihn beim wissenschaftlichen Arbeiten unterstützt hatte: Peter Rona, Leiter des Chemischen Instituts im Krankenhaus Am Urban, ist da zu nennen, Louis Ruyter Radcliffe Grote, der zur gleichen

Zeit wie Erna Reiss dort famulierte und als Student Döblin zuarbeitete. Viele Jahrzehnte später, am Ende seines Lebens, begegnete er dem jüngeren Kollegen wieder. Grote hatte die medizinische Musiktherapie begründet, hatte sich bei der Erforschung der Diabetes hervorgetan, war nun Chefarzt eines Sanatoriums im Glottertal/Schwarzwald, und der Schriftsteller stand vor der Frage, ob er dort seine letzten Monate verbringen konnte. Leonor Michaelis, eine Kapazität auf dem Gebiet der Biochemie, der einige Jahre vor Döblin ebenfalls in Berlin und Freiburg studiert hatte, leitete an der Charité das bakteriologische Institut; er hat ihm dort einen Arbeitsplatz ermöglicht. Im amerikanischen Exil sollte er ihm wieder begegnen. Der Kollege Peter Fleischmann hat den Kontakt zur Charité hergestellt. Döblin arbeitete also in einer förderlichen Atmosphäre mit herausragenden Kollegen zusammen, und es wird ihm schwergefallen sein, diesen anregenden Kreis übergangslos zu verlassen.

Rund anderthalb Jahrzehnte später hat er den Rollentausch vom Wissenschaftler zum Kassenarzt als Zugewinn gewertet: *Die Menschen sind eine wunderbare Gesellschaft; man kann eigentlich nur gut zu ihnen sein und sich seines Hochmuts schämen. Ich fand meine Kranken in ihren ärmlichen Stuben liegen; sie brachten mir auch ihre Stuben in mein Sprechzimmer mit. Ich sah ihre Verhältnisse, ihr Milieu; es ging alles ins Soziale, Ethische und Politische über. Ich fragte mich da öfter, ob ich einen schlechten Tausch gemacht hatte, als ich die klinischen Kurven und die Meerschweinchen verließ. Mir schien: nein.*

Als Kassenarzt wurde Döblin neben seiner medizinischen Tätigkeit vor allem mit den sozialen Notlagen seiner Patienten konfrontiert; er musste in den praktischen Dingen des Alltags helfen, die Folgen der Arbeitslosigkeit mildern, eheliche Konflikte abfedern, Karenzzeiten zur Erholung ermöglichen, Rat geben. Das wird ihm am Anfang schwergefallen sein, und die Kundschaft stellte sich nur spärlich ein.

1913 zog er nach Lichtenberg, in die Frankfurter Allee 194, um. *Ich war jetzt praktischer Arzt am Halleschen Tor in Berlin, tat viel Dienst auf Rettungswachen, Tag und Nacht, fuhr morgens monatelang in ein Privatkrankenhaus, vertrat hier und da. Auf den Treppen, in den leeren Wartestunden schrieb ich, konnte schreiben, wo ich ging und stand.*

Den Status als Arzt im Krankenhaus sah Döblin später durchaus kritisch. Hat er damit eine Wunde überdeckt? Mit der *Gelehrsamkeit* habe er sich *keine wirklichen Kenntnisse* erworben. In den Kliniken habe es sich um *lauter Diagnostik* gehandelt. Aber nun dagegen: *Behandlung, Einfluß – lernte man nur nebenbei. Nein, man lernte es nicht, man luchste es den anderen ab.* Er sah seine Profession durchaus auch selbstironisch: Die Patienten seien auch gesund geworden, wenn sie *notorisch zu Kurpfuschern, Magnetopathen, und was weiß ich* gegangen seien. Nach der Kritik der mangelnden Praxisausrichtung an den Kliniken ein ironischer Hieb gegen die alleinseligmachende Omnipotenzillusion der Ärzte.

Mit der eigenen Praxis ging es anscheinend vor dem Ersten Weltkrieg nicht aufwärts, sie brachte kaum etwas ein, auch wenn er durch einen Umzug die Lage verbessern wollte. Vermutlich ist die Praxis von der Mitgift seiner Frau eingerichtet worden. Der Krieg sei ausgebrochen, als er *auf dem Nullpunkt saß*. Döblin fasste seinen Status später in eine militärische Metapher und sprach vom Kassenarzt als einem *grauen Soldaten in einer stillen Armee.*

DER FUTURISMUS UND DIE LEIDENSCHAFTEN

Herwarth Walden hatte seinem Kunstimperium eine Galerie hinzugefügt. Seit ihrer Eröffnung am 12. April 1912 bewegte eine Ausstellung die Öffentlichkeit. Es war die zweite, die Walden nach seiner – um Kokoschka-Bilder erweiterten – Schau über den »Blauen Reiter« veranstaltete. Sie präsentierte die neue Kunstrichtung des Futurismus, die der italienische Millionärssohn Filippo Tommaso Marinetti mit aggressiver Verve ausgerufen hatte. Dreispaltig war am 20. Februar 1909 in einer Samstagsausgabe des konservativen »Figaro« ein Manifest von ihm erschienen, eine Nötigung der Kunst zum Avantgardismus, zu ihrer Selbstnegation und Vernichtung, was ihren Anteil an Geschichte und Tradition betrifft. Marinetti hatte den Publikationsort geschickt gewählt und erzielte ein internationales Echo. Der vierte Paragraph des Textes pries »eine neue Schönheit«, nämlich »die Schönheit der Geschwindigkeit«, war aber nicht nur auf das Bekenntnis zur Bewegung, zur Technik, zu Lärm und Empörung verpflichtet, sondern auch auf die Feier des Imperialismus und des Krieges. Der neunte Paragraph lautet: »Wir wollen den Krieg verherrlichen – diese einzige Hygiene der Welt –, den Militarismus, den Patriotismus, die Vernichtungstat der Anarchisten, die schönen Ideen, für die man stirbt, und die Verachtung des Weibes.« Abgesehen davon sollten die Bibliotheken im Feuer aufgehen, Museen geflutet und Städte vernichtet werden.

Die Neuerung verbreitete sich jedoch weniger durch Marinettis Fanfare als vielmehr durch die Maler, die sich unter das Begriffsdach des »Futurismus« stellten. Ende Mai 1911 hatte Umberto Boccioni, das wohl stärkste Talent dieser Kunstrichtung, sein Programm im Circolo Internationale Artistico in Rom vorgetragen. Die Maler Carlo C. Carrà, Luigi Russolo, Giacomo Balla und Gino Severini schlossen sich ihm an. Anfang Februar 1912 stellten sie bei Bernheim-jeune in Paris aus, dann wanderte die Ausstellung nach London.

Walden übernahm die Futuristenschau von dort und zeigte sie in seiner Galerie in der Tiergartenstraße. Sie sollte mit ihrer provokativen Kunst- und Kunstverneinungsgebärde das Wasser auf seine eigenen Mühlen lenken. Er setzte auf die Wirkung der Provokation, und er nahm gleichzeitig Rücksicht auf das geschätzte Publikum: die literarische Programmatik stellte er zunächst zurück. Im »Sturm« wurde der Auftritt publizistisch sorgsam vorbereitet und begleitet. Die erste Veröffentlichung in seiner Zeitschrift galt nicht einem Text Marinettis, sondern bestand in der überarbeiteten Übersetzung eines Artikels über futuristische Malerei von 1910. Das Gründungsmanifest erschien erst einen Monat später im »Sturm«. Dahinter stand eine taktische Überlegung: vorgezogen wurde die »weichere« Fassung, um das Publikum mit den provozierenden Härten der ersten nicht zu vergraulen. Die Aufmerksamkeit sollte der Ausstellung gelten und nicht durch den Schock des zum Vandalismus aufrufenden Manifests verbraucht werden. Franz Marc fand im »Sturm« lobende Worte über die Kollegen aus Italien.

Boccioni reiste zu den Vorbereitungen für die Ausstellung an, um für den Futurismus Reklame zu machen, als handle es sich um ein Label, drang nicht durch und forderte deshalb Marinetti zur Verstärkung an. Fast zwei Wochen lang hielten sie Berlin in Atem, fuhren mit Herwarth Walden durch die Gegend, provozierten mit Flugblättern, die sie aus dem Auto warfen oder an die Litfaßsäulen klebten. Abends zogen die Reklameartisten regelmäßig ins »Dalbelli«, wo auch Döblin nicht fehlte. Nell Walden erinnerte sich lebhaft an den Eindruck, den die Herren im Hinterzimmer des italienischen Weinlokals nahe der Potsdamer Brücke machten: »Es waren hinreißende Stunden voll Glut, Enthusiasmus, südlicher Verve und Freundschaft. Die beiden waren immer sehr elegant gekleidet, in Havelock und Smoking, und es ging hoch her mit Rufen wie ›Eviva Garibaldi‹ und ›Eviva l'amore‹. Und jeden Abend wurden die Weingläser nach dem letzten Schluck an die Wand geschmissen. Anders wollten es Marinetti und Boccioni nicht haben.« Der späte Döblin erinnerte sich eines bestimmten Auftritts: Als sich auf der Straße ein Bürger erfrechte, Boccioni den Weg zu verstellen, erhielt er einen futuristischen Schlag ins Gesicht. Das anschließende Gerangel bei der Polizei dürfte dem Künstler aus Reklamegründen nicht unwillkommen gewesen sein.

Döblin, der bis zum Ersten Weltkrieg mit bildenden Künstlern intensiven Umgang pflegte, übernahm die Besprechung der Ausstellung im »Sturm«. Er hatte im April 1911 die Frage gestellt: *Wir rühren immerwährend die Trommel für die hohe und reine Kunst. Wer tritt auf unsere Seite?* Ein Jahr später gab er sich eine Antwort. Nun also sah er Bundesgenossen, vereinnahmte sie. Im Mai 1912 veröffentlichte er einen Artikel voller Bewunderung und Enthusiasmus, feierte den italienischen Modernismus als eine ungestüme Selbstgewissheit: *Mit einem Ruck macht sich der Futurist Platz, stößt den Alb von seiner Brust. Worauf kommt es doch an? Nicht auf die entseelte blöde Szene, das Objekt, sondern auf – mich, auf mich, auf mich und auf nichts weiter. Was sind Wellen, Berge, Gesichter, Farben, Linien gegen mich! Er ist nicht Nachschöpfer, sondern Neuschöpfer. Die Beseeltheit ist alles.* Döblin sprach von den Malern wie in eigenem Namen. Er war *sich* nahe, als er *sie* rühmte. Dieses Bekenntnis ist mit einem Missverständnis erkauft. Von der »Seele« wollte das futuristische Malerquartett wenig wissen, und Döblin ging es weniger um den Futurismus als um die Abgründe und Grellheiten, die er bei der Introspektion zutage gefördert hatte, und um die Umschrift psychiatrischer Fälle in erzählende Prosa. Er unterstellte dem Futurismus *Heimlichkeit, Einsamkeit, Versunkenheit* der Kunst, was in Hinblick auf die italienischen Kollegen sonderbar anmutet, aber vor allem sein eigenes Werk bezeichnet. Er konnte sich in seinem Lob kaum bremsen. *Der Futurismus ist ein großer Schritt. Er stellt einen Befreiungsakt dar. Er ist keine Richtung, sondern eine Bewegung. Besser: er ist die Bewegung des Künstlers nach vorwärts. Es kommt auf die einzelnen Werke nicht an. (...) Ich bin kein Freund der großen und aufgeblasenen Worte. Aber den Futurismus unterschreibe ich mit vollem Namen und gebe ihm ein deutliches Ja.* Döblin steckte in ähnlichen Schuhen wie der Futurismus in seinen Manifesten. Das Ich ist eine zu destruierende Größe. Die Psychologie: eine erschöpfte Angelegenheit. Die Syntax ist zu zerbrechen. Die Interpunktion muss man abschaffen. Der Futurismus riss ihn mit – zu seinen eigenen Möglichkeiten. Aber als er ihn anwendete, sprengte er die engen Fesseln des Verneinungskanons, an den Marinetti den literarischen Futurismus binden wollte.

Die Grenzen des literarischen Futurismus wurden sichtbar, als im Kreis um Walden Marinettis »afrikanischer« Roman »Mafarka le futuriste« von 1910 diskutiert wurde. Lesen konnte Döblin das Buch wohl nicht: Es war nur auf Französisch und (gleichzeitig) in italienischer Übersetzung erschienen, aber er konnte sich mit den technischen Prinzipien des Autors ohne weiteres vertraut machen.

Während in Berlin die Futuristen-Ausstellung noch lief, aber nach Döblins Besprechung, publizierte Walden im »Sturm« das zweite Manifest der Futuristen, »Tod dem Mondschein!«. Erst im Oktober 1912, also in sicherem zeitlichem Abstand zur Ausstellung, erschien im »Sturm« Marinettis »Technisches Manifest der futuristischen Literatur« mit strengen Geboten und schroffen Handlungsanweisungen. Dieser dritte Text des Futurismus im »Sturm« befremdete Döblin aufs höchste. Er fühlte sich zu einer Entscheidung gezwungen: entweder schnürte er seine eigenen Kunstideale ab, oder er trennte sich von Marinetti, der die Forderung nach Schönheit mit der Erklärung ablehnte: »Man muß täglich den ›Altar der Kunst‹ anspeien. Wir betreten die unbegrenzten Gebiete der freien Intuition.« Auf Kritik antwortete Marinetti im März 1913 mit einem herausfordernden »Supplement zum Technischen Manifest« im »Sturm«, und der italienische Emphatiker lieferte außerdem einen eigenen Beispieltext »Bataille Poids + Odeur«, eine Gefechtsreportage in dem von ihm erdachten Stil. Es ging auf knapp drei Seiten um eine Episode aus dem italienisch-libyschen Krieg, an dem Marinetti als Reporter teilgenommen hatte. Italienische Truppen haben die Oase Gargaresch besetzt und ziehen in die Wüste, um eine gegnerische Stellung anzugreifen. Das wird zu einem Experimentierfeld der Zertrümmerung von grammatischen Regeln, des Verzichts auf Zeichensetzung und auf Adjektive.

Herwarth Walden gab Döblin auf diesen Text hin die Chance einer Entgegnung. Der Lobredner des malerischen Futurismus hat Marinettis Texte anscheinend schon im Januar oder Februar 1913, also vor der Veröffentlichung, erhalten. Hat Döblin seinem Freund etwas anderes versprochen, als er dann lieferte? Wurde er im guten Glauben angeheuert, er werde wieder die Fanfare für die Futuristen blasen? Das Ergebnis jedenfalls fiel ganz anders aus, als man vermuten konnte. Insgeheim hatte Döblin seine eigene Begeisterung für die Futuristen in einem (von ihm nicht veröffentlichten) Text *Das zerschmetterte Maul, das isolierte Bein, die Quadratur der Atmosphäre* literarisch erprobt. Darin parodierte er sprachliche Prinzipien Marinettis, potenzierte den Futurismus ins Abstruse und unterlief ihn gleichzeitig durch Berliner Slang: *Rascheln durch Momentmillionen, Kontinuum, Schlangenhäute, Winterfelle, Sommerfelle. Malerei Alteisenladen. Fläche Oberfläche. Rin! Mitten mang! Stirnrunzeln, Beklommenheit, Kopf durch Leinewand? Krise des Futuristen.* In seiner Entgegnung auf Marinetti, dem Artikel *Futuristische Worttechnik* vom März 1913, wählte er die Form des offenen Briefs. Er erklärte zunächst sein Einverständnis mit den Stichwörtern des Programmatikers – *keine Verschönerung, keinen Schmuck, keinen Stil, nichts Äußerliches, sondern Härte, Kälte und Feuer, Weichheit, Transcendentales und Erschütterndes, ohne Packpapier*. Es ging bei beiden gegen die Klassiker oder, wie Marinetti es ausdrückte: gegen den »Passatismus«, gegen die künstlerische Vergangenheit und den Rückbezug auf sie. Döblin nannte Marinetti in seinem Bezug zur Wirklichkeit einen *Kameraden,* er erinnerte ihn an Vertrautheiten im Dalbelli. Aber all das Lob und die Berufung von wechselseitiger Nähe dienten nur zur Lossagung. Döblin erteilte dem Kollegen eine weitreichende, rhetorisch glänzende Absage. Er geißelte die autoritäre Attitüde Marinettis, sprach ihm die Eignung als *Vormund der Künstler* ab. Er sah eine Beschränkung auf *Phonographie* am Werk, auf den oberflächlichen Nachvollzug von *Meckern, Paffen, Rattern, Heulen, Näseln der irdischen Dinge,* was er nicht mitmachen wollte. Er warf ihm *Monomanie* vor, stritt in kalten, wie gemeißelten Sätzen gegen den fordernden Ton, verwies ihm sein Herrenmenschentum. Seine Lossagung vollzog Döblin im Namen der *Naturalisten, des echten direkten Künstlers.* Ein Leitwort hatte er damit aufgegriffen, das er bis weit in die zwanziger Jahre hinein immer wieder umwälzte und prüfte, wobei er auf den literarhistorischen Epochenbegriff keine Rücksicht verschwendete: *Naturalismus.* Marinetti fehle es an der *Leichtigkeit des reinen untheoretischen Dichters.* Er höhnte ihn, er solle *bei uns* lernen, was die Erwartungen umkehrte. Man könne Schlachtbeschreibungen (wie in »Bataille Poids + Odeur« vorgelegt) besser machen: das war als Versprechen in die Luft gemalt. Der Impuls, sich nicht nur zum Ansager des Italieners zu machen, sondern vielmehr eigene poetologische Wege zu gehen, wird mit polemischer Härte vorgetragen.

Döblin wollte die Einsichten der futuristischen Maler auf die Sprache übertragen und distanzierte sich von Marinettis literarischer Praxis. Er war auf einen erzählerischen Zusammenhang aus, Marinetti auf ein sprachliches Experiment, das einen bestimmten Inhalt geradezu ausradieren sollte, auf Zerstörungsakte gegen die tradierte Sprache. Die beiden konnten zueinander nicht finden, die künstlerische Kluft war viel zu groß. Daraus entstand die Autonomiegebärde Döblins im letzten Satz seines offenen Briefes: *Pflegen Sie Ihren Futurismus. Ich pflege meinen Döblinismus.* Was ihn selbst wiederum ausmachen könnte, war allerdings in diesem Kampfartikel nirgendwo ausgesprochen, nur die Abstoßung war formuliert.

Im übrigen waren Prinzipien des Futurismus bei Döblin selbst vorgebildet, waren einige der lauthals proklamierten Ziele als Motive längst im Avantgardisten Döblin verankert, auf jeden Fall bevor er den Futurismus und dessen Programmatik kennenlernen konnte. Aber als er 1912 an ihn herantrat, bedeuteten Marinettis *parole in libertà* auch einen eigenen Befreiungsakt: weg von der Sprachkritik Mauthners, vom Zwiespalt zwischen den Wörtern, die die Dinge wiedergeben sollen, aber nicht der gleichen Sphäre der Materialität angehören.

Döblin erhielt Beifall für seine Souveränitätsurkunde. Apollinaire, der Begründer des französischen Surrealismus, war im Januar 1913 in Berlin in den »Sturm«-Kreis getreten und hielt am 18. des Monats einen Vortrag. Er beglückwünschte Döblin zwei Monate später von Paris aus zu dessen Lossagung von den Futuristen: »War sehr gut ihr Artikel, ich gratuliere: es lebe der Döblinismus.« Döblin war vom malerischen Futurismus beeindruckt, zumal in ihm eigene künstlerische Absichten wie in einem Entwicklerbad zum Vorschein gebracht worden waren. Im eigenen Namen gegen den Futurismus streiten, aber seine Erbschaft erweiternd anwenden, mit Marinetti gegen ihn streiten – dieser künstlerische Doppelsinn eines Virtuosen des Widerspruchs bleibt über die Jahre hinweg bis zum *Alexanderplatz*-Roman von 1929 erhalten, wo noch immer sprachliche Tricks des Futurismus eingesetzt werden. Wenn die Psychiatrie den Erzähler von Geschichten mit gebar, so kreierte der Futurismus den Romanschriftsteller Döblin mit.

Eine gewisse Distanz zu den Futuristen ergab sich ohnehin, als Walden 1913 seine epochale Ausstellung, den »Ersten Deutschen Herbstsalon«, veranstaltete. In seinem Vorwort zum Katalog formulierte er zum ersten Mal kunstprogrammatische Ziele. Rund 80 Künstler aus 12 Ländern waren mit mehr als 360 Werken vertreten, unter ihnen auch die Futuristen, aber eben nur unter vielen anderen. Walden suchte nach übergreifenden Gesichtspunkten. Der Künstler war demnach nicht mehr an der äußeren Wirklichkeit orientiert, sondern am Bilden aus sich heraus, in der kürzesten und schlagkräftigsten Formel, die er fand: »Kunst ist Gabe und nicht Wiedergabe.« Der Satz klingt mit seiner Ablehnung einer mimetischen Kunst ganz nach Döblin. Der Expressionismus wurde Walden zur Begriffsklammer: »Der Maler malt, was er schaut in seinen innersten Sinnen, die Expression seines Wesens, alles Vergängliche ist ihm nur Gleichnis, er spielt Leben, jeder Eindruck von Außen wird ihm Ausdruck von Innen. Er ist der Träger und der Getragene seiner Visionen, seiner inneren Gesichte.« Die Schau vertrat innerhalb der Avantgarde, die Walden bis zu Plastiken aus Ozeanien ausdehnte, ein liberales Spektrum, keinesfalls eine einseitige Orientierung am Futurismus. Mit dieser Entgrenzung des Blicks konnte sich die italienische Quadriga kaum abfinden. Im übrigen sind allerhand finanzielle Querelen zwischen dem Galeristen und den italienischen Malern überliefert.

DIE DREI SPRÜNGE DES WANG-LUN

Döblin war lange Zeit mit dem Ausbau seiner inneren Welt beschäftigt. Für seine jugendliche Latenz hat er 1928 die Schlüsselworte gefunden: *Allem Singen geht ein Schweigen voraus. In mir schwieg es eben lange, furchtbar lange. Was ich sprach, war alles schief und falsch. Verzerrt. Es war nicht ich.* Er war kein frühreifer Dichter wie Hugo von Hofmannsthal. Nach eigener Einschätzung hat er das erste Jahrzehnt im 20. Jahrhundert vertan – bis er sich mit 34 Jahren an den ersten großen Roman setzte. In einer Zeitung stieß er auf eine kurze Notiz über einen Aufstand koreanischer Goldwäscher am sibirischen Lena-Fluss und die Liquidierung der Revolte durch zaristische Truppen. Die Notiz löste eine Initialzündung aus – vor dem Hintergrund anderer aufregender Nachrichten. Der Revolutionär Sun Yat-sen hatte 1911 mit seiner Bewegung in China den Volksaufstand gegen das kaiserliche Feudalsystem gewagt und stürzte im Februar 1912 die seit Mitte des 17. Jahrhunderts herrschende Mandschu-Dynastie.

Döblins Interesse am novellistischen Zeitungsstoff wanderte weiter nach dem Fernen Osten oder, um den Weg mit Leitfiguren zu versehen, von Tolstois Gemeinschaftssozialismus (für den vor allem Gustav Landauer in Deutschland stand) zu den philosophischen Lehren des Konfuzius, Laotse, Liä-Dsi und Dschuang-Dsi. Mit dem Buddhismus war er durch Schopenhauer bekannt geworden. Für die Bewegungskraft des Materials im Erzähler bot der etwas mehr als ein Jahrzehnt zurückliegende Boxeraufstand gegen die Kolonialmächte in China eine illustrative Folge dramatischer Schrecken. Dennoch kam der Roman geradezu ansatzlos daher, gleichsam aus einem Nichts. Gewiss hat sich Döblin durch die Auseinandersetzung mit dem Futurismus geschult. Aber schon an das spezifische Gewicht des Stoffes reicht kein Vergleich mit seinen früheren literarischen Versuchen heran. Der Roman glüht auf im Bekenntnis zur Lebenskraft von Himmel und Erde, ist trotz aller Schreckbilder der Düsternis, der Oppressionen der Macht, der Ariadnefäden, die den Einzelnen umschlingen und zu Tode lähmen, eine bis auf die letzte Romanseite anhaltende Bewegung, ein Zug von Massen und Mächten durch die pittoreske Fremde des 18. Jahrhunderts in China. Mit aller malerischen Finesse, mit aller Nervenkunst, im Fieber der Vergegenwärtigung gefangen, versenkt sich Döblin in die Vormoderne der Kaiserzeit. Die Sätze sind oft wie in Trance geschrieben, geboren aus der Empfindung, dass die Dinge Augen haben und zurückblicken auf den Erzähler. Wie überwältigend diese Züge Wangluns und der Massen über staubige Landstraßen, unwegsame Gebirge, durch reißende Flüsse, in arme Dörfer, zu buddhistischen Klöstern, hinein in den Prunk der Kaiserstadt gewirkt haben mögen, erweisen die zeitgenössischen Leser. Sie staunten diese Erfindung an, als handle es sich um eine bisher unbekannte Übersetzung aus dem Chinesischen, gar um authentische Geschichtsschreibung. Der Erzähler betreibt ein Verzauberungsspiel, huldigt dem Kult der Sinne, stellt ein grandioses Schauspiel des Gestern hin und verweigert dabei jeden gängigen Anspruch an einen historischen Roman. Der Geschichte stellt er sich mit den imperialen Instrumenten der sprachlichen Moderne, die Gewalt und Kultur in einer Dämonie von Rebellion und Ergebung, Sieg und Auslöschung des Einzelnen vorführen.

Döblin selbst hat zu den inneren Voraussetzungen dieser epischen Eruption wenig Aussagen gemacht. Er inthronisierte sich als Erfinder: der Erzähler im Strom der Bilder, der ihn, einen Ausgelieferten, mit sich reißt. Im Vergessen von angelesenem Material und im Zusammentritt von Bildsplittern zu Geschehensabläufen, im Verblassen des Aufgenommenen zugunsten aktiver Vorstellungsketten sieht Döblin den Ursprung seines poetischen Prozesses, wie er ihn für den *Wang-lun* beschrieb: *So zahlreiche Bücher bin ich in jener Zeit über China durchgegangen, aber man hätte mich schon eine Stunde nach der Lektüre vergeblich gefragt, was nun eigentlich in dem Buche stand.* Aus der Geistesabwesenheit, der Psychiater Döblin nannte sie *Dämmerzustände,* wird der energetische Impuls gereizt, entsteht das phantastische Gebilde. Auf diese paradoxe Weise kommt sein »Denken ohne Gedanken« zustande.

In diesem Musterbild des vom Selbstlauf der Vorstellungsflut mitgerissenen Romanautors hat er sich versteckt, aber was die Schleusen des Erzählers öffnete, hat er nicht verraten. Er habe den Roman *samt Vorarbeiten in acht Monaten geschrieben, überall geschrieben, geströmt, auf der Hochbahn, in der Unfallstation bei Nachtwachen, zwischen zwei Konsultationen, auf der Treppe beim Krankenbesuch.* Woher nur kam jedoch diese immer wieder zu bemerkende Absicht, seine eigene Produktion als ein Fremddiktat zu mythisieren, sich als die ausführende Hand eines überpersonalen Prozesses zu stilisieren und vor allem: das Ergebnis als unkorrigiert, geradezu als nicht geplant zu fingieren? Anhand des Nachlassmaterials lassen sich diese Gelegenheitsnotizen, diese Diktate eines Bilderwillens in seiner Versenkung und Trance nachvollziehen. Viele Blätter hat Döblin mit Einfällen, Skizzen und Texten gefüllt, hat auf zerschnittene Kranken- und Bibliotheksformulare geschrieben, ein Notizbuch wie im Rausch geführt, Register auf den Fetzen des papiernen Alltags ausgeführt.

Im August 1912 bat er Martin Buber um Literatur über chinesische Themen, da ihn Albert Ehrenstein auf dessen einschlägige Kenntnisse aufmerksam gemacht hatte. Noch Mitte Oktober 1912, als er längst am Roman schrieb, erneuerte der Erzähler seine Bitte um Lesefutter, um *Sittenschilderungen, Dinge des täglichen Lebens, Prosa besonders des 18. Jahrhunderts (Kienlungperiode); davon kann ich natürlich nicht genug haben.* Im Botanischen Garten besichtigte er die exotischen Pflanzen, deren Beschreibung er in den Roman aufnehmen wollte. Im Völkerkundemuseum arbeitete er alle erreichbare

Literatur durch. Im Dezember 1912 schrieb er an Herwarth Walden einige abgerissene Sätze: *Nichts Neues. Toujours en travail, l'idée en marche.*

Döblin hat viele Seiten mit poetologischen Äußerungen hinterlassen. Aber die meisten seiner Schöpfungen sind nicht nach einem vorgefassten Programm entstanden, erfüllen es nur rudimentär oder verfehlen es gar. Sie kommen Bild für Bild, oft in orgiastischer Bewegung, aus einem theoriefernen seelischen Dunkel heraus. Es erging ihm dabei genau so, wie Claude Simon für sich reklamierte: »Bevor ich mich daran mache, Zeichen aufs Papier zu setzen, gibt es nichts außer einem formlosen Magma mehr oder weniger verworrener Empfindungen, mehr oder weniger präziser, angehäufter Erinnerungen und einem vagen – sehr vagen – Plan. Erst beim Schreiben bildet sich etwas heraus, in allen Bedeutungen des Worts. Es fasziniert mich, dass dieses Etwas immer sehr viel ergiebiger ist als das, was ich zu tun mir vorgenommen hatte.« Schon der *Wang-lun* ist eines dieser labyrinthischen Werke mit Kraftadern, die nicht aus der Leiblichkeit dieser Prosa stammen.

Der Roman versteht sich als Probe auf die kinetische Phantasie, auf den epischen Wortfilm. Im Vorspruch zum Buch wird ein Programm der Hingabe angespielt: an die expressionistische Modernität, an den Rhythmus der Straße, ans anonyme Schicksal. Der Schriftsteller nimmt den Sound der Technik, Industrie, Großstadt wahr, wird davon in seinem Schreibzimmer irritiert, setzt sich ihm aber aus. In einer ratlosen Folge dringen sie auf den Schriftsteller ein: *Die Straßen haben sonderbare Stimmen in den letzten Jahren bekommen. Ein Rost ist unter die Steine gespannt; an jeder Stange baumeln meterdicke Glasscherben, grollende Eisenplatten, echokündende Mannesmannröhren. Ein Bummern, Durcheinanderpoltern aus Holz, Mammutschlünden, gepreßter Luft, Geröll. Ein elektrisches Flöten schienenentlang. Motorkeuchende Wagen segeln auf die Seiten gelegt über den Asphalt; meine Türen schüttern. Die milchweißen Bogenlampen prasseln massive Strahlen gegen die Scheiben, laden Fuder Licht in meinem Zimmer ab.*

Die Magie dieser Sätze entsteht durch einen verborgenen Bezugspunkt. Döblin übertrug für diese *Zueignung* das 1911 entstandene Gemälde »La strada entra nella casa« (»Die Straße dringt ins Haus ein«) des Futuristen Umberto Boccioni in sprachliche Anschauung und wies damit auf seine Verfahrenstechnik hin.

Eine historische Gestalt liegt zugrunde: Wang-lun führte 1774 einen Aufstand in der Provinz Shang-tun an. Im Roman ist er ein armer Fischersohn aus dem Norden, ein Räuber, auch ein Mörder, der durch seine *Neigung zu Narrenstreichen und Übermut* zu gefallen weiß. Er zieht mit Entwurzelten, Armen, Desperados durch die Lande, lernt seine Lektionen im Leben auf der

Nadelspitze der Ausweglosigkeit. Die Ermordung eines Freundes, des schuldlosen Mohammedaners Su-Koh, durch kaiserliche Soldaten bringt ihn dazu, Rache am Hauptmann Toussee zu üben. Er muss mit seiner Bande in die Berge fliehen, besinnt sich und wird von dem Eremiten Ma-noh in die Lehre vom Wu-wei, vom Nichtwiderstreben, eingeführt. Der erste der *drei Sprünge* besteht in der Wandlung Wang-luns, der sich vom erfahrenen wie vom ausgeübten Unrecht lossagt und eine ethische Wende vollzieht. Gewaltlosigkeit ist von ihm früh als eine starke Energie verstanden, nicht als Schwäche, sondern als eine Gegenkraft: *Geht mit mir. Wir sind Ausgestoßene und wollen es eingestehen. Wenn wir so schwach sind, sind wir doch stärker als alle anderen. Glaubt mir, es wird uns keiner erschlagen: wir biegen jeden Stachel um. Und ich verlaß euch nicht. Wer uns schlagen will, wird seine Schwäche fühlen.* In diesem Modell der Stärke durch Gewaltverzicht arbeitet der Tolstoianismus neben dem Taoismus noch immer einträchtig mit.

Fortan wird der Schlagetot zum Anführer der Sekte der *Wahrhaft Schwachen,* die Bettler und Intellektuelle, Vagabunden und abtrünnige Beamte, das Volk um sich schart. Diese zwischen buddhistischer Hingabe und Revolte aufgespannten Rollbilder ergeben ein kolossales episches Panorama, in dem Wang-lun für fast 100 Seiten des Romans als Einzelner verschwindet. Die *Wahrhaft Schwachen* selbst treten in unerhörten, bislang in der deutschen Literatur unbekannten Massenszenen vor. Er vollzieht seinen zweiten *Sprung*: Er trennt sich von den *Wahrhaft Schwachen,* kehrt in sein Heimatdorf zurück, möchte unter falschem Namen, im Alltag, als Fischer am Jangtse aufgehen. Er will dem Aktionismus entkommen, aber sein Plan scheitert wiederum. Wegen der anhaltenden Verfolgung der Sekte muss er erneut aufbrechen und sich dem Kampf stellen. Gerade weil er die Lehre vom Dulden, das Wu-wei, erhalten will, tritt er für sie in Aktion. Die Widersprüchlichkeit dieses Verhaltens wird im Roman nicht aufgelöst, sie nistet sich bei Wang-lun ein; die reine Lehre ist ein Irrweg und der Kampf nichts anderes.

Wang-lun führt Truppen bis in die Kaiserstadt, nach Peking. Noch einmal entfaltet der Erzähler all seine Brillanz bei der Vergegenwärtigung des kaiserlichen Hofs, beim Gespräch des Herrschers mit dem Taschi-Lama, dem Stellvertreter des Dalai-Lama, bei den Zeremonien und Intrigen, dem Luxus und dem Machiavellismus der Macht. Mit dem *Gelben Springer,* seinem Schwert, nimmt Wang-lun den Kampf gegen die kaiserlichen Truppen auf. Darin besteht sein dritter *Sprung.* Der Kaiser Khien-lung aber erkennt, dass Wang-lun ein Gebrochener ist, dass er als Führer des Aufstands doch an der Lehre vom Nichtwiderstreben hängt und militärisch zu besiegen ist. Wang-luns Tod ist kein Beweis gegen die Revolte noch gegen das Nichtwiderstreben. Und die

Dynamik des Gegensatzes ist mit dem Ende Wang-luns nicht erlahmt. Im Gegenteil: Eine andere Figur nimmt sie auf und trägt sie als offene Rechnung weiter: *Stille sein, nicht widerstreben, kann ich es denn?* Dies ist der letzte Satz des Romans; er bietet keine Lösung an. Die Frage kann nicht mit einer Antwort stillgelegt werden, sie bindet das Ende des Romans mit seinem Anfang zusammen. Wang-lun ist untergegangen, hat den Freitod in den Flammen gesucht, aber alles, was ihn ausmachte, hat sich erhalten, ist am Leben: sein Widerspruch, die Anziehungskraft des Pazifismus für Gewalttäter, der Umschlag der Ergebung in Revolte, das Dementi der Gewalt durch die Ergebung. Man hat in diesem offenen Romanschluss einen künstlerischen Mangel an Komposition feststellen wollen. Aber es handelt sich dabei um eine Eigentümlichkeit, die auch die meisten anderen Romane Döblins bestimmt. Die konstruktiven Energien reichen über den Bauplan hinaus, es sind Gebilde ohne den Schutz eines Fazits. Der Erzähler entscheidet nicht über Wang-luns *Sprünge*, er ist nur Wegbegleiter und Augenzeuge des Geschehens, nicht der allwissende Richter. Ursprünglich wollte Döblin einen zweiten Band hinzufügen. Der sollte zurück nach Russland und bis zur Gegenwart heranführen. Doch ist nichts daraus geworden, mit dem Ende der Niederschrift des Romans brach des Erzählers Interesse jäh ab, *so daß nach Erlöschen des Gesamtablaufs nur eine düstere Erinnerung an die einzelnen Wegsteine verblieb, an denen die Erregung vorbeifloß.*

Dieser Vorgang wiederholte sich später mehrfach: die größere Planung brach nach dem ersten Band ab, das Feuer der Phantasie erlosch, die Anlage war verbraucht. Kaum einer dieser Romane ist zu einem definitiven Ende gekommen, wenn sich der Leser vom Buch verabschiedet. Die Dynamik des Geschehens ist nicht stillgelegt, sondern drängt über das Finale hinaus. Diese Romane Döblins signalisieren eine Offenheit, die alle Schwankungen, alle Facetten menschlichen Glaubens, alle Palimpseste andersartigen Wollens, alle Labyrinthe innerer Gegensätze enthält.

Diese erste Großtat des Romanciers Döblin kam ohne biographische Fundierung aus, verweigert sie geradezu mit souveränem Abstand. Aber wettern nicht doch Bilder der eigenen Kindheit in den Roman hinein? Ist Stettin dieser chinesischen Romanprovinz aus dem 18. Jahrhundert vielleicht gar nicht so fern, wie man glauben mag, weil es so suggeriert wird? Im alten Wang kann man jedenfalls ohne weiteres einige Züge des Schneiders Max Döblin ausmachen: ein Unterhalter und Faulpelz, ein Schrecken für seine allzu tüchtige Frau, ein in allen geselligen Künsten versierter Bezauberer stellt sich dar. Und die Zeitbezüge zum wilhelminischen Vorkriegsdeutschland sind offensichtlich. Diese exotische Ferne ist ein Bild der mit dem umgedrehten Fernrohr gemusterten Gegenwart. Die sozialen Verwerfungen, Revolten und Aufstände, die gärende Gesellschaft, die Dringlichkeit des Fragens nach den Prägungen, die jeder vom Krieg erfährt, die Riesenphantasien des Zeitfiebers bieten viele Analogien an. Und Wang-luns Einsicht wird sich in Döblins Biographie als Motto einsenken: *Die Welt erobern wollen durch Handeln, misslingt. Die Welt ist von geistiger Art, man soll nicht an ihr rühren. Wer handelt, verliert sie; wer festhält, verliert sie.* Döblin, der Entflammer jeden Streits, Provokateur, Eulenspiegel des Widerspruchs, Rebell und Repräsentant der Irredenta, ist auf der einen Seite ganz der Wang-lun, der sich selbst bestimmen will, und er ist es auf der anderen, der Demut, des Stoizismus, der Schmerzensweisheit, ebenfalls ganz.

Dieser Roman ist die Befreiungstat eines Erzählers, der aus weithin verdeckten persönlichen Dispositionen aufgebrochen ist, um die Grenzen des bürgerlichen Romans zu verschieben, die Ordnungsgewissheiten der Figurenpsychologie aufzulösen, das Mittellatein der gehobenen Einreden hinter sich zu lassen, den einzelnen Erzähler an die Polyphonie der Figuren und der sprechenden Dinge abzugeben.

Dieses Roman-China ist erfunden in seinem sprühenden Sternenregen, in seinen Nachtseiten und Dämonien, im Glanz flirrender Tage, in der Höhenluft der Phantasie, im Morast der Triebverfallenheit und der Unterdrückung. Und zugleich ist dieses Buch ein Hymnus der Kraft, die dieses Gelände ausstrahlt. Der *Wang-lun*-Roman ist wohl die überzeugendste künstlerische Tat der Lebensphilosophie nach der Jahrhundertwende.

Das Manuskript *irrte von Verleger zu Verleger,* auf jeden Fall ein Jahr lang. Einige Stationen des Misserfolgs lassen sich nachvollziehen. Georg Müller in München hatte eine Zusage gegeben, und der Roman sollte dort erscheinen, dazu kam es aber aus unbekannten Gründen nicht. Dem Zehnjahreskatalog dieses Verlags hat Döblin 1913 – wohl als Antwort auf eine Absage – eine Glosse über *Autor, Verleger, Publikum* beigegeben: *Der Verleger schielt mit einem Auge nach dem Schriftsteller, mit dem andern nach dem Publikum. Aber das dritte Auge, das Auge der Weisheit, blickt unbeirrt ins Portemonnaie.* Er eröffnete damit das Manöverfeld seiner Plänkeleien mit den Verlegern, das er niemals mehr verlassen sollte, um welchen Partner (oder Gegner) es sich auch immer gehandelt hat. Auch ein Versuch, mit dem *Wang-lun* bei Kurt Wolff zu landen, misslang. Er hatte sich Anfang Dezember 1913 an ihn gewandt. Kurt Wolff hat, aus Arroganz oder aus Gekränktheit, seine Ablehnung mit dem Hinweis verbunden, dass er Werken, die schon anderswo offeriert worden seien, nicht die ganze Aufmerksamkeit aufbringen könne. Das forderte den mit Teilnahme kaum kaschierten Hohn des Autors gegenüber dem neun Jahre jüngeren Verleger heraus. Döblin attestierte Kurt Wolff in einer spitzen Sottise, dass er noch weitaus arroganter sei als der Autor. Ein Anflug von Dandytum auf beiden Seiten wird in dieser missratenen Kontaktaufnahme sichtbar. Auch der junge Ernst Rowohlt scheint sich in die Ablehnungsfront eingereiht zu haben. Einen Brief hat Döblin aus den gesammelten Absagen, die er in diesen Jahren erhielt, herausgezogen und, nebst witzig glossierendem Kommentar auf den Verleger Wilhelm Borngräber, im »Sturm« veröffentlicht. Schließlich erfolgte im März 1914 der große Durchbruch: ein Vertrag mit Samuel Fischer. Freudestrahlend schrieb Döblin einen Dankesbrief an den Lektor Moritz Heimann, auf dessen tatkräftige Initiative die Annahme des Manuskripts zurückzuführen war: *Wenn es auch lange dauerte, so haben Sie durch Ihre Psychotherapie verhindert, daß mir die Geduld dummerweise ganz ausging. Ich will auch nicht verhehlen, daß, – wie ich auch Herrn Fischer schrieb, – es vornehmlich Sie sind, der es mir außerordentlich wünschenswert erscheinen ließ, Ihren Verlag zu bevorzugen; denn ich weiß mich gewissermaßen einem gerechten Richter ausgesetzt und ich sehe, daß Sie eine Stimme im Rat haben, – wie leider nicht jeder Lektor.* Moritz Heimann hatte, wahrscheinlich von Buber angestiftet, die Annahme mit diplomatischem Geschick vorbereitet. Er rechnete mit dem Vorbehalt des Verlegers gegenüber der jungen Generation und nahm diese Erwartung auf, als er an Samuel Fischer schrieb, »bei allen Einschränkungen, ist sein Buch das einzige neuere von wirklicher Qualität«. Geschickt überwand er damit Samuel Fischers gemutmaßtes Befremden. Wenn »das einzige« neuere, dann musste man dieses Manuskript drucken. Doch gibt es einen größeren Rahmen, in dem die Diskussion über den *Wang-lun* stattfand. Der einstmals bei den Naturalisten so wagemutige Verlag sah sich dem Vorwurf ausgesetzt, er habe seine Funktion als Entdecker der jungen deutschen Literatur verloren, die Expressionisten veröffentlichten anderswo. Da war dieses kapitale Manuskript das richtige Argument, um den Vorwurf zu entkräften, bei Fischer bleibe die aktuelle Moderne ausgeklammert. Die Beziehung zwischen dem S. Fischer Verlag und Alfred Döblin hielt, trotz zerreißender Spannungen, entgegen den Provokationen Döblins und dem Überdruss Samuel Fischers über die Eskapaden seines Autors, immerhin bis 1933. Samuel Fischer mochte die Nase rümpfen über seinen ihm wesensfremden Autor, hat ihn wohl oft genug auf den Mond gewünscht, aber er ließ sich immer wieder überzeugen, doch mit ihm weiterzumachen. Martin Buber war von Döblins Manuskript fasziniert: er las sogar Korrektur, obwohl er keineswegs mit dem S. Fischer Verlag verbunden war, vielmehr als Außenlektor bei Rütten & Loening arbeitete. Aber die Veröffentlichung ließ weitere lange Jahre auf sich warten.

Beim *Wang-lun*, der im Mai 1913 abgeschlossen war, kam zunächst der Erste Weltkrieg dazwischen und verzögerte die Veröffentlichung des Buches um zwei Jahre. Die Erstausgabe ist mit dem Erscheinungsjahr 1915 versehen, aber sie wurde erst im März 1916 ausgeliefert.

ENTFREMDUNG VOM »STURM«

Die »Aktion«, das Konkurrenzblatt des »Sturms«, sparte damals nicht mit Lob für dieses Debüt. Adolf Behne befand, das Buch sei »eine Leistung, die mit gewöhnlichem Maße nicht gemessen werden soll«, und höhnte unverhohlen über Thomas Manns 1909 erschienenen Roman »Königliche Hoheit«, wenn er andere deutsche Autoren »in den Promenaden fürstlicher Residenzen peinlich, genau und akkurat spazieren gehen« sieht. In Waldens Zeitschrift hingegen, immerhin dem Hausblatt Döblins, fand sich keine Rezension des Romans. *Kein Wort äußerte Walden oder ein anderer des Kreises über den Roman. Wir blieben dann freundschaftlich verbunden. Sie wurden immer mehr Wortkünstler, überhaupt Künstler, ich ging andere Wege. Ich verstand sie gut, sie mich nicht.* Noch 1948 kam Döblin auf die Entfernung von Walden und dem »Sturm«-Kreis zu sprechen, aber er führte nur diese einzige Tatsache an. Die Verletzung über die Nichtbeachtung seines bis dato größten Werks war für ihn gewiss schmerzhaft. Seit dem Erscheinungsjahr 1916 veröffentlichte er nichts mehr im »Sturm«. Die Nichtbeachtung des Romans war allerdings nicht die Ursache, sondern der Endpunkt der Auseinandersetzung mit Herwarth Walden. Ein Schlussstrich war schon vorher gezogen. Es gab mehrere Gründe für die Distanz zu jenem künstlerischen Einvernehmen, das ihn und Walden fast anderthalb Jahrzehnte lang verbunden hatte. Ging die Initiative gar von Walden aus?

Döblins Partner war in Trennungen nicht gerade unerfahren. Im Frühjahr 1912 brach er mit Kurt Hiller; davon war Döblin nur am Rande berührt. Mit Karl Kraus gab es im gleichen Jahr den Bruch, wobei die Trennung wohl nicht von Walden ausging. Eine willkommene Gelegenheit dafür bot sich für Karl Kraus mit Waldens Einsatz für die Futuristen; sie waren für den österreichischen Meisterhasser nicht annehmbar. Dahinter ging es allerdings weitaus banaler zu: eine Berliner Dependance der »Fackel« hatte sich nicht realisieren lassen; es gab überdies finanzielle Differenzen. Mit Döblin hat sich Walden nicht so verkracht, dass fortan Schweigen herrschte. Es war eher ein schleichender Prozess der wechselseitigen Entfremdung, der schon 1913 einsetzte. Als sich dem Autor ab 1914 die Möglichkeit bot, in der »Neuen Rundschau«

zu veröffentlichen, nahmen Döblins Abdrucke im »Sturm« deutlich ab, und schon ein halbes Jahr vor seinem Debüt in Samuel Fischers Zeitschrift hatte Döblin einen Erstdruck im »Neuen Merkur«. Die Bindung an den S. Fischer Verlag öffnete Döblin den Zugang zu jenem bürgerlichen Publikum, mit dem Waldens »Sturm« nicht rechnen konnte. Überdies verstanden sich die drei literarischen Zeitschriften durchaus als Konkurrenten, und Walden dürfte eifersüchtig gewesen sein. Jedenfalls ist Döblins Beteiligung an der Fischer-Zeitschrift als *eine* Ursache der Entfernung zu vermuten. Eine andere mag in der Eifersucht Döblins bestanden haben: Walden protegierte heftig den Lyriker und Wortkünstler August Stramm; auch diese Entscheidung hatte einen gewissen Einfluss auf die Beziehung der beiden.

Walden hatte sich durch seine diversen Aktivitäten in den Mittelpunkt des Kunstbetriebs gerückt. Vielleicht wollte ihm Döblin nicht in allem folgen. Vermutlich hat aber die Entfremdung zwischen den beiden auch sehr äußerliche Gründe: Walden, ständig in Geldverlegenheit und seine Pläne keinesfalls an seinen materiellen Möglichkeiten orientierend, blieb vielen seiner Künstler und Schriftsteller schuldig, wozu er verpflichtet war: das Honorar. Für einen Hauptbeiträger wie Döblin waren die Einnahmen aus seinen Texten im »Sturm« gerade in diesen Jahren enorm wichtig: er hatte eine Familie gegründet, seine berufliche Tätigkeit seit 1911 auf eine wohl armselig laufende Kassenpraxis gestellt und bald zwei Kinder zu versorgen. Da mag Waldens Saumseligkeit bei der Honorierung seiner Mitarbeiter wohl zu manchen Unstimmigkeiten geführt haben – zu mehr, als es inhaltliche Differenzen vermocht hätten. Aber alle Mutmaßungen dieser Art sind ebenso berechtigt wie unbegründet: es fehlen die Dokumente.

Döblin hat noch einen Versuch unternommen, den künstlerischen Dissens zwischen ihm und den »Wortkünstlern« um August Stramm und Walden zu kitten. Aus Saargemünd schrieb er 1915 ein dickes Lob über Adolf Knoblochs Publikation »Die schwarze Fahne. Eine Dichtung«, auch wenn er sich ein wenig abgrenzte und den Vorbehalt spüren ließ: *Sie schreiben viel unmittelbarer als ich; ich versage mir jedes Wort; mit Neid sehe ich auf die Freiheit des Lyrikers, der sich ausspricht, ausfühlt; ich muß mich suchen in den Gestalten, die in meinen Sachen vorkommen, sie scheinen mir bekannt, aber was ich mit ihnen zu tun habe, weiß ich nicht. Viele Wege scheinen auch da nach Rom zu führen.* Gegenüber Walden betonte er, der Verleger könne mit diesem Brief machen, was er wolle, aber dieser Gefälligkeitsdienst konnte die wechselseitige Entfremdung nicht aufheben. Die letzten beiden Erzählungen Döblins erschienen im »Sturm« 1915. Die Korrespondenz zwischen den beiden hielt noch einige Jahre an, aber sie tröpfelte immer mehr dahin.

Ernst Ludwig Kirchner:
Alfred Döblin
Bleistiftskizze
1912–14

In den zwanziger Jahren versiegte sie mehr oder weniger ganz. Das hat wohl damit zu tun, dass sich Walden immer mehr den Kommunisten genähert hatte, 1919 in die KP eintrat und damit aus dem unmittelbaren Gesichtsfeld des Autors, der längst seine gegenkommunistischen Ansichten vertrat, gerückt war. Vom schrecklichen Schicksal Waldens in der Sowjetunion hat er wohl nichts geahnt, sonst wäre er gewiss in einer späten Bemerkung darauf zurückgekommen. Lothar Schreyer, sein Mitstreiter, wurde von Döblin nach dem Zweiten Weltkrieg aufgefordert, etwas zur Erinnerung an den Gründer des »Sturms« und so vieler anderer Kunstzentren beizutragen. In seinem Gedenkartikel kam er auf das Ende nur in einem vagen Satz zu sprechen. Herwarth Walden emigrierte Ende 1932 in die Sowjetunion. Er hoffte, dort seinen Einsatz für die künstlerische Moderne fortsetzen zu können, scheiterte aber am Misstrauen der sowjetischen Bürokratie. Er wurde verhaftet und starb am 31. Oktober 1941 in einem Gefängnis bei Saratow.

BERLINER PROGRAMM

Die Auseinandersetzung mit Marinetti ließ Döblin keine Ruhe. Zwei Monate nach seiner Zurückweisung des usurpatorischen Anspruchs, im Mai 1913, erschien im »Sturm« schon wieder ein programmatischer Text, der die eigenen Positionen klären und verständlich machen, der seinen *Döblinismus* bestimmen will. Es ist sein letzter essayistischer Beitrag in dieser Zeitschrift. Er wandte sich, als er das *Berliner Programm* veröffentlichte, *an Romanautoren und ihre Kritiker*, an das einschlägige Personal. Das früh ausgeprägte Schuldgefühl gegenüber dem eigenen Schreiben mag mitgeredet haben im Wunsch nach Selbsterklärung. Dazu gehört, wenn auch nicht daraus ableitbar, die Bestimmung der eigenen Literatur im Manifest. Das Bedürfnis der Avantgarde, sich von einer als überholt geltenden oder als leer empfundenen Tradition abzustoßen, traf auf einen inneren Impuls: den der Ich-Begründung.

Er fasste, in ehernen Sätzen, zusammen, was ihn seit seinen literarischen Lehrjahren nach der Jahrhundertwende beschäftigt hatte. Die Wendung gegen die Psychologie als Ferment des Romans ist die erste Geste: *Psychologie ist ein dilettantisches Vermuten, scholastisches Gerede, spintisierender Bombast, verfehlte, verheuchelte Lyrik.* Sie ist nach Döblin der Ausdruck eines verfehlten Rationalismus, der im Roman nur zu *dürftigen oder hingepatzten »Handlungen«* führe. Noch einmal, am Ende einer ganzen Beispielkette von Erzählungen, rekurrierte er auf die Arbeit, die ihn auch als Erzähler entwickelt hat: die Psychiatrie. Er machte sie zum Programmpunkt, seine zweite Geste: *Man lerne von der Psychiatrie, der einzigen Wissenschaft, die sich mit dem seelischen ganzen Menschen befaßt; sie hat das Naive der Psychologie längst erkannt, beschränkt sich auf die Notierung der Abläufe, Bewegungen, – mit einem Kopfschütteln, Achselzucken für das Weitere und das »Warum« und »Wie«.* Dieses Programm ist im nachhinein entworfen, die avantgardistischen Setzungen beziehen sich auf einen Selbstentfaltungsprozess, der bereits ein Jahrzehnt andauerte. Damit verband er wiederum futuristische Prinzipien, indem er auf Tempo, dislogischen Ablauf, sprachliche Störungen setzte, die Eigenrealität der Kunst anstelle der Erzählerintention hervorhob: *Rapide Abläufe, Durcheinander in bloßen Stichworten; wie überhaupt an allen Stellen die höchste Exaktheit in suggestiven Wendungen zu erreichen gesucht werden muß. Das Ganze darf nicht erscheinen wie gesprochen sondern wie vorhanden.* Er setzte die Parole vom *Kinostil* in die Welt. Er konnte sich damit auf die Folge der ruckenden und zuckenden Einzelbilder des Stummfilms als Vorbild berufen, aber interessanterweise findet sich in einem Manifest der futuristischen Maler, von Boccioni unterschrieben, eine verwandte Zielrichtung, an die Döblin anschließen konnte, nämlich die Fixierung von unterschiedlichen Momenten der Bewegung in einem einzigen Bild. Er wollte den Roman aus der Psychiatrie und aus dem Kino neu konstituieren. Nachträglich erscheint der offene Brief eher als Absage an Marinetti als eine an den Futurismus insgesamt: er wollte sich nicht dem Diktat eines apodiktischen Programms unterwerfen, sondern eine Variante vorlegen, eben sein *Berliner Programm.*

Es ging ihm also um Kinostil und um Rapidität, um die Wiedergeburt des Romans aus den Registern der Beobachtung ohne begleitenden Kommentar. Die einzelnen Losungen waren allesamt bereits vorformuliert worden; nun wurden sie gebündelt. Die Vorstellung vom Autor-Ich, das über dem Roman thront, ist radikal zerstört; es muss abdanken zugunsten der Dinge, die anbranden: *Die Hegemonie des Autors ist zu brechen; nicht weit genug kann der Fanatismus der Selbstverleugnung getrieben werden. Oder der Fanatismus der Entäußerung: ich bin nicht ich, sondern die Straße, die Laternen, dies und dies Ereignis, weiter nichts. Das ist es, was ich den steineren Stil nenne.* Das Ich inszeniert das Schreiben als Selbstverlust, als eine Form des Denkens, auf die das bewusste Ich nicht zugreifen kann. Selbstverständlich ist ein abgeschafftes Autor-Ich im Werk präsenter als ein Erzähler mit den verbrauchten Sinnfiguren der Allwissenheit. Nicht anwesend zu sein als einzelne markante Stimme, aber doch in allen sprechenden Dingen mitzureden, das ist das mächtigere Lied. Dieses Paradox hat Döblin nicht berührt, es hätte, ausgeführt, seine Botschaft von der *Entselbstung* gestört. Die Schlagkraft seines Textes entsteht geradezu aus der Vermeidung einer Systematik: einzelne Forderungen und Ziele stehen unverbunden nebeneinander, die Lücken zwischen ihnen sind Schnittstellen, in die der Leser dringen muss. Das Avant der vereinzelten Setzungen gibt dem Text einen Vorschein an Zukunft, wogegen er doch vor allem auf Rechtfertigung aus ist.

Das Stichwort von der *Tatsachenphantasie* ist im *Berliner Programm* noch nicht ausgebreitet, aber wirkungsvoll als Schlusspointe gesetzt und von anderen begleitet: *Mut zur kinetischen Phantasie und zum Erkennen der unglaublichen realen Konturen! Tatsachenphantasie! Der Roman muß seine Wiedergeburt erleben als Kunstwerk und modernes Epos.*

Im *Berliner Programm* ist auch eine versteckte Auseinandersetzung mit Thomas Mann enthalten, mit dem Autor der 1909 erschienenen »Königlichen Hoheit«. Er sprach gegen dessen Psychologismus im Namen einer Moderne, die er seltsamerweise mit einem Stichwort der vorherigen Schriftstellergeneration verband, mit dem Naturalismus. Das Wort ließ ihn danach nicht mehr los: *Der Naturalismus ist kein historischer Ismus, sondern das Sturzbad, das immer wieder über die Kunst hereinbricht und hereinbrechen muß.*

NEUE ERZÄHLUNGEN

Döblin scheint bereits kurz nach Abschluss der Sammlung *Die Ermordung einer Butterblume* an einen Pendant-Band von Erzählungen gedacht zu haben, schon Mitte Januar 1912 schrieb er an Martin Buber darüber. Später hat er diese Arbeiten als *Erholung von der* Wang-lun-*Arbeit* abtun wollen, doch ist eher eine Parallelaktion zu vermuten. Die eine Hälfte der kleinen Prosa dürfte von 1911 bis Mitte 1914 entstanden sein, die andere Partie ist belegbar 1915 in Saargemünd ausgearbeitet worden. Vom Märchen bis zum akuten Kriegsgeschehen führt in der Sammlung *Die Lobensteiner reisen nach Böhmen* ein großer zeitlicher Bogen, und wie in der vorausgegangenen Sammlung geht es erneut darum, die Diversität des Erzählens auszuprobieren, einen Fächer der Formen aufzuklappen, ein Mosaik seiner Möglichkeiten zu legen. Von einem Rückbezug auf den Futurismus abgesehen, gehen die angewandten Techniken über den vorausgegangenen Band nicht hinaus: extrovertierte Körperlichkeit des Geschehens ersetzt psychologische Begründungen, die Regentschaft des Wahns und der Verrückung schafft eine Atmosphäre undurchdringlicher Unheimlichkeit, erneuert wird die Technik des verdeckten Erzählens, die Märchenform erlaubt Transformationen mythischer Bilder.

1911 arbeitete Döblin *nachts auf der Rettungswache,* der Unfallstation. Auf Erlebnisse dort geht die Erzählung *Von der himmlischen Gnade* zurück. Es handelt sich um ein Milieustück um eine Dirne und ihren Zuhälter, außerdem um ein altes Paar, um abgehalfterte Existenzen, die von einem Moloch anverwandelt erscheinen. Kein mitleidheischender Blick fällt auf sie, aber gerade diese Eiseskälte bei der Reihung von Bildern aus dem naturalistischen Genrefundus erneuert die sozialkritische Blickschärfe. Auf einem Rezeptblock aus seiner Praxis noch in der Kreuzberger Blücherstraße machte sich Döblin Notizen für das Märchen *Der Riese Wenzel,* eine Parabel über die dämonische Macht der Menschen, über den Untergang von Natur inmitten der städtischen Zivilisation, dargereicht als kleine Epistel. Auf der Rückseite einer Apothekenrechnung hat Döblin einen Entwurf des Märchens *Vom Hinzel und dem wilden Lenchen* notiert. Im schlichten Gang der Handlung ereignet sich eine Metamorphose: Hinzel wird zu einem Molch. Diese Verwandlung ist Sinnbild der Rückführung eines Menschen in kreatürliche Natur; unter dem Schwarzwaldboden sind Sand und Wasser, ein Reich des Zaubers, der sich von der rationalistischen Oberwelt und von der bürgerlichen Nützlichkeit Lenchens absetzt. Im Juniheft des »Sturms« 1914 erschien Döblins Geschichte *Der Kaplan.* Sie setzt die Liebeswirren eines katholischen Geistlichen gegen seinen Status als Mönch und sein Keuschheitsgelübde, führt Trieb und Frömmigkeit, Geilheit und Selbstentblößung, erotische Unterwerfung und Sehnsucht zusammen. Vermutlich vor dem Ersten Weltkrieg entstand die Hochstaplergeschichte *Linie Dresden – Bukarest,* mit der sich Döblin als Satiriker erprobte. Erzählt wird die Verführung von Mutter und Tochter durch den windigen Lebemann und Trickbetrüger auf der Hin- und Rückfahrt des Zuges nach Dresden. Das Motiv des Geschlechterkampfs erscheint in der komischen Variante des amourösen Gesellschaftsspiels und der Sphäre bürgerlichen Schwindels.

Der Vorkriegsexistenz des Flaneurs widmet sich die Geschichte *Die Nachtwandlerin* auf dem exakt benannten Straßenplan Berlins. Die ganze Erzählung läuft darauf hinaus, dass dieser vorgebliche Lebemann und Straßencauseur hinter einem Paravent widersprüchlichen Verhaltens versteckt wird. Zwei Menschen sterben, ohne erkennbare Notwendigkeit und ohne zwingenden Grund. Erzählen? Das ist in dieser Geschichte der Aufbau eines Rätsels.

Vermutlich diesen Fundus nahm Döblin mit, als er Ende 1914 ins Militärlazarett Saargemünd einberufen wurde.

2

IRRUNGEN, FERNENBLICKE, UMSTURZ
WELTKRIEG UND REVOLUTION
1914–1919

Größer an Zahl und an Bedeutung sind die Toten, die wir tot nennen, weil unser Verstand und unsere Sinnesorgane sie nicht erfassen. Ihr Leben flutet, zum Teil niedergeschlagen und befestigt in unserer Körperlichkeit, durch uns und über uns hinaus.

Schicksalsreise, 1949

KUNST UND KRIEG

Von den militärischen Auseinandersetzungen und martialischen Drohungen im ersten Jahrzehnt des 20. Jahrhunderts nahm Döblin öffentlich keine Notiz. Nichts deutet darauf hin, dass er in einer futurologischen Ahnung sich mit dem »Weltenbrand« beschäftigt hätte. Er stellte es selbst so dar: Damals hielt er Politik für eine Angelegenheit der Spießer. Paul Scheerbart hat sich mit den neuen militärischen Möglichkeiten der Aviatik auseinandergesetzt und im Juli 1910 im »Sturm« eine Kontroverse darüber ausgelöst, aber Döblin beteiligte sich nicht daran. Der Zusammenhang von neuartiger Technik und Krieg hat ihn damals einfach nicht beschäftigt. Aus dem Kreis der »Fackel«-Mitarbeiter hat sich Robert Scheu im zweiten Heft des »Sturms« mit einem Beitrag über »Kanonen aus Kirchenglocken« zu Wort gemeldet; dieser Akt des Neuheidentums könne nach Meinung des Verfassers die Demokratie fördern. Auch in diesem Fall schrieb Döblin weder Entgegnung noch Zustimmung. Zu solchen eher skurrilen Beiträgen ließ sich das Konkurrenzorgan des »Sturms«, die »Aktion« von Franz Pfemfert, nicht verleiten. Dort finden sich die Auseinandersetzung mit der Drohung und die Warnung vor dem Krieg in grundsätzlicher Art. Herwarth Walden hingegen war weit davon entfernt, das ästhetische Dominium zu verlassen. Als der österreichische Thronfolger Ende Juni 1914 ermordet wurde, spottete der Herausgeber des »Sturms« über Reklame und Extraausgaben der Presse.

Der Krieg wurde, als er eintrat, von mehreren Generationen von Schriftstellern als das erhebende Ereignis begrüßt, wenn sie nicht einfach in gereimte Hasstiraden verfielen. Die überwiegende Mehrheit der Poeten lag lyrisch in Eisen und Stahl. Ernst Toller hat gewusst, daß die Kriegsbegeisterung auch einem erstorbenen Gemeinschaftsgefühl galt: »Als der Krieg sie überfiel wie ein toller Hund, / Schrien sie auf und riefen sich herbei, / daß sie gemeinsam sich wehrten / Und ihren Willen / Wie einen Flammenfelsen / Dem Kampf entgegenstemmten. – / Oder taten's nur, um sich zu stützen / Und nicht allein zu sein, / So unsagbar allein.« Als Brecht noch chauvinistisch war, 1914, da war er 16 Jahre alt, besang er einen deutschen Helden. Den Namen, den er in der Überschrift seines Gedichtes nannte, kannte damals jedermann: Hans Lody. Brecht trauerte in den »Augsburger Neuesten Nachrichten« im Dezember um diesen Spion der deutschen Kriegsmarine in England, der einen Monat zuvor im Tower erschossen worden war: »Aber du hast dein Leben *dafür* gelassen /

Daß eines Tages in hellem Sonnenschein / Deutsche Lieder brausend über dein Grab hinziehen / Deutsche Fahnen darüber im Sonnengold wehen / Und deutsche Hände darüber Blumen ausstreu'n.« Immerhin war er – im Gegensatz zu anderen – zu jedem Irrtum berechtigt, weil so entschieden jung. Thomas Mann unterbrach im August 1914 seine Arbeit am »Zauberberg«-Roman, um seine »Gedanken im Kriege« niederzulegen. Er erhoffte sich Reinigung: »Was die Dichter begeisterte, war der Krieg an sich selbst, als Heimsuchung, als sittliche Not. Es war der nie erhörte, der gewaltige und schwärmerische Zusammenschluß der Nation in der Bereitschaft zu tiefster Prüfung – einer Bereitschaft, einem Radikalismus der Entschlossenheit, wie die Geschichte der Völker sie vielleicht bisher nicht kannte.« Sein Bruder Heinrich hingegen hatte den systemkritischen Roman »Der Untertan« im Manuskript abgeschlossen; ein Fortsetzungsabdruck in einer Zeitschrift wurde abgebrochen, als der Krieg ausbrach; Kritik und Satire waren nicht mehr erlaubt.

Gegen den Krieg waren 1914 außer ihm fast nur: Annette Kolb, Franz Werfel, Arthur Schnitzler, René Schickele, Karl Kraus. Und Hermann Hesse schrieb ein pazifistisches Gedicht: »Nie begehr' ich ein Gewehr zu tragen, / Nicht nach außen ist mein Sinn gewandt, / Laßt mich still in ungestörten Tagen / Bilden an den Werken meiner Hand.« Er publizierte am 3. November 1914 den Aufsatz »O Freunde, nicht diese Töne«; er forderte darin von den deutschen Intellektuellen, sie sollten zum politischen Nationalismus auf Distanz gehen und den Krieg nicht an den Schreibtisch lassen. Hesse wurde dafür in Deutschland heftig attackiert und blieb als erklärter Kriegsgegner in der Schweiz.

Für viele Expressionisten war der Krieg 1914 auch ein Kunstereignis. Franz Marc erwartete von ihm den Zusammenbruch der ästhetischen Konventionen, und Friedrich Markus Huebner erklärte den Kampf der Völker zum Motor der Avantgarde: »Der Krieg ist nicht der Verneiner der sogenannten Neuen Kunst, sondern ihr ungeahnter, sieghafter Zu-Ende-Bildner. Das Erlebnis unserer kriegerischen Einmütigkeit, das Erlebnis unserer völkischen Energie, einer Energie der Seele, des Willens, der unnennbaren Gemütskräfte, dieses große geschichtliche Erlebnis ist auf das Innigste verschwistert mit dem innern zu Schöpfung drängenden Zustande jener neuen Künstler.« Der expressionistische Aktivist im Waffenrock stand demnach sowohl im Dienst der Kollektivseele wie der Kunst. Der Rausch und die Dämonie der Technik taten das Ihrige; auch der Futurismus, dieser Gottesdienst an der Maschine, hat einiges zum Chauvinismus beigetragen.

Man muss solche Stimmen kollationieren, um Döblin in einen Chorus einzureihen, ihn aber auch herauszuhören. Er schloss sich zunächst der Fraktion der Schweiger an. Von ihm gibt es zwar ein Dokument des kriegerischen Lärms, aber sein Gesamtbild von 1914 hebt sich von Heroenkult, Germanentum, Feinderklärungen, völkischen Ritualgebärden, Propaganda der Waffen, Verherrlichung des Sterbens ein wenig ab. Von ihm gibt es in diesem Jahr nur ein einziges dieser öffentlichen Zeitzeichen. Vom Krieg selbst erhoffte er sich anscheinend nichts, was sich in Pathos fassen ließe, jedenfalls gibt es keine entsprechende Äußerung. Er selbst war auf Verdienst und Familie bedacht, die spätere Arbeit im Lazarett hat etwas Geschäftsmäßiges.

AUGUST 1914

Mehr als zwei Jahrzehnte danach hat Döblin den August 1914 als Datum einer historischen Neusetzung bezeichnet: *Dies ist das Jahr 1 unserer Zeitrechnung.* An Vorheriges könne man sich nur schwer erinnern. *Die Scheußlichkeit des Krieges ist nicht genug bekannt, seine triefende Erbärmlichkeit, seine unsägliche Gemeinheit.* Er warnte zu diesem Zeitpunkt, 1936, davor, schon wieder von der Unvermeidbarkeit eines kommenden Krieges zu reden. *Wir brauchen einen eisernen Friedenswillen, der mit der Kriegswut umgeht wie ein Tierbändiger mit seiner Bestie.* Er nahm auf, was Heinrich Mann schon 1933 unmissverständlich geschrieben hatte: dass Hitler Krieg bedeute; ihm gegenüber hielt Döblin auch den Friedenswillen für eine Waffe. Vielleicht wandte er sich auch gegen Stimmen im Exil, wonach Hitler ausschließlich militärisch zu besiegen sei. Jedenfalls stammten seine Äußerungen Mitte der dreißiger Jahre vom Port einer sicheren Überzeugung. 1914 hatte das alles eine andere Ausprägung: Döblin war als politischer Autor oder Kommentator anfangs nicht vorhanden. Er war bei Kriegsausbruch geradezu wortlos, gab weder in Briefen noch in Artikeln seine Sicht der Dinge preis.

Ende Juli brachte er seine an Parkinson erkrankte Mutter nach Bad Oeynhausen in Kur. *Ich fuhr mit Russen, die rasch nach Hause wollten. Ich konnte mich in Berlin kaum aus dem Zug pressen, so stürmten neue Menschenhaufen die Coupés.* Er hat über die ersten Kriegstage einen Augenzeugenbericht verfasst, aber erst im nachhinein: *Über den Küstriner Platz in der hellen Sonne mittags ein ergreifender Zug: endlos zu vier und sechs nebeneinander marschierten junge und ältere Männer in Zivil, von Soldaten eskortiert, Koffer und Kartons in der Hand. Frauen neben dem Zug, hinterher Krankenschwestern, Sanitäter. Am Ostbahnhof, neben dem Wriezener Bahnsteig bogen sie ein, marschierten die Rampe entlang. An dem großen eisernen Torweg hielten wir. Der dichte Haufe der Frauen, weinend, winkend. Der dumpfe, stumpfe Ausdruck der vorbeitrottenden Männer. Die Weiber standen noch lange heulend und klatschend da.* Er verlagert die post festum gewonnenen Einsichten stillschweigend an den Anfang des Geschehens.

ÜBUNG IN CHAUVINISMUS

Aber wie sehr er doch gleich fast allen seiner Kollegen vom Ereignis ergriffen war und sich im Chauvinismus erging, zeigt der Text, den er unter dem Titel *Reims* im Dezemberheft der »Neuen Rundschau« veröffentlichte. Die hochgotische Kathedrale von Reims, unter den Schutz des Roten Kreuzes gestellt, war vom 17. bis 19. September 1914 von deutscher Artillerie beschossen worden, nachdem sich die deutschen Truppen aus der Stadt zurückgezogen hatten. Das Dach und zahlreiche mittelalterliche Skulpturen wurden dabei zerstört. Eine militärische Notwendigkeit gab es nicht, auch wenn der deutsche Heeresbericht einige Gründe auflistete, unter anderem den Vorwand, die Türme der Kirche dienten den Franzosen als militärische Beobachtungsstation. Die deutsche Propaganda wollte den Frevel auch als Vergeltungsmaßnahme für die Zerstörungen am Speyrer Dom 1689 durch französische Truppen rechtfertigen. Ein Krieg der Worte brach über diesen Akt des Vandalismus aus. Gerhart Hauptmann verglich Deutschland mit dem gepeinigten Jesus, Thomas Mann verwahrte sich in rassistischer Manier dagegen, dass auf Deutschland »Kirgisen, Japaner, Gurkas und Hottentotten« losgelassen würden.

Döblin gab seinen Einstand bei der »Neuen Rundschau« mit einer schwer erträglichen nationalistischen Schelte. Er verteidigte die Beschießung: *Inmitten eines Krieges stehen wir, der die Ausdehnung und Furchtbarkeit früherer gewaltig übertrifft. Wir erkennen in diesem Krieg noch nicht Sieger und Besiegte, aber schon ist es jedem Vorurteilsfreien klar, daß Deutschland unüberwindlich ist.* Er näherte sich seinem Thema auf einem eigenwilligen Umweg: er sprach zunächst vom Ende des Internationalismus aus der Vorkriegszeit. Man habe auf einen Schlag *fertige Nationen an derselben Stelle, wo noch eben kommunizierende Staatsverbände ihre Geschäfte getrieben hatten.* Er sprach vor allem von seinen Erfahrungen als Künstler im »Sturm«-Kreis, zu dem die französischen Kubisten genauso gehörten wie die italienischen Futuristen und die deutschen Kollegen. Auch ihnen sei die internationale Reichweite abhandengekommen. Aber als der Krieg anhob, sei sie noch einmal bemerkbar geworden als Protest gegen die Beschießung von Reims. *Eine süße dünne Stimme wurde hörbar. Die rasenden Völker, die Zerstörer der Häuser, Verwüster der Äcker, die Bombenschleuderer, die Batterien, die mit einer*

Kartätsche Geschütze, Pferde, Mannschaft auf einen Schlag hin klatschten, – ein Donnerwetter, Riß in allen Gliedern, lohender Moment, – diese stampfenden Mammute erinnerten sich mit einmal der Kunst. Für den Protest, so sein Vorwurf, habe man sich das falsche Objekt ausgesucht: mitten im Völkermord die Kunst. Er wies auf eine verquere Logik hin: *Gebaut war diese Kathedrale zur Verherrlichung christlicher und menschlicher Gedanken: wie kommt jemand dazu, sich den Schutz dieses Bauwerks anzumaßen, im gleichen Augenblick, wo seine Worte Hohn jenem Gedanken sprechen?* Er meinte, dass man der obersten Heeresleitung keinen Vorwurf machen dürfe, auch wenn sie die Kathedrale in Schutt und Asche gelegt hätte.

Döblin argumentiert in diesem Dokument der Verblendung nach den Mustern des wilhelminischen Imperialismus: Deutschland, rundum bedroht von Feinden, muss sich der fremden Gelüste erwehren. Eine Art besserer teutonischer Völkermoral wurde von ihm unterstellt. Deutschland habe sich, während die Franzosen Kolonien eroberten, in territorialer Selbstbescheidung geübt, wo es im europäischen Vergleich doch die stärkere Macht darstelle: *Von allen Seiten bedrückt, strotzend in seiner Kraftfülle, zitternd vom Überschwang seiner Möglichkeiten, eine Überlandzentrale für alle Welt, zwang es sich, ließ sich einige Streifen Lands in die Hand zählen, ließ sich von anderen besseren zurückschrecken.* Auch er verstieg sich wie Thomas Mann zu einem rassistischen Ausfall gegen die französischen Kolonialregimenter. Da waltet das gängige wilhelminische Argumentationsmuster, eine Mischung aus Renommiersucht und Unterlegenheitsgefühl, die in den Krieg explodiert. Doch arbeitet in diesen rabiaten Tönen ein anderer Text mit. Auf die Beschießung der Kathedrale von Reims, unzweifelhaft ein Kriegsverbrechen, sieht Döblin mit den Augen der Futuristen, mit deren bilderstürmerischem Hochmut: *Die Kultur leidet nie und nimmer unter der Abwesenheit einiger schöner Bauwerke, ihre Faulheit und Krankheit machen jene wahrhaft ruchlosen Proteste offenbar. Die Kunst und die Kultur ist nicht gebunden an die Steinmassen in Reims oder die Farbenmischungen anderswo, sondern sie lebt. Sie zeigt sich stündlich und täglich. Sie erneuert sich, sie existiert nicht, ohne jeden Tag wiedergeboren zu werden. Kultur ist kein Gegenstand, sondern eine Handlung, eine Bewegung, ein Geschehen. Jedem Künstler ist dies aufs innigste gegenwärtig. Der Haß gegen Museen stammt aus dieser Quelle.* Der letzte Satz schließt unmittelbar an ein Manifest Marinettis an, in dem die Brandschatzung der Bibliotheken, die Flutung der Museen sowie Spitzhacken und Hammer gegen historisches Gemäuer gefordert worden waren. Er nahm den herostratischen Impuls auf: weg mit dem alten Plunder der Kunst. Er bezog sich damit auf einen martialischen Text über den Krieg als einzige Hygiene der Welt, der ebenfalls im »Sturm« publiziert worden war.

Döblins Text ist im übrigen bei näherem Zusehen durchaus doppeldeutig angelegt. In der Polemik gegen die Zeitgenossen, die nicht den Krieg an sich geißeln und nicht den Mord an Menschen, sondern die Zerstörung eines Bauwerks, schwingt unüberhörbar ein moralischer Ton mit. Der Krieg ist eine Mordinstitution. *Nämlich gerecht sein wollen eine Minute vor dem drohenden Tode ist schon wahnsinnig, nun gar erst Schönes oder Schöngenanntes schützen wollen über das Sterben hinaus.*

Auch die Trauer über das Verdorren der Internationalität von Kunst und Gesellschaft vor dem Krieg ist in diesem Text unüberhörbar. Es muss für Döblin schwer erträglich gewesen sein, dass seine Weggefährten Robert Delaunay und Guillaume Apollinaire nun auf der anderen Seite der Front standen. Somit ist *Reims* bei genauerem Zusehen voller Argumentationsfäden, die in verschiedene Richtungen laufen: nationalistischer Propagandavorrat ist angehäuft, aber auch der Protest gegen den Krieg gibt Laut, die Klage um die Kunst mischt sich mit dem futuristischen Überdruss an ihr. Die vagierenden Konflikte machen sich als Überlagerung verschiedener Subtexte bemerkbar.

Die Polemik *Reims* kann man auch als Gespräch mit Thomas Mann lesen. Im Novemberheft der »Neuen Rundschau« waren dessen »Gedanken im Kriege« erschienen, und manches bei Döblin liest sich wie eine Replik. Döblin wollte sich nicht auf Thomas Manns Gegensatzpaare, auf Geist und Seele, Kultur und Zivilisation, auf die Gleichung von Künstler und Soldaten einlassen. Deshalb rechtfertigt er auch nicht der Krieg als solchen, als »Reinigung, Befreiung«. Er bleibt mit *Reims* denn doch maßvoller als sein Vordermann in der »Neuen Rundschau« – das lehrt dieser Vergleich.

Mit einem entschlossenen Propagandisten deutschen Heldentums war es bei Döblin trotz seiner chauvinistischen Ausfälle in *Reims* nicht weit her. Und auffällig ist die übrige geradezu eisige Enthaltsamkeit Döblins: kein Brief ist erhalten, in dem er sich über den Kriegsbeginn oder die ersten Monate des Kriegsverlaufs enthusiastisch geäußert hätte, und auch in den späteren autobiographischen Mitteilungen wird diese Zeit fast vollständig ausgespart.

WADZEKS KAMPF MIT DER DAMPFTURBINE

Wer Döblins mehrdeutigen *Reims*-Text als einen Eröffnungsartikel für fortgesetzte Kriegskommentare vermutete, sah sich also getäuscht. Erst im August 1917 äußerte er sich wieder zur Lage, begrüßte die russische Revolution und verband seine emphatische Musterung des Geschehens im Zarenreich mit einigen Seitenblicken auf die deutschen Verhältnisse. Außerdem betrieb er im Februar 1918 noch einmal ein publizistisches Rückzugsgefecht gegen die Zumutungen der westlichen Demokratie. Nicht einmal 30 Seiten ergeben diese drei Texte zusammengenommen. Die innere Notwendigkeit, eine bestimmte politische Position in die Öffentlichkeit zu tragen, kann daraus kaum abgeleitet werden.

Döblin hat im Gegensatz zu seinem *Reims*-Artikel durchaus eine zielgerichtete Zurückhaltung geübt, als es um seinen eigenen Einsatz im Krieg ging. Er schrieb seit August 1914 am *Wadzek* und wollte den Roman beenden, bevor er sich meldete. Von Heldenmut hat er sich keineswegs zu einem Freiwilligen-Einsatz hinreißen lassen. Und in den Roman dringt das aktuelle Geschehen nicht ein: ein autonomes Werk, das mit den radikal veränderten Lebensverhältnissen im Krieg nur eine osmotische Verbindung eingeht.

Wadzeks Kampf mit der Dampfturbine verfasste sich gleichsam selbst zwischen August und Dezember 1914, als könnte kein äußeres Ereignis den Fluss des Erzählers aufhalten. Er hatte sich vorgenommen, einen Dreischritt, wiederum drei Sprünge, nämlich des technologischen Fortschritts, als kapitalistischen Gigantenkampf darzustellen. Von der veralteten *Lokomobil- und Dampfmaschinenfabrik* Wadzeks sollte der Bogen über des Konkurrenten Rommels *Dampfturbine* bis zum Sieg des *Ölmotors* geführt werden. Kein Erzähler wollte damals vergleichbar intensiv über die moderne Technik und die Daseinskämpfe zwischen Unternehmern schreiben wie Alfred Döblin, auch wenn der Roman *Der Ölmotor* über das Projektstadium nicht hinauskam. Das gilt nicht nur für diese erste Fassung des *Wadzek*, sondern auch für zwei weitere, die er erstellte, weil er die selbstgewisse und leichthändige Verfügung über das Manuskript doch nicht hatte.

Im Vorspruch zum *Wang-lun* beschrieb er anderthalb Jahre zuvor, wie die Stadt als Geräuschkulisse in seinem Arbeitszimmer sich heimisch macht, nun arbeitete er der Metropole direkt zu. Mit Boccionis Bildtitel konnte er wiederum behaupten: »La strada entra nella casa.« Der Erzähler ist ohnmächtig wie Rilkes Malte, der auch vor einem offenen Fenster im Zimmer sich befindet, doch über jenem schlagen nicht die Dinge und Geräusche zusammen, wogegen Döblins Zueignungs-Ich im *Wang-lun* berichtet hatte: *Ich tadle das verwirrende Vibrieren nicht. Nur finde ich mich nicht zurecht.* Wadzek erlebt ebenfalls einen Tumult von Licht und Geräuschen der Stadt, von Geheimnissen auf den Straßen. Die Simultaneität des Konkreten reißt ihn mit.

Döblins Phantasie war aus dem China des 18. Jahrhunderts in die Hauptstadt zurückgekehrt und bemächtigte sich der gegenwärtigen Maschinenmoderne. Er hatte dazu umfangreiche Vorarbeiten betrieben; wochenlang recherchierte er in den Hallen der AEG, um sich mit Maschinenbau, Turbinen und Motoren vertraut zu machen, und »ganze Berge von Maschinenstudien wuchsen ihm unter den Händen an« (so Oskar Loerke). Allerdings ist im Roman so gut wie nichts davon zu finden.

Bei Ausbruch des Krieges arbeitete Döblin an diesem Roman, den er als ein komisches Buch auffasste, als eine Burleske nach dem *Wang-lun*. Das ist wohl selbst wiederum ironisch zu verstehen, handelt es sich doch um den realen und den eingebildeten Daseinskampf des Fabrikanten Franz Wadzek, der mit seiner veralteten Dampfmaschinenfabrik seinem modernen Konkurrenten Jacob Rommel unterliegt. Mittelbar ging es doch um eine Mobilmachung: die der Technik gegen den Menschen, um ihre Elementarsprache, wie sie im militärischen Raum danach unverblümt zum Ausdruck kam.

Wer jedoch den Titel des Romans *Wadzeks Kampf mit der Dampfturbine* wörtlich nimmt, sieht sich mit einer Themaverfehlung konfrontiert. Nicht der Kapitalismus und nicht die Geschichte der technischen Neuerungen bestimmen den Gang der Handlung. Sie bieten allenfalls einen leichten äußeren Rahmen. Statt des Fabrikanten Kampf gegen den Konkurrenten geht es vor allem um einen Prozess der Desorientierung: Wadzek, der Einzelne, kann die Vorgänge nicht mehr zusammenhalten, sie verwirren sich in seinem Kopf. Er ist nur eine Reaktionsmonade – *das heiße Verwirrtheitsgefühl im Kopf, das Schieben, Durchqueren, Arbeiten und Abgleiten, das, was sich Verzweiflung nennt, bekam mit einmal ein Zentrum, eine Wut, konzentriert wie die Stichflamme eines Sauerstoffgebläses. Für kurze Zeit war es hell und entschieden in Wadzek, dann hieß es wieder rennen.*

Der Roman setzt ein mit einer Interviewszene: Eine Gabriele kommt von einem Ausgang in ihre Wohnung, wo Wadzek mit Blumen auf sie wartet. Sie wird von seiner Nervosität verunsichert und beunruhigt. Er greift sie an, im Namen von *Psychologie, Takt, Rücksicht* – im Namen von allem, was ihm fehlt. Die Beziehung zwischen den beiden bleibt zunächst verdeckt. Diese Eröffnung wirft ein Licht auf den ganzen Roman: es fällt schwer, die Strategien des Erzählers zu ermessen.

In Gang kommt ein Gesellschaftsroman als Spiel unterschiedlicher Manöver. Gabriele ist die Brücke zwischen den konkurrierenden Fabrikanten Wadzek und Rommel. Der eine hat eine Dampfmaschinenfabrik und wird von seinem Ingenieur Schneemann wie von einem Schatten begleitet. Rommel stellt die technisch fortschrittlicheren Maschinen her und lässt die fallenden Aktien der Wadzek-Firma aufkaufen. Der Kampf, den Wadzek führt, hat eine Typenformel: *vierzylindrische Expansionsmaschine mit dem geteilten Hoch- und*

Niederdruckzylinder gegen Rommels Schiffsturbine, *R4 gegen Modell 65*, aber hinter dem technischen Wettbewerb steckt Nietzsches Auffassung vom Kampf als dem Vater aller Dinge. Nur angetippt wird die Geschichte des Wadzek-Ruins: der ist von Anfang an sichtbar, und erzählt wird nur die letale Phase. Die Technik- und Kapitalismus-Kritik bleibt im Buch stecken.

Mit einem frühen Verweis auf den Freiburger Schlossberg wird angespielt auf die Ich-Spaltung in der Erzählung *Die Ermordung einer Butterblume:* Wadzek ist eine monströse Ausgabe jenes Michael Fischer, der sich in seinem Wahn nicht mehr zurechtfindet und seinen Imaginationen verfällt. Mit Frau, Tochter und Kumpel Schneemann zieht er sich auf sein Haus in Reinickendorf zurück, um die Gegner, Rommel und die Seinen, dort zu erwarten. Die längste Szene des Buches, eine Riesengroteske, gilt dem Stellungskrieg Wadzeks in seinem Rückzugsrevier, wo er gegen verschiedene harmlose Personen wütet, weil er in ihnen die Feinde wähnt. Die 100 Seiten des zweiten Buches im Roman, *Die Belagerung von Reinickendorf*, ergeben das Porträt eines grausig-komischen Wahnsinnigen, der den Realitätssinn verloren hat und gegen Halluzinationen kämpft. Er ist die Paradefigur für die Devise seiner Tochter: *Wenn ich schon mal in einem Verrücktenhaus bin, kann ich doch auch verrückt sein.*

Zwei große Szenen im Roman bieten Möglichkeiten zur Deutung des Buches. Für eine Geburtstagsfeier verkleiden sich Wadzeks Frau Pauline und ihre Freundinnen wie bei einer wilhelminischen Völkerschau als Afrikanerinnen, und Wadzek zerbricht den Spiegel eines Schrankes in tausend Scherben, die an ihm haften, sogar in seiner Tasche. Vorgestellt wird also Maskerade und Mummenschanz, die Widerspiegelung eines Ganzen ist nicht mehr möglich, nur in den Fragmenten liegt die Einsicht. In dieser Sicht wäre *Wadzeks Kampf mit der Dampfturbine* ein Roman über das Fragmentarische und die Brüchigkeit von Wahrnehmung der Wirklichkeit.

Im letzten Teil werden die verschiedenen Facetten des Romans durch ein scheinbares Happy End versöhnt: Wadzek und Gabriele machen sich gemeinsam nach Amerika auf, um dort ihr Glück zu versuchen. Eine Phantasie vom Meer taucht auf, wiederum eine Version jenes tierhaften Wesens, das in der Erzählung *Die Segelfahrt* die Liebenden verschlungen hat: *Windstöße über den Ozean. Träge, flüssige Masse, graugrün, schwarzgrau, eine Last wie Eisen, meilentief. Von der Sonne angestrahlt, vom Mond beleuchtet, unberührt, immer fließend, drehend, lastend; Geräusche, Grunzen und Murren. Das Schiff schrammt die Oberfläche; das Meer leckt an dem beteerten Holz, wirft Wasser über Bord, versteckt sich, brummt, wartet lautlos.* Das Schiff, auf dem die beiden fahren, wird von Rommels Turbine angetrieben, aber das stört die Flüchtlinge nicht mehr. Ihre Lippen finden zueinander – das Happy End funktioniert wie ein geölter Mechanismus. Noch in den letzten Sätzen blüht die Ironie des Erzählers über den Romanschluss auf, und der Zweifel wird stark, ob es sich bei diesem Glücksversprechen nicht wieder um einen der tausend Fäden Aberwitz handelt, die in dieses enigmatische Romangebilde gewirkt sind.

Das Ende gibt zudem einen starken familiengeschichtlichen Rückverweis: die Reise Wadzeks mit der Freundin Gabriele nach Amerika wiederholt die Flucht, die Döblins Vater mit seiner Geliebten Henriette Zander unternommen hatte. Dieser Bezug ist schon zuvor durch manche autobiographischen Splitter und familiengeschichtlichen Einsprengsel vorbereitet worden. Am stärksten sind sie bei Schneemann, dem Sancho Pansa Wadzeks, versammelt. Er stammt aus Stettin und spricht abfällig über diese Stadt. Unter Schneemanns Namen ist der Erzähler anwesend: man könnte ihn somit als den untertänigen Begleiter seiner Hauptfigur justieren. In diesem abgründigen Herr-Knecht-Verhältnis hat sich der Autor als Subjekt seines Buches selbstironisch marginalisiert, hat er die altgediente Rolle vom Erzähler als Hegemon seiner Erfindung gebrochen. Auch die autobiographischen Fäden, die in den Roman gewirkt sind, ergeben kein dominantes Deutungsmuster.

In der Beispielreihe der Döblin-Romane macht dieser die meisten verwirrenden Züge: Er besteht niemals auf einer unveränderlichen Anlage, pendelt von hier nach dort. *Bodenständig: das ist falsches Lob,* behauptet Wadzek. Er hat mit dem Spiegel auch sein eigenes Bild in tausend Scherben zerbrochen. Döblins Roman ist Großstadtgeographie und Familienroman, Wahnbild und beiläufig ein wenig Kapitalismus-Kritik und ist ein Jahrhundert nach seiner Niederschrift noch immer nicht eindeutig festzulegen. In dieses Haus kommt man mit *einem* Schlüssel noch immer nicht hinein und nicht auf einem Weg: Eine ganze Skala von Instrumenten ist nötig, um dieses ebenso hermetische wie ironisch brillierende Werk aufzuschließen.

Den Ersten Weltkrieg kann man nur als Rückraum des Buches ausmachen: der Kampf ums Dasein (den Wadzek früh verliert, um dann einem Bild von sich als wandlungswilliger Verlierer und Meister der Fragmente Platz zu machen) ist ja nichts anderes als eine aus der zeitgenössischen Kriegspropaganda entlehnte Formel. Und zugleich ist dieses Buch mit seinen funkelnden Rätseln ein Zeugnis des Abstands vom Druck des Faktischen. Mit der ersten Fassung des Manuskripts, noch ohne Verleger, zog Döblin in den Krieg.

IN SAARGEMÜND

Ein knappes halbes Jahr nach Kriegsbeginn meldete sich Döblin dann doch freiwillig; mit dieser Entscheidung, für den Einsatz in Belgien und Frankreich erwünscht, kam er im letzten Moment einer sicheren Einberufung zuvor und hatte einen möglichen Gestellungsbefehl an die Ostfront vermieden. Auch seine Einstufung als Ungedienter (und damit als Gemeiner) war abgewendet. Er war 1903 vom aktiven Militärdienst zurückgestellt worden und musste ausschließlich im Kriegsfall mit der Einberufung rechnen. Der war nun eingetreten. Mit seiner Meldung gewann er einen weiteren Vorteil: Freiwillige unter den Zivilärzten konnten mit einem höheren Sold als die eingezogenen Kollegen rechnen. Das war nicht unerheblich, denn die Mitgift seiner Frau war wohl aufgezehrt, und Erna Döblin war, nachdem sie am 27. Oktober 1912 ihren Ältesten Peter geboren hatte, zum zweiten Mal schwanger. Überdies konnte Döblin durch die räumliche Trennung den Ehedisputen fürs erste entkommen. Der Einsatz als Militärarzt bot eine Lösung aus Problemen.

Kaum hatte sich Döblin gemeldet, erhielt er am 26. Dezember 1914 telegrafisch seinen Gestellungsbefehl und hatte sich im lothringischen Militärlazarett von Saargemünd einzufinden. Er war nunmehr 36 Jahre alt und hatte gut neun Jahre als Arzt gearbeitet.

Seinem Freund Herwarth Walden schilderte er bereits am 3. Januar 1915 die Lebensumstände: *Ich sehe keine Autos, keine Droschke; ab und zu einen Handwagen, bäurische Leute mit schiefen schwarzen Filzhüten, den langen Shawl halbitalienisch um Hals und Schulter. Kapläne mit dem breiten Jesuitenhut und langem, faltigen Rock. Rotbäckige Kinder auf den Plätzen; der breite tonvolle Dialekt, der sich viel Zeit lässt.* Es ging nicht ohne Herrentum ab: Die Uniform ließ er sich maßschneidern, übrigens bei Leopold Oppenheimer, dem Vater des Regisseurs Max Ophüls, der 1933 fast gleichzeitig mit Döblin aus Deutschland fliehen sollte und später auch weiterfloh ins amerikanische Exil.

Ein umfangreicher Komplex an Militärbauten war in neunjähriger Bauzeit bis 1905 bei Saargemünd entstanden. In der Nähe der Blies, einem Nebenfluss der Saar, lag das Quartier für das 166. bayerische Infanterieregiment. Es wurde zunächst als Teil der 6. Armee in Lothringen eingesetzt, kämpfte im November in der Flandernschlacht, 1916 an der Somme und beim Stellungskampf von Armentières, wurde dann in den Frühjahrsschlachten bei Arras 1917 fast vollständig aufgerieben. Mehr als ein Dutzend Backsteinhäuser nahm in Saargemünd die Offiziere und Mannschaften, Munitionsdepots, Speicher, Werkstätten und Pferdestallungen auf. In einem der großen Gebäude war das Lazarett

Alfred und Erna Döblin
in Saargemünd
1917

untergebracht. *Diese Kaserne ist für die inneren Kranken (Gelenkrheuma, Lungenentzündung, besonders Infektionen, Typhus, Ruhr).* Die Kranken kamen anfangs ausschließlich aus dem Argonnerwald, aber mit Kriegsverletzten kam Döblin nur mittelbar in Kontakt.

Döblin wohnte im ersten Monat nach seiner Ankunft im Hotel Royal in der Nähe des Bahnhofs, dann in zwei möblierten Zimmern als Untermieter in der zentral gelegenen Marktstraße 7. Auf dem Meldebogen gab er als Religionszugehörigkeit *dissident* an und *preußisch* als Nationalität. *Ich bin ordinierender Arzt, habe drei Baracken zu je 20 schweren Fällen. Wir sind 12 Ärzte, an der Spitze ein Chefarzt (Stabsarzt); zwei Berliner Ärztinnen sind drolliger Weise auch hier, freiwillig mit besonderem Vertrag, haben auch Stationen wie wir; also die Ärztenot.* Es war zunächst ein Schock für ihn: das Militärische. Der Notstand an Ärzten. Die Kleinbürgerei. Die Gesinnungsschnüffelei. *Unterordnen, aber wem, und worin, und oft entwürdigend.* Der Status der Zivil- oder Landsturmärzte, ein halbes Dutzend hatte sich eingefunden, war ungeklärt. Ein Telefon war nicht vorhanden, der Briefverkehr funktionierte nur schleppend; so fühlte sich Döblin *auf dem Isolierschemel.*

Den Krieg nahm er vor allem als akustisches Ereignis wahr: *Geht man in die Umgebung, so hört man die Kanonen sehr deutlich, wie Schläge auf ein Sofa ein paar Stock über einem bei offenem Fenster; das Schießen kommt wohl aus dem Oberelsaß.* Fürs erste kämpfte er um seine Entlohnung. Nach seinem Verständnis diente er freiwillig als Arzt. Sein Jahrgang sei seinerzeit zum Militärdienst nicht aufgerufen worden, er war nun auch nicht als Landsturmmann eingezogen worden. Das sah die Militärbehörde anders. Das Generalkommando des 21. Korps in Saargemünd wie in Saarbrücken, dem er unterstand, wollte nur den gewöhnlichen Sold bezahlen. Er schaltete Herwarth Walden ein; der sollte einiges in Berlin klären. Dessen Bemühungen scheinen erfolgreich gewesen zu sein, denn Döblin fand später anerkennende Worte über die Höhe seiner Bezüge. Nach eigener Aussage erhielt er monatlich 600 Reichsmark, dazu noch 100, um den Burschen und den Service zu bezahlen. Nach welchem analogen militärischen Rang sein Sold berechnet war, ist unklar. Er ließ sich nicht anders als in Uniform und mit Militärmantel fotografieren, aber aus den Bildern geht kein bestimmter Dienstgrad hervor.

Gute drei Wochen nach seinem ersten Brief an Walden aus dem Krieg hatte sich Döblin bereits ein wenig eingewöhnt, verfügte über ein Klavier, erfreute sich an der schönen Gegend, *faktisch wie ein Badeaufenthalt, sofern man das Dienstliche ignoriert,* mit ironischer Untertreibung. Er unternahm Wanderungen durch das Saartal. Saarbrücken erschien ihm als die Großstadt, als Fluchtort, da sei er unter Menschen gewesen, nicht unter Soldaten, *nicht Oberstabsärzten und anderen halb abgestorbenen Cholerikern ausgeliefert.*

Es wurden zwar täglich Kriegsverletzte angekündigt, aber sie trafen nicht ein und wurden anderswohin transportiert. Morgens machte er seine Visiten, und die Patienten, die dazu körperlich in der Lage waren, mussten vor ihm strammstehen, was der Zivilarzt nicht ohne klammheimliche Genugtuung registrierte. Er schilderte einen höchst bequemen Tageslauf: morgens zu einer angenehmen Zeit zehn Minuten Visite, dann *Schluß, für den ganzen Tag.* Da hat er sein Dasein wohl mächtig geschönt. Ende März 1915 hatte er 55 Patienten zu versorgen, etwas mehr als zuvor, denn es waren nun ältere Jahrgänge eingezogen worden, es sei *immerhin viel zweifelhaftes Gemüse* dabei.

Neben seiner Arbeit blieb ihm viel freie Zeit zum Lesen, Schreiben und Klavierspielen. Auch mit den Kollegen kam er besser zurecht. Bis Juli 1917 arbeitete er stationär in Saargemünd, wogegen die meisten seiner Kollegen an die Front versetzt wurden.

In seinen Briefen ist manche Deutschtümelei zu finden. Lothringen scheint ihm halb als Ausland vorgekommen zu sein; er hatte sich über die unsicheren nationalen Zugehörigkeiten in der Grenzregion getäuscht und musste umlernen. Vorläufig monierte er französische Straßennamen und französische Schilder, erzählte vage Gerüchte. *Ich habe danach überhaupt den Animus, daß wir viel zu anständig von den Franzosen denken.* Er lobte, dass das Kriegsgericht *famos scharf* vorgehe, legte für Walden einen Zeitungsausschnitt bei, in dem Urteile drakonischer Willkür verzeichnet waren.

Das alles berichtete er in den ersten drei Wochen. Schon bevor es den deutschen Truppen Anfang März 1915 ganz gelungen war, Teile der 10. russischen Armee in den Wäldern des polnischen Augustów einzuschließen, hüpfte sein chauvinistisches Herz: *Hurrah die russen in der tinte,* telegrafierte er an Walden am 25. Februar 1915.

Edda Lindner, der Nichte Else Lasker-Schülers, beschrieb er das Militärlazarett in rosigen Farben: Kein Privatkrankenhaus könne für die Patienten mehr leisten. Die sozialen Schranken seien bei den Kranken und beim Pflegepersonal aufgehoben, *und das hockt zusammen, macht Harmonikamusik, ist vergnügt und wie eine Gesellschaft großer Kinder.*

DIE SCHLACHT, DIE SCHLACHT! UND ANDERE ERZÄHLUNGEN

Gegenüber Herwarth Walden spielte Döblin auf seinen Vorrat an Geschichten an, über den er bereits wieder verfügte. *Wenn Du was aus den »Lobensteinern« willst, laß sie Dir von meiner Frau geben; lies und such Dir eine Partie aus.* Er hat anscheinend schon kurz nach der Ankunft in Saargemünd seine literarischen Arbeiten erneut aufgenommen. Als früheste Geschichte dürfte in seiner Militärzeit das Märchen *Das Krokodil* entstanden sein. In einer Folge von vieldeutigen Bildern wird ein irritierendes Spiel betrieben: Julie erscheint bald als Krokodil mit Schuppenpanzer, als Märchentier, bald als Mensch, als Gesellschaftswesen. Der Zwitter wird einerseits von Menschen wie einem Herrn von Wetzling verspottet, andererseits von Außenseitern, die als Narren erscheinen, geliebt. Ein Jahr lang lebt Julie inmitten von Fröschen und Eidechsen und empfängt von dem rotköpfigen Ziwel ein Kind. Zurückgekehrt aufs väterliche Schloss, muss sie einen Verlust hinnehmen: die Krokodilsschuppen fallen von ihr ab, sie wird ganz zum Menschen, kehrt aber eines Tages doch wieder in die Natur zurück. Sie gibt sich den Männern und den Tieren hin und empfindet in dieser Zwischenexistenz ihr Glück.

In der Geschichte *Das Femgericht* wird ein Kriminalfall im Kleistschen Stil erzählt. Auf seinen Spaziergängen und Ausflügen, die Döblin mangels Beschäftigung im Lazarett reichlich unternehmen konnte, lernte er auch den Ritthof kennen, ein Gasthaus oberhalb der Blies, nahe dem saarländischen Bliesransbach. Er ist der Schauplatz einer Erzählung, die einen schmalen Rahmen von Liebe und Verrat, Trunksucht, Liederlichkeit und Verfehlung auslegt. Die Herr-Knecht-Dialektik wird in der Geschichte *Der vertauschte Knecht* zur Episode nach Kleist im Kostüm des Mittelalters. Dieses Exempel über Sadismus in altdeutschem Kolorit ist gewiss vor allem von den Schleifermethoden und dem militärischen Drill beeinflusst, den Döblin in der lothringischen Etappe erlebt hat. Man kann den Eindruck gewinnen, er wolle sich mit diesen Prosastücken gegen den Krieg wappnen, seine eigene Welt gegen den Dienst und die militärischen Usancen stellen.

Aber bereits Anfang 1915 schrieb er seine erste Erzählung, die durch die neu gewonnenen militärischen Eindrücke direkt angeregt war, unter dem Titel *Die Schlacht, die Schlacht!*. Der Kanonendonner vom Stellungskrieg in Verdun dröhnte herüber, und die Berichte von Patienten, die vom Nahkampf erzählten, haben ihn berührt: *Wie begeistert viele vom Bajonettangriff sind! Einer, mit dem Eisernen Kreuz, erzählte mir, er kenne nichts Schöneres als mit dem Bajonett rennen und zustoßen.* Es handelt sich bei dieser Prosa um die Einlösung eines – etwas leichtfertigen – Versprechens. Gegen Marinettis Schlacht-Text, der im »Sturm« veröffentlicht worden war und der das erste methodische Zeugnis der angestrebten »parole in libertà« (Worte in Freiheit) darstellte, hatte er ein Jahr zuvor manches einzuwenden gehabt. In seinem offenen Brief an den Futuristen vom März 1913 hatte Döblin das Amalgam aus Heroik und Satzzertrümmerung barsch abgefertigt: *Im Grunde sollte ich gar nicht gegen Sie polemisieren, denn es ist zu klar, um wessen willen Sie irren, um Ihretwillen, um ein paar Schlachtbeschreibungen willen, deren Tempo und Lärm Sie famos, in der Tat, herausbringen. Aber darum keine Aufregung, keine Revolution; machen Sies nur recht gut; wir freuen uns darüber; es gibt im übrigen noch andere Dinge als Schlachten, und – unter uns – man kann sogar eine Schlacht noch ganz anders »machen«, als Sie es gemacht haben.* Nun lieferte er die Probe auf diese Behauptung hinzu.

Die Erzählung ist auf der gegnerischen Seite, bei den Franzosen, angesiedelt. Der Bergmann Armand Mercier sucht nach seinem Freund Louis Poinsignon, luchst jemand eine Uniform ab, begegnet einem nachgiebigen Mädchen, stiehlt, wird bestohlen, festgenommen, flieht. Der Krieg ist allgegenwärtig, eine Grässlichkeit, wenn die Transportautos mit den Verwundeten und Toten vorbeikommen, *den zerschossenen Soldatenleibern, die angeblafft sind von den aufbäumenden Granaten, die stöhnenden, über deren Köpfe Mauerwerk gepoltert ist, die japsenden, halb erstickt aus den Giftdämpfen der Schützengräben gezogen, ausgestreckte Leiber in nicht endender Reihe hintereinander, in weiße Verbände geschlagen, durch die das Blut sickert, eine träumende delirierende Schar, der furchtbar drängenden Macht drüben aus den Zähnen gedreht.* Die Schlacht findet aber nicht nur um die Figuren herum statt; sie tobt auch in ihnen selbst, nimmt sie als Beute, treibt sie in menschliche Verwahrlosung, hetzt sie zu Diebstahl, Mord, Vergewaltigung, zermanscht ihre Seelen. Das wird mit geräuschintensiver Dringlichkeit erzählt, bei schwankenden Horizonten, in Sätzen, die einander überrennen, im Sturmlauf ins vernichtende Toben hinein. Hier hat sich der Erzähler mit keiner Beobachtungsroutine, keiner Klinikerdistanz abgefunden. Diese Erzählung ist eine Rebellion gegen die Stumpfheit und die Gewöhnung an den Massenmord.

Die Erzählung *Die Schlacht, die Schlacht!* erschien im April 1915 in der Zeitschrift »Der neue Merkur«; da arbeitete Döblin erst vier Monate als Militärarzt. Sie wird von einem unerhörten Lakonismus vorangetrieben. Sie realisiert die Perspektive, die der Mediziner Döblin inzwischen gewonnen hatte, und signalisiert – in der Auseinandersetzung mit Marinetti – den Abstand zum Artikel *Reims.* Sosehr der Gang der Handlung für sich selbst lesbar ist, so beziehungsreich ist die kurze Prosa angelegt: auch als eine Entgegnung auf manche Positionen des ästhetischen Eigengenügens im »Sturm«-Kreis.

Die Niederschrift und Redaktion der insgesamt 12 Geschichten, die er unter dem Titel *Die Lobensteiner reisen nach Böhmen* versammelte, zog sich hin. Er war im März 1915 noch nicht zufrieden, *es fehlte der letzte Mumm.* Vermutlich am längsten hat Döblin an der Titelgeschichte gearbeitet, die den Band beschließt. Es handelt sich um eine etwas langatmige Satire auf die Selbstinszenierung der Macht, den Zynismus ihrer Inhaber, auf Kriegslüsternheit und dynastische Intrigen, angesiedelt in einem Böhmen entlegener Vergangenheit, aber bezogen auf den Wilhelminismus und seine martialische Theatralik. Nur im Weitwinkel der Zeitferne konnte der Erzähler der Zensur entgehen und fand er andererseits die Freiheit, seine Kriegskarikaturen auszustellen.

Der Herzog von Lobenstein eignet sich widerrechtlich die Grafschaft von Padrutz an, überzieht die Bevölkerung mit einer Inflation von bürokratischen Vorschriften und will die einheimische Bevölkerung kolonisieren. In komischer Verkehrung eines Marxschen Lehrsatzes behauptet der Herrscher: *Ändern Sie die Padrutzer, so ändern Sie die Verhältnisse.* Er lässt Lobensteiner nach Padrutz verfrachten, damit die Eingeborenen umerzogen werden: am Lobensteiner Wesen soll die Welt genesen. Ein wildes Gewoge von Feldzügen, diplomatischen Ränken und martialischer Aufführung, die aufeinander folgen, ergeben zwar episodische Turbulenzen, aber keine geschlossene Handlung, sondern eine Reihe von grotesk komischen Situationsbildern. Die Geschichte spielt im frühen 19. Jahrhundert, nach den Befreiungskriegen, sie ist jedoch ausgestattet wie die Aufführung eines mittelalterlichen Spiels. Der historistische Pomp des Wilhelminismus, seine Maskeraden, Kostüm- und Uniformsucht werden ebenso verspottet wie das Gebot von der Reinerhaltung der eigenen Art, der Rassismus. In den lockeren Episoden dieser Farce zeigt sich der Satiriker Döblin mit heiterem Ingrimm und witzigen Kapriolen. Mochte Döblin 1915 noch immer dem Hurrapatriotismus frönen, so untergrub sein Erzähler bereits diese nur scheinbar festgefügte Position. Im Mai 1915 erwähnte er, er habe *mehrere kleine Märchen, resp. märchenartige Erzählungen* verfasst. Viel Zeit kann er sich nicht genommen haben: Die Sammlung besteht aus dem Schub an Texten von 1913/1914, die er nach Saargemünd mitgenommen hatte, dazu aus den dort entstandenen Teilen. Das ist eine etwas bereinigte Version Döblins zur Entstehung seines zweiten Geschichtenbandes. Eine genauere Betrachtung zeigt andere Verknüpfungen – und die Achtlosigkeit des Erzählers bei der zeitlichen Fixierung seiner Texte. Wahrscheinlich hat Döblin schon bei Veröffentlichung seiner Sammlung *Die Ermordung einer Butterblume* an einen Komplementärband gedacht, denn mit seiner gleichgearteten Suite von 12 Stücken gerät der zweite Erzählungsband zu einer Art Pendant. Schon Mitte Januar 1912, also mitten in der *Wang-lun*-Arbeit und noch vor Veröffentlichung des Bandes *Die Ermordung einer Butterblume,* teilte er Martin Buber mit, dass er an ersten Stücken einer neuen Geschichtensammlung sitze. Später hat er diese Texte als *Erholung von der Wang-lun-Arbeit* abtun wollen, doch ist eher eine Parallelaktion zu vermuten: Gerade die Arbeit am Roman nötigte ihn zu den kurzen Prosastücken, als käme es darauf an, von der gleichsam rauschhaften Niederschrift des Großromans durch die kleinen, wechselnden Formen Abstand zu gewinnen, eine Art Verfremdung zu wahren.

Im September 1915 bot Döblin das Manuskript der *Lobensteiner*-Erzählungen den Verlagen S. Fischer und Georg Müller an. Anscheinend hat er damit seinen Optionsvertrag mit Fischer umgangen und sein Spiel mit Verlegern eröffnet, das er lange betreiben sollte und das gewiss nicht zu seinem Gewinn ausgegangen ist. Samuel Fischer konnte und wollte angesichts der Zeitumstände kein Datum für eine Veröffentlichung zusagen und sich nicht auf eine bestimmte Honorarsumme festlegen. So blieb also nur Georg Müller, mit dem er im Dezember 1915 einen Vertrag abschloss. Im Mai 1916 las Döblin Korrektur, doch blieb er skeptisch gegenüber einer Veröffentlichung im Krieg und wünschte sie sich auch nicht. Im Mai 1916: *Hoffentlich kommt das Buch nicht bald raus, denn was soll das jetzt?* Nicht einmal zwei Monate später hatte sich sein Zögern wegen des Erscheinungsdatums verfestigt, und er suchte wiederum die Meinung des Verlegers Walden einzuholen: *Mein neues Müllersches Novellenbuch ist nun im Umbruch und total fertig; was rätst Du: soll ich Müller zum Erscheinen in diesem Jahr raten, abraten.* Im November berichtete er von Katastrophennachrichten: Um den Verlag Georg Müllers stehe es schlecht, und der Verleger selbst sei eingezogen worden.

KRIEGSALLTAG

Zurück zur Gegenwart des Militärarztes, kaum dass er seinen Dienst angetreten hatte. Gegenüber Herwarth Walden betonte er (am 7. März 1915), dass er rein gar nichts zu tun habe: *Ergo wanzt man im Lazarett so überall herum, geht nach Hause, schimpft über das Roastbeef, kontrolliert das Thermometer; ich spiele Klavier, andere Skat, andere keins von beiden und so vergeht die Zeit, bis der erste naht und man heimlich auf Gehaltserhöhung, ev. das Eiserne Kreuz reflektiert.* Schnoddrig redete er sich in die Rolle des Parvenüs in Uniform hinein.

Ein Vierteljahr nach seiner Einberufung folgte ihm seine Frau in die Etappe, nachdem sie am 17. März 1915 in Berlin einen weiteren Sohn, Wolfgang, geboren hatte. Bereits sechs Tage nach der Entbindung war sie mit den beiden Kindern in Saargemünd. Was erklärt diesen hastigen Umzug? Frau Döblin reiste offensichtlich so überstürzt an, um eine erotische Eskapade ihres Mannes zu beenden und eine Nebenbuhlerin zu verdrängen. Gegenüber Robert Minder bekannte der alte Döblin, er habe damals bis zum Eintreffen seiner Frau eine intensive Liebesgeschichte mit einer Ärztin unterhalten. Man kann ahnen, um wen es sich dabei handelte. Schon in seinem ersten Brief aus Saargemünd an Walden erwähnte er *zwei Berliner Ärztinnen.* Eine der beiden wird im Postskriptum eines Briefes an Walden fünf Monate später, im Mai 1915, ausdrücklich noch einmal und etwas genauer erwähnt: *Eine Kollegin, die hier freiwillige Ärztin war, und sich auch für den »Sturm« interessiert, ist jetzt dauernd in Berlin; eine Bekannte meiner Frau; Adresse »Frl Dr. Ruben, Assistenzärztin, Krankenhaus Friedrichshain«; vielleicht benutzt Du mal die Adresse.*- Das klingt ein wenig fatal: eine Kollegin der Famula Erna Reiss – und ein wenig rouéhaft: was denn ist unter der Benutzung einer Adresse zu verstehen? Döblin empfahl die abgelegte Freundin seinem Freund. Anders als mit dem Furor, den Mann wieder hinter die ehelichen Schranken zurückzuholen, kann man Ernas Hast nicht erklären, mit der sie kaum nach der Geburt des zweiten Sohnes Wolfgang nach Saargemünd reiste.

Döblin selbst hatte nicht mit einem weiteren Jungen, sondern mit einem Mädchen gerechnet und schon den Namen »Ursel« parat. Die Enttäuschung mag seine lebenslange Fremdheit gegenüber Wolfgang vielleicht erklären, obwohl auch dessen spätere Profession als Mathematiker und unterschiedliche persönliche wie politische Dispositionen eine Rolle spielten. Die Familie zog in eine kleine Dreizimmerwohnung in Saargemünd. Erna Döblin übernahm sofort die Alltagsgeschäfte, machte sich an das Abtippen des *Wadzek*-Manuskripts und war bereits im August 1915 damit fertig. Aber auch diese Fassung genügte Döblin nicht: er brachte weitere Korrekturen an.

Seine innere Ungeduld enthüllt sich in den Mutmaßungen, die er über den Gang der Ereignisse anstellte. Schon im März 1915 hatte er sich die Frage gestellt: *Kommt nun der entscheidende Moment im Kriege?*, um sie negativ zu beantworten. Auf der Doggerbank hatte die deutsche Marine im Januar die britische nicht besiegen können. In den Karpaten hatten die Kämpfe zu einer Katastrophe für die österreichisch-ungarische Armee geführt. Die Winterschlacht in Masuren war zwar mit 100 000 russischen Gefangenen erfolgreich verlaufen, hatte aber auch zu erheblichen eigenen Verlusten geführt. An den Dardanellen kämpften deutsche Flottenverbände mit ungewissem Ausgang um die Meerenge. An der gesamten Westfront waren die Vorstöße des Heeres zum verlustreichen Stellungskrieg erstarrt. Döblin hielt den militärischen Sieg an der Ostfront für die Voraussetzung einer Beendigung aller Kämpfe. Der Friede sei nicht zu erwarten, wenn nicht die Russen geschlagen würden; es müsse *eine Machtpartei tief geknickt werden, sehr sehr tief; sonst ist nichts zu hoffen; ich schätze, der Winter vergeht darüber. Nachher japsen wir alle ein Jahrzehnt.* Ein Gran Realismus über die Zukunft mischt sich in diese Prognose, aber mit der Möglichkeit, dass diese eine geduckte Partei bei den Mittelmächten zu finden sei, rechnete er noch nicht. Ein Anfall von Friedenssehnsucht ist unverkennbar, genauso aber auch eine gewisse Urteilsschwäche in der Einschätzung der Lage. Sie rührte auch von der Desorientierung durch die Berichte der Obersten Heeresleitung und durch die Entstellungen der Zeitungsberichte unter den Bedingungen der Kriegszensur her. Von den Kriegsereignissen wusste er, so betonte er, so gut wie nichts – knapp hinter der Front.

Schon im Mai 1915 schrieb er an Walden, den noch immer engsten Vertrauten, unter dem Eindruck, dass Italien seine Neutralität aufgeben und ins Lager der Alliierten einschwenken wollte: *Es ist so schöner Frühling; es könnte fabelhaft schön in der Welt sein, ich dürste nach bürgerlicher Existenz. Wir warten hier, warten, wissen nicht, was aus uns wird.*

In seine chauvinistische Verpanzerung hat der Tod von August Stramm in Horodec/Russland am 1. September 1915 eine Bresche gerissen. Der Lyriker war mit Kriegsbeginn als Hauptmann eingesetzt worden, kam im April 1915 an die Ostfront, nahm an erbitterten Kämpfen teil. Am 17. August hatte er, von einem Heimaturlaub aus Berlin kommend, seine Kompanie erreicht, die nur noch aus 25 Mann bestand und im Kampf vor Brest-Litowsk lag. Am 25. August schrieb er an die Waldens seinen letzten Brief: »Ach, Kinder, wenn wir erst mal wieder dort sind und Frieden ist und wir die Sicherheit des Schaffens haben was soll das für eine Zeit werden für uns alle! Märchenhaft! Traumhaft! Habt Dank und viele liebe Grüße von Eurem August Stramm.« Im »Sturm« gab Walden am 16. September 1915 den Tod des von ihm bewunderten Lyrikers bekannt: »Der Hauptmann August Stramm ist am 2. September / In Russland gefallen. / Der Soldat und Ritter der Führer. / Du großer Künstler und liebster Freund. / Du leuchtest ewig.« Döblin schickte drei Wochen später eine kurze, aber eindringliche Würdigung Stramms an Walden zu dessen freier Verfügung und setzte hinzu: *Das unausdenkbar Brutale des Krieges wird wieder einmal evident, wo jemand hingerissen wird, wie Stramm, der so sichere Bewegung war und weiter drängte. Unser Dasein ist abrupt. Es kommt, wie es scheint, auf gar nichts an, auf gar nichts.* Döblin war mit Stramms Auffassung von Wortkunst nicht einverstanden gewesen, wollte es selbst bei der Sprachartistik und dem Künstlertum allein, für die Stramm einstand, nicht belassen. Aber er wusste die verwandten Bemühungen um die Sprache zu würdigen – und mit ihm war denn doch ein Bruder hingegangen.

Nell Walden erzählte später, sie habe in der Nacht vom 1. auf den 2. September 1915, also zwei Wochen bevor er fiel, von seinem Tod geträumt. Döblin, dem Okkulten zugetan, interessierte sich lebhaft für diesen *Fall von Wahrträumen*. Er hätte gerne darüber einen wissenschaftlichen Aufsatz geschrieben. Dazu hätten sich Herwarth und Nell Walden verpflichten müssen, Aufzeichnungen zu machen und sie von dritter Seite beglaubigen zu lassen. Döblin überfiel seinen Freund im April 1918, fast drei Jahre nach dem Tod Stramms, geradezu mit dem Vorhaben: *Ich würde Dir sehr dankbar sein, wenn Du diesen – der doch enorm seltenen und kolossal wichtigen Fälle mit klären hilfst resp. sicherstellen für Dritte. Das Wesentliche ist doch: diese Sachen werden nicht geglaubt, man muß jegliches Material heranziehen, das absolut authentisch ist, und soll solchen Fall nicht verkommen lassen; er kann ja umwälzend wirken.* Anscheinend hat Döblin damit aber kein Echo erzeugt, von solchen Aufzeichnungen ist nichts bekannt.

Der Tod Stramms bei einem Sturmangriff hat Döblin verändert, hat ihn auf die Seite der Kriegsgegner gedrängt. Man muss sich Döblin durchaus als gespalten vorstellen: Politisch hing er noch immer einem gewissen Nationalismus an, hatte aber vom Krieg genug, und als Erzähler war er ohnehin viel weiter und unabhängiger. Allmählich gewann der Epiker die Oberhand. Einige Wochen später schrieb er an Walden: *Zum Auswachsen ist der Krieg. Er wächst mir zum Halse heraus. Er wird ja sicher von Woche zu Woche interessanter, aber, aber. Wer soll das durchhalten, ewig Schlachten, Kriegsschilderung; die Spannung hat sich zur Langeweile besänftigt und geklärt, sozusagen. Ich bin offenbar zu klein für diese große Zeit; machst Du noch mit? Puh!*

Noch war seine Reaktion nicht unbedingt politisch zu verstehen, sondern eher ein Ausdruck der Langeweile. Und was war wohl damit gemeint, dass der Krieg »interessanter« werden könne? Er hatte vielleicht die deutlichen militärischen Erfolge an der Ostfront und auf dem Balkan im Oktober/November 1915 auf der Rechnung. Das klingt nach einem unveränderlichen Voyeur in ärztlicher Uniform.

Seine Stimmung schwankte erheblich. Am 22. Dezember 1915 mutmaßte er über die noch bevorstehende Dauer des Krieges sorgenvoll zu Walden: *Siebenjähriger oder dreißigjähriger Krieg? Erzähl mir mal, wenn Du Informationen hast, hier hört man nichts.* Zum ersten Mal wird der Krieg im 17. Jahrhundert als Vergleichsgröße gestreift. Walden war mit Informationen seit kurzem besser ausgestattet: Er hatte sich zum Handlanger der deutschen Kriegspropaganda gemacht. Seine Frau Nell Walden, eine gebürtige Schwedin, Nachfolgerin von Else Lasker-Schüler, belieferte mit Unterstützung militärischer Stellen die schwedische, die niederländische und die Schweizer Presse mit deutschfreundlichen Artikeln. Die propagandistischen Dienste, die das »Nachrichtenbüro Der Sturm, Berlin« leistete, scheinen ein einträgliches Geschäft gewesen zu sein – jedenfalls gewinnträchtiger, als es die literarischen Texte in der Zeitschrift waren. Walden selbst hat Auslandspropaganda geschrieben, koordiniert und eine entsprechende »Weltpressestelle« eingerichtet. Er fand damit zeitweilig aus seiner drückenden finanziellen Misere heraus und konnte den bedrohten »Sturm« weiterführen.

PROJEKTE

Von Saargemünd aus wandte sich Döblin am 12. Oktober 1915 wieder einmal an den Lektor Martin Buber. In schwierigen Momenten seiner Produktion suchte er dessen Rat und Vertrauen – diesmal wegen des *Wadzek*. Er bat ihn, das Romanmanuskript kritisch zu lesen. Der Autor wusste selbst nicht so recht, was er davon halten sollte, denn es war ihm beim Schreiben entglitten, der Vorsatz war verrutscht, der Roman hatte sich selbständig gemacht, *wurde ganz anders als ich plante (ich plante die Technik des gigantischen Berlins, aber es wurde etwas sehr Menschliches, nämlich der erste Teil davon, wie die Technik einen aus sich ausstößt, ein* komisches *Buch, natürlich schwankend zwischen dem Schmerzlichkomischen, dem Menschlichernsten und Reinkomischen; ob ich den zweiten Band, den ich im Skelett und vielen Einzelszenen schon habe, ein schweres Buch, schreibe, weiß ich nicht; auch der chinesische Roman sollte ja der erste Band zu einem zweiten, russischen, werden). Ich liege jetzt über dem kaiserlich deutschen Mittelalter.* – Aber der *Ölmotor*, der zweite Teil des *Wadzek*, wollte nicht zünden, obwohl er verlauten ließ, er habe bereits einen festen Grundriss und ausgeführte Passagen (beides ist nicht oder nicht mehr vorhanden). Ein Bauernkriegsroman blieb eine Kopfgeburt, ebenso ein Roman über die gescheiterte bürgerliche Revolution von 1848, und auch das Projekt eines *Mittelalter*-Romans wurde nicht fertig geschrieben.

Es entstanden Komplexe zu den Themen »Byzanz« und »Kreuzzüge«, aber nicht mehr. 1923 nutzte er das Material für das Stück *Die Nonnen von Kemnade,* das einen Teil des Stoffes aufgreift. Damals berichtete er vom Abbruch des Romanvorhabens: *Bevor ich an den Wallenstein-Roman heranging, hatte ich Material dazu gesammelt, hatte dann alles beiseite gelegt, wollte den dialektischen, religiösen Dingen aus dem Wege gehen; die Streitigkeiten im syrischen Frankenstaat ermüdeten mich. Der entschieden massive politisch-militärische Wallenstein drängte alles rasch beiseite.* Also tausend Fäden in die Welt und in die Geschichte und viele abgekappte, nicht weiter verfolgte dazu. So wird hinter dem Gelingen die lange und komplizierte Geschichte der angefangenen, aber wieder aufgegebenen Projekte sichtbar, lugt der Konzeptkünstler Döblin hervor.

Die Antwort Bubers auf die Bitte wegen des *Wadzek*-Manuskripts ist im Original nicht erhalten, aber ein Briefentwurf vom 11. Dezember 1915, der an scharfer Abgrenzung nichts zu wünschen übriglässt und der Döblin geradezu schockieren musste. Buber fiel als Ratgeber und Lektor aus; er erklärte rundweg sein Scheitern bei der Lektüre.

Wie tief der Schreck bei Döblin saß, merkt man aus seiner Antwort. Er wollte seine Niederlage mit Worten zudecken, und er tat dies im Gestus mühsam behaupteter Sachlichkeit: *Die Rede des Autors über sein Werk hat immer etwas Mißliches, sogar Peinliches. Ich will aber sagen, was in dem Buche ist, – nicht, was ich wollte; denn ich will nie etwas; ich schreibe stets völlig unwillkürlich, das ist keine Phrase; dies Buch ist von August bis Dezember 14 in einem Zug geschrieben, – und auch das beweist mir, daß das Buch nicht Geburtsfehler hat; mit Gedachtem komme ich nicht voran.* Er beharrte auf seinem Standpunkt, aber Bubers Unverständnis musste ihn umso mehr treffen, als ihm der Adressat beim *Wang-lun* mit Rat und Tat geholfen hatte und es an Lob nicht fehlen ließ. Nun also ein Totalverriss. Er bewirkte immerhin, dass Döblin das Manuskript zum dritten Mal durcharbeitete. Buber empfahl er, indem er *von dem schlecht unterrichteten Papst an den besser zu unterrichtenden* appellierte, das fertige Buch noch einmal zu lesen und sein Urteil zu überprüfen. Dazu ist es nicht gekommen. Wie sehr ihn das Diktum traf, geht aus der Schlussbemerkung des Briefes hervor: er fühlte sich im Stich gelassen. Der Briefwechsel zwischen den beiden brach, von einer Ausnahme abgesehen, für mehr als 30 Jahre ab.

WANG-LUN ERSCHEINT

Im März 1916 erschien, zurückdatiert auf das abgelaufene Jahr, Döblins erster Großroman *Die drei Sprünge des Wang-lun*. Mit ihm glückte der literarische Durchbruch, nachdem er zuvor als der zwar hochgeachtete, aber wenig gelesene expressionistische Außenseiter gegolten hatte. Mit dem Roman einer Revolution, finde sie auch in entrückter Zeit und in einem exotischen Osten statt, hatte sich der Autor aus der Deckung des unpolitischen Erzählers begeben. *Man hat sich, war meine Auffassung, der Worte und der Literatur zu bedienen für andere Zwecke, für die wichtigen Zwecke. Welche waren das? – Ich sah, wie die Welt – die Natur, die Gesellschaft – gleich einem tonnenschweren Tank über die Menschen, über den Menschen rollt. Wang-lun, der Held meines ersten umfänglichen Romans, erfuhr dies*. Wer hätte diese Bezüge über die Zeiten hinweg nicht herstellen wollen? Vielleicht ist die Verzögerung des Drucks auch auf Sondierungen zurückzuführen, inwieweit sich die Kriegszensur dieses Romans annehmen würde. Es hagelte Verbote in Döblins Nähe: eine Aufführung der »Wupper« von Else Lasker-Schüler beispielsweise wurde untersagt, ebenso Walter Hasenclevers »Der Sohn« und Carl Hauptmanns »Krieg – ein Tedeum«. Durch den Krieg war die literarische Atmosphäre mit Wünschen nach Aussagen und Vergleichen, nach versteckten Kommentaren zum aktuellen Geschehen, nach der Analogiekraft historischer Stoffe mehr als aufgeladen. Dieser Roman, der neben der Ergebung ins Massenschicksal auch den Aufstand in mehreren *Sprüngen* vergegenwärtigt, wurde mitten im Krieg gewiss anders gelesen als davor. Und gegen Ende des Weltkriegs wohl wieder anders: vor allem als Prophetie von Revolution und Niederlage, in fremder Geographie, aber nach vertrautem Muster. In diesen Wechsel der Lesarten ist der *Wang-lun* zwangsläufig geraten, und er hat seine Frische nicht zuletzt durch diesen für alle politischen Wechselfälle anwendbaren Modellcharakter erhalten. Döblin hat diesem ersten seiner Großromane lebenslang ein gutes Andenken bewahrt. Und er hatte durchaus kommerziellen Erfolg: 12 Auflagen sind bis 1923 erschienen, und wenn man der Zählung des Verlags, jedes Tausend als eine Auflage zu rechnen, folgt, ergeben sich damit mindestens 12 000 Exemplare. Zu Lebzeiten Döblins erschien das Buch 1946 (bei Keppler) noch einmal. Nach *Berlin Alexanderplatz* ist es damit der erfolgreichste Roman des Autors.

Der Roman fand in der zeitgenössischen Presse reichlich Beachtung: mehr als 30 Rezensionen geben davon Kunde. Auffallend viele Rezensenten verfielen dem Zauber der Exotik, hielten sich an die chinesischen Merkwürdigkeiten, ließen sich über die bengalische Fremde aus, bewunderten den Stoff, entrückten ihn in die Zeitlosigkeit oder in die »Ursprünglichkeit«. Am elegantesten hat dies Oskar Loerke in der »Neuen Rundschau« getan: »Der Geschmack der chinesischen Landschaft und chinesischer Menschen ist so stark, daß wir die Frage vergessen, woher der Dichter soviel Kenntnis und Sicherheit gewonnen habe und ob wohl alles mit der Wirklichkeit übereinstimme. Hier könnten Tu-fu und Li-tai-pe ihren Alltag und Sonntag haben, in diesen Ebnen und Bergen voll Schönheit und Stärke, in dieser Luft voll trocknen Dämonen, Geistern und Gespenstern, die man wie Haustiere verehrt, ja, die man weiß wie Blume, Steine und Wege.« Selten hat ein Debütroman in diesem Jahrzehnt seit seinem Erscheinen so viel wortreiche, aber auch stammelnde Bewunderung erhalten wie dieser. Eine kecke Ausnahme lieferte 1918 in der »Aktion« ein Till Schmitz alias Karl Otten: er schrieb ein Spottgedicht auf Döblin und seinen *Wang-lun*, das mit dem Sechszeiler endet: »Wie stählet sich Bart und Brillen / Bei diesen aufgewärmten Kamillen / Wie fühlt sich der Dichter als Held!? / O Menschheit wandre nach Weimar / Da sitzt ein Chines auf einem Eimar / und hat sich leider auf den Kopf gestellt!« Döblin gab der kurz vor dem Ersten Weltkrieg ausgebrochenen China-Mode das Schlüsselwerk.

Erik-Ernst Schwabach, ein reicher Mäzen, dem auch die expressionistische Zeitschrift »Die weißen Blätter« zu verdanken ist, verlieh Döblin 1916 den von ihm drei Jahre zuvor gestifteten Fontane-Preis. Annette Kolb und Leonhard Frank hatten ihn zuvor erhalten, auch Carl Sternheim, der ihn an Franz Kafka weitergab. Mit den 600 Reichsmark Preisgeld war er nicht gerade üppig ausgestattet, aber er hatte Renommee. Schwabachs Begründung, dass Döblin »mit bewundernswerter Phantasie eine jener stürmischen religiösen Bewegungen, die von Zeit zu Zeit das chinesische Volk erschüttern, in seinem Werke sichtbar vor uns erstehen lassen« hat, mochte ein wenig sparsam ausgefallen sein, aber sie wurde sogar von der »Täglichen Rundschau« beachtet, auch wenn ein Anonymus von einer »etwas willkürlich anmutenden Auszeichnung« sprach. Im September 1916 wurde Walden von Döblin unterrichtet, dass ihm der Preis zugesprochen worden war. Aber viel Aufhebens machte er von der Auszeichnung nicht. Vermutlich ist er aber doch nach Berlin gefahren, um ihn entgegenzunehmen, jedenfalls erwähnt er für dieses Jahr einen Besuch bei seiner Mutter, der mit dem Termin zusammengefallen sein könnte. Über die Umstände der Preisverleihung jedoch verlor er kein Wort.

Der Roman hatte große Wirkung auf Schriftsteller: Lion Feuchtwanger lernte von ihm, Anna Seghers war von ihm spürbar beeindruckt, und Brecht staunte ihn geradezu an. Für ihn war er ein Anschauungsfeld für die Entwicklung des epischen Theaters.

IM DRITTEN KRIEGSJAHR

Als der *Wang-lun* veröffentlicht wurde, waren bereits zwei weitere Manuskripte abgeschlossen: Das *Wadzek*-Manuskript hatte seine Rundreise durch die Verlage angetreten, und der Erzählungsband *Die Lobensteiner reisen nach Böhmen* sollte noch ein ganzes Jahr auf Eis liegen, bis er bei Georg Müller veröffentlicht wurde. In einer kurzen Vorbemerkung zu einem drei Jahre später erstmals erschienenen Jugendwerk ironisierte Döblin diesen Tatbestand: *Durchschnittlich brauche ich um ein Buch herauszubringen vier Jahre, das heißt vier Jahre Ringkampf mit den Verlegern, welche damit zweifellos den Zweck der Reifung meiner Sachen und Anregung meiner Arbeitsfreude verbinden.* Bis in seine vierziger Jahre hinein musste Döblin den Publikationskampf um seine Manuskripte führen – und mit einer Unterbrechung von einem guten Jahrzehnt dann sein weiteres Leben lang unter verschärften Bedingungen. Für fünf bittere amerikanische Jahre hat er ihn ganz verloren und dann auch wieder fast zehn Jahre lang in den bundesdeutschen fünfziger Jahren bis zu seinem Tod.

Es war ihm in Saargemünd Zeit für eigene Projekte geblieben, und auch der Stumpfsinn der Etappe konnte ihn an literarischen Arbeiten nicht hindern. Aber nun wuchs dem Militärarzt die Arbeit über den Kopf, und der Schriftsteller schrieb in einem Anfall von Resignation Ende März 1916 an Walden: *Ich möchte jetzt nichts produzieren; zu viel äußere Unruhe, Trubel im Dienst, Lärm auf den Straßen.*

Im Februar hatte er noch stoisch distanziert bemerkt: *Wenn der Krieg noch länger dauert, warten wir noch ein bißchen ab.* Das klingt immerhin nach gesicherter und ruhiger Position. Aber der Krieg hatte sich bereits verselbständigt. Die fünfte deutsche Armee hatte am 21. Februar 1916 im Westen mit den ersten von zahlreichen, bis zum 16. Dezember anhaltenden Sturmangriffen begonnen. Bodengewinne und ein militärischer Vorteil in nennenswertem Umfang waren in diesen Materialschlachten nicht zu verzeichnen, aber der Kampf erhielt seinen Schreckensnamen: Verdun, Stellungskrieg. Auf französischer Seite wurden 350 000 Tote gezählt, auf deutscher 335 000, zurück blieb eine Mondlandschaft.

Das Seuchenlazarett, in dem Döblin arbeitete, wurde umfunktioniert und nahm nun Verwundete und Verstörte von der stationären Front auf. Jedenfalls sah sich der Arzt Ende März 1916 plötzlich in angespannten Verhältnissen wieder und berichtete: *Wahnsinnig viel Arbeit habe ich, wo wir jetzt Etappenfunktion haben; dieser stete Durchzug, Hin- und Hertransport der Kranken mit der endlosen Masse Schreiberei. Zu literarischer Produktion komme ich dabei nicht; nur Abendstunden nach höchst soliden Strapazen, und dazwischen busonisches Intermezzo zweier Kinderstimmen.* Er zog, von Saargemünd aus, einen bemerkenswerten Schlussstrich unter seine Vorkriegsexistenz. Er gab im Februar/März 1916 die Wohnung in der Frankfurter Allee auf, ließ die Möbel bei einer Spedition einlagern. Die bürgerliche, zivile Existenz war damit fürs erste annulliert. Er wollte nach dem Krieg nicht mehr nach Lichtenberg zurück; er hatte auch der Krankenkasse seine Zulassung zurückgegeben und damit sein wirtschaftliches Fundament geschwächt. *Aber wohin, wohin? (siehe Schuberts Wanderer.)*

Der Krieg rückte nahe an ihn heran, nicht nur in Form von rapide vermehrter ärztlicher Arbeit, sondern auch akustisch. Die Schlachten um das rund 100 Kilometer entfernte Verdun konnte er mithören, *und so stark war die Kanonade tags und nachts, daß bei uns die Scheiben zitterten, daß wir Trommelfeuer unterschieden, ganze Lagen, Explosionen; ein ewiges Dröhnen, Bullern, Pauken am westlichen Himmel.* Allerdings wurde er nicht, wie die meisten seiner Kollegen, unmittelbar hinter die Front verlegt. Er saß jahrelang auf dem gleichen Fleck in Saargemünd, weil er wegen eines chronischen Magenleidens als *nur garnisonsdienstfähig* geschrieben war.

Deutsche Truppen hatten das befestigte Dorf Douaumont bei Verdun erobert und waren zum Ausruhen in die Etappe verlegt worden. Sie berichteten von ihren Strapazen, und der Militärarzt kam, Ende März 1916, zum ersten Mal aus seiner Reserve: *Sie erzählen von den ungeheuren, von uns kaum ausdenkbaren Strapazen der Lagerung in nassen Wäldern, des Hungerns und Dürstens beim Vorrücken, weil keine Küchen nachkommen (tagelang!), Wassertrinken aus Granatlöchern, in denen Grundwasser erscheint –, Schneeessen.* Eine gefährliche Abwechslung gab es durch Fliegerangriffe auf Saargemünd im November 1916. Die Döblins rückten, oft genug, mit den beiden Kindern und den Manuskripten in den Keller, um das Bombardement abzuwarten.

In Gedanken war der Schriftsteller auf einer anderen Bühne. Er orientierte sich von Krieg und Lazarett weg nach Berlin (zu dem er gerade als Arzt die beruflichen Brücken abgebrochen hatte). In diesem Monat trat, aus Überarbeitung in jeder Hinsicht, eine erzwungene schriftstellerische Pause ein, und die hielt Döblin am wenigsten aus: *Ich habe keine Erinnerung daran, jemals ganze Monate so rasch und spurlos verschwinden gesehen zu haben wie jetzt; es lohnt sich kaum aufzustehen; der Tag ist mit Tätigkeit so vollgestopft und zwar genau regelmäßig wiederkehrender, daß ich wie das gedankenlose, sauber gearbeitete Rad eines Automaten funktioniere, oder wie der Groschen in einem Automat; morgens werde ich reingeworfen, ein Tag kommt raus, abends holt man mich wieder; morgens u.s.w.* Es fiel ihm selbst auf, dass er immer noch in Saargemünd saß und seinen Dienst ableistete, wogegen die meisten Kollegen anderswohin beordert worden, an der Front gefallen oder im Feld waren. Insgesamt bleibt eigenartig, wie wenig der Augenzeuge der Beschädigten und Verletzten, der Sterbenden, der Schrecknisse, der seelischen Wunden, der menschlichen Ausweglosigkeit über den Krieg selbst schrieb. Zwar werden viele seiner Briefe länger und füllen sich mit diesem Stoff, aber es gibt darin vor allem anderen die Kürzel, die von der ermüdenden Wiederholung des Immergleichen spricht. Vom Krieg und von der Arbeit im Lazarett ist meistens eher von einer Belästigung als einer seelischen Last die Rede. Kein einziger Brief ist überliefert, in dem er sich freimütig über seine Pein und seine inneren Notlagen ausgesprochen hätte – abgesehen von den Episteln an Herwarth Walden, die in die Nähe seiner seelischen Dispositionen kommen, die aber das unverblümte Bekenntnis nicht nötig haben. Weder in der – spärlich genug – erhalten gebliebenen Korrespondenz noch in einem noch so kurzen Artikel kam er auf sein ursprüngliches ärztliches Betätigungsfeld zu sprechen: die Psychiatrie. In den Erzählungen *Die Lobensteiner reisen nach Böhmen* wird zwar von Wahn und Irrsinn, von Ticks und Besessenheiten berichtet, aber nicht unter dem Blickwinkel des Militärarztes, der im Lazarett das nervöse, zitternde, heulende Aufgebot an gestörter Psyche vor Augen haben musste. Die Attacken der geschädigten Nerven, des zwanghaften Verstummens, des katatonischen Stupors, die qualvolle Repetition des erlebten Grauens, die Symptome der Kriegsneurosen können Döblin ebenso wenig verborgen geblieben sein wie das Verhalten der meisten Militärpsychiater, die ihre Patienten als Simulanten bezeichneten oder ausmusterten oder zurück an die Front trieben. Sie hat Sigmund Freud 1918 mit »Maschinengewehren hinter der Front« verglichen. Und da Döblin oft genug in diesen Jahren Zeit gehabt hätte, um eine unmittelbare Niederschrift traumatischer Erlebnisse anzugehen, muss man sich fragen: War er selbst ein unberührbarer Pygmalion?

Es verhält sich jedoch in Wirklichkeit ganz anders: Er suchte die Antwort im Erzählen. Nur der Epiker ließ den Anprall zu und konnte ihm widerstehen. Erst die große Anlage, der gewaltige Wurf, die Stoffmasse, die Unzahl der Figuren, das Ereignispanorama ermöglichten ihm, das eigene Ich in Stellung zu bringen. Der Großepiker ist die Entgegnung auf das Großereignis des Krieges. In *Berlin Alexanderplatz* wird Franz Biberkopfs Kriegsneurose von den Stellungskämpfen in Arras hergeleitet, Friedrich Becker in *November 1918* hat Anfälle infolge seiner Kriegsverletzungen, Edward Allison im Roman *Hamlet oder Die lange Nacht nimmt ein Ende* ist das Opfer eines Luftangriffs japanischer Kamikaze-Piloten. Und in diesem letzten Roman Döblins wird auch der Bemühung der Psychiater gedacht: *Sie drangen in langsamer Minierarbeit durch die Wälle, die die Seele um sich geworfen hatte, und schlugen Breschen in die Mauer, hinter der sie sich versteckte.*

Er tastete sich in Stoffen vorwärts. Die gültige Antwort auf den erlebten Krieg ist der zweibändige *Wallenstein,* der nur angeblich in seiner historischen Epoche und nur indirekt im Jetzt spielt, vielmehr in einer epischen Eigenzeit, in der die Masse des Erzählten und das Wurzelgeflecht der Gegenwartsbezüge zu ihrem Recht kommen. Döblin umriss die Titelfigur Wallenstein in einem Brief an Gustav Klingelhöfer als modernen Industriekapitän des Todes, als *Hochindustrialist, Großkapitalist, der die damalige Welt vom Geld aus aufrollt.*

Seine Ungeduld im Frühjahr 1916 und in den folgenden Monaten bis zum Herbst war riesengroß. Er las Heinrich Manns Drama »Die große Liebe« und fertigte es als *gräßliche Wassersuppe* und als *so ohnmächtige Plempe mit Kleister* ab. Über den *Wang-lun* vermisste er kaum eine Woche nach dem Erscheinen des Buches bereits das Presseecho und beauftragte einen Ausschnittdienst zur Beschaffung der Rezensionen (die denn auch reichlich flossen). Über die *Lobensteiner* häufte er den Zweifel, ob ein günstiger Zeitpunkt für die Veröffentlichung gegeben sei. Die Verbindung zu Bekannten und Freunden war spärlich oder abgerissen: Sein *recht solides chronisches Magenleiden, so peu à peu zugelegt,* machte ihm zu schaffen; er musste Diät halten und konnte nicht nach Berlin fahren. Döblin schickte ein Foto von sich an Walden; da er keinen Heimaturlaub nehmen konnte, wollte er wenigstens in effigie anwesend sein. Kurt Neimann schickte nach einer dreivierteljährigen Unterbrechung wieder eine Postkarte. Wie nervös verstimmt Döblin war, geht aus einer Nichtigkeit hervor, die sich über zwei Briefe dehnt: Walden hatte ein (mittelmäßiges, keineswegs der Wortkunst-Theorie folgendes) Romänchen veröffentlicht und versäumt (oder unterlassen wollen), es mit einer Widmung nach Saargemünd zu schicken. Döblin machte daraus eine Freundschaftsaffäre. Nachfragen galten Albert Ehrenstein, der im zweiten Halbjahr 1916 als Lektor bei Fischer arbeitete. Von ihm versprach sich Döblin einiges, aber er wollte gegenüber Walden nicht damit herausrücken.

Im Mai 1916 hatte er nichts anderes als Überdruss und Passivität mitzuteilen: *Im übrigen: ich bin gänzlich faul und unfruchtbar.* Zwei Monate nach Erscheinen des *Wang-lun* gab es noch immer kein Presseecho. Er mokierte sich wieder einmal (wie schon öfter zuvor) über den elsässischen Schriftsteller René Schickele, der aus pazifistischer Gesinnung nach Zürich geflohen war: *sehr deutschfreundlich ist der Herr mal sicher nicht.* Am wenigsten vertrug er den literarischen Müßiggang. Gegenüber seinem immer noch Vertrauten

Walden am 10. Juli 1916: Er sei *wehrlos, als wenn mir die Knochen kaputt wären.*

Mitte 1916 rechnete er mit dem Ende des Krieges vor dem Winter (um sich einen Monat später schon wieder zu korrigieren). Aber er wagte zum ersten Mal einen prognostischen Blick für die Zeit danach und für die Folgen des Krieges. Er sah innere Kämpfe in Deutschland voraus, vor allem gegen die ostelbischen Großgrundbesitzer, und Auseinandersetzungen in Europa mit dem Feudalismus, *die Politik wird uns Unpolitischen dann hoffentlich auch etwas in die Knochen fahren.* Zum ersten Mal regte sich bei ihm ein Anflug von politischer Opposition und eine vage sozialistische Gesinnung. Dabei wollte er keinesfalls die Position eines expressionistischen Geistespolitikers à la Kurt Hiller einnehmen. Lieber vollführte Döblin einen Stirnerschen Rundumschlag: Er sei *gegen Börsianer, Sozialdemokraten, Agrarier, Litteraten, aber die Reste des Feudalismus in Heer, Bürokratie müssen hin – auch sie müssen hinter den Njemen und die Düna zurückgedrängt werden.* In diesen verbalradikalen Negationen, datiert auf den 10. Juli 1916, taucht zum ersten Mal ein Inhaltskern jener Überzeugungen auf, die Linke Poot alias Döblin in den frühen zwanziger Jahren bestimmten.

Der Arzt wurde selbst zum Patienten. Das schmerzhafte Magenleiden entwickelte sich zu einer chronischen Erkrankung. Wochenlang lag er im Bett und musste fasten. Am 15. Juli 1916 wurde er zu einer Kur nach Bad Kissingen geschickt. Sie schlug an, und Döblins Zustand besserte sich, ohne endgültige Behebung des Leidens. Mitte August kam er zurück, er wollte endlich wieder *ziviler Mensch sein.*

Im übrigen wurde in Bad Kissingen der Keim zu einem neuen Roman gelegt. In der Zeitung entdeckte der Autor eine Annonce, die für Gustav-Adolf-Festspiele warb. Vermutlich handelte es sich um die Abbildung eines alten Stiches. Ein fixes Bild kam in ihm auf, brachte ihn auf historische Spuren: *Gustav Adolf mit zahllosen Schiffen von Schweden über die Ostsee setzend. Es wogte um mich, über das große graugrüne Meer kamen Schiffe; durch die Bäume sah ich sie aus Glas fahren, die Luft war Wasser. Dies bezwingende, völlig zusammenhanglose Bild verließ mich nicht.* Fortan studierte er die Geschichte des Dreißigjährigen Krieges. Im Oktober teilte er dem damaligen Fischer-Lektor Albert Ehrenstein mit, dass er wieder begonnen habe, literarisch zu arbeiten. Er wollte mit der Stoffbeschreibung noch nicht herausrücken, aber es ist klar: Er hatte mit den Vorarbeiten zum *Wallenstein* begonnen. Er hatte allerdings Schwierigkeiten bei der Materialbeschaffung: die Universitätsbibliothek von Straßburg lag verhältnismäßig weit weg, er konnte nur auf umständliche Bücherlieferungen setzen, war aber seit dem *Wang-lun* gewohnt, sich in Berge von historischem Material zu vergraben, bis er, bildergesättigt, seine Niederschrift beginnen konnte. Er kam deshalb nur langsam vorwärts, jedenfalls nicht so schnell, wie er es wünschte. Im Oktober 1916 seufzte er: *Ich habe in den letzten zwei Monaten kaum soviel gesammelt wie in Berlin in zwei Wochen.* Gerade zu dieser Zeit türmten sich die Schwierigkeiten wegen des *Lobensteiner*-Bandes. Im Dezember 1915 hatte er mit dem Georg Müller Verlag abgeschlossen.

BEMERKUNGEN ZUM ROMAN

Im Januar 1917, zwei Monate hatte er nichts von sich hören lassen, konnte er Freund Walden stolz berichten, der *Wang-lun* werde in der dritten und vierten Auflage gedruckt, sei auch ins Dänische und Norwegische übersetzt. Mit dem neuen Romanprojekt habe er *breiteres Fahrwasser gewonnen,* was darauf schließen lässt, dass er bereits über die Vorarbeiten und Recherchen für den *Wallenstein* hinaus war und sich in der Clarté der Vorstellungskraft befand: für ihn war das *ein Seelenzustand von einer besonderen Helligkeit, gar nichts Dumpfes, sondern eine ungewöhnliche geistige Klarheit, in der alles wie enträtselt ist und man das Gefühl hat wie Siegfried, als er am Drachenblut leckte: man versteht alle Sprachen und überhaupt alles.* Aber diese Folge von imaginativen Momenten, ausgelöst durch das Materialstudium, bedurfte noch der Initialzündung des einen, einzigen, festsitzenden Anfangssatzes. Er hat diesen Glücksmoment noch ein Jahrzehnt später nacherzählen können. Als er sich lesend bei den Hofchargen am Kaiserhof in Wien aufhielt, habe sich der Schlüsselsatz eingestellt: *Nachdem die Böhmen besiegt waren, war keiner darüber so froh wie der Kaiser. Noch hie hatte –.* Damit habe er die Spur gehabt, *das war der Anfang meines Buches, die Melodie und der Rhythmus waren da, ich konnte anfangen, mir konnte nichts mehr passieren.*

Wieder einmal revidierte er seine schwankenden Auffassungen über ein Kriegsende und dessen Voraussetzungen. Für dieses neue Jahr rechnete er nicht mit Frieden: Die deutsche Armee könne im Westen den Stellungskrieg nicht beenden. Die Siege und der Bodengewinn im Osten führten nicht zum Frieden, der Schlüssel liege im Westen. Es ist der Grundgedanke seines Wallenstein, dem er mit seinem Schwanken anhängt: dass der Krieg aus mehreren Kriegen bestehe, aus einer Verworrenheit der Handlungen und dass er nur schwer zu beenden sei, weil auf jeden Krieg ein weiterer folge. Noch immer glaubte er an eine Raison der Waffen, aber unter verschobenem Blickwinkel: *Jetzt nicht mehr siegen um zu siegen, jetzt überzeugen mit Waffen. Sonder-*

frieden ist und bleibt die Devise. Aber die Bedingungen für Separatverhandlungen mit Russland waren noch lange nicht eingetreten: trotz großer Verluste waren die zaristischen Armeen handlungsfähig und keineswegs besiegt. Die Entente hat im Januar trotz der Friedensstimmung auch in ihrer Bevölkerung ihre Kriegsziele bekanntgegeben. Frankreich wollte die Zerschlagung Deutschlands und die Rückgabe Elsass-Lothringens, England die deutschen Kolonien aufteilen, die deutsche Flotte auflösen und den Außenhandel Deutschlands einschränken.

Im Märzheft 1917 der »Neuen Rundschau« gab Döblin wieder ein Lebenszeichen von sich; er trat mit einem kleinen Essay zurück auf eine Bühne, wo die großen Themen als Gelegenheitsartikel, die apodiktischen Wahrheiten als Beiläufigkeiten verhandelt werden. Seine *Bemerkungen zum Roman,* vier Druckseiten kurz, kamen wie eine Marginalie daher, aber sie hatten Sprengkraft. Döblin wollte dem modernen Roman einen Großraum erschließen und ihn von dem Debakel erlösen, das er im Wettbewerb mit der Zeitung, dem Film und dem Drama – pauschal: mit den Medien – erlebte. Döblin schrieb an gegen einen Typus von Prosa, der auf einem rationalistischen Grundriss ein übersichtliches Gebilde von bequemer Verständlichkeit baut, in dem das Erzählen an einen Vorwärtsgang und an eine Heldengeschichte geknüpft ist. In solchen Elaboraten geläufiger Machart, von ihm als *Tagesroman* verachtet, sah er erstaunlicherweise etwas Französisches. Damals scheinen ihm einschlägige Kenntnisse über die Literatur des politischen »Erbfeindes« noch gefehlt zu haben. Hätte er Flauberts »Salammbô« gekannt oder wenigstens Heinrich Manns Essays über Flaubert und George Sand oder über Stendhal, wäre ihm vielleicht manches Ziel früher vor Augen getreten.

Im *Tagesroman* sah er jene große Kunst versickern, die über die Absicht des Kunstmachens weit hinausgreift. Er führte für sich die mächtigsten Referenzgrößen an: Homer und Cervantes, Dante nicht zu vergessen, den frisch für sich entdeckten Charles de Coster. Mit ihnen fand er zum Eigenen: das Epos, das nicht durch den einzelnen Lebenslauf hetzt, nicht ein »Voran« zum Ziel hat, das vielmehr den Stoff verdichtet, das bestimmt ist vom Willen des Erzählers, zu *schichten, häufen, wälzen, schieben.* Der Text schloss an das *Berliner Programm* an, aber er hatte einen anderen Widersacher: nicht mehr Marinettis Futurismus, sondern den mittelmäßigen Romancier und Aktualitäten-Schriftsteller. Wen er damit vor Augen haben konnte, geht aus einer Kritik hervor, die er November 1920 veröffentlichte: Ein scharfer Verriss gilt dem Roman »Der 9. November« von Bernhard Kellermann, er nannte das Buch *verderbt,* ein *Blendwerk,* Kunst à la *Makart,* also eine entliehene Stilgebärde. Die *Bemerkungen zum Roman* waren nichts anderes als eine Selbstverpflichtung zum herostratischen Neuerertum und enthielten auch einen Verweis auf den Musikliebhaber Döblin; zwischen einem Register an Arien in der Oper und dem Gesamtkunstwerk Wagners wollte er seinen Roman ansiedeln. Das artifizielle Werk mit seiner unverletzlichen Aura galt ihm gar nichts. Von daher kommt das geflügelte Wort, das jeder Döblin-Leser im Munde führt: *Wenn ein Roman nicht wie ein Regenwurm in zehn Stücke geschnitten werden kann und jeder Teil bewegt sich selbst, dann taugt er nicht.* Merkfähiger als zuvor wurde damit sein *Döblinismus.* Man muss sich den Militärarzt vorstellen, der über die Krankenakten hinweg eine Literatur am Horizont der abendländischen Epik anvisiert. Bezwingender könnte die Energie nicht sein, die diese Kluft übersprang.

Mehr als mit dem Ersten Weltkrieg hat sich Döblin mit dem Roman, der Rolle des Erzählers und der Bestimmung des Stils befasst. Seit seinem Manifest *An Romanautoren und ihre Kritiker* (1913) ließ ihn dieses Thema nicht mehr los. Ende 1917 publizierte er, mitten aus der Arbeit am *Wallenstein* heraus, einen weiteren Artikel *Über Roman und Prosa.* Er kreist um das Verschwinden des Erzählers. Er wandte sich gegen eine reflektierende oder räsonierende Instanz. Im Roman müsse alles sich selbst überlassen werden: *Man schuldet das seinen Gestalten, seinen Geschöpfen. Unmittelbares Sprechen heißt hineinreden, unterbrechen; mittelbar spricht der Autor, das heißt: er gestaltet. Der Romanautor muß vor allem schweigen können; dies hält er sich Satz für Satz vor. Mit angehaltenem Atem, ganz lautlos, folgt er dem Leben seiner Figuren wie ein Naturforscher dem Spiel zarter, scheuer Tiere.* Die einzelnen poetologischen Texte treten seit 1917 zu einem dichten Geflecht zusammen. Bis 1919 ist es mit seinen prägenden Linien fertig. In seine Entstehungszeit fällt die Niederschrift des *Wallenstein*-Romans, für den es einige Begründungen sammelt. Aber was war da zuerst: der Roman oder die programmatische Prosa? Wahrscheinlich hat der Schriftsteller von seinem Roman, dem unwillkürlichen Gebilde, gelernt, von diesem Sturzbach an Figuren, historischer Materie und erfüllter Phantastik.

VERSETZUNG

Im April 1917 provozierte Döblin, halb gegen seine Absicht, einen schwerwiegenden Konflikt mit seinen militärischen Dienstvorgesetzten. Er monierte die unzureichende Versorgung der Kranken im Garnisonsspital und machte den kgl. bayerischen Oberstabsarzt Dr. Friedrich Ott dafür verantwortlich. *Meine Patienten hatten über Hunger geklagt. Ich hatte ihre Gewichte und die Speisen lange sorgfältig nachkontrolliert, der Nährwert der Speisen war mir ungenügend erschienen. In der Küche schienen mir sonderbare Dinge vorzugehen, mein unmittelbarer Chef hatte die Sache auf die leichte Schulter genommen.* Angeblich hatte er Ott die Sache bereits vorgetragen, war aber abgewiesen worden und suchte nun um eine Audienz beim obersten Chef nach. Döblin wandte sich mit seinem Unmut direkt an den in Saarbrücken residierenden Generalarzt Dr. Rudolf Johannes. Der putzte ihn herunter, forderte die Einhaltung des Beschwerdewegs, entzog sich der inhaltlichen Diskussion. Der Konflikt zwischen dem Zivilisten Döblin und dem Kommisskopf war entbrannt und nicht mehr zu umgehen: *Ich stand spontan auf, wiederholte: ich hätte geglaubt, ihm von den Klagen meiner Patienten berichten zu müssen, zum mindesten zu dürfen; ich war erregt; der Mann machte trotz seiner Schneidigkeit einen scheußlichen Eindruck auf mich. Selbst wenn Alles falsch war von dem, was ich vortrug, mußte er, der Arzt, den Fehler in den Formalien übersehen und der Sache nachgehen; ich war ordinierender Arzt.* Die Szene hat sich ihm eingebrannt. Er sah die Feinde Deutschlands 1919 nicht auswärts, sondern in Ärzten, die mit der Reitpeitsche durch die Krankensäle liefen, und Pastoren, die am liebsten Dienst mit der Waffe schoben. Das Unrecht, das er erlebt hatte, war noch 1926 *in sein Gedächtnis eingebrannt.* Die Verhältnisse im Militärlazarett wurden trotz des schweren Rüffels, den ihm der Generalstabsarzt angedeihen ließ, untersucht und besserten sich nach Aussage Döblins wenigstens zeitweilig. Er reichte einige Tage nach den Auseinandersetzungen ein Urlaubsgesuch ein, aber ihm wurde nicht stattgegeben. Stattdessen wurde er wegen einer Nervenkrise als dienstunfähig gemeldet. Schon in dieser Episode zeigt sich ein typisches Verhalten: Das soziale Engagement des Arztes, in der Beschwerde offenkundig, bleibt außerhalb der Sprachmacht des Erzählers, ist eine Anekdote, nicht mehr, ist so selbstverständlich, dass es nicht eigens in künstlerischer Prosa besprochen werden muss.

Dreieinhalb Monate nach seinem letzten Brief schrieb er am 26. April 1917 wieder an Walden – aus dem Offizierslazarett in Heidelberg. Man hatte ihn dorthin verlegt, aber nicht als Arzt, sondern als Patient. Er hatte sich wegen seines Magenleidens einen Tag zuvor einliefern lassen, und man hatte ihn zunächst wegen des Verdachts eines Geschwürs am Zwölffingerdarm aufgenommen. Aber diese Diagnose erwies sich als falsch. Er hatte Typhus, in einer leichteren Form, weil er dagegen geimpft war. Es ging ihm nicht schlecht: Er war der häuslichen Enge, den ehelichen Auseinandersetzungen und dem Kindergeschrei entronnen. Das Lazarett war in einem Hotel auf dem Schlossberg untergebracht, und es fehlte an nichts, was der Standesdünkel der Offiziere forderte. Er wurde in Heidelberg im April und Mai 1917 stationär behandelt.

Am 20. Mai 1917, einen Tag vor der Rückkehr ihres Mannes aus dem Offizierslazarett, gebar Erna Döblin ihren dritten Sohn im Keller während eines Fliegerangriffs; er wurde auf den Namen Klaus getauft. Ihre Mutter war aus Berlin gekommen, um Beistand zu leisten, und wenigstens in einem einzigen der Briefe Döblins wird sie, wenn auch ironisch, gemustert: *Meine Schwiegermutter sollte in meiner Abwesenheit da sein, – die kann auch kein Geschrei hören, obwohl die Person halb taub ist. Ich empfahl ihr, nicht immer zum Ohrenarzt zu laufen, dann wird sie das Geschrei schon (nicht) hören können. Sie ist eine Gemütsathletin und ich kann nicht mit ihr boxen.*

Als er wieder in Saargemünd eintraf, hallte die Saarbrücker Affäre nach: sein Abschied war bereits verfügt. Anfang Juni raffte er sich erneut zu einem Bericht an Herwarth Walden auf. Mit einem Anflug von Galgenhumor schrieb er über die Geburt des weiteren Sohnes: *Jetzt habe ich drei; was soll daraus werden; ich hab genug; ich bin als Militärarzt angestellt, – nicht aber zur Beseitigung des Geburtenrückgangs!* Ein wenig Entspannung in der häuslichen Situation hatte er erzielt: er lebte *in absoluter Tag- und Nachtruhe* in einem Zimmer zwei Stock höher, außerhalb der Familienwohnung.

Er wurde zum Seuchenlazarett Hagenau beordert und zog mit seiner Familie Anfang August 1917 in die 75 Kilometer entfernte Stadt. Hagenau war ungefähr so klein wie Saargemünd. Er lebte mit seiner Familie in der dortigen Schanzstraße; der fünfjährige Peter und der halb so alte Wolfgang besuchten eine katholische Kleinkinderschule.

Die Versetzung galt dem Militärarzt, der Schriftsteller profitierte davon: Straßburg mit seiner Universitätsbibliothek war nun nicht mehr als 30 Kilometer entfernt, und die Arbeiten am *Wallenstein*-Roman konnten erheblich vorangebracht werden. Auf den Vorfall hat Döblin in seinen Äußerungen nur angespielt; erst 1926, lange Zeit danach, gab er eine öffentliche Darstellung der Affäre, und zwar ausgerechnet in einem Bericht, der *Ferien in Frankreich* beschrieb; in einer längeren Abschweifung kam er auf die Vorfälle in Saarbrücken zurück.

ERSTE BEFREIUNG

Seit Februar war in den Sperrgebieten um Großbritannien und im Mittelmeer der unbeschränkte U-Boot-Krieg mit der Versenkung von Handelsschiffen auch neutraler Staaten im Gang. In Russland gab es Unruhen und Generalstreik. Mitte März ging die 700-jährige Herrschaft der Romanows zu Ende. Im April vollzogen die Vereinigten Staaten ihren Kriegseintritt auf Seiten der Entente. Im gleichen Monat sorgte Ludendorff für den Transit Lenins und 30 weiterer Revolutionäre aus der Schweiz nach Osten mit der Absicht, die Lage in Russland zu destabilisieren. Am 3. Juni reiste eine deutsche Delegation unter Führung des Sozialdemokraten Philipp Scheidemann zum Internationalen Sozialistenkongress nach Stockholm, um Möglichkeiten für Friedensverhandlungen zu sondieren. An diesem Tag äußerte Döblin gegenüber Walden verhaltenen Jubel über die Entwicklung: *Die Weltlage erfüllt mich mit großem Vergnügen; man wird hoffentlich diesmal einen Frieden mit großer Voraussicht schließen; ich spucke auf ein Kohlenbergwerk, wenn man es mit 100 000 Leichen und ebenso vielen anderen Werten zu bezahlen hat.* Das war ein verdeckter Hinweis auf Lothringen: Döblin fand es, um des Friedens willen, anscheinend besser, das Land zurückzugeben, als mit weiterem Stellungskrieg zu zahlen.

Die Bekanntschaft mit Wilhelm Lehmann, eine zuverlässige Verbindung auf der Basis großer Wertschätzung, ist erstmals mit einem warmherzigen Brief Döblins von Anfang Juni 1917 bezeugt. Lehmann hatte ihm seinen Roman »Der Bilderstürmer« mit Widmung übersandt, und er bedankte sich überaus freundlich dafür. Allmählich geriet Döblin auch wieder in die Kabalen des Literaturbetriebs: im Juli ironisierte er den Aktivisten Ludwig Rubiner und sein in Zürich erscheinendes pazifistisches »Zeitecho« mit giftigem Lob, machte Theodor Taggers luxuriös ausgestattete Zeitschrift »Marsyas« (in der er selbst publizierte) als dünnes Elaborat herunter, höhnte Heinrich Mann und René Schickele, die dort wegen ihrer Systemopposition als »geistige Führer unserer Zeit« vorgestellt wurden, stempelte nebenbei eine nebensächliche Zeitschrift zur Nebensächlichkeit ab, erging sich in Sottisen gegen einen Herausgeber, der von ihm einen kostenlosen Beitrag erbeten hatte. Mit einem Wort: Der Polemiker war wieder erwacht und gab seine stürmischen Lebenszeichen von sich. Döblin wollte offensichtlich ohne weitere Verzögerung nur nach Berlin und nahm dafür auch demokratischen Comment in Kauf: *Und jetzt: der Parlamentarismus; ich bin* sehr sehr sehr sehr *dafür, noch sechsmal mehr* sehr. *Sieh zu, was Du dazu tun kannst!* Zu diesem Zeitpunkt machte Herwarth Walden jedoch noch deutschtümelnde Kriegspropaganda. Zum ersten Mal erklärte sich Döblin also – und mit überraschender Emphase – für die Republik. Mit Inhalt gefüllt war diese Parole noch nicht: sie war nur ein Erkennungssignal, aus der Opposition gegen den militärischen Feudalismus und gegen die Ostelbier entstanden.

Er war begeistert von den russischen Ereignissen vom 18. März 1917: Abdankung des Zaren, Umwälzung. Er verstand die russische Revolution als *Hinwendung zum Menschlichen und Würdevollen,* die Französische Revolution aber als *fratzenhaft aufgeregt*. Er wollte sich durch die russischen Geschehnisse mitreißen lassen, vertrat aber schon früh für Deutschland die Idee einer *dritten Revolution (...) der Gesinnung*, die nicht in einer politischen aufging. Er hatte mehr als genug vom Krieg.

In der »Neuen Rundschau« veröffentlichte er im August 1917 ein flammendes Bekenntnis zur Revolution, noch wie sie unter Kerenski und seinen liberalen Menschewiki agierte, der im Juli die Übergangsregierung, die zwischen Februar und Oktober 1917 arbeitete, übernommen hatte. Enthalten ist darin noch keine Aussage über den Bolschewismus. Ihn konnte er noch nicht vor Augen haben, als er die russische Revolution feierte. Aus der Veränderungskraft, die er in Russland feierte, strahlten zwei Botschaften für die Verhältnisse in Deutschland ab: die Hoffnung auf ein Ende des Krieges und auf eine Erneuerung der Gesellschaft auch hierzulande. Von einem Umsturz im eigenen Land konnte Döblin wegen der Kriegszensur nicht direkt sprechen, die Zeitschrift hätte ihre Existenz riskiert. Aber an das fremde Beispiel konnte man jede Erwartung heften. Döblin redete sich ins Pathos hinein: *Nach dem Kriegstoben, einem Über-, Übermaß von Explosionen, nein mitten im unirdischen unterirdischen Getobe eine Bewegung unbezwingbar nach vorwärts, eine ungeheure Menschlichkeit, nackt schamlos wie jener dunkle Brand, sich schüttelnd unter den Flammen, nach den Flammen greifend mit bloßen Fingern als wären es Schlangen. Ich brauche Stunden, Tage, um dieses Traumgesicht zu fassen, ich habe es noch nicht gefaßt, noch immer nicht.* In diesem Essay *Es ist Zeit!* griff der Ironiker zu apokalyptischen Bildern, verglich die Revolution mit einem alles verzehrenden Brand, durch den Zukunft entstehe. Er erhöhte die täglichen Machtkämpfe zwischen der liberalen Regierung und den bolschewistischen Räten in Russland zum weltgeschichtlichen Ereignis: *Nichts was diese Generation erlebt hat, läßt sich, fühle ich, an Größe vergleichen mit diesem Augenblick.* Das Pathos wirkt auffällig abstrakt, der demonstrative Jubel über den Umsturz anderswo sollte den ersehnten im eigenen Land unausgesprochen mitformulieren, und das führte zu einem (bei Döblin höchst seltenen) Überschuss an Schwulst. Er hält es für nötig, dass Deutschland des *Feuers* gewärtig werde. Immerhin schob er einige Bemerkungen über die innenpolitische Situation in seinen panegyrischen Text ein. Er bemerkte eine durch den Krieg erzeugte »Volksgemeinschaft«, die vordem schon Toller wahrgenommen hatte: die Gesellschaft erschien ihm nicht mehr durch Stände und Klassen definiert, sondern durchwirkt von einem Gemeinschaftsgefühl, das nach dem Krieg eigene Forderungen stellen werde: das wollte er voraussehen. Den Begriff setzte er in aller Unschuld ein, wie er ihn bei der Lektüre Schleiermachers kennengelernt haben mochte. Den »Volksgenossen« haben die Nationalsozialisten bei Gründung ihrer Partei erst zwei Jahre später mit völkischen, rassistischen Wertungen zum Kampfbegriff aufgenordet. In den Sätzen von *Es ist Zeit!* gibt es einen Gegner, der immer wieder umschrieben, aber niemals mit einem Namen kenntlich gemacht wird: den Geistigen. Er ist der müde Krieger: *Da gehen sie herum mit ausgebeutelten Hosen, mit hängenden Schultern; sprechen aus schlaffen Mündern ernste Phrasen, teilnahmslos. Ein Blick zeigt das Ganze, Gedrückte, das in dieser Erdzone mit dem Namen Geist verbunden ist.*

Wen könnte Döblin vor Augen gehabt haben, indem er die *Geistigen* in Deutschland als unsicher und müde, verbraucht und unbeweglich kennzeichnete? Wohl nicht Franz Pfemfert, der die »Aktion« verantwortete; auch nicht Kurt Hiller mit seiner aktivistischen Geistespolitik, der 1916 im Verlag Döblins, bei Georg Müller, das erste seiner fünf »Ziel«-Jahrbücher herausgegeben hatte, und gewiss auch nicht Heinrich Mann, der Ende Mai 1917 im »Berliner Tageblatt« seinen eindrucksvollen Essay »Das junge Geschlecht« veröffentlichte, worin er die Grenze des politisch Sagbaren viel strategischer auslotete als Döblin mit seiner aufflammenden Revolutionsemphase. Gibt es in der mangelnden Zuordnung des mit Enttäuschung gemusterten Typus einen heute nicht mehr ganz nachvollziehbaren Subtext, der auf Herwarth Walden hinzielte? Spielt da eine verschwiegene Auseinandersetzung über den Parlamentarismus hinein, zu dem sich der Autor, kurz bevor *Es ist Zeit!* erschien, bekannt hat, versehen mit der Aufforderung an den Freund: *Sieh zu, was Du dazu tun kannst!* Auffällig geschäftsmäßig ist ja der Ton in den wenigen Briefen an Walden, die noch bekannt wurden. Ist damals und dadurch eine Meinungsverschiedenheit zum Anfang einer rasch fortschreitenden Entfernung voneinander geworden, nachdem schon der Abschied vom »Sturm« vollzogen war?

Döblin hat sich erst spät wieder journalistisch zum Krieg geäußert. Aber er behielt ein Gefühl für das Unangemessene der Äußerungen zum Krieg unter den Bedingungen der Zensur und dem Ereignis des Krieges selbst. Er stufte sich selbst ab: in einen eingreifenden Essayisten und in einen Romanautor. Der Erzähler habe sich, wie er Ende 1917 in dem kurzen Beitrag *Über Roman und Prosa* forderte, zum Verschwinden zu bringen: *Unmittelbares Sprechen heißt hineinreden, unterbrechen; mittelbar spricht der Autor, das heißt: er gestaltet.* Der Autor soll sich nicht mit Räsonnement im Roman hervortun, er soll hinter der Erzählung zurücktreten. Ganz anders wirkt der einredende Schriftsteller. Die Politik war nun nicht mehr nur etwas für Spießer, sie gewann bei ihm an Raum und Unabdingbarkeit. Einerseits also wird der Totenschein für den kommentierenden Erzähler ausgestellt, andererseits wird der Journalist und Essayist eine bestimmbare Größe. Gegen Ende des Ersten

Weltkriegs entsteht diese energetische Spannung, die das Rollenverständnis des gesplitteten Ichs prägt. In diesen zwei Jahren bis 1919 treten die poetologischen und die politischen Äußerungen mit gleichem Gewicht auf: Döblin begann, seine Auffassung vom Erzählen in gleicher Weise zu fixieren wie seine sozialen und politischen Überzeugungen, aber auf getrennten Bahnen, von zwei Polen her, in wechselseitiger Abgrenzung.

Im Rückblick, nicht einmal ein Jahrzehnt später, traten noch immer, sogar verschärfter als in den aktuellen Briefen, die deprimierenden Erlebnisse der Militärzeit hervor. Eine Episode blieb ihm im Gedächtnis; sie illustriert die Sinnlosigkeit des Krieges an einem Fall. Er wurde wegen eines Deserteurs als Sachverständiger vor das Kriegsgericht nach Straßburg bestellt und musste über den Mann aussagen, der bei ihm in Behandlung gewesen war. *Es war eine ganz unverständliche Prozedur mit Worterteilen, Vorlesen von Bestimmungen, automatisch trocknes Zitieren von Zeugenaussagen, die einen ganz weltfremden Stil hatten. Ich weiß nicht mehr, was draus wurde; gleich nach meiner Aussage entließ mich das Gericht.* Doch ließ er sich in den Fall auch nicht zu sehr verwickeln: Einzelheiten blieben ihm nicht im Gedächtnis.

In Hagenau war er außerordentlich beschäftigt. Er musste an zwei Kliniken arbeiten: im Militärhospital sowie in einem Provisorium, dem Lazarett Carmel des Vororts Marienthal. Außerdem war er für die Ausbildung der Krankenschwestern zuständig.

DIE LOBENSTEINER REISEN NACH BÖHMEN

Blenden wir noch einmal einige Jahre zurück. Nach Abschluss des *Wang-lun*-Manuskripts hatte sich Döblin, wie Oskar Loerke festhielt, »in einem Zustand der Apathie und Indifferenz« befunden. Er erholte sich beim Abfassen kleiner Erzählungen, die nicht unbedingt auf Fortschritte des Kurzgeschichtenschreibers schließen ließen, vielmehr seine Geläufigkeit und Sicherheit erprobten, und berichtete bereits am 21. Mai 1916 vom Korrekturlesen, zweifelte aber am Sinn einer solchen Publikation unter den gegebenen Verhältnissen: *Hoffentlich kommt das Buch nicht bald raus; denn was soll das jetzt?* Zwei Monate später bestimmten ihn noch immer die Zweifel, und er bat Walden um Rat, ob er dem Verleger zu- oder abraten sollte, das Buch im laufenden Jahr herauszubringen. Mitte November 1916 wurde diese offene Entscheidung von einem Faktum überholt: Müller hatte das Buch nicht rechtzeitig veröffentlicht und steckte in wirtschaftlichen Schwierigkeiten, außerdem war der Verleger selbst eingezogen worden. Nun besann sich Döblin doch auf Fischer und trat im gleichen Monat in Unterhandlungen mit dem Lektor Albert Ehrenstein. Auf dessen Vorstellung, S. Fischer könne das gedruckte Buch übernehmen, antwortete er im Oktober 1916 allerdings wiederum ausweichend: *Von Müller das Buch loskaufen lassen etc. kann ich erst dann, wenn ich von ihm irgendwie aufgeklärt bin; sein Schweigen ist mir aber auffällig. Pech habe ich mit Novellen!*

Im Januar 1917 wollte Döblin den Band doch an Fischer geben, aber Müller verweigerte die Zustimmung. Die *Lobensteiner* erschienen dann im Herbst 1917, versehen mit der Jahreszahl 1918. Rasch erschienen zwei weitere Auflagen, so dass Georg Müller gewiss ein Geschäft mit Döblins Geschichten gemacht hat. Von den wenigen Rezensionen, die zu der Sammlung erschienen, ist im Grunde nur eine bemerkenswert. Kasimir Edschmid erwies sich in der »Frankfurter Zeitung« Mitte des Jahres wohlvertraut mit Döblins Werk bis dato und fand einen interessanten Bezugspunkt: »Es gibt nur einen Vergleich: die Radierungen Max Beckmanns; auch dieser im ganzen mit unerbittlicher Wucht versessen, in seiner Graphik den Naturalismus so mit derben Griffen geistig zu vergewaltigen, bis das Gespenst herausschaut.«

Mit dem Müller Verlag häuften sich auch nach Erscheinen des Buches etliche Kalamitäten wegen der *Lobensteiner* an: Er erhielt zunächst kein Honorar. Nachdem eine zweite Auflage des *Wang-lun* nötig geworden war, erwog der S. Fischer Verlag offenbar, das Buch aus dem Georg Müller Verlag herauszukaufen. Aber Döblin bremste den Elan. Er wollte anscheinend die Konkurrenz zweier Verlage um ihn mit allen Mitteln erhalten.

DOKTOR DÖBLIN

Am 19. Januar 1918 starb in Berlin die frühere Geliebte und Mutter seines ältesten Sohnes Bodo, Frieda Kunke, im Virchow-Krankenhaus an Tuberkulose. Vermutlich hätte sie bei sorgsamer ärztlicher Betreuung oder vorheriger Impfung gerettet werden können. Das wusste Döblin aus seiner Tätigkeit im Seuchenlazarett nur allzu gut, und er hat sich – berechtigt oder nicht – wahrscheinlich Vorwürfe gemacht. Ihr Tod gab wohl den Anstoß für eine autobiographische Zustandsskizze, vermutlich Anfang 1918, in einer für ihn schwierigen Zeit verfasst. Alles war für ihn ungewiss: der Arztberuf, das Schreiben nach dem Krieg und dessen materielle Absicherung. Dazu kamen die Wirren seiner Ehe, die Sorge für die angewachsene Familie, die politische Lage, die gesundheitliche Verfassung. Die Gewissheiten über den Krieg waren verlorengegangen, in einem komplexen Prozess wandelte er sich zum Kriegsgegner.

Er brütete über seinem *Wallenstein*-Roman, noch ohne eine Vorstellung, wie er enden könnte. Er ließ sich vom Strom des Geschehens treiben und orientierte sich nur an zwei Polen, zwei Hauptfiguren, *um die sich diese gesamte, brodelnde Welt ballte: der Träger der Macht, der gewaltige und raffinierte, bedenkenlose General Wallenstein, dessen sich der Kaiser bedient und bedienen muß, und der fromme Kaiser selbst, Ferdinand, der andere, der schwach ist und immer schwächer wird und schließlich der bösen Gewalt völlig das Feld räumt.* Der Anblick der massenhaft Kranken, Siechen und Verletzten hat ihn gewiss niedergedrückt. So bezeichnen die Eingangssätze der Skizze eine innere Krise: *Es sind nicht leichte Erschütterungen und Erregungen, unter denen ich diese Lebensbeschreibung beginne, die mich treiben, sie anzufangen. Es ist ein unnatürliches körperliches Feuer, eine Hitze, der ich mit der Selbstbetrachtung, der Rückschau begegnen will. Mir hilft nicht Brom, ich kann nicht schlafen, mein Appetit ist wie erloschen. Ich muß nachdenken, das Drängen in meiner Brust besänftigen, die rastlose Unruhe, die mich über die Straßen und Plätze treibt und wieder auf mein Zimmer zurück, hinlegen, hinschweigen. Ich gehe und sehe kaum einen Menschen, ich verlaufe mich, da ich nicht nach dem Straßenschild blicke; gequält bin ich sehr, verfolgt. Und ich hoffe, verfolgt von mir selbst.* Hitze, Feuer, Brennen – das sind in dieser Zeit bevorzugte Vokabeln. Er konnte zu keiner Vaterinstanz aufblicken, die war aber ein Desiderat. Deshalb sprach er von seiner Sehnsucht nach einem Gott – *es ist ein schöner Gedanke,* noch nicht mehr. Seine Lebensumstände, von denen er nichts verriet, müssen ihn gequält haben. Das Manuskript der Skizze, 12 handschriftliche Seiten, bricht vorzeitig ab: hat er sie nicht fertig stellen können, oder hat sie sich durch einen Zufall nur fragmentarisch erhalten? Robert Minder fragte lakonisch: »Oder ist sie verstümmelt worden, ehe Frieda und Erna auftauchten?« Der autobiographische Text *Doktor Döblin* hat in seiner ersten Hälfte offensichtlich keinen Adressaten – er spricht für sich von einem seelischen Ausnahmezustand, der nicht erklärt, der nur registriert wird. Vom Tod ist die Rede, und er stellt sich selbst das Orakel: *Wie schmählich werde ich noch hinsterben. Wie meiner unwürdig wird da vieles sein.* Man glaubt zu vernehmen, dass er das Geschick Frieda Kunkes auf sich übertrug. Danach lieferte er, durchaus traditionell, Auskünfte über seinen Werdegang: Kindheit, Jugend, Studium, das Dasein des Arztes. Aber die Informationen sind mit der Einschränkung versehen, dass er nichts über sich schreibe, sondern über *Doktor Döblin.*

BILD

Er sah sich mit Beobachtungskälte von außen, betrachtete seine Physiognomie in einem erbarmungslosen Spiegel. Es handelt sich um sein erstes Selbstbildnis: um eine kühle Musterung, wie sie in einem Krankenbericht zu finden ist: *Dieser ziemlich kleine bewegliche Mann von deutlich jüdischem Gesichtsschnitt mit langem Hinterkopf, die grauen Augen hinter einem sehr scharfen goldenen Kneifer, der Unterkiefer auffällig zurückweichend, beim Lächeln die vorstehenden Oberzähne entblößend, ein schmales langes, meist hageres, farbloses Gesicht, scharflinig, auf einem schmächtigen, unruhigen Körper, – dieser Mensch hat kein bewegtes äußeres Leben geführt, dessen Beschreibung abenteuerliche oder originelle Situationen aufzeigen könnte.*

VOR DEM KRIEGSENDE

Anfang Januar 1918 legte der amerikanische Präsident Woodrow Wilson ein 14-Punkte-Programm für eine Friedensordnung vor, das die Reichsregierung unverzüglich ablehnte. Am 28. Januar streikte eine Million Arbeiter für einige Tage. Im Februar 1918 veröffentlichte Döblin in der »Neuen Rundschau« seine politische Lagebestimmung *Drei Demokratien.* Sie wartet in ihren längsten Abschnitten mit einer vollen Breitseite gegen England und seinen Premier Lloyd George auf. Der nutze seine rhetorischen Talente, um das englische Volk zu beschwatzen. Döblin nennt ihn einen *Abgrund von Bosheit und Verlogenheit,* George hege für seine Zuhörer nur *entschlossene Verachtung,* er sei *der Prediger des Hasses und der Verachtung.* Der Schriftsteller bewegt sich noch immer in den Schablonen des eifernden Nationalismus und einer lang erprobten England-Phobie; dort werde die Travestie der Demokratie praktiziert. Nicht einmal zu ahnen ist, wogegen sich Döblin inhaltlich wandte. Der politische Stoff war ihm noch immer fremd, einige moralistische Formeln halfen stattdessen aus. Die englischen Politiker betrieben Demokratie als *vulgäre Machtpolitiker.* Man brauche die englische Staatsform in Deutschland nicht, es komme auf etwas anderes an, nämlich *nehmet diese Männer weg, sie sind giftig, sie verderben die Atmosphäre Europas.* Döblin wagte sich an eine merkwürdige Prognose: Wenn man Deutschland an die Kehle wolle, dann werde der Friede im Innern wiederhergestellt werden: *Wir werden Ruhe, absolute Ruhe im Innern haben, unsere lärmenden Strudelköpfe werden wir in die Keller gesperrt haben, wohin sie gehören. Wir werden augenblicklich frei von ihnen sein. Wir versprechen, wir werden selbst in unseren Reihen, in den Häusern, auf den Straßen diejenigen massakrieren, die nur einen Hauch von Friedensgesinnung dann äußern.* Eine Art Werwolf- und Endzeitstimmung machte sich bei Döblin bemerkbar. Geschult darin, ihn einen Demokraten zu nennen, müssen wir innehalten und überlegen, wie langwierig sein eigener Weg dahin war. Der Text ist, obwohl er durchaus Sympathie für die Demokratie signalisiert und damit manchen Widerspruch in sich selbst offenbart, doch eigentlich fataler als der über *Reims* zu Beginn des Krieges. Döblin offenbart keinen verbürgten gedanklichen Fortschritt, zeigt wenig Lernwillen aus den Materialschlachten und der Katastrophe des Krieges, sondern benimmt sich so, als wolle er der Feindpropaganda von den Deutschen als atavistischen Hunnen Anschauungskunde verschaffen. Es geht in einem ungehemmten Rassismus gegen *das triumphierende Gesicht der Welschen, das Gejauchz der Senegalneger,* die *heiseren Rufe der Briten.* Döblin aktivierte noch einmal Kleist mit der »Hermannsschlacht«. Allerdings scheint er über manche seiner Borniertheiten selbst befremdet zu sein: *So redet ein Freund des Friedens, kein Nationalist, einer, der den Druck der überlebten versteinerten Formen erfahren hat, so redet nicht Linie Potsdam, sondern Linie Weimar.* Aber damit ist es nicht getan. Frankreich wird gerichtet, weil es Elsass-Lothringen beansprucht, Amerika wird gegeißelt, weil es sich nicht mehr neutral verhalten wollte. Belgien, von der deutschen Armee okkupiert, hat den Fehler der Neutralität begangen. Und als hätte er das alles nicht geschrieben, setzt er unverbunden ein Bekenntnis zur Humanität hinzu: *Wir stehen vor einem Fiasko der schrankenlosen Vaterländerei. In ungeheuren Wogen, jahrzehntelang hinter Dämmen aufgestaut brausen einfache Gefühle der Menschlichkeit aus den Herzen der Menschheit wieder über die Erde.* Aber Döblins Text über *Drei Demokratien* erging sich gerade in den Phrasen des Nationalismus. Er musste noch einmal alles aufbieten und vor sich hinstellen, um es verabschieden zu können. Es verhält sich wie bei Thomas Mann auch: Döblin, nahe am anderen, dem demokratischen Ufer, musste wie der Verfasser der »Betrachtungen eines Unpolitischen« in seinen Texten verharren, obwohl sie von der Wirklichkeit bereits überholt waren. Das war sein letztes öffentliches politisches Wort in diesem Jahr. Die Ereignisse von 1918 hat er seit Februar nur nachträglich kommentiert, der Druck und die Dramatik der Ereignisse haben den politisch erwachenden Schriftsteller stumm gemacht. Abgesehen davon arbeitete er unter Hochdruck an seinem *Wallenstein*-Roman.

In der zweiten Märzhälfte erhielt Döblin Urlaub und reiste nach Berlin. Er nahm an einem »Sturm«-Abend teil, aber die Beziehung zu Walden war von Spannungen belastet. Er wandte sich noch einmal gegen die Wortkunst-Theorie, die Walden 1916 (nach dem Tod Stramms) kanonisiert hatte und die er selbst in seiner literarischen Praxis nicht nachvollzog. Auch distanzierte er sich von Waldens unpolitischer Haltung.

Eine Serie von fünf deutschen Frühjahrsoffensiven an der Westfront, die sogenannte »Kaiserschlacht« auf einer Breite von 70 Kilometern, sollte die Entente an den Verhandlungstisch zwingen. Der französische General Foch begann damit, die militärischen Aktionen der Alliierten zu koordinieren. Durch eine Gegenoffensive gelang ihm ab Mitte Juli die militärische Wende. Die Oberste Heeresleitung erklärte Mitte August gegenüber dem Kaiser die Lage der Armee für aussichtslos, sie war nur noch zu defensiven Aktionen fähig.

Nach zehn Monaten in Hagenau wurde ihm am 6. Juni 1918 durch eine Verfügung des stellvertretenden Generalkommandos die Gesundheitskontrolle bei »Kriegsgefangenen (des) IV. Landst.Inf. Ers.Batl. Saarbrücken« übertragen, einen Monat später auch die entsprechenden Kontrollen in elsässischen Betrieben. Mindestens einmal im Vierteljahr musste er deshalb eine Papier- und eine Bohrgerätefabrik, eine Eisenbahn- und eine Herdbaugerätefabrik sowie eine Ziegelei aufsuchen. Ob er diese Exkursionen in den letzten Monaten des Krieges auch unternommen hat, bleibt zweifelhaft. Mit der Versetzung war offensichtlich mehr Arbeit und eine Erweiterung seines Tätigkeitsfeldes verbunden.

Noch vor dem Kriegsende wurde Döblin durch »Allerhöchste Kabinettsordre – Sanitätskorps« mit einem heute kaum mehr einschätzbaren Dienstgrad versehen; er wurde am 18. August zum »Kriegs-Assistenzarzt auf Widerruf« ernannt. Der Dienstgrad war vier Monate zuvor erst eingeführt worden. Wahrscheinlich handelte es sich dabei um eine Kombination von militärischer Beförderung und finanzieller Herabstufung des vormaligen Zivilarztes in militärischen Diensten.

Im Juli erschien bei S. Fischer verspätet der Roman *Wadzeks Kampf mit der Dampfturbine.* Am Ende des Krieges wird man das Buch anders gelesen haben, als es zu Beginn des Krieges wahrgenommen worden wäre. Der Druck des Authentischen hatte zugenommen, und Döblins Roman entsprach ihm so ganz und gar nicht. Eine Figur wird konstruiert und auch wieder in ihre Bestandteile zerlegt, ein absurder Humor geistert mit Irrsinnsszenen durch die vier Kapitel, vor allem durch das zweite, *Die Belagerung von Reinickendorf* betreffend, den Privatkrieg des bedrohten Erfinders und Fabrikbesitzers Wadzek auf einer Vorstadt-Datscha gegen eine Vermieterin, ihren Sohn, seinen Doppelgänger Schneemann und seine eigene Ehefrau. Der Roman stieß bei vielen Rezensenten auf Befremden. Manche Kritiker gingen mit ihrem Lob über ein Frösteln und über Ratlosigkeit hinweg: Sie priesen die Intensität, die ihnen aber doch Bange machte, weil die psychologische Vermittlung der

Figuren und ihrer Handlungen vermieden war. Zustimmung, vermischt mit Achselzucken, Lob und Abschiebung zugleich – eine bestimmte Tonlage der Döblin-Kritik begann sich zu formieren und ihre Formeln zu finden.

Der *Wallenstein* stockte Ende des vierten Buches, nach mehr als der Hälfte, und Döblin klagte über eine Oppression: *Furchtbar stört mich noch eins: ich werde sehr von religiösen Gedankengängen heimgesucht und irre von meinem Stoff ab. Mein Thema: wie man dem Unglauben zu seiner Frömmigkeit seiner spezifischen, verhelfen kann; wie man sein Positives einstreuen kann, daß es nicht Un-glaube ist. Ich kanns nicht so rasch heraussagen; ich würge daran, oder ich werde daran gewürgt.* Wenige Monate später erschien sein Dokument einer Heimsuchung: der Essay *Jenseits von Gott* – eine fulminante Religionskritik und ein Bekenntnis in einem, ein in seine Gegensätze verwickelter Text.

Die amerikanische Regierung landete einen Coup: Sie forderte die Verhaftung Wilhelms II. sowie seine Auslieferung als Kriegsverbrecher und erzielte damit großen propagandistischen Erfolg. Der deutsche Generalstab unternahm seine taktischen Züge, um die Verantwortung für die längst sich abzeichnende Niederlage von sich wegzuschieben. Wilhelm hatte schon vor 1918 das Heft nicht mehr in der Hand gehabt. »Lord of the war«, wie ihn die Engländer nannten, war er vielleicht niemals ganz gewesen. Der Erste Generalquartiermeister Ludendorff machte alle Versuche zunichte, zu einem Verständigungsfrieden zu kommen; dann forderte er Anfang Oktober 1918 einen sofortigen Waffenstillstand, redete wiederum von einer Offensive, erlitt einen Nervenzusammenbruch und trat Ende Oktober zurück, um sich seiner Verantwortung für das Debakel zu entziehen. Die Idee der Dolchstoßlegende, die Hindenburg und Ludendorff als Ausspruch eines britischen Generals im November/Dezember 1918 fingierten, hat die Generalstäbler schon früh beschäftigt. Am gleichen Tag, an dem sich die Matrosen in Kiel weigerten, mit den Schiffen auszulaufen, um kurz vor Toresschluss noch den Heldentod zu sterben, verließ Wilhelm Potsdam auf Nimmerwiedersehen und begab sich in sein belgisches Hauptquartier nach Spa. In all diesen Monaten verfiel Döblin in ein beredtes Schweigen.

NOVEMBERREVOLUTION

»Wilhelm der Plötzliche«, »Wilhelm der Letzte«, »Lehmann« (so genannt nach seinem Großvater, der 1848 geflohen war) geriet in eine Woge des Volkszorns. Entnervt hatte Reichskanzler Max von Baden nach einem Telefonat mit

Wilhelm, bei dem er Allerhöchstdenselben vergeblich zur Aufgabe gedrängt hatte, am 9. November 1918 um 12 Uhr eigenmächtig den Thronverzicht des Kaisers bekanntgegeben und sein eigenes Amt an Friedrich Ebert übergeben. Gegen dessen Willen rief Philipp Scheidemann von einem Fenster des Reichstags um 14 Uhr die Republik aus, wenig später folgte Karl Liebknecht, indem er von einem Portal des kaiserlichen Stadtschlosses aus die freie sozialistische Räterepublik proklamierte. In Berlin herrschte Generalstreik. Aber auch danach war Wilhelm zur Abdankung nicht fest entschlossen. Vermutlich konnten erst die Generalstäbler Hindenburg, Groener und Plessen ihn überreden, von Spa nach Holland zu flüchten.

Die ersten Tage der Revolution erlebte die Familie Döblin noch in Hagenau. In den Berichten *Die Vertreibung der Gespenster* und *Revolutionstage im Elsaß* hat Döblin die Ereignisse in drastischer Anschaulichkeit erzählt. Ein Oberinspektor habe ihm an diesem Samstag, dem 9. November, berichtet, dass die Telefonverbindungen nach Berlin unterbrochen seien. Es mangelte auch an verlässlichen Zeitungsinformationen. Vom Kommando in Saarbrücken sei die Anweisung gekommen, Zivilkleidung anzuziehen, *Matrosen seien angekommen, es gebe Revolution wie in Kiel.* Die Soldaten meuterten, zogen von Kaserne zu Kaserne und befreiten die Gefangenen. Ein Gerücht besagte, die Franzosen seien durchgebrochen. *Hier sitze ich in dem verfluchten Nest, die Franzosen sind uns auf den Fersen, wie kommt man nur heraus, ich möchte nach Berlin.* Um die Wirrnis zu gliedern, ging Döblin nach dem Kalendertakt vor.

Die Elsässer, die vor dem Krieg zu 85 Prozent sich zum Deutschtum bekannt hatten, gingen bereits auf Distanz zur deutschen Armee. *Die Gesichter dieser Elsässer, als wenn es ein Maskenball wäre und sie Zuschauer. Jetzt ist es völlig heraus, daß wir schachmatt sind, daß wir ihnen nichts mehr können.* Die Soldaten meuterten, besetzten das Garnisonskommando. Offiziere wurden entwaffnet, allenthalben Soldatenräte gebildet. Der vaterländische Frauenverein nähte rote Fahnen.

Am Tag danach war das Lazarett bis auf die Kranken entvölkert. Auf dem örtlichen Paradeplatz fand eine Riesenversammlung statt. Der Bursche Döblins war am Morgen mit 20 Mark verschwunden – *so feiert man Revolution,* bemerkte der Militärarzt spöttisch. Am Montag kursierten Gerüchte über das Ausgreifen der Revolution nach England und Frankreich. Der Internationalismus werde nicht die Oberhand gewinnen, aber *der Krieg ist verschlungen in der Revolution.* Die deutschen Truppen, so wurde es im Waffenstillstandsabkommen von Compiègne am 11. November 1918 festgelegt, haben Elsass-Lothringen innerhalb von 15 Tagen zu räumen. Deshalb rollten bereits

Revolution in Berlin.
Das Polizeipräsidium
1919

in den ersten Tagen nach der Revolution lange Züge gen Heimat, aber zeitweilig war die Bahnverbindung nach Berlin gesperrt. Das Heer war in Auflösung. *Man schreibt sich einen Urlaubsschein, unterschreibt ihn selbst oder läßt ihn vom Soldatenrat unterschreiben; der Soldatenrat unterstempelt alles.* Überall gab es vehemente Plünderungen durch Soldaten und Zivilisten. Sogar die Marmorplatten der Nachttischchen aus den Krankenzimmern wurden weggeschleppt. Am Mittwoch, dem 13. November, verdrückten sich die verantwortlichen Offiziere allesamt.

Am Tag danach fuhr Döblin mit seiner Familie auf großen Umwegen in die Hauptstadt, machte unterwegs einen ausgedehnten Halt in Würzburg. Der Zug war mehrere Tage unterwegs. Das genaue Ankunftsdatum ist nicht mehr zu ermitteln, aber am 20. Januar, einem Mittwoch, war Döblin spätestens in Berlin; er nahm an diesem Tag an der Gedächtnisfeier für die in der Hauptstadt gefallenen Revolutionäre auf dem Potsdamer Platz teil. Wenig, so scheint es, hat der Augenzeuge innerlich mit der Revolution zu tun: *In dem endlos langen Zug Kränze mit roten Schleifen, rote Fahnen, proletarische Aufrufe, sonst nichts, was mich an Revolution erinnern könnte, eine gut geordnete kleinbürgerliche Veranstaltung in riesigem Ausmaß.* Der Bericht eines enthusiastischen Teilnehmers sähe anders aus, hier spricht ein skeptischer Passant über Ereignisse 11 Tage nach der Ausrufung der Republik.

Er hat bekannt, dass er das Manuskript des *Wallenstein*-Romans ratlos mit nach Berlin geschleppt habe und nicht wusste, wie zum Schluss zu kommen sei. Er sei auf der Suche gewesen, *wie ich ihn enden wollte. Am besten, dachte ich manchmal, gar nicht.* Beim *Anblick* einiger schwarzer Baumstämme auf der Straße tief betroffen, kam ihm der Einfall: Kaiser Ferdinand muss in den Wald. Vom Standpunkt des Historikers ist das ein irregulärer Schluss: *Aber ich sollte und mußte den Kaiser, wie auch seine Vergangenheit war, dahin führen. Wenn er auch in dieses neue Reich sich nur verirren und darin nur verkommen sollte. Und was sollte er auch da anders; ich fand mich ja selbst darin nicht zurecht. Aber diesen wunderbaren Punkt mußte ich dem Buch geben.*

Der Roman im Ganzen ist wie ein Teilstück aus einem größeren Vorgang angelegt: die Handlung ist zu Beginn des Buches schon im Gange und der Romanschluss ist nur filmisch, als eine Abblende zu verstehen, während der Krieg noch weitergeht. Das Buch setzt sprunghaft ein und hört auf mit dem hinausweisenden Satz: *Im Westen hatten sich die Welschen gesammelt. Sie warteten in frischer Kraft auf ihr Signal, um sich hineinzuwerfen.* Der Roman erreicht also nicht das Ende des erzählbaren Geschehens, und er bietet keine Lösung. Und sei er noch so monumental angelegt, versteht er sich nur als Fingerzeig. Dieses größere Geschehen, von dem der Roman nur einen Ausschnitt bietet, wirkt wie ein Spiegel der Döblinschen Revolutionserfahrung: Zu ihrem Beginn kam er zu spät, und ihr Ende war damals nicht absehbar.

Eine Wohnung für die Familie war nicht vorhanden. Zunächst kam Döblin mit den Seinen bei Mutter und Bruder Ludwig in der Parkaue 10 in Lichtenberg unter. Die Szene erinnert ein wenig an die Turbulenzen nach der Flucht aus Stettin. Das Provisorium dauerte etwa drei Wochen, dann konnten die Döblins umziehen. Bis 1931 wohnten sie in der Frankfurter Allee 340, wo der Arzt auch seine Kassenpraxis neu eröffnete.

Nell und Herwarth Walden gaben, zwei Tage nachdem sich der »Rat der Volksbeauftragten« unter Friedrich Ebert in Berlin gebildet hatte, in einem Brief an den zuständigen Minister der Hoffnung Ausdruck, dass die neue Regierung die echte Kunst, den Expressionismus nämlich, unterstützen werde, unternahmen aber, um den Misshelligkeiten zu entgehen, vom 30. November bis 15. Dezember 1918 eine Reise nach Skandinavien. Der »Sturm« verlor in der Folgezeit seine Bedeutung als Zentralorgan der künstlerischen Moderne an Paul Westheims »Kunstblatt«, Walden vollzog einen Sprung in die Politik und wurde Vorsitzender des »Bundes der Freunde der Sowjetunion«.

Am 29. November 1918 berichtete Döblin seinem Kollegen Wilhelm Lehmann, er sei *nach dem ewig unvergleichlich schönen, mir ans Herz gewachsenen Luft- und Steinhaufen Berlin zurückgekehrt.* Richard Dehmel versuchte im Dezember 1918, an Konservativismus zu retten, was noch zu retten war inmitten der sich überstürzenden und kaum zu überblickenden Ereignisse. Er verschickte an 60 Kollegen einen »Warnruf. Eine Kundgebung deutscher Dichter« und forderte sie zur Unterschrift auf. Die Absicht mochte man als löblich bezeichnen, aber der Text wimmelte von nationalistischen Propaganda-Einsprengseln. Der Aufruf, der in der Presse hier und dort abgedruckt wurde, setzte sich für die bedrohten Teile des Reiches ein und warnte die Siegermächte davor, nicht so zu verfahren, wie es zuvor die Deutschen getan hatten. Es heißt da: »Der Waffenstillstand geht bald zu Ende; die Friedensvorberatung ist schon im Gange, über den Kopf des deutschen Michels hinweg, der von nun endlich sich erfüllender Weltverbrüderung träumt. Unsere Revolutionspolitiker streiten sich um ein bißchen Augenblicksmacht, wie blind und taub gegen die Todesgefahr, mit der die ausländische Beutegier nicht bloß unsere Freiheit bedroht, sondern ebenso die ihrer eigenen Volksmassen und daher der ganzen Menschheit. Die Welt des sozialen Geistes geht unter, wenn der Triumph der fremden Plutokratie uns zur Verelendung verdammt; der geplante Völkerbund wird zur Räuber-Innung, der Friedenskongreß zum Sklavenmarkt.« Das Freundlichste, was man über diesen »Warnruf« sagen konnte: Er war zumindest lebensfremd. Im Wald vom Compiègne hatten die Siegermächte vorgegeben, was im Friedensvertrag von Versailles dann Wirklichkeit wurde: Härteste Bedingungen wurden den Deutschen auferlegt, und die Kriegsschuld wurde ihnen ganz und gar zugeschoben. Da nützte ein Aufruf, den schließlich 29 deutsche Schriftsteller unterzeichneten, überhaupt nichts. Es war der Protest der Unpolitischen, die mit Großwörtern wie »Plutokratie« und »Verelendung« sich einen politischen Anstrich gaben, aber die Umstände und Wirkungsmöglichkeiten ihrer Philippika rundweg falsch einschätzten. Döblin hat ebenso wenig unterschrieben wie Heinrich Mann, auch Thomas Manns Signatur fehlt. Döblin begründete die Weigerung persönlich in einem Brief an Dehmel vom 15. Dezember 1918. Er sah den Appell belastet vom *Anklang oder Nachklang* des Nationalismus. Er wollte sprachlich nicht unterstützen, was über die »Katzbalgerei« der Revolutionäre gesagt wurde; er wollte den Völkerbund auch nicht als »Räuberinnung« tituliert wissen. *Ich zweifle aber nicht, wohin ich mich bei dem eben beginnenden Endspurt zwischen Sozialismus und Imperialismus zu stellen habe, – und das ist der Kernpunkt unserer Differenz, die ich lebhaft bedaure.*

Alfred Döblin näherte sich der Unabhängigen Sozialdemokratischen Partei (USPD) an. Sie war im April 1917 in Gotha von rund einem Dutzend oppositioneller Reichstagsabgeordneter gegründet worden. Der Versammlungsort enthielt eine hochsymbolische Reminiszenz: In Gotha hatte 1875 der historische Vereinigungsprozess der Linken stattgefunden. Die Abspaltung der radikalsozialistischen Opposition ging auf die zerreißenden Gegensätze zurück, die in der SPD spätestens seit 1914 herrschten.

Alfred Döblin hat sich darüber ausgeschwiegen, welcher Gruppe innerhalb der USPD er nahestand.

Sofern mit seiner neu gewonnenen politischen Auffassung eine organisatorische Aufgabe verbunden war, konnte man mit ihm nicht rechnen. Die Intellektuellen und Künstler, die sich der Revolution anschlossen, fanden sich unter einem eigenen Dach zusammen. Am 3. Dezember 1918 wurde in Berlin die »Novembergruppe« gegründet, an der sich unter anderen der Maler Max Pechstein und der Architekt Erich Mendelsohn beteiligten. Döblin kannte nicht wenige ihrer Mitglieder, aber er hat sich an dem Verein, soweit bekannt, nicht beteiligt. An der Gründung der zweiten Organisation, des »Rats geistiger Arbeiter«, hätte er nicht teilnehmen können: er saß noch in Hagenau fest, als Kurt Hiller am 7. und 8. November die revolutionären Ziele seines »Aktivistenbundes« verkündete und darin auch eine Räteorganisation für die Geistigen, neben dem Parlament, wenigstens mit beratender Funktion, forderte. An diesem »Rat« hat Döblin nur als Zaungast teilgenommen. Am 9. November gab es Verhandlungen mit dem Berliner Zentralrat, der den Bund als Räteorganisation akzeptierte. Einige Zeit logierte er in einem Sitzungszimmer des Reichstags, dann wurde der »Rat geistiger Arbeiter« mit der Begründung entfernt, das Gebäude sei nur für Parteien vorgesehen. Die linksliberale Skepsis, vor allem im »Berliner Tageblatt«, gegenüber dieser Art von künstlerischen »Räten« war unüberhörbar. Dennoch gründeten sich auch in anderen Städten entsprechende Ableger. Heinrich Mann sprach mehrmals vor einem solchen Gremium in München; er erwirkte, dass die von Universitätsprofessoren ins Leben gerufene Organisation in »Politischer Rat geistiger Arbeiter« umbenannt wurde. Das Schisma ging durch die linke Intellektuellenszene. Das geistige Oberhaupt der deutschen Anarchisten und Syndikalisten, Gustav Landauer, der bei der Gestaltung der bayerischen Republik mitmachte, hielt ganz und gar nichts von einer eigenen Gruppierung; sie erschien ihm als »herrenmäßige Extrawurst«. In Döblins erstem Revolutionsroman *Bürger und Soldaten* gibt es – allerdings 20 Jahre später formuliert – einige höhnische Seiten über das Phrasenpathos und die Weltfremdheit mancher Geistesrevolutionäre. Erzählt wird von einer Sitzung im Reichstag am 20. November, dem Tag, an dem die Revolutionsopfer beerdigt wurden, und die Revolutionsrhetorik erscheint als Metapher des Schiffbruchs: *Aber es ging unaufhaltsam auf das alte offene Meer der Weltverbesserung hinaus, wohin die Sirenenrufe lockten, wo Scylla und Charybdis warteten, um sie zu zerschmettern, und wo eine Göttin lauerte, eine Dämonin, um sie aus klugen Menschen in Narren zu verwandeln.* Eine am 2. Dezember 1918 in Berlin stattfindende Diskussionsveranstaltung des »Rats« könnte Döblin erstmalig besucht haben. Diese Tagung war, glaubt man dem »Berliner Tageblatt«, ein exemplarischer Misserfolg. In seinen Aufsätzen (nicht aber in *November 1918*) hat Döblin über diese Gruppierung kein Wort verloren. Er war 1918 jedenfalls keineswegs gewillt, auf eine Sonderrolle als Geistesarbeiter zu pochen.

Ab Mitte Dezember 1918 tagte in Berlin der Reichskongress der Arbeiter- und Soldatenräte. Die Regierung wollte alle größeren politischen Entscheidungen einer neu zu wählenden Nationalversammlung übertragen, die Spartakisten verurteilten den Parlamentarismus und strebten unter der Parole »Alle Macht den Räten« eine revolutionäre Umgestaltung Deutschlands an. Anfangs vertrat vor allem Rosa Luxemburg noch den Standpunkt, freie Wahlen abzuhalten, sie lehnte den am 30. Dezember beschlossenen Wahlboykott der extremen Linken ab.

Döblin erwies sich lange als Anhänger des Rätesystems; von der politischen Kraft der SPD war er früh enttäuscht, den Parlamentarismus hielt er nicht für fähig, tiefgreifende gesellschaftliche Veränderungen herbeizuführen.

GOETHES LEHRBEISPIEL

Nichts charakterisiert Döblins Orientierung in Widersprüchen damals besser, dass er einerseits seinen revolutionären Puls fühlte, andererseits aus dem Ersten Weltkrieg – mit Goethe zurückkam und ihn als feste Größe in seinem geistigen Haushalt etablierte. Sein Verhältnis zum Weimarer Klassiker hatte sich im Lauf des Krieges gewandelt. 1912 hatte er noch mit kecker Verwerfungslust geschrieben: *Was den verflossenen Wolfgang Goethe anlangt, so wissen wir, daß ihn* (der Germanist) *Erich Schmidt trefflich interpretiert, und damit soll man ihn auf sich beruhen lassen.* Das Urteil verband er damals mit der Abwertung der wilhelminischen Schule, die aus Goethe einen bürgerlichen Götzen gemacht habe. Nun konnte er den Naturwissenschaftler, den Briefschreiber und kolloquialen Geist für sich entdecken: *Mit Ehrfurcht denke ich an den Mann, den ich viel angegriffen habe, ich wie viele andere, und von dem ich jetzt und noch oft reden werde, weil er mir oft gegenwärtig ist, nämlich Goethe.* In manchem wird ihm Goethe zum Labor seiner eigenen Versuchsanordnungen: der erweiterte Radius seiner Erkenntnisinteressen, die Ablehnung des Nationalismus, aber auch eine objektivierende Haltung des Erzählers kommen ihm entgegen. Zeitlebens wird ihm fortan Goethes Werk zum Steinbruch für brauchbare Zitate und zu einem Fixpunkt für Zustimmung und Verwerfung: 1921 rückt Goethe für ihn gegenüber Dostojewski nach vorne, 1949, zum Goethe-Jubiläumsjahr, vollzieht sich die umgekehrte Wendung, eine Art spiegelbildlicher Wechsel findet statt.

DIE VERTREIBUNG DER GESPENSTER

Einen allerdings sehr roten Erguß, wie er selbst befand, schickte er an den Herausgeber des »Neuen Merkur«, Efraim Frisch, nämlich den politischen Artikel *Vertreibung der Gespenster.* In diesem Essay, der wohl schon im Februar 1919 erschienen ist, ergründet er die Notwendigkeit und die Bedingungen einer wahren deutschen Revolution, führt zum ersten Mal die bis dato herrschenden Mächte zu einem Situationsbild des abgelaufenen Wilhelminismus zusammen: der Kaiser und der byzantinische Feudalismus der Junker, die Religion auf ihrer Seite, das Kapital, das ihnen in die Hände spielte. Der Text ist das Gegenstück zu den Erinnerungsbildern der allerjüngsten Gegenwart, zu *Revolutionstage im Elsaß.* In dem neuen Essay wird der kurzen Zeitspanne nach Döblins Ankunft in Berlin gedacht, darin eingeschlossen ist eine erste Rückschau auf die abgelaufenen vier Kriegsjahre. Von allen namhaften deutschen Autoren ist Döblin damit am frühesten dran. Heinrich Manns (gewichtigere) Summe über »Kaiserreich und Republik« wurde erst im Mai 1919 geschrieben und die Veröffentlichung bis nach dem Friedensschluss hinausgeschoben, so dass eine weitere Frist zur Überarbeitung des Essays gegeben war. Döblin verfasste seinen Rückblick wohl schon Ende November/Anfang Dezember 1918 und schickte ihn dann an die »Neue Rundschau«. Der Text war der Redaktion jedoch zu radikal; vielleicht kam Döblin mit seiner Schärfe zu früh, das Manuskript wurde jedenfalls zurückgewiesen. Ein halbes Jahr später wäre es in einen linksliberalen *common sense* eingemeindet gewesen. So erschien der Text in der Sondernummer »Der Vorläufer« des »Neuen Merkur«.

Er wartet zunächst mit einer Überraschung auf: Der (früher als unpolitisch geltende) Schriftsteller habe sich vor dem Krieg bei den Parteien umgesehen, habe zur Politik *Fühlung* gesucht. Welcher Art diese Ergebnisse, etwa in dem Pamphlet *Reims* waren, wird jedoch mit keinem Wort erwähnt. Noch immer sind ihm Parteien fremd; er garniert das Wort »Partei« mit der Einschränkung »die sogenannte«. Die Liberalen hätten ihn angewidert, bei den Konservativen sah er *die Schamlosigkeit der Besitzenden, des Regierungsmonopols, der Parasiten von Gnaden der Geburt* am Werk. Sie hätten bei ihm Wut erzeugt. Aber auch bei der Linken sei er nicht heimisch geworden. *Zahllose Versammlungen der Sozialdemokratie* habe er besucht (wovon zuvor niemals die Rede war), Marx und Lassalle gelesen (wenigstens die Lektüre von Lassalle ist für den Schüler bezeugt), aber er sei als Fremdling behandelt worden und habe sich auch nicht zugehörig gefühlt, nannte sich *heilloser Prinzipienreiter in der Luft.* Nun fand er Ungebundenheit vor: Er sah einen sozialistischen Prozess am Werk, der sich nicht mehr an einem einzigen Parteiprogramm orientierte.

Erstaunte frohe Tage in Deutschland. Man könnte fast Heimat dazu sagen. Die ersten ruhigen Stunden nach dem glücklichen Erwachen der russischen Revolution. Das war nun das gleiche Motiv, das in Russland viele Juden an die Oktoberrevolution gebunden hat: einen festen Platz zu erhalten und Zugehörigkeitsgefühle durch die Umwälzung der Verhältnisse zu entfalten. Die Frage ist im Rückblick naheliegend: Hatte er sich aus der gleichen Sehnsucht nach Heimat früher zum Kaiserreich geschlagen? Die Revolution als Einbürgerungsakt: da sah er Deutschland als Vorreiter im Gegensatz zu den Siegermächten, die für ihn auf der nationalistischen Stelle verharrten. Gleichwohl gab er die Kriegsschuld allein den Deutschen, sie hätten eine *Machtexpansion* angestrebt.

Die überwundenen Verhältnisse erschienen ihm gespenstisch. Er charakterisierte die abgelebten Institutionen des Wilhelminismus: Militär, protestantische Kirche, die Schule als unwirklich, die Zustimmung der Arbeiter zum Krieg, dieses Bündnis als eine Chimäre. Der kritische Blick fällt auf Technik und Industrie, auf die waffensegnenden Geistlichen, aber die heftigsten Verwerfungsimpulse gelten der Erziehung im wilhelminischen Staat: Drill und Abrichtung, Abtötung des Geistes und Verkümmerung der Freiheit – da war er in seinem Element, Erinnerungen an seine eigene Schulzeit, obwohl nicht erwähnt, sind fraglos in den Text hineingewirkt. Die größte Macht stellten demnach nicht der Kapitalismus oder die obrigkeitliche Machtpyramide dar, sondern abgebrauchte Ideen. Für sie seien die Massen in den Krieg gezogen. Nicht für das Deutsche Reich seien sie verblutet, sondern für *uralte Kamellen, für Friedrich den Großen, für den Burggrafen von Nürnberg, für die Siegesallee.* Er nannte solche Leitbilder *diese Leichen der Geschichte.* Seine *Vertreibung* solcher Gespenster ist an keinem klassenkämpferischen Materialismus orientiert, lässt die Diktatur des Proletariats außer Acht, dementiert den Klassenkampf geradezu mit der Bemerkung, auch das Kapital sei der Krone, dem wilhelminisch-preußischen Ideologem, erlegen. Wenn also die besitzende Klasse nur eine abhängige Größe ist, bleibt nur der Feudalismus als Hauptgegner übrig.

Seine Auffassung von der Veränderung der Verhältnisse kommt zwar mit der Umverteilung und mit der Sprengung der Privilegien überein, begnügt sich aber damit nicht: sie zielt auf eine Veränderung der Menschen. Nicht ohne Kühnheit brachte er einen Begriff ins Spiel, der für die Linke abgewirtschaftet und entleert schien: Patriotismus. *Nationalgefühl, Nationalkultur könnte wirklich jetzt entstehen, soweit sie nicht von dem viel wichtigeren, mehr umfassenden Unnationalen verdrängt werden. (...) Jetzt sollen die Menschen allgemeines Recht auf Patriotismus erlangen, sagen dürfen: ich bin ein*

Deutscher. Es handelt sich wiederum um die Sehnsucht eines Juden nach Zugehörigkeit und um das ferne Echo jenes Gemeinschaftsgefühls, das Döblin wie Toller im Ersten Weltkrieg entstehen glaubten.

Diese Rückschau idealistischer Kritik mündet in ein allgemeinstes Bekenntnis zum Sozialismus, wie es ihm die Stunde zutrug: *Wenn dies ausgeführt wird, was jetzt geschieht, Sozialismus, wenn das Übel an der Wurzel gefaßt wird, so kann man zum erstenmal in der Geschichte von einem wirklichen Fortschritt sprechen.* Er verstand darunter vor allem eine Art der *sittlichen Besinnung* der Gesellschaft. Er wusste wohl und sprach es aus: Der Besitz ist eine zu relativierende Größe; es komme darauf an, *den ungesellschaftlichen, daher unsinnigen, unsittlichen und verbohrten Begriff des Privateigentums zu beseitigen.* Aber wie wenig dominant die Rolle der Ökonomie in seinen Überlegungen war, geht aus einer anderen Behauptung hervor: Auch das *Geisteskapital* rechnete er zu der zu verteilenden Masse. Im Ganzen ließe sich einwenden: Weder die Macht- noch die politische Organisationsfrage wurde von ihm gestellt, ein Parteiprogramm war für ihn nicht verbindlich. Aber manche zündenden Einfälle und überraschenden Bilder dieser Bilanz über *Die Vertreibung der Gespenster* bleiben im Gedächtnis haften.

Er erkannte, dass mit dem Ende des Krieges der Kampf um die Besetzung und Aneignung der öffentlichen Wörter geführt wurde. Die Revolution sah er als eine doppelte Forderung: nicht mit Errungenschaften sich zufriedenzugeben und vor allem, den Wirklichkeitssinn zu stärken: *Leben gezeugt und Realität heißt die Losung. Immer wieder die Fundamente des Daseins geprüft.* Von dieser Aufgabe der permanenten Wirklichkeitserkundung aus konnte er sich mit keinem Verbalradikalismus, aber auch mit keinem kodifizierten Parteiprogramm zufriedengeben.

1919

Kurz vor Weihnachten 1918 hatten die Auseinandersetzungen zwischen SPD und USPD einen ersten Krisenpunkt erreicht. Soldaten der Volksmarinedivision besetzten das Berliner Stadtschloss, obwohl sie zum Schutz der Reichskanzlei vorgesehen waren, und nahmen den Stadtkommandanten Otto Wels (SPD) als Geisel. Ebert rief General Groener zu Hilfe; der befahl an Heiligabend das Gardeschützenregiment zum Angriff und erzwang dadurch Verhandlungen der Aufständischen mit der Regierung. Aus Protest gegen die Zusammenarbeit der Regierung mit der Obersten Heeresleitung verließen die USPD-Mitglieder fünf Tage später den Rat der Volksbeauftragten.

Die Absetzung des Polizeipräsidenten Emil Eichhorn, der zur USPD gehörte, veranlasste den Revolutionsausschuss dazu, den Rat der Volksbeauftragten entmachten und die für den 19. Januar angesetzten Wahlen zur Nationalversammlung verhindern zu wollen. Für den nächsten Tag wurde zu Demonstrationen aufgerufen. Barrikaden wurden errichtet, Zeitungsredaktionen wie die des »Vorwärts« besetzt. Der einwöchige Spartakusaufstand hatte begonnen. Der rechte SPD-Mann Gustav Noske ließ ihn bis zum 12. Januar niederschlagen. Hunderte von Menschen starben in Berlin bei den Kämpfen.

Die KPD-Führer Karl Liebknecht und Rosa Luxemburg gingen in den Untergrund. Am 15. Januar wurden die beiden jedoch in einer Wilmersdorfer Wohnung samt Wilhelm Pieck von einer »Bürgerwehr« aufgespürt, gefangengenommen und an die Garde-Kavallerie-Schützen-Division der Freikorpsverbände ausgeliefert. Pieck konnte unter ungeklärten Umständen entkommen, Liebknecht und Luxemburg wurden in das Hauptquartier des Freikorps, das Hotel Eden, verschleppt, schwer misshandelt und in getrennte Autos verfrachtet. Im Tiergarten wurde Liebknecht aus dem Wagen gezerrt. Rudolf Liepmann, Leutnant der Reserve, erschoss ihn von hinten, mit drei Kugeln. Liebknecht wurde als »unbekannte Leiche« bei einer Polizeistation abgegeben. Rund eine Stunde später wurde die bereits zusammengeschlagene Rosa Luxemburg im Auto höchstwahrscheinlich von Hermann Souchon, Leutnant zur See, durch einen aufgesetzten Schläfenschuss ermordet. In der Presse wurde die Behauptung lanciert, Liebknecht sei bei einem Fluchtversuch erschossen, Luxemburg von einer aufgebrachten Menge gelyncht worden.

Den beiden Anführern der Novemberrevolution hat Alfred Döblin rund 30 Jahre später ein literarisches Monument gesetzt. *November 1918* vergegenwärtigt in vier Bänden von insgesamt 2400 Seiten die Ereignisse der Revolution vom 9. November 1918 bis zum 15. Januar 1919. Der Mord an Karl Liebknecht ist im Schlussband *Karl und Rosa* so unübertrefflich blickscharf und bildgenau erzählt, als wäre der Autor einer der Tatzeugen gewesen, als hätte er das Geschehen nicht aus verstreuten Büchern in seinem amerikanischen Exil mühsam zusammensetzen müssen. Das Auto mit den Offizieren und dem blutüberströmten Liebknecht fährt zum Tatort: *Surre – surre – surre, um die Ecke, in den schwarzen Tiergarten hinein. Wer hat dich, du schöner Wald, aufgebaut so hoch da droben. Und daran ist der Liebknecht schuld, Liebknecht schuld, und daran ist der Liebknecht schuld.*

Herr, wir werden Sie wirklich schadenersatzpflichtig machen, wenn Sie sich nicht gleich besser benehmen. Wollen Sie nun wirklich aufhören, uns mit Ihrer dämlichen Jauche zu begießen?

Gib ihm mal einen Stoß, ob er stehen kann. Hü, stehen kann er. Bringen wir ihn mal an die frische Luft, lassen wir ihn ein bißchen laufen. Halten, Jäger.

Raus, Kerl! – Sie rissen Karl, der halb bewußtlos war, hoch und stießen ihn aus dem Wagen. Er fiel vom Trittbrett herunter und raffte sich auf. Man war am Neuen See.

Lauf Kerl. Kann der Kerl nicht laufen? Gib ihm einen Tritt, dann geht's besser. Hüh, keine Müdigkeit vorschützen. Du willst wohl in den Neuen See springen. Hilfe, ein Selbstmörder, ha, ha.

Die Schüsse krachten. Karl hatte schon vorher wie ein Betrunkener geschwankt. Jetzt fiel er leicht um und lag. Man beugte sich über ihn. Man verabreichte ihm noch einen Schuß. Die Täter breiten ihren schnarrenden Zynismus aus, ihr kalter Hass kennt keine Barriere. Die beteiligten Offiziere reden mit der Bruststimme von Metzgern, die in den Revolutionären nur eine Schweineherde sehen, die man, jovial berlinernd, abschießen muss. In dieser Mentalität ist das »Abspritzen« und Vergasen der jüdischen Bevölkerung ein knappes Vierteljahrhundert später schon inbegriffen.

Döblin konnte seine Rolle in der Revolution nicht finden, aber es bleibt schon staunenswert, wie er sich inmitten solcher Wirren als Schriftsteller überhaupt sammeln und seinen *Wallenstein* zu Ende schreiben konnte. Er selbst gibt jedoch eine indirekte Erklärung: die Diversifikation der Lebensweisen. Während die Revolution sich ausbreitete, wurden anderswo in Berlin Bälle gefeiert. Er akzeptierte diese Widersprüche und ließ sich weder vom einen noch vom anderen Bereich der Gesellschaft ausschließlich beanspruchen.

Bei den Wahlen zur verfassunggebenden Nationalversammlung am 19. Januar war die SPD der große Sieger. Am 11. Februar wählte die in Weimar tagende Nationalversammlung Friedrich Ebert zum Reichspräsidenten und Philipp Scheidemann zum Kanzler. Zehn Tage später kam die politische Ordnung in Bayern ins Rutschen. Ministerpräsident Kurt Eisner, der bereits vor der Revolution in Berlin in München die Republik ausgerufen hatte, wollte nach einer vernichtenden Niederlage seiner Partei, der USPD, von seinem Amt zurücktreten. Auf dem Weg zum Landtag wurde er am 21. Februar 1919 von Graf Arco, einem jungen Rechtsradikalen, auf offener Straße ermordet. Döblin hat das Ereignis kommentarlos hingenommen.

Nach den Wahlen für eine Nationalversammlung musste auch Kurt Hiller einsehen, dass sein Rätesystem ausgespielt hatte. Ein Berliner Kongress des »Politischen Rats geistiger Arbeiter« erneuerte zwar noch im Juni 1919 die Ablehnung der parlamentarischen Demokratie, litt aber unter dem Mangel an Interesse in der Öffentlichkeit, weil zu gleicher Zeit der Versailler Vertrag diskutiert wurde.

Vom 3. bis 13. März kam es in Berlin erneut zu Unruhen und Kämpfen. Der Generalstreik wurde ausgerufen, unter Einschluss der Elektrizitäts- und Gaswerke. Am gleichen Tag wurde über Berlin der Belagerungszustand verhängt. Zwei Tage später bekämpften sich Regierungstruppen und eine revolutionäre Volksmarinedivision, nachdem die Aufrührer vom Polizeipräsidium am Alexanderplatz aus beschossen worden waren. Am 6. März brachen die Regierungstruppen den militärischen Widerstand am Alexanderplatz, indem sie Minenwerfer, schwere Artillerie und Bombenflugzeuge einsetzten. Gustav Noske, inzwischen Reichswehrminister, gab die Devise aus: Jeder bewaffnete Aufständische soll sofort erschossen werden. Am 8. März wurde der Generalstreik abgeblasen. Einen Tag später erschien in der Presse eine Tatarenmeldung, wonach in Lichtenberg 60 Beamte von Revolutionären erschossen worden seien. Diese Presselüge, von der Nachrichtenzentrale der Reichswehr lanciert, gab den Vorwand zur Verhängung des Standrechts. Lichtenberg wurde militärisch besetzt, es gab Massenerschießungen von Revolutionären; amtliche Angaben sprachen für den März von 1200 Toten, vor allem auf Seiten der extremen Linken.

Den später geschriebenen vier Bänden von *November 1918* hat Döblin die Ereignisse der Revolution kalendergetreu eingeschrieben. Hineingetragen ist in den Stoff die Bitternis der Niederlage, sichtbar ist das Parteiische des Blicks. Die Novemberrevolution und ihr Scheitern enthielten nach Döblins Auffassung die Schlüssel für alles Kommende. Karl Liebknecht trägt diesen Ausblick in die Zukunft vor. Die Konterrevolution werde in der Republik ihr Potential auch an Waffen verstärken und dann die Republik stürzen. Diese Entwicklung laufe auf einen neuen Weltkrieg hinaus. *und da konnten sich die Weißen befestigen, geschützt von diesen feigen und verräterischen Sozis, und konnten ungestört ihr Doppelspiel treiben: im Vordergrund die Republik schützen, um dahinter aufzurüsten und, wenn man sich stark genug fühlte, die Republik zu stürzen, ein Spiel, leicht zu durchschauen.* Liebknecht hält im Roman (wie Döblin in manchen Bemerkungen auch) die Alliierten für *grenzenlos dumm.* Er mutmaßt, dass ein weiterer Krieg unvermeidlich sei: *Wie werden sie dem nächsten Krieg entgehen? Welche Perspektiven, Rosa.* Im Pakt der Sozialdemokraten mit den kaiserlichen Generalen sowie mit den Freikorps hat Döblin die Ursache für Hitlers Aufstieg und Machtübernahme gesehen. Liebknechts revolutionäre Auffassungen im Roman verbinden sich ohne weiteres mit einer national getönten Abwertung des Auslandes. Auf den Revolutionär sind die politischen Ansichten des Autors nicht gerade zufällig übertragen.

Für Rosa Luxemburg und Karl Liebknecht hegte Döblin große Sympathien, die kaum dem Säurebad des Zweifels und des Widerspruchs ausgesetzt sind.

Das ist umso erstaunlicher, als Döblin in *November 1918* den Marxismus, sei es die sozialdemokratische oder die kommunistische Version, einer uneingeschränkten Kritik unterzieht. Die einen hätten in Gestalt von Ebert, Scheidemann und Noske durch ihren Pakt mit General Groener, der seinerseits die Verbindung zu Hindenburg hielt, die revolutionären Massen verraten und den bürgerlichen Kapitalismus erneut inthronisiert. Die Spartakisten wiederum hätten mit ihrer Orthodoxie die Massen belastet und damit den revolutionären Elan ins dogmatische Brackwasser gelenkt. Es wäre eher darauf angekommen, die Kraft auf die Überwindung der Kriegsfolgen und auf die Erörterung über seine Urheber zu leiten.

TOD DER SCHWESTER

Die Ausläufer der Berliner Straßenkämpfe griffen im Frühjahr 1919 unvermittelt nach der Familie. Zwischen dem 11. und dem 13. März fand der Kampf um das »rote« Lichtenberg statt. Eindrücke davon hat Döblin als Linke Poot berichtet: *Die Straßen werden von da ab kaum noch von Wagen befahren, einmal täglich der Milchwagen von Bolle, sehr, sehr mutig, inmitten der wirklichen Schießerei, geehrt von Freund und Feind: es war ein rührendes Bild aus einer anderen Welt.* Nach dem 13. März räumen »weiße« Truppen, nämlich ein Freikorps des Obersten Reinhard, von Ebert und Noske gerufen, das Quartier. Diese militärische Aktion bedeutete das Ende der Revolution in Berlin. An den Aufständischen wurde grausame Rache geübt, Hunderte wurden erschossen, entweder nach Standgerichtsurteilen oder wie beiläufig. Am 12. März 1919 wurde Meta Goldenberg, die Schwester Alfred Döblins, als sie in Berlin-Lichtenberg aus dem Haus trat, um für ihre kleinen Kinder Milch zu holen, von einem Granatsplitter getroffen. Sie bemerkte von der Verletzung zunächst wenig, fand nur Blut am Mantel, kam ins Haus zurück und fiel dann um. Sie wurde in ein Krankenhaus eingeliefert und starb noch bei der Notoperation, als man versuchte, ihre inneren Blutungen zu stoppen, mit 45 Jahren. Döblin hat ihr ein ergreifendes Porträt gewidmet, das er 1928 seinem autobiographischen *Ersten Rückblick* einverleibte: *Ich konnte an dem schrecklichen Vormittag, wo die Beschießung von der Warschauer Brücke her einsetzte, nicht zu ihr. Das Feuer aus schwerer Artillerie auf die Frankfurter Allee war zu stark.* Er trat mit der Todesnachricht in die Wohnung seines ältesten Bruders Ludwig ein, wo auch die kranke Mutter lebte. *Als ich mit dem Ehemann meiner Schwester zu ihm in die Wohnung kam, hörte meine Mutter meinen Bruder nebenan krampfhaft weinen bei der Nachricht.*

Ihr Gesicht war steif, wie es die Krankheit machte, ihre Hände und der Kopf zitterten stärker. Sie sagte gleich: »Sie ist tot.« Und dann: »Warum sie und nicht ich.« An diese Erinnerungsszene schließt sich die erbärmliche Geschichte Meta Döblins: Für den Bruder ist sie ein Opfer *der Wahnidee des Bürgertums,* dass eine Frau nur zu verheiraten sei und keinen Beruf erlernen solle. *Mein ältester Bruder zog unter Riesenopfern eine große Summe als Mitgift aus seinem Geschäft,* und sie heiratete einen zweifelhaften Mann, der es nur auf ihr Geld abgesehen hatte, so wurde die Ehe nach *ein, zwei Jahren wieder geschieden.* In der Darstellung ihres Falls finden sich einige der Motive wieder, die später dem Roman *Pardon wird nicht gegeben* die Wucht eines gesellschaftlich verursachten Schicksals geben sollten: die Familie als das Gefängnis des Einzelnen und als das Arbeitsfeld des Kapitalismus, der die menschlichen Beziehungen zerstört. Im Roman sind sie gebunden an das Bildnis des ältesten Bruders Ludwig, doch in dem jähen Tod der Schwester, der es beschieden war, lange Zeit ihres Lebens fremdbestimmt zu verbringen, hat der Roman ebenfalls Wurzeln. Meta Döblin hat einige Jahre nach der Scheidung einen Handwerker geheiratet und mit ihm in Konstantinopel und in Antwerpen gelebt; 1914, nach der Einnahme der Stadt wurde sie nach Deutschland transportiert. Sie habe in ihrem leidenschaftlichen Temperament ihrer Mutter geglichen. *Es war ein Ende, das gut zu ihrem Bilde paßt, das sie dann traf: der Tod beim Einholen von Milch für ihre kleinen Kinder.*

Zwischen die Erinnerungen an die Schwester schiebt sich eine Szene aus dem widersprüchlichen Revolutionsgeschehen. Auf der Siegesallee habe er einst zwei Züge mit Demonstranten gesehen, bei denen der eine »Nieder« und der andere »Hoch« geschrien habe. Das fand er erbärmlich: *Wer diese Menschenmassen gesehen hat und bei ihnen Wagen mit Maschinengewehren, Tausende kräftiger Männer, und diese Masse, Arbeiter, tat nichts als Hoch und Nieder schreien, und eine andere große Arbeitermasse zog neben ihr, in anderer Richtung, sang auch die Internationale und schrie »Nieder«, wo die drüben »Hoch« schrien – wer dies erlebt hat, der wird wissen, welchen Widerwillen ich gegen solche erbärmliche »Revolution« empfand. So fremd, so feindlich mir die weißen Truppen waren, ich trat zurück und sagte entschlossen: dies ist gut, sie sind besser als die drüben. Hier geschieht ein gerechtes Gericht. Entweder sie wissen, was Revolution ist, und sie tun Revolution, oder ihnen gehören Ruten, weil sie damit spielen.* Das klingt nach rabiater Revision seiner Überzeugungen, um nicht zu sagen: nach Denunziation der Revolution. Und in ähnlicher Richtung, auf jeden Fall als Abfall Döblins von der Novemberrevolution ist der Text bisher gedeutet worden. Er gab für diese Haltung eine weitere Begründung. Er hasse die Unfähigkeit, und *diese Leute* seien unfähig gewesen: *Mit Schlappschwänzen, Dummköpfen und Phrasendreschern muß man Fraktur reden.* Er stehe, ob links oder rechts, auf der Seite jener, die Fraktur redeten. Es ist die Stimme des Wiedergängers Gustav Noske, der als sozialdemokratischer Reichswehrminister auf dem Parteitag der SPD im Juni 1919 mit dem klassisch gewordenen Zynismus die Massenliquidationen von Januar und März 1919 rechtfertigte: »Wo gehobelt wird, fallen Späne.«

Wer sich etwas länger mit diesen Äußerungen befasst, wird in den Ruten des Zuchtmeisters, der in diesem *Ersten Rückblick* auch mit drakonischen Lehrern abrechnet, einen imitatorischen Tonfall hören. Döblin ereifert sich mit Papageienstimme, mit dem Gehabe einer aggressiven Bürgerlichkeit, die gerade in Lichtenberg zu vielen Morden geführt hatte. Er setzte mit diesem bösen Kommentar eine reaktionäre Sprachmaske auf: Er bewegte sich weitestmöglich von seiner Sympathie für die Opfer weg, um seinen Schmerz über die misslungene Revolution zu unterdrücken, um zum Bildnis der toten Schwester die Täterstimme der mörderischen Gesinnung hinzuzufügen.

Trotz aller inneren Bewegung durchzieht diese Erinnerungspartie über die Schwester ein leiser Reflex jenes Abstandsverhaltens, das er, aus dem Krieg nach Berlin zurückkehrend, Goethe unterstellte, um damit auf sich selbst hinzudeuten: *Der Tod ist etwas Wertloses, es läßt sich nichts damit anfangen, daß einer tot ist.* Er will diesen Schmerz in der antitragischen Haltung Goethes verpuppen, doch waren Ebert und Noske für Döblin fortan unveränderlich Hassfiguren. Unbewusst scheint er ihnen den Tod Metas angelastet zu haben.

NEUBEGINN

Efraim Frisch hoffte, Döblin als regelmäßigen Mitarbeiter, offensichtlich mit einer ständigen Kolumne, gewinnen zu können. Er war eifersüchtig auf die »Neue Rundschau«, und Döblin geriet ein wenig zwischen die publizistischen Fronten: er hatte Frisch hofiert, weil er wegen seiner politischen Gesinnung in der »Neuen Rundschau« auf Schwierigkeiten gestoßen war: Dort pflegte man eine gemächlichere politische Auffassung und war über den Hausautor leicht verschreckt. So bot der »Neue Merkur« ein Auffangbecken für die Artikel, die in der Zeitschrift des S. Fischer Verlags politisch unbequem oder gar missliebig waren. Gegenüber Efraim Frisch hatte er Weihnachten 1918 erklärt: *Ich bekenne als Farbe blutrot bis ultra-violett!* Das wird wohl, außer seiner Zustimmung zum Rätesystem, weniger ein politisches Bekenntnis als ein ironischer Verweis auf die Einschätzung sein, die er in der »Neuen Rundschau« erfuhr. Aber er wollte keinesfalls die eine Zeitschrift gegen die andere ersetzen. Er hätte es sich auch nicht erlauben können, die Redaktion der »Neuen Rundschau«, die schließlich in seinem Stammverlag S. Fischer erschien, zu brüskieren. So kam es zu einem gewundenen Rückzieher gegenüber Frisch. Er lehnte eine ständige Kolumne ab: er wollte nach eigenem Gusto schreiben, lockte Frisch mit dem Versprechen, zahlreiche Texte zu liefern, wollte aber nicht *unter dem Damoklesschwert der Regelmäßigkeit* arbeiten.

Einen politischen Programmatiker hat Döblin niemals abgegeben. Das erwies schon sein nationalistischer Kontext, in dem er während des Krieges lebte, und das zeigen auch die Bekundungen im Revolutionsgeschehen und danach. Dies als Mangel zu rügen kann jedoch nur jemand, der die anderen Fähigkeiten und Tätigkeiten missachtet, unter anderem den schreibenden Anwalt und Armenarzt, der seine Praxis unbeirrt in allen Wirren wieder eröffnete: *Ich fand meine Kranken in ihren ärmlichen Stuben liegen; sie brachten mir auch ihre Stuben in mein Sprechzimmer mit. Ich sah ihre Verhältnisse, ihr Milieu; es ging alles ins Soziale, Ethische und Politische über.* Als Kassenarzt fand er seine natürliche Profession: *Die Kassenpraxis – ich spreche es aus – ist die natürliche, dem Arzt angemessene, weil sie einfach und anonym Arzt und Patient gegenüberstellt und das Finanzielle aus dem Spiel bleibt.* Zu dieser bürgerlichen Existenz fand er trotz des politischen Chaos um ihn herum mit untrüglicher Sicherheit zurück.

Auch hat er sich in den Revolutionstagen wieder mit Goethe befasst. *Es wird Sie interessieren, daß ich langsam mich Goethe nähere. Ich meine, ich lese ihn und gewinne eine Haltung dazu. Davon schreibe ich Ihnen noch einmal mehr. Ich habe da viel auf dem Herzen.* Diese Zeilen an Wilhelm Lehmann stammen vom 15. November 1919. Er ließ sich einfach nicht beirren.

Im Mai 1919 musterte er in der »Neuen Rundschau« die allenthalben gegründeten Zeitschriften, den neuen Geist der Mitteilsamkeit: *Alle Menschen haben Ansichten, bisher hatte bloß Ludendorff eine, die anderen mußten sich damit begnügen, Hochverräter zu sein.* Er nannte die ausgebrochene Diskussions- und Thesenlust spöttisch *Rededelirien.* Er charakterisierte einige Periodika, aber ihre Besprechung galt meistens einer Luftnummer: fast alle überstanden kaum die Umbruchszeit. Er hielt es nicht für möglich, einer bestimmten Partei anzugehören, jedenfalls sei diese eines Humanisten nicht angemessen: *Es gibt viele Wege: man darf sich nicht an den Weg verlieren.* Dieser Standpunkt nährt Zweifel, ob Döblin, wie öfter behauptet, Mitglied der USPD war und nicht nur ein zeitweiliger Sympathisant und unsicherer Kantonist. Er kritisierte die Verbürgerlichung der Revolution, sah auf ihrem

Ast den Bolschewismus wachsen, der schon damals nicht seine Sache war. Achtung hatte er nur für die anarchistischen Blätter, die zwischen Stirners »Einzigem« und Landauers genossenschaftlichem Sozialismus pendelten. Die Namen ihrer Herausgeber und Redakteure bezeichnen einen Kreis von Gesinnungsfreunden: Martin Buber, Alfred Wolfenstein, Mynona und Anselm Ruest (alias Ernst Samuel, Mitbegründer der »Aktion«). Nichts hielt er in diesem Augenblick, da dachte er wie Karl Kraus, von der neu gewonnenen allgemeinen Pressefreiheit: es komme zunächst darauf an, die Lügenmäuler zu stopfen. Er trat für Sachlichkeit ein, wandte sich gegen den hohen Ton und die Verkündigungsstimmen: *Wir haben eine Überproduktion an Pathos, Lyrismen und Entrüstung.* Er hat in diesen Monaten schon das meiste von dem bemerkt, was in der Folge nicht gelang oder schieflief. Aber der prophetische Kritiker ordnete sich einem anderen Typus unter, dem Satiriker, den er in diesem Jahr voll entwickelte: *Wie macht man eine Revolution? Die Frage war überraschend schnell beantwortet. Wie wir morgens runter kamen, war die Revolution schon vorbei. Wir hatten extra gebeten, uns zu wecken, wenn Revolution ist. Aber nach der Revolution. Wenn es regnet, nimmt man einen Schirm. Und wenn es Revolution gibt, was soll man da machen. Eben war man noch empört oder vergnügt und jetzt ist gleich Revolution. Das Beste: man sieht, was die anderen machen. Es steht auch in den Zeitungen.*

Am 23. Mai 1919 schrieb er an Efraim Frisch, er habe sein neues Buch, den *Wallenstein,* soeben abgeschlossen. Das ist seine eigentliche Antwort auf den Krieg und sein Bekenntnis zu den beiden Seelen in seiner Brust, die nicht nur den Anhänger der Revolution, sondern auch ihren zweifelnden Zuschauer kennt.

1919: Das Datum ist auch deshalb erwähnenswert, weil Döblin einmal Thomas Mann lobte. *Sehr schön* nannte er in einem Brief an Efraim Frisch vom 1. Juli *die Hexameteridylle* »Gesang vom Kindchen«. Das will erwähnt sein, weil es so selten passiert.

IN DER WIRRNIS

In München nahmen die Ereignisse einen katastrophalen Fortgang. Am 7. April 1919 wurde die bayerische Räterepublik ausgerufen. Die gewählte Regierung unter dem Sozialdemokraten Johannes Hoffmann retirierte nach Bamberg. Sechs Tage später übernahmen Kommunisten die Führung in München und stellten eine Rote Armee zusammen, die von dem Pazifisten Ernst Toller mehr schlecht als recht kommandiert wurde. Die legislative Gewalt wurde einem vierköpfigen Vollzugsrat unter Eugen Leviné übertragen. Am 2. Mai wurde München von regierungsnahen Truppen und rechtsradikalen Freikorps besetzt. 600 Menschen verloren ihr Leben. An diesem Tag wurde Gustav Landauer, die legendäre Gestalt des pazifistischen Anarchismus, im Gefängnis von München-Stadelheim von einer rechten Soldateska ermordet. Ihm widmete Döblin einen Monat später einen Gedenkartikel. Er gibt eine Art situatives Porträt des Mannes, der unter dem Druck der Ereignisse denn doch die revolutionäre Gewalt gutgeheißen hatte. Landauers Name fällt in keinem Satz. Auch dessen Umriss zeichnet Döblin merkwürdig abstrakt, beinahe teilnahmslos. Keine Silbe verliert er über Landauers Prinzipien der »gegenseitigen Hilfe«, die er von Kropotkin entlehnt hatte, über seinen staatsfernen Kommunitarismus, seine ethisch aufgeladenen, mit Spiritualität durchsetzten politischen Auffassungen, darüber, dass er für Döblin ein geistiges Vorbild war. Er skizziert einen Menschen, der von den Umständen, in denen er steckt, mehr bewegt wird, als er selbst bewegen kann. Diese Umstände, auch *die Dinge* genannt, sind von eisernem Beharrungsvermögen: wie Gletscher, die sich unmerklich langsam, aber unbeirrbar bewegen. Ihnen wollte Landauer seine weltfromme Melodie vom inneren, zu weckenden Reichtum des Einzelnen, von der freiwilligen Assoziation anstelle des Machtdenkens vorspielen. Aber sie haben sich seiner bemächtigt und haben ihn bezwungen. Noch einmal (oder wieder) zeigt Döblin in einer Miniatur seine Einsicht aus dem *Wanglun* vor: Der Einzelne darf sich über das Maß seiner Freiheit nicht täuschen, der Rebell wird erliegen. Bis in die Turbulenz der Revolution hinein reichen die Spurenelemente seines Taoismus. Genauso gut kann man diese Auffassungen vom Nichtwiderstreben auch als Vorklärung einer Figur aus seinem gerade abgeschlossenen *Wallenstein* deuten: Kaiser Ferdinand, die katholische Majestät, wird sich zurückziehen und der Macht entsagen.

Manches Erbe blieb ihm von daher. Noch in *Unser Dasein* von 1933 formulierte er seine offene Sympathie für den Anarchismus: *Gut ist aber am Anarchismus das lebendige Gefühl, das Wissen um die ganze kleine tägliche menschliche Realität, der Wille zu einer wirklichen Gemeinschaft. Dem deutschen Sozialisten, wie überhaupt dem deutschen Menschen, fehlt ein Schuß Anarchismus.* Soziale Empfindung und Mitgefühl des Schriftstellers sprechen sich jenseits der Parteiprogramme, theoretischen Höhenflüge und Fraktionskämpfe aus. Immer wieder gibt es diese lautlosen kleinen Beobachtungstexte teilnehmender Musterung von Einzelheiten, Zeitungsmeldungen. Aus dem Fundus der Beobachtungen holen die Flimmerhaare seiner Aufmerksamkeit passende oder konträre Einzelheiten heran. Auch in der Mitte dieses für Döblin so schwierigen Jahres 1919 mit seinen Ungewissheiten, Verlusten, Turbulenzen und Überzeugungsdramatiken gibt es dieses Innehalten auf den Augenblick, diese Reminiszenz auf den Moment der Wahrnehmung. In *Plakate* mustert er (im Juli) den Surrealismus eines in politische Parolen, Kriegsbilder und materielle Not eingeklemmten Alltags; er buchstabiert die vergilbenden Sensationen der Litfaßsäule, wendet sich Kriminalfällen und dem Schiebertum zu. In diesen hingemurmelten Wahrnehmungen entstehen menschliche Anteilnahme und humane Gegenwart wie von selbst. Und die Devisen dieses Miniaturisten liegen herum gleich einem Strandgut von einem fernen Horizont. Das Bekenntnis zu Berlin in *Ruinen, neues Leben* (September 1919) ist versehen mit Erinnerungen an die lebensfernen Kriegszeiten, mit der Besichtigung von Bauwunden; eine gütige und demütige Nachricht vom unvergänglichen, sich erneuernden Leben nach und inmitten der Katastrophen breitet sich auf drei Seiten aus. Die Memorabilien über *Tod und Selbstmord* (September) kontrastieren die Wahl von Menschen, die in den Freitod gegangen sind, mit der Wahllosigkeit des Kriegstodes; wie Blätter im Wind werden die Menschen herumgeschleudert. Es sind schlichte Botschaften, die in diesen Artikeln (in der »Vossischen Zeitung«) auftauchen. Ein wägendes Herz, Mitempfinden und taktvolle Vorsicht sind die Streben dieser kleinen Textgebilde.

Ein erstes Fazit der Novemberrevolution von 1918 zog er ein Jahr später: im Novemberheft der »Neuen Rundschau« erschien sein Kommentar *Dämmerung.*

LINKE POOT TRITT AUF

Seit Juni 1919 trat Döblin in doppelter Gestalt auf: als Essayist, der mit seinem Namen zeichnete, und als Glossist unter dem Pseudonym »Linke Poot«. Dieser meinungsfreudige, in seinem Spott bisweilen höhnische Zeitgenosse ist nicht nur ein Behelfsname, damit Döblin in S. Fischers Zeitschrift den Strom seiner Manuskripte besser lenken und er vermeiden konnte, monatlich zweimal im gleichen Heft zu erscheinen. Das Pseudonym »Linke Poot« bestimmt über diese technische Notwendigkeit hinaus die besondere Art dieses Schreibens – mit der »linken Pfote«. Das wiederum hat eine mehrfache Bedeutung. Es heißt so viel wie »nebenbei«, en passant geschrieben, kennzeichnet aber auch die Gesinnung. Und es gibt eine niederländische Bedeutung wieder, wonach einer, der mit links schreibt, ein ungelenker, täppischer Kerl ist, womit Selbstironie zweifellos mit im Spiel ist.

Mit der »linken Pfote« kritzelte er seine oft höchst witzigen, karikierenden, treffenden Glossen, die freilich auch bisweilen in Albernheiten dahinplätschern. Da ist auf der einen Seite »Alfred Döblin«, ein auf analytisches Verständnis bedachter Schreiber, und auf der anderen »Linke Poot«, der mit seinen scharfen Formulierungen, seiner Verliebtheit in die Pointe, seinem Sarkasmus die politische Oberfläche ritzt, eine eigene Figur, ein Wortspieler und Florettkämpfer dazu, aber auch eine George-Grosz-Natur, die sich der kritischen Härte verpflichtet. Die politischen Überzeugungen hinter den beiden Namen unterscheiden sich wenig, aber gewiss nach dem jeweiligen Temperament. »Alfred Döblin« als Kommentator und »Linke Poot« lassen sich nicht durch Definitionen auseinanderhalten, aber sie sind doch in ihrer Doppelexistenz ein gelebter Ausdruck der Ich-Vermehrung. Linke Poot trat mit der Glosse *Kannibalisches* im Juni-Heft der »Neuen Rundschau« 1919 auf den Plan. Die Form ist bereits ganz entwickelt: Drei Abschnitte, jeweils in anderer Tonart, anderen Gegenständen gewidmet, gehen eine unterirdische Verbindung ein. Aus einer Zeitungsmeldung über den Verkauf von Menschen- als Hammelfleisch werden abgründige Späße über Vegetarier und die irdische Speiseordnung gezogen, eine Aufführung der »Penthesilea« beleuchtet die Kunstansicht des Falls von Kannibalismus, es folgt eine Reportage über die standrechtlichen Erschießungen von Revolutionären in Lichtenberg im März, und Linke Poot bricht in eine Schimpfkanonade über die unbeteiligten Schriftsteller aus: *Wo seid ihr jetzt, ihr Gebildeten, ihr Geistigen, ihr Dicketuer? Ihr Großmäuler? Zum Kotzen seid ihr allesamt. Mit euren albernen, modernen Theaterstücken, euren Gedichten, auf die ihr euch Gott weiß was einbildet, euren blödsinnigen neuen Ausdrucksformen. Ihr könnt nicht einmal das Älteste einfach ausdrücken: die Wut und den Schauder eines Mannes über eine solche Missetat. Ja, dazu langt es bei euch nicht, ihr psychischen Krüppel!* Ein kruder Fall von essenswerten Menschen, eine Tragödie auf dem Theater und der Rapport aus dem Mörderbetrieb der beginnenden Republik ergeben in diesen Streifzügen Linke Poots ein einziges Amalgam, das mit Witz, einem Schuss Zynismus und menschlicher Wut gemustert wird.

DER SCHWARZE VORHANG

In einigen Monaten sollte der monumentale *Wallenstein* herauskommen. Der S. Fischer Verlag nutzte die verbleibende Zeitspanne für einen Rückgriff auf eines der Döblinschen Jugendzeugnisse. Der frühe Roman *Der schwarze Vorhang* war *ein stiller Bewohner des Rollschranks,* er gehörte zum Nachlass zu Lebzeiten. Aber Döblin sah auf ihn mit Wohlwollen und lag dem Verleger vermutlich so lange in den Ohren, bis der ihn in diesem Interregnum 1919 in einer Auflage von 3000 Exemplaren herausbrachte. Schon im November 1917 hatte Fischer in Aussicht gestellt, das Manuskript drei Monate nach Kriegsende drucken zu wollen, und der Autor stimmte freudig zu: *Also: ich bin einverstanden, und es soll mich freuen, dies schmerzensreiche Büchlein bei Ihnen in der freudenvollen Zeit des Friedens gedruckt zu sehen.* Seinem Vertrauten Wilhelm Lehmann kündigte Döblin den Verspätling aus Jugendtagen mit einiger Wärme an: *Es ist ein altes Buch von mir, aber es schien mir interessant genug, um es doch noch drucken zu lassen. Es stellt sich zur Liebe und zur Sexualität, wie jemand, dem eine Bombe ins Haus fällt, also so betrachtet er diese Dinge als Fremdkörper, ist völlig konsterniert und läuft davon.* Für den Druck hat er den Text eigenhändig ein wenig korrigiert, aber eine gewisse Nonchalance beim Umgang mit seinem Frühwerk ist unverkennbar, ist vielleicht der Eitelkeit des Publizierwillens geschuldet, und der Verlag in Gestalt seiner Lektoren Oskar Loerke und Oskar Bie wird seine Einwände nicht allzu deutlich vorgebracht haben.

So erschien dieser aus der Schublade gezogene Roman mit dem selbstironisch-übermütigen Vermerk, *er ist nun hoffentlich gut abgesetzt, durchgegoren, goldig geklärt mit reichlich Bodensatz. Etwas Patina und Schimmel wird allgemein Genugtuung bereiten.* Eine etwas weniger unbekümmerte Sicht hätte verhindert, dass dieses nur als Dokument frühen Überschwangs zu goutierende Werkchen ungestraft in zeitliche Nachbarschaft zum imperialen *Wallenstein* gebracht wurde. Bevor das zweibändige Großwerk über den Dreißigjährigen Krieg erschien, gab es eine Handvoll Kritiken, die fast ausnahmslos negativen Rumor ausbreiteten. Da war von einem »unausgegorenen Buch« die Rede, von der »Wiedergabe abstoßender Handlungen«, von einer »verstiegenen überhitzten Erotik«, von einem »Zweig vom Baume jener Treibhauskunst der Vorkriegszeit, die dem geistigen Menschen von heute nichts mehr sagt«, und der immerhin renommierte Karl Strecker fegte das Buch mit der Bemerkung, »ein höchst verworrenes Werk, unreif, dick aufgetragen, aufgepeitscht, abstoßend und, was nicht an letzter Stelle stehen sollte: auf die Dauer langweilig«, in die Ecke. Mit seiner Publikationspolitik erwies sich Döblin zum ersten Mal als sorglos: Ihm fehlte die Einsicht, dass er sich mit Publikationen zum falschen Zeitpunkt schaden konnte.

ZWISCHENSPIEL: REDAKTEUR

Seit 1914 hat Döblin in der »Neuen Rundschau« geschrieben – parallel zur Entfremdung vom »Sturm«-Kreis. Vermutlich hat er dort Robert Musil, den damaligen Redakteur, kennengelernt, der es – wie Döblin auch – nur ein gutes halbes Jahr im Büro der Zeitschrift aushielt. Drei Aufsätze und drei Novellen sind von Döblin bis 1917 in der »Neuen Rundschau« erschienen. Am 2. November 1919 berichtete er dem empfindlichen Efraim Frisch, er helfe Oskar Bie auf Wunsch Samuel Fischers bei der Redaktion der Zeitschrift: *Eine ganz interessante Tätigkeit. Ob ich was schaffen oder ändern kann ist eine andere Frage. Es haben sich schon andere die Zähne daran ausgebissen. Und wer weiß, ob es Not tut was zu ändern.*

Von Oktober 1919 war er sieben Monate lang als Redakteur tätig. Samuel Fischer wollte mit Robert Musil, dem er als Redakteur zu Beginn des Ersten Weltkriegs gekündigt hatte, wieder anfangen, aber die Verhandlungen zerschlugen sich. 1916 folgte ihm Albert Ehrenstein nach, dann kam Döblin – für eine denkbar kurze Episode. Ehrenstein und Döblin kapitulierten aus den gleichen Gründen: sie konnten, wie Musil zuvor, nichts Neues durchsetzen. Am 17. April 1920 teilte er Frisch mit, er sei wieder aus der Redaktion ausgeschieden, denn *es bleibt alles beim Alten (in jedem jedem Sinne), beim sehr Alten.*

Oskar Bie, dem Herausgeber der »Neuen Rundschau«, gefielen die Texte Linke Poots wenig, sie waren nach seinem Geschmack vermutlich zu extremistisch. Auch konnte Döblin nur Ehrenrunden mit eigenen Texten drehen: den Kurs der ganzen Zeitschrift zu verändern, war ihm nicht möglich; in dieser Hinsicht waren ihm die Hände gebunden. *Ja, Bie macht alles wie früher; der Marasmus der »N.R.« ist unaufhaltsam; ich ging, weil ich in der Koalition nichts durchsetzen konnte und plein pouvoir mir aus Angst vor »Radikalismus« versagt wurde.* Die Trennung von der Redaktion der »Neuen Rundschau« beschäftigte ihn noch einige Zeit. Am 23. Mai 1920 schrieb er, keck ins Ungewisse hinein prognostizierend, an Max Krell, das Ende der Zeitschrift sei unaufhaltsam, sie sei ein Tier, das sich zu Tode laufen müsse. *Ein Jammer: warum gibt es in Deutschland keine repräsentative große Zeitschrift, die lebendig und kraftvoll ist und an der man gern mitarbeitet.*

Zu Döblins Scheitern trug ein Manko bei, das in seinem Naturell lag: Er maß sich, streitsüchtig wie er war, mit den Großautoren des Verlages, mit Thomas Mann, vor allem aber mit Gerhart Hauptmann, wo doch Samuel Fischer vor allem auf Ausgleich und Gemeinschaft unter seinen Stars bedacht war. Die Reibereien nervten den Verleger und fielen auf Döblin selbst zurück.

Er wäre nach seinem raschen Ende als Zeitschriftenredakteur nun doch gerne ständiger Mitarbeiter des »Neuen Merkur« geworden, als Linke Poot und auch mit anderen Beiträgen. Aber das Angebot, das er Efraim Frisch machte, wurde nicht angenommen. *Überfließend vor Ekel* hieß der Abschiedsartikel Linke Poots 1920 in der »Neuen Rundschau« und war mit der Schlussbemerkung *Exit. Linke Poot* versehen. Aber dann folgte in diesem Blatt im Mai 1921 doch noch einer nach: *Hei lewet noch* mit satirischen Kommentaren über die deutschen Fürsten und den Kaiser in Doorn, scharfen Beobachtungen über die ausgepowerte Bevölkerung und voller Teilnahme an ihren Leiden und seelischen Nöten. Die politische Lage war bitterernst: der Kapp-Putsch nicht einmal zwei Monate vorüber, die deutsche Regierung ersuchte die Alliierten vergebens um Zahlungsaufschub, aber Linke Poot stand mit strahlendem Witz wieder auf: *Als ich im Sarge mein Los und das der Welt bedachte, krochen neben mir die Maikäfer hoch. Es ist größenwahnsinnig, kam mir ein, hier so prunkvoll aufgeputzt in einem Sarg zu liegen, und die Maikäfer gehen an ihr Geschäft. Ich habe mich mit ihnen auf die Reise gemacht.*

BLICKVERÄNDERUNG

Ein erstes Fazit der Revolution veröffentlichte Döblin im November 1919 in der »Neuen Rundschau«. Der Essay *Dämmerung* versteht sich als Anrufung eines geschichtlichen Moments: Die Nacht der abgelebten Verhältnisse herrscht nicht mehr, aber der Morgen der Versprechen beginnt noch nicht zu leuchten. Es geht um eine Trias, um *Republik, Demokratie, Zivilismus.* Sie sind noch nicht verwirklicht, aber dass sie in der Welt sind, ist der Entente und der Arbeiterschaft zu verdanken. Nun wandte sich Döblin an das Bürgertum. Es habe die Errungenschaften nicht herbeigeführt, sondern profitiere von ihnen. Der Feudalismus sei dahin, *die Entthronung des Leutnants, Degradation des Monokels* habe stattgefunden. Die großen, geradezu angebeteten Familien hätten ihre Rolle und ihren Nimbus verloren. Doch sah sich Döblin zu einem Warntelegramm genötigt: der Rechtsrutsch unverkennbar, die Konservativen in der Vorwärtsbewegung, die Massen erlahmt, die Sozialdemokratie revisionistisch, die Kommunisten über der Frage des Parlamentarismus zerstritten. Die Bolschewisten in Russland, für die radikale Linke das Vorbild: nichts anderes als *Weisheit der Verbohrten.* In der Dämmerung blinkten schon wieder die Helme der Militärs. *Die Revolution hat nicht Republik, Demokratie und Zivilismus gemacht. Sondern die Möglichkeit dazu.* Die stärkste Kraft in Deutschland sah er nicht links oder rechts, sondern in jener Zwangsorientierung der Gesellschaft auf die Parteien hin. Er nannte den Vorgang *die Vertrottelung*, das Vertrauen auf ihre Programme *die verwirrte und unentwickelte Energie.* Sein ganzer Abscheu wandte sich gegen die Bindung an sie. Der Mann, der vielleicht der USPD angehörte (auch wenn es zweifelhaft ist), betrieb die Vorwärtsverteidigung beim politischen Rückzug auf die Schicht, der er angehörte. *Den sogenannten Parteien in Deutschland das Handwerk zu legen, ihre sogenannten Programme zu zerfetzen, gehört zu den verdienstvollsten Taten, die ein Patriot verrichten kann.* Der Verbalradikalismus verdeckte einen Weg zu moderaten Haltungen. Den Intellektuellen traute er dabei nichts zu, aber es kam ihm am Schluss darauf an, *hinzudrängen zu einer Durchgestaltung, Bloßlegung und Organisation der Triebkräfte im Bürgertum.* Dieses Textende kam überraschend, blieb vorläufig vage, aber es zeigt die allmähliche Veränderung der Blickrichtung des politischen Zeitgenossen Döblin.

JENSEITS VON GOTT!

Ausrufezeichen hinter Überschriften markieren im Werk Döblins meistens ungelöste Fragen. Ende 1919 erschien in Alfred Wolfensteins Jahrbuch »Die Erhebung« ein fast 20-seitiger Essay *Jenseits von Gott!*, der sich mitten im gesellschaftlichen Chaos in eine religiöse Dialektik versenkt. Die offene Situation wird gleich mit dem ersten Satz markiert: *Man sage nicht, daß Gott tot sei für die Ungläubigen.* Wiederum rekurrierte er auf Nietzsche. Dessen Zarathustra war für Döblin in den Schützengräben endgültig untergegangen, ihn hatte er stillschweigend für den Aufstand gegen die Zivilisation, den der Krieg darstellt, als Typus verantwortlich gemacht. Nun betrat er den Kreis der Spekulationen, die Nietzsche mit seiner Erklärung »Gott ist tot« in der »Fröhlichen Wissenschaft« (1882) ins europäische Bewusstsein gehämmert hatte, schritt ihn aus und zerbrach ihn mit der Gewissheit, dass Gott gerade in seiner Verneinung anwesend sei. Seine Negation, in die sich die Revolution mit ihrer Absage an ererbte Gewissheiten einmischt, begründet den spirituellen Weg Döblins. Der häretische Zweifel in diesem Essay *Jenseits von Gott!*, vorgetragen mit der Inbrunst einer Glaubensgewissheit, bringt den Ungläubigen zum Tanzen wie einen Schmetterling um nächtliches Licht.

Es gibt, so Döblin, keinen Gott, aber auch für die Ungläubigen ist er am Leben, nimmt als *Gespenst* und als *Phrase* von ihnen Besitz. Er ist literarisch totgesagt und seine Existenz ist wissenschaftlich widerlegt, *ich will ihn nicht, ich brauche ihn nicht, er steht leichenhaft in mir herum,* aber er lässt sich nicht abschütteln, Döblin leistet die Abwehr der Religion im Banne Nietzsches, aber er fällt sich ins Wort: *Ich fühle die Süße, die in der Andacht, dem Gebet liegt, die Kräftigung, die solcher Unterwerfung folgt, den Ausgleich, den sie hervorruft, die Lockung der Hingabe und Demütigung.* Glauben und Beten erscheinen als Selbstverlust des souveränen Menschen, aber zugleich als seine Stabilisation. Immer wieder wird die rationalistische Barriere aufgebaut. Gott sei nichts anderes als *ein absurdes Philosophem aus der Kindheit der Menschheit,* als *poetische Phantasmagorie* sei sie unvereinbar mit der durch die Wissenschaften geschulten Vernunft. Er tat Religion als etwas Überholtes ab, als den Trost der im Leben Zukurzgekommenen, das Beten verstand er als Flucht: *Man entfernt sich durch das Gebet von der persönlichen Misere; ähnlicher Typus der Wunschtraum.*

Gleichzeitig muss Döblin konstatieren, dass die Religion in der Gesellschaft fest verankert ist: *Die Religionen sitzen ungehindert auf den ererbten Grundstücken, obwohl ihnen theoretisch kein Platz mehr in unserem Leben zukommt oder zukommen sollte.* Er will fragen, *was in uns religionsbedürftig ist, welche Triebe religionsfähig und religionsbereit sind.* Dieses Programm, das ein mächtiges Lied wird, gibt er in *Jenseits von Gott!* vor. Er erweist sich mit seiner Kritik als Gottloser und als einer, der das Geheimnis des in der Welt Anwesenden prüft, mit sich herumträgt und damit am Leben erhält.

Der Atheist weist Gott von sich, tituliert ihn als Gespenst, als Anachronismus, als ein Phantasma, bietet die Subtilitäten seiner Rhetorik auf, um ihn loszuwerden, aber er hat sich eingenistet und will nicht weichen. 1919, mitten in der Revolution, befasste sich Döblin mit der außerhistorischen Größe Gott. *In einem unhaltbaren gepeinigten ärgerlichen Durcheinander befinde ich mich.* Er entledigte sich (wenigstens für einige Zeit) dieser quälenden Bedrängnis durch den einen Essay, der nur eine Einleitung zu umfangreicheren Ausführungen bieten sollte. Döblin war von der Religion wie von betörender Musik berührt. Er mochte Gott beseitigen, wie er die Zeremonien, die sich mit seiner Anbetung verbinden, als Mummenschanz abtun wollte. Der Atheist will aufräumen, Remedur machen. Er unternimmt einen polemischen Zug nach dem anderen: ein glänzend formulierter, unterkühlter Hohn macht sich breit. *Eine üble und peinliche Anstrengung, Gott noch irgendwie unterzubringen; wie wenn man eine rostige Maschine überlebtester Konstruktion noch durchaus verwenden wollte, statt sie zum alten Eisen zu werfen.* In den Städten seien Gott und Religion als gesellschaftsstiftende Mächte überflüssig geworden, unnötig angesichts der sozialistischen Konstruktion von Gesellschaft. Er liest noch einmal im Neuen Testament und versteht es als eine soziale Botschaft im *Ton der Enterbten*. Die vier Evangelien hat er damit in Analogie zum Sozialismus gerückt. Er wollte eine Rückkehr aus dem als Fremdbestimmung empfundenen Gottesdienst und aus den religiösen Festen betreiben: *Wir fordern uns und unser Herz zurück*. Er wollte den Einzelnen lösen aus der Vergesellschaftung des Glaubens ebenso wie er jedem Gemeinschaftsfanatismus in der Politik widersprach.

Er besichtigte und besprach Glaubenswunden. Anderswo, in einer entlegenen Rezension (*Blendwerk, Feuer und Pharaonen*, 1920) wies er darauf hin, dass der Aufsatz schon im Krieg geschrieben worden sei. Das ist nicht sehr glaubwürdig, handelt es sich bei diesem Text doch um eine Verbindung des Negativs von Glauben mit einer in der Revolution vagierenden Seele. Ein für ihn quälendes inneres Erlebnis, diese Überwältigung durch einen abwesenden Gott. Der Essay gehört zu den eindrucksvollsten Dokumenten des Schriftstellers, der sich mit ihm einer spirituellen Durchdringung seines Lebensstoffs verschrieb und der auch die religiöse Grundierung seines sozialen Engagements offenbarte. Ein Suchender, aber auch ein Verzweifelter stellt sich aus. Döblin beschrieb eine erratische Größe, mit einem Aufwand an verneinenden Gebärden, die den verworfenen Gott in eine Majestät setzen, wie sie der Gewohnheitsglaube nie so stark zu setzen vermöchte. Er wollte eine eigene Schrift über das Thema herausbringen, bot sie Efraim Frisch an, sprach von einer *Broschüre*, aber erhalten hat sich davon nichts, nicht einmal das Manuskript. Wahrscheinlich hat er diese ausführlichere Version nicht verfasst. Am Schluss dieses Essays wird klar, weshalb Döblin eine beabsichtigte Fortsetzung gar nicht finden konnte: Die Negation Gottes war in diesem Text ausgeschritten. Nur ein Umschlag in die Gottesnähe hätte ihn verlängern oder erweitern können.

Es ist das letzte öffentliche Wort, das von Döblin in diesem ebenso turbulenten wie schmerzhaften Jahr 1919 zu vernehmen war: ein Antibekenntnis zu Gott, das seine Autorität wiederherstellte – und anrief.

3

POLITIK, NATUR, ZUKUNFT UND DAS ICH
AUFBRÜCHE DES PROTEUS
1920–1924

Immerhin wissen Sie, ein Kopf ist ein weitläufiges Rätsel, und man kann sich schon bei gewöhnlichen Personen in den vielen Gehirnwindungen verirren.

Der unsterbliche Mensch, 1946

REPUBLIK

Das neue Jahr eröffnete Döblin im Januarheft der »Neuen Rundschau« mit einem politischen Kommentar zur Lage, betitelt *Republik.* Zum ersten Jahrestag der Reichstagswahlen zeigte er, dass er sich von seiner Vorliebe für das Rätesystem noch nicht verabschiedet hatte. Er hielt wenig von Parteien als Zentren demokratischer Willensbildung. Sie seien das *Nessushemd der Freiheit.* Und *wird nicht zur Auflösung der Parteien geschritten und Begrenzung ihres Arbeitsgebiets, so ist keine Möglichkeit zur Entfaltung republikanischer und freiheitlicher Grundsätze gegeben.* Die wahre Aufgabe sei die *Selbstgliederung des Volkes,* nicht der autoritäre Staat, der seine Tradition aus dem Feudalismus nun durch die Herrschaft der Parteiführer verlängere. *Räte: das ist die Selbsthilfe der Massen gegen die autokratischen und dazu fremden Behörden. (...) Es spricht sich hier aus die Abneigung gegen die bisherige aussichtslose Art des Öffentlichkeitsbetriebes. Ein Gebot der Reinlichkeit ist das Einrichten von Räten, wie auch die Parteikliquen, nämlich die gefährdeten Interessenten und bisherigen Drahtzieher, sich dagegen sträuben.* Es wirkt wie eine aus der Aktualität geratene Trotzreaktion, dass er nach den für die SPD mit einem triumphalen Erfolg verlaufenen Reichstagswahlen vom Januar 1919 auf das instabile, von einzelnen Gruppen zerrissene Rätesystem baute. Er hoffte noch auf revolutionäre Veränderung und umstürzlerischen Bewegungsdrang, als er auf die Nationalversammlung zurückblickte: *Die Verselbständigung war vertagt. Man konnte sie vorläufig als Verfassung zu Papier machen. Mit Geist wäre alles mit der Zeit zu bändigen und zu lenken. Den Geist sucht man, es blieb bei Parteien.* Nach Döblin wurde nur das Personal ausgetauscht: statt der *Dynasten* nun die Volksvertreter. Döblin spricht in scharfer Diktion, doch ohne überzeugende Argumentation. Um zu markieren, was er möchte, greift er zu vagen Wendungen, nennt die *Kräfte des Volkes* oder die *elementaren Triebkräfte des Volkes.* Er setzt seine Kritik hin wie ein Depositum der Enttäuschung, aber dann bricht er auch wiederum in eine anarchische Lust über die neue Freiheit aus: *Unser Leben wagt sich hervor. Republik: haben wir keinen Grund, uns zu freuen und willens zu sein und es auszusprechen, dies nicht mehr zu lassen!*

Die Risse verlaufen für ihn zwischen »Volk« und Staat, nicht zwischen den sozialen Schichten und Klassen. Wie rasch seine Auffassungen wechselten, in welch schwankendem Grund sie wurzelten, zeigt ein Blick zurück: Zwei Monate zuvor hatte er seinen Situationskommentar *Dämmerung* mit der Skepsis über das sogenannte revolutionäre Subjekt ausgestattet und sich ausdrücklich nicht vom Bürgertum verabschiedet: *Der Bürger wird in der Dämmerung erwachen müssen. Kritik, Befreiung vom Terrorismus der Idole. Der erste Schritt. Ich sehe nicht, wie auf einem anderen Wege Republik, Demokratie, Zivilismus erkämpft werden könnten.*

Im Januar 1920 statuierte er nun: *Freunde der Freiheit und der Republik. Herüber nach links. An die Seite der Arbeiterschaft.* Er sah sich jetzt an der Seite des Proletariats, aber eben nur an der Seite und nicht in ihm aufgehoben. Mochten seine politischen Urteile in diesen Zeiten erheblich voneinander abweichen, so hat er doch den Glauben an die Arbeiterklasse als der imperialen Macht der Geschichte nicht geteilt. Im Exilroman *Pardon wird nicht gegeben* wird diese Haltung als *Tragödie eines Klassenlosen* bewertet. Er hat darin seine Situation ausgebreitet, nicht im Proletariat aufgehen, sondern ihm als Intellektueller nur an die Seite treten zu können, dabei die Ekstasen der bürgerlichen Geistesrevolutionäre abzulehnen.

LEHRANALYSE

Wann und durch wen hat die Psychoanalyse in die Auffassungen des Psychiaters Döblin eingegriffen? Das ist bisher nicht genau zu dokumentieren, und seine eigenen Bewertungen sind widersprüchlich. Sigmund Freud wird in den zwanziger Jahren einerseits ein Anziehungspunkt seiner Intellektualität, andererseits werden dessen Jünger, in den dreißiger Jahren auch er selbst, mit einem reichhaltigen Register an Verwerfungswörtern bedacht. Ein Geflecht aus Ambivalenzen zieht sich durch Döblins Freud-Lektüre, ihr rätselhaftester Ausdruck ist die Mitteilung Robert Minders, dass sich der Schriftsteller und Nervenarzt 1920 einer Lehranalyse bei Ernst Simmel unterzogen habe. Döblin selbst hat darüber nichts verlauten lassen. So bleiben vor allem Fragen: Stammt die Lehranalyse aus dem Wunsch, eine Verstörung zu mildern, oder einer intellektuellen Neugier auf die Praxis der Seelenzergliederung? Oder noch sachlicher: Ist sie ein Schritt zur Weiterbildung des Psychiaters?

Die Kapazität, bei der er sich einer »Analyse« unterzog, hätte nicht besser gewählt werden können: Ernst Simmel (1882–1947) lehrte an der ersten psychoanalytischen Poliklinik und Lehranstalt in der Potsdamer Straße; er wurde in diesem Jahr 1920 zu einem ihrer Leiter bestellt. 1918 hatte er mit dem eindringlichen Sammelband über »Kriegsneurosen und psychische Traumata«, zu dem Freud ein Vorwort schrieb, dieses Krankheitsfeld wissenschaftlich gesichert und mit Verve von der Herablassung der Stabsärzte befreit, es handle sich bei den seelisch versehrten Soldaten nur um Simulanten oder Drückeberger. Auf Anraten Freuds hat sich Simmel kurz nach dem Ersten Weltkrieg selbst einer Lehranalyse bei Karl Abraham unterzogen, so dass seine eigene Initiation nachweislich noch nicht lange zurücklag.

Wahrscheinlich handelte es sich bei den Begegnungen zwischen Döblin und Simmel eher um Unterhaltungen und Diskussionen über die Erkenntnismöglichkeiten des Fachs als um eine klassische Lehranalyse. Döblins Texte zu Freud und seinem Fach weisen jedenfalls nicht auf eine eindringliche Prägung hin; sie sind eher Musterungen durch einen Außenblick. Hätte er sich zum Analytiker ausbilden lassen, wäre diese weitere berufliche Qualifikation nicht verborgen geblieben und auch auf seinem Praxisschild erwähnt worden.

Von 1923 an äußerte er sich mit einiger Regelmäßigkeit in diversen Artikeln und Essays über die Chancen und Grenzen des Fachs; zu einem umstandslosen Verfechter der Psychoanalyse, gar zu einem Freud-Jünger ist er nie geworden, was darauf schließen lässt, dass er sich diesem geschlossenen System nicht aussetzen wollte.

Döblin hat den – zwischen dem 25. und 27. September 1922 stattfindenden – Internationalen Kongress der Psychoanalytiker in Berlin besucht und dabei den Gründungspatriarchen mit einer Mischung aus Respekt und Ironie gemustert: *Bei allen, ja allen Vorträgen saß Freud, der freundliche alte Herr, der auch beißt, vorn und hörte, was aus seinen Anregungen geworden ist. Ich hatte manchmal den Eindruck, er nahm Revue ab. Er kann wohl sagen, die Psychoanalyse – c'est moi.* Im Dezember 1922 widmete er sich in dem Aufsatz *Metapsychologie und Biologie* Freuds zwei Jahre zuvor erschienener Abhandlung »Jenseits des Lustprinzips«. Den Artikel *Praxis der Psychoanalyse* leitete er mit der apodiktischen Feststellung ein, dass niemand, ob Arzt oder Psychologe, an Freud vorbeikomme. Aber es gibt auch spitze Einwände gegen den Hang zum Spekulativen: *Wie gut wäre es doch, die Herren wüßten, man stürmt nicht gleich den Himmel; man muß sogar, wenn man auf eine Leiter tritt, erst den Boden glattmachen.* Er kritisierte die Entkopplung der Psychoanalyse von der Medizin und nahm sogar beim Freud-Gegner Hoche eine Anleihe, als er *Tendenzen auf Klüngel- und Cliquenwesen, auf höhere Vereinsmeierei* bemerkte. Als Döblin im Dezember 1923 nach dem Besuch von vier Theaterpremieren nichts Bestimmtes einfallen will, scherzt er über die analytische Praxis: *In der Psychoanalyse drückt man in solchem Fall dem Patienten ganz leicht auf die Stirn und sagt: »Woran denken Sie jetzt?«* Die Kritik an Freud hilft ihm, das entfaltete Ich anstelle des multiplen zu sichern. In dieser Galerie der vielfach zu erweiternden Kommentare über Freud und seinen Kreis stellte er auch die – nur scheinbar ketzerische – Frage: *Soll man die Psychoanalyse verbieten?* Anlass war eine Streitschrift des Eugenikers und Rassetheoretikers Ludwig Flügge, dessen Grundlagen Döblin selbstverständlich nicht geteilt hat. Aber er ließ doch einen Einwand gelten: Die Analyse der intellektuell Begabten und der Künstler könnte den schöpferischen Antrieb, der aus dem Unbewussten kommt, entscheidend schwächen. Und der Psychiater wendet sich insgesamt gegen Versuche, die Persönlichkeit von außen umkrempeln zu wollen.

PARALLELAKTION

1920 veröffentlichte Döblins Doktorvater Alfred Hoche gemeinsam mit dem Juristen Karl Binding ein Zeugnis erschreckender Unmenschlichkeit und ärztlichen Verrats. Im renommierten wissenschaftlichen Verlag Felix Meiner erschien damals (zwei Jahre später in zweiter Auflage) die Schrift »Die Freigabe der Vernichtung lebensunwerten Lebens. Ihr Maß und ihre Form«.

An Binding, einem hoch angesehenen Juristen und ehemaligen Reichsgerichtspräsidenten, kann man beobachten, wie aus den Prinzipien des Rechtspositivismus, die er vertrat, eine rabiate Verirrung hervorging. Hoche, bis zu seiner Emeritierung 1933 als Direktor der Psychiatrischen und Nervenklinik in Freiburg tätig, leistete einen erheblich kleineren, aber nicht minder gewichtigen Beitrag zur Rechtfertigung der systematischen Ermordung von Geisteskranken und Behinderten. In der Gegenwart, der »aller Heroismus verloren gegangen« sei, könne man die amtliche Tötung nicht durchsetzen. Aber er rechnete mit »Zeiten höherer Sittlichkeit«, in denen man »diese armen Menschen wohl amtlich von sich selbst erlösen« könne. Er rechnete mit einer Zukunft, in der »die Beseitigung der geistig völlig Toten kein Verbrechen, keine unmoralische Handlung, keine gefühlsmäßige Rohheit, sondern einen erlaubten nützlichen Akt darstellt«. In die scheinbar nur ärztlichen (oder nur hygienischen) Aussagen mischt sich der Antidemokratismus ein und setzt völkische Mythologeme frei. Hoche: »Das Bewußtsein der Bedeutungslosigkeit der Einzelexistenz, gemessen an den Interessen des Ganzen, das Gefühl einer absoluten Verpflichtung zur Zusammenraffung aller verfügbaren Kräfte unter Abstoßung aller unnötigen Aufgaben, das Gefühl, höchst verantwortlicher Teilnehmer einer schweren und leidensvollen Unternehmung zu sein, wird in viel höherem Maße, als heute, Allgemeinbesitz werden müssen, ehe die hier ausgesprochenen Anschauungen volle Anerkennung finden können.« Binding und Hoche haben mit dem Ausdruck vom »lebensunwerten Leben« eine gewichtige Propagandamünze in Umlauf gebracht. Hoche sprach von »Ballastexistenzen«, auch von »Vollidioten« und »Defektmenschen«, nannte diese Patienten »leere Menschenhülsen«, sprach vom »Fremdkörpercharakter der geistig Toten im Gefüge der menschlichen Gesellschaft«. Gemeint waren die geistig Behinderten, die chronischen Insassen der psychiatrischen Anstalten.

Die beiden haben die »Freigabe« der Tötung von Patienten vermutlich erst begründet, nachdem die Debatte zuvor vor allem auf die Sterilisation Geisteskranker gerichtet war. Binding hat eine der Lücken geschlossen, die zwischen Rechtstheorie und Staatsverbrechen bis dato bestanden hatte, und Hoche lieferte medizinische Scheinargumente hinzu. Der Gerechtigkeit halber muss man betonen, dass Hoche kein Nationalsozialist war und 1933 als einer der wenigen Professoren auf seinen Lehrstuhl verzichtete.

Döblin hat zu dieser Propaganda seines Doktorvaters für die Tötung von Geisteskranken eisern geschwiegen. Aber nach dem Zweiten Weltkrieg hat er der Kranken gedacht, die deportiert und ermordet worden sind. Den kleinen Text *Die Fahrt ins Blaue* von 1946 kann man als seine späte Stellungnahme zum Fall Hoche lesen, auch wenn der Name nicht erwähnt wird.

WALLENSTEIN

In den zwanziger Jahren hat Döblin den Krieg als einen umfassenden Zustand gedeutet, als eine abgründige Majestät, die in der Gesellschaft anders anwesend ist, als man vermutet, und die auch im Frieden herumgeistert. Döblin war mit dieser Vorstellung nicht allein. Ernst Jünger hat den Begriff der »totalen Mobilmachung« in Umlauf gesetzt, Robert Musil im »Mann ohne Eigenschaften« den knappen Satz hingeschrieben: »Alle Linien münden in den Krieg.« Döblin prägte 1924 in seinem Essay *Der Geist des naturalistischen Zeitalters* einen eigenen Begriff: *Man hatte vorher seine Kraft nur gelegentlich in Kriegen entladen; jetzt kommt es zur Technik: das ist Dauerkrieg.* Von dieser Anschauung ist der *Wallenstein*-Roman bestimmt. Der Krieg hat schon früher stattgefunden, wie der Friedländer einmal bemerkt, und der Erste Weltkrieg war genauso beschaffen wie einer von früher.

Lange hatte Döblin ein unfertiges Manuskript mit sich geschleppt. Als er von Hagenau nach Berlin gekommen war, wusste er nicht weiter, war ratlos darüber, welches Ende sein Roman nehmen könnte. Die politischen Ereignisse hatten ihn verunsichert. In Berlin lag das Manuskript während der Revolutionstage auf seinem Schreibtisch. *Vielleicht ist etwas von der furchtbaren Luft, in der das Buch entstand, Krieg, Revolution, Krankheit und Tod, in ihm.* Die Jetztzeit der Niederschrift drang in diesen Bürgerkriegsroman aus dem 17. Jahrhundert ein. Er hatte vor, den Toten *die Münder zu öffnen, ihre vertrockneten Gebeine zu bewegen.* Er wollte ein kolossalisches Geschehen erzählen, das sich in den Boden der europäischen Zivilisation einfrisst, eine blutige Farce von Gigantengröße, wobei die Fronten zwischen Gut und Böse zermalmt sind und sich ungeheuerliche Visionen von Grausamkeit und Entäußerung des Menschlichen, von infamen diplomatischen Ränken, von der würgenden Angst und dem Wahn der Religion, von Vergewaltigung und Gemetzel ausbreiten. Eine Lösung für das Ende fand er nach eigener Aussage erst durch seine Intuition, mit der er ein Bild aufnahm: *Anfang 1919 wurde ich in Berlin von dem Anblick einiger schwarzer Baumstämme auf der Straße tief betroffen. Er muß dorthin, der Kaiser Ferdinand, dachte ich. Das war das bisher gesuchte Ende zum* Wallenstein. Kaiser Ferdinand zieht sich vom Hof, von seiner Macht, aus der geschichtlichen Situation zurück und geht in den Wald, wogegen Wallenstein, wie überliefert, von Schergen schon zuvor ermordet worden ist.

Vermutlich im Frühherbst 1920 erschien der Roman in zwei Bänden bei S. Fischer, in einer Erstauflage von 3000 Exemplaren. Der *Wallenstein* ist nach *Berlin Alexanderplatz* der wohl überzeugendste Wurf Döblins, ein Bestiarium der menschlichen Natur und der geschichtlichen Dramatik, zeitlos in seiner ästhetischen Schreckensherrschaft, die er noch heute auf den Leser ausübt.

Historisch setzt das Buch mit dem Sieg Tillys über die abtrünnigen Böhmen 1621 ein, das Ende erreicht es 1635/36 mit der fiktiven Ermordung des Kaisers Ferdinand zwei Jahre nach dem tödlichen Attentat auf Wallenstein, aber diese Zeitangaben sind im Buch nicht eingeschrieben. Zu Beginn findet mit animalischem Behagen ein Siegesfest statt: Kaiser Ferdinand verzehrt an einer üppigen Tafel einen Fasan (sowie vieles andere mehr), und dieses Mahl ist nichts anderes als die bildliche Wiederholung der Schlacht, die sich nun in extremer Nahsicht auf Fresswerkzeuge, Schlünde, Magen und Darm wiederholt. Der Sieger schlingt die Beute hinunter, und die Namen der Weine, die dabei geschluckt werden, markieren die Ausdehnung des Habsburgerreiches, Fressen und Saufen sind in dieser Eingangsszene die Großmetaphern des Krieges. Der eine ist Maul, und der andere ist Fraß, und niemand ist dagegen gefeit, dass sich die Verhältnisse nicht auch umkehren. Unter dem Banner des Verschlingens und Verdauens werden Krieg und Macht gemustert.

Am Schluss des Romans ist der Krieg noch lange nicht zu Ende, gibt es nur den Ausblick auf weiteres Gemetzel: Noch 13 Jahre wird der Krieg fortdauern, über den Roman hinaus wird er sich unabsehbar lange halten. Dazwischen wimmeln die Figuren, Lemuren der Gewalt, der Beutegier, des Lebensfiebers, überschlagen sich Episoden, die von der Wiederholung des Schreckens und der Lust an ihm künden. Keine durchgehende Fabel lagert die Figuren an einen sinnstiftenden oder auch nur bindenden Ablauf. Die Achse des historischen Verstehens ist mit künstlerischem Vorsatz zerbrochen. Der Roman ist eine Art Schreckenskino mit grellen, einander jagenden Szenen, die keine Innendeutung aus den Figuren herauslassen und die damit eine personale Sinnsuche im historischen Geschehen versiegeln.

In diesem Labyrinth der entfesselten Phantasie gilt keine Vereinbarung über Geschichte mehr: weder der Idealismus Schillers noch die Deutung als Glaubenskrieg. Hunderte von Nebenfiguren, Kometen der glühenden Masse Krieg, treiben um zwei magnetische Pole. Da ist zum einen Wallenstein, der Gebieter über Kapital, Waffen und Heere, auf der anderen Seite der Herrscher des Heiligen Römischen Reiches Deutscher Nation, Kaiser Ferdinand II. in Wien. Er wird in das Gemetzel hineingezogen, aber es erweist sich, dass ihm nicht an der Macht und an Territorien liegt. Wallenstein ist nach Döblin die *Potenz aller Potenzen*, vergleichbar nur mit Napoleon, Kaiser Ferdinand ein Zaudernder, der sich von seinem Hof abwendet, der die Mystik des Waldes sucht. Am Schluss wird er von einem anonymen Wesen, halb Tier, halb Mensch, einem Kobold, erstochen. Zwischen diesen beiden Polen findet das Gewoge von Menschenvieh und Fratzen, Händlern, verfolgten Juden, Handlangern des Massentodes, zerfurchten Zweiflern, gellenden Opfern und bigotten Gläubigen statt.

Eine europäische Katastrophe, gemustert von einem Autor, der die rabiaten Ausschläge zwischen imperialem Handeln und weltabgewandter Ergebung in zwei Großfiguren fixiert. Die Polarität, die im *Wang-lun* in einer Person sich ausdrückt, ist hier auf zwei Gegenspieler verteilt.

Wallenstein ist vor allem Kapitalist und Kriegsgewinnler, er ist, so Günter Grass in seiner berühmten Rede über seinen »Lehrer Döblin«, wie Krupp vor Verdun: der Imperator eines ungeheuren, auf dem Schlachtfeld arbeitenden Kapitals. Er greift in die Politik ein, plant durch das Bündnis mit Habsburg die Zusammenarbeit von Krone, Kapital und Diplomatie. Damit wird er zum Gegner der Reichsfürsten, denn er will ihre Macht beschneiden, plant einen Umbau des Reichsgefüges und bereitet den Absolutismus vor. Er will den alten, noch aus dem Mittelalter stammenden Feudalismus ablösen, damit in einem zentralisierten Kaiserreich das Kapital besser wirtschaften kann.

Linke Poot hat in einer seiner Glossen diese Lesart des *Wallenstein*-Romans bestätigt: *Er war im Begriff, die Fürstenlibertät zu unterwühlen; die äußeren Kriege gaben ihm den Vorwand für sein Heer und das tödlich wirkende Kontributionssystem; da erlag er und mit ihm Deutschland: die Fürs-*

tenlibertät siegt, der deutsche Untertan entsteht. Mit Wallensteins Ermordung ist die Gefahr der Revolution gebannt – und genauso bleibt sie 1919/20 aus. Man kann, wenn man diese geschichtliche Analogie mit bedenkt, plötzlich verstehen, warum Döblin, als er nach Berlin zurückkam, mit dem Ende des Romans stockte. Das Zögern hat bestimmt mit dieser Frage zu tun: Was geschieht nach der ausbleibenden Revolution? Ein faszinierendes Spiel der politischen Aktualität im historischen Roman eröffnet sich: Wallenstein ist der Aktivist, der zeigt, dass der wilhelminische Feudalismus beseitigt werden muss, die »Ostelbier« zu verschwinden haben. Sein Gegenspieler in der Wang-lunschen Spannung von Handeln und Ergebung ist Kaiser Ferdinand. Er weiß um die Folgen, wenn er Wallenstein gegen die Reichsfürsten handeln lässt, aber er macht sich dieses Interesse nicht zu eigen und entsagt der Macht, indem er sich von seinem Thron und der Politik, gleichsam aus der Geschichte, in eine kreatürliche Existenz zurückzieht. Er verkörpert innere Gegebenheiten Döblins selbst, seine Sehnsucht nach einem Ausweg aus den Anforderungen, die von Politik und Gesellschaft an ihn gestellt werden: *Hier kann ich nichts unklar gelassen haben, habe ihn und von ihm aus die ganze Umwelt mit intensivster Deutlichkeit gefühlt, und nur seinetwegen habe ich die lange lange Zeit über dem Buch gehangen.* In diesem Gegensatz hat Döblin die beiden Figuren wechselnd betont. Einerseits war für ihn Wallenstein 1920 die historische Hauptfigur des Romans, *ein moderner Industriekapitän, ein wüster Inflationsgewinnler, ein Wirtschafts- und, toller Weise auch, ein strategisches Genie,* andererseits hat ihn der Verfasser nach dem Abbruch der Revolution in den Hintergrund verschoben und betont, der Roman müsste eigentlich *Ferdinand der andere* heißen. Das ist der Mann, der aus den Anforderungen tritt, die ihm als Kaiser gestellt sind, der den Schritt der historischen Konsequenz nicht mehr macht und den Fortschritt ausschlägt, der im Rätsel des Waldes aus der Geschichte verschwindet. Über die Wertigkeit der beiden Prinzipien, die sie verkörpern, hat Döblin niemals eindeutig entschieden.

Vorgeführt wird ein Höllensturz der Figuren durch den Krieg, ein grandioser Schlag gegen die Kostümkunde und geschichtliche Tümelei des historischen Romans, gegen die angemaßte Gerechtigkeit des Historikers, kühn im Entwurf, riesige Verläufe umspannend wie große Lichtbögen und dabei minutiös auf Einzelheiten versessen.

1930 setzte er sich von den inzwischen erschienenen erfolgreichen Antikriegsromanen eines Arnold Zweig, Erich Maria Remarque und Ludwig Renn ab. Keines dieser Bücher hatte ihn ganz überzeugt. Er wollte nicht, wie sie, den Krieg »schildern«, ihn gleichsam in der kleinen Dimension des erzählenden Berichts halten. Für ihn war Krieg etwas Umfassendes: *Krieg ist sehr, sehr vieles in einem; vor allem grenzenlose Dämonie und Entfesselung, Chaos; die Welt, bevor das Gotteswort hineinfiel; – daneben ist Krieg Widerstreben gegen den gräßlichen Dämon, Behauptung der menschlichen Überlegenheit (ach, es ist jetzt eine Unterlegenheit!), – daneben ein tollgewordener Wirtschaftsprozeß, – daneben politisches Hetzen und Intrigenspiel. Ein furchtbares Ding, der Krieg; niemand soll ihn herbeiwünschen; es ist die Probe, die Versuchung, die der Mensch, diese unsichere Tiergattung, nicht besteht.* Der *Wallenstein ist* das eigentliche Gegenbuch zu Ernst Jüngers »In Stahlgewittern«; es enthebt jenen seines Ranges als unbestechlicher Beobachter.

Ein Zahlenvergleich bietet sich an: 1648 rechnete man acht Millionen Kriegstote bei 12 Millionen Deutschen: 70 Prozent der Gesamtbevölkerung waren umgekommen. 1945 wurden 12 Millionen deutsche Tote gezählt: das waren weniger als 20 Prozent. Es fand im 17. Jahrhundert also ein Weltkrieg statt, wenn er auch nur der »Dreißigjährige Krieg« genannt wird. Dieser Krieg war eine Urkatastrophe der deutschen Geschichte. Döblin hat sich in seinem Roman von den Tagesfragen des Ersten Weltkriegs ganz gelöst, jedoch um sie aus der Distanz, die der geschichtliche Stoff bot, besser verstehen zu können. Es handelt sich um einen Roman, der noch die zitternde Erstmaligkeit der epischen Geburt hat und doch die Selbstgewissheit einer meisterhaften Verfügung über das Material. Also keine Widerspiegelung: keine Überblendung von geschichtlichem und gerade erlebten Krieg, kein Puzzle des Vormals, um das erfahrene Jetzt zu beglaubigen und vielleicht zu verdoppeln.

Im Jahr, als der Roman veröffentlicht wurde, hat sich Döblin aus dem politischen Glauben an den Umsturz im Reich, für den Wallenstein stand, ganz zurückgezogen, denn die Revolution ist ausgeblieben. Aber Linke Poot hatte solchen Anwandlungen schon früher nachgegeben. Er war immer schon einsichtiger (manchmal auch verblendeter) als sein Urheber und damit früher dran: *Die kaiserlich deutsche Republik kommt wieder zu Kräften.* Das stammt aus den ersten Monaten des Jahres 1919. Aber der Quietismus und die Machtentsagung, die mit Ferdinand verbunden sind, teilt Linke Poot auch nicht: *Ich möchte Kaiser sein und nicht so handeln wie Ferdinand der andere.* Er trat 1921 gegen den Romancier und seine beiden gegensätzlichen Hauptfiguren an. So verwickelt verhält es sich mit diesem Roman zweier Lösungen, die niemals übereinkommen. Döblin war nicht ohne Selbstbewusstsein, denn *kein Einziger in Deutschland macht es mir nach.*

Mit der Kritik hätte Döblin zufrieden sein können – aber nur, was den Umfang des Presseechos betraf. Mit den Bewertungen konnte er keinesfalls übereinstimmen. Die Mängelrügen waren von Königsberg bis Frankfurt nachzulesen, und sie bezogen sich weitgehend darauf, dass ein traditionelles Muster des historischen Romans nicht erfüllt wurde, dass die Darstellung einen schwer kommensurablen Überfluss bot und die künstlerischen Mittel, auch des nachwirkenden Futurismus, vor allem anderen befremdeten. In der »Neuen Rundschau« erschien eine lobende Besprechung von Max Krell, aber sie war unverkennbar flach ausgefallen, so dass sich die Redaktion bemüßigt sah, Döblin, einen ihrer wichtigsten Beiträger, mit einer zweiten, ausführlichen Kritik von Otto Zarek zu bedenken. Einige Kritiker verschleppten ihre Äußerungen, weil sie mit dem Buch nicht zurechtkamen, um ein ganzes Jahr, und in der »Vossischen Zeitung«, für die Döblin ebenfalls schrieb, musste sich sein Schulfreund Moritz Goldstein des Romans annehmen, nachdem zwei andere Kritiker bei der Lektüre gestrandet waren. Mit einem Wort: Das Buch hat fast nur Romanciers, also Kollegen Döblins, zu avancierten Äußerungen herausgefordert. Franz Blei trug die damals wichtige Romandebatte über Flaubert an den *Wallenstein* heran, Kasimir Edschmid erkannte die Unvergleichlichkeit des Werks mit der zeitgenössischen Literatur und bezog sich ebenfalls auf Flaubert. Die am meisten beeindruckende Kritik, sie erschien in der »Weltbühne«, stammt von einem Fachmann für den historischen Roman, von Lion Feuchtwanger. Schon mit dem ersten Satz dementierte er die Behauptung, es handle sich um ein solches Gebilde. Er griff hoch: »Es ist nur das erste Epos der Deutschen seit – ja, seit wann?« Er beschrieb die Vorzüge und die Widerstände, die das Buch bietet, mit dem Enthusiasmus eines Kollegen, versessen auf die Einzelheiten. Aber auch er stellte am Schluss die zweifelnde Frage: »Wer in dieser leeren, kalten Zeit hat Nerven, Muße, Hingabe, Glauben genug für dieses Werk, das so voll von Anspruch ist wie von Verdienst?« Bis zum Ende der Republik wurden immerhin 9000 Exemplare aufgelegt und wohl auch verkauft, aber der Autor war über die gesammelten Einwendungen im Namen eines mittelmäßigen literarischen Maßstabs deprimiert.

DER EPIKER, SEIN STOFF UND DIE KRITIK

Döblin hat seinen *Wallenstein* besonders häufig kommentiert, obwohl er ihn später nicht mehr gedruckt wissen wollte. Es war das einzige seiner epischen Geschöpfe, mit dem er zeitweilig nichts mehr zu schaffen haben wollte. Die Gründe hat er niemals erklärt. Die oberflächliche Besprechung des *Wallenstein* durch Friedrich Burschell im »Neuen Merkur« hatte ihn geärgert. Ihn überfiel die Ahnung, dass er mit seinem avancierten Werk das große Publikum nicht erreichen konnte. Er sehnte die mythischen Zeiten herbei, in denen Erzähler die Epen einem gebannten Zuhörerkreis vortrugen. Er stellte sich die Erlösung des Werks von der Schriftform vor: *Man liege Monate, Jahre über einem Werk, konzentriere, seine Zeit miterlebend, über einigen hundert Seiten seine Seele, Phantasie, Denkkraft, Erfahrung, gebe zuletzt sein Werk von sich: man erwarte in Deutschland keinen Widerhall! Wenn es hoch kommt, wird man – Kritiken empfangen. Früher – sehr lange her – saßen und standen die Epiker vor ihren Zuhörern: sie sprachen, sie wirkten, sie waren lebendig.*

Er verfasste eine Antwort auf die Kritik von Friedrich Burschell, die er Ende Januar 1921 an Efraim Frisch, den Herausgeber der Zeitschrift, schickte. Der ließ den Text liegen, vermutlich weil die Erwiderung zu polemisch ausgefallen war. Zwei Wochen später forderte Döblin sein Manuskript zurück, um es zu erweitern. Der Bezug auf den einzelnen Kritiker verschwand völlig, auch wollte Döblin bei einem Zeitschriftenabdruck keinen Hinweis auf die Affäre dulden. Anfang 1921 schickte er ihn an Efraim Frisch, und im Aprilheft des »Neuen Merkur« erschien dann der Essay unter dem Titel *Der Epiker, sein Stoff und die Kritik,* eine seiner stichwortgebenden poetologischen Schriften. Sein Essay ist aus drei Themenblöcken verfugt. Da gibt es die aus Unverständnis und Verletzung herrührende Kritik der Kritik, die – wie bei vielen Autoren üblich – pauschal daherkommt, weil sie die konkrete Auseinandersetzung mit der je einzelnen Rezension scheut; zum zweiten eine Selbsterklärung zum *Wallenstein;* zum dritten eine Darstellung des psychischen Prozesses, dem sich der Roman verdankt.

Döblin hatte einen vitalen Zusammenhang des Werks mit dem Publikum vor Augen und wollte alles wegräumen, was bei dieser imaginären Unmittelbarkeit stören könnte – vor allem die Kritik. Sie erschien ihm *immer als ein Unfug,* die Kunstbetrachtung als eine *Frivolität;* die Kritiker *entwürdigen* das Werk. Er verstrickte sich in Widersprüche, da er denn doch die Rezension *aus einem liebenden oder kämpfenden Herzen* anerkennen wollte, auf der nächsten Seite aber unterstellte, dass ein Urteil von XY niemand etwas angehe. Er kämpfte gegen Burschell, ohne ihn zu nennen, und auch der Schemen Alfred Kerrs wird zugleich mit erledigt. Mit diesen vagen Fechtergesten mochte sich niemand auseinandersetzen.

Döblin bekannte sich wiederum zum historischen Material des Romans, doch auf eine paradoxe Weise. Was gehe ihn der Dreißigjährige Krieg als historisches Ereignis an? Er sei ihm, wie vor zwanzig Jahren, ein *versiegeltes Buch.* Wieder wird der Abstand zur Welt der Fakten markiert. Er sah sich als Schwimmer in den Fluten eines oppressiven Geschehens, das kein historisches Gedächtnis kennt. Er führte das Beispiel des *Wang-lun* an: *So zahlreiche Bücher bin ich in jener Zeit über China durchgegangen, aber man hätte mich schon eine Stunde nach der »Lektüre« vergeblich gefragt, was nun eigentlich in dem Buch stand.* Er setzte sich mit dem Vergleich zwischen ihm und Flaubert auseinander und ließ ihn für sich nur gelten, indem er dessen Arbeitsweise bei »Salammbô« seiner eigenen als verwandt ansah.

Über seine Art des Produzierens gab er preis: *Mir geht es so: ich kann einige Dinge, die mich anfänglich sehr fesseln, nicht planmäßig verfolgen. Sie entschwinden mir. Ich weiß nicht, wo sie hinkommen; aber wenn sie wichtig sind, treten sie wieder und immer wieder auf, und dies ist die Art, wie ich die Dinge »verfolge«. Es ist eine Art Feuerprobe, die die Dinge erfahren. Kommen sie nicht wieder vor mich hin, so sind sie ausgemerzt und waren nichts.* Eine innere Bühne anstatt der realistisch-historischen wird aufgeschlagen, doch über sie erfährt man – nichts. Der Poetologe Döblin stilisierte sich in diesem Essay vor allem als das Rätsel, durch das ein Schaffensprozess hindurchgeht.

BEGINN DER FREUNDSCHAFT MIT BRECHT

Der zwei Jahrzehnte jüngere Brecht suchte in den zwanziger Jahren die Nähe Döblins und pries dessen künstlerische Mittel. In Döblins Bannkreis hat er die Theorie vom epischen Theater und vom Lehrstück entwickelt. In seinem Tagebuch hielt er die erste Begegnung mit einem Werk seines Vorbildes am 4. September 1920 fest: »Ich lese heute früh den Schluß von Döblins *Wadzeks Kampf* und finde darin anklingende Ideen. Der Held lässt sich nicht tragisieren. Man soll die Menschheit nicht antragöden. Und es steht Herrliches drin über die Tragödie. (Es wird Schamgefühl gefordert!) Es ist überhaupt ein starkes Buch. Es läßt den Menschen schamhaft im Halbdunkel und macht nicht Proselyten. So ist es, steht drinnen auf 300 Seiten. Ich liebe das Buch.« Nicht einmal zwei Wochen später, die Döblin-Lektüre hat bei Brecht offensichtlich wie ein Virus um sich gegriffen, befasste er sich schon mit dem *Wang-lun*: »Es ist eine große Kraft drinnen, alle Dinge sind in Bewegung gebracht, die Verhältnisse der Menschen zueinander in unerhörter Schärfe herausgedreht, die gesamte Gestik und Mimik virtuos in die Psychologie hineingezogen und alles Wissenschaftliche daraus entfernt. Technisch ergriff mich unerhört stark die Kultur des Zeitworts. Das Zeitwort war meine schwächste Seite, ich doktere daran geraume Zeit herum (schon seit ich Lorimer und Synge las!). Davon profitiere ich jetzt enorm! Gefahr: der Barock Döblins!« Auf den *Wang-lun* kommt er auch später zurück, verleibt ihn sich ein, was bedeutet: er rechnet ihn zu seinem »Material«. Als er *Wallenstein* liest, ist er heftig enttäuscht, kann sich mit der parteilosen Vielstimmigkeit des Romans nicht abfinden und setzt dagegen noch einmal sein Lob des *Wadzek*. Aber auch andere Prosa Döblins beeindruckt ihn sichtlich: »Mann ist Mann« kann man auf die *Schlacht*-Erzählung Döblins zurückführen.

Döblin hat auf Brecht bereits 1922 hingewiesen, als er Theaterkritiker für das »Prager Tagblatt« war. An Weihnachten besprach er »Trommeln in der Nacht«. Die beiden, in ihrer Mentalität grundverschieden, fanden auch persönlich zueinander, als Brecht 1924 fest nach Berlin umzog. Sie arbeiteten intensiv bei der »Gruppe 1925« zusammen und tauschten sich in verschiedenen anderen Diskussionszirkeln aus. 1928 wandte sich Brecht an Döblin und kam auf seine eigenen künstlerischen Bemühungen zu sprechen. Er erörterte seine Haltung in einem Vergleich zwischen Döblin und (dem beiden Autoren unangenehmen) Thomas Mann: »Es handelt sich doch wirklich nur darum, eine Form zu finden, die für die Bühne dasselbe möglich macht, was den Unterschied zwischen Ihren und Manns Romanen bildet!« Er war skeptisch, ob die gegenwärtige Verfassung des Theaters möglich mache, was er wollte. Aber dann sprang er pro domo über und lobte seinen Briefpartner auch noch in anderer Hinsicht: »Ich habe immer gewußt, daß die Art Ihrer Dichtung etwa das neue Weltbild ausdrücken kann, aber jetzt wird es auch noch klar, daß sie gerade jenes Loch ausfüllt, das durch die jetzige marxistische Kunstauffassung gebildet wird!« Wenn man bedenkt, dass die »proletarischen« Kunstrichter der »Linkskurve« unter Anführung Johannes R. Bechers sich gerade anschickten, Döblin im opportunistischen Kollektiv zum literarischen Abschaum zu erklären, hat Brechts Lob geradezu Züge einer prophetischen Huldigung wider die Parteilinie.

TOD DER MUTTER

Etwas mehr als ein Jahr nach dem Tod Metas traf die Familie erneut ein schwerer Verlust. Döblins Mutter Sophie starb am 21. April 1920 im Haus ihres Sohnes Ludwig und wurde neben ihrer Tochter auf dem jüdischen Friedhof in Berlin-Weißensee begraben.

Sophie Döblin hatte 1908 eine Erbschaft von ihrem Bruder Rudolf Freudenheim gemacht, die es ihr erlaubte, nach schweren Jahrzehnten der Geldsorgen und der damit verbundenen Demütigung das Leben ein wenig zu genießen und zu reisen. Aber die unverhoffte Wendung kam zu spät, ein ruhiger Lebensabend war ihr nicht beschieden. Seit 1910 waren die Anzeichen der Parkinson-Erkrankung unübersehbar: *Nach einem halben Jahr war alles deutlich: der Arm war steifer geworden, sie konnte sich nicht das Haar mehr machen, das Zittern der Finger hatte einen eigentümlich rhythmischen Charakter, das Pillendrehen zwischen Daumen und Zeigefinger. Es war der Beginn der Schüttellähmung, der Paralysis agitans. Die dann ihren langsamen schweren furchtbaren, langsamen schweren jämmerlichen Verlauf, Ablauf, Hinablauf nahm. Langsam stellte sich die Spannung, Steifigkeit und Härte auch im rechten Bein ein, griff nach links über. Den Kopf befiel ein Zittern, die Gesichtsmuskeln wurden eigentümlich streng. Sie wußte nicht, was sie hatte. Man sagte ihr: es sind die Nerven.* Mit geradezu unerbittlicher Sorgfalt hat Döblin das Bildnis seiner Mutter als kranker Frau gezeichnet. Keine Floskel der Sentimentalität mischt sich in diese Aufmerksamkeit; Sentiment ist, wie so oft bei Döblin in den schlimmsten Lagen, verbannt und durch eine Behutsamkeit ersetzt, die beim Leser eine bezwingende Anteilnahme auslöst. Er konnte nicht ahnen, dass man rund vier Jahrzehnte später bei ihm selbst die gleiche Krankheit diagnostizieren würde. So bestimmte er unbewusst seinen eigenen Umriss als Kranker, indem er in ihren trat. Aber es war wie so oft in seinem Werk: Er stellte sich ein Orakel und hatte erst später Kenntnis davon.

Seine Mutter hatte er im August 1913 zur Kur nach Wiesbaden gebracht, ein Jahr später, als die Schüttellähmung bereits fortgeschritten war, im Juli 1914, *im Trubel der Kriegsgefahr* nach Bad Oeynhausen. Aber die Bäder schwächten ihren Organismus, anstatt ihn zu festigen. Nach seiner Einberufung zum Militärdienst sah er sie drei Jahre lang nicht. Dann zu Besuch, in der Wohnung des jüngsten Bruders, wo sie untergekommen war, ein bewegendes Bild: *Das ist sie, die »Oma«. Ihr Haar ist schlohweiß und dünn. Es ist heut noch nicht gekämmt, es hängt ihr seitlich über die Ohren. Die Frau ist so klein, so klein. Sie steht starr mit rundem Rücken vornübergebeugt, den Kopf hat ihr das Leiden stark auf die Brust gedrückt, die Hände hält sie wie Pfötchen fest gegen den Leib. Sie blickt kläglich, so kläglich, wie bittend von unten herauf. Dicke Säcke sind unter ihren Augen, an den Oberlidern hat sie gelbe Flecke. So steht sie an der Tür.* Und so fort im Duratorium ihrer *Unbehilflichkeit*: medizinische Einzelheiten, die Aufzählung der Gebrechen, der Mittel, mit denen Schmerzen und Druckbrand des Körpers gelindert wurden. Selten hat Döblin einem realen Menschen so viel aufmerksame Beschreibung zuteil werden lassen wie seiner Mutter – nur dem eigenen, 1940 durch Selbstmord geendeten Sohn Wolfgang. *Auf ihren Grabstein haben wir die Worte setzen lassen: Die Liebe höret nimmer auf.* Nichts von der Parteinahme für sie in der Auseinandersetzung der Eltern ist in diesem Porträt enthalten, aber auch nicht die Spur jener Kritik, die er an ihr wegen ihrer Härte, ihrer Verachtung der künstlerischen Sphäre und ihrer Herrschsucht ansonsten geübt hat.

DREHBÜCHER

Eine der Merkwürdigkeiten dieser Vielseitigkeitsprüfung, der sich Döblin 1920 unterzog, sind zwei Drehbuchentwürfe, die er Mitte des Jahres abschloss. Weit und breit ist kein Auftraggeber auszumachen, kein Adressat und kein Versuch, diese Projekte irgendwo unterzubringen. Nichts anderes als die seit 1909 nachweisbare Neigung für die flackernden Bilder aus der Frühzeit des Kinos, schließlich die Vorstellung eines *Kinostils* scheinen das Ferment für diese Selbsterprobung gewesen zu sein. Möglicherweise aber hat sich der Kinogänger Döblin auch von Stummfilmen animieren lassen, die in diesen Monaten zu sehen waren, etwa von Ernst Lubitschs »Madame Dubarry«, der nach dem Krieg zu einem großen Auslandserfolg wurde, oder durch »Von morgens bis Mitternacht«, der erfolgreichen Verfilmung eines Stücks von Georg Kaiser. Beide kamen 1919 heraus. Ein Jahr später erschienen so bemerkenswerte Produktionen wie »Das indische Grabmal« und »Dr. Jekyll und Mr. Hyde« und zwei Meisterwerke, die zu den Klassikern des Stummfilms gehören: Robert Wienes »Das Cabinet des Dr. Caligari« und Paul Wegeners »Der Golem«. Döblin konnte also der aktuellen Produktion viele Anregungen und Ermunterungen für eigene Filmarbeit entnehmen.

Er kramte im Material des Einakters *Comteß Mizzi*, das er ein gutes Jahrzehnt zuvor unveröffentlicht abgelegt hatte, und gewann daraus zwei Vorlagen. *Siddi* ist als *Filmerzählung* von wenigen Seiten angelegt und vermutlich im Sommer 1920 entstanden. Zehn Jahre später erschien die Prosa bezeichnenderweise unter der Rubrik »Aus dem Kuriosenkabinett der ›Literarischen Welt‹«. Nicht eine Seite des Manuskripts, nur dieser Zeitschriftenausriss ist erhalten: Auf die Bewahrung dieses Zeugnisses seiner gelegentlichen literarischen Unbedenklichkeit scheint er keinen gesteigerten Wert gelegt zu haben. Eine kurze Inhaltsangabe ist dem Druck vorausgestellt: *Der Vater eines jungen Grafen hat in Lebensüberdruß geendet. Der lebensgierige junge Graf verkauft das Erbe, nimmt in Dschidda, dem Hafen von Mekka, mit anderen Europäern Dienst als Ingenieur. Im Basar begegnet er der verschleierten Siddi, der Ziehtochter des Ben Ghaleb. Seine Bewerbungen werden abgewiesen. In tierischer Verzweiflung demoliert er seine Wohnung, dann verdingt er sich, um sich zu erniedrigen, als Sklave. Aber seine Liebe, gemischt mit Rachsucht, läßt ihm keine Ruhe. Er raubt Siddi. Sie gebiert im Harem Ben Ghalebs ein Kind und wird von Ben Ghaleb ermordet. Auch der junge Graf fällt auf der Flucht zum Hafen.* Eine schöne Orientalin, Vergewaltigung, Mord, ein Harem, ein Ritter und ein orientalischer Despot bilden den Stoff dieser Geschichte, und es bleibt unklar, ob ein Schmachtfetzen im Stummfilm oder eine technische Selbsterprobung in einem Genre geplant war, das er seit 1909 im Blickfeld hatte. Die abgedruckte Filmerzählung gewinnt immerhin durch den geglückten Versuch, alle Vorgänge, auch die innere Bewegung der Figuren, optisch zu lösen.

Auch das Filmszenario *Die geweihten Töchter* von 37 Blättern geht stofflich auf *Comteß Mizzi* zurück. Es ist, in 91 einzelnen Szenen ausgearbeitet, ein haarsträubendes Machwerk. Der junge Graf hat die schöne Jolente vergewaltigt, und sie hat sich nach der Geburt des Kindes Mizzi umgebracht. Er nimmt den Abschied vom Staatsdienst und kehrt mit seiner Tochter in die Heimat zurück. Zur Ablenkung wird er durch die Ballsäle und Etablissements geführt und erliegt dem Dämon Sinnlichkeit. Aber er nimmt den Kampf gegen diesen Teufel auf, vermag Frauen und Mädchen, die *geweihten Töchter*, um sich zu scharen. Sie erwecken, wo sie auftreten, wahre Liebe und haben sich dem Kult der Demeter gewidmet. Auch Mizzi schließt sich ihnen an, aber die Leidenschaften schlagen doch zu: sie bemächtigen sich ihrer und sie stirbt in den Flammen, die auch den Grafen ereilen. Er habe den Film *zu meiner Unterhaltung geschrieben, er liegt noch hier, spielen wird ihn ja doch kein Aas*, bekannte Döblin gegenüber Albert Ehrenstein. Der wollte das Drehbuch aber auch nicht veröffentlichen. Es erschien 1924 in der abgelegenen, vom jungen Günther Anders mit herausgegebenen Zeitschrift »Das Dreieck«. Döblin wollte mit diesen beiden Projekten wohl die Richtung seines Interesses umkehren: Hatte er zuvor, seit seinem Programm *An Romanautoren und ihre Kritiker*, den *Kinostil* erprobt, wollte er nun sein narratives Vermögen in Arbeiten fürs Kino stecken, doch fand er damit weder 1920 noch 1935 im Pariser Exil und erst recht nicht 1940/41 in Hollywood Gehör.

SDS

Im Oktober 1920 teilte ihm der Kritiker Monty Jacobs mit, dass er als Vorstandsmitglied des »Schutzverbands Deutscher Schriftsteller« (SDS) kooptiert worden sei – *quel honneur*. Es war das erste seiner zahlreichen kulturpolitischen Ämter, die den Rastlosen über die Maßen ausfüllten, die ihn zu einem begehrten und befehdeten Sprecher in Berlin machten und die ihn, welch ein Wunder, in seinem Werk eher beflügelten als verhinderten. Nun arbeitete er unter anderem mit Theodor Heuss zusammen. Die Mitarbeit im Vorstand des SDS war der Beginn einer Karriere recht eigener Art: Döblin wurde Mitte der zwanziger Jahre der vielleicht rührigste Protagonist im Weimarer Literaturbetrieb.

Der SDS, 1909 gegründet, trug seit 1920 den Untertitel »Gewerkschaft deutscher Schriftsteller« und wollte schon zuvor, seit den frühen expressionistischen Tagen, mit dem sozialromantischen Klischee vom armen, weltfremden Dichter aufräumen. Theodor Heuss war bereits 1912 zweiter Vorsitzender des SDS gewesen, hatte das Amt aus Arbeitsüberlastung wieder abgegeben, hielt aber an den sozialpolitischen Positionen des SDS unbeirrt fest. Noch 1946 veröffentlichte er in einer Festschrift für seinen Lehrer Lujo Brentano einen Aufsatz über »Organisationsprobleme der ›freien Berufe‹«. Heuss betonte, »heute mehr als je, ist auch die literarische Schöpfung in den Kräftekreis des kapitalistischen Rationalismus getreten, gleichgültig, ob man das als schändlich oder natürlich und notwendig findet«. Döblin hat dem Verband von 1920 an als Schriftführer gedient, dann übernahm er 1924 von dem Juristen und Oberregierungsrat Carl Bulcke den Vorsitz. Er konnte allerdings nicht mit einer einheitlichen Organisation rechnen. Da die Aufnahme neuer Mitglieder in die Zuständigkeit der Ortsgruppen gelegt war, kam eine Masse von Wald-und-Wiesenschreibern, graphomanen Laien und mediokren Nebendichtern zum Zug. Auch die völkischen und rechtsradikalen Walter Bloem, Hans Friedrich Blunck, Gustav Frenssen, Hanns Johst, Erwin Guido Kolbenheyer, Hermann Stehr und Will Vesper waren mit von der Partie und konnten nicht ausgeschlossen werden. Nach einem Jahr schied Döblin im Groll aus dem Vorstand; er wollte sich einer Wiederwahl als Vorsitzender nicht stellen, übernahm auch sonst kein Amt mehr im Verband. Nach ihm wurde Theodor Heuss als Vorsitzender gewählt, der seit 1924 für die (liberale) Deutsche Demokratische Partei auch im Reichstag saß. Seine Amtszeit endete mit einem Eklat: als Vorsitzender des SDS trat er gegen das »Schmutz- und Schundgesetz« auf, als Abgeordneter der DDP stimmte er im Parlament 1927 dafür. Hinter den dürren Feststellungen verbirgt sich ein Kapitel leidenschaftlicher, zäher Arbeit für die sozialen und rechtlichen Belange der Autoren und Übersetzer, die Döblin mit großer Ausdauer und im offensichtlichen Vertrauensverhältnis zu Heuss betrieb und die eine lebenslange freundschaftliche Verbindung stiftete.

Im »Bund der Erzähler«, einer 1920 gegründeten Fachgruppe des SDS, fungierte Döblin als zweiter Vorsitzender unter dem späteren Schweizer Nationalsozialisten Jakob Schaffner. 1921 waren, so wurde auf der Generalversammlung mitgeteilt, in diesem »Bund« etwa 400 deutsche Erzähler unter dem Dach des SDS. Eine Frontstellung ergab sich gegenüber dem zwei Monate zuvor gegründeten »Verband deutscher Erzähler«. Es gab im SDS (seit 1920) auch einen »Verband deutscher Kunstkritiker«, wenigstens zeitweilig auch einen »Bund der Lyriker« und (ab 1929) einen »Bund deutscher Übersetzer«, in diesem Jahr wurde auch ein »Verband der Pressemitarbeiter« gegründet.

Döblin stürzte sich mit einer gewissen Inbrunst in diese spröde Tätigkeit. Er forderte Albert Ehrenstein zum Beitritt auf und gab ihm den Auftrag, auch gleich Ernst Weiß zum Mitmachen zu überreden. Der Autor, dem es schwerfiel, seine Phantasie zu zügeln, erwies sich bei der berufsständischen Interessenvertretung als durchaus praktisch veranlagt und betrieb sie mit fordernder Ausdauer. Im SDS war alles dem Ziel unterstellt, den Paragraphen 158 der Weimarer Verfassung mit Leben und Verbindlichkeit zu füllen. Er lautete: »Die geistige Arbeit, das Recht der Urheber, der Erfinder und der Künstler genießt den Schutz und die Fürsorge des Reiches.« Mochten die einzelnen Autoren der Weimarer Demokratie fremd oder feindlich gegenüberstehen, sie von rechts oder von links bekämpfen, so war ihnen doch im Schutzverband eine aktive Teilhabe an Verhandlungen mit dem Staat wichtig. Der SDS erreichte, dass ein Vertreter der Schriftsteller in den »Reichswirtschaftsrat« entsandt wurde.

Mit dem Juristen Wenzel Goldbaum führte Döblin 1921 in der »Weltbühne« eine Kontroverse um das Urheberrecht. Hans Kyser hatte Mitte des Jahres eine Flugschrift des SDS gegen die »Goldbaumisierung der Literatur« vorgelegt. Döblin versuchte ihr mit dem im Juli veröffentlichten Artikel *Der Verrat am deutschen Schrifttum* besondere Aufmerksamkeit zu verschaffen. Der Jurist und Dramatiker Wenzel Goldbaum war Funktionär von Organisationen, die mit dem SDS konkurrierten, also Döblins »natürlicher« Gegner; er wandte sich gegen die gewerkschaftliche Ausrichtung des Schutzverbandes, brachte stattdessen eine Standesvertretung ins Spiel und behauptete eine privatkapitalistische Stellung der Autoren, die jeweils einzeln nach einem von Goldbaum vorgeschriebenen Mustervertrag ihre Geschäfte aushandeln sollten. Döblin dagegen schwebte eine mächtige Interessenvertretung vor, die den Autor kollektiv schützen sollte: *Wir vertreten die Rechte der Schriftsteller – und wie gering sind sie vor der wirtschaftlichen Macht der Verleger! –; wir trachten, neue Rechte zu erringen; wir suchen die Schriftsteller, die zu einem bloßen Anhängsel des geschäftlichen Verlagswesens geworden sind, wieder in die Mitte zu schieben, als das eigentliche Zentrum dieses ganzen Produktionsprozesses.* Die Erklärungen wogten auch noch einen Monat später hin und her; der SDS obsiegte als Organisation, ohne jedoch die von ihm selbst gestellten Forderungen bei den Verlegern und im Reichswirtschaftsministerium folgerichtig durchsetzen zu können. An Kurt Tucholskys Diktum in der »Weltbühne« vom Juni 1920 konnte auch Döblin, zumal in den Zeiten der grassierenden Inflation, nichts Entscheidendes ändern: »Die Lage des deutschen Schriftstellers ist haltlos. Wenn er nicht Glück oder sehr viel Marktgeschick hat oder einen guten Nebenberuf, kann er verhungern.«

KRACH MIT SAMUEL FISCHER

Döblin hat mehrere Artikel über die berufliche Situation der Schriftsteller und ihre soziale Lage veröffentlicht. Mit der Glosse *Die Not der Dichter*, Ende Februar 1920 erschienen, wollte er, noch viele Monate vor Antritt seines Amtes im SDS, erstmals die Verhältnisse der Künstler und Schriftsteller unter den Bedingungen der rotierenden Papiergeldpresse kommentieren. Es reichte allerdings nur zu einem grimassierenden Sarkasmus: *Die wirtschaftliche Not wirkt in hohem Maße fördernd auf die Kunst ein.* Er hoffte auf einen neuen künstlerischen Ernst und auf die Scheidung von Talmiliteratur. Er sah eine Verkleinerung des Buchangebots voraus, was er für vorteilhaft hielt und worüber er sich nur belustigen konnte: *Einesfalls schadet es nichts; denn viel steht nicht drin, und ich habe noch nicht gesehen, daß bei dem ewigen Schmökern was herauskommt; außerdem sollten nachgerade alle Arten festgestellt sein, wie der Hans seine Grete kriegt.* Döblin bagatellisierte anfangs die sozialen Probleme der Autoren mit ein wenig fadem Witz. Für seine zukünftigen Aufgaben als Vertreter des SDS qualifizierte ihn dieser Artikel nicht. Im September des gleichen Jahres klang Döblin ganz anders; er nahm wieder das Wort, mit einer Schelte *Wider die Verleger.* Er hielt sich mit einer seiner Lieblingspolemiken auf und redete einem robusten Materialismus der Künstler das Wort: *Der Künstler begreift seit langem mit dem Rest seines Großhirns, daß nicht die schwärmerischen Gefühle der Verehrer ihn am Leben erhalten, sondern Kartoffeln, Fleisch und Eier auf dem Umweg über Money.* Er wandte sich gegen die Rolle des Schriftstellers als Anhängsel des selbsttätigen Verwertungsprozesses, als Schlemihl, der keinen Schatten wirft und vom Verleger ganz und gar abhängig ist. Die Künstler hätten sich dessen bewusst zu werden: *Enterbte waren die Künstler zu allen Zeiten. Ihr Reich war der sogenannte Himmel. Sie waren noch mehr »Enterbte«, als die Arbeiter, die sich so nennen. Es ist ein grausames Los, Geistiger und Produktiver zu sein und vor dem Profitwirtschaftler zu betteln.* Mit Döblins Diktum, dass der Verleger ein *Profitwirtschaftler* sei, hat sich Samuel Fischer gewiss nicht abfinden können. Je schärfer der Schriftsteller die Interessen der Autoren vertrat und seine öffentlichen Aufgaben im SDS wahrnahm, desto konfliktreicher und entflammbarer musste sein Verhältnis zu seinem eigenen Verleger geraten.

Das Programm des Interessenvertreters hat Döblin im März 1921 in dem Aufsatz über *Geld und Geist* formuliert. Döblin bemerkte, dass er niemals von seinem Schreiben habe leben können: *Man konnte nämlich schon im Jahr 1910 nicht von einem Jahreseinkommen von 2000 Mark leben, und die großartigen 3000 Mark, die ich eine lange Anzahl Jahre später einzog, war in Butter umgerechnet noch nicht 100 Pfund, oder gerade ein Anzug.* Da rechnete er schon die Inflation ein und ließ souverän außer Acht, dass er von Samuel Fischer ein monatliches Garantiesalär bezog. Erst recht, wenn er bemerkte: *Alles Gute wächst nebenbei. Ich hatte weder eine Rente noch einen Mäzen, dagegen, was ebensoviel wert ist, eine erhebliche Gleichgültigkeit gegen meine gelegentlichen Produkte.* Das klingt wegwerfend, auch ein wenig gegenüber dem eigenen Werk, und sein Verleger wird diese Auffassung nicht geteilt haben: Samuel Fischer beteiligte sich an der gespielten Achtlosigkeit seines Autors nicht und hielt ihm viele Jahre die Treue. Döblin bekannte, es mache ihm *Spaß*, sich *kämpfend mit den Verlagsunternehmern herumzuschlagen.* Das war nur als Stichelei gegenüber seinem Verlag aufzufassen, der ihm seit langen Jahren eine Heimstatt geboten und eine – wenn auch nur kurzfristige – Beschäftigung als Zeitschriftenredakteur ermöglicht hatte. Ein ironischer Nachsatz sollte wohl verletzen: *Bekanntlich bedroht jeder Anspruch des Autors die Existenzbasis der Verleger und der Autor hat doch schließlich nur eine vom Verlag konzedierte Existenzbasis.* Döblin hatte bei S. Fischer bis dato immerhin fünf Bücher vorgelegt, der Verleger hatte ihn über jede Erfolglosigkeit hinweg seiner Achtung versichert.

Aber er hatte Samuel Fischer, seinen Verleger seit nunmehr sechs Jahren, aber auch anderweitig verärgert. Schon früh provozierte er Mitarbeiter des Verlags. Er wollte zum Beispiel das Typoskript des *Wallenstein* nicht nur an Fischer, sondern auch an Georg Müller und an Rütten & Loening schicken. Mit dem Fischer-Lektor Moritz Heimann erlaubte er sich einen zweifelhaften Scherz: Er schickte ihm erst das Manuskript, das schwer lesbar war. Als Heimann um einige Wochen Geduld bat, wurde Döblin grob; Heimann wiederum erklärte den »riesigen Betrieb« des Verlagshauses, sprach von seiner »Pflicht«, das Manuskript zu lesen, und Döblin kommentierte: *Ergo war ich zufrieden; der Kotau knallte. Mein Vergnügen.*

Moritz Heimann musste offensichtlich schon Anfang 1920 um gut Wetter bei dem vergrätzten Patriarchen bitten, als er an Hedwig Fischer schrieb: »Ich habe vom letzten Heft der ›Rundschau‹ Döblins *Revue* gelesen; das ist doch wirklich in jeder Zeile ausgezeichnet.«

Döblins Zwischenfazit seiner Beziehung zum Verlag stammt von Mitte Oktober 1920, und es ist wiederum an seinen Vertrauten Albert Ehrenstein gerichtet. Mit Linke Poot habe er aufgehört, *ich habe genug von der Regelmäßigkeit und der flauen Bezahlung.* Mit Fischer verhandelte er scharf über das Procedere der Honorargestaltung angesichts der Teuerung; Döblin akzeptierte den vorgeschlagenen Zuschlag für den (soeben erscheinenden) *Wallenstein,* nicht aber für die vorausgegangenen Werke, darüber hatte er eigene, leider nicht bekannt gewordene Vorstellungen. Aber man kann vermuten, um was es sich bei diesem Ausweichmanöver handelte: Döblin hat, wie Fritz H. Landshoff bezeugt, öfter, wenn auch ergebnislos, unter anderem auch mit dem Verlag Gustav Kiepenheuer wegen der Übernahme seines Gesamtwerks verhandelt.

Zur Verstimmung mit Samuel Fischer trug auch Döblins sonderbares Spiel mit Gerhart Hauptmann bei. Wo immer er konnte, suchte er ihn zu reizen, attackierte ihn, ließ nur den Naturalisten gelten und verwarf mehr oder weniger alles andere. Als Döblin vom Dramaturgen Felix Hollaender um einen Beitrag zu einer Festschrift für den 60-jährigen Gerhart Hauptmann gebeten wurde, lehnte er das Ansinnen mit gusseiserner Höflichkeit ab: *Das Format ist verkehrt, – für mein Gefühl –; ich rede nicht davon wie absurd, burlesk, völlig unbegreiflich es wäre, wenn ich mich plötzlich zu Hauptmann bekennte, ich, einer Generation und Seelenschicht angehörig, die in Fremdheit und fast im Widerspruch zu Hauptmännischem sich hochdrängt.* Hauptmann war über die Invektiven Döblins mehr als erbost, aber er wirkte wehrlos. Der Kollegenkampf unter dem gemeinsamen Verlagsdach, den Döblin später auch mit Thomas Mann führte, hat den auf familiären Ausgleich unter seinen Autoren bedachten Samuel Fischer nachhaltig verstimmt.

Döblin erwog Mitte 1921 einen Verlagswechsel zum Drei Masken Verlag und wollte sich Rat bei Efraim Frisch holen: er stehe in ernsthaften Verhandlungen wegen eines Generalvertrags. Den Kontakt hatte Max Reinhardt, Direktor des Deutschen Theaters in Berlin, vermittelt. Er wollte vertrauliche Informationen über das Münchner Unternehmen. Die Vorschläge seien günstig: ein Honorar als Garantie für 10 Auflagen (gleich 10 000 Exemplare), dann 15 Prozent. Mehr erhalte er bei Fischer auch nicht. Aber eine *Rente von 40 000 Mark, garantiert für fünf Jahre, dazu Propagandaverpflichtung vertraglich* hatte er in Aussicht – oder glaubte fest daran, was eher wahrscheinlich ist. Ein wenig unwohl war ihm bei dem Gedanken denn doch, dass der Drei Masken Verlag sein Geld mit Operetten verdiente, *aber Fischer machte früher auch in Teppichen.* Finanzielle Überlegungen waren für ihn entscheidend, aber er wusste: *Die völlige Secessio in einen andern Verlag ist, bei der Größe der in Frage kommenden Objekte, für mich kein kleiner Schritt.* Die Anfrage war dringlich gehalten; Döblin schickte zwei Briefe am gleichen Tag an Frisch. Ein offensichtlich wirksamer Rest von Realismus hielt Döblin schließlich davon ab, den Schritt zu vollziehen; andernfalls hätte er seinem bis 1933 erscheinenden Werk erheblich geschadet.

REPUBLIKANISCHE ORTSBESTIMMUNG

Döblin wurde zum Stichwortgeber im Verhältnis von *Schriftsteller und Staat*. Er hielt bei der Generalversammlung des SDS am 7. Mai 1921 im ehemaligen Herrenhaus eine gleichnamige Rede. Sie wurde im Verband anscheinend für so wichtig erachtet, dass sie im gleichen Jahr als Separatdruck im Verlag für Sozialwissenschaft erschien. Sie versteht sich als Ortsbestimmung der *Geistigen*, die in seinem Sprachgebrauch identisch sind mit den Intellektuellen, auf dem Boden der Verfassung. Dem Staat wird die Aufgabe zugewiesen, ihnen *ein Optimum an Wirkensbedingungen* zu gewährleisten. Die Intellektuellen wollte er nun auf die bürgerliche Republik verpflichten und auf das *Zusammenhalten mit dem Menschen, die Gemeinschaft zu pflegen, die sittlichen Triebe als unvergleichlich wichtig zu fühlen.* Er trug staatstragende (und damit döblinfremde) Überlegungen vor, machte sich zum Anwalt des Muts, die Übergänge zur parlamentarischen Demokratie, die Zwischensituation der Intellektuellen auszuloten und sich darin zu bestimmen. Er widerrief, wenn auch nur indirekt, seinen im Krieg lange anhaltenden Nationalismus: *Schon in ruhiger Zeit beobachtet der Schriftsteller, daß etwas fatal Eigenwilliges in den Worten steckt: man glaubt zu schreiben und man wird geschrieben; der Schriftsteller hat ständig auf der Hut zu sein, um sich der Sprache gegenüber zu behaupten, muß mit ihr wie ein Tierbändiger umgehen. Ganz gefährlich ist es in erregten Jahren, wenn der Schriftsteller die Fassung über sich verliert, sein Instrument nicht beherrscht, selber den Suggestivvorstellungen unterliegt, die mit schlechten, unklaren Worten zusammenhängen.* Im Schriftsteller steckten ungenutzte Kräfte, und von diesem Befund aus entwickelte er durchaus zukunftsgewisse Prognosen. Deutschland verändere sich nach dem Krieg, auch wenn noch, wie in Trance, die Melodie der abgelebten Verhältnisse nachgespielt werde. Er appellierte an seinesgleichen, sich heimisch zu machen in den republikanischen Verhältnissen mittels der Lebenskraft, die er Intellektuellen unterstellte. *Was wird gefordert vom Schriftsteller in diesem Augenblick? Ein Nichts und ein Alles: Verantwortlichkeit.* Er wendete den Blick und fragte auch nach dem, was der Staat zu leisten habe. Er muss *humanisieren und kultivieren,* darf das aber nur durch Gewährenlassen, nicht durch Vorschriften, noch weniger durch Zensur. Gegen sie und gegen einen Staat, der sich als Aufsichtsorgan und Dressuranstalt versteht, wendet sich diese Rede. Angespielt wurde auf den – in diesem Jahr drohenden – Prozess gegen Schnitzlers »Reigen« wegen »Unsittlichkeit« und auf die allenthalben geforderte Zensur, die einen prominenten Verfechter in Karl Brunner, dem dafür zuständigen Regierungsrat im Wohlfahrtsministerium, hatte.

Döblin stieß jedoch auch in den eigenen Reihen nicht nur auf ungeteilte Zustimmung. Für manche, so für Max Hochdorf, Theaterkritiker des »Vorwärts«, forderte er nicht genügend vom Staat. Döblin hatte seine Ausführungen auf eine equilibristische Gleichung gesetzt: Formulierungen über das Ethos des Schriftstellers standen Forderungen an den Staat gegenüber. Ausbalanciert waren sie über höchst seriöse, wenn auch idealistische Begriffe wie *Verantwortung* und *Übersicht*. Döblin vertrat den Kurs, den Staat für entsprechende Maßnahmen zugunsten der notleidenden Autoren zu gewinnen.

Maß und Klarheit, Schärfe und Behutsamkeit gehen in dieser Rede eine glückliche Verbindung ein. Es sprach nicht einfach ein berufsständischer Interessenvertreter. Erstmals zeigte sich Döblin als einer der Anwälte der Weimarer Republik, der den Intellektuellen eine Aufgabe zuwies: *Man muß wissen, daß die ungeheure Masse des sogenannten niedrigen Volks nunmehr teilnehmen will und muß. Nicht bloß die Sorgen, Leidenschaften, Versuchungen und Verderbtheiten der einen Schicht mögen in Zukunft Gegenstände des darstellenden Schriftstellers sein. Er wird eine große, ihm angemessene Leistung im Staat vollbringen, wenn er mit diesem zu ihm drängenden Volk zu fühlen lernt, an ihm lebendig wird und ihre Art aufweckt.* In manchen Passagen wirkt diese Rede, als habe sie Heinrich Mann gehalten. So austauschbar wurde die Tonlage von Radikaldemokraten, die sich der öffentlichen Pädagogik widmeten.

LINKE POOT

Im Januarheft der »Neuen Rundschau« 1920 hatte er nicht nur den Leitartikel *Republik* veröffentlicht, sondern unter *Linke Poot* auch *Glossen, Fragmente*, und diese Montage von Episoden, gleichsam in einer politischen Botanisiertrommel eingesammelt, charakterisiert die Schreibmanier dieses Pseudonyms: Empfang für einen kaiserlichen General auf dem Bahnhof, Ansichten Oswald Spenglers, Valutafragen, ein rechtsradikaler Attentäter, betont nichts vom Kaiser im Exil, was auch etwas besagt, und im gleichen Atemzug ein Verweis auf Karl May, faits divers. *Man beobachtet, was man will.* Die

Selbstverständlichkeit dieses Satzes umfasst die Sprünge, Wechsel und Launen des Beobachters, die angestrebte Willkür der freien Verfügung. Er nimmt sich heraus, die soziale Wirklichkeit nicht allein mit der politischen Brille zu mustern, sondern auch mit einem Dadaisten-Auge, das die Zärtlichkeit für Nonsens und abstruse Wörter, die Neigung für Kapriolen des Alltags, die Leidenschaft für vorgefundene Widersprüche hinter griffigen Parolen im Blick hat. Die Beiträge von Linke Poot sind in diesen Jahren mit leichter Hand geschrieben, Feuilletons und Glossen, Fabeln, Kommentare, Anmerkungen zur Zeit und zu Zeitungsereignissen. Aber sie enthalten auch einen Gesinnungsimpuls, sind Reflexionen eines Linken, der rechts seine Gegner findet, der die Gestrigen aufspürt, die Überhänge an Reaktion besichtigt, der seinen Spott und seine Bissigkeit darüber ausbreitet.

Linke Poot mustert eher selten große Ereignisse, meistens wendet er sich dem Kursorischen zu. Über die Praxis der Demokratie hat er sich keine Illusionen gemacht, er sieht die Chancen der beginnenden Weimarer Republik nur im Konjunktiv: *Die Revolution hat nicht Republik, Demokratie und Zivilismus gemacht. Sondern nur die Möglichkeit dazu.* Von den Großereignissen hat er vor allem den Kapp-Putsch kommentiert: *Es demaskierte sich das Heilige Römische Reich, zog die schweren republikanischen Stiefel aus, nahm das falsche Gebiß des Parlamentarismus aus dem Mund, legte es in Wasser und greinte. Einen verzweifelten Augenblick hätte es fast das Wasser ausgetrunken und wäre an dem Gebiß erstickt.* Das ist kein besonders erleuchteter Kommentar. Hat er, wie Tucholsky, die Republik auch nur als Wartestand kommentiert, als etwas Zweifelhaftes, hinter dem nichts Gutes lauert? War der Wunsch, recht zu haben, größer als die Bereitschaft, sich auf die Tagesgeschäfte der bedrohten Republik einzulassen? Der Leitartikler in Linke Poot ist die schwächste seiner Rollen, denn sie passt nicht zur spielerischen Verfügung über die Beobachtungen.

Dagegen steht der politische Leitartikler Döblin. Einer seiner Kommentare gilt ebenfalls dem Kapp-Putsch und seiner Verhandlung vor Gericht: nur wenige führende Köpfe wurden verantwortlich gemacht, und die meisten von ihnen erhielten Gelegenheit zur Flucht, so dass dieser Putsch gegen die Verfassungsorgane der Weimarer Demokratie im Großen und Ganzen ungesühnt blieb. Mit unerbittlicher Schärfe geißelt Döblin in der »Weltbühne« diese amtliche Verdrängung der Verschwörer und die Entsorgung ihrer Verantwortung durch das Leipziger Reichsgericht. Da sitzt jeder Satz, die Argumentation ist klar und durchdringend.

Wie sieht hingegen Linke Poot seine Aufgabe? *Es genügt mir, Banderillo zu sein und den Stier zu reizen.* Er bleibt parteipolitisch ganz und gar unabhängig, und er lässt es auf großem Feld an Entschiedenheit auch gerne vermissen: *Ich habe nie versäumt, wo ich »ja« sagte, gleich hinterher »nein« zu sagen. Dies Schaukelpferd ritt ich mit Schneid und Eleganz in einer Zeit, wo jeder die Pflicht hat, Pflicht, eine wohlarrondierte Meinung zu exekutieren.* Linke Poot gibt wenig Grundsätzliches von sich, tändelt lieber in Bissigkeiten und gewandten Formulierungen. Das Schweifende, das in ihm steckt: er kann von hier nach dort springen, muss sich nicht an eine essayistische Darlegung halten, kann einen Strudel von Einfällen, Kapriolen, Witzen, Boshaftigkeiten entfachen und gleich wieder zum Nächsten springen.

Die Glossen tummeln sich vor allem auf dem offenen Alltagsfeld, das sich durch die militärische Niederlage und die Revolution ergeben hatte. Aber sehr rasch musste er feststellen, dass es in der frühen Republik vor allem darauf ankam, *die Monarchisten nicht vor den Kopf zu stoßen*. Die Satire, die Döblin betrieb, ist auch ein Ausdruck der Einsicht, dass wenig voranging.

Nicht die Definition des Sozialismus, die Ausbreitung von politischen Glaubenssätzen, sondern die Willkür, die seine Schärfe annimmt, seine grimmige Verliebtheit in die abgelebten Größen, seine sardonische Lust zur Beobachtung misslingenden Alltags machen den Wert dieser Glossen aus. Seine Programmatik besteht in den Freiheiten, die sich Linke Poot nimmt: Wahrnehmungen neben Einfälle zu setzen und sich keinem Territorium ganz zu verpflichten. In dieser vermeintlichen Oberflächlichkeit, in diesen lockeren Schraffuren, gleichsam in der weißen Fläche, die diese Texte lassen, sitzt der Schmerz des Beobachters, vermeint man *die Wut und den Schauder eines Mannes über eine solche Missetat* zu vernehmen.

Linke Poot unterspielt seine Einsichten, hält sich wie Eulenspiegel an der Botschaft der Wörtlichkeit auf, nutzt wie Schwejk die Listen des einfachen Mannes, der nur durchkommen will in diesem Deutschland. Linke Poot ist der geborene Antikörper der Macht: *Die Drahtzieher umwandert er staunend und bläst ihnen heftig seinen kitzligen Atem von unten in die Nasenlöcher. Wo er lange Ohren sieht, schlägt er kein Kreuz, sondern zupft herzhaft wie an einer Klingel daran. Der träumenden Masse aber wühlt er sich in das dichte behagliche Fell und läßt sich von ihr schaukeln.*

Linke Poot attackiert mit dem Vorsatz des destruktiven Witzes, erlaubt sich Abschweifungen, Streiflichter, Causerien, Spott, verletzende Pointen, die Tücken der Zärtlichkeit, ist dem Vorsatz der Mündlichkeit weit mehr verpflichtet als der andere, genannt »Alfred Döblin«. In einer Glosse von 1921 wird daraus ein Witz gefertigt. Linke Poot möchte zum Volk sprechen, doch muss er hinzufügen: *Augenblicklich. Da er heiser ist, in einem Buche.* Die Schriftform ist nur der Behelf für den ersehnten mündlichen Verkehr. Linke

Poot mischt sich gern unter die Menschen, ist ein Sprachflaneur, nimmt am Leben auf den Straßen teil, lauscht auf den Slang, betätigt sich als Lautmaler. Aufgebaut wird also die Figur eines Erzählers, der aus den komischen Offenbarungen der Dinge, aus der Neugier für die öffentliche Sprache und den Dialekt lebt, der sich sammelt, indem er sich hingibt, wie eben der Flaneur aus der Selbstvergessenheit entsteht. Linke Poot ist ein Nachbar und höchstens durch seine boshafte Schärfe mal in Halbdistanz, aber eigentlich ganz Stimme im Ohr, der Lautsprecher jener Geräusche, die in der *Zueignung* des *Wang-lun*-Romans auf den Schriftsteller in seinem Arbeitszimmer (und auf dem futuristischen Bild Boccionis) von der Straße her eindrangen, nur eben nicht mehr splitterndes Glas, Metallplatten, Mannesmannröhren, *ein Bummern, Durcheinanderpoltern aus Holz, Mammutschlünden, gepreßter Luft, Geröll,* sondern Parolen, Losungen, Sprechchöre, Schüsse. Linke Poot ist ein Vagant der bewegten Gesellschaft, ein Troubadour des Ereignistaumels, eine Figur der politischen Verrenkungen. Linke Poot ist einer der Rollenspieler, in die der Autor Döblin seine Erzähler auffächerte, oder wie er es in *Der Bau des epischen Werks* formuliert: *Das Ich wird Publikum, wird Zuhörer, und zwar mitarbeitender Zuhörer.*

Dabei ist unverkennbar: Linke Poot bescheidet sich oft mit Albernheiten und behilft sich dann mit haltlosem Gerede am linken Stammtisch. Friedrich Ebert, ehemals ein Sattlergeselle in Heidelberg, trifft diese geistverlassene Pointe: *Es ist entschieden unrecht und nicht symptomatisch, daß an der Spitze des geschlagenen Deutschland ein Sattlergeselle steht, höchstens um zu zeigen, daß auch das Leder völlig fehlt und daß einem Sattler sogar in vorgerücktem Alter nichts weiter übrig bleibt, als Präsident der deutschen Republik zu werden.* Kurt Tucholsky, wie Döblin oft mehr an der Pointe als an der Politik interessiert, hat diese Glossen mit einem hymnischen Diktum gefeiert: »Dieser Linke Poot kitzelt mit dem Florett, wo Heinrich Mann zugestoßen hat – und er hat mehr Witz als das ganze Preußen Brutalität, und das will was heißen. Er beschäftigt sich sanft, prägnant, spaßig, ›ausverschämt‹ und inbrünstig mit dem neuen Deutschland. Es ist eine ganz neuartige Sorte Witz, die ich noch nie in deutscher Sprache gelesen habe.« In der Tat kommt es darauf an, bei Linke Poot zu sortieren. Er ist wie ein Chamäleon. Oft will er nur provozieren, etwa wenn er wider besseres Wissen seines Urhebers Alfred Döblin von der bildenden Kunst behauptet: *Jahrzehntelang hatte ich eine heftige Abneigung gegen die Kunst. Wenn ich an Kunst dachte, fiel mir immer Erbrochenes ein, etwas, das man froh ist von sich zu haben, wovon man nicht mehr redet.* Über die stilbildenden Folgen des Expressionismus, sein Urheber Döblin war ihnen noch nicht entwachsen, hat Linke Poot schon 1920 seine Witze gerissen:

Der Expressionismus ist im ganzen ein Karnickelstall; das Vieh ist erst zehn Jahre alt und hat schon Epigonen in zwanzigster Generation.

1921 erschienen 11 Glossen bei S. Fischer unter dem Titel *Der deutsche Maskenball.* Er hätte auf mehr Texte zurückgreifen können, aber er vollzog eine strenge Auswahl, denn die Glossen veralteten rascher, als man sich das heute, aus großem zeitlichem Abstand, vorstellen mag. Die Tatsachen und die Gegner verschoben sich innerhalb weniger Monate, dem Tempo des Wechsels kamen die Texte öfter nicht hinterher.

Die heute gesuchte Erstausgabe dürfte 4000 Exemplare betragen haben: jedes Tausend wurde bei Fischer als eine eigene Auflage gezählt. Die Sammlung *Der deutsche Maskenball,* zu Beginn der Weimarer Republik angelegt, erscheint heute in einem merkwürdig fahlen Licht, schon wie aus dem Rückblick geschrieben. Für Linke Poot erscheint bisweilen die Republik wie eine vergangene Größe: *Es war eine Republik ohne Gebrauchsanweisung,* der Satz fällt bereits im Mai 1920.

Oskar Bie, dem Herausgeber der »Neuen Rundschau«, gefielen die Texte wahrscheinlich wenig, sie waren ihm zu radikal. Linke Poot hat sich im November 1920 mit dem Artikel *Überfließend vor Ekel* aus der »Neuen Rundschau« gebührend: also in witziger Förmlichkeit verabschiedet: *Man blase hinter mir den Trauermarsch. Ich liege in einem Sarge und habe zwei schwere Schuhe an, innen mit Nägeln beschlagen; die heißen Widerwillen. Ich habe eine Mütze auf, die heißt Abscheu. Ich habe einen grünen Schleier vor dem Gesicht, der heißt Ekel und Überdruß.* Als die Glossen *Der deutsche Maskenball* in Buchform erschienen, war Döblins gesteigertes Interesse an der Politik schon wieder etwas zurückgedrängt. Auch war ihm die regelmäßige Produktion zu viel geworden, aber nicht lange hielt Linke Poot sein Schweigen aus. Schon im Mai 1921 regte er sich wieder mit der Glosse *Hei lewet noch.* Exitus und Wiederbelebung beschließen denn auch das Buch *Der deutsche Maskenball.* Linke Poot lebte noch, in verschiedenen Zeitungen, bis 1924, allerdings kaum mehr als Satiriker, eher mit dem bescheideneren Temperament eines Feuilletonisten, bis er unbemerkt entschlief. Insgesamt 42 Artikel gibt es von ihm.

BILD

Franz Blei hat 1922 in seinem »Bestiarium« sich vieler Schriftsteller angenommen, um sie in Gestalt von Tieren satirisch zu bestimmen. Döblin wird mit seinem Pseudonym in einer besonderen Haltung gewürdigt: »Der Döblin.

Dieses ist der Name eines vortrefflich und stark gebauten Tieres, das fest auf seinen vier Beinen steht und schreitet. Es hat irgendwann einmal in seiner Lebenszeit, und man weiß nicht, weshalb, eine immer nur zu kurz dauernde seltsame Gewohnheit, nämlich auf seiner linken Vorderpfote zu stehen und die Welt verkehrt durch seine Hinterbeine zu begucken, wodurch sie ihm, ob sie nun wirklich so ist oder nur wegen der Nähe eines bestimmten Organs unseres Tieres, recht dreckig erscheint. Aber unser Döblin gibt diesen Gang auf der linken Pfote bald als doch nicht seiner Art entsprechend auf, und sieht man ihn dann wieder mit Vergnügen seinen guten straffen, eigensinnig geraden Weg gehen; ein starkes, andauerndes, vortreffliches Tier.«

YOLLA NICLAS

Sein Privatleben, vor allem seine erotischen Ausflüge, hat Alfred Döblin bestens verborgen. Auch wenn manche seiner Briefe hier und da die Ahnung eines intimeren Zusammenhangs aufkommen lassen, gewährt er keinen Einblick und keine Gewissheiten. Mit einer einzigen Ausnahme, die mehrfach dokumentiert, durch einen Döblin-Freund beglaubigt und im Werk in verschiedenen Frauengestalten illuminiert ist. Ort und Zeitpunkt dieser erotischen Begegnung sind bekannt, weniger jedoch ihre Umstände und ihre Erlebnistiefe. Viele Jahre nach dem Tod von Erna und Alfred Döblin wurde von dem Sohn und damaligen Nachlassverwalter Claude Doblin versucht, um diesen Fall einen Kordon des Schweigens zu ziehen. Wer, wie Robert Minder, mit Einzelheiten aufwartete, wurde mit einem Prozess wegen Verletzung der Persönlichkeitsrechte bedacht. Auch die Partnerin Döblins hat äußerste Diskretion gewahrt. Ihre Erinnerungen übergab sie zwar Bernhard Zeller, dem Direktor des Deutschen Literaturarchivs in Marbach, aber die Unterlagen wurden jahrzehntelang als geheime Verschlusssache behandelt, lange Zeit nicht einmal im Inventarverzeichnis geführt. Erst die Großzügigkeit des Döblin-Sohnes Stefan macht es möglich, diese in jeder Hinsicht sonderbare Liebesgeschichte wenigstens knapp zu dokumentieren und die Gestalt der Geliebten in Döblins Werk zu beleuchten.

Bei einer extravaganten Berliner Faschingsveranstaltung, dem Feuerreiter-Ball, lernte Alfred Döblin am 26. Februar 1921 die 21-jährige Fotografin Charlotte Niclas kennen. Sie war die Tochter eines jüdischen Bankiers und verfügte über ein eigenes Atelier in der Schlüterstraße. Sie war mit einem russischen Studenten, der sie nicht weiter interessierte, zu dieser Festivität eingeladen worden. Dieser Künstlerball war eine Geselligkeit jenes Kreises von Schriftstellern, die (wie auch Döblin) die avantgardistische Zeitschrift »Feuerreiter« mit Texten bestückten. Der Schauspieler Alexander Granach, Mitglied des Festkomitees, hat die junge Frau mit Döblin bekanntgemacht. Auf den ersten Blick stellte sich nach ihrer Darstellung, die hier erstmals ausgewertet wird, Vertraulichkeit ein. Beide waren sie als Chinesen kostümiert und sie fragte ihn nach dem offenen Ende des *Wang-lun*. Seine Antwort löste ihre Hingabe aus. »Mir war, als ob die Hand eines Engels mich berührte.« Am nächsten Morgen trafen sich die beiden zu einem Spaziergang wieder. »Nach einer Weile gestand er, dass er die Ehe, zu der Erna, seine Frau, ihn gezwungen hätte, nie gewollt hätte. Aber damals hätte sie gedroht, sich vor seinen Augen unter einen Zug zu werfen, falls er sich weiter geweigert hätte.« Das 22 Jahre jüngere Mädchen und der Schriftsteller hätten sich von da an fast täglich getroffen, und wenn dies nicht möglich war, so schrieben sie einander Briefe.

Über ihre vieljährige Beziehung hat Charlotte Niclas, die von Döblin »Yolla« genannt wurde, einen 72-seitigen Bericht geschrieben. Schon die äußere Aufmachung ist bemerkenswert: wertvolles Papier, eingeklebte Fotos, handgeschöpftes Vorsatzpapier, das Manuskript im Schuber. Es ist das Zeugnis einer reinen Seele, der ein wenig die Worte fehlen, die aber doch Klugheit und vor allem Empfindungskraft beweist, eine ungewöhnliche Fähigkeit, auf den anderen einzugehen. Zum Geleit ist ein Gedicht von ihr eingerückt, das die Liebesgeschichte vom biographischen Verlauf abrückt: »Den Weg einer anderen Gerechtigkeit, / Den unsichtbaren Weg / Der keine Grenze hat / Und keinen Tod.« Sie hat, was den beiden auf Erden nicht beschieden war, geradezu mystisch verortet.

Ihre Erinnerungen sind nicht streng chronologisch geordnet: »Diese Zeilen sollen kein Tagebuch darstellen, sondern nur ein Versuch sein, den Schicksalsfaden, der durch mein Leben läuft, zu befestigen und jenen Herzschlägen zu lauschen, die noch heute – seinen – Namen tragen.« Der Text wahrt Distanz gegenüber voyeuristischen Erwartungen, sperrt sich gegen zudringliche Blicke und ähnelt damit den Bemühungen Döblins selbst, sich nicht in die Karten schauen zu lassen. Aber diese Erinnerungen lassen keinen Zweifel: Von Anfang an erschien diese Beziehung beiden Partnern als eine tiefe Bindung. Döblin hat der Lockung dieses für ihn so andersartigen erotischen Verhältnisses anscheinend ohne Widerstand nachgegeben. Yolla Niclas stand für ihn außerhalb jenes Geschlechterkampfes, den er in vielen seiner Erzählungen als Grundspannung zwischen Mann und Frau dargestellt und mit autobiographischen Bezügen versehen hat. Nun erfuhr er eine Beziehung, die auf Entwaffnung und auf Lösung der seelischen Konflikte geradezu instinktiv angelegt war. Döblin hat dieses Gegenmotiv zum Geschlechterkampf seit

Yolla Niclas
Um 1922

der Bekanntschaft mit Yolla Niclas seinen Romanen eingeschrieben – bis hin zu seinem allerletzten, dem *Hamlet*-Roman. Die Geliebte erscheint in mehrerlei Gestalt, kann Göttin oder Bauernmädchen sein – gleichviel, doch immer hat sie diese eigentümliche leidenschaftliche Duldungskraft und hingebungsvolle Energie einer Erlöserin. Sogar der Theaterkritiker Döblin hat ihr Bildnis erspürt. Als er 1922 die Operette »Die Bajadere« von Emmerich Kálmán beschrieb, wurde er über den Anlass hinweg feierlich, kritisierte Goethe dafür, dass er in seiner Ballade »Der Gott und die Bajadere« eine Dirne zur Tänzerin gemacht hatte, und war von der Aufführung geradezu ergriffen: *Hier, im Metropol-Theater wohnte ich einem, mir schon lange nicht fremden Vorgang bei: der Erweckung einer als inferior verschrienen Leiblichkeit zur Seele; ich sah, sah die Erweckung, erkannte sie.* Der spätere Döblin-Freund Robert Minder hat um die Innigkeit dieser Beziehung gewusst. Er charakterisierte Yolla Niclas als eine »zugleich enthusiastische und diskrete, intuitiv sensible« Frau, bemerkte ihre »Sanftmut, Güte, reines Licht und künstlerische Berauschtheit«. Sie sei »wehrlos ihm verfallen« gewesen. Minder hob die Verbindung über die Regularien einer außerehelichen Amoure weit hinaus: »Der mystische Charakter der Bindung forderte ein so gut wie totales Geheimnis andern gegenüber. Selbst nahe Freunde waren nicht eingeweiht. (...) Bis zuletzt sprach Döblin von ihr als der ›idealen Inspiratorin seines Werks‹, der er sich mystisch verbunden fühlte.« Aber man kann auch das Gegenteil behaupten: Döblin zeigte sich mit ihr als Begleiterin in der Öffentlichkeit und bei Empfängen, beispielsweise bei dem befreundeten Ehepaar Rosin. Als Erkennungszeichen schenkte er ihr 1921 die von Richard Wilhelm übersetzte Schrift »Tao te king« von Laotse, die für den *Wang-lun* eine wichtige Rolle gespielt hatte. War damit ein Anfang symbolisiert, wenn man den *Wang-lun* als Geburtsbuch des Romanciers ansieht? Oder verstand er sein Geschenk als einen Hinweis auf seine eigene Stilisierung zum weisen Mann, dem die letzte Erfüllung versagt bleibt?

Kurze Zeit nach der Bekanntschaft stellte Döblin Yolla seiner Frau vor, anscheinend gab er sie als etwas überdrehten Groupie aus. Yolla Niclas versuchte, ihre Zuneigung auf die ganze Familie Döblins auszudehnen, gleichsam die Unmöglichkeit im Quadrat: ihre Beziehung praktisch zu ermöglichen, indem sie Frau und Kinder ihres Geliebten mit einbezog. Sie hat für dieses Opfer einer liebenden Seele und den schon früh bemerkbaren, aber vergeblichen Versuch der Sublimation mit Depressionen und körperlichen Krankheiten schwer bezahlt. Sie fotografierte die Kinder, spielte mit ihnen, war gelegentlich ihre Aufpasserin und half bei den Schularbeiten. Zeitweilig soll sie sich auch mit Erna Döblin gut vertragen haben. Alfred Döblin wollte sie offensichtlich in die Ehe integrieren, vielleicht auch, um sich dadurch zu immunisieren gegen ihre erotische Verlockung. Sie galt bald als Freundin der Familie und wurde auch den Kindern so präsentiert. Im Sommer 1925 wurde Yolla Niclas sogar zu gemeinsamen Ferien mit der Ehefrau und den Kindern in den Spreewald mitgenommen, und Döblins ausgelassener Übermut ist auf einer Postkarte an Herwarth Walden dokumentiert: *Lieber Walden, die Mücken singen polyphon, die Kühe brüllen atonal und ich halte mir die Ohren zu.* Dann hat aber Frau Erna die beiden eines Tages in Umarmung entdeckt. Es ist nicht klar, wann sie die wahre Natur dieser Verbindung erkannte, möglicherweise wusste sie schon von Anfang an darum, aber erst nach dieser Entdeckung wehrte sie sich mit Zurückweisung und Szenen. Alfred Döblin verharrte entschlusslos zwischen den beiden Frauen und spielte mit dem Gedanken, seine Ehefrau wegen Yolla Niclas zu verlassen. Noch einmal Robert Minder: »Den Versuch, sich um ihretwillen von der Familie loszureißen, hatte er bald aufgegeben. Die Flucht des eigenen Vaters vor Frau und Kindern, die einst sein Leben in der Wurzel getroffen hatte, wollte er nicht nachvollziehen. Vater- und Mutterbindung schlossen von vornherein diesen Weg aus und drängten Döblin zu einem Leben auf zwei Ebenen als Ausdruck der inneren Spaltung und unüberwindbaren Ambivalenz der Frau gegenüber: das materielle mit der Gattin und den vier Söhnen, das seelische Leben mit der Geliebten.«

Wie unverzeihlich für Alfred Döblin die Flucht des Vaters und das Zerbrechen der elterlichen Ehe war, ist ihm vermutlich besonders bewusst geworden, als sein Vater am 25. April 1921, fast auf den Tag genau zwei Monate nach der Begegnung mit Yolla Niclas, starb und nur der älteste Sohn Ludwig zur Beerdigung nach Hamburg fuhr. Alfred Döblin hatte den Vater längst davor symbolisch sterben lassen; im Krankenpapier des Militärarztes 1917 findet sich der Eintrag, dass er tot sei. Man kann ahnen, dass Yolla Niclas an dieser so ostentativ erwiderten, aber auch niemals ganz gewährten Liebe in den ersten Jahren schier zerbrochen ist.

DIE NONNEN VON KEMNADE

Im Frühjahr und Sommer 1921 machte sich Döblin nach dem zunächst in der Schublade verschwundenen Stück *Lusitania* (1919) wieder an einen dramatischen Entwurf und schrieb das Stück *Die Nonnen von Kemnade.* Er hatte um 1915 Studien und Vorarbeiten für einen Kreuzritterroman aufgenommen, das Materialkonvolut aber liegengelassen und nicht weiter bearbeitet. In diesem Komplex, *Byzanz* genannt, fanden sich, als Döblin ihn im Winter 1920/21 wieder einmal in die Hand nahm, auch Hinweise auf Judith von Bemeneburg, die im 12. Jahrhundert residierende Äbtissin des Frauenklosters Kemnade in Westfalen.

Döblin war von dieser historischen Gestalt gefesselt, aber das geschichtliche Tableau blieb weitgehend ausgeklammert. In diesem konventionell gebauten Vierakter aus hintereinandergesetzten, aber für sich stehenden Einzelszenen wird der Geschlechterkampf eher des 20., weniger des 12. Jahrhunderts, ein zentrales Motiv früherer Döblin-Erzählungen, theatralisch bearbeitet. Die Äbtissin steht einer Schar von Nonnen vor, die sich der Liebe wie einem Gottesdienst widmen und die von Sendboten aus Rom im Rahmen einer *Revision der Mönchs- und Nonnenklöster* als Huren und Gespielinnen des Teufels bekämpft werden. Die Polarität zwischen Sinnenlust und Askese bildet einen Konflikt des Stücks. Die männlichen Spielfiguren auf diesem Schachbrett der Liebe sind Kreuzritter, die wegen ihres Minnedienssts geneigt sind, ihren Auftrag, das Heilige Grab zu schützen, zu vergessen. Die vielgeliebte Äbtissin steigert die freie Liebe zu einem Spiel der Unterwerfung: kein Mann ist vor dieser Domina sicher und muss in den Staub bzw. aufs Lager. Sie wirkt als Figur wie aus einer der frühen Erzählungen Döblins entlehnt. Im Magma von Religiosität und Sexualität führt diese Auseinandersetzung zur Ermordung der Frau, aber auch ihre Opponenten kommen um; sie reißt sie mit in den Tod. Das Schauspiel *Die Nonnen von Kemnade* variiert bekannte erotische Motive seines bisherigen Werks, auch eine untergründige Homosexualität spielt mit. Eine Frau fordert ihr Recht auf Sinnlichkeit ein, klagt aus dieser Position die Männer an und unterwirft sie sich wie eine Amazone. In dem Monumentalroman *Berge, Meere und Giganten* wird Döblin diesen Typus Frau weiterentwickeln bis zur weitgehenden Vermännlichung, zur *Männin.*

Ein Templer, ein Ketzer, beschwört die schöne Judith, als sie im Gefängnis sitzt und auf ihre Hinrichtung wartet, doch nicht *für nichts, für ein Wort, eine Predigt* zu sterben. Sie ist das Opfer der von der Amtskirche zur verführerischen Eva stilisierten Frau, die deshalb untergehen muss. Diesem Nihil des Christentums hält er einen *niederen Gott* vor Augen: *Er ist in uns allen, in den Tieren, den Bäumen, in der Luft.* Dieser *niedere Gott* bildete die Transitfigur zwischen dem Taoismus im *Wang-lun* und dem *Tausendfuß, Tausendarm, Tausendkopf,* dessen Berufung den Monumentalroman *Berge, Meere und Giganten* einleiten wird, ein Ur-Ich, das bei Döblin später im Christentum aufging. Auf der Bühne wird es noch als Gegenchristentum, genannt »Natur«, verhandelt.

Der Name des Autors verbürgte zumindest Diskussionsstoff, so kam das deklamatorische Stück auch auf die Bühne. Die Uraufführung fand in Leipzigs Altem Theater am 21. April 1921 statt. Der Regisseur Alwin Kronacher nahm kräftige Striche vor, und der Autor war entweder so einsichtig oder so unsicher gegenüber den Anforderungen des Theaters, dass er die Kürzungen ausdrücklich akzeptierte und in seine Druckfassung übernahm.

Mit Yolla Niclas, angeblich auch mit Erna Döblin reiste er nach Leipzig, um die Aufführung zu besuchen. Er schrieb darüber das Feuilleton *Eindrücke eines Autors bei seiner Premiere,* eine Gelegenheitsprosa, aber von einer geradezu anmutigen und besonders heiteren Ironie. Er wusste um die Mesalliance zwischen ihm als Autor und dem Theater, und er bekannte, er sei nach dem Motto *Sünde büßen* nach Leipzig gefahren. Er konnte sich der Verführung, Stücke und Filmszenarios zu schreiben, eben nicht erwehren. Die Glosse vermittelt den Eindruck, dass er im Theater gar nicht landen will, sondern sich nur in Leipzig herumtreiben. Schon bei der Ankunft wird er aufgehalten: *Ein Hauptbahnhof, der mich beglückte; weite einfache Hallen, aber dieses Netzwerk der Eisenträger, spielerische Eleganz und strenge Sachlichkeit, Nüchternheit zusammen.* Das Bauwerk hält er für *ein Geschenk.* Solche Beobachtungen sind nicht unbedingt typisch für einen Autor, der zu seiner Premiere strebt. Genauso könnte er sich bei einem Dynamo oder bei Wertheim aufhalten: selbstvergessen vor der Technik oder vor der Architektur der Moderne. Zum ersten Mal in Leipzig, hält er die Stadt für *ein schönes Wesen,* denn *ich bin ersichtlich nicht mehr in Preußen.* Er spielt mit seinem preußischen Selbstverständnis, und im Theater empfindet er, genauso selbstironisch, seine unmaßgebliche Nichtigkeit vor Regisseur und Schauspielern: *Offenbar bin ich mit meinem Text nur Materie für die Spieler.* Er bewundert sie, ganz in der Rolle des schwärmenden Eleven, grenzenlos und beugt sich vor ihnen in Demut. Und dann, zum Abschluss, ein Tucholskyscher lakonischer Stoßseufzer: *Ich ging noch am Bachdenkmal vorbei. Ach, habt ihr's gut in Leipzig. Ich muss wieder zu Zieten und Scharnhorst.* Es bleibt noch nachzutragen, dass die Premiere höchst ausführlich besprochen wurde und der Respekt vor dem Romancier Döblin die Kritik am Dramatiker Döblin abmilderte.

MYTHOS NATUR

In der ersten Hälfte der zwanziger Jahre hat Döblin ein geradezu unvorstellbares Spektrum von Tätigkeiten und Interessen entwickelt. Er arbeitete als politischer Journalist, seit Ende 1920 zum Beispiel auch für die »Vossische Zeitung«, glossierte faits divers der Öffentlichkeit unter dem Pseudonym Linke Poot, erprobte sich als Bühnenautor, warf sich in kulturpolitische Tätigkeiten, versenkte sich ins Judentum, in den Buddhismus, in den Sozialismus, in die Psychoanalyse, schrieb einen monumentalen Roman mit dem Dreißigjährigen Krieg als stofflichem Vorwand, vertiefte sich in einem noch gewaltigeren in die Zukunft der Menschheit. Allein diese Aufzählung weist auf seine unbegreifliche Spannweite hin. 1920 hatte er auch wieder naturwissenschaftliche Studien betrieben, sie aber nicht mit medizinischen Problemen verknüpft: *Zwischen dem Politischen hatte ich mich 1920 einige Monate noch – ich weiß nicht, wie ich darauf kam – mit Biologie befaßt, die mich jahrelang nicht bekümmert hatte, und dann mit allerlei aus den Naturwissenschaften. Ich roch da hinein und da hinein. Exzerpierte von Ameisen und wie sie ihre kuriosen Kohlfelder bauen, dann Astronomisches und Geologisches. Wohin das wollte, wußte ich nicht.* Es ging ihm keinesfalls um einen Verdrängungswettbewerb zwischen der Politik und den Naturwissenschaften. Er bereitete sich fast systematisch auf einen Widerstand gegen den bloßen Materialismus vor, schrieb zunächst einige kleinere Arbeiten, veröffentlichte die Texte *Buddho und die Natur* und *Das Wasser* 1921/22 in der »Neuen Rundschau«, dann den Essay *Die Natur und ihre Seelen*. Die Zusammenschau dieser Texte bot er 1927 in dem Buch *Das Ich über der Natur*. Zwischen diesen Arbeiten und den politischen Auffassungen sowie den zeitkritischen Interventionen Döblins scheint es stofflich und motivisch keine Brücke zu geben. Aber nur vor der politischen Entwicklung und der spezifischen gesellschaftskritischen Sicht des Autors sind seine naturphilosophischen Texte zu verstehen. In dem kurzen Satz: *Mir ist keine seelenlose Materie bekannt* kommt die Kritik des politischen Materialismus zum Ausdruck: Er lehnt das politökonomische Denken ebenso ab wie die Vorstellung vom Klassenkampf oder von der Diktatur des Proletariats. Das ist ihm zu verkürzt. Er sieht sich durchaus an der Seite der Arbeiterschaft, aber als Bürger, der die Tradition des aufklärerischen Idealismus angewandt sehen möchte. Sein Sozialismus besteht vor allem in der Realisierung des Vorrats an Idealen der bürgerlichen Revolution. Er sucht einen geistigen Materialismus, der ohne marxistische Glaubensbekenntnisse auskommt, zielt auf spirituelle Grundlagen des Menschen und versteht diese Vorstellung als ethischen Sozialismus.

Von hier aus datiert das chronische Missverstehen, was den Sozialisten Döblin betrifft. Immer wieder wird ihm ein Mangel an Theoriebildung unterstellt, wo er doch gerade mit dieser allein selig machen wollenden Theorie des Klassenkampfs und der Dogmatik einer kommunistischen Partei nichts, eben gar nichts anfangen wollte. Seine politischen Vorstellungen sind auf dem Umweg einer naturphilosophischen Meditation gewonnen. Darin erweist sich die Kohärenz seines Denkens, das seine Reichweite und Wurzelkraft gerade im Diversen suchte.

In einem Brief an den Naturlyriker Wilhelm Lehmann (Sept. 1923) hat er seinen Pfad zur Naturmystik beschrieben; er habe seinen *Hang zu der ausgebreiteten stummen organischen und anorganischen Natur erst seit ein paar Jahren bemerkt, entdeckt; der Hang führt mich stark in mystische Gefilde, aber man bändigt es immer wieder mit der Exaktheit. Es kommt mir fast vor, als hätte ich früher nie gesehen; ein Stein, eine Baumborke frappiert mich. Greift mich bisweilen so an, daß ich es abschütteln muß. Wissen Sie, Herr Lehmann, das ist das indische: Das bist Du.«* Diese »indische« Wendung, begründet durch das tat twam asi, die Gebetsformel der Upanischaden, geht einher mit einer konkreten Wahrnehmung, das ist das Neue daran. Döblins politischer Aktivismus in der Revolutionszeit ist nur die Antithese in einem Gedankengebäude, das Handeln und Nichthandeln als Komplementäre entwickelt, ohne sie entscheiden zu wollen (oder zu können), das das Spiel der Gegensätze offenhält. Es gilt die Formel: Politik gleich Aktion, Natur gleich Hingabe, auch ans Anorganische.

Seit 1920 ist er vor allem damit beschäftigt, Politik und Naturphilosophie von der Position des Geistigen her auszupendeln. In *Die Natur und ihre Seelen* von 1922, dem Gegentext zu *Republik*, heißt es: *Sicher weiß ich, daß Koffein, Wasser, Stickstoff, wie jeder chemische Körper, wie Kupfer, Aluminium aufs innerste beseelt sind, nicht anders wie das Ich, die Pflanze, das Tier. Die Seelen dieser Stoffe zeigen sich und sind real in den Reaktionen der Stoffe, in ihrem Verhalten zu anderen Stoffen, in ihrer Farbigkeit, Härte, dem Wechsel der Aggregatzustände. Außerhalb der Reaktion sind die Seelen nur möglich und gedacht. Die wirkliche Seele des Menschen ist nicht außerhalb der Seele des Salzes, des Eiweißes, des Wassers. Sie formt sich aus diesen Quellen.* Die Dinge haben Resonanzen im gleichen Raum wie die sogenannte belebte Natur, sie gehören der gleichen Morphologie an.

Schon 1921, in *Buddho und die Natur* hatte er geschrieben: *Reinigung der Gesellschaft wäre nötig. Gesellschaft und Einsamkeit, Verehrung und Anbetung der großen Naturkräfte müßte wiederkehren. Früher suchten die Menschen sich krampfhaft und ekstatisch in »Gott« einzufühlen. Jetzt sollen sie*

Alfred Döblin
Nach 1924

sich regenerieren im Umgang mit Steinen, Blumen, fließendem Wasser.

Diese sich mehr als ein Jahrzehnt hinziehende, geradezu vegetative philosophische Gründelei bringt viele Döblianer in Verlegenheit und Verwirrung. Es fällt schwer, zwischen den zahlreichen Wiederholungsschleifen, Abschweifungen, provokanten Formulierungen und dem unermüdlichen Anhäufen von Stoff das Ziel dieses Denkens auszumachen. Sein schärfster Kritiker war in dieser Hinsicht W.G. Sebald, der ihn mit Inbrunst als einen Verräter am rationalen Denken aburteilte. Doch gerade in dieser sich allmählich entfaltenden Botschaft von der Einheit und Beseelung der ganzen Natur, in der das menschliche Ich auch nur eine unter vielen Arten des Lebens ist, steckt ja eine grandiose rationale Herausforderung. Gefordert wird Hingabe, Demut und Schonung sind angemessen. Die Gesten des Zweckrationalismus, der imperialen Verfügung über Natur werden abgewiesen. Die Auffassung von der »Geistigkeit« aller Materie gibt ihr jene Würde zurück, die im Fortschritt der Naturwissenschaften ausgeblichen, im *Formeljargon der Mathematik* verschwunden, im Verfügungsanspruch des Menschen zerbrochen ist. In diesen Monologen eines philosophischen Dilettanten entsteht eine Lehre vom unversehrten Universum, in dem der Mensch nicht herrscht, in dem er dient – eine hinreißende grüne Vision. Der am wenigsten belichtete Teil des Döblinschen Werks besteht in seinem spekulativen Kreisen um die Natur; darunter verbirgt sich ein gewaltiger Vorrat an geistigem Rohstoff. In den Anfängen der grünen Bewegung haben nicht wenige ihrer Vertreter den biologistischen Sumpf von Blut und Boden wieder betreten, um sich zu situieren. Hätten sie Döblin gelesen, wäre ihnen dieser ideologische Rückgriff erspart geblieben.

Naturerkenntnis bildet den Weg zu einem individuellen Dasein, das sich von der machtbestimmten Orientierung und von der Vergesellschaftung löst. Er selbst sprach vom Hypothetischen und Vorläufigen dieses Denkens.

Er wollte nur seine *Witterung* für den universalen Zusammenhang gelten lassen.

Die Natur, der spirituelle Blick auf sie, die Anverwandlung des Ichs in ihren größeren Raum und ihre helleren Gesetze ergeben eine Erlösung aus der tief empfundenen Enttäuschung und Enge im Politischen. *Man bedenke das wahrhaft dumme belanglose Hin und Her innerhalb der Menschengesellschaft. Wie überlegen ist diesem oberflächlichen Plätschern und Ablösen die tiefinnere Verwandtschaft und Angliederung als Salze, Säuren, Alkalien, Metalle. Diese wahrhaft reale und durchgreifende Verwandtschaft. Gern gibt man ihnen Gastfreundschaft. Daß sie zu uns kommen können, durch unser Tor gehen, durch unser Fenster sehen, zeigt, daß sie von unserer Art sind, wir von ihrer. Mit diesem Salz, diesem Wasser, diesem Eiweiß verbreitern wir uns in die Welt. Mit dem Meer, den Wüsten, den Bergen, den Felsen, den Winden. Darum kann man die Welt durchfühlen. Darum ist man nicht diese halbkomische bürgerliche Figur, die froh ist ihren Rock zu tragen, sondern ausgebreiteter, ernster, und zugleich dunkler, anonymer. Anonym: das Zauberwort. Das führende Wort. Die Person spielt keine Rolle.* So 1922 im Essay *Die Natur und ihre Seelen*. Es geht um Verwandlung: der Weg zum proletarischen Klassenkampf ist Döblin versperrt, er sucht nach etwas anderem, nach einem Weg, ins Ganze zu gehen, nach dem Universellen und nach Individuation, was die Gesellschaft nicht geboten hatte, zumal er sich im Klassenschema als nichtzugehörig, als Außenseiter sah und darauf auch bestand. Die Natur wird ihm aber auch zum Röntgenschirm, auf dem die sozialen Situationen sichtbar sind: Auf größtmöglichem Umweg kam er zu sich und seiner Art von Sozialismus zurück. Die Gesetze, die die Gesellschaft bestimmten, waren demnach auch keine anderen als die natürlichen. Aber sein revolutionäres Denken wurde gebremst oder stillgelegt durch zwei Prinzipien, die er aus der Naturanschauung hervorhob: die Beharrung und die Ausgleichung.

BERGE, MEERE UND GIGANTEN

Döblin hatte Ende 1920 in der Wochenschrift »Das Tage-Buch« ein *Bekenntnis zum Naturalismus* veröffentlicht. Man reibt sich verdutzt die Augen: War der nicht durch den Expressionismus ausgelöscht worden? Ging es Döblin um literarische Regression oder um einen seiner mutwilligen Späße, zu denen er durchaus neigte? Wollte er noch einmal die Stellungen von vorgestern besetzen? Tatsächlich wird gleich zu Beginn der Expressionismus als eine zu überwindende Größe gemustert: *In der Dichtung wird seit einer Anzahl*

Jahren das »Beschreiben«, »Schildern« als kunstfeindlich perhorresziert. Es wird in eine Linie gestellt mit dem »Abmalen« in der Malerei. Die Ablehnung des »Beschreibens« stammt aus dem allgemeinen Gefühl, daß die Vergeistigung zurzeit der wichtigste elementarste Antrieb der Künste ist; überall wird der materielle »realistische« Ballast über Bord geworfen; es besteht das unbändige Verlangen, lebendige Seele unmittelbar zu geben, um sich den anderen Seelen zu nähern. Diese *Vergeistigung* entspricht Döblin selbst: Er ist in den Jahren, da dem Expressionismus die ersten Todesurkunden ausgestellt werden, damit einverstanden, aber sein Plädoyer galt der Ermittlung der materialen Welt. Er fordert, weiterzugehen als bisher, nicht dem Kunstglauben zu frönen, nicht die absolute Kunst als einen von der Realität gereinigten Fetisch zu verehren. Naturalismus ist in diesem Verständnis eine wiederkehrende, nicht historisch zu verstehende Haltung, näher an die Tatsachen heranzukommen.

Im September 1922 antwortete er außerdem auf die Umfrage »Ein neuer Naturalismus?« im »Kunstblatt«. Er bestätigte noch einmal, was er vorgegeben hatte: Er kam mit der ästhetischen Orientierung des Kunstwerks allein nicht aus, der Künstler muss die Kunstsphäre verlassen: *Wir haben keine Kunstprodukte, sondern Lebensäußerungen nötig.*

Im Sommer 1921 reiste Döblin dann mit seiner Familie (ohne Yolla Niclas) für einige Wochen an die Ostsee. Er beobachtete am Strand die Brandung und was sie auslöste: *Die Steine an der Ostsee aber rührten mich. Zum ersten Male, wirklich zum erstenmal ging ich unsicher, nein ungern nach Berlin zurück, in die Stadt der Häuser, Maschinen, Menschenmassen, an denen ich sonst fest, ganz fest hing. Ich hatte den Wunsch, noch länger in der freien Natur zu sein und einmal diese, diese Dinge um mich herum laufen zu lassen.* Aus dem winzigen Bild der rollenden Steine am Strand erwuchs ein gewaltiger Roman, ein auch in Döblins Gesamtwerk unerhörter Solitär. Zurück in Berlin, vergrub er sich in Naturgeschichte und Naturwissenschaften, studierte Werke zur Geologie, Geographie, vertiefte sich in Museen für Meeres- und Naturkunde, schrieb seine Ideen und Zitate in ein kleines schwarzes Leinenheft ein. Wie in einem Hohlspiegel, in dem die Dinge verzeichnet werden und bizarre Formen annehmen, versammelte er geradezu eine Enzyklopädie an Einzelheiten sowie ein Riesenregister von Geschehnissen wie die Explosion technischer Möglichkeiten, Megalomanie von Städten, Massenballung von Menschen, Naturzerstörung, das Klonen von Menschen und die Lebensmittelsynthese, den Terrorismus und weltumspannende Bürgerkriege. Der Roman ist eine Wunder- und Schreckenskammer der Moderne im globalen Maßstab. Döblin überbot stofflich alles bisher in seinem Werk Versammelte.

Seit Herbst 1921 arbeitete er ernsthaft an *Berge, Meere und Giganten.* An Efraim Frisch schrieb er Anfang November 1921: *Ich liege eben über einem neuen größeren oder großen Opus, das gut fortschreitet. Es ist die Entwicklung unserer Industriewelt bis auf etwa 2500; eine völlig realistische und ebenso völlig phantastische Sache; Jules Verne wird sich vor Neid im Grabe umdrehen – aber ich habe ganz andere Dinge vor als er. Diesmal wird mir keiner nachsagen, ich muß mich immer historischen »Materials« bedienen.* Es ging um ein Vexativ des historischen Romans: Zukunft als die Exploration entgrenzter Möglichkeiten, Science Fiction als die außer Kontrolle geratende Geschichte von morgen. Wie sehr er beim Schreiben selbst in Turbulenzen geriet, erwies sich, als er die ungeheure Zeitspanne, mit der er umging, bestimmen sollte. Die Vorschau datierte er wechselnd bis aufs Jahr 2500 oder über 3000 hinaus, ein halbes Jahrtausend mehr oder weniger spielte keine Rolle: Er einigte sich schließlich mit sich selbst auf eine Vorschau von sieben Jahrhunderten. Verschiedene Absichten überlagerten einander: Es galt, eine neue Sicht auf Ich und Natur zu gewinnen, er wollte aus den politischen Tagesfragen herausfinden, und es ging wieder um eine Abstoßung vom historischen Roman.

Um diese gigantische Überschreitung des gängigen Figurenromans leisten zu können, hat er einen langen Anlauf genommen. Das hat auch damit zu tun, dass der Naturwissenschaftler in ihm den Zukunftsentwurf nicht allein bewältigen konnte. So fand, was ihn in Zweifel stürzte, eine Umkehrung statt: *Ich erlebte die Natur als Geheimnis. Die Physik als die Oberfläche, das Deutungsbedürftige.* Er wollte seinen Zukunftsroman zunächst in Berlin ansiedeln, also eine *Hymne auf die Stadt* und auf die Technik schreiben, aber er erkannte, dass auch die Technik naturwüchsig sei, und als er das Manuskript beendet hatte, bezeichnete er den Roman als *»Sang« an die große Natur.*

Anfang 1922 schloss er seine Praxis für einen Monat, um seine Studien voranzutreiben. Wegen der Inflation waren die Arzthonorare sowieso unbeträchtlich. Er arbeitete, von den Vorstudien abgesehen, zunächst das Kapitel über *Die Enteisung Grönlands* aus; er hatte damit auch schon den eindrucksvollsten Teil des ganzen Buches niedergeschrieben, aber er war keineswegs so weit vorgeschritten wie gewollt. Der Stoff forderte sein Recht, entführte ihn gewissermaßen aus seinem Alltag. Er schrieb seine Notizen aus, kam aber mit diesen Trabanten um die Grönlandsaga herum nicht richtig in Fahrt. Er musste danach neu ansetzen und mit dem Anfang beginnen, um die großen Bögen der insgesamt neun Bücher zu finden.

Für rund drei Monate mietete er sich in eine Pension in Zehlendorf ein, hielt sich getrennt von Familie und Praxis. An Gerhart Hauptmann, 8. Juni 1922: *Hacke ich nicht täglich meine fünfzehn zwanzig Schreibseiten herun-*

ter, ist mir nicht wohl. Interessiert Sie, was ich tue? Ich wälze, stemme 25. Jahrhundert unserer Epoche. Muß das so glatt und bequem hinbreiten, daß jeder, als wäre es heute, darauf gehen kann. Es ist eine gigantische Epoche. Die Menschen (übrigens zum Teil nigroid) von der Art der vorolympischen Titanen. Kommt aber kein Olymp hinterher; renkt sich alles von selbst ein; ein Rippenstoß von der Natur und sie liegen komfortabel auf der Nase. Was meinen Sie: zum Schluß können die Menschen so ziemlich unsterblich werden? Sie können aber damit gar nichts anfangen; – ebenso wenig wie ich mit dem Einstein; – in die Jacke muß man erst hineinwachsen und das geht nicht so rasch. Ein Subtext stellt sich heraus: der schnoddrige Tonfall, der etwas kumpelhafte Ton, die Wendung gegen die Größe, verkörpert in Einstein: kann, muss man das nicht als ein verstecktes Pasquill gegen Hauptmann selbst lesen? Er galt ihm als eine Größe, an der er sich einfach reiben musste, nämlich als zeitgenössischer Dichterfürst, verstand sich allerdings auf verstellende Rede. Hauptmann hatte er beispielsweise im April 1922 einige solcher Zeilen geschickt: *Ich war bisher durch allerlei falsche Erzählungen gehindert, Ihnen selbst zu schreiben. Nehmen Sie also, mein sehr verehrter Herr Dr. Hauptmann, dieses Blättchen als Zeichen meiner Sympathie und einer durchaus bei mir keineswegs bestehenden Fremdheit.* Natürlich war das nichts anderes als ein Notopfer an die Kunst der Diplomatie; noch lugt die Verlegenheit aus den Zeilen.

Die Niederschrift von *Berge, Meere und Giganten* versetzte ihn in einen neurotischen Zustand, und er musste die Arbeit unterbrechen, *die Phantasien waren zu wild und mein Gehirn gab mich nicht frei.* Sie erscheint als eine Passion, auch als Fron, schier wie eine psychische Gefährdung. Das ist die Version, die er selbst über die Entstehung des kapitalen Werks gab: Das Andrängen des Stoffs habe ihn an den Rand des Nervenzusammenbruchs gebracht. Die Konfusion scheint tatsächlich immer mehr zugenommen zu haben. Aufschlüsse gibt ein Brief an Gustav Klingelhöfer, der ihn offensichtlich mit einem Konvolut an sozialkritischen Gedanken philosophischer Formulierung überschüttet hat. Döblin will antworten, findet aber nicht den richtigen Faden, möchte argumentieren und kann es nicht. Attacke und Notwehr mischen sich gegenüber einem Menschen, der aus seiner Isolation herauskommen und mit ihm einen Dialog aufnehmen will. Klingelhöfer saß zu diesem Zeitpunkt wegen seiner Beteiligung an der bayerischen Räterepublik und wegen seiner Betätigung als Arbeiter- und Soldatenrat, zu fünfeinhalb Jahren Gefängnis verurteilt, mit Toller und Mühsam in der Festung Niederschönenfeld. Döblin hatte den Brief des Revolutionärs liegenlassen und entschuldigte sich Ende September 1922 dafür: Er habe ihm nicht antworten können, er sei krank gewesen, habe aus seinem Pensionszimmer zurückgemusst: *Ein Zuchthausknall ohne Zuchthaus; ein nicht endender psychisch-nervlicher Kollaps; ich bin noch nicht auf den Beinen.* Wie die titanischen Stoffmassen in ihrem Urheber nachhallten, geht aus dem Bericht eines H. E. K. über eine Lesung Döblins hervor: »Vor der stampfenden Wucht dieser Dichtung verschwindet alle Literatur. Wir paar Menschen, die in der Berliner Sezession vor dem Rednertisch saßen, fühlten es alle: da steht nicht einer über den Dingen, die er am Schreibtisch zerdacht hat; da steht ein Mann vor seinem Werk, selbst halbzerdrückt davon und wie erschrocken. Er schrie, er beugte sich vor, er schlug mit der Faust auf den Tisch und wir duckten uns und hielten den Atem an.« Döblin selbst gab, wenn er später auf diese seelische Wirrnis zurückkam, als Ursache nur die komplizierte Niederschrift des Romans an. Das Bild ist jedoch unvollständig und bedarf entschiedener Ergänzungen. Er blendete eine Parallelaktion aus, die seine nervliche Überanstrengung mitbewirkt hat. Der zeitweilige Umzug nach Zehlendorf war zwar ein Rückzug zum Schreiben, aber auch der Versuch einer Trennung von seiner Frau. Auskünfte darüber sind von zwei Seiten zu erhalten. Robert Minder hat beim Prozess, den Claude Doblin in Berlin gegen ihn angestrengt hat, entsprechende Aussagen gemacht, und Yolla Niclas geht, allerdings ohne Bemühungen um eine chronikalisch verbindliche Darstellung, ausführlich auf diese Zeit ein. Die Passionen dieser Liebesgeschichte gehören zur Entstehungsgeschichte des Romans.

Schon die allerersten Sätze des Romans, die bisher immer als Eröffnungszug einer Ansprache an die Natur gewichtet worden sind, wenden sich an ein nicht genanntes Gegenüber: *Was tue ich, wenn ich von dir spreche. Ich habe das Gefühl, als dürfte ich kein Wort von dir verlauten lassen, ja, nicht zu deutlich an dich denken.* Dieses »Du« wird gleich danach in den Sang an die Natur überführt, seine Intimität wird wieder verwischt: *Ich nenne dich »du«, als wärst du ein Wesen, Tier Pflanze Stein wie ich. Da sehe ich schon meine Hilflosigkeit und daß jedes Wort vergebens ist.* Mit diesem Fingerzeig wird das Werk eröffnet: das Du geht in Natur auf, das Gegenüber ist ins Werk gebannt. Mit diesem fast lautlosen Signal könnte auch auf die Geliebte angespielt und gleichermaßen ihre Kontur verwischt worden sein. Aber sie wird im Großroman noch einmal auftauchen und das Werk besiegeln, wird als Venaska die Gegenkönigin dieses gewalttätigen Buches werden. Doch zunächst zur Stimme, die Yolla Niclas in ihren eigenen Erinnerungen und nicht von Döblins Gnaden hat.

BLUTENDE HERZEN

Als Döblin sein Pensionszimmer in Zehlendorf nahm, brachte ihm Yolla Niclas, die ihn wohl täglich aufsuchte, drei gelbe Tulpen mit, die in der Zueignung von *Berge, Meere und Giganten* erwähnt werden. Sie heißen »blutende Herzen«, und unter diesem Namen hat sie ihr Los begriffen: »Ich konnte gar nicht verstehen, warum sie mir immer gleich vom ersten Tag an, wie ein Symbol meines eigenen Schicksals erschienen.« Döblin kämpfte mit dem Entschluss, entweder zu Erna zurückzukehren oder sich ganz von ihr zu trennen. Er erwartete von Yolla Niclas eine Entscheidungshilfe, die sie ihm nicht geben konnte. In einem gewundenen Satz spiegelt sich ihre nacharbeitende Trauer: »Wenn ich daran denke, wie er in späteren Jahren mir oft zu erklären versuchte, wie es ihn enttäuschte, daß ich damals nicht aktiver aufgetreten sei und die Zügel nicht fest in die Hand genommen habe, so gestehe ich ehrlich, daß ich es nicht vermochte.« Das Liebespaar war mit der spiegelbildlichen Schwäche geschlagen, die große Entscheidung herbeizuführen. »›Immer gerüstet sein die Waffen zu strecken‹, stand auf der unsichtbaren Fahne, die er vor sich her trug. Diese ›Schwäche‹, die von einer anderen Warte aus gesehen, zur Stärke werden kann, war das Tor seines letzten Geheimnisses.« Yolla Niclas spricht von mehreren Selbstmordversuchen, die sie unternahm, und enthüllt eine bislang gut gehütete Kalamität: Erna litt an »Absencen«, sie war Epileptikerin. Von hier aus fällt ein Blick zurück auf einige exzentrische Frauengestalten in frühen Erzählungen Döblins.

Als Yolla nach mehreren Wochen für einige Tage ihre kranke Schwester besuchte, bekam sie von Alfred Döblin einen Brief, in dem er seine Rückkehr in den Ehehafen mitteilte. Danach hat sie nach eigener Aussage einen Nervenzusammenbruch erlitten, doch veränderte der Entschluss Döblins wenig an den Gewohnheiten ihrer Beziehung und nichts an ihrer wechselseitigen Zuneigung. Sie trafen einander meistens nach seiner Arbeit an den Manuskripten im Café. Er las ihr vor und diskutierte die Texte mit ihr.

Döblin hatte Erna schon vor längerer Zeit von ihr erzählt. Sie bestand darauf, Yolla Niclas kennenzulernen, »denn wie sie sagte, seine Beziehung zu mir wäre nur möglich, wenn sie selbst auch mit mir gut stände«. Die Ehefrau war ihr wesensfremd, zu den drei Kindern fasste sie sofort Vertrauen. »Bald fing ich an, die Kinder in allen Lebenslagen zu photographieren, um alle zu erfreuen. (...) Ich stellte damals ganze Bücher zusammen, mit amüsanten Aussprüchen der Kinder, vielen Photographien, einer goldblonden Locke des Jüngsten, etc. – leider ist alles verschwunden.« Der Vorwurf gegen Erna ist nicht erhoben, aber er ist auch ohne Nennung unüberhörbar.

Yolla Niclas wohnte in Charlottenburg, lud die Kleinen zu ihrem eigenen Geburtstag ein, die Eltern kamen vorbei, um die Kinder abzuholen. Auf diese Weise wurde der Schriftsteller sogar den Eltern von Yolla Niclas vorgestellt. Die Geliebte wurde auch Zeugin der ehelichen Auseinandersetzungen, konnte oft den Grund nicht einmal vermuten: »Wenn es mir hin und wieder gelang, beide etwas zu beschwichtigen, so fragte ich mich manchmal, ob ich vielleicht dazu auserkoren sei, ihre Ehe auf einen besseren Stand zu bringen.« Yolla Niclas selbst hatte mit der Zeit viel in ihrem Fotoatelier in der Schlüterstraße zu tun, so dass sie Alfred Döblin morgens nicht sehen konnte. Dann fuhr sie in die Frankfurter Straße, schlüpfte unerkannt ins Wartezimmer und wurde dann ins Ordinations- und Schreibzimmer geholt.

Mit den Paradoxien, die da entstanden, ist sie nie fertig geworden. Ein Zerwürfnis Yollas mit Erna wurde seltsamerweise doch wieder gekittet, »ein zitternder Frieden« wurde geschlossen. Man spielte gemeinsam mit den Kindern, Döblin setzte sich ans Klavier, und das Liebespaar sang Opernarien. Eines Tages seien die beiden von Erna bei einem Kuss überrascht worden. Yolla habe mit ihr eine offene und auch einmal energische Aussprache gehabt, und so sei der Frieden wiederhergestellt worden. »Es war mir schon lange klar geworden, daß D. sich niemals von Erna scheiden lassen würde. Er konnte von dieser Frau nicht loskommen. Sie waren wie in einer eisernen Verkettung von Haß und Liebe zugleich. Bei Erna gab es jedoch für ihn weder ›Credit‹ noch ›Pardon‹.«

Döblin war auch »Theaterarzt«, und so konnte Yolla öfter zu den Premieren mitgehen. Döblin ging offen mit ihr um, so wurde sie auch zu den Abendgesellschaften bei den Rosins eingeladen. Um die Verbindung wussten auch die Brüder Ludwig und Hugo. Gemeinsam verbrachte man mit den Kindern Ferien im Spreewald. Yolla Niclas sann über die Aufteilung nach: Erna hatte mit ihm den Alltag, und sie selbst? »Ich hatte den Traum. Ich durfte mich am Feuer eines Genius wärmen, und mit ihm zusammen in tiefster Seligkeit in den Himmel fliegen! Aber da gab es eben kein – zu Hause –.« So sind die Schreibkrisen, die Döblin bei der Arbeit an *Berge, Meere und Giganten* erfuhr, eingeschlossen in eine Lebenskrise, die er nicht lösen, bei der er nur klein beigeben konnte – auf Kosten seiner Partnerin. Die Zeit, in der er an *Berge, Meere und Giganten* schrieb, besiegelten ihren Bund und vertieften zugleich die Einsicht in die Nichtrealisierbarkeit einer Lebensgemeinschaft.

DAS UTOPISCHE MÄRCHEN

Berge, Meere und Giganten, das Gegenbuch zum historisch orientierten *Wallenstein,* entfaltet Utopie als hochverzweigtes Märchen: *Das war das prächtigste Feld für Aktivität und Phantasie. Ich war glücklich, als ich es fand.* Schon wieder, ein feststehendes Motiv des Romanciers Döblin, die Umschrift des Erleidens seiner Phantasie in Verfügung über einen Besitz. Später wird er von seiner Flucht in Frankreich, seiner *Schicksalsreise* behaupten, sie sei ihm *zum Heil* geworden. Der Roman ist beides: eine Überwältigung des Autors durch seine Stoffmasse und die Leistung einer überbordenden Phantasie, aber auch eine Gewalthandlung, eine usurpatorische Tat des Erzählers, eine Erklärung, im Denkmal der ungeheuren futuristischen Verwandlung der Zivilisation durch mythische Naturkräfte den Glauben an Gott zu bannen, eines gleichsam naturtheologischen Entwurfs wegen. Natur ist das Weltwesen und der Ursinn allen Geschehens. Und doch bleibt Gott anwesend, wird nicht durch die Natur, durch *Tausendfuß Tausendarm Tausendkopf* vollständig ersetzt: *Ich sage immer »Natur«. Es ist nicht dasselbe wie »Gott«. Ist dunkler, ungeheurer als Gott. Das volle schwirrende Geheimnis der Welt. Aber doch etwas von »Gott«!* Der verneinte Gott wird niemals vergessen. Der Vorgang der Reflexion über Natur, für den *Berge, Meere und Giganten* ein so übermächtig-triumphales Zeugnis des Erzählers ist, dauert so lange wie später der über das Christentum; es sind zwei jeweils sehr verästelte, aber durchaus parallelisierbare Prozesse.

Das Konvolut wurde immer unübersichtlicher durch Neuschriften einzelner Passagen, Einfügungen, Beizettel mit Ergänzungen. Schließlich musste er die Arbeit in Zehlendorf abbrechen und sich wieder in die Normalität wie in eine Kontrollinstanz einfügen.

Noch als der Roman abgeschlossen war und damit der Lebenssphäre seines Schöpfers entzogen, arbeitete das Buch bei Döblin nach. Das wird in den Reaktionen eines H. E. K. deutlich, der 1922 eine Lesung besuchte: »Orkane brausen, Lawinen donnern, aus stürzenden Felsblöcken treten Fresken von unerhörter Plastik – Alfred Döblin liest aus seinen Werken. Vor der stampfenden Wucht dieser Dichtung verschwindet alle Literatur. Wir paar Menschen, die in der Berliner Sezession vor dem Rednertisch saßen, fühlten es alle: da steht nicht einer über den Dingen, die er am Schreibtisch zerdacht hat; da steht ein Mann vor seinem Werk, selbst halbzerdrückt davon und wie erschrocken. Er schrie, er beugte sich vor, er schlug mit der Faust auf den Tisch und wir duckten uns und hielten den Atem an.«

Eröffnet wird *Berge, Meere und Giganten* von einer ebenso undurchsichtigen wie wundervollen *Zueignung* auf zwei Seiten. Sie schwingt vom Ich hin zum Alltagsgelände des Erzählers am Schlachtensee, von der Beobachtung der Schreibhand mit ihren pulsierenden Adern bis zum mythischen Wesen Natur: *Jetzt spreche ich – ich will nicht du und ihr sagen – von ihm, dem Tausendfuß, Tausendarm, Tausendkopf. Dem, was schwirrender Wind ist. Was im Feuer brennt, dem Züngelnden, Heißen, Bläulichen, Weißen, Roten. Was kalt und warm ist, blitzt, Wolken häuft, Wasser heruntergießt, magnetisch hin- und herschleicht. Was sich in Tieren sammelt, in ihnen die Schlitzaugen nach rechts und links bewegt auf ein Reh, daß sie springen, schnappen, die Kiefer öffnen und schließen. Von dem, was dem Reh Furcht macht. Von seinem Blut, das fließt und das das andere Tier trinkt. Von dem Tausendwesen, das in den Stoffen, Gasen haucht, raucht, sich löst, verbindet, verweht. Immer neuer Hauch und Rauch, immer neues Prasseln, Verschmelzen, Verwehen.*

Döblins wildester und sein am schwersten zu lesender Roman attackiert den Leser durch seine Übermaße, durch die Abwesenheit erzählender Vermittler, durch seine Supervision. Er ist eine Projektionsfläche für die Frage, was aus dem Humanum werde, und reicht bis ins Morgendunkel der Menschheit hinein. Das Buch nervt und attackiert, weil es Unterwerfung fordert, die Grenzen der Verständigung zwischen Erzähler und Leser überschreitet. Es ist ein Werk des aufgetürmten Stoffes, der hochfahrenden Verdichtungen, der Nötigung durch blutige Phantasien, bei dem ästhetische Siege nicht zu vermelden sind. Walter Muschg hat diesen Roman mit einer ägyptischen Pyramide verglichen. Diese Behauptung ist zweifelhaft, denn es mangelt dem Roman an überzeugender Bauform und Geometrie.

In gewisser Hinsicht ist er eine epische Version der »Geopolitik« Karl Haushofers, allerdings ohne dessen ideologische Implikationen von der Erweiterung des »Lebensraums« für die deutschen Arier. Die gigantomanischen Möglichkeiten der Technik werden vorgeführt. Die Staaten sterben ab, werden durch große *Stadtschaften* mit gewählten Senatoren ersetzt. Die Landwirtschaft verkümmert, weil synthetische Lebensmittel erfunden werden. Die Entbindung von der organischen Natur und der Überfluss setzen Hass und Aggression in großem Maßstab frei. Zwei Weltimperien bilden sich heraus und führen den *Uralischen Krieg* mit Massenverlusten an Menschenleben. Neue Rebellionen finden durch die Bewegung der *Siedler* statt; die Rebellen fordern die Wiedereinsetzung der natürlichen Nahrung und der undomestizierten Natur und treten damit den Ameisen- und Herrenmenschen entgegen. Sie bilden Gemeinschaften im anarchistischen Geiste.

Die Enteisung Grönlands durch *Turmalinschleier* findet statt, durch Strahlengürtel, die auf Island die Vulkanfeuer sammeln und gegen das Eis wenden. Vieles erinnert an Hanns Hörbigers »Welteislehre«, die 1913 erstmals erschien und in den zwanziger Jahren in esoterischen Zirkeln viel diskutiert wurde, bis sie dann vor allem von Himmler der Naziideologie einverleibt wurde. Samen unter dem Eis wachsen in kurzer Zeit zu riesigen Bäumen auf, Dinosaurier erwachen zu neuem Leben. Riesige Tiere bedrohen die Menschen, aber auch sie werden zu Giganten, zu Zwischenwesen von Felsen, Baum und Menschen. Doch tragen sie in ihrer Maßlosigkeit den Todeskeim in sich: die Giganten bringen sich gegenseitig um, nur die Gemeinschaften der Siedler überleben. Sie errichten für die abgelebten Giganten Steinmale, und sie tragen das Leben weiter, weil sie diese Umwälzungen überlebt haben und in Ergebung mit den (mythischen) Gesetzen der Natur leben.

Das letzte der neun Bücher dieses Romans gilt ihnen und einer Frau namens *Venaska*. Ihr Name steht über diesem Kapitel, auf diesen Typus läuft diese großformatige Fantasy zu. Im Buch ist, wie nirgends sonst in einem einzelnen Werk Döblins, eine umfassende Skala sexueller Prägungen ausgebreitet. Die Typologie fächert vor allem Übergänge auf: erotische Gewaltherrscher und Amazonen, Masochisten und Vergewaltiger bis hin zu den Zwischenfiguren der *Männinnen*, der rabiaten Variante der Androgynen. Wohl fast alles von dem, was Döblin in den Diskussionen mit dem Sexualforscher Magnus Hirschfeld und aus seiner eigenen ärztlichen Praxis an sexuellen Abweichungen kennenlernte, wird im Roman berührt. In der proteischen Welt dieses Romans kommt diesen devianten Figuren etwas Repräsentatives zu. Davon hebt sich Venaska ab: sie ist die lösende, entwaffnende, zuwendungsbereite Gestalt. Sie hat Plastik, eine persönlich eingefärbte Sprache, wird zur *Mondgöttin* überhöht, hat die Gabe der gliederlösenden Hingabe. Wer das Experiment macht, ihre äußere Beschreibung im Roman mit einem Porträtfoto von Yolla Niclas zu vergleichen, findet frappierende Ähnlichkeiten. Venaska ist ein Bild der Geliebten, und wenn man die Anrede eines »Du« in den allerersten Sätzen der Zueignung hinzunimmt, findet man in all den schreienden Kämpfen und einander überstürzenden Turbulenzen des Romans einen intimen Rahmen eingezeichnet. Ein magischer Schimmer von Innigkeit geht durch dieses letzte Kapitel, in dem die Siedler nach allen Katastrophen und Schrecken, nach Verirrungen und Machtexzessen tastend sich in der Natur vorwärtsbewegen und in dem Venaska ihr Stern ist.

FREUNDSCHAFT MIT MAUTHNER

Ab 1920 erschien Fritz H. Mauthners imposante Darstellung »Der Atheismus und seine Geschichte im Abendland«, und Döblin war einer der ersten, tief beeindruckten Leser. Als Linke Poot besprach er das Standardwerk und nahm seine Kritik auch in seine Glossen-Sammlung *Der deutsche Maskenball* auf: *Ein Buch, das sich in leidenschaftlich nüchterner Weise, männlich entschieden mit dem Geist und seinen – wesentlich geistlichen – Widerständen im Abendlande beschäftigt. Das außerordentliche Gegenstück eines viel berufenen Buches vom sterbenden Abendland, des viel zu berufenen Buches; es wird dieses Buch, seine Kühnheiten, seine Bluffs, überdauern.* Solchermaßen als Widerpart zu Oswald Spengler und seinem Bestseller vom »Untergang des Abendlandes« gefeiert, dankte ihm Mauthner vom Bodensee aus; Döblin freute sich wiederum über dessen Vorsatz, ihm etwas von sich zu dedizieren, und wusste mit Vertraulichkeit, *daß Sie, der viel Ältere, im Geistigen mein Kamerad sind.* Mit Mauthner kam Döblin zu einer Neujustierung seines Denkens. In dessen Atheismus-Geschichte fand er einen sprachtheoretischen Ansatz zur Verwerfung der Religion. Alle Sätze über Gott enthielten demnach nur Phrasen und waren zu verwerfen. Wenn über ihn nur in falscher Rede zu sprechen ist, bleibt der Tod Gottes für Döblin unausweichlich. Der Weg wurde gebahnt für das, was Mauthner »gottlose Mystik« nannte; aus dem Agnostizismus erwuchs die Naturmystik. Diese mystische Einheit mit der Natur ist stumm, da sie auf Benennung und Mitteilung verzichtet, und sie hebt sich damit von den »Phrasen« über Gott ab. Sie hat jedoch bei Mauthner noch einen anderen Aspekt: Sie distanziert sich vom wissenschaftlichen »Dogma«, das keine Antwort auf die Fragen nach dem Woher und Wozu geben kann. In dieser »gottlosen Mystik« sind demnach die Fragen aufgehoben, die ansonsten in der Religion gestellt werden. Diese Internalisierung schützt sie vor Materialismus und Positivismus, bewahrt sie auf, allerdings nicht im Sinne einer kirchlichen Institution oder einer religiösen Lehre, eher als Dichtung und Poesie. Mauthner bot Döblin damit einen Weg, sich seiner Spiritualität zu versichern, in der Form der Religionskritik. Er öffnete ihm den Weg zu einer mystischen Naturauffassung jenseits der Empirie der Naturwissenschaften.

Döblin dankte überschwänglich für die Übersendung eines anderen Hauptwerks durch Mauthner, nämlich des zweibändigen »Wörterbuchs der Philosophie«. Außerdem hatte Mauthner zwei weitere Bücher von sich mitgeschickt: seinen »Spinoza« von 1906 und »Der letzte Tod des Buddho« von 1912. Da war Döblin nun Feuer und Flamme: *Ich freue mich sehr, wie ich an der Spinozagabe sehe, daß Sie ein Freund Spinozas sind, – wie ich; ich schleppe seit meiner Primanerzeit (ich bin 44 Jahre alt) den Spinoza mit mir herum. Um die geistige Verwandtschaft zu vervollständigen: zwei Buddhobilder hängen an meiner Wand.* Rund 20 Jahre war es her, dass der junge Döblin dem berühmten Kritiker im Grunewald das erste Romanmanuskript zur Prüfung zugeschickt hatte. Aus Scham wollte er damals Mauthner nicht persönlich begegnen, ließ es unter Pseudonym postlagernd zurückschicken, und es vermoderte im Postamt, weil sich der Autor unter seinem Decknamen nicht legitimieren konnte. Nun, über den Treibsand der Jahre hinweg, gab Mauthner dieses Zeichen der Verbundenheit. Tatsächlich befasste sich Döblin zu dieser Zeit mit *Buddho und die Natur.* Mauthner dürfte darüber verdutzt gewesen sein, wie seine Arbeiten sich im Leser Döblin zu einem ganz andersartigen Kern verdichteten.

DER GEIST DES NATURALISTISCHEN ZEITALTERS

Im Dezember 1924 veröffentlichte Döblin einen wohl im Frühsommer des Jahres geschriebenen Essay, der seine neu gewonnenen Grundlagen berührte. In *Der Geist des naturalistischen Zeitalters* wollte er nichts Geringeres, als einen philosophischen Umriss des Menschen als Naturwesen zu zeichnen und ihn mit einer Zeitdiagnose zu verbinden. Wie in einigen anderen Essays aus diesen Jahren musterte Döblin Übergänge, sah sich an einer Zeitenschwelle, erkundete das Geschehen als Prozess, wollte Sonden anlegen. Der Typus des Weimarer Fest- und Krisenredners wie Heinrich Mann lag ihm fern, auch der Gewissheitssegen, wie ihn Thomas Mann von der Kanzel der Repräsentanz herab zu geben vermochte. Ein wissenschaftlich geschulter Kopf, elektrisiert von den Kraftlinien eines Denkens, das Natur, Gesellschaft, das Doppelwesen Mensch zusammenbringen will, widmet sich einer neu angebrochenen Epoche. Mit der Technik trat im 19. Jahrhundert eine überwältigende Energie auf, nämlich der *naturalistische Geist,* der sich durch Beobachtung und Erkundung der Einzelheiten gegen die angestammten metaphysischen Gewissheiten wehrt. *Die Tierart Mensch will nicht stehen bleiben.* Nur Gottfried Benn hat sich mit der gleichen Energie auf die Wörter aus Chemie, Biologie und Medizin gestürzt, aber sie vor allem nach ihrem Klang und ihrer Atmosphäre eingesetzt. Für Döblin sind etwa *Ferrosilizium, Ferrovanadium, Nickel, Molybdän, Chrommolybdän, die Veredelung der Legierungen* das Wechselgeld einer neuen, ausgreifenden, Geist erzeugenden Moderne. Er vertieft sich in Register naturwissenschaftlicher Wörter, als wären es geistliche Litaneien. So kühn hat sich keiner der Weimarer Intellektuellen vorgewagt: *Die*

Dynamomaschine kann es mit dem Kölner Dom aufnehmen. Der Mensch hat als biologisches Einzelwesen seine dominierende Stellung verloren, wird stattdessen zum Kollektivwesen. In den Wörtern hallt die bildprägende Hybris des Futurismus nach: *Es ist freilich schon heute ein Unfug, eine Säule von Phidias anhimmeln zu lassen und die Untergrundbahn ein bloßes Verkehrsmittel zu nennen.* Die Stadt ist der Schauplatz des neuen Geistes, die Wörter messen die Körpertemperatur des neuen Geschehens, *Naturalismus* genannt. Die Städte sind, um eine dieser steilen Formulierungen aufzugreifen, *der Korallestock für das Kollektivwesen Mensch.* Die Schwerkraft der Tradition hindere die Schriftsteller und Künstler an der Einsicht, dass sich die zivilisatorischen Grundlagen geändert haben. Sie seien die am schwersten zu bewegenden Geister: *Nur so ist es verständlich, daß Deutschland schon 1890 ein stark industrialisiertes Land war, die Künstler aber, Maler und Literaten, noch bei Sonnenaufgängen und Gänsehirten verweilten.* Gegen die Mystik von Blut und Scholle setzte er den Maschinenpark, den Willen zur Unterwerfung von Natur, das vielstimmige Kollektivwesen Mensch. Nicht Zerstörung ist die Absicht des naturalistischen Geistes sondern *Umseelung.*

Der entschiedene Wille ist am Werk, gegen die Verklärung der Vergangenheit, der Flucht in die Historie sich in der Gegenwart zu orientieren, sich den Anforderungen des Heute zu stellen. Nebenbei verstehen sich diese Äußerungen indirekt als Gegenrede zu Thomas Manns »Betrachtungen eines Unpolitischen« mit ihrer Unterscheidung von »Kultur« und »Zivilisation«. Der Polemiker mischt sich ein: Eine humanistische Bildung sei *die stärkste Scheuklappe,* um dieses Jetzt nicht gewahr zu werden. Der naturalistische Geist ist in Distanz zum verwelkten Wissen über das Ehemals, *abgelebtes Dörrgemüse.* Döblin wandte sich wieder einmal gegen die eigenen humanistischen Grundlagen.

Dem transzendentalen Wissen, der Ausrichtung der Wissenschaft an der Theologie sei mit der Entfaltung der Technik der naturalistische Geist entgegengetreten. Der Gesellschaftstrieb habe seine Arbeit geleistet: die Ordnung von Menschenkollektiven. Eine knirschende Bipolarität ist demnach entstanden: hier das Gleichheitsgefühl aus dem Wissen um die Verlorenheit des Einzelnen, dort das *Freiheitsgefühl.* Der alte Döblinsche Widerspruch von Ergebung und Revolte sucht sich veränderte Begriffe. Es ging ihm nicht um Beweisführung und Argumentation, vielmehr um Setzungen. Er wollte die Beschränkungen und Biederkeiten des essayistischen Alltagsverkehrs in der gefährdeten Demokratie hinter sich lassen, die Freiheit des Panoramablicks ergreifen.

Der Essay von gerade einmal 22 Druckseiten ist ein frühes, blendendes

Dokument des ungestüm gemusterten Globalismus. In Eisenbahnschienen und Telefonkabeln sah er *die neu erweckten Sinnesorgane* des von Staaten nicht mehr markierten Raumes. Der Kapitalismus wird mit seinem Unterwerfungswerk, die Sowjetunion als eine imperialistische Macht gemustert. Das ist der Ausdruck des »Geistesrevolutionärs« Döblin: Eine Autorschaft wird beglaubigt, die den ausgreifenden Impuls von *Berge, Meere und Giganten* aufnimmt, zum Vorstoß in die Tektonik und Schichtung der Moderne nutzt.

Der Essay setzt sich noch einmal mit Marinettis Futurismus auseinander, vor allem mit dem von ihm abgelehnten »Passatismus«, mit der Orientierung an der Vergangenheit. *Man bewahrte nur auf und nannte sich gebildet.* Marinetti konnte sich über Dampflokomotiven, Schiffe und Aeroplane erregen. Döblin eiferte ihm nach und erweiterte dabei den Technikkatalog: *Die Riesenkapitel der Elektrizität, der Kraftübertragung, der Dynamomaschine. Das Fernsprechwesen. Die Baukonstruktionen, die Eisenbetonbauten. Eisenbahnanlagen mit ihren Ober- und Unterbauten, ihrem Signalwesen, den Brückenkonstruktionen. Das Heben und Verschieben von Bauwerken, die Tauchapparate, Motorboote, Kraftwagen.* Die Entfaltung der Technik führt literarisch zu Sachlichkeit, Realismus, einem explosiven Stil. Doch zugleich wird die Sprachebene verändert: dem Naturwissenschaftler nimmt ein anderer Typus die Feder aus der Hand: *Das Mystische wird Grenzbegriff der Naturwissenschaft.*

Mit diesem Aufsatz positionierte sich Döblin gegen Oswald Spenglers »Untergang des Abendlandes«. Gegen den aus großen Vergangenheitsspannen gewonnenen Pessimismus und das geistesgeschichtliche Kunstlied des Sterbens der europäischen Kultur setzt er den Animismus von Technik und Natur, wagt sich in die Vorausschau einer Zukunft mit dynamischen Wechseln und unerhörten Symbiosen. Für Spengler war die Kultur mit Religion identisch, noch in den letzten Sätzen dieses Essays schleudert ihm Döblin eine Frage entgegen: *Früher drehte sich die Welt um einen abstrakten Punkt, um Gott; was wird aus ihr, wenn sie sich um die Sonne dreht?* Nach ihrer Erforschung werde die Natur zum Geheimnis. Der Essayist gab den Stab weiter an den Romancier: *Dies Geheimnis zu fühlen und auf ihre Weise auszusprechen, ist die große geistige Aufgabe dieser Periode.* Der Roman ist der usurpatorische Versuch, über die Grenze zu gehen, die zwischen Anschauung (des Naturwissenschaftlers) und Mystik (des Dichters) besteht. Kein anderer der Literaten hat in den zwanziger Jahren einen solchen Übersprung gewagt, und nirgendwo anders in seinem eigenen Werk hat ihn Döblin so radikal unternommen.

LUSITANIA

Als Bühnen- und Drehbuchautor wollte Döblin jedoch wenig gelingen. Der Romancier mit seiner wuchernden Phantasie war für das dramatische Fach einfach nicht geeignet. Brecht konnte aus Döblins Prosa die Technik des Verfremdungseffekts ziehen und sie politisch-pädagogisch auffüllen. Döblin selbst fand keinen Zugang zu Theaterfiguren. So muss man es wohl sehen: Er fand Stoffe, erfand Stimmen, aber das Stück blieb eine leblose, undramatische Maschinerie. Als Romancier hat er sich oft durch Sprache erlöst, er hat sie als sein Triumphmotiv über das schäbige und katastrophale Leben angesehen. Das war ihm auf der Bühne nicht möglich, aber er hatte den unglücklichen Ehrgeiz, als Theaterautor zu reüssieren. Die Unbedenklichkeit, die sich der als Dramatiker auch nur graduell begabtere Heinrich Mann attestierte, wenn er für die Bühne schrieb, fehlte Döblin in diesem Bereich ganz: Er wollte auch dort dem Experiment frönen und verfehlte dabei geradezu methodisch die Anforderungen, die sich ihm stellten. Ein Beispiel für diesen Befund ist die im Januar 1926 in Darmstadt uraufgeführte Szenenfolge *Lusitania*. Döblin hatte das Stück noch im Banne des Expressionismus vorwiegend 1919 geschrieben und ein Jahr später im Wiener »Genossenschaftsverlag« von Albert Ehrenstein veröffentlicht. Als es in der Reihe »Die Gefährten« erschien, erbat sich der Verfasser statt Honorar in Kronen einen Anzugstoff aus Wien, denn *ich bin schauderhaft abgerissen und es ist alles unerschwinglich*. Das Stück bezog sich mit seinem Titel auf ein höchst strittiges Ereignis der Kriegsgeschichte, das nur allzu bekannt war. Ein deutsches U-Boot hatte 1915 das englische Passagierschiff »Lusitania« torpediert und versenkt. Dabei starben 1198 Menschen; es war eine Katastrophe vom Ausmaß der Titanic drei Jahre zuvor, aber eine bewusst herbeigeführte. Dieses Kriegsverbrechen bildet jedoch keinesfalls seine theatralische Vorlage; Döblin wollte einen poetischen Raum aus Stimmen, in dem Leben und Tod auf eine sonderbare Weise ineinander verschränkt sind. Er benutzte also die signalhafte Erinnerung an dieses Kriegsgeschehen, um im Stück gar nicht darauf zurückzukommen.

Im Januar 1926 wurden die Szenen am Hessischen Landestheater unter der Regie von Jakob Geis aufgeführt, und zwar in Gegenwart Döblins. Bei der Premiere protestierten nationalistische Studenten lautstark, sie waren grundsätzlich nicht einverstanden, solche Stoffe auf der Bühne zu finden. Die Pöbeleien hatten jedoch nicht einmal einen Vorwand: sie konnten sich weder gegen eine pazifistische Agitation des Stückes noch gegen die Darstellung eines deutschen Kriegsverbrechens richten. Die Hakenkreuzler opponierten gegen etwas, was sie erwartet hatten, aber nicht vorfanden.

Lusitania entfaltet seine Provokationskraft auf eine andere Weise. Die drei Szenenfolgen, aus denen die Vorlage besteht, spielen auf dem Schiff, auf dem Meeresboden und in einer nächtlichen Hafenstadt. Die Akteure sind vorwiegend die Stimmen der Passagiere, die auch als Ertrunkene reden; begleitet sind sie von lockenden Meerweibern. Eine Handlung ist nicht nachzuerzählen, nicht einmal angestrebt, die Figuren sind überwiegend abstrakte, durchnummerierte Stimmen, die sich niemals zu Personen verdichten. Verhandelt wird dreierlei Leben: das auf den Tod zuläuft, das den Tod nur wie einen Transitraum durchlaufen hat und das in Natur übergegangen ist. Das geradezu mythische Großereignis des Schiffsuntergangs dient einem Traumgebilde: der Rückkehr alles Lebens nach seinem Tod in beseelte Natur. In der dritten Stimmensequenz treten »Bürger« auf, die das Menschengelichter der Untoten ablehnen und für die Ertrunkenen Vergeltung anstreben. Ihre Forderung: *Die Tausende im Ozean sollen gerächt werden. In den Krieg. Wir müssen in den Krieg.* In dieser Sphäre, in der die Opfer auf Erlösung drängen in der Mystik von der allumfassenden Natur, in die alles Leben, sich verwandelnd, eingeht, während die Überlebenden den Krieg weiterführen wollen, sind diese Traumszenen aufzufassen. Die imaginären Meeresgeschöpfe sind die Zeugen jener beseelten Welt, die ein buddhistisches Element der ständigen Wiederkehr im Daseinskreislauf der Natur verkörpert. Über allem Untergang im Meer leuchtet ein sprechender Stern, oder wie es später in dem Essay *Das Ich über der Natur* heißen wird: *Nicht zu dieser Welt, der Konvention, der falschen historischen, begriffsverdrehten kehrt man zurück, aber doch zu dieser Welt, man gelangt erst zu ihr. Diese Welt – der beseelten Wolken, Gebirge, Meere, Wüsten, Wälder – ist nicht die Welt des Leids, der Krankheit und des Alters. Es ist die schmerz- und leidüberlegene überhobene Wandelwelt, die einzige, von der ich fühle: sie ist.* Dieses auf dem Theater so unmögliche Stück *Lusitania* wirkt wie der Botenstoff philosophischen Sinnierens über Natur und Gesellschaft. Tatsächlich bereitete Döblin mit dieser Szenenfolge wiederum Einsichten vor, die er in seiner Schrift über *Buddho und die Natur* (1921) ausarbeitete.

Die »Darmstädter Zeitung« nannte den Aufruhr bei der Uraufführung mit Behagen ein »Pygmäen-Skandälchen«, fasste das Ereignis eher komisch auf und musterte den ungerührten Autor auf der Bühne: »Nach einigem Zögern erschien auch der Dichter und nahm die Mißstimmung der Minderheit mit sicherem Blick und trotziger Armverschränkung entgegen.« Der Skandal hatte ein Gutes für Döblin: er half über die schlechten Kritiken hinweg. Kasimir Edschmid charakterisierte die Szenen als durchweg epigonal: »Tatsächlich, was an Idee in dem Stück ist, gehört zu Strindberg in einer geradezu rührenden

Weise. Was an Technik daran ist, gehört zu [Georg] Kaiser. Was an Dramatischem dazugehört, ist Grand Guignol. Und es ist klar, dass der Fetzen Idee zum mindesten bei der Schießerei zum Teufel ging.« In der »Süddeutschen Zeitung« (Stuttgart) wurde dekretiert, dass »ein überalterter Fall« vorliege, »eine fast schon literarhistorische Angelegenheit einer Epoche, die sich totgelebt hat«. Und die »Darmstädter Zeitung« wusste von einem Einverständnis des so gespaltenen Publikums: »Kenner, Auch-Kenner und Laien werden darin übereinstimmen, daß die tiefste Versenkung dieses Wracks in die unergründlichen Schächte der Vergessenheit durchaus wünschenswert und angemessen erscheint.« Die *Nonnen von Kemnade* wurden wenigstens in der Zweitfassung noch einmal in Frankfurt inszeniert (wobei keine Details überliefert sind), aber die *Lusitania* hat schon in Darmstadt kompletten Schiffbruch erlitten.

THEATERKRITIKER

Zur Zeit der Inflation griff Döblin nach jedem Strohhalm. Er beglückwünschte Efraim Frisch dafür, dass sein »Neuer Merkur« wiederauferstanden sei, und bot sich im gleichen Atemzug (im November 1923) an, als *Berliner Beobachter* regelmäßig für diese Zeitschrift zu schreiben. Aber der Herausgeber zog anscheinend nicht so richtig. Döblin schickte ihm einen Ausschnitt des Manuskripts *Die beiden Freundinnen und ihr Giftmord*. Frisch ließ nichts von sich hören – und der Autor beschwerte sich auf das gewandteste: *Ah, ich merke, es ist München, Ausland. Sie werden natürlich verrückt sein oder so was, – ich muß aber wissen, was mit meinem Manuskript ist. Lieber Herr Frisch, ich grüße Sie ganz und gar nicht.* Anderswo hatte Döblin mehr Erfolg, und es zeigte sich ein finanzieller Ausweg. Vom 20. November 1921 bis zum 2. September 1924 war er für das »Prager Tagblatt«, einer Zeitung des Berliner Mosse-Konzerns, als Theaterkritiker tätig. Dieses Angebot, das er nicht ohne Ironie annahm, sicherte ihm allerdings nur ein schmales Einkommen, das aber durch die Inflation nicht gefährdet war, denn er erhielt das Honorar in Devisen. Fast drei Jahre lang verbrachte er unbedenkliche Stunden als Theaterbesucher. 88 solcher Dokumente des ersten Blicks, des geschärften Urteils, der überschießenden Laune und der heiteren Verliebtheit in die eigenen Formulierungskünste sind nachgewiesen. Gewöhnlich im Abstand von ein bis drei Wochen, also ziemlich regelmäßig, lieferte er seine Berichte, die, um die eine oder andere polemische Spitze entschärft, im »Leipziger Tagblatt« nachgedruckt wurden. Die Glossen waren zwar von Döblin namentlich gezeichnet, aber sie wirken oft, als hätte er Linke Poot ins Theater geschickt. Sie stellen Übungen in leichthändiger Manier dar; es triumphiert der Spaß am treffenden Witz und am Kunterbunt der Beobachtungen. Er eröffnete die Folge seiner Artikel mit der Absage ans Gewerbe der Theaterkritik: *Ich habe wirklich nicht vor, über Theater zu schreiben. Ich wüßte nicht, was mich bewegen könnte, über Theater zu schreiben.* Keinesfalls wollte er in der Rolle seines damaligen Lieblingsgegners unter den Journalisten, Alfred Kerr, mitspielen – aber selbstverständlich schrieb er in diesen gut gelaunten Kommentaren nur über Theater. Allerdings hatte er eine eigene Auffassung davon, suchte es nicht ausschließlich auf der Bühne, sondern auch auf den Straßen und in den Geschäften. Neben den Porträts berühmter Regisseure und Mimen finden sich Skizzen von Namenlosen, die das Rollenverzeichnis der Gesellschaftsbühne zum Beispiel als der *Laternenanzünder, der Gasarbeiter, der Straßenfeger* ausweist. Und nonchalant stuft er die Etablissements der Schauspielkunst und des gehobenen Gesangs herunter: *Das Theater ist nicht wichtiger, aber nicht belangloser als ein Gemüsegeschäft. Bei mir soll jede Kohlrübe zu ihrem Recht kommen.* Oft ist das Theater nur ein Vorwand, um sich als Feuilletonist in den Seitenstraßen der Stadt zu verirren. Ein Streik in Berlin ist dem Theatergänger allemal wichtiger als Leoncavallo und Jacques Offenbach. Döblins Vorsatz ist die *Ressortverwischung;* er ruft sich ironisch zur Ordnung, nur um den Stoßseufzer hinzuzufügen: *Es ist ein Unglück, einen Epiker zum Theaterreferenten zu machen.* Mit Eleganz fertigt er die Rudolf-Steiner-Mode ab, setzt dem anthroposophisch inspirierten Schleiertanz Shimmy und Foxtrott entgegen. *Die Mark sinkt, aber die Likörstuben vermehren sich.* Er widmet sich in knappen Bemerkungen dem Mord an Außenminister Walther Rathenau und kommt dann auf gewundenen Seitenpfaden: nirgendwohin. Die Verfehlung des Themas kann manchmal das Ziel sein.

Was wohl hat die Kulturredaktion des »Prager Tagblatts« von ihrem Theaterkritiker gehalten, der alle möglichen Stücke kurz erwähnt, am längsten aber auf der Inflation und dem politischen Radikalismus verweilt? In einem anderen Bericht will er die *Sommerluft 1923 in Deutschland* besprechen und fertigt mit wenigen Hieben Hermann Bahr und Gerhart Hauptmann ab. Beim Verfassungstag 1923, dem fünfjährigen Jubiläum der Republik, wird das Theater in den ersten Sätzen weggeschoben und alle Aufmerksamkeit richtet sich auf die öffentliche Bühne. Döblin leistet sich einen Ausflug nach Basel, wobei vom Theater überhaupt nicht die Rede ist, dafür viel vom Rhein. Zurück in Berlin mimt er den erleichterten Kleinbürger, der sich in der Fremde nicht wohlfühlt: *Ich überlasse die Alpen den Kraxelfexen, den Alpenvereinen und Hochzeitsreisenden.*

Besonders animiert streift er durch die Operette, den Tingeltangel und die Lichtspielhäuser. Als Theaterkritiker verfolgt er ein Programm: *Denn es ist das Wichtigste für den Kritiker zu erkennen, ob ein Werk geboren oder gemacht ist. Die zweite Aufgabe für ihn ist: die Art des Lebens, die sich äußert, zu beurteilen und entschlossen zu werten. Das dritte ist die Frage nach der Kunst.* Er widmet sich vor allem den jungen Dramatikern und neuen Stücken, redet im Namen eines lebendigen Jetzt, einer unbekümmerten Gegenwart, eines frischen Werdens. Schon welken die Expressionisten dahin, werden zu modernen Klassikern, aber noch immer regt sich gegen sie Widerstand bei den *Weichlingen, Süßlingen und Idyllikern.* Gegen die Verehrung der Vergangenheit, die für Döblin mit Staub und Moder gleichzusetzen ist, setzt er das Ursprüngliche. Döblins Theaterberichte haben hohen Unterhaltungswert, aber ihre Orientierung am aktuellen Geschehen beweist auch seinen ausgeprägten Sinn für die Signifikanz von Stücken. Diese Glossen wären unverzichtbar für eine Chronik des Theaters in den frühen zwanziger Jahren. Toller und Kaiser, Lautensack, Hasenclever, Kornfeld, Bronnen, Jahnn, Brecht werden besprochen; er versteht ihre Stücke als *Griffe ins Leben,* nicht allein als ästhetische Leistungen. Insgesamt aber interessiert sich Döblin für die Texte auf der Bühne nicht vordringlich, er versteht sie vor allem als Material für das Regietheater. Seine Aufmerksamkeit ist auf das Physiognomische gerichtet, auf die Präsenz der Schauspieler, und mit wenigen Strichen werden die Stars der theatralischen Unterhaltung lebendig. Der Theaterbesucher Döblin ist ein Schnellzeichner von Gesten, Haltungen, Mimik, Atmosphäre und erweist seine nimmermüde Neugier.

Im Fach des Verrisses besticht er durch äußerste Knappheit der Mittel. Mit zwei Sätzen fertigt er den vielgespielten Friedrich Lienhard ab: *Solche Stücke gehören gedruckt. Gedruckte Stücke liest keiner.* Klassiker putzt er oft mit den kürzesten Wendungen herunter, die sich finden lassen. Gerhart Hauptmann, eine feste Größe im Kanon seines Missfallens, *schludert enorm.* Bei »Hanneles Himmelfahrt« denkt er an Syphilis und die Krankenkasse. Doch überaus schwärmen konnte er beispielsweise für ein kubistisches Bühnenbild, und ungemein verständig lobte er etwa Robert Musils Stück »Vinzenz«. Döblin ist in diesen Theaterberichten ein amüsierter Spaziergänger, den es im Labyrinth der Unterhaltung und des Aberwitzes umtreibt. Ende 1924 war es genug, Döblin nahm mit einigen Pirouetten Abschied vom *Theaterreferenten* des »Prager Tagblatts« Bezeichnenderweise als er ein Stück von Brecht sieht, beendet er seine Tätigkeit: *Da wird ein Ei gelegt, und ich soll gackern.* Er findet inzwischen vieles wichtiger in der Welt als die Besprechung von neuen Stücken, er sei *schon lang reif zum Harakiri.* Exit Theaterreferent.

DER KASSENARZT

Die Praxis, die Döblin nach dem Krieg wieder eröffnet hatte, lag im Berliner Osten, Frankfurter Allee 340, Hochparterre, Bezirk Friedrichshain, wo er auch wohnte. Er behandelte vor allem Proletarier, auch wenn er Privatpatienten nahm. Für das Gros seiner Patienten war er immer auch eine Art Therapeut: *Sie wollen ihr Krankengeld, sie wollen etwas »ausruhen«, es sind morbide, brüchige Menschen, sie sind ja auch passager »krank«, eigentlich ein bißchen immer »krank«. Soll man sie zur Arbeit schicken?* Die Umgebung hatte nichts Repräsentatives, wie der Sohn Claude berichtete: »Unter unserer Wohnung waren ein Frisör und ein Kohlengeschäft. Sprech- und Wartezimmer waren nach vorn gelegen. Der andere Teil, davon durch einen Korridor getrennt, lag nach hinten und hatte Sicht auf den für uns Kinder sehr interessanten Pferdestall. Der Hausbesitzer hatte Kutschen und Lastwagen.« Döblin hielt seine Sprechstunde – nach der wohl unvollständigen Auskunft seines Sohnes – meistens zwischen 2 und 5 Uhr nachmittags ab. Peter Bamm erinnerte sich an einen Besuch bei ihm: »Das Sprechzimmer, in dem die kranken Seelen behandelt wurden, quoll über von Büchern, Dokumenten, Manuskripten und medizinischen Fachzeitschriften. Vielleicht in Jean Pauls Arbeitszimmer mag es so ähnlich ausgesehen haben.« Döblin betrieb den ärztlichen Beruf nicht einfach nebenher, um ein wenig Geld zu verdienen und mit den Patienten ins Gespräch zu kommen. Lieber wollte er, das erklärte er mehrfach, die Schriftstellerei als die Ordination aufgeben. Er verstand seine Praxis auch als Sozialstation: Patienten drängten sich aus Not ins Sprechzimmer, und *man ist Arzt und doch nicht bloß Arzt.* Die Kassenärzte seien *an einem kritischen, wenn auch öffentlich nicht sichtbaren Punkt als leise Puffer zwischen den jedem bekannten gesellschaftlichen Gewalten eingefügt.* Es sei wichtig, den Willen zur Gesundung anzustacheln. Aber der Ausgleich der Interessen bleibt ein schwieriges Kapitel, *wir können die Wirtschaftsordnung nicht ändern und müssen auf unsere Weise suchen, die Schärfen in ihr zu mildern.* Für ihn war der Kassenarzt Sozialarbeiter, Seelenmasseur, Wegweiser, aber auch grauer Soldat in einer stillen Armee. Und er musste in Einzelfällen mit der Wut der Patienten rechnen; sogar von einer körperlichen Attacke auf den Arzt in Lichtenberg wird berichtet.

1928 schilderte er eine kassenärztliche Sprechstunde, einen Nachmittag in seiner Praxis. Er führt einzelne Fälle an, bei denen der diagnostische Blick direkt in die psychologische Betreuung übergeht. Es sind die gesammelten Notlagen, mit denen er zu tun hat und die er, mit einer Art Verzweiflungsmilde, schildert: Ein Handwerker, von einem Auto angefahren, muss von seiner Prozesshanselei abgebracht werden, weil sie nichts einbringen kann. Bei dessen Tochter zeigen sich Anzeichen einer Geisteskrankheit, und sie muss in die Anstalt eingewiesen werden. Ein jüngerer Mann kommt mit »Gefäßneurose« in die Sprechstunde und entpuppt sich als einer, der rettungslos in ehelichen Schwierigkeiten verstrickt ist und Rat sucht. Viele Patienten sind vom Alltag und den inneren Problemen, die sich aufgestaut haben, zermürbt und aufgerieben, während sie nur über äußere Leiden sprechen. Er weiß nicht, ob das Ganze Seelsorge oder Sozialfürsorge ist? Diese diagnostische Teilnahme an den Wechselfällen der Patienten passt zu einem »linken« Arzt, nicht eine Theorie: eher das Nichterlahmen bei der Alltagsroutine, die Sympathie für die kleinen Leute, aber auch der wache Blick für die Begrenztheiten des eigenen Handelns und die rationale Nüchternheit. Fast so etwas wie Demut übt dieser Arzt mit seiner Praxis für die Armen und die kleinen Angestellten. Dabei fielen im Haushalt erhebliche Kosten an. Dienstmädchen, Köchin und Kindermädchen, so berichtet Claude Doblin, standen durchaus zur Verfügung und waren für Erna Döblin selbstverständlich.

Döblin war seit 1926 Mitglied im Verein sozialistischer Ärzte, den Ignaz Zadek, der Schwager Eduard Bernsteins, Karl Kollwitz, der Mann der Künstlerin, und Ernst Simmel als linke, aber parteiunabhängige Organisation gegründet hatten. Der Verein hatte in Berlin 100 bis 150 Mitglieder und verfolgte mehrere Ziele: dem Standesdünkel, Konservativismus und Antisemitismus vieler Ärzte setzte er einige oppositionelle Impulse entgegen; auch trat er für Sozialfürsorge, Volkshygiene und Sexualaufklärung ein. Es handelte sich um ein prominentes Umfeld, das von Max Hodann über Magnus Hirschfeld bis zu Dora Benjamin, der Schwester Walter Benjamins, reichte.

Döblin vermied keineswegs ungewöhnliche Äußerungen, die manche Kollegen in ihrer Standesehre packten. So schilderte er nicht ohne Amüsement, wie ihn die falsche Behandlung durch einen Zahnarzt beinahe das Leben gekostet habe, wurde verklagt und wunderte sich ironisch darüber. Den Prozess gewann er, weil ihm das Gericht listigerweise »dichterische Freiheit« zugestand.

Gegen den Stand der Ärzte und Zahnärzte hat Döblin wiederum den Stand des Schriftstellers in sich aufgerufen. Ihm ging es nicht darum, den Arzt und den Schriftsteller in eine Pufferzone zu schieben, wo der eine die Maske für den anderen bildete, aber die beiden verstanden einander doch als hilfreiche Organe. Er sei auch Arzt, *und ich bin es nicht im Nebenberuf*, war aber, so 1923, nach den langen Jahren weder mit dem einen noch mit dem anderen Beruf existenzfähig. *Sie müssen einmal eine Kassenpraxis haben und wissen, was dabei herausschaut, wenn man nicht wie ein Tier von früh bis in die Nacht arbeitet. Da kann aus mir, der sich in letzter Zeit einige Mittagsstunden freigehalten hat (nicht zum Schlafen) nichts werden.* Erhalten haben sich einige Krankenbücher oder Teile davon aus den Jahren 1923 bis 1926. Im ersten sind die Patienten einfach aufgelistet und mit dem Datum ihres Erscheinens in der Praxis versehen. Die aufschlussreichsten Quellen sind die Jahrgänge 1925 und 1926; es handelt sich um Logbücher eines unermesslich fleißigen Arztes. Für 1925 sind um die 2000 Patientenbesuche verzeichnet. Die Fülle war anscheinend nur mit einer Systematik zu übersehen: alphabetisches Verzeichnis der Namen mit Konsultationsdatum, Registriernummern, die auf verschollene Akten verweisen könnten, meistens der Befund mit einem Kürzel. Auffallend viele Kriegsneurotiker, Neurastheniker, Epileptiker, Hysteriker sind darunter, die Patienten mit organischen Leiden sind in der Minderzahl. *Die Kassenpraxis – ich spreche es aus – ist die natürliche, dem Arzt angemessene, weil sie einfach und anonym Arzt und Patient gegenüberstellt und das Finanzielle aus dem Spiel bleibt. Die heutige Art dieser Betätigung taugt nicht viel. Doch ist ihr Prinzip richtiger, natürlicher als das der Privatpraxis.*

Auch Linke Poot berichtet über die Not der Menschen in der Sprechstunde, bezeichnenderweise in dem letzten Artikel der Sammlung *Der deutsche Maskenball.* Über mehrere Seiten wird ein ganzer Gesellschaftskosmos des kranken Volkes ausgebreitet: *Die Tuberkulösen. Die Traumatiker, Unfallkranke, Kriegsbeschädigte. Die schwächlichen, kleinen, blutarmen Mädchen. Die Männer und Frauen, zahllose jeden Alters, die verwahrlost, unterernährt, seelisch zermürbt sind. Die Zermorschung des niedrigen Volkes, die sich als Nervenschwäche verkleidet, ist auf Schritt und Tritt zu beobachten.* Das ist eine Montage aus Kapitelanfängen, zwischen ihnen breitet sich eine soziale Parteinahme aus, die nicht in die Propagandafloskeln der »Roten Fahne« einbiegt, sondern mit aller Insistenz auf den Einzelheiten besteht.

DIE GIFTMORDAFFÄRE

Nach *Berge, Meere und Giganten* wartete bereits eine neue Arbeit auf Döblin. Er sollte für eine Buchreihe »Außenseiter der Gesellschaft«, die im avancierten Verlag Die Schmiede erschien, einen Band über einen Kriminalfall schreiben. Vorwiegend prominente Romanciers waren gehalten, sich in der Kunst der Reportage zu üben. Die meisten von ihnen rekrutierte der Herausgeber Rudolf Leonhard später aus der »Gruppe 1925«. Nach dem Zukunftsroman also ein Sachbericht: weiter konnten die Anforderungen an Döblin kam auseinanderliegen, aber schließlich war er mit sozial randständigen Personen bestens bekannt, und er suchte sich einen spektakulären Fall aus.

Die Mordsache Klein/Nebbe wurde im März 1923 an fünf Tagen vor dem Berliner Landgericht verhandelt. Es war ein Sensationsfall, der die Schlagzeilenlust anstachelte. Er fand statt »unter ungeheurem Andrange des Publikums, unter welchem das weibliche Element überwog«, wie die Presse verlautbarte. Die 23-jährige Ella Klein hatte ihren Ehemann, den Tischler Willi Klein, mit Rattenkuchen vergiftet. Sie hatten einander im November 1919 kennengelernt und ein knappes Jahr später geheiratet. Die Ehe war unglücklich verlaufen: Mehrere Versuche, den Alkoholexzessen, den Misshandlungen und den »widerlichen Zumutungen« ihres Mannes durch räumliche Trennung zu entgehen, scheiterten. Als Ella Klein im Sommer 1921 die ebenfalls unglücklich verheiratete Margarete Nebbe kennenlernte, taten sich die Frauen zusammen; es entspann sich ein lesbisches Liebesverhältnis, das in rund 600 Briefen beschworen und besiegelt wurde.

Ursprünglich wollte Ella Klein Hand an sich legen, beschloss jedoch, ihren Mann umzubringen. In der Drogerie besorgte sie sich Arsen, das sie ihm nach und nach ins Essen mischte, bis er infolge der schleichenden Vergiftung starb. Der Mord wurde für die Täterin gegenüber ihrer Freundin zum Liebesbeweis. Die beiden Angeklagten wurden im Verfahren von drei Gutachtern psychiatrisch beurteilt, auch von dem Sexualforscher Magnus Hirschfeld, aber die Experten stimmten durchaus nicht überein. Das Urteil bezog sich auf diese Divergenzen und fiel verhältnismäßig milde aus. Ella Klein wurde nur wegen Totschlags zu vier Jahren Gefängnis verurteilt, Margarete Nebbe wegen Beihilfe zu einem Jahr und sechs Monaten Zuchthaus, wobei die Untersuchungshaft mit angerechnet wurde. Im Prozess hatte immer wieder das Bild der Täterinnen gewechselt: Einmal galten sie als kalte, berechnende Mörderinnen, ein andermal erschienen sie als Opfer in einem Psychodrama.

Der mächtige Presseauftrieb war durch die geradezu idealtypische Bündelung mehrerer Motive in einem Fall bedingt. 1917 hatte Erich Wulffen in seinem Buch »Psychologie des Giftmordes« eine weibliche Vorliebe für diese Tötungsart unterstellt, und einige andere, gleichlautende und vulgarisierende Darstellungen erschienen in der Folgezeit. Die Verbindung von Gewaltverbrechen und sexuellen Präferenzen war dabei auf die Frau als Täterin fokussiert. Und im Fall Klein/Nebbe wurde die lesbische Liebe ebenso mitverhandelt wie die sexuelle Abnormität des Ehemannes, bei deren Erörterung das Gericht zeitweilig sogar die Öffentlichkeit ausschloss. Im Großbild der Giftmörderin als Repräsentantin weiblicher Gewalt fanden (männliche) Vorstellungen von dominanten Begierden, Hysterie und Herrschsucht der Frau zusammen. Entsprechend reagierte der größte Teil der Presse. Aber es gab auch abweichende Berichte und Kommentare, unter anderen von Robert Musil und Joseph Roth; auch Döblins Schulfreund Moritz Goldstein saß im Gerichtssaal und befasste sich – einigermaßen behutsam – mit dem Fall.

Döblin, der den Prozess im nachhinein analysierte, verschaffte sich die Anklageschrift der Staatsanwaltschaft und suchte das Milieu der verurteilten Frauen auf. Er sah sich in der Gaststätte um, in der die lesbische Freundschaft ihren Anfang genommen hatte, ging den Lebensspuren der beiden Frauen nach. In seinem Bericht unterlief er die Rolle des autoritativen Erzählers; er ließ die Möglichkeit, den Mord als Handlung zweier entschlossener Täterinnen oder zweier unzurechnungsfähiger Opfer darzustellen, ungenutzt, unterlief planvoll jede Versuchung zur allwissenden Zentralperspektive. Die Namen der Täterinnen sind verschlüsselt, die Zeugen und Sachverständigen nur mit Initialen ausgewiesen, obwohl sie zuvor in der Presse breitgetreten worden waren.

Elli Link (so heißt sie bei Döblin), die mit 19 Jahren nach Berlin kam, wird als munteres junges Mädchen geschildert, das durchaus den Lebensgenüssen und den Männern zugetan war, jedoch eher spielerisch, aus Laune, Unernst und heiterer Oberflächlichkeit heraus. Als die Friseuse zwei Jahre später den Tischler Link heiratet, setzt ein Befremden ein, nämlich *geschlechtliche Abneigung.* Döblin entwickelt aus dem Eröffnungsbild des leichtsinnigen fröhlichen Mädchens eine für die Eheleute gravierende Konstellation. Er kann nicht anders als *Heftiges, Wildes, Besonderes, von ihr zu verlangen,* er will sie unterwerfen, wogegen sie ein *Ekelgefühl* verspürt, *das sie völlig einspannte, und das den Mann im ganzen unsauber erscheinen ließ, ihm einen schlechten Geruch gab.* Der Erzähler verschiebt seine Aufmerksamkeit auf ihn: ein Getriebener zwischen Machtwillen, Selbstentblößung und Masochismus.

In der Kneipe lernen die beiden ein anderes Paar kennen. Margarete Bende (alias Nebbe) und die drei Jahre jüngere Elli Link kommen sich näher: Beide haben sie – wenn auch unterschiedlich ausgeprägt – mit der Abwehr der Ehemänner zu tun; die Kindfrau Elli und Grete, mit einer *Masse von unbefriedigten Gefühlen* ausgestattet, ergänzen einander in ihren Enttäuschungen.

Der Erzähler fasst seine Figuren vorsichtig an, will sich ihrer verbal nicht bemächtigen. Das Meisterstück in diesem Gegeneinander aus Liebe und Hass, aus vexierten Empfindungen, ist das Deutungsspiel, das der psychiatrische Fachmann Döblin aufbaut, aber auch begrenzt: Er legt sich die Figuren zurecht, geht den Spielplan ab, mustert die einzelnen Stationen, lässt aber die Deutungsregeln immer wieder unbestätigt. Er vermeidet eine psychologische Musterung der beiden Frauen und wird niemals zudringlich. Das Wilde, Abartige, was der Mann von seiner Frau fordert, wird nur gestreift, geradezu achtlos. Der Mann der Bende wird wie durch Milchglas gemustert: nur Umrisse seiner Gefühlskälte sind sichtbar. In der Erzählung werden Begriffe wie »die Tat« so lange wie möglich hinausgeschoben. Noch auf den letzten Seiten wird das Wort umgeleitet: *Bei alldem drehte es sich aber nicht um die Tat, um den nackten Giftmord, sondern beinah um das Gegenteil einer Tat: nämlich wie dieses Ereignis zustande kam, wie es möglich wurde.* Der sensationelle Fall ist mit behutsamen Sätzen gleichsam nur berührt. Die Selbstberauschung der beiden Frauen in ihrem orgiastischen Briefwechsel wird nur angetippt. Der naheliegenden Versuchung, nachträglich als Obergutachter und Schlichter zwischen unterschiedlichen Fachmeinungen aufzutreten, hat Döblin in jedem kommentierenden Satz widerstanden. Er zeigt, was man sehen kann von Liebeswunsch und Hassbindung, von seelischen Geheimnissen und wie sie einer Lösung zuwiderlaufen können, nicht mehr. Die Kunst der Vermeidung und der Aussparung, eine in diesem Wörterverschwender Döblin bisweilen auftauchende Diskretion, macht die humane Substanz, das Mitleiden des Erzählers mit seinen Geschöpfen aus. Nicht die Unterwerfung seiner Figuren unter das politische Räsonnement schafft diese Anteilnahme: sie ist eine Frage der Pausen zwischen den einzelnen Sätzen, des Stils.

Es liegt nahe, in der Zurückhaltung des Deuters eine Abwehr der Freudschen Psychoanalyse zu vermuten, doch das Gegenteil ist richtig: Am Schluss nimmt Döblin Freuds Traumdeutung auf, um zu zeigen, wie Elli Link die Tat danach in sich austrug, wie sie sich selbst bestrafte. Noch einmal bekräftigte er seine Vorsicht: *Man muß die Tatsachen dieses Falles, die Briefe, Handlungen hinnehmen und es sich planmäßig versagen, sie wirklich zu erläutern. (...) Die Unordnung ist da ein besseres Wissen als die Ordnung.*

Wie in kaum einem anderen seiner Bücher wählte er einen strikten Rahmen neuer Sachlichkeit: einen parataktischen Stil, der längere Einschübe oder Reflexionen kaum zulässt. Er beließ es weitgehend bei der »Objektivität« des Berichts, der sich auf Narration versteht. Aber es gibt selbstverständlich einen Regisseur, der gelegentlich nachfragt, begründen will, schlussfolgert. Die überlieferte Empörung des Publikums über die Milde des Urteils ist unterlaufen, denn man ist, was Döblin von einem Sachverständigen als Schlüsselsatz referiert, *gar nicht mehr auf dem Gebiet des »Schuldig – Unschuldig«, sondern einem anderen, auf einem schrecklich unsicheren, dem der Zusammenhänge, des Erkennens, Durchschauens.* Mit den beiden Giftmörderinnen beschreibt er auch die Verfahrensweise und die intellektuellen Kautelen wie die moralischen Grenzen, innerhalb derer sich Dokumentarliteratur bewegen sollte. Der Kriminalfall erzählt diese Art des Erzählens mit.

Die beiden Freundinnen und ihr Giftmord ist nicht mehr als die Fingerübung eines klugen Reporters im Gewand des Erzählers, das umfangreichste Dokument des Kriminalschriftstellers, der mit *Die Witwe Steinheil* 1908 sich erstmals erprobt hatte. Der geradezu wissenschaftlich nüchterne Stil, in den keine wertende oder moralisierende Instanz eingreift: das ist der Döblinsche Verfremdungseffekt. Trotz dieses Appells an das Geheimnis der menschlichen Natur und ihre Abgründe hat Döblin ein enormes Deutungspotential aufgeboten. In die Erstausgabe eingelegt sind zehn Schautafeln mit farbigen Kreisen, die einander überschneiden, gemeinsame Schnittmengen oder unterschiedliche Einzelpartien ergeben. Räumlich sollen 17 Seelenzustände der beiden Täterinnen vergegenwärtigt werden. Noch einmal meldete sich der theoretisierende Kliniker, rund 20 Jahre nach Abschluss seiner medizinischen Promotion.

Eine produktive Unsicherheit über den Fall scheint Döblin nicht verlassen zu haben, deshalb wollte er das Bild komplettieren. Er schickte das fertige Buch kurz vor Weihnachten 1924 an Ludwig Klages, um von ihm Auskünfte zu erhalten. Er nannte den Fall *in einer bestimmten Hinsicht dunkel*; er wollte von dem Psychologen und Philosophen wissen, wie er über die Handschriften (die Döblin gedeutet hatte) denke, *oder: was sich, in dem gesamten festgestellten Ensemble, über die beiden Personen sagen läßt; – wie Sie graphologisch über den – psychiatrisch sehr verschieden beurteilten – Fall denken.* Von einer Antwort ist nichts bekannt.

Das Buch war, als es im Herbst 1924 erschien, ziemlich erfolgreich: Mehr als 3000 Exemplare konnten abgesetzt werden, obwohl der Prozess schon anderthalb Jahre zurücklag und Döblin, der damit die »Außenseiter der Gesellschaft« eröffnete, noch nicht vom Reihencharakter profitieren konnte. Auf Döblins Reportage, die einiges Aufsehen machte, folgten 13 weitere Bände, unter anderen von Kisch, Ywan Goll und Theodor Lessing. Auch Ernst Weiß und Hermann Ungar, ebenfalls Dichterärzte, befassten sich in dieser Reihe mit der Typik von Giftmörderinnen. Döblins Buch ist das beste in der ganzen Reihe geblieben.

KLEIST-PREIS

Seit Juni 1921 saß Döblin mit Julius Bab, Dietzenschmidt, Monty Jacobs, Leopold Jessner und Herbert Ihering im Kunstrat des Kleist-Preises. Er wurde im April 1923 zum »Vertrauensmann« der Stiftung berufen und vergab den Kleist-Preis im Oktober je zur Hälfte an Wilhelm Lehmann und an Robert

Musil. In seiner Begründung sah er eine gemeinsame Klammer gegeben: *Wilhelm Lehmann und Robert Musil gehören nicht der jüngeren Generation an, jedoch gehört, was ihre Generation leistet, zu dem Jüngsten und auch Dauerhaftesten dieser Zeit im Literarischen.* Er lobte Lehmann für seine bis dato veröffentlichten drei Romane, für *die Weite, den Reichtum und das Geheimnisvolle der Natur* in seinen Büchern. Musil wusste er eindringlicher zu schätzen: *Er besitzt einen großen Überblick über die gesellschaftlichen Spannungen unserer Zeit. Seine Neigung geht nicht auf Remedur und Fortschritt im künstlerisch Formalen, sondern auf Erweiterung, Klärung und Vertiefung des Seelenguts. Beide, Musil und Lehmann, sind wirkliche Könner, und wenn auch nicht lärmend, am Weichenstellwerk der Zeit tätig.* Bei der Auszeichnung von Wilhelm Lehmann für dessen Stellung zur Natur wird eines der Missverständnisse sichtbar, wie sie einem auf seine Produktion versessenen Autor leicht passieren: im anderen sich selbst zu spiegeln, vom anderen mit der Eigenschau auf dem Weg der Überlagerung Besitz zu ergreifen, nach Stiftungszeugen für das eigene Werk zu suchen. Mit Musil zeichnete er einen Prosaiker aus, der mit seinem essayistischen Grundzug beim Erzählen allen Absichten Döblins, vom Kommentar im Roman abzusehen, eklatant widersprach. Ihre halt- und belastbare Freundschaft beruhte anscheinend gerade auf den Unterschieden, die sie als Romanciers bestimmten. Döblin wollte auch die Aufmerksamkeit für Musils Stücke »Vinzenz« und »Die Schwärmer« schärfen. Einen knappen Monat nach der Preisverleihung besprach er, von allen Kritikern wohl am genauesten, die Aufführung von Musils »Vinzenz« im Berliner Lustspielhaus unter der Regie von Berthold Viertel, wiederum zweieinhalb Monate später, im Februar 1924, beschrieb er die bis dato erschienene erzählende Prosa Musils.

GESELLSCHAFT DER FREUNDE DES NEUEN RUSSLAND

Ende Januar 1924 trat Döblin der »Gesellschaft der Freunde des neuen Russland« bei, ein gutes halbes Jahr, nachdem sie gegründet worden war. Es handelte sich um eine Plattform vorwiegend bürgerlicher Intellektueller, Künstler, Wissenschaftler und Industrieller, die den Vertrag von Rapallo, der 1922 abgeschlossen worden war, mit neuen Impulsen versehen wollten. Der politische Brückenschlag sollte auf kulturellem und wirtschaftlichem Gebiet gefördert werden. Zu den Gründern gehörten beispielsweise Albert Einstein ebenso wie Georg Graf Arco, der technische Direktor von Telefunken. Mitglieder waren auch die Gebrüder Mann, Reichstagspräsident Paul Löbe, der

Verleger Ernst Rowohlt und der Stadtplaner Bruno Taut. Das Mitgliederverzeichnis liest sich wie ein Digest der Weimarer Kulturprominenz. Eine politische Neigung für das Sowjetsystem war damit nicht verbunden, Döblin hat die »russische Lösung« für Deutschland immer abgelehnt. Ihn interessierten die Diskussionen und wohl auch die zahlreichen Reiseberichte, die kontrovers diskutiert wurden.

Allerdings standen hinter der Gruppe illustrer und honoriger Mitglieder durchaus Moskauer Regisseure. Die Gesellschaft war auf Initiative der Internationalen Arbeiterhilfe und unter Federführung des sowjetischen Botschafters Krestinski gegründet worden, und sie wurde auch von Moskau finanziert. Ihr Generalsekretär war der Jurist und Journalist Erich Baron, der das Büro in der Pankower Kavalierstr. 22 unterhielt und die Zeitschrift »Das Neue Russland« redigierte. Noch in der Nacht des Reichstagsbrandes wurde er verhaftet; nach schlimmen Folterungen setzte er seinem Leben am 26. April 1933 im Lehrter Untersuchungsgefängnis ein Ende. Für die Zeitschrift hat Döblin zur 15-Jahrs-Feier der Sowjetunion 1932 einen einzigen, nicht gerade bedeutenden Artikel beigesteuert. Bei einem deutsch-russischen Abend am 21. Dezember 1928 lasen unter anderem Döblin und Ilja Ehrenburg. Man kann davon ausgehen, dass sie beide aus ihren Berichten über die jeweiligen Polenreisen vortrugen.

Döblins Mitarbeit in dieser Organisation erweist wiederum die strikte Trennung zwischen den Interessen der Privatperson und der Literatur. Sosehr er sich für politische Sachverhalte, für die Demokratie insgesamt, bisweilen auch für die SPD als Partei einzusetzen vermochte, so wenig öffnete er einen Eingang in seine Romane für politische Maximen. Er hat niemals eines seiner künstlerischen Werke solchen Ansprüchen unterstellt. Im Herbst 1926 veranstalteten die »Sozialistischen Monatshefte« einen »Aufbau«-Abend unter dem Thema »Kunst und Gemeinschaft«. Döblin polemisierte dort gegen jeden Anspruch einer gesellschaftsbildenden Aufgabe für die Kunst. Er begründete seine Ansicht noch einmal in einem Brief über *Kunst, Dämon und Gemeinschaft* an Paul Westheim, der im »Kunstblatt« erschien. Er grenzte die Kunstwerke rabiat von sozialen Erwartungen an sie ab: *Sie kommen weder aus einer Gemeinschaft noch gehen sie zu einer Gemeinschaft. Ich behaupte: sie kommen aus der Einsamkeit und gehen zur Einsamkeit. Sie kommen von einem Ich und gehen zu einem Ich. Der Künstler, der, beim Schreiben etwa, nur einen Blick über die Schreibtischplatte tut, hat die Partie verloren.* Wegen seiner angeblichen tagespolitischen Abstinenz wurde Döblin von dem Publizisten Manfred Georg scharf angegriffen. Er wollte den Typus, für den Döblin stand, treffen, indem er seine Literatur als hoffnungslos antiquiert diffamierte: »Kurz, er liegt schon mit dieser Einstellung in jener Tiefkurve literarischer Einstellung überhaupt, die heute parallel mit der gesamten europäischen Reaktion auf anderen Gebieten die Augen zugemacht hat vor dem ungeheuer Gewaltigen, das man am besten damit definieren könnte, dass in ihm sich eine ganz neue Form menschlicher Gemeinschaftsexistenz vorbereitet, die sämtliche gegenwärtige Literatur und Kunst als ein höchst komisches Produkt von Spiel und Sentimentalität privater Abreaktion und persönlichem Ungelüftetsein, kurz als eine Art Herzblättchens Zeitvertreib betrachten dürfte.« Der Übergröße dieses Schriftstellers wurden manche Kommentatoren gerade in den zwanziger Jahren nur durch Präpotenz mühsam Herr.

POGROM UND POLENREISE

Am 5. und 6. November 1923 kam es im Scheunenviertel, nordwestlich des Alexanderplatzes, vor allem in der Münz-, Dragoner- und Grenadierstraße, zu antisemitischen Ausschreitungen; es gab Plünderungen, Misshandlungen von Ladenbesitzern und Bewohnern. Die Polizei hielt sich zurück und ließ den Mob gewähren. Ursache der Unruhen war der Brotpreis, aber der Protest wurde auf die Juden umgelenkt. Döblin berichtete darüber für das »Prager Tagblatt« in der Reportage *Während der Schlacht singen die Musen*. Er registrierte: *Große Verängstigung unter den Juden vor den nächsten Tagen; das »Exil« wird vielen wieder deutlich.* Er hatte sich bis dahin mit seinem Judentum wenig beschäftigt. Falls es bei den Brüdern seiner Mutter vielleicht Reste jüdischer Orthodoxie gab, so haben sie ihn nicht berührt. In einem undatierten, zu Lebzeiten auch unveröffentlichten Text *Deutsche Zustände – jüdische Antwort* hat er auf zehn handschriftlichen Seiten über seinen Werdegang als Jude berichtet. Eine Veränderung seiner Indifferenz hat in dieser Frage bis dato nicht stattgefunden, *aber mehrmals eine Akzentverschiebung.* Mit dem jüdischen Gott konnte er nichts anfangen, in der Synagoge fand er nur den Gesang und die Orgel schön – *das Benehmen der Leute aber, der sogenannten »Beter« die in furchtbarer Geschwindigkeit bald laut, bald leise vor sich Texte aus einem Buch murmelten, das sie vor sich hatten, wozu sie Schaukelbewegungen mit dem Rumpf vorführten, war mir unverständlich und nie sympathisch.* Er habe in Wissenschaft, Philosophie und Literatur von Gott viel mehr erfahren als in der Synagoge. Für ihn, den armen Spund, war die prachtvolle Synagoge in der Oranienburger Straße mit ihrer goldenen Kuppel nur der Tummelplatz des verabscheuungswürdigen Reichtums gewesen. *Von hier aus also habe ich nie erfahren und akzeptiert, Jude zu sein. Diese an-*

geblich jüdische Gemeinschaft, eine familiär versippte Gemeinschaft, in der ich gegenseitige Hilfe, aber keinerlei Radikalität, keine geistige Entschlossenheit fand (sondern das Gegenteil, nämlich Lauheit, Bequemlichkeit und bürgerlichen Muff), diese Gemeinschaft war nicht meine. Soziale Distanz zu den reichen Juden schloss religiöse Zuwendung zum Judentum insgesamt aus.

Das Stigma war ihm jedoch auf den Leib gebrannt: Schule, Universität, Ärztevereine – immer wieder das Gleiche: *Die Kehrseite des Judeseins, die Herabsetzung, Verachtung, den bösen giftigen Haß der Verfolger habe ich kennen gelernt – und akzeptiert.* Er führt einzelne Beobachtungen aus seiner Kindheit und seiner Jugend an, um diese Behauptung zu bestätigen. Aber er hielt sich nicht lange damit auf, sah die feindlichen Reaktionen wohl als Übel des Übergangs bis zur vollständigen Integration an.

Und dann setzten Zweifel ein: Skepsis brachen diesen wohltrainierten Umgang mit sich selbst, als in Berlin die Pogrome stattfanden. In der Woche danach, Mitte November 1923, wurde Döblin zu einer Diskussion über die Vorgänge im Scheunenviertel eingeladen. Als Initiator dieser Gespräche kommt ein Mitschüler Döblins in Frage: Ernst Heilmann, einer der führenden SPD-Politiker, der 1940 in Buchenwald umkam, leitete in seiner Wohnung Blücherstraße einen sozialistischen Gesprächszirkel, an dem Döblin öfter teilnahm. Vermutlich in diesem Rahmen wurden die Vorgänge und ihre Konsequenzen diskutiert. Döblin überliefert sein eigenes, symptomatisches Schwanken und seine Unsicherheit bei den Erörterungen. Zunächst protestierte er in einem Redebeitrag dagegen, dass die Diskutanten von einer Trennung zwischen Juden und Deutschen ausgingen: *Was die Herren hier eigentlich vorhaben, gehe auf eine unerträgliche Erschütterung unseres Bodens aus.* Man könne sich den gemeinsamen Platz und die verbindende Kultur nicht nehmen lassen. Das fand selbstverständlich die Zustimmung der meisten anderen. Später meldete er sich noch einmal zu Wort und ging auf die Frage ein, ob ihm die Deutschen oder die Ostjuden näherstünden. Er konnte diese Frage nicht hinreichend beantworten, drückte seine Solidarität mit den Ostjuden aus, habe jedoch reichlich konfus gesprochen: *Aber ich war doch froh, daß ich dies herausgebracht hatte.*

Ihn trieben Unsicherheit und Unruhe um, er ging ins Scheunenviertel, um die Bewohner zu beobachten und mit ihnen zu sprechen, bis ein Entschluss reifte. Er wollte einmal feststellen, wer das war: die Ostjuden. Er hat sie, so seine Behauptung, nicht gekannt. Aber hatte er sie nicht bereits als Zuwanderer rund um den Alexanderplatz erlebt? Er hatte sich in seinen frühen Erzählungen auf das Gebiet der medizinischen Befunde gewagt, das »Spaltungsirresein« als Ausgangspunkt eines fortgesetzten Prosaexperiments genommen, war in seinem ersten großen Roman ins China des 18. Jahrhunderts vorgedrungen, hatte unter dem Eindruck des Ersten Weltkrieges in einem anderen, zweibändigen den Dreißigjährigen Krieg ausgebreitet, in einem weiteren, noch frischen eine Reise in eine Zeitferne der Zukunft hineinphantasiert. Nun ging es darum, eine reale Reise ins Land der Vorfahren zu unternehmen

Zionisten kamen nach der abendlichen Diskussion zu ihm, um ihn anderswohin, nämlich nach Palästina, zu locken. Entweder Kurt Blumenfeld oder Robert Weltsch haben ihn dazu aufgefordert. Die Vorstellung war ihm fremd, denn er orientierte sich in eine andere Richtung: nach Polen.

Im März 1924 hielt er einen Vortrag über *Zionismus und westliche Kultur,* der zu Lebzeiten ungedruckt blieb, aber im Nachlass als Stichwortsammlung erhalten ist. Fast alle seiner späteren Schlüsselformulierungen zu dieser Thematik sind bereits versammelt. Eine jüdische Nationalbewegung hielt er für unzulänglich, Palästina schien ihm kein Ziel: Das Land war für ihn zu klein, um allen Diasporajuden Aufnahme gewähren zu können. *Das Ideal: eine jüdische Ostrepublik.* Er war Antizionist und in seiner Auffassung vom Judentum wohl von dem Religionsphilosophen Constantin Brunner beeinflusst, der auch auf Gustav Landauer große Wirkung ausgeübt hatte.

Scharf lehnte er die Orthodoxie ab: *Warnung vor dem Rabbinismus und der Jahwereligion; man gießt nicht neuen Wein in alte Schläuche.* Er suchte nach einer Religiosität außerhalb der Synagoge. *Das jüdische Volk ist erst zu bilden.* Er sah es keineswegs aus dem Ghetto herauswachsen. Sein Messianismus war ein rationaler, auf zu bildenden Grundlagen des Judentums gerichtet, keinem kulturellen oder religiösen Residuum vertrauend.

Als er seine reale Reise ins Land der Vorfahren hinter sich hatte, nannte er sie *meine erste zu kurze Flucht aus Deutschland.* Es war eine der wenigen Reisen, die er freiwillig unternahm, wenn man von Urlaubsaufenthalten hier und dort absieht, und es war seine bisher längste. Er machte einen Reiseplan, besprach ihn mit seinem Verleger Samuel Fischer, erhielt von ihm einen Vorschuss, gewann auch den Chefredakteur der »Vossischen Zeitung«, Georg Bernhard, für diesen Plan oder vielleicht dessen Redakteur Moritz Goldstein, seinen ehemaligen Mitschüler.

Es fällt auf, dass der Vorsatz seinem Bericht keineswegs eingeschrieben ist. Einem ausgesprochenen Ziel wollte er seine Reise nicht unterstellen. Weshalb er sie unternahm und wozu sie dienen sollte, ist erst aus der Rückerinnerung nach mehr als 20 Jahren formuliert. Der Reisende wollte sich nicht fremdbestimmen lassen von den vielen Erwartungen, die vor Beginn gewiss an ihn herangetragen wurden.

Er unternahm diese Expedition allein, in größtmöglicher Unabhängigkeit: weder seine Frau noch seine Geliebte begleiteten ihn. Erna Döblin war angeblich, so berichtet es Robert Minder, über die Zurückweisung so erbost, dass sie zu einem Jugendfreund fuhr und die Kinder der Obhut von Yolla Niclas und des Kinderfräuleins überließ.

36 Zadiks, *anonyme Gerechte im Volk*, halten die Welt. Sie dürfen sich nicht offenbaren, deshalb können sie Nachbarn aus dem Alltag sein, aber unerkannte, Schuster und Schneider zum Beispiel. Wenn einer stirbt, wächst ein anderer nach. Eine jüdische Legende, die der Reisende Döblin in Krakau wie absichtslos erzählt. Seine Fahrt durch Polen, öfter mit kundigen Führern und weniger oft verloren allein, wie er behauptet, in unkundiger Verwunderung und mit Staunen, aber auch mit Scham und Entsetzen angesichts der sozialen Verhältnisse, die er vorfand, war vor allem eine Suche nach den spirituellen Wurzeln des Ostjudentums, den Sagen, der hermetischen Bücherweisheit, den Rebbes, Sekten, Geschlagenen und Erhobenen. Es war eine Reise in die Anschauung, aber vielleicht schwebte ihm vor, er könnte den einen, letzten, fehlenden Zadik finden, der die jüdische Welt seiner Vorfahren noch einmal mithilft zu erhalten, durch die stille Erkundung des Schriftglaubens und des Legendengrunds. *Reise in Polen* öffnet vor allem Wege zu ihm bislang verborgenen Winkeln der jüdischen Vergangenheit, zum Volk und zu den Stätten der Juden. Er schweift ab: zur allgemeinen politischen und historischen Situation in Polen, aber diese Beobachtungen führen dann immer wieder zur Hauptstraße der Glaubenssuche.

In Krakau wird er eine Geschichte aus der Kabbala erzählen, aus dem Geheimnisbuch des Judentums, und hinzufügen: *Wächst aus dem alten Glauben einer Verbundenheit, ja Identität von Wort und Realität, ist Ausfluß eines alten mystischen Gefühls: Eine große alte Denkweise. Wie fern, oder heimlich nah, winkt die Hegelsche Vorstellung: »Was ist, ist vernünftig.«* Er nobilitierte damit die jüdische Spiritualität zu einer selbständigen Realität, mit der zu rechnen war wie mit einer anderen. Und er übertrumpfte alle Einreden (auch solche, die in ihm selbst schlummerten), es handle sich um Rückstände haltlosen Aberglaubens, indem er sie als »vernünftig« auswies.

Die Polenreise ist im Text nicht datiert; sie schwebt, was die Chronologie betrifft, im Ungewissen. Eine Reise, die sich weder im Kalendarium erfüllt noch dessen Gewissheiten benötigt. Sie wurde Ende September 1924 begonnen und endete zwei Monate später, Ende November. Das kann man erschließen. Er wollte auch in die Ukraine, hatte sich überdies Litauen vorgenommen. Aber er blieb in Polen mit den Grenzen von 1924: Der östlichste Ort seiner Besichtigung war Lemberg, der nördlichste Wilna. Reisen diente ihm üblicherweise ungleich weniger zur Horizonterweiterung als der Besuch von Bibliotheken. In die Welt hinaus war für ihn gleichbedeutend mit: in die Bücher hinein. Eine Erschwernis bestand darin, dass er auf Gewährsleute und Dolmetscher angewiesen war: Kenntnisse des Polnischen hatte er nicht, bei Jiddisch und Hebräisch reichte es nicht zur Alltagsverständigung. Das sprachliche Defizit hat freilich der Beobachter Döblin ausgeglichen: Diese Versammlung schwirrender Einzelheiten wäre anders wohl nicht zustande gekommen.

Der Versuchung, sich heimisch machen zu wollen, hat er widerstanden, die Suche nach Vorfahren der eigenen Familie hat er sich versagt. Deutlich aber wird die mehrfache Lossagung: zum einen weg von preußischen Landen, so weit weg, dass der Name »Preußen« über lange Passagen des Buches nicht einmal fällt (was auch versprach: weg von sich selbst), weg vom Roman und vom Programm der *Tatsachenphantasie*, hinein ins Augengelände, »Wirklichkeit« genannt. Der Augenmensch ersetzt die Dialoge. Ein Reporter mit nicht viel mehr als kursorischen Lektürekenntnissen, aber mit der Kompassnadel Neugier machte sich auf den Weg.

Er besichtigte ein Land, das sechs Jahre zuvor, 1918, aus den Fängen der Okkupationsmächte, des zaristischen Russland und des kaiserlichen Deutschland, in eine souveräne Freiheit entlassen worden war. Die politische Wende betrachtete er mit Sympathie: Er wies immer wieder auf die zurückliegende Unterdrückung der polnischen Nation hin, notierte jeden Atemzug der neu gewonnenen Freiheit. Kein Wort fällt über aktuelle politische Auseinandersetzungen: die deutsch-polnischen Kämpfe und die Freikorps sind kein Thema. Aber er bemerkte die Bedrohung, die nach wie vor galt: *Polen muß sich fürchten!*

An vielen Stellen ist seine Skepsis gegenüber dem Staat als Institution in den Text hineingewirkt: zwar verstreut, aber durchaus einheitlich als Haltung, wie sie das Motto, von Schiller entlehnt, vorgibt: *Denn eine Grenze hat Tyrannenmacht: / Allen Staaten gesagt / Und dem Staat überhaupt.* Die politische Botschaft lautet: Der Staat, der von Obrigkeiten getragen und unterhalten wird, kann seine Aufgabe, den Raum der Freiheit zu ermöglichen, nicht erfüllen. Der Anarchist und Landauer-Anhänger reist mit. Döblin besuchte das Land als unabhängiger Linker: *Ich frage: Wer hungert im Lande, und wer ist satt? Was sind hier politische Verbrechen?* Mit unverhohlener Sympathie mustert er einige Heroen aus der Geschichte der Illegalität und des polnischen Freiheitskampfes. Ein Name fällt wie ein Erkennungszeichen seiner politischen Sympathie: Rosa Luxemburg aus Polen. Die Denkwürdigkeiten der Architektur- und Kunstgeschichte bleiben ihm gleichgültig; Kenntnisse für Bildungsreisende werden nicht ausgebreitet, bisweilen parodiert er den Bildungsbürger. Von Kunstdenkmälern interessiert ihn gleichsam nur deren Rückseite, vor allem das Soziale: *Ich ahne Unruhe, Schmutz, Armut, Schmerz, Formloses.* Sein Buch ist auch eine Reise in die Anschauung der Armut. Aber: er hält sich über solche Beobachtungen hinaus in Bewegung, will den ersten Augenblick verbürgen und schon den nächsten festhalten.

Er lässt sich viel Zeit, bis er zu den Juden kommt; rund 70 Seiten sind den Polen und dem Land gewidmet, bis er in Warschau die Nalewkistraße, die Marschallstraße und das Viertel Krakauer Vorstadt, die *Judenstadt* durchstreift. *350 000 Juden wohnen in Warschau, halb so viel wie in ganz Deutschland. Eine kleine Menge sitzt verstreut über die Stadt, die Masse haust im Nordwesten beieinander. Es ist ein Volk.* Eine heute verschollene Topographie: Was der staunende Passant über den Tumult auf den Straßen, die schwarz gekleideten Gestalten der Orthodoxie, über Gläubige, Händler und Sonderlinge, über das Halbdunkel der Winkel und das Inventar der Läden zu berichten weiß, gilt einer verschwindenden Szenerie. Dieses Judentum war damals im Aufbruch aus den Ghettos, befreite sich aus den Schutzbezirken des polnischen Adels, begann sich in Festen und Musik, Glauben und Diskussionen als Volk selbst zu organisieren, angetrieben von den mächtigen Utopien der Siedlungsbewegung und des Eretz Israel – ohne zu ahnen, dass es die deutschen Okkupanten und ihre Helfershelfer rund 15 Jahre später liquidieren werden.

Für die Nachgeborenen ist diese *Reise in Polen* ein ungemein fesselnder Schriftzeuge des endgültig verlorenen Einst. Über diesem arglosen Beobachtungsbuch liegt auf fast jeder Seite der schwarze Schatten der Shoa. Was einst als Ansammlung schwirrender Einzelheiten gedacht war, als Näherung eines Fragenden an seine Vorfahren, als Selbstbefragung und als Besuch bei einem ihm fremden *Volk* samt seiner Glaubensrealität, ist, nach den Massenmorden gelesen, ein Epitaph über ausgelöschte Menschen und ihre Welt.

Döblin sah den Aufbruch, begegnete zum ersten Mal der Organisation O. R. T., der Siedlungsbewegung, für die er später selbst arbeiten sollte, notierte wohlgefällig ihre Bildpropaganda: *Ich freue mich über das Plakat dieser klugen und überaus nützlichen Organisation: ein mächtiger Bauer schwingt eine Sense – ein ukrainischer Jude; daneben im Ausschnitt lungern die dürren Händler herum und sehen erstaunt zu dem Riesen auf.* Erwogen wird die Krim als Siedlungsgebiet, und die Hoffnung wendet sich nach Russland, das jüdisches Einwanderungsland werden könnte.

Aber es handelt sich nicht um eine Reise, um Einverständnis zu gewinnen. Döblin ist, oft genug, schockiert und abgeschreckt von Aberglauben, Atavismen, animalistischem Tohuwabohu. Er besucht Gura Kalwarja (Góra Kalwaria), das Zentrum der Ger-Bewegung, einer chassidischen Gemeinde von 2700 Mitgliedern, rund 25 Kilometer von Warschau entfernt, an der Weichsel gelegen. Der Wunderrabbi Abraham Mordechai Alter, Imre Eret genannt, ist ihr geistliches Oberhaupt. Befremdet mischt sich Döblin unter die Glaubensfanatiker, beobachtet ihre Selbstabschnürung. Und er wird von ihnen als feindlicher Eindringling behandelt: sie weisen ihn, befangen im Hass auf den Westler ohne Kaftan und Kippa, zurück.

Döblin reist im Uhrzeigersinn durch das Land: von Warschau aus in den Norden, nach Wilna, nahe Litauen; dann in den Süden, nach Lublin. Die dortige *Judenstadt* ergibt einen Prospekt des Elends, der Zurückgebliebenheit, und Kritik am Ostjudentum setzt ein. Einer, der aus einer emanzipierten Familie stammt, moniert, was schon seine Eltern hinter sich gelassen hatten: den Willen zur Selbstisolation. Er erregt sich über den Abriss einer christlichen Kirche: *Man soll sie stehen lassen. Was bietet man für die Kirchen? Dummheit, Haß und Unsinn.*

Von dort südöstlich nach Lemberg in Ostgalizien. Wo dieser Reisende kein Ziel hat oder den Vorsatz vergisst, ist er ganz bei sich: er beobachtet die Sterne, die wechselnden Lichter in der Nacht, die lemurengleichen Mitbewohner des Schlafwagens. Er kann, zärtlich boshaft, zwei Seiten füllen mit den Tücken einer polnischen Hoteltür. Für die Provinz interessiert er sich kaum, nur die Städte haben es ihm angetan. Er hat sich bislang mit Urteilen zurückgehalten, aber in Lemberg bricht es aus ihm heraus: Er kritisiert Schmutz, Armut, Bettelei, menschliche Entwürdigung in der Legimow: *Ein Grauen ist diese Straße. Sie fordert heraus wie eine einzige schwarze Börse. Wer sie durchgeht, weiß, was Lufthandel, unproduktive Arbeit ist und was die feindseligen Worte vom Parasiten, Schmarotzer bedeuten.* Das antisemitische Zerrbild erscheint ihm in der Wirklichkeit. Er bewertet die Verhältnisse als das Ergebnis einer jahrhundertealten Politik der Abschnürung und mahnt jüdische Selbsthilfe an: *Die Führer haben die Pflicht, sie hier herauszuholen.*

Noch stehen die Ruinen von jüdischen Häusern, die 1918 abbrannten, als der Hass zwischen Polen und Ukrainern sich in einem Pogrom gegen die Juden entlud. Der Nationalismus ist für ihn ein schauerlich unfruchtbares Gefühl. Das Kapitel über Lemberg hat ein entsprechendes Motto: *Die heutigen Staaten sind das Grab der Völker. Staaten sind Kollektivbestien.* Nichts von Joseph Roths Verklärung seines (nahe gelegenen) Kindheitsorts Brody findet sich in dieser Reportage.

Auf dem Weg noch weiter in den Süden kommt er durch das *Naphtarevier*, markiert mit dem Ortsnamen Drohobycz, wo im gleichen Jahr, in dem Döblin die industrielle Wüste der Erdölförderung registrierte, der polnisch-jüdische

Poet und Künstler Bruno Schulz, sein erzählerisches Werk noch vor sich, begann, als Zeichenlehrer ein bescheidenes, unerkanntes Leben zu fristen. Wie sonderbar zu denken, die beiden hätten voneinander gewusst und wären einander begegnet; aber sie konnten es nicht, und Bruno Schulz hätte für Döblin einen Makel gehabt: Er verehrte Thomas Mann.

Drohobycz bildet den südlichsten Punkt der Reise; dann gilt sie, westlich davon, dem galizischen Krakau. Dort verliert er sich und sein Thema: die *Judenstadt*. Die Stichworte fallen noch einmal, aber sie werden abgelegt wie Wortgerippe. Der Reporter folgt einem heftigeren Sog, dem Magnetismus einer anderen religiösen Welt. Er vertieft sich in der katholischen Marienkirche ins Bild des Gekreuzigten: *Unter der Decke hängt er, von der Decke hängt er herab, die Arme ausgebreitet; das Kreuz steigert seinen Leib, Längs- und Querlinie des toten Körpers. Ein toter Mann, ein Hingerichteter über den Betenden, Lebenden, vor den bunten tiefen Farben der Fenster.* Döblins Befremden über die polnische Inbrunst erzeugt Anziehung. Immer wieder pirscht er dorthin, zu unterschiedlichen Tageszeiten mustert er das farbige Licht, beobachtet die Betenden, die auf dem Boden liegen. Nicht der Marienaltar des Veit Stoß als kunstgeschichtliches Monument überwältigt ihn, sondern die Wirkung einer alten Zeit, eines Erfahrungsraums vor Aufklärung und Moderne; dem Spuk des Einst setzt er sich aus. Der Schmerzensmann ist für ihn der hingerichtete Rebell, die Anmutung des Heiligen bestärkt seine Unruhe, mit der er auf die jüdische Tradition blickt. *Und wie trage ich hier den Leviathan hinein, die weinenden Wasser über der untersten Erde.* Das Zwielicht in der katholischen Kirche und die Erfahrung des kabbalistischen Dunkels verschwimmen ineinander, er findet für sich aus dem Dilemma durch eine Zauberformel heraus: *Von dem Gehenkten kann ich nicht lassen. Es zieht mich zu ihm. Der Gerechte, der Zadik, die Säule, auf der die Welt ruht: das ist ja der Gehenkte, der Hingerichtete. Mit stärkeren Farben, mit glühenderen Farbgriffen, gleich denen auf den Kirchenfenstern. Er, wieder er. Er stärker, stärker oder anders, ringender. Wie ein Mensch, der ruhig steht und geht, und einer, den man ins Wasser wirft und der am Ertrinken ist: so der Gerechte und der Hingerichtete.* Das Neue Testament und der Zefer Jesira, das frühe Schriftzeugnis jüdischer Mystik, kommen in diesem Moment überein. Aber das Bild des Gekreuzigten wird sich als das stärkere durchsetzen. Es glüht nach, hinein in die Verzweiflung des Flüchtlings, der 1940 in der Kathedrale von Mende wiederum dem Gekreuzigten begegnet und durch ihn fortan ein Erweckungserlebnis hat.

In Krakau fällt ihm (offensichtlich dieses eine Mal) seine Kindheit ein (ohne dass er sie ausdrücklich erwähnte). Bei einer nächtlichen Wanderung beobachtet er ein Idyll: *Fenster neben Fenster ist hell; sie sitzen um den Vater am gedeckten Tisch bei Kerzen. Königlich sitzt er, singt.* Das ist das Gegenbild zur zerfallenen Stettiner Familie Döblin: Eintracht und Einverständnis mit der Tradition, der Vater als Patriarch. Mit solcher Blicktiefe und nachzitternden Empfindung ist das Bild ausgestattet, das er auf der polnisch-jüdischen Topographie entwirft.

Döblin ist nicht Freund noch Feind der Welt, die er in ihrer Armut, in ihrer fanatischen Rückständigkeit, im Versteck ihrer Orthodoxie, aber auch im Glanz ihrer Überlieferung und in ihrer spirituellen Würde aufsucht. Er ist nicht gleichgültig, verstrickt sich in gegensätzliche Aussagen, er ist die Uhr, der Zeiger, das Pendel zwischen Abstoßung und Faszination. Der Fremdling hat die entscheidende Frage auf dieser Reise zwischen dem Kunterbunt der Wirklichkeiten und den Reminiszenzen gut versteckt: *Könnte ich, könnte jemand sonst zurück auf diese Stufe?* Er hat es sich mit einer Antwort durchaus nicht einfach gemacht. Im Manuskript steht wie eine Witterung: *Ich fühle: ich bin auf dieser Stufe; oder nähere mich ihr, war nur von ihr abgerückt, wie einer, der etwas vergißt.* Doch wird dieser Satz für die Druckfassung wieder getilgt, und es bleibt im Buch nur die Feststellung übrig, dass er fühle, nicht auf diese Stufe zurück zu können.

Immerhin übernimmt er als Schriftsteller etwas von der Rolle des ostjüdischen Episodensammlers, der sich mühsam im Zaum halten muss angesichts der Überfülle des Materials, die Abschweifung in Form der Anekdote öffnet die Fenster zur Geschichte. Döblin reist ja eigentlich gar nicht: er bewegt sich eher in einem Strom der Beobachtungen und der Reminiszenzen.

Zwei Nächte in einem Pensionszimmer, eine Bühne aus Nebel, milchigem Licht und unermüdlichem Schnee: das ist Zakopane in der Hohen Tatra. Der Reisende ist sichtlich ermüdet von seinen Eindrücken, will abschalten, der Reporter sucht einen Zufluchtsort zum Verweilen. Die Meisterschaft dieses Erzählers des Unterwegs besteht gerade darin, dass er umso eindringlicher zwei Bilder, wie mit dem Pastellstift ausgearbeitet, übereinanderlegt: die Idylle bei seinen Pensionswirtinnen, zwei Penaten, die einen Anflug von Heimat auf Zeit gewähren, und das Großbild der in die Monochromie verschwimmenden Schneelandschaft, in der sich der bunte Beobachtungsflitter auflöst. Angesichts dieser weißen Leinwand könnte die Reise zu Ende sein, weil sie verwischt wird. Aber sie führt noch einmal weiter, zu einer Folge ruckender Bilder, nach Lodz. Joseph Wittlin, im Text nicht genannt, ist dort sein Gewährsmann. Er hat ihn hochgeschätzt und noch im französischen Exil eines seiner Bücher gepriesen.

Mit einer geradezu feierlichen Erklärung gegen den Staat und für den Einzelnen schließt diese Visitation von Lodz, wo er die Bücher und die statistischen Zahlen bemüht wie nirgends sonst auf seiner Reise, um zu erzählen, wie aus dem Kaff eine Stadt herauswuchs. Ein ironisches Bild: die Deutschen und die Juden bilden in Lodz zwei gleich große Bevölkerungsgruppen – und sie sind Minderheiten. Da werden, schon fast auf der Rückreise nach Berlin, wiederum die deutschen Gegebenheiten ins Auge gefasst. In Krakau schließt sich der Kreis, von Danzig aus fährt Döblin zurück nach Berlin.

Alfred Döblin, der den Einzelnen im *Wang-lun* aufgesprengt, der mit dem *Wallenstein* eine triumphale Polyphonie erschrieben, der mit *Berge, Meere und Giganten* den Roman-Koloss globaler Kräfte hingestellt hat, spricht in der *Reise nach Polen* mit eigenem Namen. Das *Ich* kommt zum Vorschein wie bisher nicht in der größer organisierten Prosa: er nahm Urlaub von den übermächtigen Konflikten, die sich aufgetürmt hatten. Der Einzelne mit seinen schwankenden Einsichten und ungewissen Horizonten sucht Gehör zu finden, behauptet sich als autarke Größe gerade in seinen Wahrheitswechseln. Er geht mit diesem Ich um, als wäre es eine neu aufgetretene Majestät. Allerdings wird sie nicht metaphysisch begründet oder aus einem mystischen Revier geholt. Das Ich ist, ein Gang ins Naturkundemuseum von Lemberg lehrt es ihn, die Königsfigur der Evolution, der Herrscher über Getier und Gewürm, über Füchse, Ratten und Mammuts: *Wie groß, wie stark – bin – Ich! Wie unbezwinglich, unverwüstbar, unnahbar – bin – Ich! Ich bin sehr legitim. Ich werde euer, ihr Füchse und Ratten, nie unwürdig sein.* In dieser Selbsterklärung funkelt bereits wieder die Ironie.

Mit Polen, der geschundenen Nation, dem Land, das in Deutschland unter nationalistischem Sperrfeuer stand, verhält es sich nicht anders als mit dem Individuum: ein Ich, das seine unabhängige Stimme erhebt, das sich von den Zwängen größerer Mächte befreit. *Die Menschen sind Personen geworden, die Völker zur Selbstbestimmung aufgerufen, das alte Ungetüm von Staat kann nicht fortleben.*

Das Ende des Buches hebt noch einmal den Einzelnen hervor: *Es gibt eine gottgewollte Unabhängigkeit. Beim Einzelmenschen. Bei jedem einzelnen. Den Kopf zwischen den Schultern trägt jeder für sich.* Döblin setzt sich damit vom Massenmenschen im *Wallenstein* und in *Berge, Meere und Giganten* ab.

Er war dem Ostjudentum begegnet und hatte seine Wurzeln gefunden, aber er konnte sich nicht mehr in diesen Rahmen fügen. Diese Chance ist ihm verwehrt. Es blieb beim Fluidum der Bewunderung: *Welch imposantes Volk, das jüdische. Ich habe es nicht gekannt, glaubte, was ich in Deutschland sah, die betriebsamen Leute wären die Juden, die Händler, die in Familiensinn schmoren und langsam verfetten, die flinken Intellektuellen, die zahllosen unsicheren unglücklichen feinen Menschen. Ich sehe jetzt: das sind abgerissene Exemplare, degenerierende, weit weg vom Kern des Volkes, das hier lebt und sich erhält.* Aber er wahrt trotz aller Bewunderung den Außenblick: auf Fremde. Zugehörigkeitsgefühle, wenn sie bemerkbar waren, ebneten die Distanz nicht ein. Die Reise führte keineswegs dazu, dass er selbst wieder in die Jüdische Gemeinde eintrat. Sie hat vor allem apere Stellen erbracht, keine Resultate weltanschaulicher Art. Er hatte seinen Firnis abgetragen, und nun lagen die unbeschriebenen Bereiche bloß: die Glaubensbereitschaft ohne Glaube, ein unbestimmtes Gefühl der Verlassenheit und des Heimwehs, die Sehnsucht nach Sinn. Insofern kann man von einem Resultat der Reise kaum sprechen.

Er hat die Schwierigkeit, in die Welt seiner Vorfahren einzudringen, schon in die Szenerie seiner Reise eingefügt: als auffällige komische Anekdote, die eine *keynote* ist. Er erzählt auf vier Seiten eine komische Geschichte: Für das Hotel in Lublin hat er zwei Schlüssel zur Verfügung. Beide passen ins Schloss, lassen sich drehen, aber nur einer schließt auf, allerdings auch nur gelegentlich. Und dann gibt es auch noch Schwierigkeiten mit der maroden Türklinke. Ein Blick aufs Ganze wird in dieser Anekdote angeboten: Der Zugang zum Ostjudentum ist für ihn unplanbar und keineswegs verlässlich.

In Polen geriet Döblin in ein Kraftfeld der innerjüdischen Auseinandersetzungen zwischen Zionisten, orthodoxen Juden, Bundisten und Folkisten, die auf kulturelle Autonomie in einem unabhängigen polnischen Gebiet drängten, in den Sprachenstreit zwischen Hebraisten und Jiddischisten, die sich mit einzelnen Persönlichkeiten verbinden, die Döblin in Polen getroffen hat. Er hat über diese Kontroversen eher einsilbig berichtet; es ist nicht ersichtlich, dass er sich damals brennend dafür interessiert hätte. In seinem Reisebericht hat er sich jedenfalls nicht auf eine bestimmte Seite festgelegt. Das Fehlen eines Führers in Lublin, das er beklagt, ist keineswegs als Tatsache zu verstehen, sondern als symbolischer Hinweis auf die Ratlosigkeit, die ihn selbst betraf.

Immerhin gab es eine Fernwirkung dieser Reise. Die Eindrücke hielten lange vor: noch im Exil, in Paris für die Freiland-Bewegung arbeitend, kam er auf seine zehn Jahre zurückliegenden Eindrücke zurück. Er war in Polen dem orthodoxen Judentum begegnet und lehnte es ab. Er hatte das jüdische *Volk* kennengelernt und bestand fortan auf dieser Größe. Diese Spannung bestimmte ihn weit mehr, als es gesicherte Überzeugungen in der einen oder anderen Hinsicht vermocht hätten.

In Polen hatte er eine Reihe von Bekanntschaften gefunden. Zum Beispiel verkehrte er mit dem Rabbiner von Lodz, E. S. Zylinski, noch 1930.

Er hatte eine Vorstellung von O. R. T, der Bewegung der Territorialisten, gewonnen. Sie hatten sich 1905 gegründet und wurden von dem englischen Schriftsteller Israel Zangvill geführt. Nach der Balfour-Deklaration von 1917, die den Juden eine nationale Heimstätte in Palästina in Aussicht stellte, und nach dem Tod Zangvills 1926 schlief die Territorialistenbewegung wieder ein. So konnte sich Döblin, nach Berlin zurückgekehrt, praktisch kaum engagieren. Anfang der dreißiger Jahre aber kam sie wieder auf, und Döblin interessierte sich dafür.

Das Buch erschien nach Vorabdrucken in der »Vossischen Zeitung« und in der »Neuen Rundschau« im November 1925: Falls es unausgesprochen als eine Antwort auf den Berliner Pogrom gedacht gewesen war, kam es zu spät und fiel zu differenziert aus, um einen Damm gegen den Antisemitismus in Berlin zu errichten. Ansonsten aber beschrieb er in einem Artikel für die Zeitschrift »Der Jude« seinen eigenen Weg nach Westen. Er machte sich über die Gefahren der Assimilation keine Gedanken, denn er war optimistisch: *Assimilation erfolgt immer nach beiden Seiten.*

Zwei Jahre nach Döblin reiste der russische Schriftsteller Ilja Ehrenburg nach Polen. Er kannte Döblins Bericht, er sprach von einem »starken und unterhaltsamen Buch«, hatte es wahrscheinlich als Reiselektüre mit sich. Ehrenburg kam aus Paris nach Warschau, aber im Gegensatz zu seinem Vorgänger nicht als westlicher Ungläubiger, sondern als Ostjude, der sich die Tradition seiner Vorfahren nicht erst erwerben musste. Döblin, den ganz anders disponierten Reisenden, nahm er dennoch als Kronzeugen für seine eigene politische Auffassung, dass nämlich die russische und die polnische Kultur austauschbar seien: man müsse nur Eigennamen, Ortsbezeichnungen und geringfügige Einzelheiten in Döblins Bericht ersetzen und man könne ihn als Reportage über Russland lesen. Das stehe dahin, denn Döblin beschrieb einen solchen Zusammenhang nicht. Aber es wäre lohnenswert, Ehrenburgs Zwiesprache mit Döblin im einzelnen zu verfolgen, zumal sie an den gleichen Orten sich aufhielten und dieselben Gewährsleute hatten. In Ehrenburg und Döblin gleichermaßen pulsiert die Verehrung für Dostojewski: Beide werden sie mit dessen antipolnischen und antijüdischen Affekten konfrontiert gewesen sein, als sie durch das Land reisten.

4

REPUBLIK, ROMAN, RUHM
DIE LAUFBAHN DES VERWANDLUNGSKÜNSTLERS
1925–1932

Erfolge von Dauer lassen sich nicht erzwingen. Ein Erfolg, der erzwungen ist, ist eine sehr schnell vorübergehende Angelegenheit. Man soll nur für sich arbeiten und nicht für den Erfolg. Wenn man einen Erfolg will, bleibt er aus. Wenn man einen Erfolg nicht sucht und nicht erwartet, tritt er ein.

Der Kampf um den Erfolg, 1926

GRUPPE 1925

Proteus ist ein Meeresgott der griechischen Mythologie. Er gehört zum Arsenal der Bilder, die Döblins Romane prägen: Wasser, Strom und Meer. Proteus nimmt viele Gestalten an und entrinnt damit Fragen, auf die er keine Antworten geben will oder kann. Alfred Döblin ist einer seiner Wahlverwandten. Dieser Geschichtengott ist ein Meister der Verwandlung, und wie jener Meeresgott wechselnd als Löwe, Schlange, Leopard, Eber, sogar als Wasser und als Baum erschien, so probt Döblin die Metamorphosen des Sprachartisten. In die 12 Jahre der Weimarer Republik ist sein ganzes Programm dieser unermüdlichen Suche und steten Verwerfung, dieses Experiment der Existenz an ihrem offenen Herzen gedrängt. Die zeitliche Ausdehnung seines Schreibens umfasst zwei Jahrzehnte davor und rund ein Vierteljahrhundert danach, aber beispielhaft findet sich von ihm in dem Dutzend Jahren alles verhandelt, was ihm eingegeben war. Vielleicht kann man die Romane Döblins in ihrer Wandlungskraft aber doch als Ausdruck einer einheitlichen, unveränderlichen Seelenpartitur verstehen. In einem Aufsatz über Strindberg hat er *die fixsternsichere Wahrheit, die Unverrückbarkeit des intensiven Erlebnisses* gerühmt. Die Welt ist von geistiger Art, da weiß sich Döblin mit seinen Romanfiguren seit dem *Wang-lun* einig. Das hat ihn allerdings nicht daran gehindert, die soziale Wirklichkeit mit robuster organisatorischer Arbeit anzugreifen.

Es gab genügend Anlässe, um sich zum Beispiel gegen die literaturfeindliche Weimarer Justiz zu stellen. Schriftsteller und Journalisten mussten sich von ihr verfolgt fühlen, wenn sie auch nur der linksliberalen Gesinnung verdächtig waren. Viele von ihnen, zum Beispiel Rudolf Leonhard, Walter Hasenclever, Leonhard Frank und Klabund, hatten schon die wilhelminische Zensur kennengelernt und konnten sie nun mit den »demokratischen« Erfahrungen vergleichen. Die Zensur war zwar bereits am 12. November 1918 vom Rat der Volksbeauftragten aufgehoben worden, der entsprechende Artikel 118 der Verfassung vom 11. August 1919 war jedoch durch Kautelen aufgeweicht und von Juristen um die Rigorosität seiner Formulierung gebracht worden.

George Grosz war schon 1921 wegen Beleidigung der Reichswehr zu einer Geldstrafe verurteilt worden, zwei Jahre später wurde seine Mappe »Ecce homo« als »pornographisches Machwerk« beschlagnahmt, 1924 erhielt er schon wieder eine Geldstrafe wegen »Angriffs auf die öffentliche Moral«. Wegen Gotteslästerung wurde im März 1922 Carl Einsteins anarchistisches

Drama »Die schlimme Botschaft« beschlagnahmt, wegen Verdachts der Pornographie im gleichen Jahr der Antikriegsroman »Ararat«von Arnold Ulitz. Im April 1925 wurde Larissa Reißners Buch »Hamburg auf den Barrikaden« beschlagnahmt, wogegen sogar Thomas Mann Einspruch erhob. Juristische Attacken gab es auch gegenüber Kurt Kläbers »Barrikaden an der Ruhr«. Dies nur als kleine Auswahl aus dem überwältigenden Tagesverkehr der Zensur. Der »Schriftsteller«, das Verbandsorgan des SDS, hat in insgesamt 120 Artikeln und Meldungen sich gegen den Alltag dieses Ausnahmezustands gewendet.

Als Hindenburg im April 1925 zum Präsidenten der Republik gewählt wurde, schrieb Becher den Gedichtband »Der Leichnam auf dem Thron«. Im Juni war die Sammlung bereits beschlagnahmt, im Juli wurde durch den Oberreichsanwalt ein Gerichtsverfahren eröffnet, am 20. August wurde der Schriftsteller festgenommen und fünf Tage inhaftiert. Theodor Heuss verwahrte sich im Namen des SDS »mit allem Ernst gegen die Haltung einer Rechtsprechung (...), die mit Beschlagnahme und Verhaftung ein Regulativ für geistige Bewegungen gefunden zu haben glaubt«. Die Proteste der Schriftsteller jagten einander in immer kürzeren Abständen, die Unterschrift Alfred Döblins fehlte auf den Resolutionen und Erklärungen selten.

1921 hatte Döblin in *Staat und Schriftsteller* noch behauptet, dem Autor sei in der Republik *ein Optimum von Wirkungsbedingungen* gegeben, nun wurde er von Monat zu Monat eines Besseren belehrt.

Am 11. Oktober 1925 fand unter Mitwirkung zahlreicher Berufsverbände der Schriftsteller und Künstler im Theater am Nollendorfplatz eine Versammlung statt, auf der gegen die »fortdauernden unerträglichen Eingriffe von Verwaltung und Justiz in die Selbständigkeit der Kunst« protestiert wurde. Am 22. November trat die »Vereinigung linksgerichteter Verleger« unter Vorsitz von Willi Münzenberg mit der Erklärung »Wider die Generaloffensive der deutschen Justiz gegen alles Linksgerichtete« hervor; der Artikel wurde auch im sozialdemokratischen »Vorwärts« abgedruckt.

Der Kampf der Berliner Richter und ihrer Kollegen am Reichsgericht in Leipzig gegen die Freiheit der Kunst erlebte 1925 einen Höhepunkt. Gegen Willi Münzenberg wurde in Leipzig ein Hochverratsprozess eingeleitet. Die Gegenwehr ließ nicht lange auf sich warten. Der SDS unter seinem Vorsitzenden Theodor Heuss schaltete sich mit mehreren Erklärungen ein. 150 Verleger, Künstler, Schriftsteller und Wissenschaftler unterzeichneten einen »Aufruf für die Freiheit der Kunst«, und die Rote Hilfe agitierte massiv im Meinungskampf um die Bücher- und Aufführungsverbote.

Im September 1925 schickte Rudolf Leonhard ein Rundschreiben vor allem an linksliberale und kommunistische Kollegen wegen einer gemeinsamen Aktion gegen die Zensur. Im November erhielt die lose Gruppierung den Namen »Arbeitsgemeinschaft der Schriftsteller 1925«, woran sich neben Brecht und Becher auch Alfred Döblin aktiv beteiligte, ebenso fanden sich Gottfried Benn, George Grosz, Robert Musil und Joseph Roth ein. Rudolf Leonhard zog die Organisation an sich, war aber nicht offiziell als Vorsitzender gewählt. Das Ziel: »Die Gruppe will nach innen diese Schriftsteller aus ihrer Isolierung heben und durch den kameradschaftlichen Zusammenschluß fördern und stärken. Die Gruppe bezweckt nach außen das endliche Hervortreten einer Repräsentanz dieser modernen geistesradikalen Bewegung.« Die erste Sitzung dieses zeitweilig meinungsbildenden Verbundes fand in einem Café in der Motzstraße Ende November 1925 statt. Die insgesamt 39 Autoren umfassende Gruppe wollte die künstlerische Freiheit gegen den repressiven Polizei- und Justizapparat verteidigen, war jedoch in sich ideologisch kontrovers und ständig von der Gefahr der Gruppenbildung bedroht. Sie wurde von einem Ausschuss geleitet, dem auch Döblin, bald als der führende Kopf, angehörte.

Eines der bevorzugten Opfer der Justiz war in diesen Jahren Johannes R. Becher; ihm sollte es durch konzertierte Maßnahmen an die Existenz gehen. Seit April 1925 hatte er an einem Manuskript mit dem verrätselten Titel »(CHCl = CH)3 As (Levisite) oder Der einzig gerechte Krieg« gearbeitet. In dieser Nachgeburt des Futurismus als Agitprop malte er das Schreckgespenst eines bevorstehenden Gaskriegs an die Wand, dagegen setzte er als den einzig gerechten Krieg den Kampf des Proletariats. Bereits Anfang Januar 1926 erschien das Buch im kommunistischen Agis Verlag.

Am 4. Februar 1926 wurde das Buch beschlagnahmt, sein Verfasser wegen »Vorbereitung zum Hochverrat und Gotteslästerung, begangen in seinen Dichtungen, besonders in seinem Giftgasbuch« vor dem Reichsgericht angeklagt.

Die »Gruppe 1925« inszenierte am 8. November 1926 einen originellen Einfall: ein »Literaturgericht« über Johannes R. Bechers Roman sollte in Rede und Gegenrede Einblicke in die rechtsfernen Gegebenheiten künstlerischer Produktion gewähren und den Zugriffen der Justiz einen demokratischen Konsens über den Umgang mit Literatur entgegensetzen. Brecht übernahm in diesem projektierten Verfahren, das als »Metierkritik« firmierte, die Aufgabe des Gerichtsvorsitzenden; die Schöffen spielten Rudolf Leonhard und Klabund; Alfred Döblin war der Vertreter der Anklage. Als Gast beobachtete Walter Benjamin das Spektakel.

Der Vorwurf Döblins lautete, Becher habe die Romanform für ein parteipolitisches Pamphlet missbraucht und ästhetische Prinzipien missachtet. Über dieses »Literaturgericht« gibt es einen Bericht von Rudolf Leonhard: »Döblin trat in seiner Anklagerede und in vielfachen Repliken für eine bestimmte Romanform ein, für den Roman, der eine Entwicklung von Menschen in Schicksalen darstellt; er warf Bechers Roman vor, diese Entwicklung von Menschen, diese Schicksale nicht zu geben, sondern wissenschaftlich und politisch-propagandistisch vielleicht brauchbares Rohmaterial ohne Verarbeitung, vor allem ohne künstlerische Formung zu einem Buche zusammengetan zu haben.« Die Verteidigung in Gestalt von Egon Erwin Kisch hingegen wies den Ankläger zurück. Es handle sich um einen ersten Versuch »zur Eroberung des Inhalts« und nicht um zweckfreie Epik. Leonhard referierte auch parteiische Aussagen: »Es wurde die Frage gestellt, ob ein Kunstwerk, um dessen Natur als Versuch und um dessen formale Unvollkommenheit der Autor selbst weiß, im Drange der Zeit denen, die es erwarten und die es brauchen, zumal wenn sie das Publikum sind, auf das der Autor besonders rechnet, übergeben werden dürfe, oder ob die Reife und Vollendung abgewartet werden müsse.« Als Sachverständiger erklärte Leonhard Frank, Becher hätte aus dem Material besser eine Broschüre publiziert und »in größerer Ruhe und mit größerer Besonnenheit den Roman als Kunstwerk (…) ausreifen lassen sollen«. In Döblins Nachlass befindet sich ein dreiseitiges, stark korrigiertes Typoskript, in dem er als Ankläger alle Urteile des Reichsgerichts in Sachen Kunst und Literatur verwirft. Sie seien von einer interessierten Gruppe ausgegangen, nicht vom Staat, der *in der wirklichen Demokratie nichts weiter als ein Ausgleichs-Regulator zwischen den selbständigen Kräften des Volkes* sei und nicht über dem Bürger stehe: *Mit dieser in einer Demokratie selbstverständlichen Einstellung sind die letzten Reichsgerichtsurteile zu betrachten. Ich mache ihnen zum Vorwurf, daß sie diktatorisch und nicht demokratisch sind, daß diese Diktatur der Verfassung widerspricht und daß die Urteile auch in keiner Weise bei ruhigster Überlegung durch den Geist, der hinter ihr steht, gerechtfertigt werden.* Döblin trat aus streng formaldemokratischen Gründen gegen die Justiz auf, was dem Kommunisten Becher wenig gefallen haben dürfte. Das inszenierte Gerichtsverfahren der »Gruppe 1925«, das die Anmaßungen der Justiz zurückwies, spiegelt also auch die Gegensätze wider, die zwischen den linksliberalen und den meisten kommunistischen Autoren bestanden. Der Vorwurf des Anklägers Döblin in diesem »Literaturgericht« wurde nicht widerlegt; das Urteil hätte ihn berücksichtigen müssen. Angesichts der realen Bedrohung Bechers fand man allerdings zu einer anderen, salomonischen Entscheidung; Becher wurde einstimmig freigesprochen, denn er habe die Romanform nicht missbraucht, sondern nur schlecht eingesetzt. Wolfensteins Schlusswort verwies darauf, dass Bechers Roman nicht allein vor einem »Metiergericht« stehe, und er versicherte dem Autor die ungeteilte Solidarität der »Gruppe 1925«. Sie veröffentlicht eine entsprechende Note gegen die Beschlagnahme des Buches, rückte dabei aber auch ein wenig von der Parteipolitik ab: »Ohne uns mit den Becherschen Thesen zu identifizieren und ohne uns leider! über die Wirksamkeit unseres Schrittes in Hoffnung zu wiegen, protestieren wir gegen die sittenpolizeiliche Reglementierung ernster literarischer Werke, gegen den Versuch, die Diskussion gegenwartswichtiger Themata von Parteigesichtspunkten aus zu beschneiden. Wir verlangen, daß man in Deutschland für seine Überzeugung nicht nur sterben, sondern auch leben darf.«

Das internationale Echo auf die Attacke des Reichsgerichts war enorm, Upton Sinclair, John Dos Passos und Romain Rolland protestierten öffentlich. Erwin Piscator organisierte in der Volksbühne eine Veranstaltung, auf der unter anderem Toller und Kisch sprachen und eine Solidaritätsadresse von Gorki verlesen wurde. Heinrich Mann brachte den Fall in der Akademie zur Sprache, scheiterte aber mit einer Resolution, die den Namen des bedrohten Schriftstellers in den Mittelpunkt rückte. Erst eine allgemeiner gehaltene Fassung der Erklärung wurde angenommen. Unter dem Eindruck dieser öffentlichen Proteste wurde das Gerichtsverfahren beim 44. Strafsenat des Reichsgerichts zunächst vertagt und dann, als im Reichstag eine Amnestie für politische Delikte angekündigt wurde, stillschweigend beerdigt. Formal wurde es jedoch erst im August 1928 eingestellt. Wie wenig jedoch Becher selbst ein Anwalt der künstlerischen Meinungsfreiheit war, sollte sich wenige Jahre später in der zynischen Verunglimpfung Döblins erweisen.

Die »Gruppe 1925« fand in den Protesten gegen Bechers Verfolgung ihr erstes wichtiges Aktionsfeld. Geplant waren aber auch Lesungen und literarische Vorträge, weitreichende Konzepte wurden vorgelegt. Diskutiert wurde sogar eine Buchgemeinschaft junger Autoren. Alfred Wolfenstein brachte die Idee einer gruppeneigenen Monatsschrift ins Spiel. Die Pläne scheiterten, weil zu wenig Beiträge eingingen und weil nach dem Austritt Leonhards und seinem Weggang nach Paris niemand die Verhandlungen weiterführen wollte oder konnte.

Bei Schlichter, einem Künstlerlokal in der Ansbacher Straße, das der Bruder des Malers Rudolf Schlichter betrieb, organisierte sich, wiederum unter Mitwirkung Döblins, ein »Klub 1926« und veranstaltete von Anfang 1926 bis Frühjahr 1927 literarische Diskussionsabende.

SCHMUTZ- UND SCHUNDGESETZ

Der Kampf gegen die Zensur hatte Mitte der zwanziger Jahre ein ausgedehntes Betätigungsfeld. Es gab die Bestimmungen des Republikschutz-Gesetzes gegen Extremismus, die Delikte des literarischen Hochverrats, des publizistischen Landesverrats, der Aufreizung zu Gewalt und Klassenkampf, der Verbreitung unsittlicher Schriften, der Gotteslästerung.

Ende März 1926 machte Walter Hasenclever in der »Gruppe 1925« mobil: Im Reichstag wurde ein »Gesetz zur Bewahrung der Jugend vor Schund- und Schmutzschriften« vorbereitet. Zwei Tage zuvor hatte sich schon der SDS damit befasst. Es fehlte der parlamentarischen Vorlage jede Definition von »Schmutz« und »Schund«; es handelte sich bei den beiden Hauptwörtern des geplanten Gesetzes um nichts anderes als um Ermessensfragen. Eine dem Gesetzentwurf beigefügte Liste umfasste 202 Titel, darunter Detektivgeschichten aus der Serie »Nick Carter«, Abenteuerromane, Kitsch aus der wilhelminischen Zeit, der wieder aufgelegt wurde, wenig Pornographie. Im Oktober 1926 schlossen zahlreiche republikanische Institutionen und Verbände unter dem Namen »Kampfgemeinschaft für Geistesfreiheit« ein Bündnis. Döblin spielte darin eine wichtige Rolle; er leitete am 7. November auch eine entsprechende Protestkundgebung im Orpheum an der Hasenheide. Brecht vertraute seinem älteren Kollegen in diesem Zusammenhang völlig und autorisierte ihn, alle Erklärungen, die Döblin unterzeichnete, auch mit seinem Namen zu versehen.

Das »Schmutz- und Schundgesetz« wurde mit den Stimmen der SPD im Reichstag verabschiedet und trat am 18. November 1926 in Kraft. Übrigens hat es in der Weimarer Republik keine große Rolle gespielt. Die an die Macht gekommenen Nationalsozialisten erkannten jedoch mit ihm einen Paragraphenvorrat, durch den sie ihren Terror gegen Intellektuelle und Künstler in den ersten Monaten nach der Machtübernahme scheinlegalistisch mitbegründen konnten.

Eine weitere Protestwelle gab es bei der Verabschiedung des »Gesetzes zum Schutz der Jugend bei Lustbarkeiten« 1927. Drei Monate lang traten die Schriftstellerorganisationen dagegen auf. Alle öffentlichen Veranstaltungen, also auch Theateraufführungen und Vorlesungen, fielen unter den Begriff »Lustbarkeiten« und waren damit potentiell unter der Knute der Zensur. Döblin fand sich wiederum an vorderster Front der Opposition gegen dieses Gesetz ein.

Die andauernden Zensurmaßnahmen, an denen sich das Reichsgericht beteiligte, führte 1928 zur Gründung einer »Aktionsgemeinschaft für geistige

Freiheit«. Wiederum führend an vorderster Front war Alfred Döblin. Er war ihr Mitbegründer und Mitherausgeber ihrer Schriftenreihe, und er formulierte das Programm: *Unsere Funktion ist da allemal: die Ankläger in ihrer Ahnungslosigkeit oder Bösartigkeit zu entlarven, die Gesetzmaschinen anzuhalten und das gefährdete Kulturgut zu retten.* Er schrieb über den Sadismus der Zensur, gegen den Antrag, Aufklärungsbücher für Kinder zu verbieten, gegen das Bewahrungsgesetz für Jugendliche über 18, gegen einen bestimmten Zensor. Er hat sich wahrlich um den Pegelstand der demokratischen Freiheiten in der Republik verdient gemacht.

Sosehr er gegen die Zensur kämpfte und es – mit seiner Hilfe – zum Beispiel gelang, Walter Serners »Tigerin« aus dem Paragraphengestrüpp des Verbots zu befreien, so sehr leistete er sich jedoch eine abweichende Meinung zum Verhältnis von Staat und Literatur. In dem Kommentar *Kunst ist nicht frei, sondern wirksam: ars militans* wandte er sich 1929 gegen die Auffassung, Kunst sei für sich sankrosankt und dürfe nicht angegriffen werden. *»Die Kunst ist heilig« bedeutet aber praktisch nichts weiter als: der Künstler ist ein Idiot, man lasse ihn ruhig reden.* Er verwahrte sich gegen die Narrenfreiheit des ästhetischen Gebildes (oder tendenziellen Scheinprodukts), hielt sie für eine Verhöhnung des künstlerischen Willens, entrüstete sich über eine zahnlose Kunst, die zur harmlosen Dekoration verkommen sei, die ihre Freiheit dem Goldschnitt und der Genussfähigkeit verdanke. *Wir wollen ernst genommen sein. Wir wollen wirken, und darum haben wir – ein Recht auf Strafe.* Allerdings sprach er einzelnen Gruppen in der parlamentarischen Demokratie das Recht ab, Sanktionen gegen die Kunst im Namen der Allgemeinheit auszusprechen, womit er sowohl gegen die Zensur auftrat als auch gegen eine Kunst, die sich unangreifbar setzen wollte. Sein Credo bezog sich auf *ars militans, Wiederherstellung, Renaissance der Kunst und zugleich der einzige Weg zu ihrer Rehabilitierung,* also dem Spiel der Konflikte, die daraus entstanden.

Die »Gruppe 1925« unterstützte fast immer die größeren und fester gefügten Organisationen und betrieb mangels organisatorischer Kraft nur eine einzige selbständige öffentliche Aktion. Sie protestierte in der »Literarischen Welt« gegen die Mitte Mai 1926 in Berlin stattfindende vierte Tagung des Internationalen PEN (nach London, New York und Paris), die erste auf deutschem Boden, genauer: gegen die Darstellung, er vertrete die namhaftesten deutschen Autoren. Man wandte sich dagegen, dass der Ende 1924 gegründete deutsche PEN »die Vertretung der deutschen Schriftsteller dem Auslande gegenüber usurpiert«. Die Verlautbarung der »Gruppe 1925« enthielt noch einen Bubenstreich, bei dem man die Handschrift Döblins vermuten kann. Er ließ sich als Kandidat für den PEN aufstellen, wollte aber, als er gewählt war, keine Mitgliedsbeiträge bezahlen, wurde deshalb als Mitglied nicht bestätigt und versuchte, aus dem Vorgang einen Angriff auf den PEN zu starten. Dem PEN gehörten damals immerhin Friedrich Burschell, Leonhard Frank, Walter von Hollander und Hermann Ungar an. Ob sie wohl, gleichzeitig Mitglieder der »Gruppe 1925«, gegen diesen Protest wiederum protestiert haben?

Der Misserfolg beim Kampf gegen das »Schmutz- und Schundgesetz« hat dem Zusammenhalt der »Gruppe 1925« geschadet. Außerdem betrieb Becher eine Fraktionsbildung, die den fragilen politischen Kompromiss, unter dem die Schriftsteller zusammenarbeiteten, einer schweren Belastungsprobe aussetzte. Wenn – wie auch im Falle Döblins – seine Taktik der Vereinnahmung nichts erbrachte, wechselte Becher zur Provokation über. Er versuchte im Februar 1926, im SDS eine Erklärung gegen die Fürstenabfindung durchzusetzen, scheiterte aber damit an der Satzung und am festen Willen der Mehrheit, sich im SDS berufspolitischen Aufgaben zu widmen. Am gleichen Abend tagte die »Gruppe 1925« unter der schweren Belastung des Krachs im SDS. Viele Autoren waren in beiden Organisationen tätig und stellten sich nun die Frage, wie es weitergehen solle. Einzelne KP-nahe Mitglieder beantragten im SDS ihren Ausschluss, um den Verband der Autoren in der Öffentlichkeit herabzusetzen, doch konnte der Konflikt auf einer außerordentlichen Mitgliederversammlung noch einmal behoben werden. Aber auch in der »Gruppe 1925« organisierte Becher jene Fraktionierung, die den SDS schon seit Ende 1924 beschwerte.

Die »Gruppe 1925« hatte als Club von Diskutanten kein festgefügtes organisatorisches Zentrum. Zuerst war sie von den Aktivitäten Rudolf Leonhards abhängig, der sich jedoch bald mit Döblin verkrachte und im Zorn schied. Danach rückte Döblin in den Vordergrund, konnte aber den Zerfall der Gruppe nicht verhindern. Die Kluft zwischen KP-gebundenen und »geistesrevolutionären« oder linksliberalen Schriftstellern war nicht zu überbrücken, sondern brach im Lauf des Jahres 1926 erst richtig auf. Da Döblin polarisierte, wird er den Zerfall der Gruppe Anfang 1927 ungewollt eher beschleunigt haben.

Durch die Sitzungen wurde jedoch Döblins Kontakt zu Brecht intensiver. Man diskutierte über den Marxismus, aber auch über die Mittel, die Brecht für sein episches Theater suchte und bei Döblin vorfand. Noch im Oktober 1928 forderte Brecht Döblin vergebens auf, doch ja wieder diese Diskussionsrunden zu erneuern: »Es wäre wunderbar, wenn wir die wöchentlichen Abende diesen Winter wieder abhalten könnten. Ich habe eine Unmenge herausgezogen.«

Wegen des »Schmutz- und Schundgesetzes« ist Döblin nach eigenen Angaben aus der SPD ausgetreten. Seine frühere Bindung an die Partei lässt sich nicht nachprüfen, denn die Mitgliedsbücher aus dieser Zeit sind nicht mehr vorhanden. Allerdings hat er bisweilen auch andere Gründe für seinen Abschied genannt. So 1951: *Ich stellte mich auf die sozialdemokratische Seite, mit Vorbehalten, ich war bis 1927 Mitglied der sozialdemokratischen Partei, trat aber dann aus, als ich sah, wie das Bonzentum hier die Oberhand gewann, von der geistigen Leere und Bewegungsfreiheit nicht zu sprechen.* Diese Äußerung wiederum deutet den Parteiaustritt ganz anders und eine dritte Lesart suggeriert *November 1918*, wo der Partei und besonders Friedrich Ebert »Verrat« an der Revolution durch einen Pakt mit den alten Generälen und den rechten Feinden der Republik unterstellt wird. Das zu betonen wird Döblin später nicht müde, aber es fragt sich dann bei dieser Version, warum er so lange überhaupt in der SPD beheimatet war.

RUNDFUNKPIONIER

Zu den am häufigsten reproduzierten Fotos von Alfred Döblin gehört das Porträt des Radiobastlers. Der Schriftsteller beugt sich interessiert und mit dem Anschein der forschenden Genugtuung über die Eingeweide des Empfängers aus Drähten und Röhren. Er wird die Probe auf sein handwerkliches Können bestehen; das Dokument zeigt ihn auf der technischen Höhe der Zeit, während andere Kollegen noch den klassisch sinnenden Dichterdarsteller mit Schreibgarnitur, die Pose des nachdenklich einsamen Denkers gaben. Am 5. Juli 1925 erschien seine Wortfanfare *Der Segen des Radio,* eine der witzigen Glossen über die Tücken essender Nachbarn im Kino, pfeifender Zuschauer im Theater, einer hinderlichen Säule beim Konzert und über andere Malaisen beim Kunstgenuss. Dagegen entlastet das Radio von den Mühen, die die Kunst mit sich bringt, wenn man ihretwegen außer Haus muss. *Das Kino war*

Der Radiobastler
Um 1925

schon ein Fortschritt. Man brauchte nicht mehr das Gerede zu hören, konnte auf die ganze Zunft der Autoren verzichten. (...) Aber man mußte hingehen. Das ist nun endlich in Fortfall gekommen. Man braucht nicht hinzugehen: das ist das Zeichen, unter dem das Radio siegt und siegen wird. Als in Berlin mit der »Stunde der Lebenden« eine regelmäßige Reihe über Dichter eingerichtet wurde, ließ er sich gerne von Hermann Kasack gewinnen und trat erstmals am 15. November 1925 mit einer Lesung aus seinem Drama *Die Nonnen von Kemnade* auf. Wiederum unter Hermann Kasacks Regie trug er neun Monate später als Vertreter der »Gruppe 1925« mit Ernst Blass, Friedrich Burschell und Alfred Wolfenstein einige Texte vor. Er gehört zu den Autoren, die das neue Medium mit Begeisterung von Anfang an begleiteten – auch wenn er um seine Mängel wusste.

SKANDALFREUDEN

Am 20. März 1926 kam es zu einer denkwürdigen Lustfahrt dreier unterschiedlicher Talente. Brecht, Arnolt Bronnen und Alfred Döblin folgten einer Einladung der Generalintendanz der Sächsischen Staatstheater zu einer Lesung und fuhren gemeinsam nach Dresden. Bronnen betrachtete sich sowie seine Kombattanten als Repräsentanten der deutschen Literatur und gab zu Protokoll: »Das Hotel Weber war schön, Dresden war schön, wir kannten es alle drei nicht, ergingen uns am Zwinger und in den schönen Elb-Anlagen, während uns die untergehende Märzen-Sonne südlichere Zonen vorgaukelte.« Weil sie für den Abend jedoch schlechte Theaterkarten zu Verdis »Macht des Schicksals« (in der Übersetzung von Franz Werfel) erhielten, zerrissen sie die Billets und schickten die Fetzen an den Intendanten. Sie wollten am nächsten Morgen sofort wieder abreisen, doch ebenso mühsam wie selbstverständlich ließ sich das Trio bewegen, die gemeinsame Matinee zu bestreiten. Döblin las aus dem Manuskript seiner epischen Versdichtung *Manas*, wie es verabredet war, erhielt einigen Beifall, Brecht trug aus der »Taschenpostille« vor, gab ein etwas unverständliches Gedicht »Matinee in Dresden«, das er am Abend zuvor aus Anlass der angeblichen Brüskierung geschrieben hatte, zum Besten und geißelte das »schamlose« Verhalten des Staatstheaters gegenüber jungen Dichtern. Bronnen verzichtete auf seinen Vortrag und puschte die Episode zum Skandal hoch. Alle drei waren auf Krawall eingestellt. Das Publikum war empört, und die »Dresdner Volkszeitung« donnerte: »Was wir sahen, waren neben dem ruhigen Döblin – der ein bedeutender literarischer Könner ist, aber nicht aufzutreten vermag, zwei haltlos ungezogene Herren, die zwar nicht darauf verzichtet hatten, gegen Bezahlung in einer Morgenfeier aufzutreten, es aber für richtig hielten, an der Öffentlichkeit ihren kleinen, niedrigen Ärger, ihr Gekränktsein, ihre spießbürgerlich-großmannssüchtige Überreiztheit auszulassen und ihre Gastgeber öffentlich zu beleidigen.« Döblin kamen im Rückblick doch einige Bedenken. Einem Martin Elsner, möglicherweise einem Journalisten der »Allgemeinen Zeitung« in Chemnitz, schickte er auf dessen offenen Brief einige klärende Worte, mit denen er sich von Bronnens schäumender Eitelkeit distanzierte und sie als dessen *Normalhaltung* abtat. Die Folgerung liegt nahe: Wenn sich die drei als Repräsentanten gebärdeten, fielen sie aus der Rolle.

FREUD ZUM SIEBZIGSTEN

Die Deutsche Psychoanalytische Gesellschaft lud Döblin ein, am 6. Mai 1926 im Hotel Esplanade die Festrede zum 70. Geburtstag Sigmund Freuds zu halten. Außer ihm sprachen auch die Mediziner und Psychoanalytiker His, Orlik, Schreker und Simmel. Auch Döblin selbst konnte sich geehrt fühlen, denn er war im strengen Sinn kein Mann vom Fach, wohl nicht einmal ein Psychosomatiker, eher ein sorgsam prüfender Psychodynamiker und nun zur Ehrung Freuds gebeten. Er hat sich möglicherweise schon in seiner späten Studentenzeit mit der neuen Lehre befasst, sie aber eher gestreift als studiert. Immerhin belegen einige Rezensionen Döblins seine genauere Beschäftigung mit der Psychoanalyse nach der Revolution.

In *Der deutsche Maskenball* ist eine intensivere Freud-Lektüre nachweisbar; auch Linke Poot verwendet seine Begriffe. Doch Döblin wollte den Begründer der Psychoanalyse nicht in den Olymp seiner frühen Götter aufnehmen – so wenig wie Karl Marx. Er wollte das Unbewusste gewiss nicht in Abrede stellen, aber er betonte doch die Rolle des steuernden Bewusstseins für das menschliche Handeln.

In seiner Festrede feierte er Freud hingegen für seine Leistung, der materialistischen Denkungsarzt der Ärzte den Rang der Seele entgegengestellt zu haben. *Er war in die große Lücke der Zeit getreten.* Er habe damit vielen Kranken zum Recht verholfen, als krank zu gelten. Er zeichnete einen Forscher in der Revolte gegen das ärztliche Fach. Döblin war einer der Schriftsteller, die Freuds Jubiläen gleichsam besetzt haben: Thomas Mann sprach zum Achtzigsten, Stefan Zweig hielt ihm 1939 die Grabrede. Aber beachtenswert sind die Einschränkungen, die er in seiner Festrede machte. Er brachte wie Freud selbst die Literatur in die Nähe der Psychoanalyse und erwog die Erwartungen, die sich an diese Nachbarschaft richteten: *Ich will da eine Meinung besonders erwähnen, die mir am Herzen liegt, die Meinung: Freud habe die Dichtung beeinflußt oder werde sie beeinflussen. Man hat gesagt: die Freudsche Tiefenpsychologie wird eine Tiefendichtung zur Folge haben. Ein kompletter Unsinn. Noch immer hat Dostojewski vor Freud gelebt, haben Ibsen und Strindberg vor Freud geschrieben.* Argwöhnisch achtete er darauf, dass die Zudringlichkeit der Psychoanalyse gegenüber der Literatur nicht überhandnehmen konnte. Er sah die Dichtung gelegentlich als Antizipation von Wissenschaft und gab ihr eine gleich wichtige Erkenntnisrolle: *Das greift über die Wissenschaft hinaus und ist noch lange nicht für eine heutige Wissenschaft erfaßbar. Die Dichtung ist aber allgemein und überhaupt ein sehr mißachtetes, großartiges Wissensreservoir der Menschen. Eine Quelle, kein Nebenfluß.*

ERSTE FRANKREICHREISE

In seinem ersten autobiographischen Rückblick *Doktor Döblin* hatte er mit einiger ironischen Geläufigkeit sich erklärt: *Er war Berliner mit blasser Ahnung von anderen Orten und Gegenden.* Er betonte es oft: Er war notorisch ortsfest, das Reisen störte seine Aufmerksamkeit und seinen inneren Haushalt, es lenkte ihn ab. Von fremden Städten hielt er sich fern, *teils ist es Geschick, teils Wille; die Dinge sind sehr aufdringlich.* Er fand die merkwürdigsten Kapriolen, um seine Phobie zu erklären. Als er zum ersten Mal nach Frankreich fuhr und in der ersten Julihälfte 1926 Ferien an der Côte d'Azur machte, schlüpfte er in die Rolle des Stammtischspießers und hob seinen Erlebnisaufsatz für die »Weltbühne« mit der Erklärung seiner Abneigung gegenüber der Fremde an. *Ich bin weder in Paris noch in Rom noch in London gewesen. Die Ansichten und Lebensformen anderer Leute will ich nicht so genau kennenlernen. Ich bin froh, mich meiner eignen zu versichern. (...) Mir leuchtet im Ganzen nicht ein, was es einem helfen soll, neue Städte, Länder, Bauten, Naturen zu sehen. Meine nächste Nachbarschaft beschäftigt mich andauernd intensiv. (...) Um es einfach zu formulieren: mögen die reisen, die dumm genug dazu sind.* Er verstieg sich zu einer unausgesprochenen Polemik gegen Germanisten, die zwischen den Ländern standen, wobei jedermann klar war, wen er meinte: die Zelebrität Ernst Robert Curtius. Dessen Buch »Französischer Geist im neuen Europa«, gerade ein Jahr zuvor in Deutschland erschienen, war für werdende Frankreich-Liebhaber ein Vademecum.

Döblin hatte es bis dato zu Ausflügen in den Spreewald, an die Ostsee und in die Schweiz gebracht. Nun ging es im Sommer 1926 nach Frankreich, seine Frau war schwanger und erwartete das vierte Kind. Die Wahl war merkwürdig: er pflegte seine Aversionen auch gegenüber der französischen Literatur, insbesondere gegenüber Marcel Proust, von dem der erste Band der »Recherche« im gleichen Jahr in deutscher Übersetzung von R. Schottlaender erschienen war. Er hatte sich mit der Neuerscheinung »Der Weg zu Swann« wohl noch nicht einmal befasst, als er zu einer seiner leichtfertigen Polemiken anhob: *Er hat keine Ahnung vom Roman, nicht vom vergangenen, nicht vom gegenwärtigen, nicht vom zukünftigen. Offenbar ein origineller, ja besonderer Stilist im Französischen, aber zerflatternd, haltungslos, ein Sack, der sich aus hundert Löchern verspritzt. Er kann mit all seinen Feinheiten nichts anfangen. So viel konnte ich aus seinem übersetzten hochgepriesenen zweibändigen Un-Roman sehen.* Döblin stellte sich mit solchen Haltlosigkeiten ins Abseits, was ihn allerdings keineswegs hinderte, das Buch 1927 doch zu lesen und sich in dem Essay *Mit dem Blick zur Latinität* positiv zu Proust zu äußern. In diesen Jahren wurde die Entdeckung Frankreichs fast zu einer intellektuellen Mode. Auch Gottfried Benn hat 1930 seine Neigung für die Nachbarn entdeckt und bekanntgemacht. Friedrich Sieburgs Buch »Gott in Frankreich« (1929) bot dafür viele Anregungen.

Döblin reiste mit seiner Frau über Straßburg, Paris und Marseille an den südfranzösischen Ferienort Juan-les-Pins, der auch in Erika und Klaus Manns »Riviera«-Führer vorkommt. Es heißt dort: »Juan-les-Pins ist, vor allem im Sommer, einer der besten Rivieraorte. Es gilt für fein und richtig, dort im Kasino Mittag zu essen, auch wenn man eigentlich ganz woanders wohnt, zum Beispiel in Cannes oder in Cap Martin. Viele Menschen, die auf sich halten, kommen herbeigefahren, um am schönen Sandstrand von Juan-les-Pins ihre originellen Badekostüme zu zeigen, in denen sie übrigens beileibe nicht zu schwimmen gedenken, sondern hauptsächlich zu tanzen; eleganter Badekostümball zwischen 11 und 12 Uhr in der Bar neben dem Kasino. So die Leute, die auf sich halten.« Döblin wollte am *Manas*-Manuskript arbeiten, kam aber wegen der Hitze nicht recht dazu und verlor die Arbeitsenergie, was ihn anscheinend nicht einmal geschmerzt hat. Er unterhielt sich mit Spaziergängen, fand Anschluss an Kollegen und traf Ernst Toller, der sich ebenfalls an der Côte d'Azur aufhielt.

In seinem Reisebericht *Ferien in Frankreich* aber findet sich nichts von den Städten, nichts vom Süden. Er kam in seinem Text nur bis Straßburg und blieb dort bei seinen Erlebnissen als Arztoffizier im Ersten Weltkrieg hängen, bei sich als jungem Mann und den Nöten, die das Militär erzeugt hatte. Er verfehlte gleichsam in der Literatur die Reise, die er in Wirklichkeit gemacht hatte. Er hielt als Reisender die Fortbewegung sofort an, sobald er den Füllfederhalter in die Hand nahm.

In dem Feuilleton *Ein Sonntag in Straßburg* widmete er sich Mitte Juli im »Berliner Tageblatt« den Reisemalaisen, den Zollformalitäten und der Kirmes in der elsässischen Metropole. Der Blick fand über die gewöhnlichen Seufzer und Wonnen im Alltag nicht hinaus. Wiederum vier Wochen später traf er dann doch schriftlich in dem französischen Seebad ein, allerdings nur, um von Unbequemlichkeiten in Marseille und Moskitos in Juan-les-Pins zu erzählen. Die Ferien hat er, möchte man behaupten, nur angetreten, um von grotesken Abenteuern berichten zu können.

FISCHERS JUBILÄUM

Die Zeitschrift »Die Böttcherstraße« forderte ihn auf, sich an einer Umfrage über »die Existenzberechtigung der Kritik« zu äußern. Er antwortete zunächst mit einer Themaverfehlung und wetterte gegen die Verleger. *Die Verlegerindustrie beherrscht zermalmend die Szene, sie schluckt die Geistigen oder spuckt sie aus.* Das hinderte ihn allerdings nicht daran, im gleichen Atemzug die Kritik für *wertlos bis schädlich* zu halten. Es war sein allgemeiner Tenor und eine erprobte Tonlage: die Verleger als die geldgierigen Blutsauger und die Kritiker als die Fußkranken der literarischen Moderne.

Es war deshalb einiges zu erwarten, als er seinem Verleger zu einem Jubiläum gratulieren musste: Samuel Fischer feierte im Oktober 1926 sein 40-jähriges Dienstjubiläum. Der Lektor Moritz Heimann hatte an Samuel Fischer 1923 geschrieben: »Döblin ist ein großes, zu pflegendes Talent; seine Schwäche besteht darin, dass sein Talent größer ist als er, nicht er größer als sein Talent; und so wird er, bei vielfach exzessiven großen Gaben, niemals repräsentativ sein, am wenigsten für was Deutsches.« Das war auf ein »deutsches« Heft der »Neuen Rundschau« gemünzt, es enthält ein eigenartiges Votum des einen Juden über einen anderen. Das heißt »für was Deutsches« im Vorbehaltsdeutsch: Nichtdeutscher, nicht dazugehörig, Kleinbürger, windschief in den Verhältnissen positioniert. Eine große Begabung, seinen Fähigkeiten nicht gewachsen – das war noch die harmloseste Umschreibung, die der Lektor für seinen Autor finden wollte.

Am 4. Juni 1926 hatten sich einige Autoren bei Gottfried Bermann getroffen. Man empfand eine gewisse Befreiung, dass er die Geschicke des Verlags in die Hand nahm. Nach Jahren der Stagnation war Gottfried Bermanns werdender Schwiegersohn am 1. Oktober 1925 in den Verlag eingetreten,

Hermann Kasack machte ihn mit dem Unternehmen vertraut. Damit war eine personelle Kontinuität in der Führung des Verlags als Familienunternehmen gewahrt. Nun also, im Oktober 1926, das 40-jährige Geschäftsjubiläum. Samuel Fischer wollte keinen repräsentativen Festakt, nur eine bescheidene Feier in seiner Grunewalder Villa. Döblins Text über *Ferien in Frankreich*, im Verlagsalmanach veröffentlicht, war ein wenig belanglos für den Anlass. Er beeilte sich, am 20. Oktober Samuel Fischer wenigstens einen ordentlichen Geburtstagsbrief zukommen zu lassen, doch das Verlegerlob geriet ihm wieder zur Unabhängigkeitserklärung. Er ging über die Schwierigkeiten und Schwankungen seines Verhältnisses zu Samuel Fischer nicht einfach hinweg, sondern führte sie unmittelbar an: *Ich selbst, ein Einzelner unter so vielen Autoren, konnte und kann meine Anerkennung, – falsch gesagt –, meinen Respekt vor Ihrem Verlag nicht besser dokumentieren, als daß ich, trotz vieler Ausbruchsversuche bei ruhiger Überlegung mich immer für Sie entschied, – daß ich, allerlei geistige Spannungen unterdrückend, zwischen anderen blieb, die ich schwer ertrage, aber, quasi unter Ihrer Oberhoheit, ertragen kann. Die Person spielt da letzten Endes die entscheidende Rolle; und wenn ich dem Verlag zu seinem Jubiläum glückwünsche, so richte ich mich – ohne Heimann, Loerke und die andern zu vergessen – doch zuerst an Sie, Herr Fischer, vor allem an Sie.* Das war denn doch durch eine zerzauste Blume gesagt: Döblin empfand sich bei Fischer in einer Gesellschaft unpassender Kollegen. Es ging ihm allerdings in diesem Punkt nicht anders als den anderen Prominenten. Die Autoren haben einander, was die Gunst des Verlegers betraf, eifersüchtig beäugt. Gerhart Hauptmann, Thomas Mann und Döblin – dieses Trio mit seinen wechselseitigen Empfindlichkeiten ergäbe ein eigenes Kapitel in der Geschichte des Verlagsklatsches. Hauptmann schrieb beispielsweise im Mai 1927 an seinen Duzfreund Samuel Fischer, er wolle für seinen »Till« eine Ausstattung »im Charakter schwer und gediegen«, nicht so eine wie für Döblin: »Einen Buchcharakter wie das gelbe ›Manas‹ von Alfred Döblin dürfte das Werk keinesfalls erhalten, das wäre für es ruinös.«

Döblin folgte, was seine öffentlich geäußerte Meinung von Verlegern betraf, durchaus keinem diplomatischen Lektorenrat. 1931 stellte er den finanziellen Misserfolg seines Stückes *Die Ehe* auf der Bühne ins bengalische Licht der Ironie. Er hatte vom Verlag eine (auch von ihm in den Zahlen als korrekt anerkannte) Abrechnung erhalten, die einen Minusbetrag auswies. Er kommentierte sie mit der Überlegung, jede weitere Aufführung zu verbieten: *Die soziale Gerechtigkeit erfordert doch wirklich, daß Bühnenleiter, Verleger, Inkassostellen, die wirtschaftlich stärker sind als der Autor, sich ihre Stücke allein schreiben.*

OKKULTISMUS UND SCHREIBEN

Zum 1. Januar 1926 hatte die »Literarische Welt« ein »Literatur-Horoskop« über die schreibende Zunft für das neue Jahr veröffentlicht. Mit Stefan George und Georg Kaiser wurde Alfred Döblin etwas näher betrachtet. Er hatte demnach ziemlich miserable Aussichten: »Alfred Döblin, geboren am 10. August 1878, hat durch den schlechtaspektierten Mond im Zodiakalzeichen des Steinbocks schon geburtlich einen tiefgehenden psychischen Zwiespalt mit in die Welt gebracht. *Venus* steht in Opposition: diese Göttin scheint ihm also nicht hold zu sein. *Mars* in Konjunktur mit der *Sonne* gibt Streit und Kampf und erschwert die Produktion.«

Trotz der wenig günstigen Prognosen konnte sich Döblin mit diesem Galimathias zufriedengeben, denn er war mit solchen Texten vertraut. Durchaus schon als Student hatte er sich mit dem Okkultismus und den Grenzwissenschaften bekanntgemacht. Er studierte in Berlin bei dem Philosophen und Psychologen Max Dessoir, der das Wort »Parapsychologie« geprägt und in Umlauf gebracht hat. Döblin hat später nachweislich Verbindung zu Hitlers Hellseher Erik Jan Hanussen gehabt, und noch in einer der beiden Erzählungen von *Heitere Magie* (1948) gibt es eine wenn auch parodistische Verbindung zum Okkultismus. 1926 fand Döblin eine Gelegenheit, sich einem aufsehenerregenden Fall von Parapsychologie zuzuwenden. Eine Gräfin Zoe Wassilko-Serecki reiste in diesem Jahr mit dem 14-jährigen rumänischen Bauernmädchen Eleonore Zugun durch die europäischen Hauptstädte, um die Jugendliche als Medium vorzuführen und für den »Mediumismus« zu werben. Die »Vossische Zeitung« machte daraus eine journalistische Aktion. Sie ließ in acht Artikeln, unter anderem auch von Döblins Schulkameraden Moritz Goldstein, die Sensation des Unerklärlichen beschreiben. Döblin traf die beiden öfter am Nachmittag oder Abend in ihrer Absteige, der Pension Astoria am Zoo, und studierte an ihr »Dämonie«. Sie erklärte sich selbst vom »Draku«, dem Teufel, besessen und wies eigentümliche Veränderungen auf: sie stürzte wie nach harten Schlägen unversehens hin, hatte eigentümliche Zeichen in der Haut und Bissspuren. Im Zimmer des Mädchens befand sich öfter eine Gruppe von Forschern. Sie neigten zum Simulations- und Betrugsvorwurf oder zur Hysteriediagnose, doch Döblin sah darin keine Erklärung: *Aber das beweist mir nichts, ebenso wenig, wie Simulation etwas gegen richtige Geisteskrankheit beweist. In solchen Irrtum verfallen nur ältere Militärärzte.* Nach Döblins eigenwilliger Deutung sei *ein abgesprengter Teil ihrer Seele* für die Teufelsverfallenheit verantwortlich. Er zog damit eine Verbindung zu einem Aufsatz, den er einige Monate zuvor über *Kunst, Dämonie und Gemeinschaft* (1926) veröffentlicht hatte. Zwischen dem Spiritismus und poetischer Arbeit gibt es demnach einen Zusammenhang. Der ganz und gar einsame Künstler, der keiner Gemeinschaft verpflichtet ist, bildet einen Verbindungskanal, der *Seelenhaftes von früher und jetzt, Erlebnishaftes älterer Gemeinschaften* eröffnet. Künstlerische Werke bieten *Einbrüche des Dämonischen in eine gewordene Welt,* und *das Dämonische ist es, das das Leben der vergangenen Generationen aber wirklich auffrischt und nicht erlöschen läßt.*

Er hatte zu dem Medium Eleonore Zugun ein gutes, offensichtlich sogar vertrautes Verhältnis. Auch er, meinte sie, sei von einem »Draku« besessen. Indem sie als Medium des Teufels rumänische Wörter niederschrieb, gewann Döblin eine bestätigende Anschauung des automatischen Schreibens, das ihn seit seiner Bekanntschaft mit Apollinaire beschäftigte. Das Medium und der Schriftsteller sind demnach verwandte Personen, und er selbst hat sich noch zwanzig Jahre später als Schreibmedium dargestellt: *Eigentümlich die Befangenheit, die Aura, in solcher Periode. Sie verlieh mir ein eigentümliches Wissen, eine Hellsichtigkeit. Was wußte ich von China oder vom Dreißigjährigen Krieg? Ich lebte in dieser Atmosphäre nur während der kurzen Spanne des Schreibens. Aufdringlich, grell stellten sich dann plastische Szenen vor mich hin. Ich griff sie auf, schrieb sie nieder und schüttelte sie von mir ab.*

MANAS

Schon vor dem Ersten Weltkrieg war Indien einigen deutschen Schriftstellern als Sehnsuchtsland erschienen. Stefan Zweig war 1908 zu einer mehrmonatigen Reise in den Fernen Osten aufgebrochen, Hermann Hesse einige Jahre später, Lion Feuchtwanger hat sich im Krieg indischer Philosophie zugewandt. Hesses Erzählung »Siddhartha. Eine indische Dichtung« von 1922 gab Stichworte für Europamüde und das Eintauchen in den Buddhismus. Bei seinem Frankreich-Urlaub im Sommer 1926 begann Döblin *Manas,* das in seinem Gesamtwerk wohl extravaganteste Buch, musste abbrechen, nahm das Manuskript nach dem Urlaub wieder auf und stellte es bis zum Frühjahr 1927 fertig. Davor hatte er die üblichen Bücherexkursionen absolviert: Durch einen Zufall hatte er in einer Berliner Bibliothek einen Reisebericht über Indien aufgestöbert, war hingerissen, vertiefte sich in Forscherberichte, indische Mythologie, zog Arbeiten über den Buddhismus und über altindische Naturreligionen zu Rate. Das Gilgamesch-Epos hat im *Manas* seine Spuren ebenso hinterlassen wie das Mahabharata, das bekannteste indische Epos, auch die hinduistischen Grundschriften der Veden und Panischaden hat er gründlich gelesen. Vermutlich war ihm auch der etwas blasse Roman »Pilger Kamanita« des dänischen Nobelpreisträgers Karl Gjellerup bekannt. Und vielleicht hat er aus den Augenwinkeln Albrecht Schaeffers heute vollständig und unwiderruflich vergessene Buddha-Legende von 1923, »Das Kleinod im Lotus«, gemustert. Döblins Hinwendung zum Hinduismus mitten in den politischen und sozialen Turbulenzen der Republik wird einer kollektiven Sehnsucht nach Frieden, innerem Ausgleich und ruhiger Lebensführung entsprochen haben. Vorbereitet war er gewiss durch die Lektüre Schopenhauers, und aus Fritz H. Mauthners Atheismus-Buch konnte er die Vorstellung vom Hinduismus als einer atheistischen Religion gewinnen. Die Auffassung vom Nirwana hat sich verbunden mit der seinen von der Selbstauslöschung in der Hingabe. Mit dem Buch »Der Hinduismus. Religion und Gesellschaft im heutigen Indien« erschloss der Indologe Helmuth von Glasenapp dem deutschen Publikum die geistigen Horizonte dieser fremden Kultur, deren Variabilität seinem Denken in Gegensätzen und multiplen Erscheinungen entsprach, und Döblin war von dieser Lektüre beeindruckt.

Im Hinduismus fand er gedankliche Wege, die in die Naturphilosophie und in eine neue Glaubenswelt führten. *Das indische in freien Rhythmen geschriebene Epos* Manas *schildert die Fahrt eines indischen Königssohnes in die Totenwelt, wohin er sich aus Schmerz über sein eigenes Leben verbannt und seine Rettung durch den Geist der Liebe.*

Wer aber ist Manas?

An sich handelt es sich um den Helden in einem kirgisischen Epos, doch Döblin bezog sich auf ein Wort, das im Sanskrit so viel wie den Ort des Geistes und der Seele bezeichnet. Er wählte diesmal nicht die Romanform, sondern maß sich an einem lyrischen Kanoniker seiner Zeit. Das Versepos *Manas* ist auch ein Wettkampf mit dem »Phantasus« von Arno Holz, dem Lebenswerk des Dichters, das, kurz vor der Jahrhundertwende erstmals in zwei Heften erschienen, in mehreren Ausgaben erweitert, 1924/25, der letzten vom Autor publizierten Fassung, 1345 Seiten umfasste. Außerdem darf man die großen zeitgenössischen Versepen von Theodor Däubler, Alfred Mombert und Rudolf Pannwitz nicht außer Acht lassen, wenn man sein Bezugsfeld beleuchten will. Aber Döblin erhielt von dem bewunderten Arno Holz nicht nur formale Anregungen, verbunden mit dem Ehrgeiz, es ihm gleichzutun. Phantasus, ein Sohn des Gottes des Schlafs, vermag sich bei Arno Holz vermöge seiner Phantasie in alle menschlichen Gestalten und Substanzen zu verwandeln und wird damit ein Inbild sowohl des Proteus wie der buddhistischen Lehre von der Wiedergeburt. Das hat Döblins damaliger Naturauffassung ebenso entsprochen wie seiner Versenkung in den Buddhismus.

Schon sechs Jahre zuvor war von ihm ein erster Brückentext hin in diese andere geistige Welt zu lesen. *Buddho und die Natur*, im November 1921 in der »Neuen Rundschau« veröffentlicht, führte – wie Charon über den Acheron – vom Taoismus des *Wang-lun* ins hinduistische Indien, und Buddha überstrahlt in seinem Format Laotse und Jesus Christus. In diesem Essay exemplifizierte er seine Überzeugung vom Übergang des Daseins ins andere und vom Zusammenhang allen Lebens. Dieser Gestalt schreibt er in wundervollen Sätzen der Zuneigung für Wirklichkeit eine emphatisch-poetische Hingabe an die Natur und das Gesetz der Wiederkehr aller Substanzen zu: *Salze, Säuren, Wasserstoff, Kohlenstoff, Flüssiges, Festes, elektrische Strömungen bin ich. Zu ihren Seelen neige ich mich, von ihnen komme ich, das ist mein Vater- und Mutterboden. Dies ist mein Patriotismus.* Über allem ist der Himmel eines großen Sinns gespannt. Eine heidnische Theologie der natürlichen Allmacht umschließt das Leben um seiner selbst willen. In dieser unbedingten Bejahung des Seins setzt sich das Ich als feste Größe. Döblin wird später im Rückblick auf den im Mai 1927 erschienenen *Manas* schreiben: *Von hier aus datieren die Bücher, welche sich drehen um den Menschen und die Art seiner Existenz.* Durch diese exotische Expedition in freien Rhythmen fand Döblins Kehrtwendung statt: Der Einzelne erhebt eine unverwechselbare Stimme aus dem Kollektiv, die Kantilene des mit der Natur vollkommen übereinstimmenden Ichs setzt über Schmerz und Klage, über Krieg und Tod hinweg. Döblins Versepos, das – nach Oskar Loerke – »von metaphysischen Gewittern hallt und leuchtet«, wird von einer strahlenden Stimme des Vertrauens in Welt und Natur getragen.

Ein indischer Held verzweifelt an dieser Welt der Kriege und Schlechtigkeiten und geht in die Unterwelt zu den Toten, um das ganze menschliche Elend und den Schmerz zu ertragen. Er ist schon am Erliegen, da hat sich sein Weib, die Sawitri, in Bewegung gesetzt, ist ihm gefolgt, aber sie ist kein einfaches Menschenweib, sondern ein göttliches Wesen. Sie rettet ihn, bringt ihn wieder an die Oberwelt, wo er seinen mächtigen Kampfruf erhebt.

Eine imposante Setzung, gleich in den ersten 30 Zeilen: Ein gewaltiger Sturm heult vom Himalaya, vom Wohnort der Götter, herab auf die Ebenen, wirbelt Menschen und Landschaften auf, schleudert Seelen im Rad herum. Der Mund Schiwas, der auf dem heiligen Berg Kailas in Tibet thront, ist der Ursprung des Sturmes. Alles wird von diesem Orkan erfasst und gleichgemacht: Im Kreislauf von Werden und Vergehen sind Bäume, Tiere, Menschen und Dinge nicht unterschieden.

Manas, Prinz und Krieger aus Udaipur, hat einen Krieg gewonnen, aber sein Bewusstsein hat sich dadurch verändert. Der Yogi Puto hilft ihm, ins

Totenfeld einzudringen. Er verweilt bei den Toten, spiegelt sich in ihnen, weiß sich ihnen verpflichtet, der Sieg hat keine Seelenmacht über ihn.

Manas ist ins Totenfeld gebannt und zieht aus, um den Tod zu besiegen. Er erliegt drei Dämonen und wird als Toter nach Udaipur zurückgebracht. Die Fürstentochter Sawitri, die als seine Frau nun mit dem Leichnam verbrannt werden müsste, nimmt dieses Geschick nicht an und flieht, weil sie im Toten nicht ihren Mann erkennt, sondern nur seinen entseelten Körper. Auch sie irrt über das Totenfeld, und es gelingt ihr, seine Seele zu finden, sich mit ihr zu vereinigen und ihn wiederzugebären, um den Preis, dass sie selbst aus der Welt der Menschen scheiden muss und wieder zurückkehrt ins Götterreich auf dem Kailasberg im Himalaya. Schließlich ist Manas ein Kämpfer wider Menschen und Dämonen, in einer Art nietzscheanischem Daseinsrausch des Glücks und der Begeisterung für die Erde entrückt. Er widersteht Gott Schiwa, der tanzend sich anschickt, die Welt zu vernichten, und er überwindet den Gegner: Schiwa zieht sich zurück, und auch der Tod ist ein Verlierer.

Loerke las Ende Oktober 1926 im Manuskript und empfahl überschwänglich die Annahme: »Mit begeistertem Entzücken habe ich gestern bis in die Nacht hinein Döblins indische Dichtung Manas gelesen. Heute mit ihm telefoniert und im Verlage gesprochen. Er war über das Gelingen froh.«

Sawitri spricht mit der Natur, mit dem Mond und den Sternen; um sich herum sieht sie nur Lebewesen, frühere Menschen, die, durch Wiedergeburt verwandelt, wieder auftauchen oder die göttliche Wesen sind. Ein Vorgang der Verschmelzung eint sie alle. Döblin nutzt den Stoff, um seinen Allzusammenhang des Lebens, die Osmose des Ichs mit jeder Natur zu feiern. Sawitri ist die Gebärerin des Geliebten. Man möchte in diesem Handlungsverlauf den Schemen eines realen Umrisses dingfest machen: Yolla Niclas, die das von seelischen Spannungen beschwerte Werk *Berge, Meere und Giganten* mithalf hervorzubringen. Ist es ganz unangemessen, sie in dieser romantischen Gloriole des Gelingens zu sehen?

Franz Biberkopf wird eine solche Helferin nicht mehr finden.

Die besonders enthusiastische Kritik von Robert Musil druckte das »Berliner Tageblatt«. Döblin habe damit die allgemein konstatierte Romankrise überwunden, »es ist sicher die kühnste und den radikalsten Entschluß erfordernde, einfach zur früheren Verserzählung zurückzukehren, um dieser uralten, heiligen Schildkröte die Gangart der Gegenwart aufzuzwingen«. Die außerordentlich eindrucksvolle Kritik Musils dringt tief in die Bauart des Buches ein. Je ferner die beiden literarisch zueinander standen, desto sorgsamer fiel ihre gegenseitige Wahrnehmung aus.

Von der Kritik abgesehen, die mit Zustimmung, mindestens mit beredtem Interesse nicht sparte, stieß das Buch jedoch auf Ablehnung und wurde ein geschäftlicher Misserfolg. Die denkwürdige Befremdung hatte vor allem mit einer Schwierigkeit zu tun, die Döblins Versepos eingegeben ist: Es gibt im *Manas* nicht wie in Hesses »Siddharta« einen Erzähler, der eine Vermittlungsinstanz spielt und mit kommentierenden Begleittexten dem unkundigen Leser unter die Arme greift. Schroff setzt hingegen Döblin seine Figuren in ihren mythischen Zwischenwelten hin. Der Schriftsteller, der nie müde wurde, l'art pour l'art zu verwerfen, ließ sich diesmal vom Kunstwillen und vom erlesenen Stoff verführen. Schon Samuel Fischer schüttelte ratlos den Kopf und soll Döblin gefragt haben: »*Wie sind Sie nur darauf gekommen?« fragte mich entsetzt, nachdem das Unglück geschehen war, mein Verleger, der alte Fischer. Das Buch war für mich in Ordnung.* Ganz und gar unverblüfft reagierte der junge Wolfgang von Einsiedel, der als einziger der Kritiker eine Verbindungslinie zwischen dem Versepos und – dem Kino zog; er sprach von einem »Ausstattungs- und Zauberfilm für Intellektuelle« und sah tiefere Bedeutung nur als »Fata Morgana« an.

MISSERFOLG

In dieser Zeit quälte Döblin das drückende Bewusstsein einer tiefgreifenden Erfolglosigkeit. Seine Bücher, in rascher Folge erschienen, hatten dem Publikum viele Angebote gemacht, aber sie wurden nur von einer kleinen intellektuellen Schicht registriert. Das alte Lied: der von der Kritik gefeierte, vom Publikum missachtete Autor. Nach eigenen Angaben hat er von 1918 bis zum Erscheinen des *Alexanderplatz*-Romans mit seinen Büchern jährlich nur durchschnittlich 2000 Reichsmark verdient, *also weniger als ein kleiner Angestellter verdient, ein ganz kleiner.*

Genaue Zahlen über seine Einkünfte wenigstens für 1924/25 finden sich in der von ihm – nicht publizierten – Aufstellung *Ökonomisches aus der Literatur.* Sie ließen sich vom Autor in einem vernichtenden Satz zusammenfassen: *Bei ununterbrochener literarischer Arbeit also und einem oft genannten Namen brachten mir 1924 elf Bände noch nicht 400 Mark monatlich und 1925 zwölf Bände noch nicht 300 Mark monatlich.* In seiner buchhalterischen Sorgfalt, mit der er die Verkaufszahlen seiner Bücher aufschrieb, steckt hinter der Enttäuschung ein kalter Zorn und wiederum die (diesmal nicht realisierte) Versuchung, seinen Verleger zu provozieren. Döblin ließ es jedoch damit nicht bewenden und legte nach: *Ich frage mich nur: wir Schriftsteller setzen doch immerhin das ganze Verlagsgeschäft, den Verkauf von Papiermengen in*

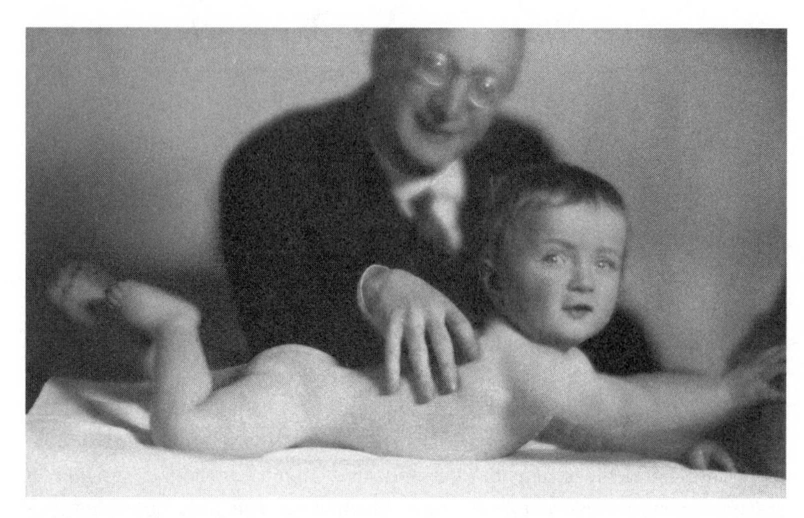

Döblin mit Sohn Stefan
1927
Foto: Lotte Jacobi

Bewegung; die Setzer könnten ohne uns nichts drucken, die kolossalen Denkmalsteine sind für uns. Ich finde: entweder ist mein Resultat zufällig kläglich oder ich habe die Situation nicht erfaßt. Man muß sich an die Maschinen und Papierballen hängen, »Literatur ist etwas Überholtes«. Im Hintergrund muss doch ein handfester Krach mit dem Verlag ausgebrochen sein – und man kann diesen Text als eine Darstellung in eigener Sache ansehen.

Mit dem Aufsatz *Arzt und Dichter* versuchte Döblin Ende Oktober 1927, die vergiftete Atmosphäre zwischen ihm und seinem Verleger in der Öffentlichkeit zu reinigen. Er trug weiterhin seine finanzielle Misere und seine materielle Erfolglosigkeit als Schriftsteller vor sich her, aber er lenkte deutlich ein. Er bekannte, dass er *auf Vorschuß* lebe. *Ich muß aber gestehen, daß mir das interessanteste Objekt für meine psychologischen Überlegungen mein Verleger ist. Er leiht mir ununterbrochen Geld. Was in dem Mann vorgeht, möchte ich wissen. Ich möchte nicht in seiner Haut stecken.* Ironisch verbrämt, fand hier ein Rückzug statt: *Und da muß ich ein großes Wort sagen, das, seitdem ich schreibe und arzte, eine Wahrheit in mir ist. Es ist eigentlich eine fabelhafte, aber komische Einrichtung, daß, wenn ich mich hinsetze, phantasiere und schreibe, mir einer dafür noch etwas bezahlt!*

Die Praxis warf auch nicht viel ab, zumal sich Döblin für feste Stunden am

Tag zurückzog, um an seinen Manuskripten arbeiten zu können: *Es ist, um einfach und relativ ernst zu sein, so, daß ich nach meilenlanger medizinischer Vorbereitung, nach jahrzehntelanger literarischer Arbeit weder ärztlich noch literarisch existenzfähig bin. Sie fragen: warum? Meine Herren, das ist leicht auszurechnen. Sie müssen einmal eine Kassenpraxis haben und wissen, was dabei herausschaut, wenn man nicht wie ein Tier von früh bis in die Nacht arbeitet. Da kann aus mir, der sich in letzter Zeit einige Mittagsstunden freigehalten hat (nicht zum Schlafen), nichts werden.*

1927

Als am 29. Dezember 1926 Rainer Maria Rilke starb, diskutierte die »Gruppe 1925« darüber, ob man eine Trauerfeier für ihn veranstalten solle. Brecht war strikt dagegen, er hielt die Rilke-Gedichte, die sich mit Gott befassten, so sein Argument, für »absolut schwul«. »Niemand, dem dies je auffiel, kann je wieder eine Zeile dieser Verse ohne ein entstellendes Grinsen lesen.« Ohne ihn fanden dann Trauerfeiern im Renaissancetheater und in der Akademie statt. Die Festrede hielt an beiden Orten Robert Musil, obwohl er nie der Akademie angehörte.

Freunde Rilkes traten nach Musils beiden Gedenkreden an ihn heran mit dem Plan, die jährlich 4000 Mark, die sie für Rilke aufgewandt hatten, weiterhin für eine Rilke-Stiftung auszugeben. Döblin, um Mithilfe gebeten, ging es wohl auch um die materielle Absicherung des Kollegen Musil, und wie zäh er verhandeln konnte, ergibt sich aus einem Briefwechsel mit Gerhart Hauptmann. Döblin fragte Anfang Februar 1927 bei ihm an, ob er im Komitee mitarbeiten wolle. Sechs Tage später schon erhöhte er den Druck, indem er mitteilte, dass die Stifter im Falle von Hauptmanns Mitwirkung bereit wären, den Betrag wesentlich zu erhöhen. Einen Monat später vermeldete er dann die Zusammensetzung des Komitees: mit Musil, Kerr, Hofmannsthal, Hauptmann und Döblin eine Bestbesetzung. Die Herren Geldgeber hatten mitgeteilt, dass sie den zweijährlich zu zahlenden Betrag auf 20000 Mark erhöhen wollten. Aber als es an die praktische Umsetzung ging, scheiterte das Vorhaben. Der Hauptmäzen zog sich zurück, und Musil berichtete den Kuratoren Döblin, Hauptmann, Hofmannsthal und Kerr Ende Juli 1927 von dem Fiasko.

Das Jahr beschloss Döblin mit Lesungen und Reisen. Er fuhr in die Schweiz und las am 5. Dezember im »Lesezirkel Hottingen«, der »Abende für Literatur und Kunst« veranstaltete, sowie im kleinen Tonhallensaal in Zürich und reiste dann gleich weiter nach Mailand zu dem Journalisten und Kritiker Walter Franke-Ruta. Bei ihm hatte er 1923 in Leipzig gewohnt, als er die Proben und die Uraufführung seines Stücks *Die Nonnen von Kemnade* besuchte.

Werner Milch wollte eine erste Döblin-Monographie schreiben. Der Autor geriet Mitte Dezember 1927 in eine briefliche Diskussion mit ihm. Er verstand seinen Monographen nicht, weil er angeblich mit dessen philosophischen Bezugspunkten nicht vertraut war. Er bekannte, *erst als die erwartete dringende innere Nötigung da war, habe ich, hat es in mir seit Jahren angefangen, herumzutasten und herumzudenken, um alle diese Dinge. Und Sie haben da völlig recht; es bedeutet mir nichts, irgendwo einen Gedanken zu finden, – er muß schon aus mir selbst wachsen, ich muß ganz unschuldig, wenn Sie wollen: einfältig, an alles herantreten und muß das* ABC *vom ersten Anfang an für mich durchbuchstabieren.*

DAS ICH ÜBER DER NATUR

Buddha-Reden bilden das Eingangstor in ein äußerst komplexes Gedankengebäude, wie es im Versepos *Manas* und gleichermaßen in der essayistischen Schrift *Das Ich über der Natur* 1927 zu besichtigen war. Er hatte, vermutlich in der Ausgabe von Karl Seidenstücker, buddhistische Texte um 1920/21 gelesen. Indisches Altertum und Naturmystik, Gott als Allmacht der Natur hatten darin ihre Filialen. Schon 1922 hatte er den Plan gefasst, drei Gründungsessays für dieses Ensemble an philosophischen Reflexionen in einer eigenen Broschüre mit dem Titel *Die Natur und ihre Seelen* zusammenzufassen, doch wurde nichts daraus, denn die Arbeit an *Berge, Meere und Giganten* fraß alle Energie auf. Doch wurde der Plan nur verschoben, nicht aufgegeben. Daraus entstand durch Erweiterung und Überarbeitung das Buch *Das Ich über der Natur.* Döblin erweist sich himmel- und höllenweit entfernt von den Waldgängern, den Wiesenaposteln der Rechten, von den Agrariern und den Gesundungslehrern von Blut und Boden, myriadenweit entfernt von ihrem biologistischen und rassistischen Metapherngelände.

Seine Aufmerksamkeit ist ein Staunen über die einfachen Dinge: zum Beispiel über die Einheit des Wassers, das als Meereswelle im Sand verschwindet, um anderswo als Wolke und Regen wieder aufzutauchen; über die Einschmelzungskraft der Flamme, die als Wärme in der Sonne wie in der Erde ebenso vorkommt. Nach Döblin gibt es keine unbeseelte Natur, und *die Dinge sind physikalisch und historisch zwar zu beschreiben, aber nicht wirklich zu verstehen,* man muss sie als etwas Geistiges nehmen.

Er hat schon in dieser Schrift die Religion zu den bewussten Handlungen gerechnet, *wo doch unmittelbar um uns, mit uns und in uns Schicksal abläuft und das Geheimnis der Welt zum Greifen nah ist. Davor aber darf man nicht flüchten, man muß es ansehen, sich einfühlen und seinen Ort finden. Das heiß ich beten – zugleich wissen und glauben und sich erhalten und handeln.* Die Natur ist für ihn in diesen Jahren eine übergreifende Größe, in der die Widersprüche aufgehoben, die Begrenzungen annulliert, die Partikularismen ins Universelle gemildert sind, also die transitorische Macht, die einen mit sich selbst versöhnt. Man muss nicht nach der Historie suchen sondern nach der *Unzeitlichkeit des Sinns.* In allen, beseelten Dingen lebt ein Ur-Sinn, ein Ur-Ich. Sie entfalten das einzelne Ich. Demnach konnte sich Döblin nicht nur als ein an der Welt Leidender begreifen, sondern auch im Gegensatz dazu als einen Geborgenen. Die Naturgesetze enthüllen sich ihm als Vorgänge der Angleichung und als Kräfte der Beharrlichkeit. Wenn die gesellschaftlichen Kräfte den natürlichen folgen, kommt es demnach zu keiner Revolution. Die Hinwendung zur Natur ist auch ein Substitut zur Gesellschaftsorientierung, quasi die Rettung des »unglücklichen Bewusstseins«. Doch Döblin wollte sich nicht in den Traum vom Paradies flüchten: Das Bewusstsein von der Isolierung, Zerstückelung und dem Verfehlen bleibt erhalten, und – mit geradezu feierlichem Vorsatz ward es gesagt – *niemals werde ich an dem schrecklichen und ungeheuren Faktum des Zerbrechens der Formen, des Zerfallens der Wesen vorübergehen, an dem Faktum des Leidens und der grenzenlosen dauernden Umformung und Unvollkommenheit.* Aber er streifte gedanklich an einer Grenze entlang, hinter der die Theologie anfängt. Bisher war sie für ihn Niemandsland gewesen, nun sah er Wirrnis und Reichtum der Welt durchwirkt von einem anonymen Ur-Sinn, der aber keine außerweltliche Instanz ist. Er hielt an den Grenzen fest, und im letzten Abschnitt, wo eine *Wiedergeburt der Hauptwissenschaft Theologie* angekündigt ist, statuierte er eisern gegen seine Prognose: *Das Wissen um Dinge, die die Wissenschaft nicht weiß, heißt nicht Glauben, sondern unverändert Wissen.* Eine Gefolgschaft an treuen Lesern konnte Döblin mit diesen Reflexionen nicht gewinnen.

Nach Erscheinen des *Manas* und der Schrift *Das Ich über der Natur* hat sich für ihn ein schwerwiegender Engpass ergeben. Er musste Ferdinand Lion im März 1928 mitteilen: *Sammi Fischer hat mir meine Vorschüsse gesperrt, ich war ihm zu teuer (bin ihm so ca. 15–18 000 schuldig, mein* Manas *und das Naturbuch sind gar nicht gegangen).* Nachzuprüfen sind die Einzelheiten wohl nicht, denn angeblich sind keine Unterlagen über die Geschäftsbeziehungen zwischen Döblin und Fischer Verlag mehr vorhanden.

PHILOSOPHISCHE GRUPPE

Um die jüdischen Philosophen Oskar Goldberg und Erich Unger gruppierte sich 1927 ein Kreis von Diskutanten, unter ihnen neben Döblin auch Werner Kraft, Bert Brecht, Walter Benjamin, Karl Korsch und Gershom Scholem. Der studierte Mediziner Goldberg war tief im Expressionismus verwurzelt, verkehrte im Neopathetischen Cabaret, war sein letzter Leiter. 1925 veröffentlichte er sein Hauptwerk »Die Wirklichkeit der Hebräer«. Wohl keiner, der mit ihm verkehrte, war nicht abgestoßen von ihm, aber das machte einen Teil seiner Faszination aus. Gershom Scholem bezeichnete ihn als dicklichen Ölgötzen, Benjamin erschien er als »Zauberjude«, dem er wegen dessen Unreinlichkeit nicht die Hand geben wollte. Thomas Mann, der in seinen »Joseph«-Roman einige Seiten aus Goldbergs Hebräer-Buch montierte und von dem er noch 1938 in seiner Zeitschrift »Maß und Wert« einen Aufsatz publizierte, verspottete ihn im »Dr. Faustus« und bezeichnete ihn schon früh als jüdischen Faschisten. Goldberg arbeitete im amerikanischen Exil wieder als Mediziner; er beschäftigte sich mit Okkultismus und Geisterfotografie und starb 1952 in Nizza. Immerhin hat Goldberg auch bei Franz Rosenzweig, Martin Buber, Carl Schmitt und Karl Wolfskehl nachweislich Spuren hinterlassen. Döblin wird von Goldbergs Hauptannahme, dass die Realität als transzendentale Größe empirisch erfahrbar sei, beeindruckt worden sein. In dessen Denken löst sich der Begriff der »Gesellschaft« gegenüber dem des »Volkes« auf: Ein Gesellschaftsbild war angesichts der in alle Welt verstreuten Juden ja auch schwerlich denkbar. Vermutlich hat Döblin, als er für die jüdische Territorialistenbewegung O.R.T. tätig war, von Goldberg einiges profitiert. Döblin hielt neben Karl Korsch, Gottfried Salomon, Carl Schmitt und Günther Stern (später Günther Anders) Vorträge in der »Philosophischen Gruppe«. Unter den Zuhörern befanden sich unter anderem Brecht, Adrien Turel und Robert Musil. Die Gruppe, Mitte der zwanziger Jahre gegründet, war damals ein Mittelpunkt des Berliner Geisteslebens; ihre Zerstreuung in alle Himmelsrichtungen des Exils hat die Bildung einer Überlieferung verhindert.

Außerdem gab es noch eine zweite Gruppe mit einem ähnlichen Namen. Diese »Philosophische Gruppe« wurde 1927 von dem Philosophen und Mitbegründer des logischen Positivismus, Hans Reichenbach, mit einigen Freunden gegründet. Dieser Freundeskreis entwickelte zusammen mit dem Wiener Philosophen Moritz Schlick Grundlagen moderner Wissenschaftstheorie. Ziel des von ihnen vertretenen logischen Empirismus war es, Kriterien für die Gültigkeit philosophischer Methoden herauszufinden. Reichenbach verkehrte auch in der anderen Gruppe, so dass der Anteil der beiden Zentren bei ähnlicher Zuhörerschaft leicht verwechselt werden kann. Hans Reichenbach, als einer der ersten Hochschullehrer in Berlin von den Nazis entlassen, emigrierte 1933 in die Türkei, wo er den Philosophieunterricht reformierte, 1938 nach Los Angeles, wo er, vor allem aber seine Frau Elisabeth Reichenbach, sich eng mit Döblin befreundete.

WAHL IN DIE AKADEMIE

1926 war der Preußischen Akademie eine Sektion Dichtkunst angefügt worden. Fünf Schriftsteller wurden auf Vorschlag Liebermanns vom Minister ernannt und hatten den Auftrag, für die Zuwahl weiterer Kollegen zu sorgen. Das Gründungsquintett bestand aus Ludwig Fulda, Gerhart Hauptmann. Arno Holz, Thomas Mann und Stefan George, aber Liebermann erhielt drei Absagen: George wollte sich nicht beteiligen, Hauptmann und Holz sagten ebenfalls ab (ließen sich aber zwei Jahre später gewinnen). Die Sektion wurde im Oktober 1926 gegründet, und Fulda, Mann sowie Hermann Bahr sollten weitere Kandidaten für die Zuwahl finden. Auch Döblin wurde in Erwägung gezogen, aber in diesem Jahr genauso wenig berücksichtigt wie Gottfried Benn oder Bert Brecht. Thomas Mann dachte daran, ihn vorzuschlagen, nahm aber davon wieder Abstand: »Auf meiner Privatliste stand z. B. der Name Alfred Döblins, der, soweit der Rang seines Künstlertums in Frage kommt, durchaus zur Akademie gehören würde. Einzige Bedenken gegen seine gesellschaftliche Person haben uns veranlaßt, ihn zurückzustellen, aber ich meine auch heute noch, man müßte es seiner eignen Entscheidung überlassen, ob er eintreten will oder nicht, und sich jedenfalls mit einer Anfrage an ihn wenden.« Da ist der Vorbehalt wieder: die »gesellschaftliche Person«. War er in den Augen Thomas Manns nicht fein genug? Zu wenig repräsentabel? Zu entschlossen ein Bürgerschreck? Oder war es einfach ein mentaler Vorbehalt gegenüber seinem Rivalen, der ihn veranlasste, seine Überzeugungskraft und Überredungskünste nicht für Döblin einzusetzen?

Auf der Zuwahlliste standen Mediokritäten wie Eduard Stucken, Wilhelm Schäfer, Karl Schönherr und Erwin Guido Kolbenheyer. Schon damals entstand die ideologisch bestimmte völkische Fronde, die sich allerdings in der Minderheit befand und die sich auch bei den Zuwahlen 1928 nicht durchsetzen konnte.

Döblin hat seine Rolle als Provokateur auch gegenüber der Akademie zuvor genüsslich gespielt. 1927 forderte ihn Herbert Ihering, Theaterkritiker des »Berliner Börsen-Couriers«, und sein Chefredakteur Emil Faktor auf, sich Gedanken über die Akademie und ihre Arbeit zu machen, und diese Anfrage setzte Döblin ganz und gar in seine polemischen Rechte. In einem mehrere Seiten umfassenden Antwortschreiben über *Die repräsentative und die aktive Akademie* legte er im Dezember 1927 los. Er bezweifelte, dass die Schriftsteller in der Lage seien, das Akademische von der Akademie fernzuhalten. 30 Autoren, die allerunterschiedlichster Mentalität seien, könne man nicht auf ein gemeinsames Ziel, sondern nur auf das, was sich von selbst einstelle, verbünden: auf das Repräsentieren, also auf etwas Akademisches. Junge Autoren und Preise vergeben: eine laue Sache, wenn man sie nicht einzelnen Entscheidungsträgern überlasse, und das eben dulde eine Gruppe nicht. Auch die Richtungskämpfe sprächen nicht dafür: *Die Akademie wird klug genug sein, sich vor offener Schlägerei und vor aussichtsloser Beckmesserei bewahren – und sie wird nichts tun.* Er meinte ebenso hämisch wie trocken, die Akademie sei der *offizielle Lorbeerstall.* Er höhnte, die konservativen und die völkischen Mitglieder der Dichter-Sektion seien jene poetisierenden Gestalten, die schon Wilhelm Busch im Dichter Bählamm karikiert hatte: *Er wandelt durch die Flur (so was gibt es). Die Bählämmer werden abends, wenn sie genügend durch die, um Gottes willen nicht durch den, Flur gewandelt sind zu Stumpfböcken und entladen im Stall ihre süße Ahnungslosigkeit statt in druckreifen Versen in gesprochenen Selbstverhimmelungen und Verfluchungen der sündigen, andersgearteten Welt.* Was wohl wollten Kolbenheyer und Wilhelm Schäfer, Wilhelm von Scholz von diesem erklärten Großstädtertypus und »Asphaltliteraten« halten? Er nahm das Beispiel Stefan Georges: der hatte Kunst gemacht für eine bestimmte Weltauffassung. Er blickte auf Gerhart Hauptmann, der ihm nicht zusagte, unter anderem wegen der Hexameter – *Hexameter sind ein unglaublicher, fast unausdenkbarer Irrtum, ein massives Verbrechen an der deutschen Sprache* –, in dem er aber selbstverständlich eine bestimmte Stellung zur Welt erkannte. *Er geht doch nicht im Walde so für sich hin.* Er wollte davon sprechen, dass auch die Literatur parteiisch sei, setzte sie aber im gleichen Atemzug von der Dienstbarkeit ab: *Er tritt nicht, der Geist, in die Formeln der Partei, des Standes, der Moralität ein, er hat sein eigenes Mundwerk, seine eigene Dialektik, – immerhin, man zögere nicht, ihn zu entlarven, ihn auch zu übersetzen in Tagesjargon.* Er wollte die Akademie als eine Versammlung von Geistigen ansehen, nicht als Betriebsversammlung *des Vereins gekrönter Bählämmer.* Er trug der Institution seine Wünsche an, sah sie als einen Club, der ein bestimmtes Arbeitsprogramm zu absolvieren habe: *Die geistige Zentrierung und intensive Diskussion scheint mir heute am wichtigsten; enorm wichtig ist, daß die Geistigen gegen die*

Sintflut und Frechheit der Ökonomie sich irgendwo, an sehr sichtbarem Ort, massieren; man hat, nein, man habe die literarische Akademie. Auch zum Kampf für die Denkfreiheit und zum Zurückschrecken der Finstermänner! Schließlich wollte er die *Ertüchtigung* der Kritik: Schulung zu Schärfe des Urteils und zur kritischen Stellungnahme. Er sah die Akademie insgesamt am Scheideweg: Entweder schlage sie den repräsentativen Weg ein oder den der Aktion. Invektiven trefflicher Boshaftigkeit finden sich in diesem offenen Brief neben kulturpolitischen Programmentwürfen. Döblin glossierte die getragene Würde der Geistesrepräsentanten und gab gleichermaßen eine weitreichende Begründung für die Existenz der Akademie. Der »Börsen-Courier« verhielt sich nicht ohne leise Tücke: er druckte diesen Text neben einem von Wilhelm von Scholz ab. Wieder ein Affront, aber kaum mehr als zwei Wochen später wurde Döblin doch in die Akademie gewählt – gemeinsam mit Theodor Däubler, Leonhard Frank, Gerhart Hauptmann, Alfred Mombert und Fritz von Unruh. Vorsitzender war damals Wilhelm von Scholz, und als ständiger Sekretär fungierte bereits Oskar Loerke. Döblins Personalakte weist unter dem Stichwort »Religion« die lapidare Bemerkung *keine* auf, aber er fügte seinen biographischen Angaben hinzu: *Ich will nicht vergessen: ich stamme von jüdischen Eltern. Und zweitens: ich habe meine literarischen Werke nie als Kunstwerke im heutigen Fachsinn betrachtet und sie so geschrieben, sondern als geistige Werke, die dem Leben dienen, welches geistiger Art ist.*

Von Anfang an vertrat Döblin mit den Brüdern Mann und (wenigen) anderen die Auffassung, dass zur Verantwortung der Akademie auch Pflichten gegenüber dem Staat gehörten, zumal er die Institution geschaffen habe. Die materielle Absicherung der Mitglieder und ihrer kulturpolitischen Arbeit, von Heinrich Mann und Walter von Molo energisch betrieben, wurde von Döblin jedoch abgelehnt, denn er hätte sich in diesem Fall nicht mehr als unabhängig empfunden.

Die linksliberale Mehrheit hat einiges getan: das Schmutz- und Schundgesetz diskutiert; mitgeholfen, den Hochverratsprozess gegen Johannes R. Becher abzuwehren, die Kollegen gegen Zensurabsichten durch den Preußischen Landtag munitioniert, Schulbücher auf ihre demokratische Tauglichkeit geprüft und einen Kanon für Schulbüchereien zusammengestellt und sowie Vorlesungen von Schriftstellern an der Berliner Universität begründet. 1931 griff der »Völkische Beobachter« die Absicht einiger Mitglieder, die Auswahl der Schullesebücher mitbestimmen zu wollen, als »Dolchstoß der Literaten« an.

Arno Holz hatte 1926 den Entwurf einer »Deutschen Akademie als Vertreterin der geeinten deutschen Geistesarbeit« vorgelegt, daraufhin brandeten die Diskussionen auf. Sollte diese preußische Institution für das ganze Reich gelten oder von außerhalb nur korrespondierende Mitglieder heranziehen? Bestand die Aufgabe darin, den Begriff der »Nation« auszuführen? Oder doch eher sich mit kulturpolitischen Entscheidungshilfen für die demokratischen Organe (die von den Völkischen abgelehnt wurden) abgeben? In jedem Fall war die Sektion der Dichter und Essayisten mit ihren Aufgaben überfordert. Walter von Molo, der Wilhelm Schäfer Herbst 1928 im Vorsitz beerbte, hat es in der Erinnerung bemerkt: »›Beargwöhnt‹ und ›beneidet‹, warum weiß ich nicht, und bald verhöhnt, saßen wir in der Dichter-Sektion zusammen. Man hatte uns ›berufen‹, aber wir hatten keinen Arbeitsplan, keinen festgelegten Aufgabenkreis, kein Budget. Wir suchten die Vorschläge, Hoffnungen und Anregungen, die von allen Seiten auf uns zustürzten, zu sichten und zu verwerten. (...) Alles überwies die Öffentlichkeit uns, es war keine Ruhe zum kameradschaftlichen Zusammenschluß, zu ruhiger Überlegung, zu organischem Wachstum in dieser neuen Sache. Das störte und war unerfreulich, aber doch gut, denn es zeigte sich, wie auch in der Debatte über den Entwurf einer Deutschen Akademie von Arno Holz, daß die Öffentlichkeit unsere Sache insofern ernst nahm, als sie von unserer Sektion, die ohne klares Ziel geschaffen worden war, alles erwartete. Wenn alles, und dazu mit Ungeduld, erwartet wird, muß Enttäuschung kommen. Sie kam.«

SCHRIFTSTELLEREI UND DICHTUNG

Nach seiner Aufnahme in die Akademie stellte sich Döblin (am 15. März 1928) mit einer Rede als neues Mitglied vor. Sie trug den Titel *Schriftstellerei und Dichtung* und nahm die umlaufende Debatte um die Krise des Romans auf. Der Autor hatte sich zu diesem festlichen Anlass eine rote Rose ins Knopfloch gesteckt und konnte mit dieser Geste anscheinend die rechte Fraktion provozieren. Die Diskussion über die »Krise des Romans« gab es seit 1922, Otto Flake hatte sie damals mit einem gleichnamigen Essay eröffnet. Döblin hielt ironischen Abstand zur Benennung der Sektion für »Dichtkunst«, der er in der Akademie angehörte, und verstand sich als Erneuerer des Romans, dem er in seiner traditionellen Form attestierte, er sei ein *hochkomisches und lächerliches Produkt*. Unter dem Eindruck des Ersten Weltkriegs, der die Sinngebung des Einzelnen und seine Autarkie mit radikalen Zweifeln versehen hatte, schien ihm der alte Bildungsroman überholt. Doch Thomas Mann wollte mit seinem »Zauberberg« (1924) nichts anderen als dessen Reinkarnation.

Döblin begann mit einer Reverenz vor dem Präsidenten Max Liebermann, den er in einer kurzen Bemerkung acht Jahre zuvor gepriesen hatte. Er beschrieb seinen Platz: Mit dem Stolz des Poetologen grenzte er sich von den Kritikern ab, besonders von einem, dessen Namen er allerdings vermied auszusprechen: von seinem Lieblingsfeind Alfred Kerr. Er wollte anstelle der Gelehrten, der *Zwischenhändler* und der Kritiker über das *epische Wortkunstwerk und seine Merkmale* sprechen. Er räumte mit der möglichen Fehlerwartung auf, die von den völkischen Akademiemitgliedern besonders gerne gehegt wurde: Er wollte nicht der Autor von Gesinnungs- oder Unterhaltungsliteratur sein. Er distanzierte sich überhaupt von einer literarischen Auffassung der Dichtung als realistisches Abbild. *Man kann den Prozeß, der sich in doppelter Hinsicht an den Worten abspielt, einen Veredlungsprozess nennen. Wenn einige sagen oder gesagt haben, man habe im Literarischen möglichst Realitäten abzuspiegeln oder meinetwegen Realitäten in konzentrierter Form zu geben, so irren sie, weil es keine literarische Realität gibt. »Literarisch« und »Realität« sind Widersprüche, in sich. Die Literatur tut etwas zur Realität, die unser tägliches Wortmaterial gibt, hinzu, die Daten der Realität werden benutzt, um zu zeigen, daß man zusetzt und wo man zusetzt und was man zusetzt.* Er wollte Fremdheiten wie die zwischen der zeitgenössischen Literatur und der Literaturwissenschaft auflösen und schlug schon bei diesem ersten öffentlichen Auftritt in der Akademie ein Autorenprogramm im Rahmen der Germanistik vor. Er hielt die Messlatte für Literatur viel höher, als man vielleicht erwartet hatte, seine Beispiele für Sprachkunst waren *die Werke Homers, Dante, Cervantes und allerlei Märchen.* Als akute Gewährsleute für souveräne Sprache nannte er den bewunderten Arno Holz, Rudolf Borchardt als Übersetzer und als ausländischen Autor James Joyce, mit dessen »Ulysses« er sich gerade für eine Rezension beschäftigte. Noch einmal wandte er sich gegen den *Schriftstellereiroman*, gegen Tendenzliteratur und journalistische Dichtung. Er hatte mit leichthändiger Gewandtheit den auch in der Akademie schwelenden Konflikt zwischen »Schriftstellern« und »Dichtern« aufgegriffen und zur Eigenaussprache umgemünzt.

Die Hervorbringungen der Mitglieder der Sektion Dichtkunst dürften wechselseitig nur unzulänglich bekannt gewesen sein. Döblin jedenfalls hat später ironisch bemerkt: *Daß man so, ohne nähere Kenntnis voneinander, in der Akademie jahrelang diskutierte, war keine Ausnahme. Ich möchte glauben, daß noch nicht der vierte Teil, der fünfte Teil von allen, die im Raum ein Kollegium bildeten und sich Kollegen nannten, einen Band von Oskar Loerke, von Mombert oder von Theodor Däubler in die Hand genommen hatte. Für den persönlichen Umgang machte das nichts aus.*

SOHN WOLFGANG

Mit 13 Jahren, in dem Alter, in dem man nach jüdischem Brauch als Junge ins Mannesalter eintritt, indem man die Bar Mizwa absolviert, wurde der vorjüngste Sohn Wolfgang von Yolla Niclas fotografiert: ein Mondgesicht, mit fescher Tweedmütze, die Jacke ein wenig zu groß, als sollte er erst noch hineinwachsen. Eine Nickelbrille beherrscht das zu ernste, zu erwachsene Gesicht: So kurzsichtig, wie er dreinschaut, kann er nur wie der Vater werden, ein Forscher oder ein Bücherwurm. Er blickt die Kamera nicht an, verhält sich achtlos gegenüber der Fotografin, schaut seitlich aus dem Bild. Dagegen gibt es, aus dem gleichen Jahr, die fotografische Inszenierung der Eintracht von Mutter Erna mit ihrem Liebling Wolfgang, ein Bild der gesammelten Innigkeit.

Die Prominenz des Vaters brachte auch seine Kinder in die Öffentlichkeit – und der ließ sich manche Homestory ohne weiteres gefallen. Der Nachwuchs, »Stimmen aus dem Parkett«, wurde zur Eröffnung zweier Kindertheater befragt, die Kinder hatten ein Märchen von Karl Simrock zu Ende zu dichten, sie wurden in ihrem häuslichen Umfeld porträtiert.

»Vater und Sohn« war Ende Februar 1929 ein Programm der Berliner Funkstunde überschrieben. Alfred und sein 14-jähriger Sohn Wolfgang unterhielten sich vor dem Mikrofon. Worüber sie wohl geredet haben? Es gibt die verbürgte Behauptung: über Gott. Außerdem, so nach Presseberichten, über alles andere auch. »Anfangs recht schüchtern, wurde der Junge später sehr frei und lebendig und hielt der Debattierkunst des Vaters tapfer stand. Ein intelligenter, kleiner Kerl, der zugunsten der Natur den Sport ablehnt, sich Gedanken macht, ob man Tiere dressieren, Tiere und Pflanzen töten dürfe, der (leider!) Hunde nicht liebt und Katzen schätzt, weil die Katze ein revolutionäres Tier ist, ein kleiner Gottsucher, in dem ge-

Sohn Wolfgang Döblin
1928
Foto: Yolla Niclas

Wolfgang mit Mutter Erna
1928
Foto: Yolla Niclas

wiß das Zeug zu einem tüchtigen, aufrechten und forschen Menschen steckt. Das Schönste am Gespräch war aber die Art, wie hier ein Vater sich mit seinem Sohn unterhielt. Die Väter hätten gestern etwas lernen können …« Man wüsste zu gerne, worin ihr gemeinsamer Nenner bestand, aber keine Platte, keine Tonspule hat dieses Ereignis festgehalten.

Vor dem Abitur schrieb Wolfgang Döblin an einem Lebenslauf: Er sei am 14. März 1915 als Sohn des Arztes geboren; der Vater als Schriftsteller kommt nicht vor. Seine schlechten Noten in den unteren Klassen des Gymnasiums begründete Wolfgang jedoch mit seinem Interesse für Literatur, in der Oberstufe gibt er als Studieninteressen andererseits Mathematik und politische Ökonomie an. Dieser Wechsel der Vorlieben zeigt einen der Haarrisse zwischen Vater und Sohn. Wolfgang war von Jugend an politisch weitaus radikaler als sein Vater und unabdingbar in seinem Glauben an den Sozialismus, der Vater wird ihn mit seinen bisweilen abstrusen Ausfällen gegen die Mathematik verletzt und in die Isolation getrieben haben. In der Schrift *Das Ich über der Natur* wird gefragt, was das Leben sei, und als Antwort wird eine närrische Gleichung sowie die Bemerkung eingefügt: *Der wirklich schauende Anblick eines vertrockneten Blattes ist mehr wert als eine Bibliothek babylonischer Formeln.* 1928, als der Vater zu seinem Fünfzigsten der eigenen Schulmisere gedachte, galt der besondere Abscheu der Mathematik: *Eine lächerliche Sache überhaupt, diese Mathematik auf den Schulen. Für die meisten wertlos, ein abseitiges Gedankenspiel, eine Qual, weil ohne Anschauung, ohne Ziel, ohne Bindung mit einem Leben. Man soll diese Art Abstraktion verbieten oder in die Akademien schicken.* Döblin glossierte, ohne genauere Kenntnisse, genauso die Relativitätstheorie Albert Einsteins. Mit seinem Spott über das Fach, in dem er als Schüler so kläglich gescheitert war, hat er die geistige Sphäre seines Sohnes Wolfgang verletzt, unbedacht oder beabsichtigt, gleichviel. Die damals wohl noch wenig sichtbaren Trennungslinien zwischen dem Vater und Wolfgang sollten sich später vertiefen.

GLANZSTUNDE: FÜNFZIGSTER GEBURTSTAG

Ende März 1928 fuhr er mit seiner Familie nicht – wie Ferdinand Lion erhofft hatte – nach Arosa in den Urlaub, sondern *wie ein Kleinbürger in den Harz, mit dem richtigen Ortsnamen »Sorge«*. Im Vorfeld seines Geburtstages gab es reichlich Spannungen. Ferdinand Lion hatte einen Essay über Döblin geschrieben, traf aber damit auf heftigen Widerstand von Oskar Loerke und von Rudolf Kayser, Redakteur der »Neuen Rundschau«. Der Jubilar wollte sich nicht als Vermittler zwischen seinen Deutern aufspielen, diente doch auch Lions Arbeit seinen eigenen Vorstellungen, dass er nämlich *die philosophische und metaphysische Unterströmung, das Leben meines Lebens, gesehen und in ihrem Ablauf skizziert* habe. Und dann fügte er etwas sehr Wichtiges hinzu, etwas, was den ganzen Döblin abhebt von den Ideologen und Parteigängern: *»Ich bin kein Philosoph«, das will nur heißen: ich bin kein diskursiver Fachmann. Ich »denke« in Lebensabläufen, epischen* (Lücke vorhanden, d.V.). *Wir haben falsche Begriffe von den geistig Produktiven und die Terminologie wie die üblichen Definitionen sind flach.* Vermutlich war der Essay von Lion für das Jubiläumsbuch vorgesehen. Dort erschien er nicht, aber die »Neue Rundschau« druckte ihn ab.

Der 50. Geburtstag Döblins wurde zu einem glanzvollen literarischen Ereignis. Vor allem trug dazu die Festschrift bei, die im Hause Fischer für den ungeliebten, aber doch als hochbedeutsam gewürdigten Autor veranstaltet wurde. Das Buch bestand nicht nur aus einer Ansammlung von Werkdeutungen und einer Bibliographie. Es lotete selbst die Grenzen dessen aus, was man über einen Autor mitteilen kann. Die Grenzwissenschaften hatten einen gewichtigen Anteil, ein Sexualwissenschaftler stellte Fragen zur literarischen Produktionsweise, Oskar Loerke lieferte einen Essay über das bis dato erschienene Gesamtwerk, und der Gefeierte, der als Mitherausgeber seiner selbst auftrat, trug 13 Etüden zu einem *Ersten Rückblick* bei, die einerseits der autobiographischen Darstellung, andererseits ihrer Dementierung dienen und gleichermaßen die Selbstaussage wie ein schillerndes Pfauenrad entfalten. Außerdem beschrieb er sich, jeweils aus dem Blickwinkel des anderen, als Arzt und als Dichter, so dass die beherrschende Vorstellung vom multiplen Ich im Spektrum des Witzes und der Ironie aufleuchtet. Das Buch »Alfred Döblin, Im Buch – Zu Haus – Auf der Straße« ist also eine Quelle für sein Le-

Festschrift zum Fünfzigsten.
Fotomontage
von Sascha Stone, 1928

ben und Werk, andererseits aber auch eine Irrgarten der Selbstauskunft.

Sein bis dahin längster Text über sich selbst ist mit dem Titel *Erster Rückblick* zweifelhaft betitelt. Im Vorabdruck der »Frankfurter Zeitung« ist die Prosa richtiger, auch was den peripatetischen Gang durch die Lebensgeschichte betrifft, mit *Ich unterhalte mich mit meinen Eltern und Lehrern* überschrieben. Der Text entstand parallel zum Roman *Berlin Alexanderplatz*. Er beginnt mit einem *Dialog in der Münzstraße* am Alex. Ein Kerl, der im Roman Platz und Lebensrecht hätte, setzt sich zum Autor und bestimmt sich gesprächsweise als Proletarier. Aber Satz für Satz mutiert er zum Spiegelbild des Autors, der am Anfang bekennt, er würde nach 40 Jahren im Berliner Osten gerne mal im Westen wohnen, wegen der Bäume, des Zoos, des Aquariums und des Botanischen Gartens. Aber das Gegenüber wird im Osten bleiben und sich in die Defekte der Gesellschaft vertiefen, seien sie sozialer Art wie die *sexuelle Erniedrigung der Frau* oder handle es sich um ärztliche Befunde *wie Impotenz* oder *Sadismus*. Aber *wir Arbeitsmänner* wissen auch von Sigmund Freud und Alfred Adler. Aus dieser Behauptung entsteht eine anmutige Sottise über die Psychoanalyse: *Nach denen entwickelt sich die ganze Welt aus Defekten. Erst ist ein Loch da, und dann entsteht was drum rum.* Der Arbeitsmann schreibt das alles aber nur in Romanen, womit er endgültig als Doppelgänger des Erzählers auftritt. In dieser changierenden Ortsbestimmung des Schriftstellers als Proletarier aus dem Osten, der auch mit einigen Floskeln darauf hinweist, dass er aus dem Judentum stammt, ist das Spiel des Autors mit sich selbst eröffnet, als verbürge der Name »Döblin« eine Figur von E.T.A. Hoffmann.

Das launige Spiel überdeckt eine durchaus anhaltende Auseinandersetzung mit der Psychoanalyse. Der Seelenexperte, der im *Dialog in der Münzstraße* an den Tisch tritt, wird zudringlich, ja impertinent und erklärt, das sei *Sadismus,* was der Herr Doktor da gegen sich treibe. Der jedoch wehrt ab: *Ich bin eine Kröte und kröte hier vergnügt herum. Ohne Sadismus. Auch ohne Masochismus. Die liefere ich nur in Romanen.* Er lehnt also Selbstanalyse ab, sei es, weil er sie hinter sich hat, sei es, weil er sich selbst als Arzt nicht auf eine Spur kommen will, die den Dichter behindern könnte. Nur seine Kurzsichtigkeit, also einen organischen Defekt, lässt er gelten, keinen Minderwertigkeitskomplex.

Er griff auf etwas anderes zurück, um sich selbst zu erklären: auf die *Erblichkeitslehre.* Sie sei zwar *peinlich banal,* aber man solle sich *sogar als Gelehrter nicht davor fürchten.* Sowohl seine Fähigkeiten wie seine Fehler führte er in gerader Linie auf die Familie seit seinen Großeltern zurück. Er verstand darunter eine Ausstattung an Gaben, aber auch eine Erbschuld. So widersprach er seiner eigenen Darstellung, *daß man doch nur fünf Meter weit sehen kann.*

In ihm arbeitete der Bibelspruch, dass sich die Sünden der Väter bis aufs dritte und vierte Glied auswirken. In die Korrekturfahnen des *Ersten Rückblicks* fügte er einen bezeichnenden Satz ein, der allerdings im Druck doch nicht erschien: *Ich weiß jetzt sogar, Sie werden es nicht verstehen: ich büßte für die Schuld meiner Eltern, meiner Großeltern.* Der Gedanke einer Erbschuld ist seinen späteren Büchern bis zum *Hamlet* unterlegt.

Danach blendet Döblin zurück auf seine Ankunft in Berlin als zehnjähriges Kind, erzählt das Lebensdrama der vom Vater verlassenen Familie in drei Versionen, entwirft das Bild seiner Schwester und ihres jähen Todes in den Kämpfen von 1919, streift die Brüder, fügt ein eindringliches Porträt seiner Mutter hinzu, kommt auf sich selbst, den Jubilar, zu sprechen, genauer: er lässt einen Graphologen und eine Chirologin sprechen, fingiert damit autobiographische Auskunft als grenzwissenschaftliche Einsicht. Ein Abschnitt über die Schulzeit und sein miserables Abiturzeugnis wird kontrastiert mit einer umfangreichen *Gespenstersonate*: Der ehemalige Schüler lädt seine Lehrer, die inzwischen fast alle tot sind, zu einer Konferenz über sich und die Schule ein. Das Geistergespräch entwickelt sich zu einer weit ausholenden Abrechnung mit der Lebensferne, dem Drill und der menschenverachtenden »Sachlichkeit« der preußischen Schule.

Doch damit ist es nicht genug. Im darauf folgenden Kapitel ist der ehemalige Schüler in die Rolle des Delinquenten in Untersuchungshaft versetzt. Eine Untersuchungskommission berichtet über den Wert der Papiere, die man dem Häftling weggenommen hat. Der ehemalige Schüler bekennt sich zu dem Irregulären, Verzeichneten seiner Rückblenden und erklärt seine Ich-Werdung

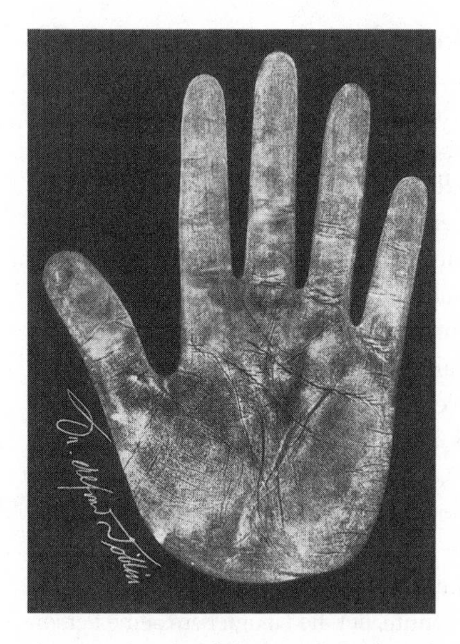

Döblins linke Hand.
Aus der Sammlung der
Chiromantin Marianne Raschig
1928

durch den Erwerb eigener Sprache. In der Sprache der anderen habe er geschwiegen. Wegen dieses Schweigens, das sein »Singen« als Dichter vorbereitete, habe man ihn in der Schule zum Rebellen gestempelt.

Schließlich folgt ein 13. Kapitel, das wie eine Moritat oder eine Episode aus der menschlichen Monstrositätenschau daherkommt. Sie ist überschrieben mit *Das Leben Jacks, des Bauchaufschlitzers* und spielt auf den Massenmörder »Jack the Ripper« an, der 1888 in London sieben Frauen ermordete und der in seiner bürgerlichen Identität unbekannt geblieben ist. Erzählt wird, wie man ihm in einer Kneipe einen Sack mit einer zerstückelten Leiche gestohlen und am nächsten Tag, mit Tierknochen beschwert, wieder hingestellt hat; und wie Jack bürgerlich geworden ist mit seiner Cilly, an der Kasse einer Konditorei, und wie er von seinen *Liebhabereien* gelassen hat. Was aber hat dieses Prosastück in Brechtscher Tonart mit einem autobiographischen Rückblick zu tun? Nichts, meint Döblin ironisch: *Ich wollte eigentlich nur von einem Sack erzählen, den ich aufgemacht habe, mit alten verstaubten Sachen drin, Schule von 1890 bis 1900 und so weiter, und da ist mir der Jack eingefallen, und die Geschichte ist mit mir durchgefallen.* Dennoch handelt es sich um weit mehr als assoziativen Mutwillen. In Döblins scheinbar wohlgeordneter Sphäre haben sich quälende Bilder, Erinnerungen, Traumgespinste von früher erhalten und bezeichnen den chimärischen Anteil der Person, die ihr rundes Jubiläum begehen soll. So wird die Autobiographie als Selbstauskunft aufgerufen und zugleich in den Sack getan. Jack the Ripper verkörpert auch das Motiv einer Zerstückelung des Bildes, die Demontage des Selbst. Döblin zeigte sich auch im Doppelleben als Arzt und Dichter. Die beiden sprechen jeweils über den anderen mit nachsichtigem Humor. Diese Aufspaltung ergibt einerseits ein amüsantes Spiel, aber es handelt sich um mehr. Ausgespielt wird vor allem die Komik des Relativismus in eigener Sache.

Zu dieser opulenten Festschrift, »einem beschwingten, hellen Kunstwerk der Selbstdarstellung«, wie es in der Verlagsanzeige hieß, hatte sich S. Fischer verstanden. Das vom Autor mit inszenierte Buch ist selbst so beschaffen wie seine »geschichteten«, nicht der Psychologie unterworfenen Kunstwerke, die er gefordert hatte, ist ein Balanceakt der Diversität, seinen Dichtungen nachgebildet. Der Verlag hat sich mit dieser Publikation viel Mühe gegeben, aber das gehörte zu seinem Pflichtprogramm. Zur Kür in Gestalt von »Gesammelten Werken«, wie sie Wassermann und Hermann Hesse aus gleichem Anlass zuteil wurden, wollte er sich jedoch nicht verstehen. Döblin wurde in seinem Hausverlag wohl nicht für klassikerfähig gehalten. Auch herrschte zwischen Döblin und seinem Verleger zu diesem Zeitpunkt anscheinend Funkstille, denn das Unternehmen feierte zwar seinen Autor nach außen hin, zügelte jedoch seine finanziellen Leistungen.

Zu der Festschrift gehört auch ein von dem Sexualforscher Magnus Hirschfeld mit entworfener Fragebogen, die »Physiologie des dichterischen Schaffens« betreffend. Das unbeholfene Interview zeigt die Schwierigkeiten, die man mit diesem Schriftsteller haben konnte, der die Neugier auf seine Person mit Einsilbigkeit quittiert und den Interviewer auflaufen lässt. Er beantwortete die Fragen zum Schreibvorgang so wegwerfend, dass schließlich der Gegenstand selbst immer nichtssagender wurde.

Auffällig und prominent plaziert ist auch die Abbildung und Deutung seiner Schreibhand durch die Chiromantin Marianne Raschig: »Der hohe, von geschwungenen feinen Linien durchzogene Venusberg (Daumenballen) verrät Schönheitssinn, stark ausgeprägtes Empfinden für Form. In dem interessanten Handbild fällt besonders das einer Wünschelrute ähnliche Gebilde auf, welches, aus Saturn- und Merkurlinie gebildet, den Apolloberg (unter dem Ringfinger) umgreift. Auf diesem Berg ist ein aus vielen Linien gewebtes großes Schrägkreuz zu sehen, das – schon in alten Büchern ›croix mystique‹ genannt – auf mystische Unterströmungen und metaphysische Gaben hinweist.« Im Jubiläumsband findet sich auch das psychologische Gutachten eines Dr. Max Pulver aus Zürich. Der war Lyriker und Dramatiker, veröffentlichte immerhin bei Kurt Wolff und im Insel Verlag, war mit Walter Benjamin gut bekannt und geriet, unter dem Einfluss von C.G. Jung stehend, 1918 an die Graphologie, über die er Standardwerke schrieb. Er war durchaus ein guter Kenner des Döblinschen Werks und auch persönlich kein Fremder.

Für den Schluss dieses vielgestaltigen Buches über sich selbst wählte Döblin die denkbar leichteste Schnoddrigkeit. Er nahm sich so unfeierlich wie möglich, indem er im Berliner Jargon wegtauchte: *Und nun adje, Kinderchen, adje Sie. Ich werde mich sachte auf die Strümpfe machen. Grüßen Sie mir*

Ihre Waschfrau. Und beißen Sie mich nicht, wenn ich Sie mal geärgert habe. War nicht so schlimm gemeint. Geht alles vorüber. Sehen Sie, ich geh auch vorüber.

SELBSTBILD

Sich selbst porträtierte Döblin in diesem Jubiläumsbuch im forciert kühlen Stil der Neuen Sachlichkeit. Seinen Körperbau beschrieb er unter Verwendung des Vokabulars von Ernst Kretschmer, dessen Buch über »Körperbau und Charakter« sieben Jahre zuvor veröffentlicht und von ihm rezensiert worden war. Er parodierte rassistisches Gerede, als er sich zum jüdischen Typus mit arischem Einschlag erklärte: *Ethnologisch ist er kein reiner Typus, es liegen nordische Akklimatisationseinflüsse vor, erkenntlich an dem Langschädel, der graublauen Augenfarbe und der Farbe der Kopfhaare, die angeblich in der Jugend flachsblond war und erst später nachdunkelte. Mehrere Kinder des Untersuchten zeigen den nordischen Anpassungstypus noch deutlicher.* Im Lebensrückblick des 50-Jährigen wird mit Selbstironie des Jubilars nicht gespart: *Er ist 160 Zentimeter groß. Nacktgewicht 114 Pfund; Brustumfang, Einatmung: 92 cm, Ausatmung: 86 cm; Kopfmaße: Umfang 58,5 cm, Längsdurchmesser 22 cm, Querdurchmesser 16 cm. Er ist hereditär stark kurzsichtig und astigmatisch.*

Gesichtsfarbe meist blaß, sichtbare Schleimhäute mäßig durchblutet, die Muskulatur schwach entwickelt, kaum Fettansatz. Die Reflexe an den Pupillen auf Lichteinfall und Naheinstellung sind regelrecht, die Reflexe der Kniesehnen und Achillessehnen deutlich gesteigert. Händedruck beiderseits gut, keine Auffälligkeiten der motorischen Kraft. Kein Schwanken beim Augenschluß, kein Zittern der Hände. Normale Stich- und Berührungsempfindlichkeit der Hautdecke. Rachenreflex vorhanden. Die Brust- und Bauchorgane sind ohne Befund.

DER BAU DES EPISCHEN WERKS

Für Döblin war 1928 ein Jahr der Konsolidierung. Er war damit beschäftigt, am *Alexanderplatz*-Roman *herumzuflanieren,* verzettelte sich selten in Polemiken. Seine geistige Position, die er weiter auszubauen gedachte, hatte er mit der Schrift *Das Ich über der Natur* neu begründet.

Er selbst glaubte, dass er im Gegensatz zu seinem Vater, den er *ethnologisch (für) das Opfer der Umsiedlung* hielt, für sich eine bessere Position gefunden hatte: *Ich – ich habe die große Umsiedlung überstanden.* Er galt mit Heinrich Mann als der Repräsentant der linksbürgerlichen Literatur, als eine tonangebende Gestalt der Weimarer Kultur, als ebenbürtiger Gegenpart zu Thomas Mann.

1928 übernahm er es, die Literatur in einen anderen öffentlichen Raum zu bringen: Er suchte für die Akademie eine Verbindung zur Universität, wollte damit literarische Praxis und germanistische Forschung miteinander konfrontieren, Studenten an die aktuell entstehenden Werke heranführen, den Anteil, der an der Literatur lehrbar ist, zur Diskussion stellen. Anfang Mai 1928 verabredeten er und Loerke mit dem Germanisten Julius Petersen dieses Programm. Im Wintersemester sprachen Walter von Molo über »Dichterische Konzeption«, Oskar Loerke über »Formprobleme«, und Alfred Döblin las Mitte Dezember 1928 seinen poetologischen Essay *Der Bau des epischen Werks.*

Mit seinen Zielvorgaben ging Döblin noch erheblich weiter: Er schlug, vergleichbar mit den Meisterschulen für Musiker und bildende Künstler, Ende Mai 1929 eine Schreibschule vor, die der Akademie angegliedert werden sollte. Er selbst las am 10. Dezember 1928 im Audimax der Berliner Universität vor mehr als 1000 Zuhörern seinen herausragenden Text, wie überhaupt Döblin noch einmal die Poetik zu einer gültigen Form der Aussage über Dichtung, Literatur und ihre Verhältnisse erhob. Er suchte den Zusammenhang mit der abendländischen Epik, entwarf in souveräner Abgrenzung vom gängigen Roman, der die Wirklichkeit nur berühre, eine Vorstellung vom epischen Kunstwerk und den Komplikationen, die mit ihm verbunden sind, wenn es das alte Bündnis zwischen Erzähler und Zuhörern herstellen will. Dieses Sprachwerk arbeitet nach seiner Auffassung so nahe wie möglich an der Wirklichkeit, gibt sich aber mit keinem Abbild zufrieden, sondern durchstößt diese Sphäre. Für Walter Benjamin war der Essay der »meisterhafte und dokumentarische Beitrag zu jener Krise des Romans, die mit der Restituierung des Epischen einsetzt, der wir allerorten und bis ins Drama begegnen«. Zu den Zuhörern auf Universitätsseite gehörten die Professoren Petersen, Herrmann und Dessoir, aber auch einige Studenten, die später wissenschaftliche Karriere machten: Wolfgang Kayser, Richard Alewyn, Erich Trunz. Wohl keiner aus diesem Kreis, die nach dem Zweiten Weltkrieg zu den germanistischen Größen in der Bundesrepublik zählten, hat später über Alfred Döblin geschrieben. Die Annäherung an die literarische Moderne hat diese Wissenschaft erst viel später vollzogen. Der Essay bietet das theoretische Fundament von *Berlin Alexanderplatz* und ist als Gegenstück zu Brechts epischem Theater zu verstehen.

Leser wie Autor bewegen sich gemeinsam in dunklen Zonen der Schöpfung, versuchen sich zu orientieren, gewinnen Ahnung von der Strömung und den notwendigen Schwimmzügen im epischen Fluss. *Sie glauben, der Autor berichtet Ihnen und schreibt auf, was er weiß. Nein, er weiß nichts, oder fast nichts, er stürzt sich im Gefühl seiner Kraft in ein Abenteuer. Man schreibt sich an sein Thema heran. Der Leser macht also den Produktionsprozeß mit dem Autor mit.*

DER KINOGÄNGER

Bei einer Rundfrage des Berliner »Börsen-Couriers« sollte sich 1922 auch Döblin zum Film erklären. Sein Ergebnis: *Summa: das Filmmaterial ist nicht kunstfähig. Die Surrogate sind möglich, kunstähnliche Produkte, kunstähnliche Einzelheiten. Man bescheide sich.* Er forderte eine Verbesserung der Filmtechnik, die wegen des Schwarzweiß und der Stummheit der Bilder noch am Anfang stehe. Als die »Gruppe 1925« gegen das zeitweilige Verbot des Eisensteinschen »Panzerkreuzer Potemkin« protestierte, hat Döblin die Resolution wohl mitverfasst. Anscheinend hat er auch geredet, als Eisenstein von der »Gesellschaft der Freunde des Neuen Russland« eingeladen wurde, aber durchaus distanziert, als ein »Bourgeois«, der die sowjetischen Filme nicht ganz verstehen könne, weil er Kunst und Ideologie für unvereinbar hielt. Leider ist das Manuskript der Rede nicht erhalten, nur Presseberichte und eine kursorische Bemerkung des Autors weisen darauf hin. Schließlich hatte er diese Ansicht auch an anderer Stelle bekräftigt und betont, dass die Kunst jenseits des Utilitarismus angesiedelt sei und sich weigern solle, ihre *Zwecke von Parteiprogrammen oder Lehrbüchern der Ethik zu entnehmen.* Er selbst hat sich vom künstlerischen Film ferngehalten, benötigte das Kino nur als unernsten Tingeltangel. 1925 bewegte die technische Sensation des Tonfilms erstmals die Öffentlichkeit. Der Film »Das Mädchen mit den Schwefelhölzern« (nach Andersens Märchen) wurde im Dezember im Berliner Theater am Nollendorfplatz uraufgeführt. Er blieb allerdings nur eine Episode: nach zwei Tagen wurde er wegen der schlechten Tonqualität wieder aus dem Programm genommen. Mit »Melodie des Herzens« unter der Regie von Hans Schwarz nach einem Drehbuch von Hans Székely kam 1929 der erste abendfüllende Ufa-Tonfilm ins Kino. Döblin äußerte sich zu dieser Errungenschaft nicht, aber er begrüßte nun die mögliche Zusammenarbeit zwischen Schriftstellern und Filmleuten ausdrücklich, betonte jedoch das Kollegialitätsprinzip zwischen den beiden Disziplinen: *Es geht nicht an, daß man einfach einem*

Filmmann das Manuskript übergibt und ihn machen läßt, was er will. Der Autor muß mitarbeiten und dabei jemand haben, der ihm neue Vorhänge aufreißt. (...) Nur der veränderte Autor kann den Film verändern. An den Filmkritiken, wie sie Rudolf Arnheim, Lotte H. Eisner, Hans Siemsen und Herbert Ihering schrieben, kann man Döblins Bemühungen um das Kino allerdings nicht messen. Genau genommen hat er keine einzige Filmkritik verfasst. Seine Einsprüche waren kulturpolitischer Art: Er begrüßte das neue Medium mit Emphase, protestierte jedoch gegen den Betrieb, unter anderem gegen *die infamen Detektiv- und Konfliktfilme,* die für ihn ein Ausdruck des üblen Kapitalismus waren: *Es gehört zu dieser knalligen fascistischen Zeit. Großindustrielle und Kaufleute regieren den Film, Verantwortlichkeit sitzt woanders.* Er scheint in diesem Artikel vom März 1923 jenen medienfeindlichen Kulturpessimisten zu gleichen, die er noch ein Jahr zuvor verspottet hatte. Von den amerikanischen Filmen war er keineswegs begeistert, aber er kannte zu wenig und verfiel deshalb ins kritische Klischee. Er pflegte, was Filme betrifft, also einen holzschnittartigen Antiamerikanismus, aber eine Gestalt nahm er aus: Charlie Chaplin, den er versehentlich zu den Amerikanern rechnete. In dem Artikel *Dramatische Grotesken,* am 8. Januar 1922 im »Prager Tagblatt« veröffentlicht, besprach er einen Film, in dem Chaplin Rollschuh läuft: vermutlich »The Rink«, der unter dem deutschen Titel »Charlie läuft Rollschuh« im September 1921 in Deutschland als Vorfilm zu einem anderen Streifen gezeigt wurde. Er lobte Witz und Humor des Helden: *Wir sind mit Chaplin identisch, fühlen uns fabelhaft überlegen, siegen spielend. Gelächter ist allemal Überlegenheitsgelächter. Ein bißchen Grausamkeit würzt.*

In seinem Roman *Berge, Meere und Giganten* hat er eine Art Fernsehen vorweggenommen: *Man hatte in den Stadtschaften kunstvolle zauberhafte Apparate, die nach allen anderen Orten meldeten, womit sich die Menschen hier befaßten, was sie zueinander sagten, wie sie ihre Einrichtungen veränderten, was sich bei ihnen hervortat. Fernbilder trugen die Gestalten der Menschen, der Gegenstände weiter.* Wenn es um Unterhaltung für die Menschen geht, werden *Gestaltenentwickler* eingesetzt. Filmprojektionen werden nicht mehr an festen Plätzen, sondern als Wanderinszenierung eingesetzt – ein Rückgriff auf die circensischen Vergnügungsformen des frühen Kinos: *Man hatte damals ein Verfahren, auf großen Plätzen, offenen Straßen im aufwirbelnden farbigen Rauch Gestalten und Landschaften sichtbar werden zu lassen. Die spiegelnde Fata Morgana der Wüsten war das Vorbild gewesen. Die Wissenschaft hatte ihr Geheimnis entdeckt: künstliche Wolken waren die Träger der Erscheinung, Empfänger der über Prismen und Spiegel hingeworfenen lebenden Abbilder. Die Fernseher übertrugen augenblicklich auf jede Entfernung Vorgänge, die im beleuchteten Rauch der Fata Morgana leibhaftig erschienen. (...) Der Bildrauch wirbelte auf den Plätzen, in den Anlagen, Im Zirkus.* Döblin hat die experimentellen und avantgardistischen Filme eines René Clair, Walter Ruttmann oder Hans Richter nicht besprochen, es genügte ihm der Tingeltangel und das Gefühlskino.

DICHTUNG UND RUNDFUNK

Döblins Debüt als Autor für den Rundfunk lässt sich genau datieren. Im Herbst 1924 strahlte die »Berliner Funkstunde« ihre ersten Programme aus. Am 18. Oktober 1925 begann Hermann Kasack mit seiner Reihe »Stunde der Lebenden«, für die Döblin, Kisch, Toller und Hans Siemsen mit Lesungen aus ihren Werken auftraten. Döblin gab zum Fünfzigsten Auskunft über seine Zeiten als Rundfunkamateur: *Ich war eine ganze Zeit passionierter Bastler; meine Vierröhrenschaltung, mit der ich höre, habe ich selbst gebaut; aber die Neutrodyne-Schaltung – daran bin ich gescheitert.* Das Bild konnte man durchaus symbolisch nehmen: ein Autor, der sich aus vielen Einzelheiten seine großgearteten Welten zusammensetzt. Für sich sah er im Radio einen Triumph der Physik: *Daß aber von einem Sender elektromagnetische Wellenzüge, Schwingungen durch die Luft schreiten in Kugelschalen und sich unsichtbar ausbreiten, daß solche Wellenzüge und Kugelschalen verschiedener Größe sich durchdringen und einzeln und besonders nach der sogenannten Wellenlänge erfaßt werden von einem Telefon, diesem einfachen Ding, das ist nun wirklich allgemein fantastisch.* Politische Diskussionen, die in den Anfangsjahren des Radios noch verpönt waren, sollten in die Programme einziehen. Döblins Devise war 1928, *rein mit dem Mikrofon in die Aktualität des täglichen Lebens, heran an die Tagesprobleme, mehr Journalistik in den Rundfunk – ist schon gut!* Im übrigen trat er immer wieder für die Entstaatlichung des Radios ein, hielt die Konkurrenz nach einer Privatisierung für kunstförderlich. Die Hoffnung ist, wie die Geschichte lehrt, gründlich verdorben. Er fürchtete, das Sendemonopol *erstickt* den Rundfunk.

Für sich empfand er vor dem Mikrofon einen spezifischen Defekt, den auch der Romancier im Umgang mit seinem Publikum bemerkt hat, nämlich den Mangel an Unmittelbarkeit und spontaner Rückwirkung: *Ich möchte bemerken, daß ich sowohl beim Vorlesen wie beim »Freisprechen« diesen Mangel an Kontakt am Radio immer sehr als Vakuum empfinde – dieses schauerliche Schweigen jenseits des Mikrofons, – ich sehe für mich keine andere Rettung als: Hörer, sichtbare, mitfühlende, im Senderaum, – und unsichtbare Rundfunkabonnenten, an die ich nicht denken mag.* Schon in den Pionierzeiten des Rundfunks visierte er eine interaktive Rolle für den Hörfunk an. Immerhin sah er durch das Radio eine Chance zur Verbreiterung der Bildungsbasis, er hoffte auch auf stärkere Wirklichkeitserfahrung im Programm.

Das preußische Kultusministerium stiftete die Akademie zu einer Tagung an; auf ihr sollte das Verhältnis von Dichtung und Rundfunk sondiert werden, und das schwankende Verständnis voneinander sollte mit neuen Vorschlägen befestigt werden. Von den eingeladenen Schriftstellern fehlte als einziger Bert Brecht. Döblin hielt das programmatische Eröffnungsreferat. Er warnte seine Kollegen davor, den Rundfunk *für etwas Vulgäres, für Unterhaltung und Belehrung plumper Art* zu halten. Er suchte sich einen bestimmten Ausschnitt des von so vielen Meinungen und Emotionen umstellten Themas, wollte von den spezifischen Schwierigkeiten der Literatur im Radio reden, aber sein Vorsatz wurde von der Aufzählung der neuen Möglichkeiten überholt. Die Literatur habe die Chance, sich von der Stummheit der Drucktype zu erlösen. Das Radio biete *das akustische Medium, den eigentlichen Mutterboden jeder Literatur.* Die Sprache komme wieder zum Tönen, aber eben nur in einer veränderten Literatur. Döblin besprach die Rückgewinnung der Mündlichkeit, des Epischen in der an die Schriftsprache gefesselten Literatur. Und auch von ihren Wirkungsmöglichkeiten durch das Radio war er überzeugt. Heraus aus dem *kleinen, gebildeten Klüngel* und hinein wieder in einen lebendigen, gesprochenen Zusammenhang mit dem Publikum, die *funkformalen Ansprüche* erweisen sich für Döblin auch als Zugewinn für die Literatur. Er hegte große Erwartungen an das neue Medium: Aufschwung für den Essayismus im Sinne Nietzsches als »fröhliche Wissenschaft«, Konjunktur für die gesprochene Lyrik, weg vom *Buchroman.* Mit dieser fürs Radio ebenso wie das Drama ungeeigneten Form markierte er Grenzen der technischen Erfindung. Dennoch sah er nur offene Horizonte: *Hörbarkeit, Kürze, Prägnanz, Einfachheit* könnten in eine neue, akustische Literatur eingehen, ausdrücklich formulierte er den Wunsch nach dem literarisch geprägten Hörspiel. In jenen Jahren, in denen auf der einen Seite die geistesaristokratische Ablehnung des Radios und auf der anderen sein ideologischer Missbrauch als Instrument der Propaganda den Ton angaben, suchte Döblin nach einer Herzkammer für dieses neue Medium: eine Literatur, die sich der Technik zum eigenen Nutzen bedient.

Die Kasseler Tagung ging am ersten Tag ohne größere Vorfälle dahin. Am zweiten provozierte Arnolt Bronnen mit Vorsatz und Lautstärke. Er beschimpfte seine Kollegen, sie wollten nur Versorgungsempfänger werden und das Radio sei nicht für sie da, sondern für die Nation. Bronnen war gerade dabei, mit Aplomb das politische Fahrwasser zu wechseln: Vom Bolschewismus schwamm er weg, geradewegs in die braunen Fluten, und Kassel war seine Bühne, um die Wende zum Nazi zu inszenieren. Er redete sich in einen grotesken Antisemitismus hinein, argumentierte gleichsam in SA-Stiefeln. Döblin, auf dessen Initiative er eingeladen worden war, erwiderte scharf und konnte sich über diese gezielte Beleidigung kaum beruhigen. Oskar Loerke notierte in seinem Tagebuch: »Dienstag, 1.10. Zweite Sitzung mit dem Krach durch Bronnen. Völkisch. Prachtvoll heftige Erwiderung Döblins.« Am Abend bestritten Loerke, Döblin, Zweig und Ihering, eingeleitet von Ernst Glaeser, noch ein Vierergespräch am Kasseler Sender. Der Provokateur war offensichtlich bereits verschwunden, nachdem er seine braune Mission erfüllt hatte.

Der Radiobastler meldete sich später auch andernorts öfter zu Wort: Man ist als Hörer nicht disponiert von Ort, Zeit und Gelegenheit. Man braucht nur die Kopfhörer auf- oder abzusetzen. Man kann mit einem einfachen Drehen des Knopfes zwischen Oslo, Gleiwitz und Hamburg wählen; da ist doch fast schon »Paneuropa« verwirklicht. Mit solchen Überlegungen drückte er seinen geradezu romantischen Optimismus über die neuen medialen Möglichkeiten aus.

Er schätzte vor allem die Verbreitung von Musik und von Nachrichten. Die Multiplikatorenfunktion für die Literatur erscheint bei ihm erst an dritter Stelle. Er hatte auf eine Umfrage der Zeitschrift »Die Sendung« im Jahr zuvor bereits mehr Aktualität gefordert. Man solle Gerichtsverhandlungen, Diskussionen, Vorträge und anderes »live« senden. Auf jeden Fall hatte er selbst 20 Auftritte in der Berliner Funkstunde und in anderen neun weitere.

Für manche Zeitgenossen zeigte Döblin eine geradezu schockierende Unbefangenheit gegenüber dem neuen Medium. Bei der Gedenkveranstaltung für Arno Holz in der Akademie unterbrach er seine Rede und spielte auf einer Schallplatte die Stimme des Toten vor. Das wurde ihm als Mangel an Respekt und als Pietätlosigkeit ausgelegt.

Döblin benutzte die technischen Erfindungen gelegentlich eigenwillig, wie Walter von Molo zu berichten weiß: »In einer Rundfunkdebatte mit Loerke fiel uns auf, daß gegen Ende der Unterhaltung Loerke überhaupt nicht mehr das Wort nahm, sondern alles mit einem langen Monolog Döblins endete, der auf diese Art recht behielt. Loerke erzählte uns nachher: ›Döblin hat einfach das Rundfunkgerät an sich genommen und vor sich hergetragen, so daß ich nicht mehr reden konnte.‹«

BERLINER MYTHOLOGIE

1922 hatte er auf eine Umfrage der »Vossischen Zeitung« über »Berlin und die Künstler« geantwortet. Die Zeitung wollte wissen: »Hemmt oder beeinträchtigt Berlin wirklich das künstlerische Schaffen?« Und er hatte emphatisch verneint: *Vierunddreißig Jahre laufe ich hier herum, immer neugierig, beobachtend, wie sich das bewegt und wie es sich ruckartig entwickelte. Das zuckte durch alle, man konnte nicht still dabei bleiben, man mußte daran teilnehmen. (...) Und das rebelliert, konspiriert, brütet rechts, brütet links, demonstriert, Mieter, Hausbesitzer, Juden, Antisemiten, Arme, Proletarier, Klassenkämpfer, Schieber, abgerissene Intellektuelle, kleine Mädchen, Demimonde, Oberlehrer, Elternbeiräte, Gewerkschaften, zweitausend Organisationen, zehntausend Zeitungen, zwanzigtausend Berichte, fünf Wahrheiten. Es glänzt und spritzt. Ich müßte ein Lügner sein, wenn ich verhehlte: öfter möchte ich auskneifen, das Geld fehlt; aber ebenso oft würde ich zurückkehren, Simson, der nach seinen Haaren verlangt.* Falls dies als Versprechen gemeint war, löste er es sieben Jahre später mit *Berlin Alexanderplatz* ein. Er hat den Roman über Stadtfeuilletons und Lokalbeschreibungen vorbereitet und topographisch wie sensorisch entwickelt. Man kann behaupten: Seitdem sich Döblin mit Berlin beschäftigt hat, schrieb er am Großstadtmythos Berlin und an seinem Hauptroman. Der Schüler hatte sich schon in seinem allerersten erhaltenen Text *Modern* von 1896 auf Berliner Straßen umgesehen. Er hatte 1910 *Das märkische Ninive* gemustert, *eine sonderbare Lust- und Sündenstadt, unterwühlt von Eisenbahnen, mit dem Gewimmel gehetzter Arbeitstiere, die keine betenden Hände heben mögen, röchelnd aus Lungen voll giftiger Fabrikdämpfe, und statt unzähliger Götter schleichen unzählige Krankheiten herum und mischen sich erbarmungsvoll unter das arme Volk.* Er wollte damals in einer Folge von Feuilletons die Stadt erkunden, blieb aber aus unbekannten Gründen stecken, doch studierte er Etablissements wie die Bretterbuden des frühen Kinos, den Tingeltangel, das Theater, die Irrenanstalt – alles bereits vor dem Ersten Weltkrieg. Kaum war er vorbei, nahm Döblin seine Erkundungen wieder auf: *Ich gehe wie schon tausende Male durch die Straßen Berlins, der Stadt, in der ich wohne, und die ich ungern mit irgendeiner anderen Stadt der Welt tauschen möchte.* (1919) Linke Poot gewann in Berlin seine Frechheiten, seinen Witz und einen literaturfähigen Dialekt. Dem in vielen Straßen, Winkeln, Etablissements erprobten Flaneur spielte die Stadt die *Tatsachenphantasie* vor, dieses Wunschbild, den Reporter mit seinen exakten Einzelheiten im bengalischen Feuer der Einfälle zu verwandeln. Döblin schrieb über jugendliche Straftäter, musterte die Gegend von der Blumenstraße bis zum Spittelmarkt in *Altes Berlin,* fand in der Stadt das Inbild der Bewegung, das die Folge seiner Romane vorwärtstreibt, vertiefte sich zwar in die Natur als einer philosophischen Größe, konnte aber vermutlich keinen Vogelruf von einem anderen unterscheiden. In der *Stadtschaft* Berlin herrscht, schlägt man *Berge, Meere und Giganten* auf, im 27. Jahrhundert ein Despot Marduk, der seinen Namen nach einem orientalischen Gott trägt: die metaphorische Brücke von der *Hure Babylon* nach Berlin ist geschaffen, bevor er seinen Biberkopf-Roman beginnt. Er porträtierte im Ball-Almanach des Vereins »Berliner Presse« Ende Januar 1929 die Berlinerin, teils im Dialekt.

Bei seinen Spaziergängen rund um den Alexanderplatz lernte er auch die Baustellen minutiös kennen, der wirre Lärm der Großstadt, der Verkehrsmittel, der Menschenmassen schärfte sein Gehör. Er saß fast täglich im Café Gumpert, las Zeitung, studierte die Passanten, schrieb an seinen Manuskripten. (Ich bin) *zugehörig zu dem wahren Berlin (...), zu dem unbekannten und für flüchtige Besucher unsichtbaren Berlin, wo alles in ungeheurer, selbstaufopfernder Anspannung um der Sache willen geschieht und nichts um des Betriebes willen. In die Stadtgegenden, in die viel Fremde zuerst und oft ausschließlich kommen, wo Verschwendung, Müßiggang und Snobismus zu sehen sind, gelangen wir, die bis zur Erschöpfung arbeiten, kaum in Wochen einmal.*

Gewiss angeregt hat ihn Walter Ruttmanns 1927 herausgekommener Film *Sinfonie einer Großstadt* mit seinen damals unerhörten Montagen und seiner strömenden Musik. Aber der Liebhaber der urbanen Metropole flanierte auch in die Berlin-Literatur. Eine bislang wohl unbekannte Quelle für ihn war der Kulturredakteur des »Berliner Tageblatts«, Fred Hildenbrandt. Dessen Feuilletons, manchmal bestechende Situationsbilder der Neuen Sachlichkeit, erschienen dort sehr häufig »unter dem Strich« und erstmals als »Tageblätter« gesammelt 1925 in Buchform. Aber vor allem Hildenbrandts Schrift »Großes schönes Berlin«, erschienen offiziell 1928, aber vermutlich schon im Jahr zuvor, ist wie eine Art Blaupause der hauptstädtischen Beschreibungsliteratur. Hier finden sich erstmals jene triumphalen Zahlenregister, mit denen zum Beispiel, »Zahlensprung um Zahlensprung«, das Tempo des städtischen Wandels gemustert ist.

Vermutlich animierte Yolla Niclas Döblin, sich mit dem Werk von Fotografen zu beschäftigen. So schrieb er 1928 ein Geleitwort zu den Berlin-Bildern von Mario von Bucovich; er behauptete, nur die große Masse, kaum das Einzelne trete mit dieser Stadt in Erscheinung, und setzte dafür zum ersten Mal großräumig die Statistik ein. Berlin sei im wesentlichen unsichtbar – eine kühne Behauptung als Einleitung eines Fotobandes. Aber dieses unsichtbare Berlin hat sich bei ihm eingenistet und kommt, in Sprache verwandelt, als Dialekt und Witz, Direktheit und Schnoddrigkeit, wieder zum Vorschein. Das ist der innere Monolog im *Alexanderplatz*-Roman.

1929 widmete er sich auch dem fotografischen Werk von August Sander, seiner Typologie der Gesellschaft. Auch aus Fotos gewann er Ausdruck und Einzelheiten seiner Stadttopographie.

Im gleichen Jahr 1929, als *Berlin Alexanderplatz* erschien, kamen zwei Filme heraus, die mit unterschiedlichen, ja gegensätzlichen Erfahrungen die Großstadt musterten. Robert Siodmak, Billy Wilder und Fred Zinnemann verbinden in »Menschen am Sonntag« den tristen Alltag von bürgerlichen Figuren mit ihren Vergnügungen am Wochenende. Piel Jutzis »Mutter Krausens Fahrt ins Glück« beschreibt eine Daseinsreise aus einem Berliner Elendsviertel in den Freitod. Die beiden Filme gehören zu den Gefährten seines Romans.

LEHRSTÜCK ÜBER DIE EHE

Man kann, muss dieses Theaterstück als Probe auf ein kulturpolitisches Exempel nehmen, das er anderswo gegeben hatte. In seinem Essay *Der Bau des epischen Werks* hatte Döblin im Dezember 1928 von der Isolation des Schriftstellers in der Gesellschaft gesprochen. In seiner Gedenkrede auf Arno Holz mit dem Titel *Vom alten und neuen Naturalismus* forderte er eine Konsequenz aus dieser Situation. Die *gesamte höhere deutsche Kultur* sei für nicht einmal zehn oder 20 Prozent der Bevölkerung gedacht. Um über diese Schwelle des Bildungsmonopols zu kommen, wollte er eine *Senkung des Gesamtniveaus der Literatur*. Der abenteuerliche Vorschlag bestand vermutlich in einer wenig geglückten Anwendung von Unterhaltungen mit Brecht. Umgesetzt ist er in seinem Stück *Die Ehe*. Rudolf Arnheim berief sich wohl darauf, als er in seiner Kritik bemerkte, Döblin sei unter seinem Niveau geblieben, nämlich »daß hier jemand schlechter geschrieben hat, als er könnte«.

Döblin nahm seit 1929 wöchentlich an einem kleinen Kreis teil, der auch Brecht und Sternberg sowie Piscator umfasste. Man traf einander in der Wohnung von Fritz Sternberg am Bülow-Platz. *Wir trafen uns auch als Sonderkolonne oben bei Brecht, am U-Bahnhof Knie, nachdem wir beschlossen hatten eine Arbeitsgruppe zu bilden, für die Präparation von Stücken etc. Erwin Piscator saß wachsam dabei, Brecht hatte schon Stücke von Shakespeare auf ihre Verwendbarkeit durchgeprüft, aber als unverwendbar beiseite gescho-*

ben. Piscator regte die gemeinsame Erarbeitung von Theaterstücken an. Döblin nicht ohne (selbst)ironische Note: *Wir debattierten nun in alter Weise weiter, auch über Stoffe für ein Stück, über Themen allgemeiner Art, und das war manchmal ganz lustig, manchmal lebendig, manchmal auch langweilig. Im ganzen kam natürlich nichts dabei heraus.* Leider haben sich über diese Stücke-Factory keine aufschlussreichen Materialien erhalten.

Brecht nannte Döblin (neben Georg Kaiser) einen seiner »unehelichen Väter« und bemerkte für sich: »von döblin habe ich mehr als von jemand anderm über das wesen des epischen erfahren. seine epik und sogar seine theorie über die epik hat meine dramatik stark beeinflußt.« Im Rückblick stellte auch Döblin fest: *Mit Brecht verlief es literarisch, politisch und menschlich aufs allerbeste.* Und der Gesellschaftstheoretiker Fritz Sternberg bestätigte diesen Eindruck: »Wenn Brecht und Döblin zu mir kamen (…), dann erzählten sie sich lustige Geschichten oder spielten auch nur mit Worten. Sie konnten lachen wie die Kinder, lange herzlich lachen. Es dauerte manchmal eine gute Stunde, bis wir zu einer ernsthaften Diskussion kamen. Und blieben wir unter uns, dann waren beide, die sonst so empfindlich, auch fähig und willens, sich kritisieren zu lassen.« Aus den Diskussionen entstand bei Döblin der Wunsch, es noch einmal mit dem Theater zu versuchen. Vermutlich hat er sich mit keinem anderen Stück vergleichbare Mühe gegeben wie mit diesem. Das handschriftliche Konvolut von *Die Ehe* im Nachlass umfasst 514 Blatt, auch zahlreiche Notizzettel mit Stichworten und Textentwürfen sind vorhanden. Der durchgehende Text entstand erst in einem mehrmonatigen Umarbeitungsprozess: Getippte Passagen wurden wieder zerschnitten und mit anderen, handschriftlichen zusammengeklebt. Und die Druckfassung weist wiederum zahlreiche Änderungen auf, ganz abgesehen von den Überarbeitungen der Teildrucke, die 1930 in der »Literarischen Welt« und in der »Vossischen Zeitung« sowie in den »Leipziger Bühnenblättern« erschienen. Nur ein einziges Exemplar des Bühnentyposkripts, das den drei Inszenierungen zugrunde lag, hat sich (in der New York Public Library) erhalten. Es weicht wiederum von der 1931 publizierten Buchfassung ab. Der ganze Materialberg dementiert den Anschein des rapiden Schreibflusses und der improvisatorischen Art der Niederschriften, den er gerne gegenüber der Öffentlichkeit vorgab.

Döblin probierte aus, wie man die epischen Brechungen (Verfremdungen) seiner Literatur auf die Bühne bringen könnte, täuschte jedoch über die Mühen der Entstehung hinweg: *Ich schrieb auf meine Art gleich darauf los, es entstand das dreiaktige Stück* Die Ehe *die proletarische Ehe, die bürgerliche und die großbürgerliche.* Er wollte zeigen, wie der Kapitalismus auf die Gestaltung der privaten Beziehungen Einfluss nimmt und falsche Moralvorstellungen über die Institution arbeiten. Am Schluss wird mit Pathos vorgetragen: *Freunde, liebe Freunde, seid unverzagt, einmal für uns der Morgen tagt, einmal kommt Brot und Freiheit und Licht für uns und jedes Menschengesicht.* Es handle sich um ein ziemlich plattes, holzschnittartiges Stück, wie einige Kritiker bemerkten, aber der Einwand störte Döblin nicht. Er hatte eine künstlerische Botschaft: das epische Theater. Dem Stück ist die Anweisung vorangestellt: *Der Sprecher geht durch alle Szenen. Er verhält sich chorartig, stellt die menschlich-sachliche Beziehung der Zuhörer mit den Vorgängen her, urteilt und zieht Resultate. (...) Musik und Projektionsbild sind obligatorisch für das Stück. Requisisten sind nicht erlaubt. Wo sie unvermeidlich sind – Stuhl, Bank – muß jegliche naturalistische Absicht unterbleiben.*

Hinter der Aufführung schwelte ein Konflikt: Brecht wollte sich seinen Monopolanspruch auf die Theorie vom epischen Theater nicht nehmen lassen, obwohl er immer wieder auf Döblin als seinen Ahnen in dieser Hinsicht verwiesen hat. Und auch Erwin Piscator beharrte auf Eigentumsrechten. Die beiden lancierten eine Pressemeldung, nach der »die Idee und der dramaturgische Rahmen, insbesondere die Einführung des Sprechers« von Piscator stammten, »der wesentliche Teil des dramaturgischen Aufrisses und seiner Durchführung« von Brecht. Das war, wie nebenbei formuliert, eine schwere Provokation des Schriftstellers, und Döblin musste als Plagiator erscheinen. Doch der wehrte sich gegen die beiden Kombattanten: *Nur ich – setzte mich eines Tages hin, denn ich hatte einen regelrechten Einfall, Figuren und eine Form wurden mir deutlich (...). Und als ich nun in aller Lautlosigkeit mein Stück geschrieben hatte, las ich eines trüben Abends einen Akt diesem Kreis davon vor und – wurde mit eisigem Schweigen begraben.*

Piscator habe die Uraufführung nicht inszenieren wollen. *In einer Provinzzeitung* (es waren immerhin die »Münchner Neuesten Nachrichten«) *also stand eines Tages, das Stück (das vorher kein Hund beschnuppern wollte), sei gar nicht von mir; ich habe es quasi bloß aufgeschrieben nach dem Diktat – ja, ich sage nicht wessen. Also das Glück war da: ich hatte eine Klage wegen Feststellung, Beleidigung, Schadenersatz und weiß ich noch was anzustrengen.* Eine komisch verdrehte Episode: Brecht und Piscator finden Döblins Stück schwach und behaupten, er habe von ihnen abgeschrieben. Die beiden haben sich später über die Urheberschaft am epischen Theater selbst zerstritten. Im übrigen hat Piscator ein Jahr zuvor ausdrücklich auf Döblin für seine eigene Auffassung vom Theater verwiesen. Tatsächlich geht der Stoff bis zu den schriftstellerischen Anfängen des Schülers Döblin zurück, bis zur Skizze *Modern* von 1896. Auch Linke Poot schrieb 1923 über *Berliner Ehen.* Außerdem war sein Stoff hinreichend autobiographisch gesättigt.

Otto Falckenberg von den Münchner Kammerspielen führte Regie bei der Uraufführung. Sie fand Ende November 1931 mit hochprominenter Besetzung statt: Ewald Balser, Kurt Horwitz, O. E. Hasse und Therese Giehse gaben sich die Ehre. Das Premierenpublikum war über dieses Zeitstück außer Rand und Band vor Begeisterung, zumal es auf unterhaltsame Gags setzt, aber bereits nach zwei Wochen wurde es wegen »kommunistischer Propaganda« oder »kommunistischer Tendenzen« vom Spielplan abgesetzt. Ein Fall von direkter, plumper Zensur, den Thomas Mann zum Anlass für einen geharnischten Protest nahm. Das Stück sei, so seine Auffassung, »eine geradezu pathetische, starke, gefühlsmäßige Stellungnahme zugunsten der Familie«. Aber die Aufführung blieb in München verboten. Döblin war weder wehleidig noch empört.

Fünf Tage nach der Münchner Uraufführung wurde das Stück in Leipzig nachgespielt, gut vier Monate später an der Berliner Volksbühne in einer Inszenierung von Karl-Heinz Martin und fiel weder dort noch hier der Zensur zum Opfer, doch das Schema der Wirkung war das gleiche wie in München: Publikum begeistert, Kritik negativ. Alfred Kerr fuchtelte gegen den Autor mit dem Rasiermesser: »Dieser Tiefstand einer Nutzdramatik ist nicht mehr unterbietbar. Schauerlich abgedroschenes Zeug verekelt eine gute Sache. (…) Dünnes Wollen bleibt ein Laster. Nicht gekonnt haben eine Schädigung. Mangelndes Messen von Kraft mit Sache: der Fluch. (…) Nieder damit. Nieder damit. Nieder damit.«

Die Premiere in Leipzig hatte man zu dritt, mit Erna und Yolla, besucht. Yolla Niclas wurden von ihrer Mutter wegen der Beziehung Vorhaltungen gemacht. Am Abend ihrer Rückkehr von Leipzig ging sie nach einem Wortwechsel mit ihr aus dem Elternhaus und fand Unterschlupf bei den Döblins. Sie wurde aber morgens von ihrem Vater aufgespürt und zurückgeholt. Zu Weihnachten feierte Yolla Niclas gemeinsam Bescherung mit den Döblins.

Mit Erna Döblin hatte er in diesem Jahr offensichtlich eine ernstliche Auseinandersetzung, in der er allerdings klein beigab. Er wollte sich von ihr nicht trennen: *Völlig und vollkommen hänge ich an Dir; so völlig, daß ich nicht weiß, was das sein wollte: mich von Dir ablösen.* Der Brief ist undatiert und auch nicht vollständig erhalten. Er bewahrt eine für Döblin ungewohnte Innigkeit, spricht von Liebe: *Du warst und bist für mich ein Stück von mir selbst – manchmal, zu oft haben wir uns gestritten, – was besagt das dagegen, daß ich über eine »bloße« Neigung für Dich empfinde: Liebe, Zusammengehörigkeit, Zugehörigkeit zu mir.* Der Brief enthält auch einige Verlegenheit: Döblin war solche bekennerhafte Intimität fremd, er wusste selbst darum, *ich bin aus einer so verschlossenen Familie.* Er wollte unbedingt die Ehe aufrechterhalten, auch wenn er an ihrem Rande tänzelte. Zur Sprache kam auch sein Verhältnis zu Yolla Niclas, deretwegen er Jahre zuvor die Familie verlassen wollte: *Ich habe ein unvergeßliches Faktum in Erinnerung: als ich einmal vom Hause wegging, wie ich die Yolla kennenlernte – da waren diese Tage so greulich und so unerträglich für mich, daß ich keine Nacht schlief, wie gemartert war ich – als ich wieder zu Hause, gleich die erste Nacht schlief ich fest. Du warst da, ich war zu Hause; es war das Urteil über die ganze Sache gesprochen.* Das war allerdings auch nur die halbe Wahrheit oder nur eine unter mehreren Perspektiven auf sie. Denn die Beziehung zu Yolla Niclas war ja nicht beendet worden und lief weiter. Nun fasste er sich ein Herz und wollte sie beenden. Auf seinen Vorschlag hin übten sich die beiden seit 1930 in der Trennung.

Am 7. Dezember 1926 gebar Erna Döblin ihr viertes Kind. Stefan, der Nachzügler, erschien ihr als Beweis der Versöhnung, und er selbst hat es so gedeutet: »Ich kam neun Jahre nach meinem nächstältesten Bruder und bin wohl der ›Unfall‹ in ihrem Leben, mehr oder weniger erwünscht. Mein Bruder Claude nannte mich ›das Versöhnungskind‹.« Stefan, auch »Fähnchen« genannt, hatte das Glück, von allen Kindern am längsten im Schutz der Familie aufzuwachsen. Aber er war auch der Zeuge aller Fährnisse und Unglücke, die Erna und Alfred Döblin im Exil von Zürich, Paris und Los Angeles heimsuchten.

BILD

Döblin im Romanischen Café, gesehen von Wolfgang Koeppen:

»Ein Gesicht blaß, spitznasig. Das Gesicht hätte über dem Halskragen eines Geistlichen sitzen können, jesuitisch, was ich als positiv zu verstehen bitte. Belesen, scharfsinnig, asketisch, beherrscht. Aber die Augen hinter der, wie ich glaube, drahtgefaßten, jedenfalls schmalen Brille: müde, abwesend, jenseitig, dabei doch das Schachbrett, die Spielfiguren beobachtend, wie ein Jäger, wach, aber nicht ganz da. Es war klar, er wollte die Partie gewinnen, er gewann sie. Aber schon war es ihm gleichgültig. Vielleicht sah er sich selber zu, sah in sich hinein, dachte, was tue ich hier, ich muß nach Babylon.«

BERLIN ALEXANDERPLATZ

Und dann der alles überragende Großstadtroman *Berlin Alexanderplatz. Die Geschichte von Franz Biberkopf*, im Herbst 1929 erschienen. Das Stichworttelegramm zu diesem Roman besteht aus einem langen Register an Über-

Blick auf den Alexanderplatz.
Im Hintergrund das Warenhaus Tietz
1932

schriften. Kein anderer deutscher Erzähler hat dieses Großstadtepos jemals erreicht. In seinem Rang ist es nur mit dem »Ulysses« von James Joyce und »Manhattan Transfer« von John Dos Passos zu vergleichen. Deutsche Prosa wird Weltliteratur. Das Sprachrohr der Metropole, das Großbild des Berlin-Mythos und was nicht alles sonst: man kann die Überbietungsvokabeln beliebig verlängern. In diesen Superlativen aber steckt die Kalamität dieses Werks: Es bildet die Grabplatte der Aufmerksamkeit für die anderen Bücher Alfred Döblins. Die Leser haben sich dieses einzige Mal hinreißen lassen, um das übrige Werk desto gewandter vergessen zu können. Der Ruhm, den *Berlin Alexanderplatz* angesammelt hat, beleuchtet nur diesen einen Roman und drängt die anderen ins Dunkel ab. Schwerlich ist an diesem Befund etwas zu ändern, denn das Masterpiece ist inzwischen längst auch im Griff der Philologie. Allein ein halbes Dutzend Einführungen in Buchform umringen es mit Kenntnissen, für jede theoretische Diskussion in der Germanistik wird es als gebrauchsfähig angesehen, kein Zug, den Franz Biberkopf in seinem riesigen Schallraum Berlin macht, ist von Deutern nicht bedacht und nachgestellt worden. Wer mit Franz Biberkopf beispielsweise durchs Scheunenviertel oder in den Schlachthof zieht, ist von einer Schar wispernder Interpreten umzingelt.

Diese innige Inbesitznahme wurde schon geprobt, bevor der Roman erschien. Das Berlin-Epos wurde von Kritikern bereits angemahnt, als sie *Manas,* den altindischen Ausflug in freien Rhythmen, noch nicht beschrieben hatten. Die Fragen, die dem Wann-endlich dieses Metropolen-Epos galten, glichen Erkundungen nach dem Termin einer feststehenden Gewissheit. Döblin hat diese Erwartungen gekannt; in einem seiner nicht verwendeten Prolog-Entwürfe spielt er damit. Als das Buch erschien, wurde es wortreich als Heimkehr des Berliner Erzählers gefeiert. Mochte er sich im China des 18. Jahrhunderts, in den Wirren des Dreißigjährigen Krieges, in den katastrophalen Wetterlagen der Zukunft oder im Hinduismus auf exotischen Umwegen verloren haben, so war er nun endlich dort angelangt, wo ihn der Jubel erwartete – mitten in Berlin. Efraim Frisch nahm den Casus der langwierigen Fernenliebe gar ein wenig moralisch: »Man hat ein Werk auf Berliner Boden lange von Döblin erwartet, es war seine Aufgabe. Aber er entzog sich ihr, er wollte nicht.« Döblin hat an dieser janusköpfigen Aneignung des Buches immer wieder Korrekturen angebracht, aber er kam gegen die Alexanderplatz-Legende, die sein Buch bildete, nicht mehr an. Schon vor dem Erscheinen wollte er die Erwartungen bremsen. Anfang 1927 machte er geltend: *Ich kann viel besser schreiben – und zwar viel sicherer und realer – über das, was in China und Indien vorgeht, als das, was in Berlin vorgeht.* Nach dem Zweiten Weltkrieg wollte er zunächst sein im Exil entstandenes Werk vorstellen, aber der einzige wirkliche Verkaufserfolg bestand denn doch nur in einer Wiederauflage von *Berlin Alexanderplatz* in 20000 Exemplaren. Er musste akzeptieren, dass er gegen das einmal erworbene Image nichts ausrichten konnte.

Über die genaue Chronologie der Entstehung hat Döblin nur Einsilbiges verlauten lassen. Vermutlich im Oktober 1927 begann er mit der Niederschrift. Das Verfahren, das er wählte, gleicht dem Entstehungsprozess der anderen Bücher seit *Wang-lun:* Materialsammlung bis zum Selbstlauf der Phantasie, aber mit einem bedeutsamen Unterschied. Döblin stattete die Wege seines Helden durch den Moloch mit immer neuem Material aus: Artikel über die Stadt, Wetterberichte, Pressemeldungen und Zeitungsüberschriften, statistisches Gut, Annoncen, Partien aus Stadtplänen, Lesefrüchte, politischer Kram unterfüttern den Roman mit schreiender Aktualität bis an das Erscheinungsdatum des Buches heran. Die Chronologie des Geschehens, im einmontierten Wortstoff nachzuvollziehen, kommt mit der Entstehungszeit überein. Dadurch wird eine Suggestion des rapiden Tempos erzeugt, die auch noch 80 Jahre später, nachdem das verwendete Aktualitätenmaterial verblichen ist, keinerlei Patina angesetzt hat.

Am intensivsten arbeitete Döblin von Februar bis April, dann von Juni bis

Alfred und Erna Döblin
Um 1930

August 1928 daran. Die Korrekturen erfolgten im Winter, aber bis kurz vor Erscheinen des Buches, also wohl noch knapp vor der Drucklegung, hat Döblin an dem Manuskript gearbeitet.

Zum Singsang der Wiederholungen gehört die Behauptung, dass Döblin auf den »Ulysses« von James Joyce zurückgegriffen habe, sein Roman also die Anverwandlung eines Vorbildes sei. Döblin hat sich gegen eine solche Behauptung, die sich wahlweise auch auf die Wirkung von John Dos Passos bezog, immer gewehrt. Dem Berliner Philologen Julius Petersen, der ihm eine diesbezügliche germanistische Arbeit zugeschickt hatte, antwortete er am 18. September 1931: *Eine stilistische Analyse meiner früheren Sachen würde manches aus der Anähnlichung an Joyce* (den er übrigens in diesem Brief durchaus als »Yoice« apostrophiert) *und der Unterscheidung sehr klar ergeben. Vor allem habe ich meine Technik aus der psychoanalytischen Tätigkeit, aber sehe auch da ihre Begrenzung, – es gibt eben auch da formbildende Zielstrebigkeit.* An anderer Stelle macht er die Wirkung des Expressionismus und des Dadaismus geltend, und auch die Experimentierfreude des Futurismus war bei ihm noch nicht versiegt. Wer sich mit der Vielzahl der erzählenden Stimmen in seinem Werk seit der Prosa *Die Ermordung einer Butterblume* befasst, sieht sowieso bereits alle Instrumente ausgebreitet, die Joyce und Dos Passos nachreichten.

Die Buchpublikation wurde geradezu generalstabsgemäß vorbereitet. Georg Salter schuf einen eindrucksvollen Umschlag im Stil der Neuen Sachlichkeit, auf den eine knappe Inhaltsangabe des Romans geschrieben ist.

Döblin hat das Buch durch Lesungen beim Publikum vorbereitet. Die beiden führenden Berliner Zeitungen wollten nicht mitspielen und lehnten den Vorabdruck des Romans ab. Daraufhin übernahm ihn die »Frankfurter Zeitung« ab dem 8. September, im gleichen Monat erschien auch eine Werbebroschüre. Bis zum 11. Oktober hatte die Zeitung, zentriert auf die Geschichte des Franz Biberkopf, in 29 Fortsetzungen etwa zwei Fünftel des Romans vorabgedruckt. Sie musste sich einer Flut von Leserbriefprotesten erwehren, von denen ein anonymer Zeitgenosse zeugt: »Wenn es Döblin Spaß macht, sich im Kot zu wälzen, so mag er es tun, und alle, die daran Interesse haben (wir übersehen die psychologische Seite nicht) mögen sich das Buch kaufen, gut. Aber warum zwingen Sie Ihre Leser, jeden Morgen mit Tagesanfang durch diesen Dreck zu waten, in diese niedrigsten Niederungen der menschlichen Gesellschaft zu steigen, daß einem der Ekel aufstieg.« Solche Schmocktiraden waren werblich gut zu verwenden. Dann erschien das Buch, von einem gewaltigen Rumor begleitet, im Oktober 1929 in einer Erstausgabe von 10000 Exemplaren. Für Döblin war der Roman schon erledigt, bevor er in Buchform erschien. An Max Krell, 30. Juni 1929: *Ich selbst bin ja inzwischen wieder so weit von dem Buch entfernt und in neuen Sachen, daß ich gar keine Stellung zu dem Buch einnehmen kann. Es ist eben ein von mir mal geschriebenes Buch, jetzt gehts weiter und darum Schluß.* Aber so schnell und so unwirsch konnte er seinen neuen Roman nicht in die Vergangenheit abschieben. Dieses Buch sollte ihn sein Leben lang beschäftigen: als das Werk, das untrennbar mit seinem Namen verknüpft ist, als der immer wieder sich erneuernde Erfolg, als das fatal einzige Buch, das man mit dem Autorennamen verband. Viel schlechtes Gewissen und viel Ahnungslosigkeit sollten sich mit dem Preis dieses einen Romans verbinden.

Zu den Grotesken des Verlagswesens gehört, dass sich der Verleger von Döblin verabschiedet hatte, bevor er etwas vom Manuskript des Romans wusste. Samuel Fischer hatte im März 1928 die monatlichen Vorschusszahlungen eingestellt und ihn damit als Autor seines Verlages aufgegeben. Die Schilderung, wie das Manuskript dennoch angenommen wurde, gehört zum festen Bestand der Episoden aus der Verlagsgeschichte. Gottfried Bermann-Fischer berichtet in seinen Memoiren »Bedroht, bewahrt« über

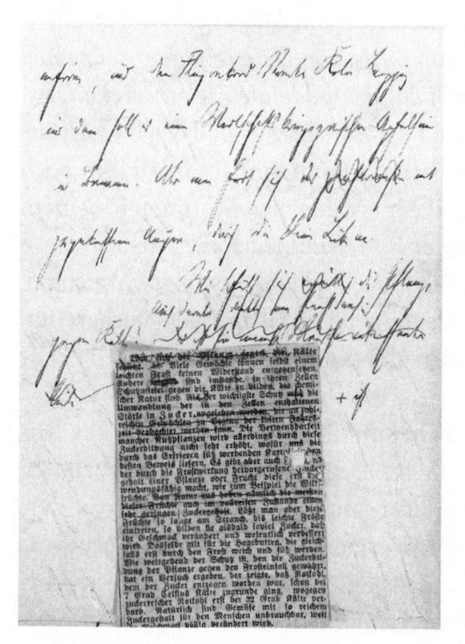

[illegible] Kälte
[illegible] Viele Gewächse können selbst einem
leichten Frost keinen Widerstand entgegensetzen.
Andere [illegible] sind imstande, in ihren Zellen
Schutzmittel gegen die Kälte zu bilden, die chemi-
scher Natur sind. [illegible] der wichtigste Schutz [illegible] die
Umwandlung der in den Zellen enthaltenen
Stärke in Zucker [illegible]
[illegible] Die Verwendbarkeit
mancher Nutzpflanzen wird allerdings durch diese
Zuckerbildung nicht sehr erhöht, wofür [illegible] die
durch das Erfrieren süß werdenden Kartoffeln den
besten Beweis liefern. Es gibt aber auch [illegible]
der durch die Frostwirkung hervorgerufene Zuckergehalt einer Pflanze oder Frucht diese erst [illegible]
wendungsfähig macht, wie zum Beispiel die Wild-
früchte. [illegible]
[illegible] Läßt man aber diese
Früchte so lange am Strauch, bis leichte Fröste
eintreten, so bilden sie alsbald soviel Zucker, daß
ihr Geschmack verändert und wesentlich verbessert
wird. Dasselbe gilt für die Hagebutten, die gleichfalls erst durch den Frost weich und süß werden.
Wie weitgehend der Schutz ist, den die Zuckerbildung der Pflanze gegen den Frosteinfall gewährt,
hat ein Versuch ergeben, der zeigte, daß Rotkohl,
dem der Zucker entzogen worden war, schon bei
7 Grad Celsius Kälte zugrunde ging, wogegen
zuckerreicher Rotkohl erst bei 32 Grad Kälte ver-
darb. Natürlich sind Gemüse mit so reichem
Zuckergehalt für den Menschen unbrauchbar, weil
[illegible] völlig verändert wird.

Manuskript als Montage
Eine Seite aus der
Erstfassung von
Berlin Alexanderplatz

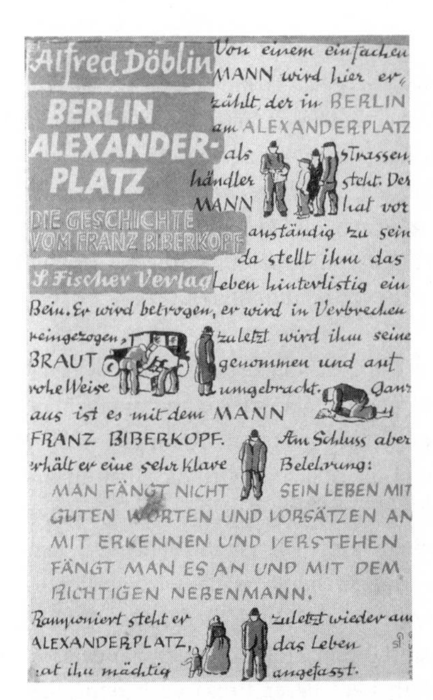

Erstausgabe des Romans.
Schutzumschlag von
Georg Salter
1929

Döblin 1928: »Ich hatte damals Teile aus seinem neuen Roman *Berlin Alexanderplatz* im Manuskript gelesen und war so beeindruckt, daß ich alles daran setzte, eine Trennung zu verhindern und Frieden zu stiften. Aber mein Schwiegervater war bereits zu sehr in seinem Zorn verrannt; zureden half nichts mehr. Ich mußte zu einer List greifen und veranlaßte Frau Fischer, Döblin zu einer Vorlesung im Haus in Grunewald einzuladen. Als Fischer im letzten Augenblick mit dieser Tatsache konfrontiert wurde, konnte er aus Höflichkeit die Einladung nicht mehr rückgängig machen. – Der Abend wurde ein voller Erfolg. Vor dem Eindruck dieser Vorlesung, der großen Konzeption des Buches, seiner neuartigen Diktion und Kraft, schwand Fischers Groll, und der Friede wurde wieder hergestellt.«

Einer, der zugeschlagen hat und der geschlagen ist, kommt aus dem Zuchthaus mit dem Vorsatz, *anständig zu sein*. Das wird dem ehemaligen Transportarbeiter Franz Biberkopf nicht gelingen, denn, so heißt es im Roman: *Verflucht ist der Mensch, spricht Jeremia, der sich auf Menschen verläßt.* Sein Freund Reinhold reißt ihn wieder ins Dunkel, Franz verliert einen Arm, seine Braut Mieze und alle Hoffnungen, verstrickt sich wieder in finstere Machenschaften, landet im Irrenhaus und wird schließlich als ein Gebrochener entlassen. Sein eigentlicher Gegenspieler ist jedoch nicht ein einzelner böser Mensch wie Reinhold, sondern die Großstadt Berlin, die Gegend um den Alexanderplatz mit ihren Geräuschen und Gerüchen, Tönen, Schreien, mit ihrem Menschengewirr, den Straßen, Winkeln und Kaschemmen; mit Reklame und Jazzrhythmen, dem Bierdunst der Kneipen, den Händlern, Huren, Schwätzern und Alltagsphilosophen; mit ihren diversen Sprachfetzen vom unverfälschten Berlinisch bis zum hohen Bibelton.

Döblin kannte den Platz seit der Jahrhundertwende. *Da erhob sich in sei-*

ner Mitte ein kleiner Hügel, darauf standen, von Bäumen und grünem Rasen umgeben, Bänke und man saß friedlich, gewissermaßen im Freien, Im Grünen, mitten auf dem Alexanderplatz. Auch das letzte Bild des Ortes, als er aus Deutschland emigrieren musste, hat sich ihm eingebrannt: *Als ich die Stadt verließ, 33, hatte man schon begonnen, den Platz quasi zu ummauern und zu einem riesigen Hof zu machen, man errichtete Hochhäuser, es war die größenwahnsinnige neue Periode, und die Berolina, die als Wahrbild Berlins vor dem Warenhaus Tietz gestanden hatte, schob man in den Winkel zweier Hochhäuser.*

Erzählt wird von Franz Biberkopf, der am Alexanderplatz nationalsozialistische Zeitungen verkauft, der als Soldat einst desertierte und die Erinnerungen an die Revolution wie die Enttäuschung über ihr Misslingen in sich trägt, der zwischen den Fronten lebt, und übermächtig wird die Stadt in ihren Stimmen und Tonlagen. Unvergesslich, wie Biberkopf aus dem Gefängnis tritt und ihn die Stadt überfällt und wir sofort wissen: die beiden werden miteinander kämpfen, und der Einzelne, das geschundene Ich, wird verlieren. Unnachahmlich ist dieses Orchester der Stimmen, Laute, Redensarten, Dialekttöne, Propaganda. Eindrucksvoll zart ist dieser Prolet Biberkopf angefasst. Man kann die unvergleichlichen Schönheiten dieser Prosa auch ohne das Sperrgut der Deutungen über ihr entdecken: die Geschichte des Opfers, die Form des proletarischen Romans, die Spezifika der Montage, die mythologische Fassung und die Hure Babylon, die religiöse Oberstimme, die Bedenklichkeit des Schlusses.

Lassen wir es mit dieser kursorischen Aufzählung bewenden. Für das Nachleben dieses Romans erscheint es wichtiger denn je, die angesammelten Kenntnisse ein wenig zu unterspielen, um die unvergleichlich sinnliche Aura des Buches durch deutende Beflissenheit nicht zu beschädigen.

Döblin wollte zwei Bände schreiben, wollte Biberkopf nach seiner Geschichte des Erleidens und Erduldens aktiv werden lassen. *Das zweite sollte (oder soll?) den aktiven Mann, wenn auch nicht dieselbe Person, geben; der Schluß ist sozusagen eine Überbrückung, – aber das andere Ufer fehlt. Dann ist der grundlegende geistige »Naturalismus« bei mir in eine besondere Concretionsphase getreten, – es tritt ein mehr passiv-receptives Element mit tragischer Färbung gegen ein aktives Element, das mehr optimistisch ist, – das »Ich in der Natur« gegen das »Ich über der Natur«. In »Berl Alex« wollte ich durchaus den Fr Biberkopf zur zweiten Phase bringen, – es gelang mir nicht. Gegen meinen Willen, einfach aus der Logik der Handlung und des Plans endete das Buch so; es war rettungslos, mir schwammen meine Felle davon. Der Schluß müßte – eigentlich im Himmel spielen, schon wieder eine Seele gerettet, na, das war nicht möglich, aber ich ließ es mir nicht nehmen, zum Schluß Fanfaren zu blasen, es mochte psychologisch stimmen oder nicht. Bisher sehe ich: Der Dualismus ist nicht aufzuheben.*

Das eindrucksvolle Presseecho ist in rund 120 Besprechungen dokumentiert. Die meisten von ihnen waren positiv bis euphorisch. Einzelne negative wie ein ätzender Verriss von Emanuel bin Gorion oder eine Sottise des konservativen Kollegen Fritz Reck-Malleczewen fielen nicht ins Gewicht oder belebten das Echo.

Der Roman, der auf dem Weg war, einen literarischen Ort zu einer Weltanschauung zu machen, hatte also Erfolg. Zum ersten Mal konnte Döblin einigermaßen sorgenfrei leben. Hinzu kamen Auslandslizenzen, die, gemessen an den Schwierigkeiten, die jede Döblin-Übersetzung macht, zahlreich waren. Bis einschließlich 1935 erschienen Übertragungen von *Berlin Alexanderplatz* in Italien, Dänemark, England, USA, Spanien, Frankreich, Schweden, in der Tschechoslowakei und schließlich, nach langem Hin und Her, auch in der Sowjetunion.

Hartnäckig hält sich das Gerücht, Döblin habe mit dem Roman ein Vermögen verdient. Doch in den vier Jahren, die ihm noch in Deutschland verblieben, wurden nicht mehr als 45 000 Exemplare verkauft. Das war, gemessen an den bisherigen Auflagen, viel und führte zu einer Besänftigung im Verhältnis zwischen Autor und Verlag, aber seine völkischen Kollegen wie Schäfer oder Kolbenheyer hatten mit anderen, weit größeren Verkaufserfolgen zu rechnen.

DER CHOR DER SCHMÄHER

Im Oktober 1928 war von Johannes R. Becher in den Berliner Sophiensälen der »Bund proletarisch-revolutionärer Schriftsteller« gegründet worden, und er sollte jene rüden kommunistischen Schmähformeln aufbieten, die Döblin noch weit ins französische Exil hinein entgegenschallten. Vorbild für den BPRS war die sowjetische RAPP, die von Leopold Awerbach als ein Instrument der ideologischen Belehrung und als Kampfbund gegen Abweichler befehligt wurde. Dieser Berserker des Proletkults wurde später selbst ein Opfer jener Verfolgung, die er betrieb: Der Stalinist wurde 1937 verhaftet und zwei Jahre später erschossen.

Brecht spottete über die Mitglieder des Bundes gegenüber Bernard von Brentano: »Sie sind nur Feinde der bürgerlichen Schriftsteller, und ihr Kongress soll den proletarischen Markt für sie monopolisieren – was Kreugern sein Zündholz, ist ihnen die Feder.« Mit einem donnernden Aufruf »Unsere Front« eröffnete Johannes R. Becher am 1. August 1929 das erste Heft der »Linkskurve«, des Zentralorgans des Proletkults. Es war auf Konfrontation angelegt: von Anfang an ging es um eine scharfe Front gegen die linksbürgerlichen, anarchistischen und sozialdemokratischen Schriftsteller. In diesem ideologischen Gefechtslärm wurde Alfred Döblin am heftigsten attackiert. Im Dezember 1929 wandte sich Klaus Neukrantz gegen den Verfasser von *Berlin Alexanderplatz*: »Döblin hat in diesem Buch seiner offen erklärten Feindschaft gegen den organisierten Klassenkampf des Proletariats unverhüllten Ausdruck gegeben. Soweit überhaupt bei ihm von politisierenden Arbeitern die Rede ist, sprechen sie nicht die Sprache des klassenbewußten Arbeiters, sondern einen Kaschemmenjargon.« Und Becher legte nach: die linksbürgerlichen Schriftsteller seien auf »Zersetzungsarbeit« aus (was den Nazijargon wiederholte), sie seien bestrebt, »das Proletariat lyrisch zu erweichen«, und dann martialisch das Fazit: »Auch die Literatur ist Kriegsgebiet. Zum Kriegführen sind wir da!«

Döblin ließ sich Zeit mit einer Antwort. Erst im Mai 1930 entgegnete er im »Tage-Buch« mit der Glosse *Katastrophe in einer Linkskurve*. Er spottete über den Kotau der Autoren gegenüber der Partei; sie verfügten *furchtbarerweise auch über Geheimorgane, die sie uns nicht zeigen*. Damit parodierte er die KP-Neigung für Verschwörungstheorien. Damit bewirkten sie den *mächtigen Aufschwung* der proletarischen Literatur, und er setzte hinzu: *Sie hassen die Realität. Diese sauberen historischen Materialisten wagen sich nicht an die Realität heran. Sie glauben es ist getan, wenn sie über der Realität ihr rotes Fähnchen schwingen.* Becher hatte Döblin vorgeworfen, er verrate den Klassenkampf, denn Biberkopf sei unpolitisch und spreche im übrigen gekünstelt Berlinerisch. Döblin antwortete ihm, dem *Kommunistenhäuptling Becher*, in seiner Entgegnung: *Ich habe mich an den einfachen Berliner Dialekt gehalten, den ich nicht nachzustenographieren brauchte, weil ich nicht stenographieren kann. Und wenn meine Angaben im Roman nicht stimmen, so bitte ich Herrn Becher um Entschuldigung, ich bin nun mal so vertrottelt, – wenn ich Alexanderplatz meine, sage ich Alexanderplatz, und wenn ich Quatschkopf meine, sage ich Becher.*

Damit nicht genug. Diese vielleicht heftigste Literaturfehde der Weimarer Jahre zog sich bis Mitte 1930 hin, bewegte also die Geister mehr als ein halbes Jahr lang. Otto Biha (Otto Bihalji-Merin), der später beachtenswerte Bücher über naive Malerei in aller Welt schrieb, retournierte mit der Polemik »Herr Döblin verunglückt in einer Linkskurve«, Er nannte den Roman »das Bekenntnis eines Kulturnihilisten, eines schwankenden, haltlosen, resignierten Bürgers, der endlich für seine innere Zerrissenheit die äußere Form (seinen Stil) gefunden hat.« Darauf antwortete Döblin nicht mehr. Es gab 1930 den Plan, *Berlin Alexanderplatz* in russischer Übersetzung bei Zemlja Fabrika in Moskau herauszubringen, doch wurde das, wie eine Triumphmeldung in der »Linkskurve« besagt, von den deutschen Genossen (für die nächsten fünf Jahre) verhindert. Dann wurde die Volksfront vorbereitet, und Becher, tänzelnder Konjunkturritter auf dem Parteischiff des Opportunismus, nahm einen anderen Kurs.

Der Klassenkampf, das zeigen die Anwürfe in der »Linkskurve«, aber auch die etwas milderen in der »Roten Fahne«, wurde von Becher weniger gegen die Rechte als gegen die linksliberalen und sozialdemokratischen Kollegen geführt. Alfred Döblin, Kurt Hiller, Heinrich Mann, Carl von Ossietzky, Ernst Toller und Kurt Tucholsky wurden diffamiert als »Heuchlerpazifisten, Scheinsozialisten und Pseudoanarchisten«, als »Steigbügelhalter des Imperialismus«. Als Gegner erschien Döblin weitaus wichtiger als die Nazis.

NACH DEM BERLIN-ROMAN

Aus dem gedrängten Ereigniskalender Döblins einige Wochen.

Ende Oktober 1929 versuchten die Vertreter einer »deutschen« Kunst vergeblich, den völkischen Autor Wilhelm Schäfer als einen »Dichter des volkstümlichen Lebens aus der Landschaft« zum Vorsitzenden der Sektion Dichtkunst zu machen. Das stieß auf erbitterten Widerstand der demokratisch gesinnten Mitglieder. Über die Vollversammlung vom 28./29. Oktober 1929 berichtet Walter von Molo: »Häßlicher als vordem wurde wieder auf den ›Wasserkopf‹ Berlin geschimpft. Das alte Lied der Provinz. Seit Jahrzehnten klang das ›Los von Berlin‹, denn die Reichshauptstadt sollte nur Stubenpoeten mit mattem Herzen und schlechten Nerven beherbergen. In der Kleinstadt aber, in der Provinz und auf dem Lande, lebten die großen Poeten! (...) Da sprang der herrliche Kämpfer Döblin auf, (...) erwiderte: ›Diese wahrhaft platten Herren vom Lande (...) diese entsetzlich platten Herren vom wahrhaft platten Lande (...)‹.« Am nächsten Tag fand eine Sitzung der Deutschen Bühnen-Genossenschaft statt. Loerke in seinem Tagebuch: »Sie wurde interessant durch das Grundsätzliche. Besonders Thomas Mann, Döblin, auch Wassermann sagten Gutes.« Dann, im Frack, Abendgesellschaft bei Fischers, wiederum mit Döblin, und Loerke notierte, »dieser mußte eine Weile weg, um im Rundfunk zu sprechen«. Wiederum einen Tag später fand die Trauerfeier für Arno Holz im Krematorium Wilmersdorf statt. Unter den Rednern auch Döblin. Loerke im Tagebuch: »Sehr ausfällig Döblin. Nannte Stefan George einen Epigonen, natürlich uns, die wir uns gegenwärtig bemühen, erst recht. Das war sehr verstimmend. Natürlich bekam auch Hauptmann sein Teil, ohne Namensnennung.«

Mitte Dezember fand eine Gedenkveranstaltung für Arno Holz in der Akademie statt. Loerke, Tagebuch: »Sonderbare politische Rede Döblins.« Er hatte die Kunstauffassung seines bewunderten Vorbilds in einer mathematischen Formel vergegenwärtigt: *Also k = n – x. Beachten Sie diese Formel genau, es ist niemals konsequenter die Haltung des naturalistischen Künstlers zur Natur präzisiert worden. Man beliebt sonst ohne Einschränkung und sehr stolz, und weniger menschlich als göttlich zu sagen: das Kunstwerk nimmt zwar ein Stück Natur, aber dies ist nur wichtig als Material für den Künstler, das Entscheidende ist gerade das x, das technische Vermögen des Autors, des Künstlers und die Künstlerperson im ganzen; also Kunstwerk = Natur plus Künstler, k = n plus x.* Der Berliner »Lokal-Anzeiger« rüpelte, deutschnational entrüstet: »Die Rede des Herrn Döblin war nichts als ein Beispiel für die geistige Mitschuld der Unwissenheit, die den menschlichen und den Seelen-Raum verengen, das Postulat der Form schänden und die Ebene des Materialismus in russische Weite hineinerweitern helfen.« Am 29. Dezember fand im Berliner Theater des Westens eine Matinee über »Die Aufgaben des Schriftstellers in unserer Zeit« statt. Auf der von der Universum-Bücherei getragenen Veranstaltung sprachen neben Döblin unter anderem auch Johannes R. Becher, Bertolt Brecht, Alfred Kerr und F.C. Weiskopf, und aus der Zusammensetzung des Podiums kann man vermuten, dass sie nicht ganz friedlich verlaufen ist. Wenn man es sich vergegenwärtigen will: In diesem so überfüllten Jahr 1929 hat Döblin außerdem mehr als zwei Dutzend Essays, Artikel, Glossen, Feuilletons veröffentlicht, insgesamt annähernd 90 Druckseiten.

VORSCHLAG FÜR DEN NOBELPREIS

Am 2. November 1929 schlug Herbert Ihering – viel zu spät – im Berliner »Börsen-Courier« Döblin für den Literaturnobelpreis vor: »Das wäre eine Tat. Sie würde dem ramponierten Preisgedanken plötzlich wieder Berechtigung geben.« Beschädigt war der Literaturnobelpreis jedoch keineswegs: Im Jahr zuvor hatte ihn die Norwegerin Sigrid Undset erhalten – keine schlechte Wahl. Mit der Hoffnung auf diese Auszeichnung haben damals mehrere deutsche Schriftsteller spekuliert. Thomas Mann rechnete schon 1927 insgeheim damit, aber dann wurde Henri Bergson gewählt. Auch Feuchtwanger hat einiges getan, um diesen Preis zu erhalten. Im April 1928 unternahm er eine Skandinavienreise, wohl auch mit der Absicht, seine Chancen beim Preiskomitee zu verbessern. 1932 hat er sogar seinen schwedischen Verleger gewechselt, um mehr Wirkung zu erzielen. Er wurde zwar in Stockholm gefeiert, aber den Nobelpreis erhielt er nie. Der Preis für 1929 wurde am 12. November Thomas Mann zugesprochen.

Danach brach die »Buddenbrooks«-Lawine aus, eine preiswerte Sonderausgabe hatte einen überwältigenden Verkaufserfolg. Zwischen dem 7. November und dem 28. Dezember wurden 700000 Exemplare verkauft. Oskar Loerke, der es als Lektor wissen musste, schrieb in sein Tagebuch: »Alles steht Kopf wegen Thomas Manns Nobelpreis und Erfolg der Buddenbrooks.« (16.11.1929) *Berlin Alexanderplatz* war damit nach jeder Erfahrung zu einem Schattendasein verurteilt, und man hätte auch diesen Roman in die lange Liste der Vergeblichkeiten und Unglücksfälle der Publikationsgeschichte Döblins einreihen können. Aber er behauptete sich gegen alle Erwartung und wurde für Döblin wenigstens zu seinem größten Bucherfolg, der freilich mit Thomas Manns Auflagen keinem Vergleich standhält.

Seit diesem Datum ergab sich eine merkliche Veränderung im Verhältnis der beiden Schriftsteller zueinander. Thomas Mann, im Loben anderer Autoren hochtrainiert, versagte dem Kollegen, der *Berlin Alexanderplatz* geschrieben hatte, durchaus nicht seine Achtung: »(Döblin hat) jetzt ganz sich selbst gefunden, indem er die Erfahrungen seines Lebens als Armenarzt im Berliner Osten zu seinem Stoff macht. (…) ich bekenne, daß ich in Bewunderung stehe vor diesem großartig gelungenen Versuch, die proletarische Wirklichkeit unserer Zeit in die Sphäre des Epischen zu heben.« Aber wenn Thomas Mann lobte, wollte er den anderen meist auf Abstand halten. In Döblin glimmt von da an der Feindschaftszunder gegenüber dem anderen Großepiker auf und wird nicht einmal zehn Jahre später zu unversöhnlichem Hass unter einer dünnen Decke der Konventionen zwischen Kollegen, die sich ebenbürtig wissen.

Thomas Mann intrigierte 1929 vor der Entscheidung nicht gegen Döblin oder Feuchtwanger, sondern gegen Arno Holz. Er hatte anscheinend das Gerücht, der Autor des »Phantasus« könne ausgezeichnet werden, bitterernst genommen und hielt sich, gegenüber Gerhart Hauptmann, erbost dabei auf, »daß dank der Propaganda einer Oberlehrer-Clique, die ihn vorgeschoben hat, Arno Holz den Nobelpreis erhalten soll?«. Er fände eine solche Wahl »absurd und scandalös« und dehnte seine eigene Verständnislosigkeit auf »ganz Europa« aus. Nur Ricarda Huch, die gar nicht in Erwägung stand, wollte er die Auszeichnung gönnen.

Einem Ondit zufolge wurde Thomas Mann nach Erhalt des Nobelpreises in

Schweden auch nach Döblin gefragt. Er soll mit schöner abschätziger Offenheit erwidert haben, dass es nur sehr wenige Leute gebe, die seine Bücher bis zu Ende läsen.

BIBERKOPF ALS HÖRSPIEL

Döblin hatte man zum ersten Mal am 15. November 1925 im Radio hören können; er las, eingeleitet von Hermann Kasack, aus seinem Stück *Die Nonnen von Kemnade*. Danach hatte er Auftritte im Radio von Berlin, Leipzig und Breslau. Als er 50 wurde, ehrte man ihn im Rundfunk mit einem Vortrag von Oskar Loerke. Der Literaturchef der »Berliner Funkstunde«, Alfred Braun, hat wohl mehrmals mit Döblin über eine Hörspielfassung von *Berlin Alexanderplatz* gesprochen, zuerst vermutlich auf der Tagung über »Dichtung und Rundfunk« Im Herbst 1929 in Kassel. Döblin selbst hat diese Bearbeitung gewollt und betrieben. Er verschob den Akzent auf die Hauptfigur selbst und nannte das Stück nun *Die Geschichte von Franz Biberkopf*. Zentriert um die Stimme Heinrich Georges wurde ein Klang- und Geräuschvolumen von großer Bandbreite eingesetzt.

Das Hörspiel wurde für den 30. September 1930 in der »Berliner Funkstunde« angekündigt. Nicht mehr – wie ursprünglich vorgesehen – Alfred Braun, sondern Max Bing war als Regisseur dieses »Hörfilms« genannt. Aber der Sendetermin wurde erst verschoben, dann das Hörspiel nicht mehr berücksichtigt. Der Vorgang ist mangels genauer Dokumente etwas undurchsichtig, aber es handelte sich um den ersten massiven Eingriff in den künstlerischen Bereich des Radios. Die Absetzung hatte politische Gründe. Zwei Wochen zuvor hatten die Nationalsozialisten bei den Reichstagswahlen sensationell zugelegt und 107 Mandate statt der bisher 12 errungen. Der Sozialdemokrat Alfred Braun war den Nazis besonders verhasst. Der Intendant Hans Flesch (im August 1932 fristlos entlassen) war für die Absetzung des Hörspiels verantwortlich; er wollte offensichtlich den Nazis keinen Vorwand zu Ausschreitungen liefern. Döblin hingegen war ganz anders disponiert: Er hat sich die Wachsplattenaufzeichnung der Generalprobe angehört und gegen die Streichung einzelner Szenen protestiert. Er forderte eine Neuproduktion, aber die Aufzeichnung blieb im Archiv. Die schriftliche Textfassung hat sich nicht erhalten und lässt sich nur noch über die 77-minütige Schallaufnahme der Reichs-Rundfunk GmbH ermitteln. In der Zeitschrift »Die Sendung« wurde behauptet, dass »Millionen Hörer« durch die Absetzung der mit Heinrich George (Franz), Hilde Körber (Mieze), und H. H. Twardowski (Reinhold) prominent besetzten Fassung betroffen seien. Angeblich hat Döblin dazu im Radio eine persönliche Erklärung abgegeben. Aber Hans Flesch gab sich mit der von ihm verfügten Absetzung nicht zufrieden: Ein Jahr danach teilte er mit, er wolle Hörspiele von Marieluise Fleißer, Ernst Glaeser, Hermann Kesser und anderen senden, und kündigte an: »Ich glaube, ich kann Ihnen für diesen Winter bestimmt den Hörfilm von Döblin *Die Geschichte vom Franz Biberkopf* versprechen, dessen Aufnahme manche Schwierigkeiten verzögerten.«

Aber die Aufnahme blieb im Archiv, überlebte immerhin auf Wachsplatten und konnte 1963 in der DDR und in der BRD gesendet werden.

VERFILMUNG

Döblin erfuhr – wie Heinrich Mann mit »Professor Unrat« – die damals geradezu sensationelle Ehre einer Verfilmung seines *Alexanderplatz*-Romans. Der Produzent Arnold Pressburger erwarb Ende 1930 die Rechte für die Allianz-Tonfilm GmbH. Das Drehbuch verfasste Döblin gemeinsam mit einem Pragmatiker des Genres: mit Hans Wilhelm, der als professioneller Szenarist ausgewiesen war. Wer welche Anteile bei dieser Arbeit hat, ist nicht mehr zu ermitteln. Abgelehnt wurde ein anderes Drehbuch, das nicht mehr erhalten ist. Es stammt von Heinrich Oberländer und wurde von Herbert Ihering als sehr angemessen gelobt. Im März 1931 wurde Phil Jutzi als Regisseur verpflichtet, weil er seine Fähigkeit, proletarisches Milieu zu inszenieren, mit »Mutter Krausens Fahrt ins Glück« erwiesen hatte.

So bereitwillig Döblin einer Verfilmung zustimmte und daran mitarbeitete, so sehr lehnte er eine Bühnenbearbeitung ab. Offensichtlich hatte Emil Jannings die Idee gehabt, zumal er für sich eine gute Rolle suchte und dabei auf den Roman gestoßen war. Döblin wollte sich immerhin mit ihm darüber unterhalten, aber Jannings band sich anderswo; er griff zu, als es um die Verfilmung von Heinrich Manns »Professor Unrat« durch Joseph von Sternberg ging (1930), und stand damit nicht mehr zur Verfügung. Für den Biberkopf-Film wurde daraufhin Heinrich George gewonnen, der schon im Hörspiel die zentrale Rolle hatte …

Als Döblin und Hans Wilhelm dann am Drehbuch arbeiteten, kam es zu einer bedenkenswerten, grotesken Verkehrung: der Roman lebt vom *Kinostil*, erhält seine Vitalität von den Mitteln der Montage, des raschen Nebeneinanders, von der sinnlichen Bildkraft der Sprache, der Film hingegen verkümmert in Konventionalität und reduziert das Romangeschehen auf einen Kriminalfall. Jutzi und Döblin haben sich für die Zwecke der Filmindus-

Programmheft zum Film
1931

trie vernutzen lassen; der Kritiker Siegfried Kracauer war enttäuscht: »Statt daß die literarischen Gestaltungskräfte den Betrieb erobern, werden sie in ihn eingespannt, und seine auf Zerstreuung gerichteten Absichten machen sich die künstlerischen zunutze.« Döblin, für den die Verfilmung zu einem aufregenden Erlebnis wurde, mangelte es an Distanz; er besuchte die Dreharbeiten in Potsdam-Babelsberg und eilte im Film einmal kurz durch die Szene. Er gab der Verfilmung einige zustimmende allgemeine Bemerkungen auf den Weg, die seine Neugier auf eine solche Bearbeitung signalisieren.

Der *Alexanderplatz*-Film wurde am 8. Oktober 1931 uraufgeführt. Er war einer der frühesten Tonfilme in Deutschland, und welche Bedeutung dabei das gesprochene Wort hatte, geht aus der Verpflichtung des Theaterregisseurs Karl-Heinz Martin für die »Dialogleitung« hervor. Die Premiere fand im Capitol am Zoo statt und wurde zu einem gesellschaftlichen Ereignis der Berliner Kulturprominenz: Bertolt Brecht, Lion Feuchtwanger, Leopold Jessner, Käthe Kollwitz, Thomas und Heinrich Mann, Arnold Zweig waren zur Stelle. Der Film kam beim Publikum gut an, was wohl der Neuigkeit des Tonfilms wie der prominenten Besetzung geschuldet war: Der Komponist Theo Mackeben hatte eigens ein Orchestervorspiel verfasst. Es gab keine Krawalle, wie ein Jahr zuvor bei der Premiere der Verfilmung des Remarque-Romans »Im Westen nichts Neues«. Wenig später wurde der Film auch in Paris mit französischen Untertiteln gezeigt.

SELBSTMORD DES BRUDERS LUDWIG

Am 3. Oktober 1929 starb Außenminister Gustav Stresemann; mit ihm ging eine Ära der internationalen Verständigung und des diplomatischen Ausgleichs zu Ende. Die letzte, von Hermann Müller geführte Regierung der

Großen Koalition unter Führung der SPD wurde 1930 gestürzt, der Zentrumspolitiker Heinrich Brüning regierte fortan mit Hilfe von Notverordnungen unter weitgehender Ausschaltung des Parlaments. Heinrich Mann hat die Ereignisse kommentiert, sein politischer Sinn drängte ihn dazu. Für Döblin kam diese politisierende Zeitgenossenschaft in diesen Jahren kaum mehr in Frage.

Zu dieser innenpolitischen Krise kam eine globale ökonomische hinzu.

Etwa zwei Wochen nach Erscheinen des *Alexanderplatz*-Romans brach die New Yorker Börse zusammen. Mit dem Crash am »Schwarzen Freitag«, dem 25. Oktober 1929, als an der Wallstreet die Aktien der großen Firmen durchschnittlich um 45 Prozent an Wert verloren, explodierte eine weltweite Wirtschaftskrise. Die Ursachen bestanden in einer gewaltigen Überproduktion bei gleichzeitigem Sinken der Kaufkraft großer Teile der Bevölkerung, aber auch in einem Ungleichgewicht des Weltwirtschaftssystems und im Abfluss englischer Gelder aus den USA nach Zinserhöhungen in Großbritannien. In Deutschland war die Zahl der Konkurse im Vergleich zum Vorjahr um ein Viertel gestiegen, die Arbeitslosenstatistik schnellte zum Jahresende auf mehr als drei Millionen hoch.

Der im Juni 1929 verabschiedete Youngplan, der deutsche Reparationszahlungen in 58 Jahresraten von jeweils zwei Milliarden Goldmark, also eine Vertragsdauer bis 1987 vorsah, wurde zum Propagandaartikel der Deutschnationalen Volkspartei, der NSDAP und des Stahlhelm. Gemeinsam traten Hugenberg und Hitler auf einer Großveranstaltung im Münchner Zirkus Krone auf und agitierten für ein »Gesetz gegen die Versklavung des deutschen Volkes«.

Die ökonomischen Schwierigkeiten griffen auch nach der Familie Döblin. Der Bruder Ludwig, Möbelfabrikant, früher der Finanzier der notleidenden Mutter mit ihren unmündigen Kindern, war plötzlich großen Schwierigkeiten ausgesetzt. Vermutlich ist der Konsummarkt, von dem seine Fabrikation abhängig war, schlagartig zusammengebrochen. Im Alter von 57 Jahren beging er am 28. April 1930 Selbstmord. Döblin war über diese jähe Wendung der Familiengeschicke erschüttert.

Ludwig war der Mutter *ältester Sohn, der kräftigste, energischste von uns* gewesen. Er war verheiratet und hatte drei Kinder. Er spielte mit dem Gedanken des Selbstmords, als es wirtschaftlich abwärtsging; er zeigte seinem Bruder Alfred einen Revolver. Zum wirtschaftlichen Dilemma kam eine unglückliche Liebesgeschichte. Er hatte eine verheiratete Polin kennengelernt, deren Mann, ein Patient Döblins, in diesen Tagen starb, wobei die Frau ihre Affäre mit Ludwig Döblin beendete. *In den kritischen Wochen stand mein*

Bruder allein, Ich weiß, wie sehr er an der Frau gehangen hatte. Er war einen ganzen Tag in der Stadt nicht aufzufinden. Er schoss sich in einer Toilette des Bahnhofs Friedrichstraße eine Kugel in den Kopf, wurde noch ins Krankenhaus eingeliefert und rang zwei Tage mit dem Tod, bis er starb. So endete die Lebensgeschichte jenes Bruders »Lute«, der in der Familie Vaters Stelle eingenommen und auch den wirklichen Vater in Hamburg bis zu seinem Tod unterstützt hatte. Als seine Ehefrau von der Liebesaffäre erfuhr, riss sie in einem Anfall von Hass die Familienbilder von der Wand. Mehr aus dieser Familie berichtet Alfred Döblin nicht: ein kurzes Schlaglicht auf das Ereignis gewährt er, nicht mehr, dann wird abgeblendet. Die weiteren biographischen Verläufe muss man sich aus anderen Dokumenten zusammensuchen. Später kam der als biographische Quelle keineswegs verlässliche Familienroman *Pardon wird nicht gegeben* hinzu.

Die beiden Söhne Ernst Martin und Rudolf Döblin emigrierten in die USA; der Ältere, Wirtschaftswissenschaftler, der 1931 eine sehr beachtete »Theorie des Dumping« vorlegte, lehrte an der New School for Social Research in New York, war nach dem Krieg bei der UNO tätig und starb 1951. Rudolf Döblin, Musiker, leitete zeitweilig das Niagara Falls Symphony Orchestra und lehrte an einem New Yorker College. Die Frau Ludwigs, Gertrud Katharina Leipziger und ihre Tochter Eva, blieben in Deutschland, wurden nach Auschwitz verschleppt und vergast. Alfred Döblins jüngster Bruder Kurt suchte in den späten dreißiger Jahren Deutschland zu entkommen, aber es fehlten ihm die Mittel zur Flucht. Auch er wurde zusammen mit seiner Frau in Auschwitz umgebracht.

Alfred Döblin erlebte eine vergleichbare erotische Konstellation wie sein älterer Bruder Ludwig. Vermutlich der Schock, den dessen Selbstmord bei ihm auslöste, hat ihn veranlasst, die eigenen Verhältnisse regeln zu wollen. 1930 trennte er sich von Yolla Niclas, offensichtlich unter schwierigen Umständen und ohne dass dieser Schritt auf Dauer gelang.

TRENNUNGSSCHMERZEN

Yolla Niclas hat sich in die Trennung von Döblin nur schwerlich fügen können. Einige Billets von ihr aus den zwanziger Jahren haben sich erhalten, und sie zeigen eine demütig fordernde, liebeskranke Frau, die sich vergeblich darin übte, die Rolle der Nachgeordneten zu ertragen. Ihre Beziehung stand, wie sie schrieb, unter der Voraussage noch zur Entstehungszeit von *Berge, Meere und Giganten:* »Der unsichtbare Ring, der sich um uns geschlossen hatte, wir

Yolla Niclas
1932
Foto: Heide Frankenstein

wussten es beide, konnte von einem Menschen nicht mehr gelöst werden.« Von dieser Situation aus sind alle Abschiede zu deuten, von denen es in den zwanziger Jahren wenigstens drei gegeben hat: als Döblin 1922 zu seiner Frau zurückkehrte, als er Ende 1924 von seiner Polenreise zurückkam, und 1930 nach dem Selbstmord seines Bruders. Auf dem Prüfstand aber war ihre Beziehung wohl viel öfter. In ein (undatiertes) Notizbuch Döblins hat sie mit ihrer übergroßen Handschrift die Zeilen hineingeschmuggelt: »Brüderlein, dies kleine Buch ist braun. Mir kommt es vor, es ist ein Stück meiner Haut. Willst Du – noch einmal darauf schreiben!« Um 1929 kämpfte sie gewiss nicht zum ersten Mal in ihrer Mischung aus Dringlichkeit und Bitte: »Sag Du mir, ob Du auch so denkst oder nicht eine kleine Hoffnung wäre. Ich freue mich immer so, wenn wir dasselbe denken.« Offensichtlich hat Döblin mit ihr auch seine Schriften zur Natur besprochen, und Yolla Niclas wusste sich zu erinnern: »Es war faszinierend, die Beziehung des Menschen zu seinem ›Ich‹, seine Rolle in der Natur, seine Ausbreitung und Hingabe zu betrachten. Wir sprachen über den Charakter der Flamme, der Wärme, Feuer und Eis. Manches Mal fanden wir keine Antwort und kein Ende.«

In den Manuskripten von *Unser Dasein* fand sich ein bewegender Anruf nach der Trennung, einen Tag vor Weihnachten 1931, die Wehmut überrannte sie: »Brüderlein, wenn ich mir von Dir auch heute etwas wünschen dürfte Brüderlein – ein wenig Frieden. Ich habe ja nur noch wenig Mut, zu Dir zu sprechen – Du weist mich ja alle Tage, wo ich es versuchte, ab. Ich verstehe nichts, daß alles so kommen mußte. Wie ist es möglich, daß ich so aus Deinem Gefühl, Deinen Gedanken ausgestrichen bin.« Wie wenig das jedoch zutraf, erwies sich einige Zeit später und war drei Jahre später nachzulesen in ebenjener naturphilosophischen Existenzbegründung *Unser Dasein*, über die Yolla Niclas mitgeredet hatte.

An prominenter Stelle dieser Schrift ist eine Erzählung plaziert. Ein Rich-

Alfred und Erna Döblin
1932
Foto: Hess

ter, als Jurist der ehernen Gültigkeit von Rationalität verpflichtet, verliebt sich in eine junge Frau, gewinnt ihre Zuneigung, aber diese *Sommerliebe* ist nicht von Dauer, denn er wird von dem Mädchen nach einiger Zeit verlassen. Eine gegen alle erzählerischen Gewohnheiten Döblins stille Geschichte, die den Abschied und die Empfindungen der Liebe übereinanderlegt. Sie wirkt beinahe lautlos, enthält allerdings Züge einer Beichte. Einer, bislang am Leben gehindert, der sich fremd war als *ein starres, isoliertes und gefrorenes Tier*, registriert die Veränderungen an sich, die von dieser Zuneigung herrühren. Auf nicht einmal 13 Seiten sammeln sich diese Empfindungen wie in einem Hohlspiegel. Er lernt die Geliebte kennen: *Ich kann nicht leugnen, ich bin erregt. Es ist eine unglaubliche Spannung in meinen Gliedern.* Er war solcher Versuchung lange aus dem Weg gegangen. Er weiß darum, dass er ein Unrecht begeht, und ist vom Widerspiel der Gefühle zerrissen: *Ich denke manchmal, das ist eine Passion, eine Leidenschaft, die mich in Ketten schlägt. Soll ich mich nun hinwerfen vor sie und mich ganz von dieser Leidenschaft mitnehmen lassen? Ich will nicht, ich will nicht. Aber wie gerne schwimme ich mit dieser Gewalt!* Das Bekenntnis des Ich-Erzählers kommt schutzlos daher, keine Finte, keine Kautele drängt es zur Erfindung ab. Sogar die Aufschlüsse über *ein sich Hinwerfen und Aufgeben* der Geliebten und die Anspielung auf das Fotografieren sind enthalten. Ein anderer Rückverweis gilt der Geliebten früherer Tage: Bei der Erinnerung an Rosa, für die jede Lizenz gegeben ist, sie mit der ehemaligen Freundin Frieda zu identifizieren, verspürt er Schuld; er hat sie einst verlassen, weil seine Mutter die Zustimmung zu dieser Beziehung verweigerte.

Bei *Sommerliebe* handelt sich nicht um einen einfachen Spiegel, der die Empfindungen und Geschehnisse wiedergibt, wie sie sich in der biographischen Wirklichkeit Döblins zugetragen haben. Nicht der Ich-Erzähler hat den

Erna Döblin mit den Söhnen Peter, Wolfgang und Klaus (von links)
Um 1928
Foto: Lotte Jacobi

Abschied vollzogen – das Motiv ist vexiert. Steckt in dieser Verkehrung nicht geradezu ein Erzählerrat hinter der Vergegenwärtigung vergangenen Glücks, dass auch das reale Vorbild diese Wendung vollziehen solle?

Tritt man noch etwas näher an diese Geschichte heran, erschließt sich eine weitere Bedeutung. Die Geliebte hat ihn an die Natur herangeführt: *Das habe ich erreicht durch die Begegnung mit ihr. Es liegen überall Schlüssel zur Natur herum.* Die ganze Schrift bettet das Ich in einen umfassenden Zusammenhang zur Natur ein. So ist die Geschichte *Sommerliebe* nichts anderes als ein versteckter Pfad in die Sinngebung von *Unser Dasein,* und der ehemaligen Geliebten wird damit das Buch zugeschrieben.

IM LITERATURBETRIEB

In dem Aufsatz *Mit dem Blick zur Latinität* gewann Döblin im Sommer 1930 eine veränderte Blickrichtung: hin nach Frankreich. Er hatte lebendigen Gedankenaustausch in der 1928 von dem Kunsthistoriker Otto Grautoff be-

Alfred Döblin
Um 1930
Foto: Max Glauer

gründeten »Deutsch-französischen Gesellschaft«, die sich zu einem Zentrum des Berliner Geisteslebens entwickelte. Der französische Botschafter André François-Poncet verkehrte darin und ebenfalls Pierre Bertaux, der jahrzehntelang mit Heinrich Mann befreundet war und sich auch Döblins annahm. Er vermittelte eine französische Übersetzung des *Wang-lun* und steuerte ein Vorwort dazu bei. Für den Pommerschen Juden war der Blick über die Landesgrenzen hinaus nach Westen durchaus etwas Neues. Sein den inneren Raum besetzender literarischer Gewährsmann war Dostojewski gewesen, nun rückte französische Geistigkeit näher. Er sah sich in dieser Hinsicht durchaus als einen verspäteten Leser. Er setzte sich mit Balzac auseinander und wusste im gleichen Augenblick, dass man wegen dieser Novität über ihn lächeln konnte. Er pries nun Marcel Proust, wusste aber noch nicht anzugeben, wohin ihn diese Lektüre führen könnte. Der Aufsatz, von Grautoff erbeten, hat noch nichts Entschlossenes. Er ist der Ausdruck einer geistigen Witterung, einer beginnenden Wendung weg vom kulturellen Osten. Für ihn als *Tiefseetaucher* handelte es sich um die Vorbereitung innerer Entscheidungen, die auch literarische einschlossen. Bevor er ins französische Exil ging, hat er begonnen, seine Koordinaten zu verschieben. Am Horizont der späten Weimarer Jahre ist dies ein unbewusstes Geschehen, wie ein Wetterleuchten in der Seelenlandschaft eines Mediums. Gleichzeitig begann Döblin in dieser Zeit, sich für die Belange der jüdischen Territorialbewegung einzusetzen, was ihn wiederum zwangsläufig dem osteuropäischen Raum verpflichtete. In dieser bipolaren Spannung ist sein Weg nach Westen zu verstehen.

Döblin setzte sich für die Wiederaufführung des Films »Im Westen nichts Neues« ein, der am 4. Dezember 1930 Premiere hatte, von den Nazis systematisch gestört wurde, dann abgesetzt und erneut der Filmoberprüfstelle vorgelegt wurde, obwohl er bereits zugelassen war. Am 11. Dezember wurde der

Film verboten, da er »ungehemmt« pazifistisch sei, das Ansehen der Wehrmacht und damit auch den deutschen Ruf im Ausland schädige. Erst Anfang September 1931 wurde er wieder zugelassen. Döblin protestierte gegen diese Behinderung am 13. Dezember 1930; er hatte zwar den Film noch nicht gesehen, aber das Verbot bezeichnete er als *einen eklatanten politischen Erfolg der radikalen Rechten* und wandte sich in der Zeitschrift »Der Film« gegen eine *Zensur der Straße.*

KAMPAGNE FÜR FREUD

Im April 1930 brachte Döblin Sigmund Freud für den Frankfurter Goethe-Preis ins Gespräch. Der Schriftsteller war von der Akademie in die Frankfurter Jury entsandt worden, hatte mit deren Sekretär Alfons Paquet einen Kollegen und Gesinnungsgenossen, mit dem preußischen Kultusminister Adolf Grimme auch einen Kombattanten, saß aber am 29. April einer Phalanx von Goethe-Gelehrten gegenüber, unter ihnen Julius Petersen als Vertreter der Goethe-Gesellschaft, Ernst Beutler vom Freien Deutschen Hochstift, Hans Wahl als Leiter des Weimarer Goethemuseums, die germanistische Lehrstuhlgröße Hans Naumann. Petersen, damals der nationale Patriarch jener Germanistik, die wenige Jahre später sich bei den Nazis einreihen sollte, schlug in seinem Eröffnungsreferat Wilhelm Schäfer vor und verwahrte sich mit einer Unterstellung gegen Freuds Psychoanalyse. Es sei fraglich, ob er zu Goethe in enger Beziehung stehe. Die entscheidende und strittige Frage war damit gestellt und negativ beantwortet. Döblin widersprach Petersen sofort und behauptete, rhetorisch offensiv, eine *gerade Linie von Goethe zu Freud.* Er machte sich die offensichtliche Unkenntnis der Psychoanalyse in diesem Kreis zunutze, argumentierte mit seiner Autorität als Mediziner, griff ungewöhnlicherweise sogar auf Thomas Mann als seinen Gewährsmann zurück und fasste sein Plädoyer in dem Satz zusammen, Freud sei *ein Mann von Weltruf. Er hat eine ganze Wissenschaft auf die Beine gestellt, die in der ganzen Welt ihre Vertreter hat.* Unverblümt griff er Wilhelm Schäfer als kleines Licht und als unwürdig für den Goethe-Preis an (den er dann 1941 erhielt). Auch weitere Kandidaten ließ er Revue passieren: den Philologen Konrad Burdach, den Philosophen Rudulf Kassner, den Polyschriftsteller Ernst Fuhrmann, den Döblin sehr schätzte, Ricarda Huch, zu der er sich als Kandidatin für das darauffolgende Jahr bekannte. Aber er blieb dabei: Freud war ein Mann von größtem Format und sein – eines Schriftstellers – Kandidat. Er ließ es auch an Spitzen gegen Petersen und gegen den – jeder rechten Ideologie unverdächtigen – Beutler nicht fehlen. Er schlug sich mit Verve und überspitzten Argumenten. Die Entscheidung wurde auf eine zweite, Anfang Juli stattfindende Jurysitzung vertagt.

Im Mai 1930 musste sich Döblin einer Darmoperation unterziehen und reiste dann zur Erholung nach Österreich, zunächst nach Bad Gastein, dann zur Nachkur nach Altaussee in der Steiermark. Er besuchte dort Jakob Wassermann, der ebenfalls Akademiemitglied war. An Alfons Paquet schrieb er am 27. Juni 1930, er könne keinesfalls zur anstehenden weiteren Sitzung nach Frankfurt am Main kommen. Es ging um eine wichtige Entscheidung: für oder gegen einen Wissenschaftler, der für die – in der Jury reichlich vertretene – Rechte eine feindliche Figur und überdies Objekt ihres Antisemitismus war. Zuvor hatten Stefan George, Albert Schweitzer und der Philosoph Leopold Ziegler den Preis in Höhe von jeweils 10 000 Reichsmark ohne Umstände erhalten. Nun also war ein kulturpolitisches Schisma in der Frankfurter Jury bemerkbar, der Vorbote jenes nationalsozialistischen Bannspruchs, der Freuds Werk wenige Jahre später bei der Bücherverbrennung treffen sollte.

Die Sitzung fand am 3. Juli 1930 in Bad Nauheim statt. Döblin gab ein schriftliches Votum ab, das in dem Kreis aus 13 Personen verlesen wurde. Er zeigte zwei Wege auf, diesen Preis zu vergeben: entweder einen historisch-philologischen, der jeden Ausgezeichneten als Goethe-Epigone oder als Diener an seinem Werk bestimmten musste, oder eine für die Gegenwart repräsentative Persönlichkeit, ein Preis, *gestiftet von einer modernen Stadt, die der unendlich schweren geistigen heutigen Situation in Deutschland dienen will.* Eine knappe Mehrheit schloss sich schließlich Döblin und Paquet an und stimmte für Freud, aber man zögerte die Bekanntgabe etwas hinaus, um den oppositionellen Stimmen doch noch die Möglichkeit zu geben, die Entscheidung auf eine breitere Grundlage zu stellen. Freud war von der Ehrung angetan, doch auch ein wenig verhalten, wie die Antwort an Alfons Paquet vom 26. Juli zeigt: »Ich bin durch öffentliche Ehrungen nicht verwöhnt worden und habe mich darum so eingerichtet, daß ich solche entbehren konnte. Ich mag aber nicht bestreiten, daß mich die Verleihung des Goethe-Preises der Stadt Frankfurt sehr gefreut hat.« Gegenüber seinem Briefpartner Arnold Zweig wurde er deutlicher: Der Preis freue ihn zwar, aber er habe für ihn in seinem Alter »weder viel praktischen Wert noch große affektive Bedeutung«. Sigmund Freud erschien wegen einer Erkrankung auch nicht zur Preisverleihung am 26. August, an Goethes Geburtstag, und schickte seine Tochter Anna. Zur Begründung schrieb er an Paquet am 26. Juli 1930: »Die Festgesellschaft wird nichts dadurch verlieren, meine Tochter Anna ist gewiß angenehmer anzusehen und anzuhören als ich. Sie soll einige Sätze vorlesen, die Goethes Beziehungen zur Psychoanalyse behandeln und die Analytiker selbst gegen den Vorwurf in Schutz nehmen, daß sie durch analytische Versuche an ihm die dem Großen schuldige Ehrfurcht verletzt haben.«

KANTATE ÜBER DAS WASSER

Zu den episodischen Nebenwegen im Schreibimperium Döblins gehört auch eine Kantate, die 1930 bis zur Druckfahne gedieh. Der Text nimmt zentrale Metaphern seiner Produktionsweise auf: Unter den Bildern von Wasser und Meer vergegenwärtigte er seit den expressionistischen Tagen die Entstehung seiner Romane. 1922 hatte er einen naturphilosophischen Text *Das Wasser* veröffentlicht. Die gleichnamige Kantate war als Lehrstück gedacht; Brecht hatte 1929 das »Badener Lehrstück vom Einverständnis« und das Hörspiel »Flug der Lindberghs« veröffentlicht, und Döblin wollte daran anschließen, war mit seinem Konzept aber von diesen Modellversuchen weit entfernt. Die fünf Druckseiten des Librettos sind recht einfach gestaltet: ein Sprecher, ein Tenor und eine belehrende Baritonstimme wechseln einander ab, zusätzlich gibt es einen Chor. Abgebildet wird ein zweifaches Sprechen über das Wasser. Der Tenor nimmt es als H_2O und als nüchterne Angelegenheit, der Bariton hält ihm entgegen: *Ich habe doch nach Wasser und Meer gefragt, / du redest von einem toten Ding aus der Chemie.* Er preist das Wasser als Stoff alles Lebendigen, als den Stifter eines Zusammenhangs von Mensch und Natur. Die Vertonung durch den Komponisten Ernst Toch sah Violinen, Celli und einen Kontrabass vor, auch eine Flöte, eine Trompete und Schlagzeug. Die Kantate wurde bei der Fortsetzung der Baden-Badener Musiktage in der Reihe »Neue Musik Berlin« Mitte Juni 1930 aufgeführt. Paul Hindemith hatte Toch in die Konzeption der Arbeitstagung über Neue Musik einbezogen.

Ziemlich viel parodistische Komik durchsetzt den Tiefsinn. Der Tenor singt: *Das Meer, meine Damen und Herrn, ist aufzufassen als ein großer Topf. / Leider ist keine Milch drin, / sondern nur salziges Wasser.* Die Zusammenarbeit mit dem zehn Jahre älteren Döblin hatte für Ernst Toch eine nicht vorgesehene Folgewirkung; sie begründete eine Freundschaft, die sich im amerikanischen Exil bestätigte.

WISSEN UND VERÄNDERN!

Ein Student namens Gustav Hocke veröffentlichte in der Zeitschrift »Das Tage-Buch« 1930 einen offenen Brief an Döblin, in dem er den Schriftsteller bat, ihm »durch einige kluge Worte eine Einsicht in die Notwendigkeiten unserer Zeit und die Aufgaben unserer geistigen Existenz zu geben«. Döblins erste Antwort erschien an gleicher Stelle: *Sehr geehrter Herr, ich habe Ihren offenen Brief an mich aufmerksam mehrere Male gelesen. Ich habe mehrmals zu einer Antwort angesetzt und bin gegen meine Gewohnheit steckengeblieben. Ein »Offener Brief« ist eine mir zu feierliche Sache, ich kann mich schwer in diese Würde hineinfinden.* Zögern und Stocken vor der angetragenen Aufgabe eines gesellschaftspolitischen Lehrers scheinen Döblin anfangs bestimmt zu haben, aber dann stürzte er sich geradezu in den Briefwechsel, ließ jede Anrede weg, überstieg den Anlass und das Gegenüber, sprach sich in einer Artikelfolge aus, die zu einem Buch wurde: *Wissen und Verändern! Offene Briefe an einen jungen Menschen.* Der damals 22-jährige Hocke studierte Romanistik bei Ernst Robert Curtius in Bonn, einem Hochschullehrer, der Döblin nicht gerade gewogen war. Hocke hatte einen Coup gelandet, der ihm eine gewisse Berühmtheit eintrug. Später bestätigte er sie durch eigene wissenschaftlich-essayistische Leistungen, zu denen vor allem seine Arbeiten über den Manierismus und das europäische Tagebuch zählen.

Nach den schwerwiegenden Auseinandersetzungen mit den kommunistischen Autoren um Johannes R. Becher und mit der »Linkskurve« war der gemeinsame Rahmen, der noch in der »Gruppe 1925« gegeben war, endgültig zerbrochen. Döblin wollte eine Summe seiner gesellschaftlich-politischen Auffassungen ziehen und sich definitiv vom linken Dogmatismus abgrenzen. Seine Bestimmung dessen, was er »links« nannte, geriet ihm zur gegenproletarischen Selbsterklärung. Er konnte nicht, wie Johannes R. Becher, als Sohn eines Amtsrichters auf eine gesicherte bürgerliche Herkunft zurückblicken und noch in der Verwerfung des Bürgerlichen dessen überlegene Haltung einnehmen; er war in seiner Jugend eher proletarisch, jedenfalls bettelarm aufgewachsen, aber er situierte sich als einen Bürger und wollte den linksbürgerlichen Intellektuellen eine Programmschrift schreiben. So waren die Fronten in dieser Fehde, was die soziale Herkunft und die Stoßrichtung des Denkens betraf, eigentümlich vertauscht.

Hocke suchte nach einem Mentor, dem »Wort des Führers, der mithalf, das geistige Antlitz unserer Zeit zu formen«. Im »Tage-Buch« wurde der veröffentlichte Teil der Briefe schlicht unter der Rubrik »Führer für junge Wanderer durchs Labyrinth« annonciert. Döblin lehnte die Rolle eines Reprä-

Im Arbeitszimmer
1929
Foto: Suse Byk

sentanten ab, ließ sich aber doch willig auf diese Bürde ein, denn die Jugend seines Briefpartners verschaffte ihm die Möglichkeit, sich freier und unbefangener auszusprechen, als dies in der Konfrontation mit einem altgedienten Gegner wie Johannes R. Becher möglich gewesen wäre.

Döblins Kritik setzt bei Karl Marx ein und umfasst die Musterung der kommunistischen Parteien wie der Entwicklung in der Sowjetunion. *Am Marxismus ist das geistesgeschichtliche Kernstück nicht Klassenkampf, Proletariat, Diktatur. Geistesgeschichtliches Kernstück ist die treibende Bewegung auf den endlich fälligen neuen natürlichen Menschen.* Er wollte mit dieser Schrift den Sozialismus vom Ökonomismus befreien, wenn nicht gar: erlösen. Anderswo hatte er seine Auffassungen schon vom Klassenkampfdenken abgegrenzt. Er forderte stattdessen Kropotkins Prinzip der »gegenseitigen Hilfe«. Ihm ging es, das hatte schon Linke Poot gefordert, um eine Utopie, um eine *reine Kraft, Element in uns.* Den Platz des Intellektuellen sah Döblin nicht im Proletariat, sondern daneben. Der sich theoretisch gebende Dezisionismus marxistischer Intellektueller führe zur Versimpelung der Positionen, ja zu einer Verkümmerung bis hin zu einer nurmehr rhetorisch begründeten Alternative: hie der Nationalsozialismus, dort die Kommunisten. Er wollte zu einem Gespräch außerhalb der – füreinander sprachlosen – Parteien anregen.

Seine Auffassungen sind vor allem an Brechts Lehrer Karl Korsch geschult. Der wollte dem Marxismus von den Verflachungen, die er erfahren hatte, durch Kritik aufhelfen. Von den verschiedenen Ansätzen zu einer Neuformulierung, die es damals gab, etwa von Georg Lukács und Ernst Bloch, hat Döblin wohl nur wenig gekannt und das meiste am Weg gelassen, von Karl Korsch aber ließ er sich beeinflussen. Er lebte als Gelehrter und Publizist seit 1924 in Berlin, war der USPD beigetreten, dann von der KP übernommen, aber wegen seiner Kritik der marxistischen Orthodoxie bereits im Mai 1926 wieder ausgeschlossen worden. Die kritische Position Korschs hatte Döblin schon aus seiner 1923 erschienenen Schrift »Marxismus und Philosophie« kennenlernen können. Korsch war Mitbegründer des Frankfurter Instituts für Sozialforschung und hat als erster die materialistische Geschichtsauffassung auf den Marxismus selbst angewandt. Er forschte nach den Gründen für das Versagen der Sozialisten in Deutschland 1918. Von Korsch konnte Döblin auch die Abwendung von der historischen Rolle des Proletariats lernen. Im Vorwort zur zweiten Ausgabe von »Marxismus und Philosophie« 1930 rechnete Korsch mit seinen Kritikern scharf ab, geißelte Lenins Auffassung als undialektisch, nur dem praktischen Nutzen des Machtgewinns und Machterhalts unterstellt und sprach von einer »ideologischen Diktatur«. Die Spuren Karl Korschs kann man vor allem in *Wissen und Verändern!* studieren. Döblin nannte, was er in Russland verwirklicht sah, *Staatskapitalismus* – später ein Hauptwort des linken Antikommunismus von Herbert Marcuse in »Der eindimensionale Mensch«. Bei Döblin kamen die Ansichten des libertären Gemeinschaftssozialismus wieder zum Vorschein: *Freiheit, Ablehnung des Zwangs, Empörung gegen Unrecht, Widerwillen gegen Barbarei,* die Ideale Pjotr Kropotkins und Gustav Landauers, der 1904 dessen grundsätzliche Schrift »Gegenseitige Hilfe in der Tier- und Menschenwelt« ins Deutsche übersetzt hatte. Döblin propagierte die Idee des *ethischen Sozialismus,* wie schon zehn Jahre zuvor (1920) im Text *Republik*.

Es gab für ihn nur eine einzige Position: Antikapitalismus und Antimarxismus in einem. Gegen den Kapitalismus fielen die entschiedensten Worte: *Sie haben hier einen furchtbaren, scheusäligen Götzen vor sich, einen vollkommenen Satan, der hassenswert in unserer Menschheit steckt. Sie werden nicht mit der Macht gehen, weil Sie diesen Götzen nicht anbeten.* Die vielen oft nur kurz angerissenen Zitate weisen auf eine ausführliche Marx-Lektüre hin. In der »Gruppe 1925« gab es einen weiteren Lehrer in Marxismuskritik:

Fritz Sternberg, der, wie Döblin später erinnerte, *sehr sicher und autoritativ seine Theorien über die Lehre von Karl Marx entwickelte*. Döblin nannte, Ende 1929 nach den besten Büchern des Jahres befragt, im »Tage-Buch« 1929, S. 2097, Fritz Sternbergs »Imperialismus«-Studie.

Noch einmal bekannte sich Döblin wie 1919 zum Sozialismus, aber zu einem, der sich vom Marxismus abstößt. Er wollte *Freiheit, spontaner Zusammenschluß der Menschen, Ablehnung jedes Zwanges, Empörung gegen Unrecht und Zwang, Menschlichkeit, Toleranz, friedliche Gesinnung.*

Die Entwicklung der Sowjetunion hatte er genauestens verfolgt, war in die »Gesellschaft der Freunde des neuen Russland« eingetreten, hat sich öfter über Lenin und sein Überformat geäußert; er verachtete die proletarisierende Kulturpolitik Johannes R. Bechers und wollte sich davon abgrenzen, seinen Abstand zum Modellstaat Sowjetunion und zur Idee der Oktoberrevolution markieren, zu einer Eigenbestimmung des Sozialismus gelangen – und versäumte darüber die Auseinandersetzung mit den Nazis. Die Gefahr, die von dort drohte, hat er als akute (nicht als prinzipielle) in *Wissen und Verändern!* unterschätzt oder kaum wahrgenommen, weil er an ihre Wirksamkeit nicht so recht glauben wollte.

Das Machtvakuum der demokratischen Linken am Ende der Weimarer Republik hatte eine wichtige Konsequenz: ihr Sprach- und Überzeugungsvakuum. Gegenüber dem Scheinaktionismus betonte Döblin gleich am Beginn des Buches eine *entschlossene Lobpreisung des Denkens.* Das Vorspiel des Stücks *Die Ehe* endet mit der Forderung: *Sehen und erkennen! Wissen und verändern!* Auf dem Umschlag des *Alexanderplatz*-Romans war zu lesen: *Mit Erkennen und Verstehen fängt man es an.* Das Thema schlummerte bereits in den Texten, es bedurfte nur eines Anlasses, um aufzutauchen in einem eigenen Buch.

Kracauer stellte fest, dass *Wissen und Verändern!* – er nannte es das »große Verdienst« Döblins – eine »Ortsbestimmung der deutschen Intelligenzschicht« versuchte und »mindestens ihre fragwürdige Zwischenstellung klar fixiert« habe. Döblin hielt diese Position für zwingend: zwischen den Stühlen, zwischen Bürgertum und Proletariat, in beiden Schichten nicht heimisch. Das war eine doppelte Fronde: gegen das zu Untertanen verkommene Bürgertum wie gegen den verabsolutierten Materialismus und den in Parolen des Klassenkampfs befangenen Proletkult. Gerade diese Position fand die Kritik Walter Benjamins. Er warf ihm vor, er bestimme den Ort des Intellektuellen als den »eines Gönners, eines ideologischen Mäzens«.

Der Intellektuelle ist nach Döblin sozial nicht festgelegt, er ist nicht im Netz der Institutionen gefangen (oder darf sich nicht von ihnen benutzen lassen), aber er ist mit einer sozialen Verpflichtung ausgestattet. Sie zu bestimmen ist eine der Aufgaben in dieser Schrift. Er stand auch unter dem Einfluss von Karl Mannheims Schrift »Ideologie und Utopie« (1929) und machte sich dessen Prägung von der »freischwebenden Existenz« für den Typus des Intellektuellen zu eigen. Er hat die Pflicht, seine Unabhängigkeit in einem lebenslangen Abgrenzungsdisput gegen ideologische Formulierungen zu bestimmen.

Das Begriffspaar von *Wissen* und *Verändern* ist jedoch nicht nur aus der Marxismuskritik gewonnen, es steckte schon tief in Döblins Polarität. Der Gegensatz Wang-luns von Nichtwiderstreben und Aktion ist nun umgeformt in der Auseinandersetzung mit marxistischer Orthodoxie. Döblin fragte nach einer Versöhnung von Humanismus und Sozialismus.

Darin liegt der Hauptwert seiner Schrift: Revolutionäre Gewalt, wie sie beim Klassenkampf, in der Diktatur des Proletariats sich äußern konnte, erzeugte nach seiner Auffassung nur neue Gewalt. *Es ist die Zeit der Erhebung des Zivilisten. Der Weg zur Freiheit hat lange genug und ohne Ergebnis durch Gewaltakte und Knechtschaft geführt; es kann als geschichtlich erwiesen angesehen werden, daß er nicht durch Diktaturen führt.*

Wissen und Verändern! ist die Parteischrift eines Sozialisten, der sich nicht hinter einem Staketenzaun ideologischer Leitsätze einfrieden lässt, die Unabhängigkeitserklärung eines Intellektuellen, der in den Kämpfen zwischen dem werdenden Stalinismus und dem Nationalsozialismus nur verlieren konnte. Er wollte der sich abzeichnenden Katastrophe, die in der Polarität zwischen einem »roten« oder einem »braunen« Staat lag, mit Besonnenheit und Differenzierung, auch unter Berufung auf den vormarxistischen Frühsozialismus und die »urkommunistische« Idee entgegenwirken. Die geschichtliche Entwicklung ging darüber hinweg, doch enthält dieses von den Machttatsachen entkräftete politische Denken gerade für das Heute ein noch immer virulentes, nicht stillgelegtes Erbe. Döblin wollte auch später seine Position keinesfalls aufgeben. Im Exil in Frankreich der letzten Friedensjahre arbeitete er daran, im Zusammenspiel mit Renegaten wie Koestler, Sperber und Münzenberg, in einem Kreis, der sich um dessen »Zukunft« gefunden hat. Und Döblins Christentum, wie er es verstand, war im Nachkriegsdeutschland darauf angelegt, seine Art von Sozialismus mit neuen Stichworten zu bereichern und zu stärken. Insofern bildete *Wissen und Verändern!* ein Programm, das für ein Vierteljahrhundert vorhielt, geradezu einen Nachlass zu Lebzeiten, der noch immer verwendungsfähig ist.

Die Buchfassung der bereits veröffentlichten Texte erschien, um einiges vermehrt, im Februar 1931 in einer Auflage von 5000 Exemplaren. Die Abdrucke im »Tage-Buch« und die Erwiderungen in der »Neuen Rundschau«

lösten eine der fulminantesten öffentlichen Debatten der späten Weimarer Jahre aus.

Döblin hatte die Position des Intellektuellen in einem selbstgewählten Zentrum gesehen; von einer linken Mitte aus wollte er die Lager des Extremismus angreifen oder aufweichen. Der Haupttenor seiner Gegner jedoch zielte darauf ab, gerade diese Verortung entweder als Eskapismus oder als Abstraktion zu brandmarken, dem Essayisten wechselnd Unverbindlichkeit oder Verrat am Sozialismus vorzuwerfen.

Wie nicht anders zu erwarten, polemisierte die »Linkskurve« gegen den Antidogmatiker. Armin Kesser wetterte gegen »Das Labyrinth des Dr. Döblin«: Dessen Absicht, den Sozialismus zu akzeptieren, nicht aber den Klassenkampf, der aus ihm folgere, sei »eine Abschlagszahlung des schlechten Gewissens an den Sozialismus«. Siegfried Kracauer hielt den Autor einfach für undialektisch; ohne Vorsatz diene er dazu, dass er »der von ihm aufgerufenen Intelligenz eine Ideologie liefert, die sie dazu befähigt, im Namen des Sozialismus sich nicht um den Sozialismus zu kümmern«. In der »Neuen Rundschau« höhnte der deutschnationale Publizist Herbert Blank, Angehöriger des Kreises um den abtrünnigen Nationalsozialisten Otto Strasser, dass demnächst »Nationalsozialismus und Kommunismus die Entscheidung um Deutschland austragen« würden und dass die bürgerliche Mitte »zerrieben werden wird und zerrieben werden muß«. Döblins eingreifendem Intellektuellen wurde somit von diesem linken Nationalsozialisten der Totenschein ausgestellt. Der junge Klaus Mehnert sah Döblins anvisierte Position zwischen den Lagern gerade als das Fatale an, denn er hoffte kühn, dass »eines Tages« die Extremisten auf beiden Seiten, »die getrennt marschierenden Kolonnen, denen heute schon unsichtbar dieselben Fahnen voranfliegen, sich vereinigen und auf dem gemeinsamen Boden der Nation die Zukunft bauen, eine Zukunft, in der zwar manche für den Liberalismus undiskutable Opfer gebracht werden müssen, die aber in Deutschland sicher kein Zuchthaus darstellen wird, wie Sie es befürchten«. Da sollte sich Klaus Mehnert kräftig irren – und nicht zu seinem Schaden. Er überstand das »Dritte Reich« als Auslandskorrespondent, Reiseschriftsteller, als Professor an auswärtigen Universitäten und im Dienste des Auswärtigen Amtes. Als Großdeuter Osteuropas avancierte er nach dem Zweiten Weltkrieg in der Bundesrepublik zum gleichen Zeitpunkt, zu dem Döblin vergessen wurde.

Döblin lieferte für den Abdruck von sechs Entgegnungen im Juliheft 1931 der »Neuen Rundschau« einige Schlussbemerkungen, die er aber als *Vorwort zu einer erneuten Aussprache* deklarierte. Er beklagte den Zustand der öffentlichen Meinungsbildung am Ende der Weimarer Republik und bereute angeblich, das Buch überhaupt geschrieben zu haben, aber man darf diese Behauptung als rhetorische Figur nehmen. Das Buch diene vor allem als *Instrument der Selbstklärung*, auch wolle er zur *Sicherung schon vorhandener Einsichten* und der Befreiung aus einer *Isoliertheit* beitragen Seine Zielrichtung ist klar: der Gedanke des Klassenkampfs hat die Utopie des Sozialismus instrumentalisiert und missbraucht; es kommt darauf an, zu dieser Utopie zurückzukehren. Und er gab eine kurze Umschrift davon: nämlich *der positive Wille, die Hoffnung, die Selbstbejahung und, trotz allem Nein und aller Empörung, die Bejahung alles anderen Menschlichen.* An Benjamins »linke Melancholie« band ihn zu diesem Zeitpunkt nichts. Das Thema und die Reaktionen darauf ließen ihm keine Ruhe: Bereits einen Monat später, im Augustheft 1931 der »Neuen Rundschau«, holte er zu einer langen Replik aus. Kein Wort mehr davon, dass er die Schrift *Wissen und Verändern!* bereue.

Er betonte das Kontinuum seines Denkens und griff sogar auf seine Schrift *Das Ich über der Natur* von 1927 zurück. Auch seine Naturphilosophie verlief zur Gesellschaft hin, kam jedenfalls nicht ohne das Soziale aus. Daraus folgerte für ihn eine massive Kritik des simplen Materialismus im Marxismus: *Die Punkte sind: Der schroffe Zentralismus, die Wissenschaftsgläubigkeit, der Militarismus, den die Lehre begünstigt und aus dem ihr autoritärer Geist wächst, die ökonomische Verengung der Gedanken, die gelegentlich dicht an die Grenze des metaphysischen Stoffmaterialismus führt.* Er fand zu den wichtigsten Punkten jener Marx-Kritik, die in der antiautoritären Studentenbewegung 1967 wiederauflebte. Die Schrift insgesamt und ihre Zusätze wecken heute Erstaunen und Befremden zugleich. Sie traf die marxistische Orthodoxie ins Mark. Bevor der Stalinismus eine Weltmacht wurde und sein mörderisches Programm voll entfaltet hat, wurde er einer weitreichenden und überaus klar formulierten Kritik unterzogen. Das ist Döblins Leistung: Unter seinen Kollegen steht er damit ziemlich allein, und viele der Sätze könnten auch heute für ein Fazit über den zusammengebrochenen Realsozialismus stehen. Sie ergeben eine Wegweisung, die wiederum gespenstische Züge aufweist. Fast nichts ist darin enthalten von der drohenden Gefahr. Döblin hatte den Nationalsozialismus in dieser Schrift nur nebenbei auf der Rechnung. Fast ausschließlich waren seine Gegner die Thälmanns.

Der Döblin-Herausgeber Arthur W. Riley hat die Einwände bei und nach der Erstveröffentlichung des Buches noch einmal für sich zusammengefasst: »Liest man *Wissen und Verändern!* mit einem Blick auf die zugespitzte Lage von 1931, so fällt auf, daß Döblin, der sich vor allem an bürgerliche Intellektuelle, Freiberufliche und Akademiker wendet, die Anfälligkeit für den Faschismus sowenig wie diesen selbst in Rechnung stellt. Nur am Rande und ganz unzureichend ist von dem damals nicht mehr zu übersehenden Nationalsozialismus die Rede. Döblins Unterscheidung dessen, was Sozialismus zu sein habe, erwies sich in einer politischen Wirklichkeit, die durch äußerste Polarisierung gekennzeichnet war, als akademisch und abstrakt. Seine Abneigung gegen die organisierte Linke ging so weit, daß sie rechts bereits mit Genugtuung vermerkt wurde.« Gefordert wird damit in der Konsequenz nichts anderes, als dass Döblin seine eigene Haltung zugunsten eines Lagerdenkens hätte opfern sollen. Nur eine funktionale Selbstentleibung angesichts der extremistischen Polarität in der späten Weimarer Gesellschaft wäre demnach richtig gewesen. In *Wissen und Verändern!* hat Döblin noch an die Mediatisierungskraft des Bürgertums geglaubt. Der Jüngerschen Parole von der »totalen Mobilmachung« (1930) setzte er einiges entgegen. 1931 wollte er den Nazis keine großen Chancen einräumen, und er irrte sich damit wie die beiden Linksparteien insgesamt. So fasst diese Schrift Einsichten und Überzeugungen des Autors zu einem Zeitpunkt zusammen, da sie bereits als Vermächtnis eines Republikaners lesbar wurden.

UMZUG IN DEN WESTEN

Von wenigen Ausnahmen abgesehen, lebte die überwältigende Mehrheit der schreibenden Kollegen im Berliner Westen, in einer anderen Welt. Linke Poot hatte 1923 in seinem Feuilleton *Vorstoß nach dem Westen* den Wechsel vom Armenrevier im Osten zur Luxuswelt am Kurfürstendamm mitten in der Notstandszeit der Inflation besuchsweise geprobt – nach vielen Jahren im proletarischen Lichtenberg schrieb er: *Welche sauberen, geschmückten Läden und Häuser! Ich stehe vor dem Glaskasten eines Photographen: da liegt ein junger Herr, ein Elegant, im Klubsessel, hat einen Zylinder auf, trägt das Monokel. Auf anderen Bildern – sie sind sehr fein aufgemacht – entblößen gut retuschierte Damen ihre hellen runden und fetten Schultern; sie lächeln alle; man sieht, sie markieren und spielen, bewußt oder unbewußt.*

Döblin bekannte sich noch 1932 in *Altes Berlin* zum Osten: *Die Gegend Berlins, die mir am vertrautesten ist, ist die Gegend von der Blumenstraße bis zum Spittelmarkt. Ihre Achse bildet die Jannowitzbrücke. Das Märkische Museum mit dem Roland steht da, die Spree zieht hier durch, die Fischerbrücke und Waisenbrücke führen über das Wasser.*

Am 10. August 1930 wurde Döblins Geburtstag zum letzten Mal in der alten Wohnung an der Frankfurter Allee gefeiert. Yolla Niclas sah zu diesem Zeitpunkt Erna zum letzten Mal. Die Ehefrau hatte den Bruch vollzogen.

»Sie hatte einen Bann über mich ausgesprochen, den gleichen, den sie viele Jahre später auch über andere Menschen, die D. nahe standen, verhängt hat.« Eine gewiss sehr einseitige Darstellung, der aber nicht widersprochen werden kann: Erna Döblin hat über ihre Sicht und ihre Schwierigkeiten, sich mit einer Geliebten ihres Mannes abfinden zu sollen, keine Aufzeichnungen hinterlassen. Yolla Niclas war nun 30 Jahre alt und unverheiratet; niemand war in Sicht, der sie aus ihrer seelischen Bindung an Alfred Döblin hätte lösen können, und »keiner vermochte über D.s Schatten zu springen«.

Im Januar 1931 wurde der Umzug, auf den Erna Döblin gegen den Widerstand ihres Mannes gedrängt hatte, zum Kaiserdamm 28 in eine Achtzimmerwohnung vollzogen. Im »Bücherwurm« stand unter dem Pseudonym »Reuchlin« eine Glosse auf den Armenarzt, der in den feudalen Westen gezogen war: »Wie rührend, wie bewunderns- und lobenswert! Wirklich macht hier einer Ernst mit der Forderung, sich einzuschränken, sich zu bescheiden, in dieser großen Leidenszeit des Volkes schlichter und mitleidender Bruder der kleinen Leute im trostlosen Berliner Norden zu sein. Wirklich? – Im Adressbuch kann jeder nachlesen, daß der Herr Doktor Alfred Döblin am Kaiserdamm 28 wohnt, in der vornehmsten Bourgeoisiegegend des Berliner Westens ...«

Durch den Erfolg des *Alexanderplatz*-Romans in Verbindung mit den Lizenzausgaben hatte Döblin zum ersten Mal eine gewisse finanzielle Unabhängigkeit erreicht. Die Kassenzulassung gab er zurück, doch die Praxis behielt er bei. Aber diese Entscheidung erwies sich als ein doppeltes Manko. Die Privatpatienten vermehrten sich nicht, und es fehlten ihm die Menschen, mit denen er im armen Berliner Osten ansonsten zu tun hatte – keineswegs nur als ärztliche Klientel. Er beantragte erneut die Kassenzulassung und wurde abgewiesen, legte Widerspruch ein, doch hatte er auch damit keinen Erfolg. Nach eigener Darstellung wurde er als »Jungarzt« auf eine Warteliste der Kassenärztlichen Vereinigung gesetzt. Wäre er in Deutschland geblieben, hätte er als Kassenarzt spätestens nach dem 22. April 1933 aufhören müssen. Eine nationalsozialistische Verordnung über die Zulassung von Kassenärzten beendete damals endgültig die Neu- oder Wiederzulassung von jüdischen Kollegen.

Das gutbürgerliche Milieu in Charlottenburg gefiel Döblin überhaupt nicht: *Die »besseren« Leute schon, die ich auf der Straße in der westlichen Gegend sah, wohin ich Wahnsinniger verzog, – ich dachte: ein Experiment, warum soll man einmal nicht experimentieren, – mochte ich alter Berlin-Ostler nicht.* Für ihn war klar, dass er nicht zum Berliner Westen gehörte und dass seine Prägungen sowie die Kenntnis des Milieus unabdingbar waren. Bereits Mitte Oktober 1931 suchte er seinen Schritt zu revidieren. Er behauptete, er habe den Umzug aus einfachen wirtschaftlichen Erwägungen vorgenom-

Im Atelier des Bildhauers Harald Isenstein
Ende der zwanziger Jahre

men: *Diese Notverordnung betr. Krankenkassen hat mir meine halbe Praxis genommen, – da versuche ich es wie andere einmal woanders – aber es scheint auch für mich nichts zu sein, ich habe mich schon wieder zurück zur Kassenpraxis gemeldet, – es steht geschrieben, der Mensch muß bleiben, was er ist.* Wahrscheinlich bezieht sich Döblin auf die Notverordnung Brünings vom 8. Dezember 1930. Erreicht werden sollte das Ziel, »daß die kassenärztliche Versorgung der Patienten ausreichend und zweckmäßig« sei. Aber in Wirklichkeit ging es dabei um Sozialabbau, nämlich darum, dass sich die Krankenkassen auf die Regelleistungen zurückziehen sollten. Döblin mietete für Anfang 1933 eine Wohnung in Berlin-Neukölln, Hasenheide 83, in die er nach der Machtübernahme Hitlers jedoch selbst nicht mehr einziehen sollte.

DONNERSTAGABENDE

Besonders eng hatten sich die Döblins dem kunstsinnigen und literarisch bewanderten Ehepaar Arthur und Elvira Rosin angeschlossen. Er war bis 1933 Präsident der Darmstädter Bank, sie emigrierten 1934, zuerst nach Rom, dann

1936 in die USA, waren in den Vereinigten Staaten, aber auch noch bis in die Nachkriegszeit hinein den Döblins unschätzbare Helfer. Die anrührende und dichte Korrespondenz zwischen ihnen hat sich erhalten.

Die heftigen Kontroversen, die Döblin mit seiner Schrift *Wissen und Verändern!* ausgelöst hatte, wirkten lange nach. Er wollte weiterhin anregen und provozieren, in der Auseinandersetzung seine Argumente erproben und schärfen. In seine neue Wohnung, die offensichtlich auch nach der räumlichen Möglichkeit ausgesucht worden war, einen Salon zu führen, lud er einen Kreis von geistigen Kombattanten ein. Zum ersten Mal fand im Mai 1931 einer der »Donnerstagabende« statt, die bis zum Februar 1933 zunächst sehr regelmäßig wöchentlich, dann wohl im größerem Abstand stattfanden. Im Sommer gab es eine Pause. Für Ende Oktober lud er ein, *versuchsweise die im Frühjahr begonnenen Aussprachen über kulturelle und prinzipielle Dinge in einem kleinen Kreis* fortzuführen. Bei diesem Treffen waren insgesamt 14 Personen anwesend, unter ihnen Oskar Loerke und der Musikkritiker Viktor Zuckerkandl, Gottfried Bermann-Fischer und der tschechoslowakische Journalist und Botschaftsangehörige Camill Hoffmann sowie der Nationalrevolutionär Heinz Gollong. Ein erneutes Treffen gab es am 8. November 1931. Dazu geladen waren auch Studenten, unter ihnen Walter H. Perl, der aus großem zeitlichen Abstand sich erinnerte: »Mir sind diese Abende als merkwürdige Mischung von Intellektuellen, Verlegern und Studenten in Erinnerung, (…) es gab Redakteure der Vossischen Zeitung wie Monty Jacobs oder Osborn, aber es waren auch politische Extremisten wie Führer des Jungdeutschen Ordens oder der später als Widerstandskämpfer bekannt gewordene Harro Schulz-Boysen da.« Döblin wollte sich in Geduld üben. Er spürte, wie die Republik auf Treibsand fußte, aber er rechnete mit dem Faktor Zeit: *Man wird die Sache in Deutschland anders anfangen müssen. Mit den Arbeitern geht es nicht, das ist mir lange klar, beide feindlichen Brüder taugen nichts. (…) Keine Umwälzung ohne vorangegangene allgemeine ideelle Erschütterung. Der Kampf geht nicht um die Arbeiterschaft, sondern um alles Mittlere und Obere. Die Leute sind von gestern, man wird sie zum Heutigen bringen müssen; das ist ein Kernpunkt, sie haben schädliche alte Ideen (man muß Geduld haben, das Geistige ist langsam und konservativ gegenüber dem Technischen).* Dieser Brief an René Schickele vom Oktober 1931 enthält den Kern zu einigen Einschätzungsschwächen und Mängeln seines politischen Urteils. Sehr wohl sollte das Schwanken der Massen zwischen Nationalsozialismus und Kommunismus eine mit entscheidende Rolle beim Untergang der Republik spielen. Zu den Illusionisten gehörten auch die Adelskaste und die Angehörigen des Industrieclubs, die glaubten, sie könnten Hitler und die Seinen durch Einpassung in die Verantwortung zähmen. Döblin hat ihn nicht geteilt, zumindest gibt es in seinen schriftlichen Äußerungen keinen Anhaltspunkt dafür. Aber er irrte sich in anderer Hinsicht. Er sah im Nationalsozialismus offensichtlich nur die Versammlung der notorisch Gestrigen, ohne von ihrer stürmischen Entfesselung der technischen und propagandistischen Moderne etwas zu ahnen. Anfang Dezember 1931 verschickte er ein Rundschreiben, in dem er seine eigene Position angesichts der Zeitereignisse zu fixieren suchte. Es ist ein bestürzendes Dokument des politischen Rückzugs, den er einging. Er bestimmte sich, als wäre er Wang-lun zu den Zeiten der Schicksalsergebenheit: *Unter diesen Umständen gegen die Welt zu rennen und sie umwälzen zu wollen, heißt Kraft verschwenden.* Er übernahm für sich seine werkbestimmende Dichotomie von Handeln und Nichthandeln: *Man würde ferner in den allgemeinen Strudel mit hineingerissen werden, und statt aktiv zu sein, wäre man in kurzer Zeit, im Antworten auf aktuelle Fragen, Schlagwörter und sogenannte Probleme, passiv.* Er wollte sich angesichts des akuten politischen Drucks in eine Form der Autarkie, in eine Zuflucht zu seinem epischen Werk retten und hing dem Wunschglauben an, dass sich die politischen Dinge von selbst regeln würden: *Man kann damit rechnen, daß gewisse schlechte Tagesdinge von selbst totlaufen, und für die Beseitigung anderer Tagesdinge soll man sich nicht zu früh hergeben.* Er wollte sich zurückziehen, um sich für das Wesentliche zu sammeln, wollte nicht Gesellschaftstheorie verbreiten und auch nicht in die Tagespolitik einsteigen. Was er vorhatte, klingt nebulös: *Es geht immer auf Erkenntnisse allgemein richtender und weisender Art mit menschlicher Angriffskraft, auf wirkliche Unterweisungen und Anweisungen.* Aus seinem Kreis heraus wollte man für die bevorstehenden Reichstagswahlen im Juli 1932 einen gemeinsamen Aufruf veröffentlichen.

Man brachte es allerdings nicht einmal zu einer gemeinsamen Erklärung gegen die Gefahr des drohenden Nationalsozialismus. Die Standpunkte waren zu verschieden, und Döblin kapitulierte angesichts der Schwierigkeiten, aus den diversen Vorschlägen einen gemeinsamen Text zu kompilieren. Damit war eine wichtige Zielvorgabe des Gesprächskreises ein Jahr nach seiner Gründung und bei der ersten Belastung gescheitert. Man konnte sich über die aggressive Struktur des Nationalsozialismus und seine politische Aktionskraft nicht verständigen.

Offensichtlich als Ausdruck seiner Resignation verschickte er Juni/Juli 1932 wieder ein Rundschreiben. Döblin sah sich unveränderlich zwischen den Fronten, er wollte sich nicht auf die linksextreme Seite schlagen. In einem Rundschreiben bestimmte er diese Position der abwartenden Distanz, die nichts anderes als ein Schweigen zu den aktuellen Ereignissen rechtfertigte: *Ein Aufruf bei der heutigen massiven Spannung und bei dem Gegenüberstehen zweier Gewalten muß bestimmte und eindeutige Parolen enthalten, die auf diese Situation gemünzt sind. Das Hervortreten nur mit einer Haltung, ohne sie auch an der besonderen Situation zu exemplifizieren, wäre schwächlich. Es ist falsch, jetzt öffentlich mit einer Front über den Fronten herauszutreten. Wer jetzt hervortritt und anrufen will, muß anrufen, um nach einer der beiden Seiten zur Entscheidung zu führen. Dies ist aber nicht die Absicht, die gerade uns jetzt leitet. Die Gedanken und Leitsätze unseres Manifestes würden nichts leisten zu dieser jetzt allein dringlichen Frage.* Heinz Gollong war darüber ziemlich enttäuscht und fand die Weigerung angesichts der bevorstehenden Reichstagswahlen (aus denen die NSDAP als stärkste Fraktion hervorging) schlimm. Er formulierte seine Enttäuschung im Brief an Döblin vom 5. Juli 1932: »Ferner befinde ich mich im Gegensatz zu Ihrer Auffassung, daß es falsch gewesen wäre, jetzt hervorzutreten. Wir hätten zwar als geistige Spezies eine kleine Front außerhalb der gegenwärtigen politischen Fronten gebildet, aber praktisch hätten wir unbewußt und unausgesprochen doch die linke Front unterstützt. Und das zu tun, kann ich nicht für falsch halten! Umgekehrt: gerade weil der Kampf zwischen Ungeist und Geist sich täglich zuspitzt, müssen sich alle verfügbaren Kräfte einsetzen und nicht nur opferbereit, sondern sogar opferwillig sein. Wenn uns diese Absicht nicht gelingt, so triumphiert der Feind.« Döblins Vorschlag, die Gruppe zur Tat zu bringen, war an den unterschiedlichen Positionen und an seinem eigenen Zaudern gescheitert. Er empfand es selbst so. Der Gesprächskreis wurde dennoch weitergeführt, aber aus ihm heraus kam es nicht zu antifaschistischen Aktionen.

Am 20. Juli 1932 unternahm Franz von Papen einen Staatsstreich in Preußen, der Ausnahmezustand wurde verhängt. Als im Februar 1933 noch eine Sitzung in Döblins Wohnung stattfand, erschien die Gruppe ihrem Initiator jedoch wie gelähmt.

DIE VÖLKISCHE KOLLEGENFRONT

In der Schriftstellersektion der Akademie spitzten sich 1930 die Auseinandersetzungen mit der rechten Fraktion zu. Die völkischen Mitglieder entfachten eine Debatte über die Großstadt, die angebliche Überfremdung, den Internationalismus. Auf einer Sitzung am 13. Oktober erfolgte der Angriff: Unter der Versammlungsleitung von Wilhelm Schäfer trat Erwin Guido Kolbenheyer an. In seiner Rede fasste er zusammen, was er an völkischen Schlagworten schon anderswo im einzelnen verbreitet hatte. Seine Rede gipfelte in der Behauptung: »Die spezielle Ursache unserer falschen Grundeinstellung heißt Berlin.« Döblin erwiderte scharf, wobei er sich zur Hauptstadt bekannte, als *zugehörig zu dem wahren Berlin, zu dem von Kolbenheyer tief verkannten, zu dem unbekannten und für flüchtige Besucher unsichtbaren Berlin, wo alles in ungeheurer, selbstaufopfernder Anspannung um der Sache willen geschieht und nichts um des Betriebes willen.* Der Gegensatz zwischen den Dichtern der Großstadt und denen des »flachen Landes« hatte in der Akademie kulturpolitische Schärfe erhalten und ließ sich nicht mehr kitten. Döblin war mit Heinrich Mann der Wortführer der einen Seite, die mit der republikanischen in eins ging. Kolbenheyers Rede war von einem neuen politischen Selbstbewusstsein animiert: Am gleichen Tag, dem 13. Oktober 1930, zogen 107 statt der bisher 12 nationalsozialistischen Abgeordneten in den Reichstag ein. Heinrich Mann war bei dieser Akademie-Sitzung nicht anwesend, und Thomas Mann schwieg, wohl aus Überdruss am Gebaren der rechten Fraktion. Alfred Döblin war es vorbehalten, die Entgegnung zu formulieren. Wenige Tage danach sprachen Döblin, Schäfer und Schickele mit dem preußischen Kultusminister Grimme und erhielten von ihm die Zustimmung zu einer Umwidmung der Sektion: Anstelle der Begrenzung der handelnden Mitglieder auf Preußen sollte eine ganz Deutschland umfassende »Dichter-Akademie« gebildet werden, in der auch die auswärtigen Mitglieder etwas zu sagen hatten. Damit hatte der frühere Vorstoß von Arno Holz zu einem Erfolg geführt.

Am 24. November 1930 kam es zwischen den liberalen und linken Mitgliedern auf der einen Seite und den völkischen auf der anderen zu einer erregten Aussprache über Ziele und Geschäftsordnung der Sektion. Von Thomas Mann als Unruhestifter gerügt, verließen Kolbenheyer, Wilhelm Schäfer und Emil Strauß 1931 die Akademie unter Protest. Kolbenheyer, verstand sich als Repräsentant der völkischen Dichter, forderte den Einzelnen auf, in der Gemeinschaft von »Art und Volk« aufzugehen, wurde Nationalsozialist, erhielt nach dem Zweiten Weltkrieg wegen seiner antidemokratischen Hetze fünf Jahre Schreibverbot, Döblin ist in dessen Spruchkammerverfahren als Zeuge aufgetreten.

Selbstverständlich steigerte der Vorgang auf allen Seiten die Erklärungssucht. Wilhelm Schäfer meldete sich in der »Literarischen Welt« zu Wort, Heinrich Mann retournierte in der »Vossischen« und in der »Frankfurter Zeitung«, worauf Döblin am 25. Januar 1931 mit dem Aufsatz *Bilanz der Dichterakademie,* ebenfalls in der »Vossischen«, noch einmal ausholte.

Zeitlich dazwischen lag eine Sitzung der Sektion am 12. Januar 1931, auf der vor allem von den Brüdern Mann wie auch von Döblin der Umbau der Akademie gefordert. wurde. Folgt man dem Tagebuch des Sektionssekretärs Oskar Loerke, so ist an diesem Tag Schlimmes passiert: »Montag, 12. Akademiesitzung. Höchst unangenehm. Zusammenstoß von Döblin und Heinrich Mann mit den übrigen. Es sah ganz hoffnungslos aus. Döblin diktatorisch, warf mich aus dem Sekretärsposten und Ricarda Huch und Stucken aus der Mitgliedschaft in seinen ungezogenen Äußerungen. Heftige Opposition.« Doch wähnte sich Loerke zu Unrecht als Sekretär bedroht. Döblin hatte nur betont, dass kein Angestellter notwendig sei, wenn man nur eine Sektion zum Repräsentieren haben wolle. Er verfolgte allerdings einen ganz anderen Plan. Er wollte die Versammlung der Dichter mit Ansprüchen auf ideelle und soziale Leistungen verknüpfen, wollte ihr ein übersichtliches Arbeitsprogramm verschaffen. Das hieß fürs erste: ein klares Bekenntnis zum demokratischen Staat. Vor allem Heinrich Mann und Döblin zogen am gleichen Strang und nannten übereinstimmend als Programmpunkte: Sicherung und Schutz der Geistesfreiheit, Einwirkung auf die Schulen, Erweiterung des Literaturverständnisses über den bloß ästhetischen Rayon hinaus, Mitwirkung bei der Gesetzgebung in kulturpolitischen Fragen sowie ein prinzipielles Gehör von literarischen Sachverständigen in den Gerichtsverhandlungen über Literatur und Zensur. Dieses Programm vertrat Döblin Ende Januar auch in der »Vossischen«. Durch die Gründung einer Abteilung für »Dichtkunst« habe man *olympische Hoheit und Beckmesserei* gefördert. Diese *überzeitlichen Herrschaften* verstünden sich als *Orphiker, die den Dunst der Pythia einatmeten, und draußen blieben bloß vernünftige Leute.* Eine Verknüpfung von Dichtern mit Essayisten habe in der Akademie nicht stattgefunden, die Chance der Mitglieder, zur Bindung einer neuen Identität im demokratischen Staat beizutragen, sei nicht wahrgenommen worden. Und nun habe *der Provinzialismus, Heimatkunst, Kunst der Scholle, des sehr platten Landes* stattgefunden.

Seine Formulierungen erwiesen sich als so bildkräftig, dass sie rasch die Runde machten. Döblin wandte sich gegen die Vertreter des *sehr platten Landes,* womit er für den scharfen Disput zwischen »Zivilisationsliteraten« und »Völkischen« eine griffige Parole formulierte. Für den 9. Februar 1931 wurde eine außerordentliche Hauptversammlung der Sektion für Dichtkunst anberaumt, auf der die Mitglieder Heinrich Mann zu ihrem Vorsitzenden wählten.

EULENSPIEGEL

Am 11. April 1931 kam es zu einem der spektakulären Auftritte Döblins in der Öffentlichkeit. Der Maler Eugen Spiro hatte ihn eingeladen, zur Eröffnung der Ausstellung der Berliner Sezession über »Bilder und Malerei« zu sprechen. Die Veranstaltung wurde auch von der »Berliner Funkstunde« übertragen.

Die Erwartungen werden unter Künstlern und Publikum hoch gewesen sein. Döblin stammte aus dem »Sturm«-Kreis, war mit Schmidt-Rottluff befreundet, kannte und verehrte die Maler des Futurismus, vor allem Boccioni, und bewunderte Franz Marc. Nichts anderes als ein Redebeitrag zum Lobpreis der Moderne war von Döblin zu erwarten. Doch inszenierte er einen kompletten Rollenwechsel und provozierte das Publikum, indem er unversehens die Malerei als überholte Angelegenheit in den Orkus schob und die künstlerische Moderne gleich mit. Diese komisch ernsthafte Attacke ist leider nur zum Teil erhalten, aber auch das Fragment der Mitschrift zeigt Döblin auf den Pfaden eines Eulenspiegels. Ein Foto hält einen elegant geschniegelten Autor fest, der mit einem hintersinnigen Lächeln ohne Manuskript redet, und einen entsetzten Eugen Spiro, der die Hand vor den Mund hält, als müsste er die Worte, die da neben ihm zu vernehmen waren, zurückhalten. Die Rede geriet zu einer Publikumsbeschimpfung, den Malern schleuderte er entgegen: *Sie sind nicht ganz Leute von Heute!* Wenn er moderne Architektur sehe (er erwähnte Taut und Gropius), so zittere sein Herz. Aber bei der Malerei? *Diese Bilder alle sind Reste aus einer alten, in sich geschlossenen, saturierten Zeit.* Er provozierte weiter, nannte die versammelten Künstler *ahnungslose Gemüter* und der Künstler an sich sei *ja eine Mißgeburt der Natur.* Das Publikum quittierte die Frechheiten mit Lachen, das sich Döblin wiederum verbat. Man kann seine Rede durchaus in sein poetologisches Programm einreihen: das Porträt eine überholte Angelegenheit, der Roman ebenso, aber er spielte nur mit diesem Rahmen. Fünf Tage später stellte sich Döblin einer Diskussion mit Max Osborn und Adolf Behne im Radio zum Thema »Hat die Malerei noch kulturelle Bedeutung« und wurde gewiss mit gut begründeten Richtigstellungen eingedeckt.

Er beteiligte sich gerne und häufig an den munteren Umfragen und Literaturspäßen, die vor allem von der »Literarischen Welt« und dem »Berliner Tageblatt« veranstaltet wurden. Zum Beispiel wurden am 6. November 1931 unter dem Titel »Wo steckt hier der Fortschritt?« drei Autoren gebeten, eine Erzählung zu schreiben. Der junge Peter Huchel wurde aufgefordert, einen Durchschnittsmenschen in seinem Alltag zu beschreiben. Der Historiker

F. Spiro übersetzte die Story in die Zeit der Spartakuskämpfe. Der naturwissenschaftlich bewanderte Arthur Koestler entschied sich für eine futurologische Version im Jahr 2000. Darauf folgten vier Nachworte von Rudolf Alexander Schröder, Heinrich Mann, Joseph Roth und Alfred Döblin. Während die drei Kollegen etwas lustlos den Fortschritt in der aufgezeigten Zeitspanne von mehr als 2000 Jahren hin- und herschoben, merkt man Döblin seine Freude an der sprühenden Polemik an: *Das wäre nun etwas zur Frage »Gibt es einen Fortschritt?« Heute hat diese Frage noch einen ärgerlichen »Sinn«. Sie wird nämlich von manchen Fragestellern mit »Nein« beantwortet, und sie stürzen sich auf alles, was das Nein begründen kann, Historisches, Metaphysisches, Physisches, – weil sie Defätisten, Nichtstuer, Nichtswoller und Feiglinge sind und in dem sogenannten Kontemplativen verharren. Sie begründen: weil es metaphysisch keinen »Fortschritt« gibt, gehen wir schlafen. Ein völlig falscher Schluß. Darum gehen wir noch lange nicht schlafen. Den Begriff »Fortschritt« haben sich nämlich brüderlich bornierte Aktive und überschlaue Schlafmützen geschaffen. Erstere schreiten damit fort, letztere ruhen damit sanft.*

Sieben Monate später wurde im gleichen Blatt ein Kollektivroman abgedruckt. Der gewiefte Krimischreiber Frank Arnau gab eine Detektivgeschichte »Die verschlossene Tür« vor. Eine mondäne Frau, drei Liebhaber, ein Kriminalbeamter und ein Journalist gruppieren sich um eine schöne Leiche in einer Grunewald-Villa. In sieben Folgen breiten Richard Huelsenbeck, Gabriele Tergit, Manfred Hausmann, Kurt Heuser, Edlef Köppen und Erich Ebermayer jeweils ihre Version des Tathergangs aus, und Frank Arnau beschließt den Krimi mit einer lange hinausgeschobenen Lösung. Die witzigste Version stammt von Alfred Döblin. Er hielt sich nicht an die etwas glatt polierte Geschichte, leistete sich vielmehr mit *Ivar Kreuger lebt!* einen Abstecher zum Erfinder des Zündholzes, lieferte eine Parodie auf den preußischen Kriminaler.

Das Unternehmen war interaktiv angelegt: die Leser sollten sich an der Auflösung beteiligen, und ihnen winkte sowohl eine Moskau-Leningrad-Reise wie eine Packung mit 1000 Abdullah-Zigaretten, aber die Abonnenten der »Literarischen Welt« scheinen an der Auflösung der Verwicklungen nicht besonders interessiert gewesen zu sein. Nichts von ihnen wurde veröffentlicht, weil sich, so die redaktionelle Notiz, »besonders überraschende Kombinationen nicht ergeben haben«. Umso mehr strahlt die Freude über die Zerstreuung, die Unterbrechung des Ernstfalls aus Döblins Version.

SCHULBUCH DER REPUBLIKANER

Mit Heinrich Mann drängte Döblin auf die Gestaltung eines Schullesebuchs, das als Instrument der literarischen Bildung, als Zeugnis humaner Gesinnung und republikanischen Selbstverständnisses eingesetzt werden konnte. Mit Oskar Loerke und Heinrich Mann lieferte er den Entwurf dieses Buches für die höheren Schulen Preußens im Auftrag des Kultusministers Adolf Grimme, der 1930 die Nachfolge von Carl Heinrich Becker angetreten hatte. Im Januar 1931 wurde in der Sektion eine Erklärung verabschiedet, die vom Kultusministerium »ihre ständige gutachtliche Heranziehung vor der Einführung kulturwichtiger Lehrbücher« forderte. Der preußische Kultusminister hatte für diesen Wunsch offene Ohren. Der Sektion wurde im Zentralinstitut für Erziehung und Unterricht ein Arbeitsplatz eingeräumt, und Oskar Loerke übernahm die Sichtung des Materials auf seine politische und kulturelle Tauglichkeit. Döblin kritisierte zunächst, dass in den vorhandenen Lesebüchern die städtische Lebenswelt unterrepräsentiert sei, wo doch 70 Prozent der Bevölkerung nicht auf dem Land lebten. Nach einem Gespräch mit Grimme Anfang März nahmen Heinrich Mann und Döblin ihre Arbeit auf. Wie wichtig Döblin diese Vorstellung war, geht aus einem Text *Lektüre in alten Schulbüchern* hervor, den er ein halbes Jahrzehnt später im französischen Exil veröffentlichte: *Man braucht das Kulturerbe, und aus nichts entsteht nichts, aber bloß Kulturerbe? Es sieht verdächtig aus, und ist, selbst wenn man es nicht meint und nicht will, gefährlich. (...) Wer diese Schulbücher passiert hat, weiß und hat und ist etwas vom gestrigen Deutschland, vom Kaiserreich, Mittelalter und Armin. Die junge Republik, die Demokratie, die Arbeiterschaft, die neue Welt wird er nicht kennen, sondern ablehnen.* Es ging also nicht um das Erbe allein, sondern auch um seine Kritik.

Lesebuch – Der Entwurf ist nicht mehr vorhanden und kann deshalb nicht näher beschrieben werden. Auch über das Ende des Projekts gibt es keine verlässlichen Nachrichten. Nach Döblin landete das Projekt im Papierkorb des Ministeriums, Heinrich Mann schrieb in seinen Memoiren »Ein Zeitalter wird besichtigt«, der »Inhalt (des Lesebuchs) sollten die Arbeiten des Volkes und seine Freuden sein, die Geschichte Deutschlands sollte nicht länger beschränkt werden auf Schlachten, auf den Ruhm von Feldherren und Fürsten. Das Buch wurde fertig, der Minister Grimme, der letzte sozialdemokratische, begünstigte es. Seine Beamten hüteten sich, es in die Schulen einzuführen: das Ende der Republik kam schon in Sicht.« Spätestens wurde der Entwurf zu den Akten gelegt, als Franz von Papen mit dem sogenannten »Preußenschlag« die letzte demokratische Landesregierung im Juli 1932 absetzte.

Eine Exilpublikation Heinrich Manns geht möglicherweise auf diese Textsammlung zurück. 1936 veröffentlichte er im Europa Verlag Zürich sein deutsches Lesebuch »Es kommt der Tag«. Essayistische Einschübe des Autors wechseln einander ab mit Auszügen aus der Bibel und Texten beispielsweise von Kant, Nietzsche, Grillparzer, Gottfried Keller und Fontane. Er konnte sich vielleicht an dem vorhandenen Aufriss des Schullesebuchs orientieren.

Der Sekretär der Literatursektion, der die Hauptlast der Prüfung des Unterrichtsmaterials zu tragen hatte, war von dieser Aufgabe anscheinend sehr belastet. Ende November 1931 notierte Oskar Loerke in sein Tagebuch: »Akademie. Eine Fibel geprüft. Wohin man doch verschlagen wird! Das Danaidenfaß der Leserei bringt einen zur Verzweiflung. Immer wieder kommen neue Manuskripte. Nicht nachzukommen, Tage, Abende, alle eigene Arbeit wird aufgefressen.«

GIGANTEN

Im März 1932 erschien eine Neufassung des Romans *Berge, Meere und Giganten.* Die Umarbeitung entsprach Döblins Wunsch nach leichterer Fasslichkeit und breiterem Zugang zu seiner Literatur, wie er allgemein in seiner Rede über Arno Holz gefordert hatte. Er kürzte den Roman nicht nur um zahlreiche Episoden, er schrieb ihm auch eine geradlinige politische Fabel ein, gliederte die Handlung durch zahlreiche Zwischentitel in kleine, leicht verständliche Abschnitte. *Giganten* ist ein Beispiel für die angestrebte Vereinfachung, um ein großes Publikum erreichen zu können, allerdings mit dem Stück *Die Ehe* auch das einzige, das er sich leistete.

Vorgestellt ist nun weder die Maschinenfeindschaft der Siedler noch die Vergötzung der Technik mit ihren unabsehbaren Folgen. Ein neues Wort tritt auf und nimmt eine beherrschende Stellung ein: *das Gesetz.* Der Gegensatz zwischen Städtern und Siedlern ist in dieser Neufassung des Romans abgeschwächt, ein visionär optimistischer Zug bestimmt das Ende des Buches: *Laßt uns eine neue Fahrt beginnen, die große weite Welt ist da, sie hat die Sterne und den Himmel, und der Mensch und sein Gesetz ist da.* Noch der letzte Satz im Roman wiederholt das neue Schlüsselwort: *das Gesetz.* Es wird nicht kommentiert. Es handelt sich um nicht mehr als um die Vereinbarung zwischen den Menschen, zwischen Technik und Natur, um die Brücke zwischen der Zukunft und den Verirrungen der Vergangenheit. Im raunend Ominösen sucht also dieser epische Neuansatz seine Zuflucht.

In einem Nachwort von *Giganten* kam er noch einmal auf den ursprünglichen Roman zurück. Um die 250 Seiten der *Enteisung Grönlands* hätten sich damals 350 andere gelegt: *Im Buch war als ein Hauptthema die Schrankenlosigkeit der Natur, ihr Wuchern und Überwuchern geschildert worden. So war mir, sah ich jetzt, das Buch selber durch immer neue Einfälle, Erfindungen, Episoden, Ausmalungen ganz aus den Fugen und auseinander geraten.* Er deutete einen Rückweg von den großen Mächten »Natur« und »Technik« zum Format des Humanen an: eine Vermenschlichung des Themas. Das Wilde, inkommensurable des ersten Zukunftsromans ist getilgt. Es klingt wie Büßertum und Demut angesichts des acht Jahre zurückliegenden herostratischen Gebildes, wenn er nun erklärte: *Wir haben ein stolzes, freies, selbstverantwortliches Ich in uns.* Er wollte am Beginn der dreißiger Jahre vor allem seine eigene Welt retten, die andere, politische hielt er nicht mehr für rettbar. Dafür war ihm der Glaube an die Vernunft der Massen, die Weisheit und Tatkraft einer Partei und die Gültigkeit der Marxschen Analysen zu gründlich verlorengegangen.

1932

Es klingt oft schütter, intellektuell bescheiden, moralisch anspruchslos, was Döblin damals über die politischen Krisen sagte und schrieb. Aber vielleicht steckt in dieser Zurückhaltung bei der Auseinandersetzung mit den Nationalsozialisten mehr Wahrheit als in zitablen »richtigen« Sätzen. Es ging ihm wie später Karl Kraus mit seinem radikalen Diktum, dass ihm zu Hitler nichts mehr einfalle.

Die Verlegenheit beschleicht einen dennoch unausweichlich, wenn man Döblins spärliche Auskünfte über den Nationalsozialismus in den letzten Jahren vor 1933 zusammenträgt. Da ist wenig Ergiebiges anzuführen. Aber auch die Gegenfrage ist angemessen: Warum müssen Schriftsteller Propheten sein?

Er gratulierte Rudolf Großmann zum Fünfzigsten, verspätet Ende Januar 1932: Er wählte eine Art Rollenprosa, um die Welt in Gott und Teufel aufteilen zu können. Der Zeichner porträtierte ihn, gewiss als Anspielung auf diesen Brief, als Teufel in einer kurz darauf folgenden Nummer des »Simplicissimus«, und Karl Arnold hat in der gleichen Nummer Hitler als Teufel karikiert. Ein etwas zwiespältiger Spaß, den Döblin unbeabsichtigt ausgelöst hat. In seinem Gratulationsbrief nannte er Großmann launig »Durchlaucht«, fand aber durchaus zu ernsthafter Zeitkritik: *Sie sehen wie ich, lieber Großmann, verehrte Durchlaucht, genau wie ich, daß der liebe Gott vollkommen abgewirtschaftet hat und daß ein realer Übergang der Macht auf den Satan erfolgt ist. Lassen Sie mich meine Gebete mit den Ihren vereinen, und seine Präpotenz, den höchstverfluchten Herrn unserer Hölle bitten: er möge Ihnen (wie uns allen) Kraft, Zähne, ein doppeltes Gebiß, ein tüchtiges Maul, eine tapfere Hand, ein unersittliches Gelüst verleihen, damit Sie gerade und vorbildlich Ihren Weg gehen, sich zum Spaß, allen Engeln und menschlichen Verwesungsprodukten zum Greuel.* Die komische Epistel hat durchaus blutigen Ernst: die Nationalsozialisten als das Böse, als das Teuflische, ein Spiel mit Bildfiguren Großmanns, also eine Reverenz vor dem Zeichner, ist eingeschlossen.

Wie sehr ihn das alles in dieser Zweiwertigkeit, nach der Witzseite und nach der politischen hin, beschäftigte, zeigt die Tatsache, dass Döblin bereits am 15. Februar einen weiteren, siebenseitigen Brief folgen ließ. Er ist leider nicht komplett erhalten. Döblin schrieb aus Krefeld, von einer Vortragsreise. Die Teufelsmaske saß ihm nun entschieden fester am Gesicht. Großmann hatte ihm einen Dualismus zwischen Satan und einem verteufelt »menschlich-gütigen Zug« *um den Mund* attestiert. Döblin trieb den schwarzen Scherz jedoch weiter, wollte Großmann, *teurer Mitbösewicht, unentschlossener Bruder in Luzifer,* auf die Absurdität verpflichten: *Reißen Sie die widersatanischen Mächte mit der Wurzel aus Ihrem Herzen, und es wird Ihnen gut ergehen, und Sie werden lange leben auf Erden, die Hölle wird sich Ihnen nicht verschließen, ich selbst werde an der Tür stehen und Sie empfangen und werde Ihnen sagen: »Lieber Grossie, hier geht es fesch zu, hier ist eine saubere und entschiedene Existenz. Was haben wir uns oben bemüht mit dem scheußlichsten Dualismus, den man uns noch als besonders menschlich anpries, und wir konnten uns damit nur quälen und niemals war es wichtig und der Ekel stand uns bis oben, das machte der Dualismus, über den wir nicht hinwegkamen. Jetzt haben wir's geschafft! Treten Sie ein, es ist Ordnung und Ehrlichkeit und Reinlichkeit da. Wir haben ein Gewissen, und das befiehlt uns hier an diese Tür, an die Hölle. Willkommen, lieber Bruder, wahrhaft erwachter, freier Mensch!« – Und damit Heil in Satan, und meinen herzlichen Fluch!* Ein Jongleurstück: Döblin balancierte auf dem Hochseil des ausgedehnten Scherzes, bedachte aber den Absturz mit. Ein Ausblick auf den politischen Obskurantismus, ein existentialistischer Indianerspaß oder ein Dokument der politischen Resignation, dass doch nur die Seite des Teufels übrigbleibt? Umspielt wird auch die Geschichte von Hiob, dem Frommen, der durch einen Pakt zwischen Gott und Satan verschiedenen Prüfungen ausgesetzt wird. Döblins Hiobsgeduld sollte noch folgen und ihn auszeichnen. Zehn Jahre später war Rudolf Großmann tot. Er starb im Exil, auf der Überfahrt von Marokko nach Mexiko.

Im Kampfgewoge der Massen sah Döblin keinen politischen Sinn. *Wo die*

Öffentlichkeit anfängt, fängt die Zerstückelung an. Wo die Öffentlichkeit nachläßt, ordnen sich die Dinge, und die natürlichen Zusammenhänge stellen sich wieder her. Der Einzelne kommt zu sich, und wenn er zu sich kommt, kommt er zur Gemeinschaft. Das klingt wie ein Zurückweichen vor den extrem polarisierten Kollektiven und spielt wiederum auf Gustav Landauers Devise »Durch Absonderung zur Gemeinschaft« an.

Zwischen Döblin und Loerke hatte es im Januar 1931 eine anhaltende Verstimmung gegeben; sie löste sich erst wieder Anfang 1932. Was die Eintracht wiederherstellte, war nichts anderes als – Eitelkeit, wie in Loerkes Tagebuch nachzulesen: »Donnerstag Akademiesitzung. Döblin sehr nett. Zum ersten Mal Kundgabe einer positiven Einstellung zu meinen Versen. Es sei darin natürliches Strömen bei sehr hohen Gedanken.« Nicht alles war also auf politische Auseinandersetzungen zurückzuführen ...

Die Hannoversche Literaturgemeinde veranstaltete am 3. Februar 1932 im Alten Rathaus eine Diskussion zwischen Döblin und Paul Fechter zum immergrünenden Thema »Der Dichter und seine Zeit«. Döblin hatte durchaus Achtung für den völkischen Essayisten, denn als Gegner war er ihm willkommen und konnte ihm Stichworte für seine eigene Abgrenzung bieten – ein bei Döblin durchaus erfolgreiches Muster. Zehn Monate später, im Dezember 1932, stellte Franz Werfel den Antrag, die Akademie solle Paul Fechters Literaturgeschichte »Dichtung der Deutschen« verurteilen. Die Schwarte wurde von der Deutschen Buchgemeinschaft vertrieben und enthielt eine Reihe bedenklicher Urteile, war aber nicht im Ganzen völkisch oder nationalsozialistisch grundiert, wenigstens nicht in den Auflagen vor 1933. Heinrich Mann verfasste einen Entwurf, und die Zielrichtung wurde erweitert: es sollte nun eine Protestnote gegen die »ansteigende Woge der Kulturreaktion« veröffentlicht werden. Aber eine Resolution kam nicht zustande. Die Diskussion und die Änderungsanträge gingen in der Akademie hin und her, Gottfried Benn wiederum schrieb eine Fassung, die so kompliziert war, dass Döblin mit der Überarbeitung betraut wurde. Das hat dem empfindlichen Benn gar nicht gefallen; Klaus Mann spottete später, der Lyriker sei deshalb Nazi geworden, weil er sich über Döblin geärgert habe.

Ende Januar 1932 hatten erneut Zuwahlen stattgefunden. Gottfried Benn, Rudolf G. Binding, Max Mell, Rudolf Pannwitz und Alfons Paquet wurden aufgenommen. Eine wie immer geartete Verstärkung der kulturpolitischen Bemühungen, wie sie vor allem Heinrich Mann und Döblin vertraten, war außer von Paquet wohl von keinem der neuen Mitglieder zu erwarten.

Die Zuwahl Benns hatte Döblin gemeinsam mit Loerke energisch betrieben, und er führte ihn auch als neues Mitglied im April 1932 ein. Er sprach unter anderem über den Nihilisten und fand damals einige prophetische Sätze, wenn auch nicht in seinem Sinn: *Hinter allem Nein steht die Klage um das unmögliche Ja. Es kommt an auf eine neue Art Ja zu sagen. Und er ist im Begriff es zu tun.* Diese Werbung für Benn war, wie Döblin im *Journal 1952/53* zu berichten wusste, nicht einfach gewesen, *weil er urologisch dichtete, zugleich kosmisch und prähistorisch, jedenfalls hochgebildet und weithin unverständlich. Solche Zusammensetzung: Kosmos und Jauche aus stinkenden Kavernen gab es da in der Preußischen Akademie der Künste noch nicht. Aber er kam durch.* Benn war über seine Zuwahl wie berauscht, Ricarda Huch jedoch war entrüstet über den neuen Kollegen und seine Verse. Die beiden Dichterärzte Döblin und Benn kamen einander nahe, besuchten einander, diskutierten über die Geschäfte der Akademie. Sechsmal traf man sich zu Akademiesitzungen, Benn fehlte bei keiner; der Repräsentant war für den Außenseiter doch eine ersehnte Rolle.

Es gibt bei Döblin Äußerungen, die auf ein inneres Exil vor der physischen Vertreibung hinweisen. Sein Verhältnis zur Republik war schon vor seiner Flucht gebrochen. 1932 meinte er, es *könnte nicht Deutschland* das Land sein, in dem er leben möchte. Er nahm die Wünschelrute in die Hand, nahm das Exil vorweg, obwohl er praktisch Hemmungen vor jedem Ortswechsel und ein geradezu unverständliches Beharrungsvermögen hatte.

Seine Unruhe geht aus seiner Antwort auf eine im Frühjahr 1932 von der »Literarischen Welt« veranstalteten Umfrage über »Umzugsgedanken« hervor. Schließlich habe wohl jeder schon einmal, so die Redaktion, das Bedürfnis verspürt, *in angenehmere soziale Verhältnisse umzuziehen* – in diesen Zeiten der Krise. Es ging um einen größeren Kontext: das Land, in dem man leben möchte. Und die Frage hatte einen Hintersinn, aber keiner der Befragten wollte auf ihn eingehen. Niemand hatte den erzwungenen Umzug, genannt »Exil«, auf der Rechnung. Gottfried Benn weigerte sich, über den Belle-Alliance-Platz hinauszudenken, wo er wohnte. Heinrich Mann kam nach einigen kritischen Windungen doch zu dem erwartbaren Schluss: »Das heißt: ich habe eine Heimat, die deutsch ist, – und Europa, das Land, in dem ich leben möchte.« Annette Kolb hielt es auch mit Paneuropa, aber mit Wien als Hauptstadt. Franz Blei suchte das Sonnenland, in dem es keine Moderne gibt und nur vier Menschen auf den Quadratkilometer, wobei er sich vermutlich doppelt zählte. Max Herrmann-Neiße beschwor ein utopisches Märchen- und Schlaraffenland, Karl Wolfskehl wollte am liebsten in einem Land leben, »wo Wein wächst und wo man süddeutsch spricht« – aber das sollte am Mittelmeer liegen.

Alfred Döblin wollte seine Phantasie nicht strapazieren. Er brauchte nur ein Land, in dem *nicht der Neid, der Haß und die Mißgunst des andern oben auf sind.* Die Welt, um die es ihm ging, war nicht fertig, sondern im Werden. Sie hatte nach seiner Vorstellung Platz für Arbeit an gemeinsamen Projekten, man könnte *in dauernder Berührung mit Pflanzen, Tieren und der anderen Natur leben.* Das Ich sollte neu gebaut werden. Deutschland kam für ihn nicht in Frage, auch nicht Amerika oder Russland – *es müßte ein Land sein, in dem man sich von* keiner Entwicklung, *von* keinem »Fortschritt« *mehr etwas verspricht und auch nichts zu versprechen braucht wegen seiner leidlich ausbalanzierten Verhältnisse,* sondern wo das Dasein gilt. Seine Antennen richtete er auf ein Werden, einen Prozess aus, den er noch nicht zu formulieren vermochte.

Der Essayist mochte vor der drohenden Gefahr die Augen verschließen, aber seine praktischen Tätigkeiten waren anders orientiert. 1932 hat sich auch der Rundfunkmitarbeiter Döblin merklich politisiert. Er trat dem kritischen »Bund der freien Rundfunkautoren« bei und ließ sich in dessen Vorstand wählen. Es ging um das Ziel, »die Vertretung und den Schutz der freien Autoren gegen jede Ausnutzung sowohl von Seiten der Sendegesellschaften wie auch von anderer Seite her« zu sichern. Gewerkschaftliche Arbeit wurde betrieben, als hätte nichts anderes zu geschehen. Es sollte auch um den Kampf gegen die Zensur und um eine stärkere Beteiligung der Autoren bei der Programmgestaltung gehen. Ab November 1932 bis zum Februar des nächsten Jahres nahm Döblin wie Brecht, Günther Anders und Wolfdietrich Rasch an einem achtteiligen Kurs von Karl Korsch teil; an der Karl-Marx-Schule in Neukölln diskutierten sie über »Lebendiges und Totes im Marxismus«.

Noch Ende 1932 war die Brücke zwischen Benn und Döblin intakt, jedenfalls nicht abgebrochen. Benn schickte ihm seine Schrift »Nach dem Nihilismus«, in seinem Dank versicherte ihm Döblin, er habe aufmerksam darin gelesen: *Die Dinge gehen mir ja auch, wenn auch, in anderer Weise, nach. Ob Sie schon wirklich und ganz »nach« dem Nihilismus sind, weiß ich nicht – ich sehe den Impuls und es entspricht, glaub ich, auch Ihrer physiologischen Situation jetzt; den Nihilismus zu liquidieren.* Das immerhin war eine hörbare Einschränkung, aber keine, die die kollegial-freundschaftliche Beziehung tangiert hätte. Er wünschte ihm *viel Glück weiter.* Döblin wollte ihm, *im Februar auf 33 Bogen gebunden,* die Schrift *Unser Dasein* übersenden. Ungerührt führte Döblin seine Donnerstagabende fort: *Und zuletzt saß ich dann in Berlin mit einer kleinen Gruppe von Männern zusammen, Absprengsel aller möglichen Parteien, im Grunde lauter Enttäuschte und Desillusionierte. Wir Splitter kamen zusammen, bis uns der Terror auseinandertrieb.*

UNSER DASEIN

In *Wissen und Verändern!* hatte sich Döblin dem Menschen als sozialem Wesen gewidmet und seinem rationalen Vermögen gewidmet. Doch das war nur ein Ausschnitt jenes Denkens, in dessen Rahmen er das Humanum bestimmen wollte. *Unser Dasein* ist die zweite Quersumme, eine ausgreifende Zusammenfassung der Vorstellung vom »natürlichen« Menschen, von der Mystik der Natur, vom Menschen als einem zwischen Gegensätzen gespannten Geschöpf. *Wie ich lebe, wer ich bin (fragt der 54jährige), was mit mir ist, was mit dem Leben ist, mit unserem Einzelleben, mit unserem Zusammenleben, mit der Erde und den Gestirnen und dem Weltall, das sind größere und sehr große Fragen, und, wenn es gute Antworten darauf gibt, größere und sehr große Wahrheiten.* Er bedachte einen geistigen Prozess, der mit Essays wie *Die Natur und ihre Seelen* ein Dutzend Jahre zuvor eingesetzt hat und der zu den intellektuellen Rätseln gehört, die Döblin seinen Lesern aufgab. Noch waren die Turbulenzen, die seine Schrift *Wissen und Verändern!* ausgelöst hatte, nicht vergessen, da sammelte er sich zu einer neuen grundlegenden Bilanz seiner Reflexionen über Natur, Religion, Kunst, Politik, Judentum und Gesellschaft, die er dann mit *Unser Dasein* vorlegte.

Der Kardinalsatz des Buches lautet: Der Mensch ist Stück und Gegenstück der Natur, er ist ihr einverleibt, und er hat die Freiheit, aus ihr herauszutreten, wenn auch nur in der Form, die ihm die Natur gegeben hat. Die ganze Natur, auch die anorganische, ist beseelt, das kann der Mensch erleben. Die Erscheinungen führen zurück auf ein Ur-Ich, auf eine anonyme Instanz. Die Begriffe »Stoff« und »Geist« gehen ineinander über. Der Mensch kann sich als offenes System in all seinen Resonanzen erfahren. Der Tod ist als *Umseelung* zu verstehen, ist eine Rückkehr zur Anonymität. Geschichte enthält keinen auf ein Ich hin zu fixierenden Sinn, sie ist die Bewegung weg von der ursprünglichen Totalität des *Ursinns.*

Ein Werk, das frei ist von allen Nützlichkeitserwägungen intellektueller Existenz in den Kämpfen der allerspätesten Weimarer Jahre, noch nicht beschwert von Verfremdung und Schmerz durch das Exil, unverbraucht als Zitatspeicher für das Werk Döblins. Umfassender hat in diesen Jahren kein deutscher Schriftsteller um eine Begründung des Einzelnen in Natur und Kosmos gesucht. Er vertiefte sich in die Naturwissenschaften, die Philosophie, die Psychologie, setzte sich seinem Material aus, umkreiste und beleuchtete es in gegensätzlichem Licht, suchte in acht einzelnen Büchern jeweils eigene, abweichende Antworten und Stimmungen, gab dem Ich sein Dasein: *Ich bin, o größte aller Gaben.* Die Schrift *Unser Dasein* häuft unglaubliche Materialmengen an, wie sie nur ein ewig staunender Leser auf dem Marktplatz der entlegenen Bücher um sich versammeln kann. Wer sich in diesem Gedankenvorrat heimisch macht, kann schwerlich zu Resultaten kommen, wird nicht auf gedankliche Ziele setzen, sondern auf den farbigen Abglanz des Denkens, auf die Wunderkraft der geistigen Beweglichkeit und auf die Lust zur Abschweifung. In der Manier Jean Pauls mäandert Döblin durch die Geheimnisse des Daseins, das in den Dualismus zwischen »Ich« und »Welt« eingespannt ist. Dies ist eine Kopfgeburt, eine Art Valéryscher »Monsieur Teste«, dessen Roman darin besteht, dass man ihm beim Denken zusehen kann. *Unser Dasein* ist niemals zu Hause, immer auf der Suche, ein Nomade. Und wenn man bedenkt, welch großen Korrespondenzraum Döblin wählt – von Nietzsche, Schopenhauer und Spinoza als Göttern seiner Jugend bis zu den Gewährsleuten des naturwissenschaftlichen Materialismus, antiker Philosophie und dem Ich-Kult Stirners, kann man bei dieser Arbeit von einer Art Autobiographie des Denkens sprechen. Döblin macht es seinen Lesern nicht gerade leicht: zwischen den Setzungen gibt es Leerflächen, die im Gedankensprung zu überwinden sind; philosophische Ansätze gehen unvermittelt in poetische Anrufung über, hermetisches Wissen mischt sich mit Beobachtungspartien, das Ich erscheint in ständig neuer Beleuchtung, Knittelverse, kindliche Lautmalereien, Dialoge, Erzählungen sind eingestreut. Ein Spottvogel macht sich mit Goethe bemerkbar. Die acht Bücher von *Unser Dasein* kreisen jeweils um ein eigenes Thema. Vermutlich wurde das siebte, das Judentum betreffend, spät eingeschoben, und es konnte dann 1933, als Döblin im Exil war, zur eigenständigen Schrift über *Jüdische Erneuerung* wieder herausgelöst werden. Das letzte Kapitel verläuft auf das freie Feld der Politik. Allerdings geht Döblin dabei der Atem aus, und er kann den Zusammenhang zwischen Ich-Reflexion und politischer Analyse nicht mehr herstellen. Doch es leuchtet noch einmal eine grüne Botschaft auf: *Aber wir erkennen mit einem Verwandtschaftsgefühl von wachsender Stärke in dem, was uns umgibt, Tieren und Pflanzen, organischer und anorganischer Natur, uns und unser Ich wieder. Wir sehen den großen gemeinsamen Boden des Lebens.*

Begonnen wurde die Schrift frühestens ab 1928, vermutlich erst nach *Berlin Alexanderplatz*, aber es sind viele früher entstandene Texte eingearbeitet, und Döblin griff auch auf *Das Ich über der Natur* zurück. Er arbeitete daran bis 1932. *Unser Dasein* erschien noch in Deutschland mit einer Auflage von 4000 Exemplaren, aber erst im Frühjahr 1933, als die Nationalsozialisten bereits die Macht hatten und Döblin emigriert war, als Nachzügler, wie ein unpassend Verirrter in den Zeitläuften, und das Buch ist ohne jedes Aufsehen, ohne Zuschauer wie ein Meteor verglüht. Eine einzige, nicht besonders gehaltvolle Kurzrezension von Herbert Marcuse in der »Zeitschrift für Sozialforschung« ist nachweisbar, Klaus Mann hat eine zweite geschrieben, aber sie wurde nicht veröffentlicht. *Unser Dasein* ist eine unbeachtete Arbeit am Wegrand geblieben und hat das Publikum nicht erreicht.

In Bildern ahnte er den Untergang. Am Schluss von *Unser Dasein* geht es um das Ausbrechen eines Vulkans und um den Beginn einer neuen Barbarei. Es komme darauf an, *rechtzeitig eine Arche Noah* zu bauen, in der eine neue politische Ethik bewahrt werden könnte.

In der allerletzten Zeit vor Hitlers Machtübernahme widmete er sich einem Wort, das wie ein schwarzer Stern über seinem weiteren Leben stehen wird: der Trauer. Er wusste um die Ohnmacht und die Vergeblichkeit des Einzelnen: *Sie schaffen es einzeln nicht, im Kampf gegen Scheinöffentlichkeit und schlechte Einrichtungen gehen Tausende und Tausende zugrunde oder verkommen. Dieses krampfhafte vergebliche private Kämpfen – Trauer über Trauer – dieses Versanden.* Das hat er wohl im Spätherbst 1932 niedergeschrieben. Es ist nicht sein allerletztes Wort, denn die Schrift über *Unser Dasein* endet mit einer poetischen Anrufung des Ichs in der kosmischen Weite: *Laßt mich, es ist nicht zu spät, den großen Himmel loben, laßt mich die weite Erde loben. Laßt mich die Tiere, Pflanzen, Menschen loben. Und laßt mich bitten, daß ich nichts verfehle.* Aber darin liegt kein Widerruf der Trauer, es ist bei dieser Erkundung und Anrufung des Ichs nur eine zweite Stimme, in einem Orchester des Sprechens eine hellere Tonlage.

Verstört und befremdet von der Weiträumigkeit des Sprechens über die Drohungen des Tages hinweg, hingerissen von poetischen Passagen und scharfsinnigen Wahrnehmungen über den geschundenen Souverän, genannt: das Ich, fällt es jedem schwer, sich dieser hermetischen Schraffur eines Denkens zu entziehen, aber gleichzeitig auch nicht leicht, sich ihm hinzugeben. Letzten Endes ist auch dieses Buch nichts anderes als ein Döblinscher Romanentwurf: ein Strom von Gedanken, kreisend um das Ich. Mit diesem offenen Buch verabschiedete sich Döblin aus Deutschland.

5

FLUCHTEN, NORNENGARN UND DASEINSSIEGE
EXIL IN DER SCHWEIZ UND IN FRANKREICH 1933–1940

Aus meiner Bahn lasse ich mich nicht lenken, auch nicht, wenn ich im Rinnstein liege.

Brief, 1933

VORWEGNAHME DES EXILS

Zuletzt, Ende 32, hatte sich in mir ein Bild festgesetzt, das ich nicht los wurde: ein uralter, verschimmelter Gott verläßt, seiner kompletten Verwesung nahe, seinen Wohnsitz im Himmel und fliegt, um sich zu erneuern und seine alten Sünden abzubüßen, auf die Erde zu den Menschen hernieder, er erst Gott und Herrscher, jetzt Mensch wie alle. Es war die Ahnung und Vorwegnahme des Exils. Ja, das Exil, die Ablösung und Isolierung, das Heraus aus der Sackgasse, dieser Sturz und das Sinken schien mir »zum Heil« zu sein. In mir sang es: »Es reißt mich nach oben.« Ich konnte mich nicht dagegen wehren. Ich war in einer einzigen gehobenen Stimmung (die auch auf das Buch, das ich das ganze Jahr über schrieb, übergriff).

So trat ich das Exil an. So – erging es mir, als ich Abschied nahm. Döblin fixiert seinen Roman ein gutes Dutzend Jahre nach den Ereignissen als eine Vorschau dessen, was ihm widerfahren sollte, als das Fischernetz der Fiktion, in dem sich sein künftiges Dasein verfängt. Der Erzähler ist dem Autor immer schon voraus, ist weiter, als man denkt: so wollte er sich auch mit diesem Roman entwerfen, eine imaginäre Brücke ins Künftige entwerfen.

Es geht in *Die babylonische Wandrung* um einen *babylonisch-chaldäisch-assyrischen* Gott, nach Salomonis 16,18: »Wer zu Grunde gehen soll, der wird zuvor stolz, und Hochmut kommt vor dem Fall.« Der Gott wird *in* die Welt geschickt zum Büßen, aber das will er keineswegs. Er schleppt seine alten Gewohnheiten mit in die Fremde der Menschen, doch allmählich muss er sich an die unwiderrufliche Metamorphose gewöhnen. Das nicht zuletzt macht seinen Emigrantenweg aus. Eine auffällige Parallele ergibt sich zu dem später entstandenen Buch *Schicksalsreise:* Hier wie dort geht es um die Lebensfahrt eines scheinbar übermächtigen Ichs und um seine Kapitulation. Die Farce des Romans ist dem Ernstfall voraus.

Doch handelt es sich bei dieser Vorwegnahme des Exils in gewisser Hinsicht auch um eine Art nachträglicher Sinngebung. Dass ein Gott, der die Zeit verschlafen hat und sein Astralreich nicht mehr so vorfindet, wie es ihm einstmals zu Diensten stand, als ein gewöhnlicher Konrad auf die Erde muss und die Lebensbedingungen der Menschen zu lernen hat, kuriose wie groteske Abenteuer und schmachvolle Niederlagen erlebt, ergibt in seiner zwerchfellerschütternden Komik noch keinen Exilroman. Der Sturz eines Gottes auf die Erde und seine Verwandlung in einen gewöhnlichen Menschen, der als

Großmaul seine Göttersphäre behaupten will, kann ja nicht nur als Widerspiegelung der Vertreibung gelesen werden. Dieser Konrad erfährt eine ganz und gar eigene Geschichte. Erst auf Erden wird ihm das Geschick des Vertriebenen und Flüchtlings vom Erzähler beschieden. Nach rund 180 Seiten belehrt ihn ein Kamel namens Kamilla über die Dauerhaftigkeit dieses Geschicks und macht ihm dadurch klar, dass es sich nicht nur um einen längeren Aufenthalt in der Fremde handelt. Er muss wandern, dorthin, wo der Autor des Romans bei dessen Abschluss Zuflucht fand: bis nach Paris. So biegt der gewundene Lauf des Romans erst später in die Richtung ein, die ihm Döblin nachträglich vorbestimmt haben wollte. Aber es bleibt eine denkwürdige Situation: Der Roman, der wie kein anderer Döblins Exilsituation aufnimmt, ist vor der Flucht aus Deutschland begonnen.

DIE UNTERWERFUNG DER AKADEMIE

Keinen anderen Vorgang hat Döblin 1933/34 so genau verfolgt wie den Umbruch in der Akademie. Das System von Repression und freiwilliger Unterwerfung, an den handelnden oder zaudernden Personen zu studieren, empfand er wohl als symptomatisch für die kulturpolitische Wendung insgesamt. Heinrich Mann hat viele Ereignisse dieser Überwältigung und Anpassung an die Nazigesinnung von Frankreich aus kommentiert und moralisch verurteilt. In Döblins Artikeln findet sich keine vergleichbare Aufmerksamkeit, aber während jener die Akademie-Ereignisse in seinen Memoiren »Ein Zeitalter wird besichtigt« mit wenigen schneidenden Sätzen kommentierte, kam Döblin immer wieder und noch bis in die Nachkriegszeit darauf zu sprechen.

Nach einem entsprechenden Antrag Franz Werfels vom 6. Dezember 1932 sollte sich die Sektion Dichtkunst mit der völkischen Literaturgeschichte von Paul Fechter befassen, die in hohen Auflagen von der Deutschen Buchgemeinschaft verbreitet wurde. Heinrich Mann schrieb eine Resolution, über die am 5. Januar 1933 diskutiert wurde. Dabei wurde die Stoßrichtung erweitert. Es sollte jetzt auch allgemein von der »ansteigenden Woge der Kulturreaktion« gewarnt werden. Benn verfasste wiederum einen Antrag, der als zu kompliziert verworfen wurde. Er gipfelte in einem merkwürdigen Satz: »Dieser weite Raum der menschlichen Geschichte. Deren Aufgang und Erschließung für die deutsche Dichtung die Namen Herder und Schiller tragen –: das ist *unser* drittes Reich.« Döblin erhielt den Auftrag, Benns Text, der den meisten als zu sperrig erschien, zu überarbeiten. Benn war über diese Wendung beleidigt; die Entscheidung über die Resolution wurde erneut, auf den 6. Februar, verschoben. Döblin war in dieser Sitzung unsicher über den Wert der Resolution. Das Protokoll vermerkt darüber: »Döblin fragt, ob das Unrecht so weit gediehen sei, daß der Angriff mit seinen Folgen gerechtfertigt wäre. Die Kundgebung wäre in der Gefahr zu früh oder zu spät zu kommen.« Man kam in Sachen Fechter sowie der Kultur-Reaktion zu keinem Ergebnis – und die Nationalsozialisten hatten schon die Macht. An diesem Abend leitete Heinrich Mann zum letzten Mal die Sitzung der Sektion Dichtkunst. Döblin rechnete mit der veränderten Lage und riet durchaus zur Vorsicht. Die Resolution sollte auch jetzt nicht zustande kommen. Man vertagte sich erneut und ahnte nicht, dass man einer Abschiedsveranstaltung beigewohnt hatte.

Döblin kannte schon seit Jahren Isaak N. Steinberg, Politiker und Publizist, der einst Justizminister in der Menschewiki-Regierung gewesen und 1923 nach Deutschland gekommen war und der seit Ende der zwanziger Jahre mit Gruppen arbeitete, die sich zur Freiland-Bewegung entwickelten. Seit 1935 war er Geschäftsführer der Liga für jüdische Kolonisation. Am 11. Februar 1933 berichteten die Döblins auf einer Postkarte an Isaak N. Steinberg, *von Berlin läßt sich allerhand sagen, es ist aber alles ruhig mit gedämpftem Trommelklang.* Einen Tag später, Brecht hatte es organisiert, fand ein Treffen mit Rudolf Leonhard, Hermann Kesten, Hans Ottwald, Anna Seghers, Alfred Wolfenstein, Theodor Plivier, Bernard von Brentano, Georg Lukács, Armin Kesser und Döblin statt – zum letzten Mal eine Diskussionsrunde, »zur Vorbereitung über mögliche Maßnahmen gegen die zunehmende Kultur-Faschisierung, Presseknebelung usw.«. Brecht soll gefragt haben, ob man nicht eine Schutzstaffel für bedrohte Autoren organisieren könne.

Heinrich Mann und Käthe Kollwitz waren fast die einzigen Akademiemitglieder, die sich der offenen, politischen Stellungnahme nicht entzogen. Am 14. Februar fand sich an den Litfaßsäulen der von ihnen mit unterzeichnete Aufruf »Dringender Appell«, den der »Internationale Sozialistische Kampfbund«, eine linke Abspaltung von der SPD, verbreitete und der zur Einheitsfront der Linken aufrief. Der nachmalige SS-Gruppenführer Hanns Johst, einstmals expressionistischer Dichterkollege Döblins und auch einer seiner Rezensenten, Nazi der ersten Stunde, forderte einen Tag später einen radikalen Umbau der Akademie; er wollte Döblin, aber auch die beiden Manns, Werfel, Kellermann, Fulda und Unruh entfernen. Der Akademiepräsident Max von Schillings verstand diesen und andere Kommandorufe nur allzu gut: er knickte ein.

Döblin nannte Heinrich Mann einen *ausgezeichneten und in seiner Überzeugung absolut sicheren Mann,* mit dem er *persönlich in den besten Beziehungen* gestanden habe. Er hatte ihn 1931 persönlich aufgesucht, um ihn davon zu überzeugen, dass er die Wahl zum Vorsitzenden der Sektion Dichtkunst annahm, falls sie auf ihn fallen sollte. Außer mit ihm habe er in der Akademie nur noch mit Oskar Loerke und Ricarda Huch so gut gestanden. Als es um die Absetzung Heinrich Manns ging, sei die Tafel der Dichter nur sehr klein gewesen. Loerke habe anderswo gesessen: *Aufrecht saß er dahinten, drüben, bei den Musikern oder Malern und gab kein Lebenszeichen, wenigstens nicht zu uns herüber. Also er war da und andererseits nicht unter uns.* Die peinigende Zeremonie gehört schon zur Literaturgeschichte des »Dritten Reiches«: Heinrich Mann wurde am 15. Februar, bevor er in die Sektionssitzung gehen konnte, vom Präsidenten zu einer Unterredung hinter verschlossenen Türen gebeten und im angeblichen Interesse der Institution dazu genötigt, den Vorsitz der Sektion niederzulegen und überhaupt aus der Akademie auszutreten. Döblin hatte den spontanen Eindruck, dass der von ihm bewunderte Kollege damals einen Fehler beging. *Ja, er hatte abgedankt. Er hatte die offene Feldschlacht nicht angenommen. Er hatte uns im Stich gelassen. Wir konnten es nicht verschleiern. Wie war das möglich? Heinrich, mir graut's vor dir. Die Sitzung wurde aufgehoben ohne Tumult.* Unklar bleibt, welche Kollegen sich hinter dem Plural des *Wir* verbargen. Döblin verlangte als einziger aus der Literatenfraktion, Heinrich Mann in der Sektion noch einmal zu hören. Er bedauerte den erzwungenen Abgang und den Mangel an Kampfgeist im Kreis der Kollegen. Seine dringliche Bitte wurde abgelehnt; die Anpassungsbereitschaft war schon weit fortgeschritten. Den Rücktritt erklärte Heinrich Mann für unvermeidlich, und Döblin begriff, dass seine Kritik zu kurz griff. Benn wurde zum kommissarischen Leiter der Sektion berufen. Am 20. Februar tagten die Literaten erneut, und plötzlich führte er das große Wort. Heinrich Mann habe die legal gebildete Regierung angegriffen, mehr als ein Dank der Sektionsmitglieder an ihn gefährde die Akademie. Jeder Protest wurde damit abgewiegelt. Selbstverständlich fand Benn damit die Zustimmung des Präsidenten. Es bleibt dessen Geheimnis, warum er nicht anders gehandelt hat. Max von Schillings war schon schwer krank; es hing keine persönliche Zukunft an seinem Bückling vor den neuen Machthabern. Fünf Monate nach dem denkwürdigen 15. Februar war er tot. Thomas Mann wurde von Döblin am 24. Februar noch aus Berlin in einem ausführlichen Brief über die Vorgänge im einzelnen informiert; offensichtlich war er von seinem Bruder nicht ausreichend in Kenntnis gesetzt worden. Zwei Tage später bedankte sich Thomas Mann bei Döblin für die »Mühewaltung«; er äußerte seine feste Meinung, »daß die Sektion den Machthabern nicht den Gefallen tun darf, sich selber aufzulösen«. Er wollte es »den Besatzungsbehörden« überlassen, diese neue »sehr sichtbare und skandalöse Gewalttat« zu verüben.

Loerke warf Döblin und Leonhard Frank, was die Akademie-Vorgänge Mitte Februar betraf, Tratscherei vor. Der erzwungene Rücktritt Heinrich Manns und ein offizielles Dankschreiben der Akademie waren, bereits einen Tag bevor sie an die Öffentlichkeit kommen sollten, fast wörtlich in Berliner Zeitungen zu lesen. Er wurde wie alle anderen vom Präsidenten Schillings schriftlich zur Rede gestellt, wollte aber nichts bestätigen oder widerlegen, zumal er damals schon in der Schweiz war und diesen Schritt offensichtlich noch verheimlichen wollte. So ließ er an seiner Stelle Erna antworten; die bestritt, dass ihr Mann etwas mit einer »Indiskretion« zu tun gehabt habe. Wer immer da geredet und die Formalien missachtet hat: diese Weitergabe von Informationen an die Presse war ein Akt legitimer Notwehr. An diesem 20. Februar tagte unter seinem Vorsitzenden Arnold Zweig zum letzten Mal der Schutzverband Deutscher Schriftsteller. Joseph Goebbels löste ihn auf und ließ am 11. März einen »Reichsverband deutscher Schriftsteller« gründen, in dem selbstverständlich nur nazikonforme Autoren vertreten waren. Rudolf Leonhard nutzte die Chance und gründete den SDS in Paris neu; er hat für die Sammlung der Exilautoren eine wichtige Rolle gespielt.

Der Vorgang in der Akademie ließ Döblin keine Ruhe. Drei Tage nach Ernas Brief, die Familie war inzwischen in der Schweiz eingetroffen, wehrte er sich heftig gegen den Vorwurf der Indiskretion. Am 4. März, als er im Sanatorium Schweizerhof in Kreuzlingen erste Zuflucht gefunden hatte, schrieb er an Loerke, dass er *wegen der schlechten Witterung in Norddeutschland für eine kleine Zeit Berlin verlassen* habe. Er versicherte *und zwar auf mein Wort,* dass er die wesentlichen Informationen nicht weitergegeben und sie erst in der Zeitung gelesen habe. Keine der Möglichkeiten ist ausgeschlossen: auch die völkischen Autoren, zu denen zu diesem Zeitpunkt durchaus Benn und Bindung zu rechnen waren, hatten ein wichtiges Motiv zur Indiskretion: Sie konnten damit kulturpolitische Tabula rasa in der Akademie vermelden.

Döblin selbst schob seine Entscheidung, ob er in der Akademie bleiben sollte, zunächst vor sich her. Nachdem die Erklärung der Sektionsmitglieder bereits erschienen war, bevor sie Schillings zur Kenntnis nehmen konnte, entzog er ihr den Boden: eine eigene Veröffentlichung sei nicht mehr beabsichtigt. So wurde Heinrich Mann kalt und ohne jeden Dank abserviert.

Ricarda Huch hat sich an Döblin durchaus positiv erinnert. An die neuen Herren der Akademie schrieb sie: »Jedenfalls möchte ich wünschen, daß alle nichtjüdischen Deutschen so gewissenhaft suchten, das Richtige zu erkennen und zu tun, so offen und anständig wären, wie ich ihn immer gefunden habe.«

Auf der nächsten Sitzung am 13. März, nach den Reichstagswahlen, die der NSDAP nicht die Mehrheit der Stimmen gebracht hatten, formulierte

Benn eine Erklärung: ein Treuebekenntnis zur NS-Regierung, von jedem Mitglied zu unterzeichnen. Benn wollte unbedingt Karriere machen und Heinrich Mann als Vorsitzenden der Sektion offiziell, nicht nur kommissarisch beerben. Die Gleichschaltung der Akademie benötigte nicht einmal zwei Monate. Gerhart Hauptmann hat am 16. März seine Loyalitätserklärung unterzeichnet. Die Vorgänge in der Akademie im Frühjahr 1933 waren das repräsentative Scherbengericht über die Weimarer Intellektuellen und von ähnlicher Symptomatik wie knapp drei Monate später die Bücherverbrennungen. Bei seiner Bewertung Benns als Opportunist und Umfaller ist Döblin lebenslang geblieben, auch wenn er seiner Lyrik niemals die Bewunderung versagte.

Am 18. Februar, so berichtet Harry Graf Kessler, traf er beim Verleger Bermann-Fischer auch auf Döblin und Ferdinand Bruckner. Der Tagebuchschreiber hob hervor: »Große Nervosität.« Am nächsten Tag fand in der Kroll-Oper eine republikanische Kundgebung über »Das Freie Wort« statt. Es sprach der vormalige preußische Kultusminister Adolf Grimme, von Thomas Mann wurde ein Bekenntnis zur parlamentarischen Demokratie verlesen, das bei einer Veranstaltung des Kulturbundes hätte vorgetragen werden sollen, aber sie war wegen eines gleichzeitig stattfindenden Platzkonzerts der SA in Kreuzberg verboten worden. Als der ehemalige preußische Justizminister Wolfgang Heine »mit beissendem Hohn u. ätzender Ironie« gegen die Nazis loslegte, wurde die Versammlung durch einen Polizeioberst geschlossen. Der größte Teil der Versammlung sang die Internationale, und der Beobachter Harry Graf Kessler begriff das Symbolische dieses Vorgangs: »Es lag in der Situation ein starkes, mitreissendes Pathos. Viele hatten sicher ebenso wie ich das Gefühl, dass dieses für lange Zeit das letzte Mal sei, wo Intellektuelle in Berlin öffentlich für die Freiheit eintreten könnten.« Am nächsten Abend lud Georg Bernhard zu einer Gesellschaft in sein Haus; sie war für viele die letzte. Der Staatssekretär im preußischen Innenministerium, Wilhelm Abegg, warnte Heinrich Mann vor Proskriptionslisten, die bereits zusammengestellt seien. Wohl auch der französische Botschafter André François-Poncet sprach mit ihm über dessen Gefährdung. Der Schriftsteller floh zwei Tage später nach Frankreich. Aus diesem Umfeld sind auch die dringlichen Warnungen an Alfred Döblin zu vermuten.

REPRESSALIEN

Die Pläne der Nationalsozialisten konnte man im Parteiprogramm der NSDAP ohne weiteres nachlesen. Zum Beispiel verkündete der »Völkische Beobachter« schon am 11. August 1932 expressis verbis für die Zeit der

Machtübernahme: »Sofortige Verhaftung und Aburteilung aller kommunistischen und sozialdemokratischen Parteifunktionäre (…) Unterbringung Verdächtiger und intellektueller Anstifter in Konzentrationslager.« Nach Hitlers Machtantritt am 30. Januar wurden die Absichten unverzüglich umgesetzt. Noch am gleichen Tag wurden Demonstrationen der Opposition verboten. Am 4. Februar unterzeichnete Hindenburg eine »Notverordnung zum Schutze des deutschen Volkes«, die jegliche Versammlungs-, Vereins- und Pressefreiheit einschränkte. Das änderte allerdings nichts daran, dass sich am 7. Februar 200 000 Sozialdemokraten und ihre Sympathisanten im Berliner Lustgarten zum Protest versammelten.

Politische Gegner konnten bis zu drei Monaten in »Schutzhaft« genommen werden. Nach dem Verständnis eines entsprechenden Gesetzes von 1916 bedeutete das nicht mehr als Isolation, keinesfalls, wie dann praktiziert, auch eine Attacke auf Leib und Leben. Der preußische Ministerpräsident Göring gab am 17. Februar 1933 den sogenannten »Schießerlaß« heraus; er ließ das verschärfte Vorgehen der Polizei gegen Kommunisten, Sozialdemokraten und Gewerkschaften zu und erweiterte somit die Grenzen staatlicher Willkür. Am 22. Februar befahl Göring die Aufstellung einer rund 50 000 Mann starken »Hilfspolizei« aus Verbänden der SA und der SS zur »Entlastung der regulären Polizei im Falle von Unruhen oder irgendeines anderen Notstandes«.

Am 28. Februar erließ Reichspräsident Hindenburg nach dem Reichstagsbrand Notverordnungen »gegen Verrat am deutschen Volke« und »zum Schutz von Volk und Staat«. Die wichtigsten Grundrechte der Weimarer Verfassung wurden annulliert, der Ausnahmezustand wurde ausgerufen.

Die sogenannte »Reichstagsbrandverordnung« wurde durch die »Heimtückeordnung« vom 21. März und zwei Tage später durch das »Ermächtigungsgesetz« erweitert; damit war bis zum Ende des Nationalsozialismus die politische Polizei das führende Instrument der rasch gezimmerten Diktatur.

Schon in der Regierungszeit des Franz von Papen hatte es Überlegungen gegeben, Internierungslager einzurichten, um politische Gegner auszuschalten – im Falle eines militärischen Ausnahmezustands. Auch wurde die Vorbereitung für den Ernstfall getroffen: es wurden nämlich »Listen über Personen (angelegt), die bei Eintritt des Ausnahmezustandes sofort festgesetzt werden«.

Döblin wollte im Februar 1933 zunächst noch in Berlin bleiben. Er hielt die Veränderungen für Ereignisse von kurzer Dauer, eine Gefahr für sich und seine Familie für ausgeschlossen.

FLUCHTPANORAMA

Erst nach dem Reichstagsbrand in der Nacht des 27. Februar begann der Massenexodus, die Abenteuer der Flucht, oft im letzten Moment, setzten ein. Und sie belegen immer wieder nur das eine: kaum einer derjenigen, die flohen, hatte für längere Zeit vorgesorgt, war auf Diktatur und Verfolgung vorbereitet.

Zunächst war der Grenzverkehr nicht nennenswert eingeschränkt, auch wenn sich bereits SA- und SS-Trupps an den Schaltern und Wartehallen der Bahnhöfe herumtrieben, um nach Flüchtlingen Ausschau zu halten. Wer offiziell emigrieren wollte, musste, je nach Wert des transferierten Vermögens, eine »Reichsfluchtsteuer« bezahlen. Sie war schon 1931 unter Heinrich Brüning eingeführt worden und zwei Jahre lang nicht beträchtlich, überdies mit Freigrenzen versehen.

Viele Autoren nutzten einen zuvor verabredeten Auslandsaufenthalt, hegten aber den Vorsatz, wieder zurückzukehren, wenn das Naziphantom nach der erwarteten kurzen Dauer wieder verschwunden sei. Eine der absurden Geschichten erlebte Lion Feuchtwanger. Er war in Amerika auf Vortragsreise und wunderte sich, dass man ihn immer wieder auf Hitler ansprach. In einem Artikel befand er, mit dem sei es eigentlich schon vorbei. Am 30. Januar gab die deutsche Botschaft einen Empfang für ihn, am Vormittag hatte ihm ein Legationsrat mitgeteilt, dass Hitler zum Reichskanzler ernannt worden sei. Als er in der Columbia University von New York sprach, war schon kein offizieller deutscher Vertreter mehr anwesend. Am 12. Februar telegrafierte er an seine Frau Marta, dass er sich mit Hitler abgefunden habe, der Spuk werde nicht lange dauern. Er ahnte nichts: am wenigsten, dass er nie mehr nach Deutschland zurückkehren würde. Sein Exil begann paradoxerweise mit seiner Rückfahrt nach Europa am 2. März 1933 auf dem französischen Dampfer »Aquitania«, der ihn nach Frankreich brachte. Am 8. März ging er in Cherbourg an Land, aber schon nicht mehr nach Deutschland zurück. Die SA hatte bereits seine Villa im Grunewald geplündert.

Am 11. Februar war Thomas Mann weggefahren, um seinen Essay über Richard Wagner, den er am Abend zuvor im Audimax der Münchner Universität vorgetragen hatte, auch in Amsterdam, Brüssel und Paris zu lesen. Diese Reise wird bis 1949 dauern, bis er zu Besuch in das gespaltene Nachkriegsdeutschland zurückkehrte. Ernst Toller und Erich Weinert waren zu Lesungen außer Landes und kehrten nicht mehr zurück. Am 17. Februar brach Oskar Maria Graf zu einer Vortragsreise nach Österreich auf. Seine Frau Mirjam blieb zunächst in Deutschland, da beide glaubten, nach wenigen Wochen sei Hitler nicht mehr an der Macht. Nie mehr wird Graf auf Dauer nach Deutschland zurückkehren. Joseph Roth fuhr höchstwahrscheinlich schon am 30. Januar nach Paris, angeblich noch vor der Meldung, Hitler sei Reichskanzler geworden, wobei er über seine Motive nichts verlauten ließ. Er wird sich als einer der kompromisslosesten Hitler-Gegner bewähren. Robert Neumann, von Wien aus zu Besuch in Berlin, verließ Deutschland am gleichen Tag. Walter Hasenclever ging ebenfalls in diesen Tagen nach Paris, wo er zuvor schon häufig gelebt hatte. Wilhelm Herzog floh, von dem sozialdemokratischen Reichstagsabgeordneten Oskar Cohn gewarnt, in der Nacht vom 13. auf den 14. Februar nach Frankreich. Alfred Kerr, am 15. Februar mit dem Gerücht konfrontiert, sein Reisepass werde eingezogen, ging als Wanderer mit einem Rucksack bei Bodenbau über die Grenze in die Tschechoslowakei: »Ich empfand an diesem Abend das tiefe Glück, jenseits der deutschen Grenze zu sein – und trank erleichtert ein großes, großes Glas Pilsener.« Heinrich Mann sah auch nach seiner Entfernung aus der Akademie Mitte Februar zunächst keinen Anlass, das Land zu verlassen. Erst eine indirekte, aber deutliche Warnung des französischen Botschafters André François-Poncet habe ihn zu diesem Schritt bewogen, schreibt er in seinen Erinnerungen »Ein Zeitalter wird besichtigt«. Er verließ seine bereits überwachte Wohnung ohne Gepäck, das ihm seine Lebensgefährtin Nelly Kroeger an die Bahn nachbrachte, löste eine Fahrkarte nach Frankfurt, wo er übernachtete, und passierte am nächsten Tag bei Kehl die französische Grenze. In Toulon holte ihn Wilhelm Herzog vom Zug ab. Bert Brecht war keinesfalls mit mehr Weitblick als seine Kollegen ausgestattet. Er wartete Anfang Februar einfach ab, auch wenn er sich dazu antrieb, einige Projekte rasch abzuschließen. Mitte Februar begab er sich in ein Krankenhaus, um sich einer harmlosen Operation zu unterziehen. Er hätte den Eingriff verschieben können, aber er wollte sich anscheinend in eine Klinik wie auf ein Rückzugsgelände begeben. Er packte, mit der Meldung des Reichstagsbrandes konfrontiert, noch in der Nacht seine Arbeitsmaterialien in Kisten und ließ sie bei Freunden unterstellen. Am nächsten Tag fuhr Brecht mit seiner Familie, F. C. Weiskopf und Bruno Frei nach Prag. Am gleichen Tag wurde seine Wohnung von der Polizei durchsucht.

Der Reichstagsbrand markiert den Übergang von der Praxis der Willkür und der politischen Schikanen zum offenen Staatsterrorismus. Am folgenden Tag ließ sich Hitler weitgehende Vollmachten zur Verfolgung seiner Gegner geben. Insgesamt emigrierte etwa eine halbe Million Menschen, darunter befinden sich rund 5000 Künstler und Intellektuelle. Die Nationalsozialisten antworteten auf die Flüchtlingswelle mit Ausbürgerungslisten, um die Trennung endgültig zu vollziehen und ihre Gegner vogelfrei zu machen.

Wer über die Emigrierten redet, darf über jene nicht schweigen, die den

Abschied nicht schafften, sich über die Bedrohung täuschten oder die Entscheidung aufschoben, bis es für sie zu spät war. Die Liste der Menschen, denen es an Einsicht fehlte, an politischer Wahrnehmungssicherheit oder an einer realistischen Einschätzung des Gegners, kennt prominente Opfer. Am 20. Februar 1933 fand auch eine letzte Sitzung der Opposition im Schutzverband Deutscher Schriftsteller statt; dabei trat Carl von Ossietzky auf. Danach drangen Georg Lukács, David Luschnat und Andor Gabor vergeblich auf seine Abreise, aber sie stießen auf taube Ohren. Ossietzky erfuhr bei Freunden von den Ereignissen am Abend des 27. Februar. Oskar Stark, Redakteur des »Berliner Tageblatts«, hatte ihm dringlich geraten, woanders zu nächtigen. Der Publizist wähnte sich vor Verfolgung sicher, weil er das Namensschild an seiner Wohnungstür entfernt hatte, und ging nach Hause. Früh am nächsten Tag wurde er verhaftet.

Erich Mühsam hat nach dem Bericht von Harry Wilde am 26. Februar erwogen, für eine gewisse Zeit nach Prag zu gehen. Er hatte aber Schwierigkeiten mit der Beschaffung des Reisegeldes. Er wollte am 28. Februar abfahren; um 5 Uhr früh an diesem Tag holten ihn zwei Kriminalbeamte aus seiner Wohnung in Berlin-Britz. Im übrigen hatte er auch aus einem anderen Grund gezögert: er wollte seine Haustiere nicht allein lassen.

Ludwig Renn war am 28. Januar aus der Haft entlassen worden. Einen Monat später, am 28. Februar um 6 Uhr früh, wurde er erneut verhaftet. Voraus ging eine Hausdurchsuchung und die Beschlagnahme seiner Manuskripte. Der Untersuchungsrichter warf ihm vor, er habe den Reichstag angezündet. Im Berliner Polizeipräsidium traf er auf Ossietzky, Egon Erwin Kisch, Otto Lehmann-Rußbüldt und Hermann Duncker, im Gefängnis Spandau begegnete er als Mithäftling den parteilosen Rechtsanwalt Hans Litten, der 1932 im Gerichtssaal Hitler in die Schranken gewiesen hatte. Göring wird beim Nürnberger Prozess zugeben, dass die Verhaftungslisten bereits geschrieben waren und es nur eines propagandistischen Anlasses bedurfte, um sie in Kraft zu setzen.

Von den rund 500 000 Juden, die in Deutschland lebten, gingen im ersten Jahr der nationalsozialistischen Herrschaft rund 37 000 ins Ausland, davon rund drei Viertel in eines der europäischen Nachbarländer. Einer Statistik zufolge sind in den fünf Jahren bis 1937 insgesamt 140 000 deutsch-jüdische Bürger emigriert oder geflohen.

DÖBLINS EMIGRATION

Ein Schriftsteller auf der Flucht vor den Nazis – die bekannte Geschichte. Aber wer weiß von ihr etwas Genaues? In den Einzelheiten steckt das Ganze: die Arten der Flucht und der Fremde, der Weg nach Absurdistan. Wenn man auf den Einzelfall achtet, bleibt immer mehr Geheimnis übrig als Aufklärung. Nicht anders verhält es sich mit Alfred Döblin. An diesem 28. Februar wurde er nach eigener Darstellung von mehreren Anrufern bedrängt, er sei in Gefahr und solle außer Landes gehen. Er selbst sei für sich *unbekümmert* gewesen, *wenn auch tief beunruhigt und empört*. Er sei gefragt worden, was er machen wolle: Das deutet auf enge Beziehungen der Anrufer zu Döblins Familie hin. Die Existenz von Verhaftungslisten wurde ihm vorgehalten, er sei gefährdet: Die Kenntnis konnte in dieser wirren Situation nur aus republikanischen Polizeikreisen stammen. *Das leuchtete mir alles nicht ein. Die innere Umstellung von einem Rechts- auf einen Diktatur- und Freibeuterstaat gelang mir nicht sogleich. Gegen Abend war ich soweit. Meine Frau war auch dafür.* Der Passus bei Döblin ist allgemein gehalten: kein Datum, kein Hinweis auf einzelne Personen. Wer hat ihn gewarnt? Döblins Sohn Klaus behauptete, es sei ein junger Polizist gewesen, den der Verfasser des *Alexanderplatz*-Romans bei seinen Recherchen kennengelernt habe. Kam der Hinweis auf die Gefährdung wirklich von dort? Hätte der Schriftsteller, versessen auf Bleiben und die Gefahr nicht achtend, ausgerechnet ihm vertraut? Der Beamte muss die Listen gekannt haben, schließlich wurden die zur »Schutzhaft« vorgesehenen Personen in den meisten Fällen von regulärer Polizei festgenommen. Aufzeichnungen darüber sind nicht bekannt. Vermutlich ist Döblins eigene Darstellung über die Warnungen, die ihm zugegangen sind, eine Schutzbehauptung, niedergeschrieben noch im Exil, um die Nazibehörden nicht auf die Spur der hilfreichen Personen zu lenken. Vermutlich hat ihn auch André François-Poncet, der französische Botschafter, der auch im Falle Heinrich Manns hilfreich gewesen sein soll, warnen lassen.

Auch der im Polizeidienst tätige Sohn Bodo kommt für eine Warnung in Frage, aber er hat später kein Wort über einen solchen Vorgang verlauten lassen. Döblin hielt die Flucht nur für einen mehrmonatigen Ausflug, um die Aufregungen vorübergehen zu lassen. *Man besuchte mich, es gab Tränen. Ich lachte und war ruhig. Mit dem kleinen Koffer in der Hand zog ich ab, allein. Unten erwartete mich eine Überraschung. Ein Nazi, über der Uniform einen zivilen Mantel, stand vor meinem Arztschild, fixierte mich – und folgte mir zur Untergrundbahn. Er wartete ab, welchen Zug ich nähme, stieg in dasselbe Abteil. Am Gleisdreieck stieg ich aus, er auch. Er ging hinter mir her. Dann gab es ein Gedränge, ein ankommender Zug entleerte sich, ich lief eine Treppe hinunter und fuhr von einem anderen Bahnsteig in irgendeine Richtung, später an mein Ziel: Potsdamer Platz, Möckernbrücke. Ich wollte zum Anhalter Bahnhof.* Döblin löste einen Fahrschein für einen Schlafwagen bis Stuttgart, gegen 10 Uhr fuhr der Zug ab; das Billet habe er 12 Jahre lang in seiner Brieftasche mit sich herumgetragen. Döblin fiel aus seinem Ort, aus Berlin heraus – und damit auch aus seiner Gegenwart. Es war die Gegenbewegung zur ersten Flucht, die er 1888 erlebt hatte, als er, zehnjährig, von Stettin nach Berlin eingefahren war und dies später seine wahre Geburt nannte. Auch die Rückkehr nach Deutschland wird er 1945 wieder ummünzen zu einem Weggang. Er rechnete seine biographische Lebenslinie nur noch nach Entfernungen: sie bestimmen seine innere Landkarte, und das Vorher und das Nachher der Fluchten wird seine Erlebniszeit gliedern. Der Abschied gab den Takt vor: *Als ich abfuhr, stand ich am Gangfenster. Es war finster. Ich bin viele Male diese Strecke gefahren. Die Lichter der Stadt. Ich liebe das sehr. Wie war es mir immer, wenn ich von draußen hineinfuhr nach Berlin und dies sah: ich atmete auf, ich fühlte wohl auch, ich war zu Hause. Nun, ich fahre jetzt, ich lege mich schlafen.* Da ist der beiläufige Ton einer verhaltenen Trauer wieder, der basso continuo des vom Schicksal Verfolgten: nichts Lautes dringt ein, wo Döblin doch auf Rhetorik und steile Behauptungen, schrille Grotesken und Formulierungen auf der Nadelspitze des Sarkasmus geradezu abonniert war. Wenn es ihm ans Herz ging, wahrte er einen gemessenen Ton. Er fand die Abreise unpassend; aber darüber hinaus verstand er sie noch nicht als Zäsur. In Stuttgart, bei einigen Stunden Aufenthalt, fiel ihm das friedliche Leben auf, angekündigte Versammlungen von Nazis erschienen ihm burlesk, und er fragte sich, warum er überhaupt weggefahren war. *Eine alberne Sache; ich werde mich später schämen.* Es war ihm wichtig, die Unschuld und Ahnungslosigkeit bei dieser Reise ins Ausland zu zeichnen. Am Bodensee will er den Grenzübertritt rasch hinter sich gebracht haben: *Überlingen – übernachten, Fahrt über den See, nach Kreuzlingen. Jetzt, die Grenzüberschreitung, in einem Auto, es geht alles glatt. Ich besuchte in Kreuzlingen einen Sanatoriumsarzt, bei dem ich ein Jahr zuvor mit meiner Frau zu Gast war (welche frische heitere Zeit).* Doch so zügig ging es in Wirklichkeit nicht. Döblin scheint sich noch am Bodensee auf der deutschen Seite aufgehalten zu haben. Die Unschlüssigkeit über die nächsten Schritte war größer, als er sie darstellte. Am 1. März schrieb er aus der Strandbahnhofswirtschaft Friedrichshafen eine Nachricht an Ludwig Binswanger über den Bodensee hinüber. Er halte sich in Überlingen auf, im Hotel Hecht. Er habe zuletzt in Berlin wegen der großen Unruhe nicht mehr arbeiten können und fragte an, *Tout seul,* ob *für einen menschlichen Preis Sie in Ihrem Sanatorium mich für 8–10 Tage (dann muß ich retour) beherbergen können.* Er schrieb ihm, als gehe es um einen Besuch in jener Modeklinik, die Joseph Roth später im »Radetzkymarsch« ironisiert hat, als er von der Anstalt sprach, »in der verwöhnte Irrsinnige aus reichen Häusern behutsam und kostspielig behandelt wurden und die Irrenwärter zärtlich waren wie Hebammen«. Binswanger war mit Schriftstellern und Künstlern gut bekannt: 1917/18 war Ernst Ludwig Kirchner dort zur Behandlung gewesen, danach auch Carl Sternheim. Döblin stellte gegenüber dem Schweizer Psychiater schriftlich die Flucht wie eine Exkursion dar: Das Bemühen um Vertuschung wird der Angst vor der deutschen Postzensur geschuldet gewesen sein. Ahnungslosigkeit und Phantomfurcht waren die Gefährten seiner Emigration. Immerhin rechnete er nur für sich mit Schwierigkeiten, noch nicht für seine Familie, und er hielt den politischen Erdrutsch für ein flüchtiges Ereignis. Döblin gab an, er habe die Schweizer Grenze als Mitfahrer in einem Auto überquert. Dabei könnte jemand aus Binswangers Anstalt geholfen haben. Robert Minder hat den Grenzübertritt etwas anders beschrieben: Döblin sei als Spaziergänger über ein unbewachtes Feld nach Kreuzlingen geschlendert. Auch mit dieser abweichenden Version konnte er sich auf Döblin berufen. Im Sanatorium des Psychiaters Ludwig Binswanger hielt sein Schwanken an: *Nun kam ich in der mir komisch und sinnlos erscheinenden Rolle eines Flüchtlings. Aber wer flüchtete denn? Wovor?*

Er wartete ab, wie sich die Dinge in Deutschland entwickelten. Innerlich scheint er noch in Berlin gewesen zu sein: Als er am 4. März an Oskar Loerke schrieb, gab er automatisch Berlin als Absender an, strich den Ortsnamen durch und setzte »Kreuzlingen (Schweiz)« darüber. Doch die Dinge entwickelten sich – vor allem dank der Tatkraft seiner Frau – zügiger, als er wohl gedacht hatte. Am 3. März traf Erna Döblin mit den Söhnen Peter, Klaus und Stefan in der Schweiz ein. Wolfgang blieb noch in Berlin, um in diesem Monat sein Abitur abzuschließen. Klaus ging noch einmal zurück, um in Berlin die mittlere Reife hinter sich zu bringen, Peter schloss eine Setzerlehre ab.

Seine Frau, mit schärferem Realitätssinn ausgestattet als er, aber auch bisweilen eine unerbittliche Schwarzseherin, beurteilte die Lage härter als er; sie wusste, *daß sie von ihrer Häuslichkeit Abschied genommen hatte, daß die Kinder aus allem herausgerissen wurden, der Berg der Sorgen, die Wolke der Unsicherheit – sie weinte viel –: dagegen ich (was konnte ich gegen mich machen?) hochgestimmt. Ja hochgestimmt.* Er war von einer seltsamen Geistesabwesenheit für das, was um ihn herum geschah.

Seine Unberührbarkeit machte seine von anderen manchmal kopfschüttelnd hervorgehobene Kindlichkeit aus. Er ging mit einem Romanprojekt ins

Exil, mit dem angefangenen Manuskript der *Babylonischen Wandrung.* Der Kopf war ausgefüllt, und es riss ihn nicht in den Abgrund, sondern *nach oben. Es ward mir zum Heil*: der entsprechende Passus in seinem Bericht *Schicksalsreise* läuft auf diesen Kernsatz zu. So war er einerseits begriffsstutzig, was die Folgen der Flucht betraf, und andererseits schon weiter, als man glauben mag: mit einem Roman befasst, der sich den Abgründen der machtbewussten Gottheit und den verschlungenen Wegen seines Exils auf Erden widmet. Er war auch in diesen Monaten des äußeren Umbruchs der Macht der vielfältigen Imagination verpflichtet; sie prägte, hielt ihn und trieb ihn an.

Döblin dachte offensichtlich anfangs nicht an die blutige Beimischung des Ernstes. Nur als abgründige Illusionen sind seine Absichten in einem Brief an den Journalisten Heinz Gollong vom 9. März 1933 zu deuten. Darin behauptete er, er habe am 28. Februar nicht mehr zu Hause sein können, *wie ich ahnend voraussah.* Aber er gedachte den Schritt wieder zu annullieren – *ich möchte bald, vielleicht in 2 Wochen, wieder nach Hause, – wir ziehen ja um nach der Hasenheide, aber mir fehlt ein konkretes Bild von der Welt.* Als biographische Person war er der Ahnungskraft des Erzählers keinesfalls gewachsen.

Wie unvorbereitet ihn die totalitäre Machtermächtigung traf, geht auch aus den tastenden Versuchen hervor, die er an Paul Fechter am 22. März von Zürich aus adressierte. Er versicherte ihm eine gewisse Übereinstimmung, schickte ihm sogar sein Buch *Unser Dasein,* allerdings *vorläufig noch ohne Widmung* zu, erinnerte an den harmonischen Verlauf eines Streitgesprächs vom Jahr zuvor in Hannover. Er dankte für anerkennende Hinweise, die Fechter in seiner Literaturgeschichte für ihn gefunden hatte (und wollte ihn damit verpflichten), *andere sollen sich über die Beurteilung oder Nichtbeachtung, die sie da erfahren hatten, sehr erregt haben –. Ich danke Ihnen jedenfalls.* Das war, zwischen den Zeilen, eine Distanzierung von dem zurückliegenden Streit um Fechters Literaturgeschichte in der Akademie. Sich selbst definierte er ins Überzeitliche hinein und suchte damit nach einer für Paul Fechter annehmbaren Formel über sich: *Es ist das große wahre gestaltende Ich, von dem ich immer ausgehe, und dessen ganze Natur und Ausbreitung zu erkennen meine immer erneute Bemühung ist. Ich sehe immer klarer, daß ich und wie ich im Religiösen, und in welchem Religiösen, lagere, – mit der Welt und der Zeitlichkeit als einer Erscheinung.* Er versuchte eine gewisse Nähe zu einem als mächtig vermuteten Nazi, aus taktischen Gründen. Ein Gran Realitätssinn hätte ihm eingegeben, dass diese Bemühung niemals fruchten konnte. Auch gegenüber Paul Fechter wollte er austesten, wie es um ihn in Deutschland stand: *Ich bin, hoffentlich nur noch auf kurze Zeit, in Zürich, bei einer neuen epischen Arbeit. Ich bin, erschreckt über einige Dinge und Gerüchte, nach einem Vortrag hiergeblieben, – habe ich falsch reagiert, oder wie steht es eigentlich jetzt um einen Mann wie mich in meinem alten Berlin?* Es wäre höchst interessant zu erfahren, wie Paul Fechter reagierte, aber seine Antwort – wenn es überhaupt eine gab – ist nicht erhalten. In seinen Erinnerungen »Menschen auf meinen Wegen. Begegnungen gestern und heute« blieb er reichlich vage.

WOHNUNGSSUCHE IN DER SCHWEIZ

Brecht war am 28. Februar nach Prag geflohen, um von dort einige Tage später nach Wien weiterzureisen. Er erfuhr, dass Döblin, Feuchtwanger und Bernard von Brentano in der Schweiz waren, und wollte mit Helene Weigel auch dorthin. Am 13. März kam er in Zürich an. Er traf Kurt Kläber und wurde von ihm auf dessen Sommersitz nach Carona oberhalb des Luganer Sees eingeladen. In diesen ersten Wochen wollte auch Lion Feuchtwanger gerne in die Schweiz ziehen. Brecht berichtete Helene Weigel, dass er in Zürich Döblin und Anna Seghers getroffen habe: »Wir beschlossen, für alle was am Luganer See zu suchen. Kläbers wollen es in die Hand nehmen.« Brecht wollte sich aber auch bei seiner Frau über die Lebensbedingungen in Zürichsee erkundigen. »Billiger allerdings als ein paar Tage Zürich mit Familie ohne Wohnung ist, wie mir scheint, Lugano doch und man kann nachher von hier aus einmal hin.«

Am 30. März machte er mit Kläber, Brentano und Margarete Steffin einen Ausflug zu Hermann Hesse nach Montagnola im Tessin. Die Gruppe hat Carona ernsthaft erwogen. Am 7. April reiste Brecht nach Paris, um am Ballett »Die sieben Todsünden des Kleinbürgers« mit Musik von Kurt Weill zu arbeiten. Er suchte auch dort nach einer Wohnung. Brentano war schon zuvor nach Paris gezogen, und auch Anna Seghers befand sich inzwischen dort. Brentano fragte Mitte August bei Brecht an, ob man im Tessin nicht eine »Sommerakademie« gründen wolle. Brecht lehnte wegen der Kosten harsch ab; er war damals schon an Svendborg gebunden.

In Zürich traf Döblin im April oder Mai 1933 noch einmal auf eine alte Bekannte: Else Lasker-Schüler war, ebenfalls aus Deutschland emigriert, auf der Durchreise nach Palästina. Die Unterhaltung mit ihr wird schwierig gewesen sein, denn sie verehrte Mussolini. In der Aula der Universität besuchte er Anfang März 1933 einen Vortrag von Stefan Zweig. Das sind kursorische Nachrichten aus dem Transitdasein.

Von den Umständen und Beweggründen der Flucht wollte er anfangs so wenig wie möglich preisgeben. Gegenüber Heinz Gollong betonte er im März 1933, dass er *am Donnerstag voriger Woche nicht mehr zu Hause sein konnte,* aber gerade mit der Vorausschau war es nicht weit her gewesen: er musste überredet werden und wollte, wie er im gleichen Brief schrieb, wieder zurück. Damit war der Aufenthaltsort in der Schweiz schier gar zur unfreiwillig verlängerten Geschäftsreise geworden. Oder war eine andere Befürchtung im Spiel? Rechnete er damit, dass die Post geöffnet und beschnüffelt, gegen ihn verwendet werden könnte, vor allem gegen seine Frau und seine Kinder, die in Berlin noch ihre Schul- und Lehrabschlüsse machen wollten? Fürchtete er Sippenhaft?

Die Döblins waren nach kurzem Aufenthalt in Kreuzlingen weiter nach Zürich gezogen, zunächst in eine Studentenpension in der Hochstraße 37, Anfang April in eine kleine Wohnung in der Gladbachstraße 65. Die räumliche Enge war für den Schriftsteller unhaltbar, er konnte zu Hause nicht arbeiten und retirierte wieder in die Bibliothek (und schrieb darüber in *Babylonische Wandrung*). Walter Muschg erinnert sich: »Um Ruhe zu haben, setzte er sich mit dem Manuskript in den Lesesaal der Zentralbibliothek, wo er alle von ihm benötigten Hilfsmittel bequem zur Hand hatte. Ich sehe ihn noch, wie er diesen schrecklichen Sommer hindurch Tag für Tag mitten unter Studenten und Dozenten unerkannt an seinem mit Büchern umstellten Platz Blatt um Blatt beschrieb. Seine Phantasie war ihm auch jetzt noch die Burg, in der er sich sicher fühlte.« Kesten schrieb er Anfang Juli 1933, dass er *noch sicher 3 Monate* dafür benötige. Ein Jahr später erschien der Roman dann bei Querido. Alle möglichen Aufenthaltsorte wurden erwogen und wieder verworfen, doch hatte Döblin in den ersten Monaten einen entscheidenden Vorbehalt gegen eine Festlegung: Er glaubte an eine Rückkehr nach Deutschland.

Thomas Mann war nach den Reichstagswahlen Anfang März in nervösester Stimmung. Er saß in Lenzerheide, die Ereignisse in Deutschland bedrückten ihn ungemein. Seinem Tagebuch vertraute er am 18. März an: »Nach dem Erwachen zunehmender Erregungs- und Verzagtheitszustand, krisenhaft, von 8 Uhr an unter K's Beistand. Schreckliche Excitation, Ratlosigkeit, Muskelzittern, fast Schüttelfrost u. Furcht, die vernünftige Besinnung zu verlieren.« Döblin rief aus Zürich an und hat ihn offenbar getröstet: Er riet zu vierwöchiger Abwesenheit von München, rechnete also mit kurzer Verweildauer der Nazis an der Macht und mit Kämpfen, empfahl, eine Emigrantenkolonie in Straßburg einzurichten.

Ferdinand Lion wollte Döblin anscheinend nach Italien locken, jedenfalls antwortete er auf ein solches Ansinnen abschlägig. Er wollte dort nicht leben: es gab keine ausreichende deutschsprachige Bibliothek, die er für seine Arbeit wie ein Lebensmittel benötigte. Man dürfe sich *in keinem Fall den Eindrücken der Zeit preisgeben*. Das klang ein wenig unwirsch, Döblin scheint Anfang April die Improvisation als Nötigung empfunden zu haben. Und gleich der Rekurs auf die innere Welt, die er mit sich trug und die er von der äußeren nicht attackiert wissen wollte: *Mein Buch rückt mächtig vor, mein Babylonier ist ein himmlischer Emigrant –. Ob ich noch einmal nach Deutschland zurückkehre? Wenn Sie mich fragen, so antworte ich: ich glaube nicht sehr, in absehbarer Zeit kaum. Es ist nicht ein strengeres Regime, das ich fürchte, sondern das völlig Unabsehbare, zu dem ich mich passiv verhalten müßte.* Er wollte eher einen Rat, was Straßburg als möglichen Wohnort betraf, *möglicherweise ist es à la longue das Richtigere für mich*. Aber auch diese Überlegung hat er wieder verworfen, und noch immer sprach er, mit einem gewissen Zögern, von Berlin als Wohnort.

Die Vorgänge in Deutschland alarmierten seine Neugier, als wäre er noch mitten im Geschehen. Döblin fragte Mitte April den Journalisten Heinz Gollong nach der Lage und bekannte sein Zögern, seine Entschlusslosigkeit. Wolfgang hatte Abitur gemacht und überlegte, ob er in Zürich bleiben sollte. *Wir sitzen zu dritt (mit Fähnchen) noch hier, ich schreibe rüstig, rüstig, denn die Welt geht weiter, – und weiß auch nicht, was morgen, übermorgen. Bisher wartet man und läßt die Entschlüsse in sich reifen. Sehr würden Sie mich erfreuen, wie Sie die Sache mit mir denken, was würden Sie für das Beste halten. Einmal muß man sich schließlich doch einen Ruck geben, und ich glaube bei Goethe heißt es mal, daß auch die längste Überlegung nur durch einen kurzen Entschluß beendet werde. Ob man es richtig macht, kommt auf einen selber an.* Aber zum ersten Mal gab es auch ein Zeichen stürmischer Zuversicht: er zitierte Schillers Verse aus der Ballade »Der Taucher«, Strophe 22: »Gleich faßt mich der Strudel mit rasendem Toben, / Doch es war mir zum Heil, er riß mich nach oben.« Die Wörter *Heil* und *nach oben* werden fortan zu seinen heraldischen Zeichen für die Zeit der Emigration: sie stehen wie ein (vergebliches) Wunschprogramm in der *Babylonischen Wandrung* ebenso wie in der *Schicksalsreise*, den beiden Büchern, die seinen Lebensweg zwischen 1933 und seiner Rückkehr rahmen.

TRENNUNG VON DER AKADEMIE

Döblin erhielt wie die anderen Mitglieder der Akademie einen vertraulichen Brief vom 14. März, in dem der Präsident die Ergebnisse der Sitzung vom Vortag mitteilte und einen zu unterschreibenden, von Benn formulierten

Revers vorlegte. In ihm wurde gefragt, ob das Mitglied auch »unter Anerkennung der veränderten geschichtlichen Lage« weiterhin in der Akademie verbleiben wolle. Unter diesen Umständen, wurde mitgeteilt, müsse »die öffentliche politische Betätigung gegen die Regierung« unterbleiben. Das Ansinnen war salbungsvoll abstrakt formuliert, aber dennoch für jedermann deutlich: Es ging um die Unterwerfung unter die nationalsozialistische Politik. Ein Spielraum für ein Abwarten und Zusehen war nicht vorgesehen, nur ein »Ja« oder ein »Nein«. »Nicht zutreffendes bitte zu durchstreichen« – in einem zweifelhaften, holprigen Deutsch. Georg Kaiser, Alfred Mombert, Franz Werfel, Wassermann und Ludwig Fulda wurden mit Einschreibebrief ausgeschlossen, da sie keine Erfüllungsgehilfen sein wollten.

Den bizarren Einfall Franz Werfels, man könne ihn, den Juden, in die Reichsschrifttumskammer aufnehmen, hat Döblin nicht gehabt. Er gab am 17. März an Max von Schillings eine andere Antwort: *Mit Recht kann von den, einer staatlichen Instanz angegliederten Akademiemitgliedern eine politische Loyalitätserklärung verlangt werden, und ich kann sie ohne Weiteres abgeben, – da ich kein Politiker bin, nicht im mindesten im politischen öffentlichen Leben stehe; mein episches und philosophisches Werk liegt offen zu Tage und zeigt meine Weltanschauung und meine Kunstart. Ich stelle dem Herrn Curator der Akademie anheim dies zu überprüfen.* Wie kam es zu dieser merkwürdigen Antwort? Döblin verfolgte eine – allerdings nicht für jedermann überzeugende – List: er verwies auf sein Werk und gab ansonsten den Kannitverstan Hebels. In parodistisch anmutender Gewundenheit bat er um Aufklärung, ob denn die neue Ordnung den Verbleib von Juden ermögliche. Das durch den Curator prüfen zu lassen, bat er den Präsidenten *ergebenst*, um ihn dann *gütigst* um Information zu bitten. Es war eine etwas verrutschte politische Eulenspiegelei. Am nächsten Tag, dem 18. März 1933, hatte er sich die Angelegenheit anders zurechtgelegt: Er wollte das Spiel aufgeben, erklärte seinen Austritt, auch wenn er bei der Formulierung jeden Eklat vermied, und beantragte die Gesamtauflösung der Sektion Literatur. Die Ungeheuerlichkeit des Geschehens kam für ihn anfangs wie auf leisen Sohlen daher. Von den 27 Mitgliedern der Sektion bejahten 18 die Unterwerfungserklärung.

Die Vorgänge in der Akademie konnte er lange nicht von sich abschütteln. Noch im Mai 1936 schrieb er einen Aufsatz darüber, und die Erinnerung an diese Turbulenzen beschäftigte ihn lebenslang. Er sah die innere Aushöhlung der Akademie, die schon zuvor begonnen hatte. Zum Schluss habe man *schon nach der Unschädlichkeit* gewählt, da sei auch an den *katholischen Max Mell* gedacht worden. Er schob die Episode ein, wie er als Abgesandter der Akademie mit Alfons Paquet in Frankfurt für Sigmund Freud den Goethe-Preis durchbrachte. Aber die Akademie habe nicht gewusst, was sie solle – wie die Weimarer Republik, die sie installierte. Und die Demokratie habe Unübertreffliches geleistet *in der Ehrung ihrer Gegner*. Einige, da meinte er vor allem Heinrich Mann und sich, hätten deren Absichten genau gekannt: *Aber man saß drin, stranguliert von rechts und links, sabotiert von innen, im Stich gelassen, ja verraten von den eigenen Behörden und Instanzen*. Die Angelegenheit ließ ihm keine Ruhe: Er versprach eine Fortsetzung des Artikels *Die letzten Tage der Dichterakademie*, zu der es dann nicht kam.

BÜCHERVERBRENNUNG

Am 26. April veröffentlichten in Berlin die Nachtausgaben der Zeitungen eine Liste der Autoren, deren Bücher verbrannt werden sollten. Alle Schriften Döblins fanden sich auf der Liste der »schädlichen« Bücher und auch die Essaysammlung *Unser Dasein*, einen Monat zuvor noch in Berlin erschienen. Es gab nur eine einzige Ausnahme: der *Wallenstein*-Roman blieb verschont. Die erste Verbotsliste des nazistischen Bibliothekars Wolfgang Herrmann vom 16. Mai 1933 enthielt diese Regelung. Eine Begründung gibt es dafür nicht, es sei denn, man unterstellt jenen Nazistudenten, die an 22 Universitätsstädten diese »Aktion wider den undeutschen Geist« inszenierten, Schlamperei oder Unkenntnis. Oft konnten sie von den Autoren, die sie verfolgten, ja nicht einmal die Namen richtig schreiben. Döblin hatte seine Sensoren nach Berlin ausgerichtet. Jedenfalls wusste er am 28. April um die kommenden Aktionen: *Am 10. Mai ist autodafé, ich glaube, der Jude meines Namens ist auch dabei, erfreulicherweise bloß papieren. So ehrt man mich. Aber die Sache hat doch zwei Seiten: nämlich wie wird es später sein, in 1 Jahr, in 2 Jahren, wann wird die »Gleichschaltung« der Verlage erfolgen? Arzt kann ich nicht mehr sein im Ausland, und schreiben wofür, für wen? Ich mag über dieses fatale Kapitel nicht nachdenken. Was meinen Sie? Rätselraten.* Erst Jahre später wollte Döblin zu einem Jubiläum des Ereignisses schreiben, er hatte eine unerklärliche Scheu davor. Hat er die Niederlage so tief empfunden, oder wollte er sich nur nicht als Kommentator des laufenden Geschehens betätigen?

Einen Tag vor den Bücherverbrennungen, der Tag war gut gewählt, schrieb Klaus Mann seinen offenen Protestbrief an den von ihm so sehr bewunderten Gottfried Benn. Der lieferte zwei Wochen später über den Rundfunk und die Zeitung seine »Antwort an die literarischen Emigranten«, ein Dokument der Schande. Alfred Döblin hat ihm diese Ruchlosigkeit nie verziehen.

Nach seiner letzten Publikation *Unser Dasein* bei S. Fischer und den Bücherverbrennungen waren für ihn alle Gründe entfallen, auf die reichsdeutsche Verlagssituation Rücksicht zu nehmen. Er habe noch in Berlin eine lange Liste für Rezensionsexemplare erhalten, aber Lieferungen ins Ausland seien nicht alle ausgeführt worden. Ein Verdacht gegenüber Bermann-Fischer und seinem taktischen Verhalten, en passant und nur angetippt. Vom Verlag aus wurde immer wieder bestätigt, dass Döblins Bücher, obwohl auf die Verbotsliste gesetzt, bis ins Jahr 1935 hinein noch in Deutschland zu kaufen waren.

DER PEN

Vorstand und Ausschuss des deutschen PEN waren am 7. März 1933 zurückgetreten. Kommissarisch fungierten seitdem Hanns Martin Elster, Fedor von Zobeltitz, Edgar von Schmidt-Pauli, Hans Richter und Werner Bergengruen. Vom letzteren abgesehen – Bergengruen erwies sich bald als Gegner der Nationalsozialisten – muss man keinen dieser Namen kennen, sie sind zu unbedeutend. Aber diese personelle Zusammensetzung galt nur für einen Monat, dann wurde der Vorstand bei einer Hauptversammlung ausnahmslos mit Nationalsozialisten besetzt und die Organisation gleichgeschaltet. Der Augenzeuge Felix Langer schrieb, es sei zugegangen »wie bei einem Reserveoffiziersehrenrat«, der eine habe »den Willen von Göring (in Uniform)« verkündet, ein anderer »den von Goebbels«. Aber auch dieser nationalsozialistische Club sollte nicht mehr länger als einige Monate bestehen. Seine moralische Niederlage erlitt er zwischen dem 20. und 24. Mai 1933 auf der internationalen PEN-Tagung im jugoslawischen Ragusa (Dubrovnik). Der Vorstand des deutschen PEN beriet am 20. Mai in Berlin über die Lage. Hans Hinkel, Staatskommissar im preußischen Kultusministerium, einstimmig in den Vorstand gewählt, wies »aufs Schärfste« die Behauptungen zurück, die »Gebr. Mann« oder Döblin »usw.« seien aus dem deutschen PEN »ausgewiesen« worden. Und »Alfred Kerr (hat) seinen Vorsitz aus eigener Veranlassung verlassen bzw. sich zum Wohnsitz einen schweizerischen Ort gewählt«. Da lag die Bücherverbrennung erst zehn Tage zurück. Man wollte unbedingt nach Ragusa fahren. Die Delegation sollte klein (eine Umschreibung für ganz und gar zuverlässig) sein. Sie wurde mit dem Auftrag auf die Reise geschickt, sie solle »in Gestalt einer grundsätzlichen Proklamation im Geist des neuen Deutschland unter seinem Führer Adolf Hitler die Tagungsteilnehmer über die nationale Revolution und ihr Wollen unterrichten und alle böswilligen Angriffe, vor allem aber die Greuelhetze einzelner zurückweisen«. Die Herren Hanns Martin Elster, Edgar von Schmidt-Pauli und Fritz Otto Busch waren linientreu genug, um diesen Auftrag entschlossen entgegenzunehmen. Die »Greuelhetze« bezog sich wohl auf die Kommentare in der Weltpresse zur Bücherverbrennung.

In Ragusa wurden nun die reichsdeutschen Delegierten mit den Grundsätzen des PEN konfrontiert. Die Antwort darauf war eine peinliche Aufgabe, aber das Fähnlein der Aufrechten gab sich noch nicht geschlagen. Die Abgesandten traten als geschlossene Gruppe auf und hatten damit einen Verhandlungsvorteil gegenüber den gewohnt individualistischen Delegierten. Dieser monolithische Block wirkte ungewohnt und verwirrend. Der Internationale Präsident H. G. Wells wäre bereit gewesen, die sogenannten »politischen Punkte« fallenzulassen, um einen Austritt des deutschen Clubs zu vermeiden. Inzwischen aber war Ernst Toller in Ragusa eingetroffen, und seine bevorstehende Rede stand wie ein Menetekel über allen Machenschaften hinter den Kulissen. Als er anfing, auf dem Kongress zu sprechen, zog die deutsche Delegation geschlossen aus dem Saal. Gegenüber ihren Auftraggebern in Berlin wertete sie das als Erfolg: in ihrem Beisein war über die Politik des »Dritten Reiches« nicht gesprochen worden, die Delegierten mussten keine dringlichen Fragen beantworten und ließen jede weitere Entscheidung im Dunkeln. Erst Ernst Toller, ein Einzelner, nicht die Führung des Internationalen PEN, erzwang damals die Trennung. Er erzeugte die prägende Dialektik, dass die Schriftsteller, die sich von der Politik fernhalten wollten, politisch zu handeln hätten. Seine Rede war eine befreiende Tat, aber nicht alle Delegationen wollten Toller folgen. Die Schweizer zum Beispiel bedauerten, dass es im dalmatinischen Ragusa überhaupt zu solchen Streitigkeiten gekommen war; sie nannten das »Politikmacherei«. Der Franzose Jules Romains ließ sich in den Folgejahren von Nazi-Kulturfunktionären gerne hofieren. Die Appeasement-Politik war auch unter Schriftstellern verbreitet.

In Ragusa hatten die Nationalsozialisten allerdings nur ein kleines Moratorium erreicht. Nach dem Austritt Deutschlands aus dem Völkerbund im Oktober 1933 waren auch die Tage dieses deutschen PEN gezählt. In London kam der drittklassige Schriftsteller Schmidt-Pauli im November 1933 einem Ausschluss zuvor, indem er den Austritt des deutschen Clubs erklärte. Seit dem 15. Januar 1934 gab es den deutschen Club überhaupt nicht mehr. Zu diesem Zeitpunkt wurde eine »Union Nationaler Schriftsteller« mit Hanns Johst an der Spitze und unter anderem mit Gottfried Benn als Mitglied des Gründungsausschusses einberufen. Man sieht aus diesem wenig bekannten Detail, dass es Gottfried Benn damals um mehr ging als um ein allgemeines Bekenntnis zum Nazistaat und seinem Rassismus; er wollte als Kulturfunktionär unbedingt Karriere machen, wie er schon im Februar 1933 versucht hatte, Heinrich Mann als Vorsitzenden der Schriftsteller-Sektion in der Preußischen

Akademie zu beerben. Erst als sein Ehrgeiz nicht befriedigt wurde, zog er sich wieder von den Nazis zurück – wohl weniger aus Einsicht als aus Gekränktheit. Man kann die Umkehrfrage wagen: Wie lange wohl hätte Benns völkisch-rassistische Phase angedauert, wenn er im Betrieb aufgestiegen wäre?

Kurz nach dem Austritt des Naziclubs aus dem Internationalen PEN betrieb eine zunächst kleine Gruppe von Exilautoren die Neugründung eines deutschen Clubs. Lion Feuchtwanger, Ernst Toller, Max Herrmann-Neiße warben um Mitglieder, der Publizist Rudolf Olden fungierte in London als Anlaufstelle. Eine der raschesten Zusagen stammt von Klaus Mann, eine andere von Georg Bernhard, Chefredakteur des »Pariser Tageblatts«. Emil Ludwig antwortete zustimmend aus der Schweiz, Arnold Zweig aus Haifa; Bernhard von Brentano erwog in Zürich die Möglichkeit, dass eine PEN-Mitgliedschaft auch bei der Fremdenpolizei nützlich sein könnte. Dem Exil-PEN. traten in der Folgezeit auch Oskar Maria Graf und der Publizist und Jurist Emil Julius Gumbel bei; er hat die wichtigsten Daten zum Rechtsradikalismus der Justiz und zu den politischen Morden in der Weimarer Republik gesichert. Herwarth Walden signalisierte seine Bereitschaft aus Moskau, Ferdinand Bruckner aus Nizza, Werner Hegemann aus New York, und Thomas Mann druckste herum. An Lion Feuchtwanger, 25.1.1934: »Warum ich mit meiner Antwort gezögert habe, können Sie und die anderen Herren sich im Grunde denken. Es gibt eigentlich keine richtige Antwort für mich, und ich stehe durch diese Frage einmal wieder vor der Wahl, entweder die deutsche Emigration zu kränken und zu enttäuschen oder mit Deutschland, das heißt mit meinem deutschen Publikum, zu brechen und meiner literarischen Wirkungsmöglichkeiten ein Ende zu machen.« Er habe den Brief weggelegt und bitte um Aufschub. Ganz anders sein Bruder Heinrich Mann: Er übernahm für die neue Gruppierung ohne Zögern die Präsidentschaft und hat mit Rudolf Olden in den kommenden sieben Jahren vorzüglich zusammengearbeitet. Aber auch Döblin zögerte und ließ die Aufforderung des Generalsekretärs zum Beitritt liegen. Er empfand die politische Niederlage radikaler als die meisten anderen Autoren. Er wollte sich in den ersten zweieinhalb Jahren des Exils keinesfalls in einen antifaschistischen Aktivismus retten.

NICHTAUSBÜRGERUNG

Merkwürdigerweise findet sich Döblins Name auf keiner der Ausbürgerungslisten, die bis 1939 insgesamt einen Personenkreis von 39006 Menschen umfassten. Er selbst aber ließ nicht den geringsten Zweifel: *Die deutsche*

Staatsbürgerschaft wird mir abgesprochen, ich werde französischer Bürger. Mehrmals hat er angegeben, der juristische Status als Deutscher sei ihm im Sommer 1933 abgesprochen worden. Und Thomas Mann bemerkt in seinem Tagebuch (am 30. 8. 1933): »Döblin ist ausgewiesen worden, man weiß nicht, warum. Er steht nicht einmal auf der Liste der Expatriierten.« Eine Ausweisung aus der Schweiz kann nicht gemeint sein: Döblin kehrte von Paris aus nochmals für einige Wochen nach Zürich zurück, um seinen Roman abzuschließen. Das Ausbürgerungsgesetz wurde Mitte Juli 1933 erlassen. Fünfeinhalb Wochen später, am 25. August, wurde die erste Ausbürgerungsliste veröffentlicht. Auf ihr fanden sich 33 prominente Namen wie Albert Einstein, Heinrich Mann, Alfred Kerr und Lion Feuchtwanger. Es gab gegen den Verlust der Staatsbürgerschaft keine Rechtsmittel. Bis zum Verbot der Auswanderung (Ende Oktober 1941) wurde rund 32 000 deutschen Bürgern die Staatsangehörigkeit entzogen. Vielleicht wurde im Falle Döblins die Ausbürgerung aus Deutschland nicht offiziell verkündet, da man ihn steckbrieflich suchte, weil er die »Reichsfluchtsteuer« nicht bezahlen wollte. Der Steckbrief stammt vom Frühjahr 1934 und findet sich in der Liste zwischen einem Hypotheken-Makler und einer privatisierenden Witwe. Er hat wohl Berufung eingelegt in diesem Verfahren, in dem es um 12 000 Reichsmark ging, aber die deutschen Justizbehörden haben sie abgelehnt. 1933 wurde das Gesetz zur »Menschenfluchtsteuer« erlassen. Lion Feuchtwanger erhielt 1933 vom Finanzamt Zehlendorf einen Strafbescheid, weil er von seiner Auslandsreise nicht mehr zurückgekehrt war; fast gleichzeitig wurde seine Villa im Grunewald ausgeplündert und verwüstet. Es traf auch Arnold Zweig und den Generalmusikdirektor Otto Klemperer. Die Reichsfluchtsteuer als Ausplünderungsinstrument erbrachte insgesamt fast eine Milliarde Reichsmark. Einem offiziell Ausgebürgerten gegenüber hätte man diese Forderung nicht erheben können. Als er 1936 französischer Staatsbürger wurde, erlosch die deutsche sowieso – da war er nicht mehr auszubürgern. Wahrscheinlich hat man dann einfach vergessen, ihn auf die im »Reichsanzeiger« veröffentlichten Listen zu setzen.

Bodo Kunke, Döblins ältester Sohn, seit 1927 in Berlin, wurde 1933 wegen seiner jüdischen Abstammung aus dem Polizeidienst entlassen. Der Vater, an den er sich schriftlich gewandt hatte, versuchte, ihn Anfang Juli aufzumuntern. Die Schwierigkeiten hingen nicht nur mit seinem Namen zusammen. Ihm selbst seien auch berufliche Einschränkungen widerfahren: *So ist mir die Kassenpraxis total abgesprochen, trotzdem die Umstände für mich sprechen. Aber es ist in zahlreichen anderen Fällen, die jetzt Rekurs einlegen, ebenso verfahren worden. Da nutzt mir also alle jahrzehntelange Praxis, Ausbildung, Arbeit nichts, auch mein Alter schützt mich nicht – es geht eben auf rassenmäßige Ausschaltung, und wer kann für seine Geburt!* Folgt man dieser Darstellung, so hat Döblin von der Schweiz aus die Wiederzulassung als Kassenarzt in Deutschland beantragt. Der Vater wollte Bodo mit dem Gedanken vertraut machen, dass er, wenn er in Deutschland keine passende Arbeit finde, auch emigrieren müsse. Die Landwirtschaft hatte es ihm angetan: *Hier draußen lernen Akademiker und Doktoren um, um landwirtschaftlich (falls sie noch kräftig genug sind) anzunehmen, was sie bekommen.* Die jüdische Siedlungsbewegung spukte ihm im Kopf herum; er wollte seinen Ältesten dahin orientieren und argumentierte mit seiner festen Einschränkung: *Die zionistische Lösung in Palästina ist ungenügend, das Land zu klein. Man muß zu außereuropäischen Massensiedlungen kommen, in Südamerika (Peru) und Afrika (Angola); es wird schon vorgearbeitet; die Dinge brauchen leider zur Entwicklung viel Zeit.* Er ermunterte seinen Sohn zu tapferem Stoizismus: *Also dies, nicht mehr, lieber Bodo, habe ich Dir zu sagen. Du wirst den Kopf hochhalten und die Aktivität, den Optimismus von mir geerbt haben.* Bodo Kunke schlug sich im »Dritten Reich« als Angestellter durch, trat nach dem Krieg wieder in den Polizeidienst ein.

Döblin hat den Zwang zur Emigration mehrmals als Abfall der Deutschen von den Prinzipien der Humanität gedeutet. Im *Journal 1952/53* notierte er, es sei schon immer seine Auffassung gewesen, *daß nicht wir, die Flüchtigen, emigrierten, sondern mehr und mehr das Volk, das drüben zwar sitzen blieb an seinem Ort, in den Grenzen, die Deutschland umfaßten.* Keiner der Kollegen, die im Reich geblieben waren, habe ihm persönlich geschrieben, mit Ausnahme von Ricarda Huch. Ihrer gedachte er mit größtem Respekt. *Sie schrieb da aus der Ferne, wie sehr sie mich beneide, daß ich nun draußen sei.*

PARALLELAKTION

Für den Arzt Döblin, der beruflich in einer »Kreis-Irrenanstalt« angefangen und der von sich behauptet hatte, er fühle sich unter Irren und Kindern besonders wohl, gab es wenige Monate später ein wichtiges Stichdatum: bereits am 14. Juli 1933 wurde das sogenannte »Gesetz zur Verhütung erbkranken Nachwuchses« verabschiedet, das die zwangsweise Sterilisation von Geisteskranken vorsah, und zwar für Schizophrene, manisch Depressive, Epileptiker, »erblich« Schwachsinnige, unheilbare Alkoholiker, aber auch bei erblicher Blind- und Taubheit, Kleinwuchs und bestimmten körperlichen Missbildungen. Bis Kriegsausbruch, an dem man diese Maßnahme abbrach, wurden rund 360 000 Zwangssterilisierungen vorgenommen.

NACH PARIS

Keine Zeit blieb zum Verdrängen, auch nicht zu erduldender Passivität. Ende April 1933 entschloss er sich mit seiner Frau, nach Paris zu wechseln, obwohl einige Vorbehalte immer noch nicht ausgeräumt waren: der Mangel an Französischkenntnissen und die Unklarheit der finanziellen Lage.

Demnächst, so schrieb er an die Rosins am 4. Juli 1933, sollte auch der Sohn Klaus eintreffen. Und dann wollte man aufbrechen. *Ich müßte lügen, wenn ich sagen würde, ich bin darüber 100 % glücklich; die Sprache besonders und es ist nicht meine Luft. Aber man muß wohl erst ins Wasser gehen, ehe man urteilt über die Temperatur und ob das Bad einem bekommt. Mein Buch schreitet weiter fort, es muß ja dies Jahr fertig sein, ich will es selbst.* Schon am 5. Juli teilte er Kesten mit, dass er *Anfang September in die Umgebung Paris* ziehen wolle, sich aber das ruhige Zürich als *Rückzugslinie* vorbehalten wolle.

Hermann Kesten fragte an, ob er sich an der Anthologie »Novellen deutscher Dichter der Gegenwart« mit einem Beitrag beteiligen wolle. Döblin stimmte umgehend zu, aber er hatte keine Erzählung auf Vorrat. So bot er einen Ausschnitt aus dem Essay *Unser Dasein* an: *Einen abgeschlossenen Essay etwa über die Pflanze oder das Licht oder die Freiheit oder so was?* Bei dieser Gelegenheit kündigte er nochmals an, dass er mit der Familie nach Paris übersiedeln werde, *die Schweiz ist teuer, auch sehr »frontistisch« infiziert.* Er spielte damit auf die nationalistische Frontenbewegung an, die vom Faschismus beeindruckt war und eine extrem fremdenfeindliche Politik in der Schweiz durchsetzen wollte. Die Frontisten inszenierten einen Skandal um Erika Manns Kabarett »Die Pfeffermühle« in Zürich. Er schickte dann doch eine Geschichte und zog die bereits übersandten essayistischen Partien zurück: Er hatte vergessen, dass *Unser Dasein* die Erzählung *Eine Sommerliebe* enthielt und reichte sie nun an Kesten weiter. Sie erschien auch in der 1934 veröffentlichten Sammlung.

VERLAGSSITUATION 1933

Der Verleger Gottfried Bermann-Fischer versuchte ihn noch bei der Stange zu halten, aber ohne Erfolg. Am 4. Juli 1933 vereinbarten S. Fischer und Querido, dass Döblins künftige Veröffentlichungen im Amsterdamer Exilverlag erscheinen sollten. Das waren bis 1939 sechs neue Bücher. Pro forma behielt sich Bermann-Fischer die Inlandsrechte vor, aber das wollte nicht viel besagen, auch wenn der Verlag in der allerersten Zeit unter den Nationalsozialisten durchaus auch Bücher Döblins an den Buchhandel noch ausliefern konnte. Döblin wollte von Gottfried Bermann-Fischer die Rechte für jene drei älteren Bücher zurück, die der Verlag S. Fischer sogar noch im Almanach anzeigte, als er nach Wien gegangen war. Es handelte sich um die 12. Auflage des *Wang-lun* von 1922, die 50. des *Alexanderplatz*-Romans von 1932 und um *Giganten*, die zehnte Auflage von 1932. Der Verleger sträubte sich mit einigem Recht gegen den Ausverkauf seines durch die Nazis behinderten Verlages und schrieb Döblin Ende Februar 1934: »Der Auslieferung im Ausland steht nichts im Wege, die Auslieferung im Inland, soweit sie noch praktisch vorhanden ist, wird mit der gewissen Einschränkung, die ich Ihnen in meinem letzten Brief mitteilte, durchgeführt. Deshalb halte ich eine Kündigung der deutschen Verlagsrechte für ganz überflüssig. Ein ausländischer Verlag könnte mit diesen Büchern, deren Absatz an sich eben sehr stark zurückgegangen ist, auch nicht mehr anfangen, da eben ›alte Bücher‹ auch im Ausland heute nicht mehr gehen. Ich würde Ihnen die Rechte selbstverständlich freigeben, wenn ich es in Ihrem Interesse für notwendig halten würde.« Es gelang Döblin nicht, früher erschienene Bücher in einem Exilverlag unterzubringen. Deshalb wird die Rückgabe der Rechte in der Schwebe geblieben sein. In dem 1933 erschienenen Verlagsalmanach »Das 47. Jahr« wurden Wassermann, Schnitzler und Döblin noch als »glänzende und völlig selbständige Erscheinungen« gelobt. Bei Querido gelang es Landshoff, die Honorarleistungen für seine Autoren als eine Art Sozialsystem zu gestalten. Sie erhielten die ganze Summe vor Ablieferung des Manuskripts, im Regelfall zwischen 1300 und 1700 Gulden. Diese Beträge wurden auf ein Jahr lang in monatlichen Raten ausbezahlt, so dass die Autoren in dieser Zeit wenigstens mit – kärglichen – Einnahmen rechnen konnten. Schon bevor der neue Verlag ins Handelsregister eingetragen wurde, hatte Fritz H. Landshoff seine Herbsttitel 1933 beisammen. Unter den neun Titeln seines Startprogramms fanden sich immerhin zwei, die schon teilweise im Exil entstanden waren: Heinrich Manns Essays, Polemiken, Glossen und Dialoge, die, unter dem Stichwort »Der Haß« gesammelt, das Phänomen der nazistischen Aggression erkunden, und Lion Feuchtwangers Roman »Geschwister Oppenheim«, der erste Anti-Hitler-Roman der Exilliteratur, zwischen April und Oktober 1933 geschrieben. Von Döblin erschien im Herbst die Artikelsammlung *Jüdische Erneuerung*, die er aus *Unser Dasein* herauslöste und ergänzte.

ÄRGER UM DIE »SAMMLUNG«

Klaus Mann hatte bereits Anfang Juni 1933 seinen Verleger Fritz H. Landshoff mit dem Plan einer Zeitschrift konfrontiert, die den Titel »Die Sammlung« tragen sollte, und war auf spontane Zustimmung gestoßen. André Gide, Aldous Huxley und Heinrich Mann übernahmen das Patronat. Die Namen waren ein Signalement für die Auffassung über eine kämpferische Literatur. Klaus Mann hatte auch Döblin zur Mitarbeit aufgefordert. Er antwortete ihm am 17. Juli 1933 aus der Züricher Gladbachstraße 65 und hielt ihn ein wenig hin: er sei nicht informiert über die Ziele der neuen Zeitschrift und ihren Mitarbeiterkreis. Er bekundete Mitte Juli 1933, da nun Autor bei Querido, durchaus sein Interesse und stellte seine Mitarbeit in Aussicht, wenn er über die Absichten des Herausgebers besser Bescheid wisse. Aber dann schränkte er mit Hinweis auf seine ungeklärte Lage ein: *Da ich noch Kinder (und allerhand anderes) in Deutschland habe, muß ich mich zunächst jedenfalls noch sehr vorsehen und kann auch nicht in Gesellschaft oder als Mitarbeiter einer aggressiven Publikation auftreten.* Dieser Vorbehalt dürfte auch Klaus Mann zugänglich und verständlich gewesen sein. Wolfgang Döblin war bei der Flucht des Vaters in Berlin geblieben, um im März sein Abitur zu machen, Peter setzte seine Schriftsetzerlehre bei der Firma Otto von Olten fort, und Klaus hatte im Juni am Herder-Realgymnasium sein »Einjähriges« zu Ende gebracht. Döblin stellte jedoch Klaus Mann für das erste Heft der Sammlung seinen Aufsatz über *Jüdische Massensiedlungen und Volksminoritäten* zum Abdruck zur Verfügung; er erschien auch an der vorgesehenen Stelle und ging dann, leicht verändert, in die Sammlung über *Jüdische Erneuerung* ein. Alfred Döblin fand sich dann wie Thomas Mann auf einer Liste von 50 Namen, mit denen als künftige Beiträger Klaus Mann im ersten Heft vom 1. September 1933 warb. Eine entsprechende Annonce erschien im »Prager Tagblatt« und erregte mit dieser eindrucksvollen Versammlung literarischer Prominenz auch bei den Kulturbehörden in Deutschland einiges Aufsehen.

Gottfried Bermann-Fischer hatte »Die Geschichten Jaakobs«, den neuen Roman von Thomas Mann, für Oktober im Programm und sah sich mit einer unangenehmen Anfrage konfrontiert, er befürchtete Schwierigkeiten beim Vertrieb im Deutschen Reich. Offenbar hatte er die Startnummer der »Sammlung« vor seinen Autoren gelesen und war bestürzt darüber, dass sie vor allem durch Heinrich Manns Essay »Sittliche Erziehung durch deutsche Erhebung« eine ausgesprochen politische Note erhalten hatte. Er befürchtete Repressalien durch die NS-Bürokratie. Prompt forderte im »Börsenblatt des Deutschen Buchhandels« die »Reichsstelle zur Förderung des deutschen Schrifttums« zum Boykott jener Autoren auf, die beispielsweise in der »Sammlung« veröffentlichen wollten, und sprach von »Landesverrat«. Unverhohlen wurde mit dem Strafgesetzbuch gedroht. Bermann-Fischer schickte sofort einen Mitarbeiter des Verlags, Samuel Saenger, nach Frankreich, um zu intervenieren. Thomas Mann verstand sich zu einer etwas gewundenen Erklärung genötigt: »Muß bestätigen, daß Charakter ersten Heftes ›Sammlung‹ nicht ihrem ursprünglichen Programm entspricht«, schrieb er an Bermann-Fischer, aber der flaue Satz genügte dem Verleger nicht. So kam es zu einem schroffen Zusatz: »Ergänzen Sie meine Erklärung logischerweise dahingehend, daß mein Name von der Liste getilgt wird – denn darauf läuft sie hinaus.« Alfred Döblin zog seinen Namen wegen seiner familiären Rücksichten ebenfalls zurück und bat darum, *das in geeigneter Form beschleunigt bekanntzugeben;* René Schickele wollte unbedingt in Deutschland seinen Roman »Die Witwe Bosca« veröffentlichen. Stefan Zweig und Robert Musil bliesen ins gleiche Horn. Klaus Mann kommentierte in seinem Tagebuch (vom 15. September) die Affäre bitter als »sehr schmähliche Angelegenheit, Trauer und Verwirrung« und klagte Walter Mehring gegenüber am 27. September über Döblin, »dessen feige Haltung abscheulich ist«. Doch der hatte zu diesem Zeitpunkt keine andere Wahl: Er war im Ungewissen über die Situation seines ältesten Sohnes Peter, musste erst noch seine Verhältnisse regeln, steckte außerdem in Schwierigkeiten wegen der geforderten »Reichsfluchtsteuer«. So war er bestrebt, den Zusammenhang mit dem Querido Verlag vorerst undeutlich zu halten, und forderte dessen Verlagsleiter Fritz H. Landshoff auf, er solle mit der Veröffentlichung der vorgesehenen Schrift *Jüdische Erneuerung* noch warten. Aber dann kam aus Prag ein erlösendes Telegramm: Peter hatte seine Setzer-Gehilfenprüfung am 5. September in Berlin absolviert, und es war ihm gelungen, unbemerkt über die Grenze in die Tschechoslowakei zu gelangen. So konnte die Broschüre unverzüglich gedruckt werden. Sie kam im November heraus. Aber erst im zehnten Heft der »Sammlung« erschien wieder ein Artikel Döblins: Im Juni 1934 veröffentlichte er dort eine Rezension über einen Roman von Jakob Wassermann.

Johannes R. Becher, immer auf dem Pfad der fortschrittlichen Einsicht, verfasste ein vierstrophiges Spottgedicht auf Thomas Mann und Alfred Döblin, in dem er den beiden Kumpanei mit den Nazis unterstellte und die »Unversöhnlichkeit« pries: »Nicht alle, die Herr Hitler verbrannt, / Sind unsere Bundesgenossen. / Es hat schon mancher hintenherum / Mit den Nazis ein Bündnis geschlossen.« 1933/34, in der Frühphase des Exils, fanden Döblin mit Heinrich und Thomas Mann keine Gnade vor den marxistischen Kunstrichtern. In der »Internationalen Literatur« vom November 1933 insinuierte Hans Günther danach, dass »alle (ihre) subjektiv noch so ehrlich und noch so antifaschistisch gemeinten irrigen Auffassungen« nur in »objektiv profaschistische Ideologien« umschlagen könnten. Albin Stübs, Mitglied der Prager Gruppe des BPRS, veröffentlichte im Juli 1934 in den »Neuen Deutschen Blättern« eine Rezension der *Babylonischen Wandrung*, in der er Döblin vorwarf, den Nazis in die Hände zu arbeiten. Man sehe in diesem Roman nur »überspitzten, krankhaften, unfruchtbaren Überindividualismus, hysterische Experimente mit inneren Werten, Seelenkultur, religiösen Nebel, romantische Sehnsucht. Und konsequente Weigerung, nach einem Ausweg zu suchen«. Er behauptete sogar, der Rassismus der Nazis sei »kurzsichtig« gewesen im Falle Döblins, denn der »liefere ihnen adäquate Kunst«. Der Angegriffene antwortete auf diese Invektiven nicht. Es war ihm offensichtlich eine Entgegnung zu billig und der Gegner zu klein.

Döblin wurde 1934 nicht zum Allunions-Kongress der Schriftsteller, der vom 17. August bis 1. September 1934 tagte, nach Moskau eingeladen. Das wollte etwas besagen über den Grad der Gegnerschaft, den man ihm zumaß. Schließlich war gerade diese Moskauer Veranstaltung neben dem kulturpolitischen Ziel, den sozialistischen Realismus als alleinseligmachende künstlerische Doktrin auszurufen, dazu bestimmt, die Gewinnung von »Bündnispartnern« im bürgerlichen Lager mit vorzubereiten.

JÜDISCHE ERNEUERUNG

Sehr beschäftigen mich unaufhörlich die Sachen des jüdischen Volkes und wie hier weiterkommen, aber ich habe ja nur die Feder und bin isolierter als je. Que faire. Am Ende der Weimarer Republik hatte es Döblin an Sympathieerklärungen für die jüdische Siedlungsbewegung nicht fehlen lassen. Er kannte bereits aus Berlin die Gruppe O. R. T., eine praktisch ausgerichtete jüdische Hilfsorganisation, ursprünglich eine russisch-jüdische Gründung von 1880 in St. Petersburg, die landwirtschaftliche und handwerkliche Ausbildung als Voraussetzung für die Siedlung von Juden in neu zu erwerbenden Gebieten, unter anderen in Kanada, Peru und in Angola, betrieb. Aber erst nach seiner Flucht in die Schweiz verstand er sich auf intensive Zusammenarbeit. Er wurde von zionistischen Gruppen im April 1933 eingeladen, um mit dem jüdischen Denker Oskar Wolfsberg über das Thema »Auszug und Aufbau« zu diskutieren. Als erste Publikation Döblins im neuen Verlag Querido erschien im Oktober 1933 die Schrift *Jüdische Erneuerung*. Döblin hatte ein Kapitel aus seiner Essaysammlung *Unser Dasein* herausgelöst, um mit einer programmatischen Arbeit die Probleme des Judentums vorzustellen und seine eigene Position zu umreißen. Zwei Aufsätze, in der »Sammlung« unter dem gemeinsamen Titel *Jüdische Massensiedlungen und Volksminoritäten* vorabgedruckt, ergänzten und aktualisierten den dringlichen Appell.

Döblin erkannte den Hitlerschen Antisemitismus für historisch gewichtiger als die Vertreibung der Juden aus Spanien 1492. An den Zionismus und an Palästina als aktuelle Lösung des Problems mochte er nicht glauben, er rechnete mit längeren Fristen eines halben oder eines ganzen Jahrhunderts, viel länger, als es die Nationalsozialisten zuließen. Er forderte die Zionisten deshalb auf, sich in den universellen Dienst des jüdischen Volks zu stellen; es solle eine *weltliche Zentrale der Juden* ins Leben gerufen werden. Diese Position findet sich bereits ausformuliert im siebten Buch von *Unser Dasein*. Döblin war also mit einem vorgedruckten Programm ins Exil gegangen. Er fasste seine Arbeitsperspektive erneut in dem Vorschlag einer weltlichen Zentrale zusammen: *Sie hat zweierlei Aufgaben: den elementaren, überall bereiten Schutz der Juden und die organisierte Leitung der Entwicklung auf den verschiedenen Stufen, also* Defensive und Direktive. Das klingt zentralistisch, also wenig nach Döblin: Man hört eine Bauchrednerstimme, die er unter dem Druck der Ereignisse und der Arbeit sich angeeignet hatte.

Für einige Jahre entdeckte er sein Judentum, um es dann wieder vergessen zu wollen. Auch Hitler konnte ihn nicht zum Zionisten machen. Er blieb der spöttische, bitter scharf kommentierende Zaungast der Ideologien. Was er in der Weimarer Republik zum Judentum zu sagen hatte, fand Lion Feuchtwanger nur langweilig.

In seinem Glauben an die Unwiderruflichkeit der Assimilation war Döblin bereits 1923 durch die Berliner Pogrome erschüttert worden. In *Unser Dasein* hatte er einen Satz wie für ein Testament und eine Voraussage zugleich hinterlassen: *Glaube sich keiner, keiner, der Jude ist, irgendwo seines Bürgerrechts oder auch seines Lebens sicher! Auch nicht in den scheinbar kultiviertesten Staaten!* Er wollte nun nicht mehr Assimilation, sondern jüdische Selbstreflexion auf die Zeit vor der Diaspora, nichts anderes als das, was er auch vom Sozialismus forderte: spirituelle Durchdringung. Im November 1933 nahm er an der Gründung der »Liga für jüdische Kolonisation« in Paris teil und wurde ihr Vorstandsmitglied. 1935 ging dieser Verein in der Internationalen »Freilandliga« auf, und noch ein Jahr lang arbeitete er dort ebenfalls im Vorstand mit.

Um etwas Tröstliches zur Geschichte der Juden sagen zu können, nahm er eine Anleihe bei sich als Romantheoretiker. In einem seiner poetologischen

Essays hatte er den Roman mit einem Regenwurm verglichen, der auch weiterleben könne, wenn er in einzelne Teile zerschnitten werde. Mit diesem Bild beschrieb er nun die Lebenskraft der Juden. Auch Rom sei es nicht gelungen, sie auszurotten: *Grob gesehen kam das daher, daß die Juden sich aus der hochentwickelten und ebenso gefährdeten Form eines Wirbeltiers früh in die Form des Regenwurms umbildeten; alle Glieder können sich zu einem ganzen Tier regenerieren. Schlug man die Juden in Jerusalem nieder, so lebten Gemeinden in Babylon, rottete man sie in Alexandrien aus, so wohnten welche in Arabien und Italien. Und überall sie zugleich auszurotten war keine Möglichkeit und bestand kein Anlaß, sie übten Funktionen aus.*

Schärfer und polemischer als zuvor wandte er sich gegen die westlichen Juden, deren Identität *in das strudelnde Nichts* aufgelöst werde. Sie seien, da kommt sein Sozialismus ins Spiel, Angehörige der oberen Klassen: *Kein Wort kann zu scharf sein, um die Entgeisterung, Entseelung, Entgottung dieser Schichten zu charakterisieren, über die die Tobsucht des Kapitalismus raste.* Ihm ging es 1933/34 um die *Ablösung vom Abendland.* Die Französische Revolution habe den Juden die Gleichheit nicht gebracht, jetzt komme es darauf an, ihr Bewusstsein von sich selbst als *Volk* wiederzubeleben. Palästina hielt er für zu klein, um die einwanderungswilligen Juden aufzunehmen, woraus er folgerte, dass nur Siedlungen in aller Welt den Massen helfen könnten.

Als Brecht im September 1933 nach Paris reiste und dort auch Döblin traf, schrieb er ebenso degoutiert wie sachlich falsch an Helene Weigel: »Die Emigration hier ist nicht besonders angenehm zu sehen. In Paris entsetzte mich Döblin, indem er einen Judenstaat proklamierte, mit eigener Scholle, von Wallstreet gekauft. In Sorge um ihre Söhne klammern sich jetzt alle (auch Zweig hier) an die Terrainspekulation Zion. So hat Hitler nicht nur die Deutschen, sondern auch die Juden faschisiert. Die eigentlichen Angelegenheiten interessieren hier niemand.«

Mit seinem Engagement befremdete Döblin auch jüdische Freunde. Ludwig Marcuse polemisierte gegen seine Vorstellung vom »Volk« heftig, rückte ihn damit gar in die Nähe der Nazis. Der erbitterte Streit zwischen den Assimilierten, vorwiegend deutschen Bürgern, und Intellektuellen jüdischer Abstammung, und den sich als Volk in der Diaspora verstehenden Ostjuden war schon vor Hitler aufgebrochen, und Döblin gab ihm wohl zunächst keine neue eigene Formulierung. Wie der Nazismus an der Macht Döblin nicht zum Zionisten härten konnte, so konnte die O.R.T. und die Freiland-Bewegung ihn nicht zum Funktionär machen. Er blieb der unabhängige Geist, der auf dem Gegenspiel von praktischer Tätigkeit und utopischen Impulsen, spiritueller Inbrunst und rationalistischer Zweckbestimmung bestand und der seinen selbstgewählten Auftrag wieder zurückwies, wenn ihn die Wiederholung (auch seiner Widersprüche) langweilte.

UMZUG

Von 1933 an sind etwa 40 000 Flüchtlinge aus Deutschland in Frankreich aufgenommen worden. Rund drei Viertel von ihnen blieben bis 1940 im Land. Nach den Akten der Sûreté Nationale kam Döblin am 31. August 1933 in Paris an und bereitete den Aufenthalt vor; im September 1933 übersiedelte er mit seiner Familie nach Frankreich. Mitbestimmend für die Beschleunigung dieses Ortswechsels war wohl die Tatsache, dass die Söhne in der Schweiz keine Arbeitserlaubnis erhielten. Es war ein schwerer Entschluss, allerdings enthielt er auch ein Versprechen: auf den Zauber der Anonymität in der Großstadt und auf ihre ozeanische Weite. Aber ganz ohne Zweifel ging Döblins Umzug nach Paris nicht vonstatten.

Kurzfristig spekulierte er doch mit dem Gedanken, nach Palästina auszuwandern. Die Redaktion der Zeitschrift »Turim«, die Teile des Buches über *Jüdische Erneuerung* auf Hebräisch nachdruckte, hatte sich ihm als eine Gruppe junger Schriftsteller präsentiert. Das konnte ihn interessieren.

Er hatte gehört, dass Arnold Zweig nach Palästina ziehen wolle, und schrieb ihm am 5. September 1933 nach Sanary: *Ich bin noch völlig unklar, etwas spiele ich aber auch mit dem Palästinagedanken.* Er fragte nach der Verträglichkeit des Klimas und wie Zweig über die Zukunftsmöglichkeiten der Kinder denke, mit welchen deutschsprachigen Schriftstellern man dort rechnen konnte. Er bedachte offensichtlich schon die Lebensmöglichkeiten in dem fernen Land, von dem er so wenig wusste, aber es blieb bei einer folgenlosen Versuchung.

Frankreich hatte er bis dahin nur durch eine Urlaubsfahrt im Jahre 1926 kennengelernt. Darüber hatte er den bemerkenswerten Bericht *Ferien in Frankreich* geschrieben, der wie eine Hohe Schule der Ressentiments anfängt: Er wollte damals gar nicht dorthin, *erstens und zweitens, weil mich das Land nichts angeht, und drittens: es ist mir unsympathisch.* Er ruhte damals nicht, sowohl die aktuelle französische Literatur wie die Sprache herunterzumachen. Und die Franzosen? *Ihr Freiheitssinn ist sicherlich höher entwickelt und lebendiger als der deutsche. Aber ich empfinde die intensive Fremdheit. Es muß die Latinität des Volkstums sein, die daran schuld ist. Sie empfinden Deutsches als trop lourd; das Französische kommt mir wiederum zu dünn vor.* Das Diktum freilich war vielleicht gezeichnet durch die Vorbehalte, die er selbst erfuhr: Er galt schließlich schon in Deutschland als schwieriger Autor, und die Übersetzung seiner Bücher machte die Sache nicht einfacher. Und in Frankreich war er mit Übersetzungen seiner Bücher nicht gerade verwöhnt worden. Aktuell erschien 1933 in der Übersetzung von Zoya Motchane bei Gallimard der *Alexanderplatz.*

Aber es klang auch ein wenig preußisch provinziell, was er an Aversionen mit in die Ferien trug. Welche Ironie, dass es ihn sieben Jahre später dorthin verschlug. Schon im Verlauf seines Berichts von 1926 hatte er sich gewendet und plötzlich die deutsche Literatur kritisiert. Der Perspektivenwechsel war unvermittelt und blieb ohne Begründung: *Es ist etwas von Monomanie und Askese, Wirklichkeitsflucht in unsrer Dichtung. Die Menschen sind Warmblütler; in unserer Dichtung merkt man so wenig davon. Und wenn man nicht grausig ist, ist man gelehrt.* Der Artikel beschrieb einen Kippmoment. In ihm steckte auch der utopische Impuls, in der Auseinandersetzung mit der Latinität etwas abzustreifen, was ihm selbst zu kühl und distanziert im Umgang mit seinem Material (mit seinen Menschen, mit sich selbst) erschien. Schon 1926 bemerkte Döblin, dass bei ihm einiges in Fluss geraten sei, das er noch nicht bestimmen und auch nicht forcieren könne, und dabei sei *das Französische* eine Art innerer Entwickler: *Ich bin dabei, eine neue Stellung zum – Geistigen einzunehmen. Und Einiges im Französischen, ich weiß nicht was, spricht mich, flüstert mich an. Der Mensch als Ich, als Seelenwesen, als Geistiges, geht mir ganz, ganz langsam auf – der Wollende, der Geistige im Naturplan. Ich kann das gar nicht beschleunigen, muß das ruhig kommen lassen. Es sind ja auch keine Gedanken, die so kommen, sondern innere Umformungen. Da tut mir Manches, Manches in der Latinität wohl, im Französischen. Übrigens auch im Hellenischen, das mir bis heute noch ganz verschlossen ist.*

Die Familie wohnte zunächst in einem Hotel auf dem Montmartre. Peter, der älteste Sohn, zog bald nach England weiter und studierte an der London School of Printing. Von dort kam er nach einem halben Jahr wieder zurück. Im September 1935 fuhr er weiter nach New York und blieb fortan in den USA. Wolfgang betrieb sein Studium der Mathematik an der Sorbonne, Klaus ging zur Handelsschule *für acheters et vendeurs,* und Stefan, noch in Zürich eingeschult, setzte die Grundschule fort. So weit waren die familiären Verhältnisse einigermaßen geregelt. Für die Familie fand er ein kleines Häuschen am Stadtrand, in Maisons-Laffitte, rund 20 Kilometer vom Pariser Zentrum entfernt: *Wir wohnen nun hier, es ist 25 Minuten Vorortbahn vom Centrum (Gare St. Lazare), der Ort ist Ihnen wahrscheinlich von Rennen her irgendwie bekannt, wir wohnen in einem Häuschen mit kleinen Zimmern völlig im*

»Park«, ich fürchtete mich vor der Stadt, sie ist zu sehr für mich »die Fremde«. Aus den Söhnen Klaus, Wolfgang und Stefan wurden Claude, Vincent und Étienne. Trotz aller Bemühungen, die Sprache rasch zu lernen, die Literatur zu lesen, sich in Paris heimisch zu machen, trotz guter Verbindungen und einiger unverbrüchlicher Freunde fand er zunächst kein tieferes Verhältnis zu Frankreich. Da schien es Döblin vermutlich geraten, die Ereignisse von etwas außerhalb zu mustern. *Ich selbst mußte, um mein Buch zu beenden, auf der Flucht vor der mich quälenden Fremdsprache vier Wochen noch nach Zürich gehen (das wäre an sich für mich überhaupt jetzt der gegebene Ort, aber die Kinder, keine spätere Arbeitsmöglichkeit da, und hier wird das wenigstens gut gehen, für mich ist es zunächst noch sehr bitter).* Immerhin war er außerordentlich beschäftigt. Der Verleger Tor Bonnier hatte aus Schweden angefragt, was er denn von Döblin zur Übersetzung haben könne; er nahm dann eine (vom Autor um 200 Druckseiten gekürzte)) Ausgabe des *Alexanderplatz*-Romans 1934 ins Programm. Die Broschüre über *Jüdische Erneuerung* erschien in Tel Aviv auf Hebräisch. Für das Frühjahr 1934 erwartete er das Erscheinen des neuen Romans, der noch den Titel *Konrad, der nicht büßen will* trug, dann in *Babylonische Wandrung oder Hochmut kommt vor dem Fall* umbenannt wurde. Döblin war im November 1933 voller Zuversicht: *Aber es kommen natürlich mit der ganzen Gesellschaft 2–3 schwere Jahre für mich. Aber ich bin sehr ruhig, es heißt abwarten, ich habe keine Spur von Sehnsucht zurück, im Gegenteil, meiner Frau geht's ebenso, wir sind Wanderer, und das ist unser Leben, und ernster, wahrer, würdiger als das früher drüben, in jener Fremde.* Er deutete sich im Bild des ruhelosen Ahasver. Eine besorgte Frage galt den Adressaten des Briefes: das Ehepaar Elvira und Arthur Rosin, er Direktor der Darmstädter Bank in Berlin, aber als Jude natürlich beruflich und existentiell gefährdet. *Wie lange noch –?,* fragte Döblin an. Die Fortsetzung des Halbsatzes musste nicht ausgesprochen werden: 1934 emigrierte das Ehepaar erst nach Rom, 1936 nach New York und wurde für die Döblins später die sicherste Stütze im amerikanischen Exil.

Aaron Syngalowski, mit Döblin in Berlin befreundet, gelang es, die Möbel und Bücher Döblins aus der ungenutzten Berliner Wohnung in der Hasenheide eigenem Umzugsgut unterzuschieben und nach Paris zu transportieren.

In Frankreich häuften sich für Döblin die äußeren Schwierigkeiten. Seine *Fremdsprachenblindheit* konnte er nur mühsam überwinden. Beim Schuldirektor des Vororts nahm er gemeinsam mit seiner Frau Unterricht und begann, französische Klassiker im Original zu lesen; viel schwerer tat er sich mündlich mit der Fremdsprache. Als Arzt konnte er nicht mehr praktizieren, der bürgerliche Brotberuf war ihm verwehrt. *Und nun keine ärztliche Praxis mehr, denn ich fühle mich zu alt, um noch Examina vorzubereiten.*

Geselligkeit pflegte er vor allem mit Hermann Kesten. Sie sahen einander zeitweilig täglich. Zu Joseph Roth gab es eine lose Verbindung: Er hatte früher Döblins *Reise nach Polen* besprochen, außerdem hatte er den Arzt mehrfach wegen seiner geisteskranken Frau Friedl um Rat gefragt. Zum 60. Geburtstag schrieb ihm Roth: »Ich verehre und schätze Sie, Sie wissen es übrigens seit Jahren.« Döblin wiederum besprach Roths Roman »Hundert Tage« sehr positiv. Aber inwendig sah es bei Roth anders aus: Er nannte Döblin »kleinbürgerlicher jüdischer Berliner« und »Vertreter der literarischen Chuzpe in der Literatur«. Als Döblins Schwäche, führte er an, so wegwerfend wie möglich, einen »manchmal irritierenden Infantilismus, der zwei Drittel seiner literarischen Tätigkeit ausmacht und alle drei Drittel seines privaten Lebens«. Das gehört in die Sammlung der alkoholgeschwängerten Boshaftigkeiten Roths. Döblin hatte von diesem Vorrat, der in Roth schlummerte, keine Ahnung; er war ihm mit unstörbarem Vertrauen zugetan. Zum engeren Kreis in Paris gehörten auch Claire und Ywan Goll.

Der Schutzverband Deutscher Schriftsteller war im Mai 1933 neu gegründet worden und sollte als Vertretungsorgan der exilierten Autoren dienen. Rudolf Leonhard und der KP-Funktionär Alfred Kurella fungierten im Herbst als Vorsitzende, als Schriftführer zeichnete David Luschnat. Zwar wurden die gewerkschaftlichen Interessen betont, aber dem Selbstverständnis nach war der Exil-SDS ein antifaschistischer Kampfbund unter kommunistischer Leitung. Es ist höchst zweifelhaft, ob Döblin an der ersten Hauptversammlung im Januar 1934 teilnahm oder an einem der Solidaritätsabende für Ossietzky, Hermann Duncker oder Erich Mühsam. Die politischen Weichen für eine Entspannung ideologischer Frontlinien ergaben sich Ende 1934, als sich Ilja Ehrenburg für einen kulturpolitischen Kurs in der UdSSR aussprach, der die bürgerlichen Schriftsteller anerkannte. Aber es bleibt fraglich, ob Döblin damals seine distanzierte Haltung gegenüber den kommunistischen Autoren aufgab. Erst 1937 ist eine direkte Zusammenarbeit nachgewiesen; Döblin trat damals im SDS mit dem Vortrag *Der historische Roman und wir* auf und beteiligte sich damit an einer laufenden Debatte, die auch schon Gustav Regler und Lion Feuchtwanger auf den Plan gerufen hatte. Eine größere Diskussion zum gleichen Thema vereinte im November 1938 Feuchtwanger, Kesten, Kersten, Regler, Friedrich Wolf und Döblin zum fünften Jahrestag der Exilgründung des SDS im November 1938.

DAS ERSTE HALBJAHR 1934

Anfang 1934 kam Besuch aus Berlin, von einem Freund Klaus, aber zwischen die Gespräche mischte sich offensichtlich eine gewisse Kühle: Man sprach auf verschiedenen Lebenswegen nicht mehr die genau gleiche Sprache. Zu Beginn des Jahres 1934 schrieb er an Heinz Gollong, frisch, lebendig, auf Selbstdarstellung aus, eine Poetik in einigen Sätzen komprimiert, wo er nur einen Rat geben wollte: *Sehen Sie: das eigentliche Blut jedes Kunstwerks ist natürlich das Geistige, – das sich beim bloßen Schriftsteller und Journalisten in Betrachtungen, Erörterungen, Reportagen niederschlägt, beim Philosophen in Gedankenreihen, – dieses Blut pulsiert aber im Kunstwerk in der Gestalt, also in vielerlei Formungen, in Figuren, Handlung etc. Das muß man gut wissen, um nicht in l'art pour l'art zu verfallen. Sehen Sie in der Musik Bach und Mozart, das sind Vorbilder, die absolute Formenstrenge, und dabei und damit alles und jedes Geistige, das möglich ist. So sehe ich im Übrigen ja die Welt selber, im Ganzen, an, also keineswegs als eine bloß massige und nach Gewichts- und Schwerkraftgesetzen gemachte Sache, sondern in dieser zweifellos vorhandenen und physikalisch-mathematisch leidlich erfaßbaren Gestalt – von etwas »Geistigem« getragen, dieses »Geistige« ausdrückend in den Gesetzen. In diesem Sinne also ist die Welt echtes Kunstwerk und wirklich, »Kosmos«.* Welche Überlegenheit: die Welt als Form, der Gedanke gegen alles Empirische, gegen jeden Alltag gewappnet. Fürwahr eine eigene Welt, die er in sich trug und die unzerstörbar war.

Er selbst titulierte sich etwas kokett als *chômeur, Arbeitsloser, Bummler*. Wie es um ihn wirklich stand, zeigt jedoch der bewegende Brief, den er zum Fünfzigsten des Weggefährten Oskar Loerke Ende Februar 1934 schrieb. Er war aufgefordert worden, einen Beitrag für eine zu überreichende Widmungsmappe zu schreiben, und er verweigerte sich nicht. Er empfand es als *sonderbar*, dass man ihn als Gratulanten heranzog. *Die Welt ist so auseinander.* Er wollte ihm danken: *Da ich nun Deutschland verlassen habe und ein klares Gefühl mir sagt, daß ich es nicht wieder betreten werde, so ist es mir ein Bedürfnis, Ihnen an Ihrem heutigen Festtag zu danken für die Aufmerksamkeit, Güte und Hilfsbereitschaft, die Sie mir immer erwiesen. Ich bekräftige die geistige Solidarität in den entscheidenden Dingen, die immer zwischen uns bestand.* Und es entstand über die Entfernung hinweg die Gewissheit: *Dies eine Jahr ist ein halbes Jahrhundert.* Und die bange Frage: *Bin ich derselbe, sind Sie derselbe, – wer weiß?* Loerke war von diesem Gruß mehr als beeindruckt: »Die Widmungsmappe, die der Verlag mir überreichte, ist ein Denkmal. Das Erschütternde darin war Döblins Brief.«

Allmählich gewöhnte er sich in Frankreich ein, doch empfand er sich reichlich abgeschnitten, pflegte wenig gesellschaftlichen Umgang, empfand das Leben als *wüst einsam, drückend einsam,* aber es mischte sich auch Gleichmut ein: *Na, was soll das Klagen. Emigration ist eben Emigration, irgend eine von unseren jüdischen Generationen erlebt das immer wieder.* Er war im Vorstand von O.R.T. und hatte eine Gesellschaft der »Freilandbewegung« mitbegründet. Er empfand sich in dieser Zeit nicht mehr als einen Deutschen, und als Franzosen konnte er sich nicht vorstellen. Die Arbeit für die jüdischen Organisationen gab ihm mehr als je das Identitätsgefühl eines Mannes zwischen den Nationalitäten. Die Arbeit für die Konkurrenzorganisation der nationalstaatlich ausgerichteten Zionisten wirkte auf sein Selbstverständnis zwischen den Fronten und Lagern zurück.

BABYLONISCHE WANDRUNG

Mochte er von Anfällen der Melancholie heimgesucht werden, so ließ er sie nicht an den Schreibtisch des Romanciers. Er hatte ein Projekt ins Exil mitgenommen, das ihn nun ausfüllte. Ende April 1933 schrieb Döblin aus Zürich an Ferdinand Lion über das Manuskript der *Babylonischen Wandrung*: *Eine große Hälfte ist überwunden, ich bin in Konstantinopel, und je nach dem Ort, an dem ich lande, (ich meine real), wird das Buch enden in Berlin, Zürich, Paris, London, Straßburg. 75 % stehen auf Paris. Ja, ich alter Germane, Pommer.* Er wollte die Katastrophe, der er noch nicht ganz gewahr wurde, in der Parallelwelt überstehen, lachend. Im April 1934 sollte der Roman herauskommen. Ferdinand Lion, der vorab Fahnen bekommen hatte, war über das neue Buch alles andere als begeistert und hatte einiges daran auszusetzen. Döblin verteidigte seinen Fluchtgefährten aus Babylon jedoch wie ein ungebärdiges Kind, an dem er seine Freude hatte. Er habe ganz auf einen phantastischen Entwurf gesetzt, da er die Realität nicht habe anfassen können. Er habe weder sein *Herz* noch sein *Blut* dafür dreingeben wollen, antwortete er ihm einigermaßen ironisch. Mit diesem Roman, der Luftwurzeln in der Mythologie austrieb, wollte er eine Farce schreiben, den Ernstfall, der ihn selbst betroffen hatte, literarisch nicht berühren. Anstatt auf Wärme habe er auf Interesse und Amüsement gesetzt. *Es ist allerlei stilistisches Abenteuer in der Sache, – mich wundert, daß Ihnen das nicht als Erstes aufgefallen ist?* Er sah sich bei der Niederschrift dieses Buches bereits geistig auf dem Weg nach Frankreich: *Das Ganze will eine Abfolge burlesker, heiterer, ernster, ironischer etc. Dinge sein, eine Reise um eine bestimmte Welt, der Rahmen ist nicht sehr wich-*

Döblins erster Exilroman.
Buchausstattung von P. L. Urban
1934

tig. Man muß die Details lesen. Babylon ist nur das Sprungbrett. Ferdinand Lion hatte ihn ermuntern wollen, ein Thema aus der jüdischen Geschichte zu wählen. Aber dieser Rat kam an den Falschen: er wollte sich als Romancier nicht vereinnahmen lassen, da allemal schon als Organisator jüdischer Siedlungsbewegung tätig, und er sah in Lion Feuchtwangers historischen Romanen über jüdische Themen gewiss kein Vorbild für sich. Über die Maßen vertieft in die Arbeit für jüdische Gruppen, teilte er kräftige Hiebe aus: *Aber die verfluchten Juden mag ich nicht, man erlebt nur Enttäuschungen mit ihnen, sie sind ein verruchtes heilloses Volk, glauben Sie mir, es sind gerissene bequeme Kerle, eine völlig andere Bande als in der Bibel steht, sie haben sich völlig mit den Propheten ausgegeben, jetzt laufen nur Ketzer herum, aber ohne Format, es reicht nur zum Teppichhandel und betrügerischen Bankrott, was soll ich damit?* An dieser Stelle bricht der Brief vom 22. Mai 1934 ab: Das nächste Blatt enthielt, vermutlich eine Fortsetzung der Schimpfkanonade eines Juden, der für die jüdische Siedlung als Agitator und Organisator auftrat, über seine Klientel. Er bricht, möchte man hinzufügen, segensreich ab. Was nur, welche Enttäuschung, kann ihn zu dieser Tirade veranlasst haben? Vielleicht ist die Frage falsch gestellt, und die haltlose Philippika zeigt nur den Willen eines in die solidarische Arbeit Involvierten zur Distanz, die er in diesem Fall durch den Widerspruch zu sich selbst erzeugen konnte.

Am 2. Januar 1934 vermeldete er, dass das Manuskript des Romans abgegeben sei, auch schon im Verlag und im März erscheine – *ein umfangreiches Geschöpf, schildert den spaßigen und Passionsweg eines Gewaltherrschers, – ein babylonischer Gott, – durch alle Menschlichkeiten des Trunks, der Liebe, des Gelderwerbs, bis er ein kleiner armer Mensch ist.* Das Buch erschien in einer optimistisch hohen Erstauflage von 6000 Exemplaren, verkaufte sich aber schlecht. Döblin musste sich selbst um Rezensionen kümmern. Von maßvollem Lob Ludwig Marcuses und Hermann Kestens abgesehen, überwog das Kopfschütteln, die Befremdung und Ablehnung des Buchs.

Ein Gott namens Marduk hat seine Zeit verschlafen, sein Reich liegt in Trümmern, seine Welt ist eine Bühne der entschwundenen Macht. Die Utensilien dieser Götterwelt bestehen aus dem Plunder der Requisitenkammer, es gibt Blitze aus Blech und Engelsflügel zum Umschnallen. Schon nach wenigen Seiten wird eine abstruse Nasologie und die Physiognomie elefantöser Schlappohren vorgeführt.

Der *Gerechtigkeit* wegen wird der Selbstherrscher aus seinem Götterhimmel auf die Erde und zum Menschsein vertrieben. Er lässt sich aber nicht kreuzigen, sondern vertieft sich in die Freuden, Wunder und Erbärmlichkeiten der Erde. Konrad, wie der babylonische Hauptgott Marduk in seiner menschlichen Existenz nunmehr heißt, hat einen mephistophelischen Begleiter, den Mitgott Georg, der sich nunmehr als Geldbeschaffer nützlich macht; er erweist sich als Dieb, Gauner, Schwindler und kapitalistischer Unternehmer.

Die beiden Götterkumpane haben 3000 Jahre hinter sich, und in Marduks einstigem Reich Babylon gibt es nur noch Ruinen und Trümmerreste, die ihm ein Bremer Archäologe bei einem Rundgang mit beflissenem Eifer erklärt. Die Einheimischen reden Babylonisch, *daß sich alle am Abgrund liegenden Keilschriften vor Neid bogen.*

Nach und nach vollzieht Marduk den unweigerlichen Wechsel vom Gott zum Menschen.

Döblin schrieb seinen witzigsten Roman in einer Zeit, als sämtliche Grundlagen seiner Existenz erschüttert wurden. Das Exil taucht im Narrenkleid des Abenteuer- und Schelmenromans auf, mit der Verkehrung von Gott und Mensch blüht die Situationskomik, exzentrische Grimassen und heiterer Surrealismus regieren das Buch. Parodiert wird der Roman als Zeugnis eines allwissenden Erzählers aus dem Geiste der Enzyklopädie. Weil in Babylon bekanntlich die Sprachverwirrung herrscht, entsteht ein Kunterbunt an Tollheiten und abstrusen Missverständnissen, ein von Kapriolen überwältigtes Gebilde: die konsequente Abschweifung, das wandernde Lexikon, eine Wundertüte an Kenntnissen, das Tohuwabohu von Kreuz- und Querzügen, von Einschüben und Volten eines absurden Humors. Zeitweilig ist der Roman geradezu hemmungslos veralbert. Die Anrede des Lesers überspringt das Geschehen, sogar ein *Unmutsausbruch einer Anzahl Leser* füllt einen Abschnitt. Es überwiegt die Spottlust auf die Situation des Exils, das Konrad von Bagdad über Konstantinopel, Straßburg, Zürich nach Paris, von Osten nach Westen, durchtaumelt, ein irrwitziges Gelächter über das Desaster, als sei Döblin mit Jean Paul gereist und habe eine Wette mit ihm abgeschlossen, wer von beiden über den schönsten Nonsens verfüge. Diese travestierte mythologische Figur des babylonischen Gottes streift viele aktuelle Anspielungen, und bisweilen spricht der Erzähler unverhohlen von sich als einem emigrierten Schriftsteller, der in die Züricher Zentralbibliothek gebannt ist und sein Werk, indem er sich liest, aus deren Beständen gewinnt. Durchgeistert wird das Buch von den Beklemmungen materieller Not, von der Armutsangst, von plötzlich einbrechender Altersfurcht. Der Erzähler greift das Schuld-und-Sühne-Thema von *Berlin Alexanderplatz* wieder auf. Das Spiel mit den tausend verknäuelten Fäden Aberwitz wird immer ernster.

Das letzte Viertel des Buches enthält eine gespenstische Szene: Die fanatische Sekte der Geißler ermordet in einem Pogrom an einem einzigen Tag des Jahres 1349 2000 Straßburger Juden und plündert deren Besitz. Konrad stellt sich unter die Verfolgten, übersteht aber das Feuer. Er darf nicht sterben: er ist der Zeuge, der übrigbleiben muss. Eine gespenstische und bedrängende Vorschau dessen, was den europäischen Juden wenige Jahre später angetan werden sollte, ist in die Burleske eingesetzt.

In Paris verirrt er sich unter die exilierten Juden und die Clochards. Er wird um sein Vermögen betrogen, er verkommt und erlebt die Demütigungen der Obdachlosigkeit. Konrad steht aus Buße und Trauer auf: in Notre-Dame. Gegen Gewalt hilft nicht Gegengewalt, sondern das Humanum der Aufklärung und Konrads Wille, eine Kolonie zu gründen. In Südfrankreich errichtet er eine solche Gemeinde. Sein irdischer Weg hat dorthin geführt: in ein tätiges Siedlerdasein, das ein flackerndes Vorlicht auf die Jesuitenrepublik am Parana in der *Amazonas*-Trilogie wirft und ein wenig epische Begleitmusik für den Propagandisten der jüdischen Territorialisten abgibt. Das Wort *Gerechtigkeit,* das anfangs einen Hof an Fragen hatte, wird vom sterbenden Konrad wie eine Weissagung, empfangen von einem höheren Wesen, in einen anderen Zusammenhang gebracht: *Eine große Führung durchzieht diese Welt und sichtet alles, was geschieht. Gerechtigkeit ist noch das Geringste, was hier geschieht. Freundschaft, Liebe, Sehnsucht, Wissen durchziehen die Welt und müssen unaufhörlich die Erstarrung und den kalten, winterlichen Tod lösen, in dem die Gewalt alles werfen will.* Aus dem abgetakelten Gott Marduk ist der demütige Mensch Konrad geworden.

Aber dieses »Riesencapriccio von einem wiederkehrenden, Europa durchschweifenden, rappligen Gott«, wie Robert Minder schrieb, liefert nicht nur ein Exempel für die Haltbarkeit humaner Werte inmitten des zeitgenössischen Irrsinns, der komische Bewegungsheld, der mit seinem vielfachen Anprall an die irdischen Realitäten die Größe des menschlichen Spielfeldes ausmisst, ist nicht nur ein Eulenspiegel des Exils. Er hat noch eine weitere Dimension. In all dem inszenierten Durcheinander wird ja die Geschichte einer Abdankung erzählt. Hinter Marduk/Konrad taucht der Figurengott Döblin auf: die Gestalt des Großschriftstellers, der die Zeit verschlafen hat und sich nun in den Niederungen der Realität einfinden muss. Es ist die Geschichte vom Verlust des Schutzes, der gesellschaftlichen Position, des Selbstverständnisses, die in dem Roman ebenso enthüllt wie verborgen ist, gleichsam in einem alle Turbulenzen überdauernden, beredten Schweigen nachhallt. Der Erzähler von *Babylonische Wandrung oder Hochmut kommt vor dem Fall* weiß etwas über den Abschied von seinem Ruhm, vom Ende der gesicherten Politiken. Noch ist der Neubeginn, ist die Selbsterfindung in der veränderten Lage nicht zu beschreiben, sie werden in einfachen Devisen der Menschlichkeit nur gestreichelt.

Wiederum ein literarisches Experiment, in der großen Krise, die Döblin heimsuchte: ein verschwenderisch mit diversem Stoff angefüllter Roman, dekonstruiert seine Form, eine Enzyklopädie der literarischen Möglichkeiten. Die erprobten Gewissheiten, wie zu erzählen und wie der Bau des epischen Werks beschaffen sei, sind weggeräumt.

Unter ästhetischen Gesichtspunkten ist dieses Buch kaum goutierbar, aber diese epischen Kreuz- und Querzüge, Kapriolen des Witzes, Litaneien des Jammers, Causerien der Spontaneität enthalten das Eingeständnis einer tiefen Entgeisterung. Döblin zog für sich Konsequenzen, über die er nirgendwo theoretisiert hat: Er wollte nicht weitermachen wie bisher, er hielt sich für Jahre vom Literaturbetrieb des Exils fern. Eine Offerte an Offenheit hat er Juni 1934 in eine Rezension eines Buchs von Jakob Wassermann versteckt. *Wühlt nicht ein fürchterliches Fieber in der Welt, sind nicht alle Perspektiven verschoben? Und dann so tun als ob? Die Welt ist noch nicht untergegangen. Man muß sich dem Übel widersetzen. Man darf nicht den Gedanken nähren, als wäre das Fieber schon Herr über den Organismus. Eine schwere Krise ist da. Wir sind Mitleidende, Mitschuldige, Mittäter. Kein Geschrei erklärt oder beseitigt die Krise,* unsere *Krise.* Er unterschob Wassermann die Einsicht, die ihn selbst betraf: *Schließlich stand er vor der Frage: Kann man überhaupt noch Romane schreiben? Ist die Tat nicht wichtiger? Darauf schrieb er einen Roman und keinen Roman. Das ist sein letztes Buch.*

Die marxistische Presse fiel wieder über ihren Lieblings-Hassschriftsteller her. Albin Stübs, Kritiker der »Neuen Deutschen Blätter«, über den Roman: »Inmitten hundert Spiegeln, die ihn groß, klein, gewaltig und lächerlich machen, steht sein eitles, aufgeblasenes Ich. In diesem Spiegelkabinett, aus dem kein Weg ins Freie führt, bietet Dr. Alfred Döblin für hfl. 4.25 den literarischen Veitstanz eines Narziß dar.« Es handelt sich um das impertinente und rüpelhafte Gebaren, das die Klassenkämpfer, die hinter sich den großen Stalin wussten, gegen Andersgläubige oder ungebundene Intellektuelle an den Tag legten. Die Spalten der Zeitschriften und Zeitungen sind Ende der zwanziger und Anfang der dreißiger Jahre voll von solchen selbsternannten Literaturpolitikern. Die »Linkskurve« lebte von solchen doktrinären Eseleien. So ähnlich hat Johannes R. Becher 1932 Heinrich Mann beschimpft, weil der sich erdreistet hatte, bei der Wahl des Reichspräsidenten nicht Thälmann zu propagieren, sondern auf Hindenburg als das kleinere Übel (gemessen an Hitler) zu setzen. Das hinderte Becher nicht, bereits 1934 bei ihm und anderen einflussreichen antifaschistischen Intellektuellen sich als »Bündnispartner« anzudienen.

NOCH 1934

Die Familie hatte Mitte 1934 für zwei Jahre die Carte identité, die Aufenthaltsgenehmigung, erhalten, *was weiter kommt, wer weiß das jetzt.* In Italien waren die *Giganten* bei Mondadori in Mailand in Übersetzung erschienen. Der Blick nach Deutschland: eine einzige Abstoßung. Der sogenannte »Röhmputsch« Ende Juni erzeugte bei ihm Ekel und Wut über die in Deutschland grassierende Heuchelei und Lüge. Auch die Masse des Bürgertums hielt er für *kernfaul, dabei bedeckt mit äußerster Exaktheit.*

Im Juni 1934 sollte der Internationale PEN-Kongress in Edinburgh und in Glasgow stattfinden. Die Liste der deutschen Mitglieder, die im Exil waren, umfasste Mitte April nicht mehr als 27 Namen. Aus Nizza machte Heinrich Mann Vorschläge an Rudolf Olden. An erster Stelle der zu Wählenden nannte er den Verfasser des *Alexanderplatz.* »Döblin erscheint jetzt in Amsterdam, das bedeutet etwas Endgültiges.« Einen Tag später meldete sich Rudolf Olden, der die Geschäfte führte, zurück: »Z. B. Bert Brecht und Döblin haben auf mehrere Zuschriften nicht geantwortet. Immerhin sind wir inzwischen dem Ziel, alle angesehenen Emigranten-Schriftsteller zu vereinigen, näher gekommen.« Es sollte ein weiteres Jahr vergehen, bis Döblin aus London (im Juni 1935) lakonisch an Olden schrieb: *Lieber Olden, vielen Dank für Ihren Brief, – in der Penklub-Sache bin ich einverstanden.* Er war als Ehrengast zum PEN-Kongress geladen und war auch zur Territorialistenkonferenz gereist.

Wolfgang und Klaus machten ihre ersten Prüfungen, und die Eltern waren gespannt, ob Peter, der in London lebte, eine angestrebte Stelle im Kapland erhielt. Doch davon war bald nicht mehr die Rede. Zwei Monate später, Juli

1934, berichtete der Vater den Rosins gedrückt, dass die Familie auf die Heimkehr Peters wartete. Er hatte nicht reüssiert und keine Stelle erhalten: *Alle jetzt auf einem Haufen in diesem kleinen Häuschen, er hat keine Aufenthaltsverlängerung und keine Arbeitsbewilligung (auch als Volontär nicht) bekommen, jetzt, que faire?*

Die Fronten hatten sich dennoch in vielerlei Hinsicht geklärt, die Positionen waren fester umrissen. An Feuchtwanger, Anfang Juli 1934: *Ist die Situation, in der Sie und viele mit Ihnen, mit uns sind, nicht trotz allem ungleich besser, weil klarer, sauberer, ehrlicher und mehr zur Entscheidung zwingend als früher?* Jetzt könnten die Schriftsteller zeigen, wer sie seien: *Es heißt im Meer schwimmen. Es wird sich zeigen, ob wir Muskeln haben. Wirklich, Feuchtwanger, trotz allem ist so alles besser, weil es uns mehr fordert.*

Das »Pariser Tageblatt« veranstaltete Mitte Dezember 1934 zu seinem Jubiläum eine Umfrage zur »Mission des Dichters 1934« und verschickte Anfragen an deutsche Exilschriftsteller. 11 Antworten wurden abgedruckt. Alfred Döblin gehörte zu jenem Drittel der Autoren, die einer direkten Antwort nicht auswichen. Lion Feuchtwanger zum Beispiel begnügte sich damit, der Zeitung zum Jubeltag zu gratulieren. Robert Neumann wollte nur schweigen und dichten. Heinrich Mann reagierte unwirsch auf die Bildung immer neuer Fronten und nannte als Legitimation die fortwirkende Leistung des Einzelnen. Alfred Döblin wollte in der Umfrage eine Bevormundung der eigenen Produktion ahnen; er ließ nur den freien, einzelnen, seinem Gewissen verpflichteten Geist gelten und befürchtete ansonsten *kommandierte Dichtung.*

Sein Vororthäuschen lag auf die Dauer denn doch zu abgeschieden. Die Familie wollte Fahrgeld und Miete einsparen, überdies wird Döblin in seinem ländlichen Vorort die Isolation als besonders gravierend empfunden haben. Ab 20. Dezember 1934 wohnte die Familie in Paris: 5, Square Henri Delormel. Im Souterrain des Hauses befand sich ein geräuschvolles Bad. Er hat die Aussicht aus seinem Arbeitsraum tapfer gemildert: *Das ist nun ein enges Pariser Zimmer, wohnlich, es führt auf einen Hof, im 2. Stock, die anstoßenden Häuser haben 7 Stock, es ist nicht sehr hell und hat Vormittag wenig Sonne, aber es hat die Stille, die unter Umständen ein Arbeitsraum auch haben muß. Links steht das Regal mit den Büchern, die ich aus Deutschland retten konnte, vor mir das Fenster mit dem Blick auf andere Fenster, es ist der Schlund des Hofes, aber links ist der Schlund offen, da kann ich allerdings nicht hineinsehen, da hat ein Nachbarhaus Bäume und einen Garten, zur Rechten steht die Chaiselongue. In Berlin hatten alle diese Möbel …* Hier bricht der Text ab – wie zur Illustration der versperrten Aussicht. Die kommenden fünf Jahre verbrachten die Döblins darin.

Der S. Fischer Verlag hatte sich 1933 sehr fair verhalten, als er bei einem Vertrag über die schwedische Ausgabe des *Alexanderplatz*-Romans keinen Verlagsanteil für sich einbehielt. Döblin versuchte am 12. Januar 1934, die Geschäfte brieflich zu regeln. Er hatte noch Bindungen, aber er rechnete mehr mit Querido in Amsterdam. Bermann-Fischer hatte offensichtlich schon mehrere Briefe geschrieben, deren Antwort Döblin aufgeschoben hat. Erwähnt wird in diesem Schreiben das Verbot der drei noch lieferbaren Döblin-Bücher. Döblin mochte nicht daran glauben, dass das reichsdeutsche Sortiment noch etwas von ihm abnehmen wollte, was anscheinend Bermann-Fischer unverdrossen behauptet hat, um seine Rechte nicht zu verlieren. Döblin sprach von den Büchern, die in Deutschland waren, als von seinem *Nachlaß* und blieb skeptisch: *Vielleicht nützt die nun offen ausgesprochene (völlig idiotische) Feindschaft den Büchern. Wenn Sie sich bemühen wollen, tun Sie es, bei den Teutschen, ich erwarte keinen Erfolg.* Aber er wollte von Bermann-Fischer doch eine Abrechnung, wie es sich mit dem Verkauf seiner Bücher im Reich verhielt. Dann folgt eine Philippika gegen das kollektive Deutschland, die schärfer kaum ausfallen konnte. Hitler und Göring seien die Figuren, die zu Deutschland passten: Mit Hitler *kehrt die 1918 geschlagene Armee nach Deutschland zurück, was Wilhelm ja nicht wollte, und schlägt die Männer vom Dolchstoß von hinten nieder, ohne Antisemitismus geht das nicht, der Imperialismus ist nach außen durch die Niederlage verhindert, jetzt schlägt er nach innen, das »Stahlbad« des Krieges wird fortgesetzt* und so fort in einem Zug, über eine Seite, ohne Innehalten. Weshalb aber, so lässt sich fragen, dieser Ausbruch in die politische Tagesanalyse, wo er sie doch ansonsten zugunsten seiner inneren Welt und damit nichts in sie eindrang, eher hintanstellte? Und das ausgerechnet gegenüber seinem Verleger, den er als eine Art Diplomaten im »Dritten Reich« ansehen musste? Aber gerade dabei wird sein Ausbruch verständlich: es handelt sich weniger um eine politische Aussage um ihrer selbst willen als vielmehr um die Formulierung eines scharfen Dissenses. Er gab mit dieser unverblümten Philippika dem Gegenüber zu verstehen, dass er mit ihm nicht auf gleicher Wellenlänge war, dass ein Bruch wohl unausweichlich wurde.

Schon in diesem Brief hielt er Querido für den legitimen Verlag des neuen Romans. Er wusste noch nicht, ob die *Babylonische Wandrung* vielleicht in zwei Bänden herauskam. *Wahrscheinlich giebt es einen von 600–700 Druckseiten, vielleicht auch 800. Es ist durchaus ein Werk von mir, zu dem ich stehe, keine Gelegenheitsarbeit.* An S. Fischer wollte er Fahnen schicken lassen, keinesfalls das Manuskript. *Es wäre ja schön, wenn Sie auf unseren früheren Plan zurückkommen könnten.* Es ging darum, dass Fischer die reichsdeutsche

Ausgabe verlegen und bei Querido der Auslandsvertrieb vonstatten gehen sollte. Aber Döblin war selbst sehr skeptisch, ob dies möglich sei. Er war – was auf Thomas Mann oder René Schickele nicht zutraf – ein linker Jude, und das machte ihn für diese Zwischenregelung nach eigener Einschätzung unbrauchbar. Auch war er mit Selbstkritik hinlänglich beschäftigt, wie er, abschweifend vom Thema, bekannte. Die Juden und die Arbeiterschaft seien am Aufkommen des Nationalsozialismus nicht unbeteiligt gewesen: *Von dem deutschen Geschwür zu sprechen ist für mich noch keine Zeit, die Juden und die Arbeiter, zwei mir nahestehende Größen, sind zu stark selber an der Eiterbildung beteiligt, und zwar noch heute, ich kann da nicht sprechen, erst hat man sich selbst zu reinigen, bevor man die Waffen erhebt.* Hört man nicht heraus, dass dieser Schuss ganz nahe an dem Diplomaten Gottfried Bermann-Fischer abgefeuert worden war?

Sich selbst beschrieb er lakonisch in (ärztlicher) Untätigkeit und weitgehender Isolation: *Ich selbst bin jetzt arbeitslos. Früher hatte ich ja sonst die Medizin und die Praxis. Jetzt – Ich sehe außer Kesten und einigen Herren jüdischer Organisationen keinen Menschen hier, Deutsche überhaupt nicht, Emigranten schon gar nicht, lerne stark französisch.*

Bei dieser Isolation handelte es sich wohl um einen freiwilligen Rückzug. Er wollte nicht im wiedererstehenden Literaturbetrieb der emigrierten Schriftsteller mitmachen, hielt sich von Cliquen und Gruppen fern. Für ihn waren die Weimarer Usancen desavouiert. Er wollte die politische und moralische Niederlage, die er als eine persönliche empfand, durchleben, ohne sie mit – für ihn verjährten – Aktivitäten zu verdecken.

FÜR JÜDISCHES FREILAND

Seine intensive Arbeit in der jüdischen Siedlungsbewegung war auch ein Ersatz für den Verlust des ärztlichen Berufs, zumal er sich in den ersten Jahren des Exils von seinen Schriftstellerkollegen und den Autorenorganisationen auffällig zurückhielt. Im Mai 1935 bezeichnete er seinen Einsatz für die Siedlungsbewegung gegenüber Thomas Mann als sein *tägliches Arbeitsgebiet.* Döblin verstand sich weniger als politischer Flüchtling denn als vertriebener Jude. Er sah die Emigration als das Geschick, das die Geschichte über seinesgleichen schon oft verhängt habe.

Die jüdischen Angelegenheiten kamen vorwärts. An Isidor Lifschitz, damals angehender Jurist in Bern und dort Vortragsleiter der Freistudentenschaft, am 11. November 1934: *Wir haben hier in Paris die »Ligue juive pour colonisation« gegründet, das ist die Wiedergeburt bezw. Aufnahme territorialistischer Pläne, es ist in London eine Gruppe gebildet, ferner zahlreiche in Polen, in Warschau ist vorigen Monat die erste Nummer unserer Zeitschrift ›Freiland‹ erschienen, wir bereiten eben die erste Vorkonferenz vor zur Durchdenkung und Festlegung eines Programms. Das ist, wie Sie sehen, noch nicht viel, aber etwas; es geht schwer mit Juden, aber möglicherweise bald besser (nichts ist bei ihnen peinlicher als die Passivität, die sich hinter Skeptizismus und Besserwisserei versteckt).* Bis 1936 war Döblin im Vorstand der »Liga für jüdische Kolonisation«. In seinem nächsten Brief an Lifschitz vom 16. Dezember 1934 schlug schon wieder seine Skepsis und manche Kritik durch: das Comité der Liga in Paris bestand nur aus etwa 15 Personen, wogegen anderswo viel mehr tätige Sympathisanten anzutreffen waren. Er selbst sah mit gemischten Empfindungen auf die Territorialisten (deren Bewegung sich 1926 aufgelöst hatte), weil sie das, nach seiner Meinung *centrale Thema der Menschen, der jüdischen allgemeinen Erneuerung* nun nicht aufgriffen. Im Juni 1935 reiste er nach London, absolvierte dort ein Dinner, das der PEN zu seinen Ehren veranstaltete, und hielt Ende des Monats in der »Jewish Art Society Ben Uri« eine Rede auf Englisch. Er verwahrte sich gegen die Auffassung, er sei durch Hitlers Antisemitismus zum Juden gemacht worden: solche Fremdbestimmung wollte er für sich nicht gelten lassen. Am 17. Juli fand in Paris eine Vorkonferenz der französischen, polnischen und englischen Territorialistenvereine statt, vier Tage später erläuterte Döblin in London bei der Eröffnung der Konferenz der europäischen Ligen *Ziel und Charakter der Freiland-Bewegung.* Er wolle dort die Menschen von der in ihrer Ausschließlichkeit leidig werdenden Land-Parole abbringen. Er bevorzugte einen »Bund Neues Juda«, der sich von den bloß sozialen Aspekten, von der westlichen Assimilation und von dem Verhängnis der Emigration zu lösen habe. Er musste zu seiner Enttäuschung feststellen, dass sein Anspruch in der Erörterung organisatorischer und praktischer Fragen unterging. Döblin redete auch noch im britischen Unterhaus und bei der Schlusssitzung des Kongresses, er wurde in den Zentralrat der neu gegründeten »Internationalen Freilandliga« gewählt, und dennoch: Er spürte, dass er trotz seines Ansehens in eine Isolation geriet. *Im Ernstfall muß man seine eigenen Wege gehen.*

Für die Zeitschrift »Freiland« steuerte er einiges bei. Die anderen Artikel lesen konnte er nicht: er war des Jiddischen nicht mächtig. Im Juni 1935 erschien die einzige deutschsprachige Nummer dieser »Zeitschrift für jüdische Groß-Kolonisation und Territorialismus«, die von Döblin und Ben-Adir Rosin herausgegeben wurde.

Mit Ludwig Marcuse, der ihn im »Neuen Tage-Buch« nach seinen Londoner Auftritten attackierte, trug Döblin zwischen August und Oktober eine heftige Kontroverse aus. Der Polemiker Marcuse unterstellte unverblümt, Döblin betreibe das Geschäft Hitlers. Sein Volk-Begriff sei die Kehrseite der Nazimünze. Der Attackierte antwortete mit dem Artikel *Jüdische Antijuden*, stellte Marcuse als einen deutschen Juden hin, der kein Jude mehr sein wolle, nur noch Deutscher, was ihm gerade rabiat verwehrt wurde, und fasste noch einmal seine Auffassungen über ein neu zu stiftendes kollektives jüdisches Selbstbewusstsein zusammen. Im gleichen Heft fand sich nochmals eine zänkische Entgegnung Marcuses. Die beiden schätzten einander sehr, die Fehde steht am Beginn einer lebenslangen Freundschaft. Der Streit brachte kein Ergebnis und hatte keinen Sieger. Wer diese Kontroverse heute nachliest, kann keinem der beiden Kontrahenten zustimmen. Döblin berief sich auf die Traditionen des Ostjudentums, wollte zur Bildung eines einheitlichen Judenvolks beitragen, und er verwendete Begriffe, die durch die Nazis entwertet waren. Marcuse wandte seine Aufmerksamkeit ausschließlich den westlichen, assimilierten Juden zu und empfahl ihnen Vermischung bis zur Unkenntlichkeit eines Eigenen, unterstellte also Möglichkeiten, die es im Deutschen Reich nicht mehr gab. Beide hatten den Genozid nicht auf ihrer Rechnung, und ihre falsche Alternative wurde wenige Jahre danach von der Maschinerie des Mordens überrollt.

DIALOG MIT NATHAN BIRNBAUM

Döblin versuchte, den Radius seiner Arbeit für die jüdische Freiland-Bewegung zu erweitern. Er fragte am 18. Juli 1934 bei dem im holländischen Exil lebenden Religionsphilosophen Nathan Birnbaum an, ob er oder seine Zeitschrift »Der Ruf« *sich irgendwie an praktischer territorialistischer Arbeit beteiligt*, denn er habe mit anderen jüdischen Vertretern eine »Liga« gegründet. Er nannte aus seiner nächsten Umgebung David Lwowitsch, den ehemaligen Politiker, der nun die jüdische Territorialistenbewegung anführte und später auch den O.R.T. Dazu gehörte auch Ben-Adir (eig. Abraham) Rosin, ein wichtiger Vertreter der Freiland-Bewegung, sowie der jiddische Schriftsteller und Übersetzer Zelig Kalmanowitsch, der in Wilna das Yiddish Scientific Institute gegründet hatte und einige der Döblin-Texte für die »Liga für jüdische Kolonisation« ins Jiddische übersetzte.

Die Korrespondenz mit dem jüdischen Denker Nathan Birnbaum war für seine Exiljahre in Frankreich einschneidend. Der Briefwechsel zwischen den beiden gehört nach Intensität, geistiger Leidenschaft und Debattenenergie zu den besonders bewegenden Lebenszeugnissen Döblins, aber er ist vor allem von Kollisionen bestimmt. Birnbaum war eine legendäre Gestalt des nach Selbstbestimmung suchenden Judentums schon vor der Jahrhundertwende. Er wurde 1864 in Wien geboren, gründete mit 18 Jahren die erste nationaljüdische Studentenorganisation und wandte sich früh gegen die »Assimilationssucht« vieler Juden. Ab 1885 gab er die Zeitschrift »Selbstemancipation« heraus, in der er als erster den Begriff »Zionismus« verwendete und in Umlauf brachte. Er geriet allerdings früh in scharfe Auseinandersetzungen mit dem nationalen und völkischen Anspruch Theodor Herzls. Bis 1933 gab er die Zeitschrift »Der Aufstieg« heraus; in ihr propagierte er einen Territorialismus ohne Staatlichkeit, allein mit einer spirituellen, orthodoxen Führung. Im holländischen Exil gründete er die Zeitschrift »Der Ruf«, die von Februar 1934 bis 1936 erschien. Als auswärtige Mitglieder des Stabes hatte Birnbaum den französischen Priester Aimé Pallière und den Italiener Alfonso Pacifici gewonnen; auch schrieb in der Zeitschrift Fritz Rosenthal, der seit 1931 unter dem Namen Schalom Ben-Chorin veröffentlichte. Schon im Mai 1934 war Alfred Döblin in den Bann dieses Feuerkopfs Birnbaum geraten und nach dem Erscheinen von *Jüdische Erneuerung* zur Mitarbeit eingeladen worden. Er schickte Birnbaum seinen Artikel über *Ende und Wende der Emanzipation,* der im Juni und Juli 1934 im »Ruf« erschien. Auch weitere grundlegende Texte Döblins wurden in Birnbaums Zeitschrift publiziert. Ihre Veröffentlichung war mit Kämpfen um bestimmte Formulierungen, mit Debatten über unterschiedliche Positionen und leidenschaftlichen Selbsterklärungen verbunden.

Schon bald war sichtbar, dass die Tendenzen des »Rufs« und seines eigenwilligen Herausgebers mit den Vorstellungen Döblins sich nicht unbedingt verbanden. Zu dem Artikel *Territorialismus und Neues Juda* hatte Birnbaum neun Änderungswünsche. Er fand den Text zwar »ganz ausgezeichnet«, monierte aber »ein solches Maß von Bagatellisierung und Geringschätzung« gegenüber der Orthodoxie, dass er dringlich um Korrekturen bat. Er wollte die Zeitschrift nicht für Artikel öffnen, die »auf Nichterkenntnis und Nichterlebthaben des wahren Judentums« beruhen. Döblin antwortete verbindlich, akzeptierte die Vorschläge, fragte sich aber, wie sich ihre Standpunkte annähern könnten. Er wollte das *wahre Judentum* gar nicht kennenlernen, wie er trocken bemerkte; er wolle *diese Sackgasse* gar nicht aufsuchen. Und dann ging er zum Angriff über. Er unterstellte Birnbaum, das *wahre* Judentum, wie es sich nämlich im Volk darstelle, gar nicht zu kennen. Er griff auf Erinnerungen an seine Polenreise zehn Jahre zuvor zurück. Er habe eine ungebildete Mehrheit kennengelernt, die *in unseren Elementarfächern* (...) *auf dem Niveau eines afrikanischen Stammes* gewesen sei. Döblin hielt diese in Polen angetroffene Orthodoxie für die Religion der sozialen Verzweiflung, für den einzigen Besitz, an den sich das verelendete Volk halten könne. In dieser Tonart ging es über Seiten. Birnbaum antwortete mit geradezu entsagungsvoller Knappheit: »Das, was Sie in Ihrem Schreiben speziell an meine Adresse richten, war für mich sehr interessant. Leider muß ich mit meiner Zeit und mit meiner Kraft sehr kargen, so daß ich Ihnen nicht ausführlich und Punkt für Punkt antworten kann.« (233) Er hielt Döblin einen gänzlichen Mangel an Kenntnissen seines Werks und seiner Auffassungen vor – übrigens wohl mit Recht.

Döblin betonte seine Dissidenz in bestimmten Fragen mit unermüdlicher Energie. So komme bei ihm das Wort »Gott« nicht vor. Noch hatte er sich keinen theologischen Horizont erschlossen, der die Zentralperspektive auf Gott zuließ, noch war ihm der Gedanke der Erlösung ungeboren. Aber eine Scheu vor dem Numinosum war vorhanden. Er bestand auf dem Geheimnis des Wortes: das ist bei ihm nur die Spiegelseite der Offenbarung. Frömmigkeit, die das Wort »Gott« wie etwas Nachbarliches, eine Größe auf Du und Du verwende, sei die Abschwächung dieses unerlässlichen Geheimnisses.

Döblin entschuldigte sich für den manchmal schneidenden Ton, doch blieb er bei seiner strikten Ablehnung der ostjüdischen Orthodoxie. Aber er versuchte, und das macht diese Briefe so anrührend, doch Brücken zu Birnbaum zu bauen. *Sie haben vor Jahren die vorzügliche Formel geprägt: »Israel geht vor Zion«, ich bin ganz dabei; Conclusion: lassen Sie uns jetzt, Sie von jener, ich von dieser Seite, finden, was »Israel« ist, und zwar so, daß die durch die Emancipation ausgegliederten Massen es annehmen. Ist dies möglich, oder halten Sie es von vornherein für unmöglich?* Er drang auf eine geistige, religiöse Änderung jenseits der verfehlten Assimilation und der hermetischen Orthodoxie. Birnbaum näherte sich dieser Position durchaus an und schlug im September 1935 eine persönliche Begegnung vor. Die verzögerte sich um viele Monate. Die dichte Korrespondenz zwischen den beiden zeigt es: Döblin hat seine Leidenschaft für die jüdische Sache in Auseinandersetzung mit Nathan Birnbaum entfaltet; vermutlich hat ihn dieser Briefdisput länger an den Dienst für das Judentum gehalten und verpflichtet, als er von sich aus gewollt hat. Nicht mit Buber oder Arnold Zweig führte er solche Auseinandersetzungen.

Die Fehden mit Birnbaum gaben ihm die Sicherheit, sich nicht erst infolge der antisemitischen Orgien als Jude zu verstehen. Er wollte nicht durch das »Dritte Reich« zum Juden gestempelt worden sein. Er hatte, so seine Behauptung, schon bei seiner Polenreise von 1924 anlässlich eines zionistischen Festivals (das allerdings im Buch nicht vorkommt) seine Zugehörigkeit empfunden. Im Eifer der Zuschreibung datierte er dieses Ereignis um drei Jahre, auf 1921, zurück.

Im Juni/Juli 1934 befasste er sich mit dem Trennungsstrich von der Hoffnung auf Assimilation und Emanzipation in den westlichen Gesellschaften. Er sah den Weg nach Westen als Entfernung vom Judentum an: Der Wurzelgrund sei verlorengegangen, das liberale Judentum entäußere sich seiner Religion, verschwinde unter dem gesellschaftlichen und staatlichen Druck. Döblin fand für diese Schicht, der er selbst (und Marcuse) angehörte, drastische Worte: *Nationallos, entgottet, was Wunder; wenn schließlich die Ärmsten, komplett Emanzipierten und am Schluß doch zurückgestoßen und erniedrigt und verjagt, auf ihr Judesein fluchen, das zuletzt doch nur ein Geburtsfehler, ein angeborenes Gebrechen, ein seelischer Leistenbruch war. Der Verlauf war notwendig, das Ergebnis unvermeidbar, wo zwei so ungleiche Partner zusammentrafen, eine hochgewappnete staatliche Zivilisation und ein abgerüstetes abgehärtetes, landloses Judentum.* Er sah das Ende der Emanzipation gekommen – und den Beginn einer neuen. Er konnte sie in einer Formel zusammenfassen: *Absonderung von den alten Staatenvölkern, Gewinnung von Land, Normalisierung des eigenen Lebens.* Er wandte sich damit der alten Vorstellung zu, der Gustav Landauer und die Brüder Hart anarchistisches Leben eingehaucht hatten: »Durch Absonderung zur Gemeinschaft«. Welch seltsame Renaissance fand nun in ihm der utopische Gemeinschaftssozialismus, der nach der Jahrhundertwende entwickelt worden war. Den altgedienten Streit zwischen Zionisten und Territorialisten wollte er entkräften: *Es ist der Augenblick da für eine große Gemeinschaftsarbeit.*

Keine Frage: Döblins Absage an die Emanzipation der Juden in der westlichen bürgerlichen Gesellschaft entsprang einer Notwendigkeit. Der Widerruf wurde gerade von Hitler vollzogen, doch kam Döblin in all seinen Texten zu jüdischen Fragen auf die Rassenpolitik der Nazis kaum zu sprechen. Seine Absage an die Assimilation hat auch etwas von einer gepressten Vorläufigkeit: Verdeckt wird der eigene Weg, den er in Deutschland genommen hatte, unterdrückt bleibt der Schmerz, nicht erwähnt ist die Scham des Verfolgten.

Er wetterte gegen das europäische Weltbild, das *sich ganz enthüllt als materialistisch, naturhaft, als götzenhaft mit seinen ökonomistischen und nationalistischen Färbungen,* aber das Neue Juda, das er gemeint haben könnte, blieb eine nicht ausgeführte Größe. Den von ihm immer heftiger geforderten spirituellen Kern der praktischen Tätigkeit für die jüdische Sache konnte er selbst nicht bestimmen. Vermutlich aus dieser Empfindung des eigenen Mangels suchte er die Nähe und die Auseinandersetzung mit Nathan Birnbaum.

Die Paradoxie der jüdischen Existenz Döblins ist unabsehbar: Der Widerruf der Assimilation ging an die eigene schriftstellerische Existenz, sein Abstand zum gläubigen Ostjudentum verweigerte ihm eine neue und andere Heimat.

KONGRESS ZUR VERTEIDIGUNG DER KULTUR

Johannes R. Becher ließ die Umfrage, die im Dezember 1934 vom »Pariser Tageblatt« zur »Mission des Dichters 1934« veranstaltet worden war, in Moskau von der Internationalen Vereinigung Revolutionärer Schriftsteller auswerten. Es ging bei Bechers Initiative um die Vorbereitung des Pariser Kulturkongresses, der als kommunistische Plattform auch für bürgerliche Autoren zur Präsentation (und zur Tarnung eigener parteipolitische Absichten) vorgesehen war. Er versammelte im größtmöglichen internationalen Rahmen ein Aufgebot an literarischer und intellektueller Prominenz, wie es die Komintern weder früher noch später zusammenbrachte. Henri Barbusse nahm bei der Vorbereitung eine Führungsrolle ein und hat den Plan auch mit Stalin besprochen; ein Aufruf, unterzeichnet mit anderen von André Malraux, André Gide, Jean-Richard Bloch, Ilja Ehrenburg und Paul Nizan, warb um diese Demonstration einer Verteidigung der Kultur gegen die Nazibarbarei. Die Regie übernahm im Hintergrund Willi Münzenberg mit seinen Komintern-Geldern. Das Ereignis von internationaler Reichweite fand im Pariser Palais de la Mutualité vom 21. bis 25. Juni 1935 statt, und Döblin nahm daran teil, aber nur als Gasthörer. Brecht hielt dort seine Rede »Eine notwendige Feststellung im Kampf gegen die Barbarei«. Gesprochen haben sich die beiden in diesen Tagen nicht. Heinrich Mann, der dem Kongress zeitweilig präsidierte, hat in seinen Memoiren von einem außerordentlichen und bewegenden Ereignis geschrieben. Ein für die Mehrheit der Teilnehmer peinlicher Sonderfall war die Rede Robert Musils. Er bekannte sich mit Anklängen an Thomas Manns »Betrachtungen« zu der Gilde der Unpolitischen, vermied jede Erklärung für die Sowjetunion und nahm die Schlüsselwörter des marxistischen Vokabulars nicht einmal in den Mund. Er störte und verärgerte viele Kollegen mit seiner Rede, aber er hatte in der sorgfältigen Kongressregie eine wichtige Funktion: Er bot für die Außensicht der Veranstaltung das Bild des bürgerlichen Schriftstellers und erweiterte damit das politische Spektrum. Vermutlich wurde Döblin nicht zu einer Rede aufgefordert, weil er den Erwartungen ganz und gar nicht entsprach und seine Rolle mit Musil schon besetzt war; von einer Anforderung an ihn, auf dem »Kongreß zur Verteidigung der Kultur« zu sprechen, ist nichts bekannt.

Aber Brecht wollte von Döblins literarischen und theoretischen Arbeiten etwas in Moskau unterbringen und bat Ende Juli brieflich um Zusendung von Material. Über den Kongress äußert er sich eher skeptisch: »Ich zweifle manchmal sogar, ob wir neulich die Kultur wirklich gerettet haben. Vielleicht ist auch das nur eine Illusion?« Musils Rede wurde in den einschlägigen Periodika nicht einmal erwähnt: seine Ausführungen schienen den Redakteuren anscheinend nicht berichtenswert.

Wie sehr es sich um ein gelenktes Ereignis handelte, enthüllen zwei Vorfälle auf dem Kongress. Der Exilschriftsteller Gustav Regler, damals noch parteigebunden, pries die Verbreitung illegaler Schriften im reichsdeutschen Untergrund, wonach die Versammlung die Internationale anstimmte und Johannes R. Becher dem Anstifter des Gesanges zuzischte, er habe alles verdorben; als am Schluss des Kongresses eine Schriftstellerin auf den Fall des in der Sowjetunion verfolgten Victor Serge hinwies, zerfielen unversehens die Fassaden stalinistischer Kulturpolitik.

Einen Tag nach Abschluss der Veranstaltungen, am 26. Juni, trafen Musil und Döblin beim Empfang des sowjetischen Botschafters Wladimir Potemkin aufeinander. Musil bekannte, so das Zeugnis seines Partners, daß er sich ärgere gesprochen zu haben, weil er erst spät erfuhr, wer eigentlich die Drahtzieher des Kongresses waren.

PARDON WIRD NICHT GEGEBEN

Auf den Aus- und Abschweifungsroman *Babylonische Wandrung* folgte der Widerspruch des Romanciers gegen sich selbst: ein weitaus schmaleres Werk, streng gerichtet, von geradezu klassizistischem Bau, ein Musterbuch des antikapitalistischen Erzählers, den Roland Links beschrieb: »In diesem bemerkenswerten Roman sucht der Autor ein Modell für die Gesellschaftsgeschichte zu geben. Die enge Verbindung individueller Schicksale mit gesellschaftlichen, speziell mit ökonomischen Verhältnissen ist in der bürgerlichen deutschen Literatur vor dem zweiten Weltkrieg selten. Von Döblin ist sie nie so konsequent demonstriert worden wie in diesem Werk. Ohne Zweifel spielt dabei das Erlebnis der Weltwirtschaftskrise eine große Rolle.«

Vor allem handelt es sich bei *Pardon wird nicht gegeben* um ein Buch der Rückwendung zu seiner Stadt, zu Berlin. Sie war ihm unerreichbar geworden, nun hob er sie ins Großbild. Der Name fällt auf keiner Seite des Romans; allerdings ist sie unverkennbar *seine* Stadt, der geliebte Moloch, den er ein Dutzend Jahre zuvor mit zärtlich-ironischer Hymnik umkreist hatte. Aus der räumlichen Entfernung wurde die Stadt das umfassende Gesellschaftsbild:

Alle Klassen und Stände sind gemustert, die Novemberrevolution von 1918 gibt die Anschauung für Kämpfe, die später stattfinden. Autobiographische Züge treten so dominant wie bisher in keinem seiner Romane hervor. Aber auch die Unversöhnlichkeit gegenüber einem Bürgertum, das die sozialen Krisen und die Wendung nach rechts verursacht, prägt den erzählerischen Raum wie bisher nicht. Die Stadtlandschaft tritt zugunsten der Gesellschaftsformation zurück, und in gleicher Weise wird die Intimität der Döblinschen Familiengeschichte aufgesprengt.

Das Werk ist 1934, in etwa sechs Monaten, in Maisons-Laffitte bei Paris geschrieben, es ist der einzige, bisher einzige Roman, den ich ohne Studien, Stoffsammlung etc. schrieb. Aus einem simplen Grunde: es ist und sollte ein persönliches Erlebnis bleiben. Das Buch sollte nicht in extensive Zeitdarstellung hineingeraten. Welches Erlebnis? Meine Familie. Weniger als drei Jahre lag eine Familientragödie zurück: Ludwig Döblin, der älteste Bruder, hatte sich wegen geschäftlicher Turbulenzen und wegen einer für ihn unentwirrbaren Liebesgeschichte erschossen. Er hatte sehr früh den Platz des verschwundenen Vaters und des Familienernährers eingenommen, dafür auf höhere Schulbildung verzichtet und war in das Möbelgeschäft eines Onkels eingetreten, wo er reüssierte und die Rolle des Familienernährers übernahm, bis er – offensichtlich wegen des drohenden materiellen Ruins und emotionaler Überforderung – Hand an sich legte. Im Roman *Pardon wird nicht gegeben* führt dieser biographische Verlauf zur Musterung des Kapitalismus im Arbeitsfeld der Familie; er frisst das Glücksverlangen und die Tatkraft der Figuren auf.

Wie sind wir geworden, wie wir sind? Diese Frage ergibt eine Sonde für rund drei Jahrzehnte einer Familiengeschichte, die der Döblinschen nicht in allen Einzelheiten, aber in den Grundsituationen entspricht. Ihren ältesten Jungen Karl nimmt die in die Stadt geflohene Mutter von drei Kindern zur Beute; er ist das Organ und das Opfer ihres Überlebenskampfs. In dem Maße, in dem er die Geschicke der Familie verantwortet und bessert, wird er selbst ausgehöhlt und seiner Existenz beraubt. Der Vater, ein Pleitier, ist früh gestorben: er hat das Geld seiner Frau mit einem illusionären Spekulationsprojekt verbraucht und eine Menge Schulden hinterlassen. Armut und Not der Familie in der boomenden Großstadt am Ende des 19. Jahrhunderts erscheinen der Mutter wie ein feindliches Heer der Ängste, Wirrnisse und Verzweiflungen. Der reiche Onkel *hält die Tasche zu* und gibt zur Unterstützung nur das Nötigste. In ihrer ausweglosen Lage dreht die Mutter den Gashahn auf, wird aber von ihrem Ältesten gerettet, und er übernimmt in einer grandiosen äußeren Karriere die Verantwortung für die anderen Familienmitglieder. Der Roman wirkt in seinen Handlungszügen wie ein vereinfachtes und verkleinertes Spielfeld:

wenige Figuren, überschaubares, psychologisch zugängliches Geschehen, folgerichtige Dynamiken. Der Roman scheint mit seiner Struktur zurückzufallen hinter den Beginn des Avantgardisten Döblin. Aber die Vereinfachung der Anlage erlaubt ihm das Experiment auf anderen Wegen: es besteht in der epischen Übersetzung der Geldsphäre in die Innenschau der Emotionen. Die Stimmungswechsel der Mutter zwischen Lebenszuversicht, Stolz auf den Ältesten, der wie ein Geliebter erscheint, und depressiven Schüben, der Wirbel der Empfindungen, die nicht gerichtet sind, machen ihre besondere Notlage aus. An dieser Frau vollzieht sich ein Geschick von geradezu biblischer Wucht, nämlich *sich schuldig für den alten Sündenfall zu fühlen; einmal Glück gefordert, dem Mann dafür ihr Geld hingeworfen.* Der Roman gleicht einer unerbittlich ablaufenden Uhr, der Satz *Pardon wird nicht gegeben* dröhnt wie der Stundenschlag auf die Figuren ein. Ein erbarmungslos genauer physiognomischer Blick zeichnet die Figuren. Das Bildnis der Mutter gleicht in Daseinskampf und Besessenheit den unvergesslichen Figuren Balzacs: *Sie hatte kräftige Backenmuskeln, die in starken Wülsten rechts und links am Unterkiefer ansetzten, dazwischen trat beinah spitz das Kinn hervor. Sie sah gewiß nicht nach Milde und Liebe aus. Aber wie sie jetzt dastand, zeigte sie, beinah unschuldig, daß ihr Gesicht in seiner Härte und Strenge sich nicht selbst geformt hatte. Wer sah nicht, wie sie jetzt den Nacken zurückbog, daß sie eine Gefangene war, die sich in Kampf und Fluchtversuchen verhärtet hatte, und hier waren die Zeichen des Kampfes, die Erbitterung des Zurückgeworfenwerdens, aber auch die nie auszulöschende menschliche Sehnsucht. Ihr Gesicht war vielleicht ein Steinanger, aber einer, den Blumen durchbrachen.* Entworfen ist eine gedehnte Zeit, wobei der Erste Weltkrieg ausgeklammert bleibt: Die lange Brückenzeit von der wilhelminischen Prosperität zu Beginn des Jahrhunderts bis zur Weltwirtschaftskrise, die den Nationalsozialismus vorbereitet, und bis zu aufflammenden Aufständen kommt im Roman ohne ihn aus.

Um Karl findet ein Kampf statt, der in seiner Härte keinen leisen Kompromiss kennt. Auf seinen Streifzügen durch die Märkte, bei seinen Gelegenheitsarbeiten, in den Proletariervierteln befreundet er sich leidenschaftlich mit Paul, einem Strategen des kalten Hasses auf Bürgerlichkeit und Kapitalismus, dem Anführer einer Jugendgang, den anarchistischen Rebellen, der mit dem Kapitalismus und gleichermaßen mit dem Parteisozialismus abrechnet. Karl will nach einer Gefangenenbefreiung mit ihm fliehen und in den Kampf ziehen, wiederum unter der Losung *Pardon wird nicht gegeben,* aber die Mutter fühlt die Gegnerschaft, nimmt den Kampf um ihren Sohn auf, will ihn dem Freund entreißen. In einer grausigen Entscheidungsszene versäumt Karl die anarchistische Gefolgschaft. Die Waage hat den Ausschlag für die Bürgerlichkeit gegeben. Fortan richtet sich Karl in den Verhältnissen ein und bewährt sich in ihnen. Er gibt sich eine Verfassung, wie Thomas Mann seinem Bruder gegenüber bekannt hatte. Eine zartschöne Ehefrau wird für ihn gefunden, zwei Kinder stellen sich ein, der Aufstieg in der Möbelfirma des Onkels und schließlich deren Übernahme sind unausweichlich, aber die Anteilnahme am verschwundenen Rebellen erzeugt insgeheim Scham. Ein dreifaches Unglück, im Roman mehrfach »Verbrechen« genannt, neigt sich seiner Vollendung. Die Mutter hat ihren Sohn als Instrument benutzt und ihm, ein Fall von seelischem Vampirismus, die Fähigkeit zur Liebe genommen; seine Nachgiebigkeit und Schwäche werfen ihn aus seiner Bahn. Er hat einen Verrat an der Klasse begangen, der er entstammt. In eindrucksvollen Passagen wird das Innenleben der Fabrik beschrieben; das Räderwerk der Maschinen, die das Holz schneiden und hobeln, ist die Riesenmetapher für das Geschick, das an Karl vollzogen wird. Nach und nach entgleiten ihm, was er sein eigen nannte und worüber er herrscht: die Frau, die Kinder, die Fabrik, die innere Ordnung. Die Krise erfasst die ganze Existenz und inszeniert die Verwirrung der Gefühle und die Komplikationen der Seelen. Karl und seine Frau Julie sind ihre Träger; sie können einander nicht lieben und entziehen sich jeweils dem anderen. Mit Raffinesse werden die Zuspitzungen der Nichtliebe erzählt, wie aus einer realistischen Flaubert-Trance heraus ihr Ehebruch, der ihr zum Vorteil gerät und nicht wie Madame Bovary zum Untergang. Zum finanziellen Abstieg kommt der Seelenraub: Karl ist ein von der Familie zugerichteter Pygmalion.

So emphatisch mit zartem Wissen, entlang an einer Linie der Trauer hatte Döblin bis dato noch nicht von den Turbulenzen der Gefühle und von ihrem Absterben erzählt, als wären im Schatten einer Katastrophe, die fast alle Figuren eingemeinden wird, die Regungen offen zutage und ausgebreitet.

Von seinesgleichen, den Unternehmern, wird Karl ausgestoßen und dadurch um seine geschäftliche Reputation gebracht. Über ihm, dem Neureichen der ersten Generation, thront noch immer das Besitzbürgertum und die adelige Offizierskaste. Nach Jahrzehnten begegnet er seiner eigenen verworfenen Möglichkeit wieder: der Anarchist Paul schult Trupps für den bevorstehenden Aufstand. Er verweigert die Annahme der Lebensbeichte, die ihm Karl anträgt. Auch er lässt kein Asyl der Seele zu, verkämpft sich mit der Auffassung, dass die Revolte der Vater aller Dinge ist. Als der Aufstand losbricht, findet sich Karl bei einem Freikorps ein, in der bürgerlichen Front, aber er versucht, die Seite zu wechseln, eines der *Freiheitsbataillone* zu erreichen, und wird erschossen. Er hat sein Gewehr mit einem weißen Fetzen versehen, und dieses letzte Lebenszeichen ist durchaus doppeldeutig zu verstehen: Es charakterisiert die vergebliche Hoffnung, zwischen den Linien durchzukommen, und es ist das Signal eines irrlichternden Friedenswillens, der auch den vorgestellten revolutionären Aufstand nicht als letzten Schluss akzeptiert. Entschieden wird vom Erzähler nichts: er belässt es bei dieser Mehrsinnigkeit.

Der Roman erschien im April 1935 bei Querido in Amsterdam. Er ist das Gegengewicht zum Schweigen, das sich Döblin in den ersten Jahren seines Exils als ansonsten überaus regsamem Mitglied des Literaturbetriebs auferlegt hatte. Indem er – mit allen Freiheiten – seinem toten Bruder nacherzählte, tastete er sich an die eigene Niederlage heran, setzte er ihr das Werk entgegen. Der Bau des Buches beruht schon auf Leseerfahrungen, die er mit der französischen Literatur gemacht hatte. Es steht Zola näher als Fontane, es ist ein literarisches Dokument jener *Latinität,* der er sich seit 1930 verbunden wusste.

Der Roman hat stille Verblüffung ausgelöst und manchen Widerstand erzeugt. Walter Muschg vermisste das stilistische und formale Element; er sah in ihm nur einen psychologischen Familienroman, der aus der Beispielreihe der anderen Döblin-Romane herausfalle: »Diese Pranke des Löwen spüren die mit Döblin unbekannten heutigen Leser, aber den Löwen selbst haben sie hier nicht vor sich.« Seine Auffassung nähert sich dem Urteilsmuster, dem der Romancier Döblin wohl unentrinnbar ausgesetzt ist: Jeder seiner Romane, der wie ein Dementi des vorigen auftritt, fällt aus den Lesegewohnheiten und wird als belanglos abgefertigt. Man muss bis auf die einzig nennenswerte Kritik des Buches zurückgreifen, um die besondere Leistung des Erzählers ermessen zu können. Heinrich Schütz bemerkte: »Das Besondere und Auszeichnende des Buches liegt ganz allein in dem *Blick* seines Autors, in dessen besonderer Art, zu sehen – wobei Sehen nicht ein bloß aufnehmender Prozess ist, sondern *selbst Licht gibt* – ein eigentümliches Licht, in dem die Menschen und Dinge nun auf eine besondere Art stehen und erscheinen.«

Dieser »beleuchtende Blick« sei dem Forscher eigen, an den damit der Dichter heranrücke.

ALLTAG IN PARIS

Anfang 1935 hatte Brecht eine Einladung an Döblin zum Daueraufenthalt in Svendborg erneuert; diese Lockung hatte er bereits ein Jahr zuvor schon aufs Papier gebracht, aber wohl nicht abgeschickt. Er pries das Klima und die niedrigen Lebenshaltungskosten, und die Bücher beschaffte einem die hiesige Bibliothek. Auf Zeitungen und Radio müsse man nicht verzichten. Aber Döblin ließ sich nicht nach Dänemark verleiten. Er lehnte einen Umzug ab, da seine Familie sich in Paris eingewöhnte und er seinen Söhnen eine neuerliche

Ortsveränderung nicht zumuten wollte. Aber es schlich sich ein Gefühl der Unwirklichkeit seiner Existenz in den Brief; ein Tagtraum nahm von ihm Besitz: *Im Übrigen sieht und hört man hier nichts von der Welt, aus den Briefmarken und Straßenausrufen ersehe ich, daß hier Frankreich ist, Gott weiß, was ich, ausgerechnet ich hier zu suchen habe, aber wer kann alle Geheimnisse enthüllen?* Er bedankte sich für die Zusendung des »Dreigroschen-Romans« und wusste wohl, dass Brecht seinem Lektor bei Allert de Lange, Hermann Kesten, ein exorbitant hohes Honorar abgetrotzt hatte. Jedenfalls setzte er mit der daseinsfreudigen Ironie von ehemals seine eigenen Erfahrungen bei Querido dagegen. Die allerdringlichste Frage sei nach dem Verleger: *Meiner, wenigstens mein Buch betreffend, schüttelt sämtliche ihm zur Verfügung stehenden Köpfe; er hofft jetzt (der eitle Träumer) auf mein neues kleines Buch* (Pardon wird nicht gegeben), *das sicher (sicher!) reussieren wird, es geht nichts über die religiöse Überzeugung bei Geldgebern (wir müssen den Verlegern die Religion bewahren). Jedenfalls hat er schon erheblich weniger vorausbezahlt als das erste Mal, und geht es so weiter, so wird ihn die Depression übermannen und er wird mich noch anpumpen.* Brecht hat in seinen Bemühungen um und für Döblin nicht lockergelassen. Er fragte Mitte Februar 1935 bei Margarete Steffin an, ob man für den Kollegen in Moskau etwas unternehmen könne (»als Arzt«). Wahrscheinlich hat Brecht auch bewirkt, dass *Berlin Alexanderplatz,* das für den Kurs der deutschen KP unerträgliche Buch, 1935 in Moskau bei Goslitizdat herauskam.

In die Stadt zurückgekehrt, nahm Döblin erneut ein wenig am gesellschaftlichen Leben teil. Er traf Yolla Niclas wieder; sie war ebenfalls emigriert. Sie stellte es so dar: Sie habe ihren Entschluss, nach Frankreich zu gehen, bereits gefasst, bevor sie von Döblins Aufenthalt in Paris hörte. Seine Adresse habe sie durch Zufall erfahren. Ihren ersten Job als Fotografin erhielt sie von der Zeitung »Le Jour«. Sie machte sich selbständig und mietete ein kleines Atelier 14, Rue Troyon, nahe am Étoile. Die große Entfernung zwischen den beiden Wohnungen garantierte, dass die beiden einander ungestört treffen konnten.

Sieben Jahre lang warb der Jurist Rudolf Sachs um sie. Als der Krieg ausbrach, heirateten die beiden unter bizarren Umständen. Er war in einem Lager interniert, bekam für 48 Stunden Urlaub, die Trauung fand am Ort in der Nähe des Lagers statt und zwei Burschen aus der Bewachungsmannschaft gaben die Trauzeugen. Rudolf Sachs hatte sich damit auch dem unvergänglichen Schatten eines anderen Mannes verbunden.

1935 blickte Döblin im Brief an Thomas Mann unerbittlich selbstkritisch auf die Weimarer Intellektuellen zurück: *War das von früher, von drüben nun gut? Ich finde nicht. Die Situation heute demonstriert es. Man war wenig,*

Emigrant in Paris
1935

schien etwas, konnte nichts sein. Das machte der Fels, der Standort, auf dem wir ruhten (bezw. schlafen durften). Man bekam seine erbärmliche Rolle von denen, die sich Bürger nannten, ohne es zu sein, aufgehalst, wofür man bezahlt und dekoriert wurde. Das Selbstverständnis Thomas Manns konnte er mit diesen Zeilen allerdings nicht berühren; er traf eher sein eigenes. *Heute »dichten« wollen heißt kneifen. Zum Teil können wir nicht anders, man ist wie die Schale von einem schon toten Tier.* Die ebenso erschreckende wie einprägsame Selbstkritik kam wie ein Überfall daher: der Briefempfänger konnte sie nicht goutieren. Thomas Mann war ja gerade, um seiner innerdeutschen Leserschaft willen, zu diesem Zeitpunkt bestrebt, sich nicht in die Exilgemeinde aufnehmen zu lassen, und sagte sich erst zwei Jahre später los. Döblin berührte seinen eigenen Gegensatz zu ihm, indem er von Ferdinand Lions Antithese zwischen Ihnen und mir sprach. Und er radikalisierte die intellektuelle und moralische Selbstkritik in diesem Brief an Thomas Mann noch mehr. Er fragte, was die Literatur geleistet habe: *Ich finde (ich nehme mich nicht aus): wir haben unsere Pflicht versäumt. Man hat mich hier neulich aufgefordert, zum 10. Mai, Tag des »verbrannten Buchs«, irgendwo zu sprechen; ich lehnte ab mit der Begründung jedenfalls meine Bücher sind mit Recht verbrannt.* Eine vergleichbare Selbstbezichtigung des Versagens hat Thomas Mann wohl von keinem anderen seiner Kollegen im Exil erhalten. Sie wurde durch eine vielleicht schockartige Einsicht in die Übermacht Hitlers gegenüber allem Intellektuellen ausgelöst. Aber wenigstens glaubte Döblin an größere Möglichkeiten im Jetzt: *Aber vielleicht kann man doch mehr, auf geistige, moralische Weise, seine Politik in der Schrift unterbringen, schärfer härter offener als früher.* Diese rabiate Verwerfung des eigenen politischen Engagements in den späten Weimarer Jahren macht auf einen Schlag verständlich, warum sich Döblin in den ersten Jahren aller organisatorischen Arbeit mit Ausnahme der für O. R. T. und die Territorialisten versagte: er hielt sie für verfehlt. Es bedurfte einiger Zeit, bis diese Schrift der Vergeblichkeit aller Bemühungen und der Sinnlosigkeit des politischen Engagements bei ihm verblasste.

Mit gebührender Zurückhaltung warb er um Thomas Mann als Gesprächspartner: *Seien Sie versichert, Herr Mann, ich weiß, daß wir ganz centrale geistig-moralische Interessen haben, gemeinsam, obwohl wir mit verschiedener Erbschaft belastet sind.* Selten war Döblin seinem Widersacher näher als bei diesem Eingeständnis der Niederlage. Er verteidigte Thomas Mann sogar gegen seine Kritiker, die ihm vorwarfen, dass er sich in seiner Küsnachter Enklave noch immer nicht für die Exilanten erklärt habe. Im »Pariser Tageblatt« vom 19. Januar 1936 fügte er in eine Rezension die Sätze ein: *Und man denkt wieder einmal an die vielen törichten und turbulenten Vorwürfe gegen Thomas Mann. Überall ist die Emigration sehr heftig und sehr streng, sie könnte es mehr gegen sich sein. Das Faktum, daß er sich sehr sichtbar seinen Platz gewählt hat, er, der »Bürger«, »Republik«, »Freiheit«, aber auch »Deutschland« sagt, dieses Faktum wägt man nicht; es ist wahrhaftig mehr, als wenn einer, weil er drüben keine Arbeit findet, simpel draußen ist. Und wozu sich draußen in Reih und Glied hinter Parolen stellen, die man drin nicht angenommen hat? Nicht alle haben denselben Platz, die Welt ist nicht aus einem Punkte zu verstehen.* Aber Thomas Mann beachtete diese bedenkenswerten Angebote nicht. Nicht eine Zeile findet sich über all das in seinem Tagebuch. Die Grenzen zwischen den beiden waren zu hoch, als dass einer von ihnen sie hätte überspringen können.

Döblin schickte sich in sein französisches Exil, bei zunehmender Distanz zu den Deutschen und zum Deutschen. Hitler hielt er für *die Rechnung, die die Geschichte uns präsentiert.* 1935 meinte er gegenüber Thomas Mann: *Was so viel beklemmender ist als der ganze Hitler, ist, daß er (scheint mir) den Deutschen wie angegossen paßt.* Die bittere Äußerung hatte einen konkreten Anlass: die Saarabstimmung mit dem triumphalen Erfolg der Hitlerschen Propaganda. Am 13. Januar 1935 hatten 90 Prozent der Bevölkerung sich zum Anschluss an das Deutsche Reich bekannt, und die antifaschistischen Kampagnen waren ins Leere gelaufen.

Stefan Döblin
in Maisons-Laffitte bei Paris
1933/34

Anfang Juni 35 berichtete Brecht, von einer Reise in die Sowjetunion zurückgekehrt, dass dort, wohl für den *Alexanderplatz*, Tantiemen in einer Höhe von 15 000 Rubel im Staatsverlag auf Döblin warteten (zu transferieren waren sie nicht): »Das ist gar nicht so wenig Geld. Wenn Sie hinüberfahren würden, könnten Sie davon ungefähr ein halbes Jahr bequem leben. Es gibt jetzt alles zu kaufen dort, und es ist alles voll Leben.« Aber selbst durch diese Aussichten ließ sich Döblin nicht zu einer Reise in die Sowjetunion verlocken. Brecht sehnte sich nach Gesprächen mit Döblin: »Und gerade wir hätten so gut in ein perikleisches Zeitalter hineingepaßt! Darüber sind wir wohl einig.«

Den Rosins klagte Döblin seine Sorgen im Mai 1935 über *die Jungen, von denen der Kleine ja in die Volksschule geht, der nächste Handelsschule, der nächste Sorbonne, der älteste arbeitslos, – alles liegt, zu meinem wachsenden Entsetzen auf meinen Schultern, nichts bewegt sich.* Der neue Roman *Pardon wird nicht gegeben* war einen Monat zuvor herausgekommen, aber bei Querido konnte man auch nicht mehr zahlen als etwa ein Viertel der dafür aufgewendeten Arbeitszeit (so hat er es ausgerechnet). Es ist nicht weiter verwunderlich, dass er bei Zuckerkandl, einem der Vertrauten Bermann-Fischers, sich nach den Gegebenheiten des Fischer Verlags erkundigte, was allerdings folgenlos blieb.

Über sein Erlebnisgefühl als Emigrant hat er vielleicht am genauesten dort berichtet, wo vom Exil nicht die Rede ist. Es gibt eine beeindruckende Miniatur, ein Tagebuchblatt: *Der 27. September 1935*. In ihm werden wenige Alltagsbeobachtungen eines Schriftstellers an einem einzigen Tag aus der Erinnerung des nachfolgenden Tages registriert: Aufwachen, Aufstehen, ein Kind versorgen und die kranke Frau, Stunden am Schreibtisch, der Ausblick auf Verrichtungen am Abend aber verfangen sich in einem Netz der Unwägbarkeiten, in einem Nebel anonymen Geschehens. *Man ist ja ein Rädchen, ein*

Schräubchen oder ein Dampfballen in einer Maschine, die man nicht kennt, und die hat den gestrigen Tag mit Sonnenaufgang und Sonnenuntergang produziert, wie sie heute unabhängig von mir und unweigerlich und nicht zu verhindern den 28. produziert hat, und morgen den 29. und später andere, und unendliche Jahresmassen gänzlich ohne mich, wie sie auch vorher unendliche Jahresmassen ohne mich heraufgezogen hat, ohne dieses eine kleine zweibeinige Menschentierchen, das hier über dem Papier sitzt und an dem Tage von gestern bald hungrig, bald satt, bald schlafend, bald wach die Zeit verbrachte. Die Zeit ist ein unbeeinflussbarer Mechanismus, das Ich ungewiss und nichts mehr als *dies dunkle Wort*, das leere Blatt *hypnotisch*, aber es offeriert auch *das pythische Orakel*, ob er überhaupt schreiben solle. Es fügt sich in sorgfältig gebauten Sätzen eine Nature-morte-Szene zusammen: das Inbild eines Subjekts, das sich in der Abstraktion verliert, das ist und gleichzeitig nicht ist, dem die Selbstbestimmung abhandenkam.

FLUCHT UND SAMMLUNG DES JUDENVOLKES

Seine Kritik am Antisemitismus wandte Döblin 1935 auf einen größeren Raum als nur auf Deutschland an, und er drang tiefer, nämlich bis zum Versprechen der Assimilation, in dem er nun eine Niedertracht am Werk sah. Er gewann eine europäische Dimension des Problems, führte als Beispielreihe die Kreuzzüge des Mittelalters, die Vertreibung aus Spanien, überhaupt die katholischen Glaubenskriege an, die Pogrome des zaristischen Russland: überall *Mordbrenner* und asiatische Barbarei. Darüber hinaus machte er das Versprechen der Emanzipation als *Betrug* dingfest. Man habe die Juden unter diesem Vorwand ihrer angestammten Nationalität beraubt: *Die Juden, in der schweren Zwangslage ihrer Landlosigkeit, wurden veranlaßt, sich ganz von ihrer alten Gemeinschaft zu trennen, und nachdem sie alles aufgegeben haben, was Menschen zu Menschen macht, nach zwei, drei Generationen widerruft man alles, dreht ihnen eine Nase, und sie stehen da gerupft wie Tölpel von einem Gauner, mehr als gerupft, ausgeleert und ausgeblutet, und der Henker freut sich: sie sind ihm in die Falle gegangen.*

Im November 1935 erschien eine zweite Textsammlung Döblins zu Fragen und Positionen des Judentums. Sie ist die umfangreichste, aber sie enthält keineswegs alle Schriften, die er zu diesem Komplex seit Ende 1933 geschrieben hat. Das Material, das allerdings viele gelegenheitsbedingte Wiederholungen aufweist, war zu umfangreich. Er hatte wohl schon im Oktober 1934, als *Jüdische Erneuerung* erschien, einen weiteren Band geplant. Im Mai 1935 wurden die Vorbereitungen für die Sammlung mit dem Signaltitel *Ende der Judenemanzipation* erwähnt. Er hatte *Jüdische Erneuerung* als Konzept einer Renaissance verstanden und die Orte der Siedlungen eher dilatorisch behandelt. Nun setzten seine Zweifel und eine gewisse Neuorientierung ein. Er hatte an Minderheitenrechte für die Juden in den zu besiedelnden Gebieten und an eine globale Organisation als Schutzschild geglaubt, jetzt gewann Palästina als Ort des Geschehens zentrale Bedeutung. Eine gewisse Annäherung an den Zionismus ist unverkennbar. Aber noch immer stand nicht eine nationale Lösung im Vordergrund, sondern die geistige Erneuerung, die ausstrahlen sollte auf die Menschheit. Sein Zionismus hat also nicht nur den Aspekt der Landnahme und der jüdischen Selbstorganisation in einem eigenen palästinensischen Staat, sondern eine geradezu uferlose utopische Aufladung: auf ein *Neues Juda,* auf eine spirituelle Wandlung als Keimzelle für einen Zugewinn an Humanität insgesamt.

In den Essays *Flucht und Sammlung des Judenvolkes* offenbart sich ein vom Widerruf der jüdischen Assimilation verwundetes Denken, das die Begriffe des Territorialismus und des nationalen Zionismus auf ihre Brauchbarkeit hin abtastet, ohne ihnen letztlich zu vertrauen. Nur im utopischen Licht der spirituellen Humanität sind sie für ihn verwendungsfähig: Polemische Radikalität und vages Menschheitspathos stammen aus dem gleichen Übersprungsdenken. Diese Emphase markiert auch schon den Beginn seiner noch nicht eingestandenen Resignation. Sein Ziel, die innere Erneuerung des Judentums zu befördern, war angesichts der realen Lage, in der viele tausend emigrationswillige Juden aus Deutschland für ein Leben anderswo geschult werden mussten, schwer durchsetzbar. Schon im Dezember 1934 hatte er bemerkt. *Ich selbst habe nur eine halbe Freude an der Liga, weil sie zu einseitig sich auf Land verlegt und nicht das meiner Meinung centrale Thema der Menschen, der jüdischen allgemeinen Erneuerung aufgreift.* Vielleicht steigerte er die messianische Tonart, um sich in den notwendigen Niederungen der praktischen Erfordernisse überhaupt bemerkbar machen zu können.

Die Schrift *Flucht und Sammlung des Judenvolkes* besteht aus vier Teilen: die Anklage, die Landnahme der Juden, das Neue Juda, und der vierte versammelt die beiden Erzählungen *Märchen von der Technik* und *Der verlorene Sohn.*

Dass die Sammlung von Essays schließlich in zwei Erzählungen überführt wird, kann man als didaktische Wendung verstehen, aber auch ganz anders deuten: als ersten Abschied vom Propagandisten für den jüdischen Territorialismus hin zum Erzähler. Als ein Dokument noch verschwiegenen Unmuts.

Nur waren die beiden Geschichten als Alternative zu den Aufsätzen und Reden nicht angetan: sie gehören zu den Gelegenheitstexten.

KIERKEGAARD-LEKTÜRE

Döblin behauptete, dass er in der französischen Nationalbibliothek auf Kierkegaard gestoßen sei. Aber schon die Lektüre Pascals, teils im französischen Original, trug gewiss das Ihrige bei, um ihm den Gedanken näherzubringen, Christus sei der wahre Vermittler des Seins. Sie hat ihn wahrscheinlich auf sein großes Leseerlebnis Kierkegaard Mitte der dreißiger Jahre vorbereitet. Für Pascal war die Einsicht in die Existenz Gottes aus der Natur undenkbar ohne die Gestalt Jesu Christi. 1935 entdeckte Döblin für sich Kierkegaards »Entweder-Oder« in der Bibliothèque Nationale von Paris: Und jetzt *verschlang ich einen Band nach dem anderen (oh! damals waren meine Augen noch gut, ich konnte lesen und lesen, – verlorenes Paradies. Ich zog lange Partien aus, schrieb Hefte voll. Er erschütterte mich.* Mit Kierkegaard kam Döblin allerdings nicht auf sein nächstes Romangelände: Lateinamerika. Erst im übernächsten Roman und dann in seinem letzten macht sich dieser philosophische Einfluss offensiv bemerkbar.

Döblin hat in diesem Jahr 1935 eine entscheidende Wandlung seiner Existenz durchgemacht. Er verabschiedete sich vom Grübeln über das Versagen der Weimarer Intellektuellen, also vornehmlich seinem, von dem, was er als seine Mitschuld an der Katastrophe empfand; er mischte sich wieder mehr ins literarische Leben ein, überwand seine Isolation. Die Wandlung vollzog sich gewiss unter dem tiefen Eindruck, den die Kierkegaard-Lektüre bei ihm hinterließ. Einige Jahre später kamen die Schriften Taulers hinzu und eröffneten ihm die Mystik. Es handelte sich zunächst um nicht mehr als eine neu gewonnene spirituelle Sicht, die er für die Selbstbehauptung des Judentums schon seit Jahren forderte, nicht um einen Glauben, eher um eine veränderte Art des Fragens und eine vertiefte Eindringlichkeit des Blicks als um einen Inhalt. Man darf sich, auch wenn Döblin später die Sprünge seines Denkens einebnen und eine Direttissima zu seiner Christlichkeit legen wollte, nicht täuschen lassen: die *Amazonas*-Trilogie ist kein christliches Romangebilde. Und genauso bedeutungsvoll wie die Auseinandersetzung mit dem bohrenden Frager Kierkegaard ist die Wirkung der französischen Latinität, die er früh im Exil für sich als Errungenschaft entdeckte. Die Bahn, die sich ihm eröffnete, führte in paralleler Bewegung zum Glauben und zur Ratio.

1936

Noch einmal fand die europäische Geisteswelt, wenigstens symbolisch, auf dem Papier, zusammen, als es um eine Feier zu Freuds 80. Geburtstag am 8. Mai 1936 ging. Sie fand im Wiener Akademischen Verein für medizinische Psychologie statt. Thomas Mann hielt die Festrede und überreichte dem Jubilar eine »Mappe« mit Glückwunschadressen von 191 Schriftstellern und Künstlern, unter ihnen auch von Döblin. Salvador Dalí, Knut Hamsun, James Joyce, Paul Klee, Pablo Picasso, Bruno Walter und Thornton Wilder waren ebenfalls vertreten.

Nach 24 Heften hatte Klaus Mann im August 1935 seine Zeitschrift »Die Sammlung« einstellen müssen. Aber auch die linkeren »Neuen Deutschen Blätter« waren gestrandet. Es war auch ein Nachruf auf die verblichene »Sammlung«, als Döblin eine neue literarische Exilzeitschrift begrüßte. Im Juli 1936 erschien das erste von 30 Heften des Moskauer Organs »Das Wort«. Am Verschwinden der bei Querido in Amsterdam erschienenen Zeitschrift erkannte er das Sterben der bürgerlichen Sphäre: *Welche literaturinteressierte Kulturschicht steht einem nach Fortfall von Hitlerdeutschland zur Verfügung? Wenn schon drüben in normalen Zeiten nur gewisse spießerliche Zeitschriften florierten, die des meist reaktionären Mittelstandes, wie soll es jetzt und noch dazu in der Emigration gehen?*

Den Plan zum »Wort« hatte es bereits auf dem Pariser Kongress zur Verteidigung der Literatur gegeben, ein Jahr später wurde er in Moskau umgesetzt. Herausgeber waren Brecht, Feuchtwanger und Bredel, an dessen Stelle später Fritz Erpenbeck trat. Gefördert wurde der Plan, schließlich auch die Zeitschrift selbst von Michail Kolzow, der Überschüsse des »Jourgaz«-Unternehmens in das Projekt steckte. Seine Lebensgefährtin Maria Osten hielt in Paris die Fäden zusammen und sorgte für die Verbindung der in Svendborg, Sanary-sur-Mer und in Moskau lebenden Herausgeber. Später ging sie, selber Schriftstellerin, nach Moskau und wurde wie auch Kolzow liquidiert.

Bei Döblins Begrüßung dieser neuen Monatsschrift in der »Pariser Tageszeitung« überwog die Zustimmung, aber er hatte auch einiges zu kritisieren. Er gab sich mit dem Wortparavent vom »kämpferischen Humanismus« (eine Formel, die zum Beispiel Heinrich Mann im »Henri Quatre« einsetzte, wenn auch anders als die Kommunisten sie verstanden) nicht zufrieden, akzeptierte keine Ausrichtung auf einen bestimmten Kurs: für ihn sollte keine Programmzeitschrift, sondern ein Forum für ungebundene, nicht zweckorientierte Literatur entstehen: *Im Kampf gegen den Nazismus, der mit Gewalt und wüsten Instinkten, der Degeneration, einhergeht, ist die Parole »kämp-*

ferischer Humanismus« gegeben. Aber die Literatur ist viel umfänglicher als ein zeitlich aktueller Prozeß, er mag uns noch so stark beanspruchen, ja aufzehren, und »kämpferischer Humanismus« ist nicht die einzige Grundnote der Literatur. Es scheint, daß die jüngeren und ganz jungen Autoren in der Not und Verkrampfung der Situation, da nicht klar sehen. Das ist begreiflich, aber schlimm, es gefährdet die Literatur, es führt zur Verzerrung, Verarmung, Ausleerung. Ich werde mich ein andermal darüber auslassen. Hier nur dies: wir können den Charakter einer Literatur nur aufrechterhalten, wenn wir die ganze Welt umfassen, und dem Antinazikampf da seinen Platz geben.

Für das »Wort« sah er wie für jede andere literarische Zeitschrift nur eine Möglichkeit: die Ausrichtung als Plattform für Autoren unterschiedlicher Provenienz, Keine Frage, wofür er plädierte: für die Präsentation der Einzelstimmen und nicht für ein ideologisches Aktionsfeld. Doch betrieb er diesmal nur zurückhaltende Kritik am Dogmatismus von Moskauer Emigranten: Er scheute die Wiederholung.

In Paris kämpfte die französische Volksfront-Regierung, nach den Wahlen im Mai 1936 gebildet, mit der wirtschaftlich unsicheren Lage: mit Inflation, Verteuerung der Nahrungsmittel, militärischer Aufrüstung und der Angst vor einem neuen Krieg. Mitte 1936 gab es Arbeiterunruhen und Streiks in Paris. Döblin schrieb am 27. September an seinen Sohn Peter über das ihn in der Folge beeinflussende Ereignis: *Gestern gab es die Frankenabwertung, natürlich ist zunächst noch nichts zu merken, aber langsam werden schon die Preise steigen, das Geld wird entwertet, man ist wehrlos dagegen, es ist eine (vom sozialist. Kabinett vollzogene) kapitalistische Maßnahme, durchaus auf Kosten der Arbeiter und Angestellten, deren Gehälter natürlich nicht entsprechend aufgewertet werden.* Man kann aus diesem Brief die Mentalitätsunterschiede von Alfred und Erna Döblin in Bezug auf das Geld ermessen: Er beschrieb die sozialen Folgen der monetären Entscheidung, und sie fügte hinzu, dass durch diese Abwertung des Franc die Ersparnisse Döblins, die er als eiserne Reserve aus Berlin mitgebracht hatte, um ein Drittel vernichtet seien.

Die Familie erforderte in diesen Jahren besondere Aufmerksamkeit. Bodo Kunke emigrierte nicht. Er schlug sich mit Posten in der Privatwirtschaft durch und wird als Halbjude und Sohn eines prominenten Linken sicher auch dort mit Schikanen und Repressalien rechnen müssen. Er hat, das ist beachtenswert, anscheinend über diese schwierigen Jahre keine Aufzeichnungen hinterlassen. Er war auch später ungemein bescheiden und ließ den anderen Söhnen Döblins den Vortritt. Sein Vater konnte ihm vom Ausland aus nicht helfen, hätte ihn mit offensichtlicher Anteilnahme wohl eher gefährdet. Eine materielle Unterstützung kam sowieso nicht infrage. Bodo Kunke hat sich 1936 die Vaterschaft Döblins vom Amtsgericht Wedding bestätigen lassen; vermutlich benötigte er diese Auskunft für seinen Ahnenpass. Besonders nützlich kann ihm die amtliche Mitteilung nicht gewesen sein, dass der praktische Arzt Dr. Alfred Döblin, »mosaischer Religion«, am 11. April 1912 vor dem Amtsgericht Berlin-Mitte die Vaterschaft des am 14. Oktober 1911 geborenen Bodo Bernhard Alfred anerkannt habe. Es ist unklar, ob in diesen Jahren überhaupt ein Kontakt zum Vater bestand. Der Mangel daran wird den Vater beunruhigt haben. Peter Döblin hatte in Amerika im Oktober 1936 endlich eine Stelle als Setzer in einer Druckerei gefunden. Ben W. Huebsch, Verleger der Viking Press, hatte sich für ihn um einen Job bemüht. Döblin und Huebsch waren seit den zwanziger Jahren miteinander bekannt. Im Herbst gab es noch andere Familiensorgen: *Jetzt heißt es bei uns den Klaus unterbringen, als Verkäufer oder Schaufenstermann (étagiste), er hat das auch mit gelernt.* Wolfgang, der seine Dissertation vorbereitete, die er dann im März 1938 bei der Sorbonne einreichte, fand mit seinen Studien den milden Spott des Vaters: *Wolf, der unnahbare, der in den Wolken schwebt, schreibt seine meilenlange Doktorarbeit in Hieroglyphen, welche wahrscheinlich im ägyptischen Museum einen ersten Platz finden werden. Hebräisch ist gar nichts dagegen. Er geht aber nicht zu einer anderen Schrift über. Da ist nichts zu machen. Es ist aber Mathematik.* Er französisierte 1936 seinen Namen zu »Vincent Doblin«. Als er zwei Jahre später seine Doktorarbeit ablieferte, unterschrieb er jedoch mit dem Namen »Wolfgang Doeblin«. Wollte er sich über den Familiennamen in Beziehung setzen zu seinem schreibenden Vater? Im Oktober 1938 wurde er eingezogen, viermal hat er es abgelehnt, sich in die Reihe der Offiziersaspiranten eingliedern zu lassen. Er wollte, das sagte ihm sein rigider Sozialismus, der ihn vom Vater unterschied, als Gemeiner dienen.

Melancholie holte Döblin ein, wenn er an Berlin dachte und an seinen Platz, den er dort gefunden hatte, *und so lebte man, es war das Beste, und so hätte es ruhig weitergehen können.* Seiner Arbeit für die Freiland-Bewegung war er nicht mehr sicher, als er das Buch »Die Weltgemeinschaft der Juden« von Viktor Zuckerkandl im Oktober 1936 gelesen hatte. Vielleicht hatte er die Ostjuden *zu stark* vor Augen? *Vielleicht habe ich mich geirrt, mich von einem Affekt wegreißen lassen. Mir kommt es manchmal so vor.* Er enthüllte etwas von dem verborgenen Grund seines Engagements für die jüdischen Kolonisten. *Ich wollte helfen, diese in Städterei verkommene Judenschaft an die Natur heranzudrängen.* Da war er weitab von seinen originären Interessen und doch ganz bei sich: Erneuerung seiner Naturauffassung, diesmal mit anderem Personal.

Erst Mitte November 1936 nahm er sich der Bücherverbrennungen und der Verfemung des freien Geistes in Deutschland an. Vorher wollte er sich nicht öffentlich darüber äußern. Zu diesem Zeitpunkt wurde in Paris eine Ausstellung der Deutschen Freiheitsbibliothek über »Das freie und das unfreie deutsche Buch« eröffnet. Heinrich Mann schickte eine Grußbotschaft, es redeten Hans Siemsen und Alfred Döblin. Das Ereignis fand statt im Haus des Geographischen Vereins am Boulevard St. Germain und war die Gegenveranstaltung zu der Ausstellung, die Johannes Graf Welczek, Gesandter des Deutschen Reiches, in der gleichen Straße zuvor eröffnet hatte. Döblin suchte nach Gründen, warum die Autodafés gerade in Deutschland möglich geworden waren. Er glaubte, der Begriff der Nation sei nicht, wie etwa in Frankreich, mit dem Begriff der Freiheit verbunden worden. Keine Revolution sei den Deutschen gelungen und *der Gegengeist, das Menschenfeindliche, die Menschenverachtung* sei von einer organisatorischen Kraft getragen.

Gottfried Bermann-Fischer entschloss sich 1936 endlich zur Emigration und ging, nachdem Verhandlungen in der Schweiz gescheitert waren, nach Wien. Er gründete dort den Bermann-Fischer Verlag und versammelte unter diesem Dach eine große Zahl seiner in Deutschland unerwünschten Autoren. Den in Deutschland verbliebenen S. Fischer Verlag übertrug er auf eine von Peter Suhrkamp vertretene Kommanditgesellschaft und kämpfte sich nach viele Monate andauernden, aufreibenden Verhandlungen und unter großen Verlusten frei. Das Wiener Unternehmen wurde in der Exilpresse allerdings nicht überall mit Freude aufgenommen. Vor allem Leopold Schwarzschild polemisierte im »Neuen Tage-Buch« gegen die neu entstandene Konkurrenz von Allert de Lange, Querido und der wenigen anderen Exilverlage. Bermann nahm erneut Kontakt zu seinem früheren Hausautor auf, und Döblin schwankte im Oktober 1936, ob er sich nicht wieder seinem früheren Verleger zuwenden sollte. Er schien für einen Moment seine barschen Briefe über das Taktieren Bermanns im Deutschen Reich zu vergessen. Viktor Zuckerkandl, mit beiden vertraut und ab 1936 Lektor im Wiener Verlag (danach auch noch in der Stockholmer Neugründung), hätte das diplomatische Friedenswerk gerne vollbracht. Zwischen Verleger und Autor stand ein fait accompli: in Holland waren unter anderem Döblin-Bücher zu Ramschpreisen angeboten worden. Man wollte Querido offensichtlich das Wasser abgraben. Aber von wem ging das aus? Von Bermann-Fischer, der den Auslandsmarkt mit seinen Büchern, da er nun selbst im Ausland war, besetzen wollte? Oder von Naziorganisationen, die Buchbestände, die sie sich angeeignet hatten, als Billigangebot verscherbeln wollten, um den Emigranten zu schaden und deren Markt zu verstopfen? Bermann-Fischer hatte versucht, den Vorgang gegenüber Döblin aufzuklären. Erhalten geblieben ist eine Art referierende Bilanz des Autors über das, was er an Erklärungen erhielt. Jedenfalls: *ich nehme zur Kenntnis, daß man drüben quasi durch Verrat in den Besitz von sovielen beschlagnahmereifen Büchern gekommen ist, und ich nehme auch zur Kenntnis, daß Sie einsehen, daß auch zu der holländischen Abmachung meine Zustimmung gehörte, und daß Sie zur Erledigung der Sache einen gewissen Beitrag zahlen.* In diesem Schreiben teilte er seinem Verleger doch eine gewisse Mitschuld und einige Versäumnisse zu; und er bohrte weiter, fragte, wie denn die Bücher in Holland überhaupt vertrieben wurden. Es kam zu keiner Einigung: man ging getrennter Wege, wie sich 1938 endgültig erwies.

AMAZONAS

Nach *Pardon wird nicht gegeben* dauerte es eine Weile, bis Döblin ein neues Romanprojekt anging. Am 12. Dezember 1935 an Peter: *Abgesehen von kleinen Arbeiten mache ich jetzt nichts, aber langsam bereite ich mich auf was Neues vor, das ist aber noch nicht recht.* Vermutlich war aber diese Pause bereits beendet, als er sie erwähnte. Der Anfang des Großromans *Amazonas,* erstmals unter dem Titel *Das Land ohne Tod* erschienen, ist nicht genau datierbar; Döblin hat ihn im Dunkel gelassen, wie in der Trilogie die meisten historischen Daten außer Acht bleiben. In der Pariser Nationalbibliothek vergrub er sich in Atlanten, Reiseberichte, naturkundliche Bücher, Expeditionstexte, historische Darstellungen und ethnographische Werke über Südamerika. Wer dieses Material durchblättert, trifft auf Zeugnisse von überwältigender Bildkraft und exotischer Schönheit.

Für einen Augenblick kann man sich eine Konstellation vergegenwärtigen: Walter Benjamin sitzt, vielleicht nur wenige Plätze entfernt, unter dem diaphanen Himmel des Lesesaals der (ehemaligen) französischen Nationalbibliothek, im milden Schein der Lampe mit ihrem Messingfuß und ihrem gläsernen Schirm; und er trägt das Material für sein »Passagenwerk«, über Paris im 19. Jahrhundert, zusammen, während sich Döblin den exotischen Geheimnissen des Urwalds hingibt, der bizarren Geschichte der christlichen Eroberer und den utopischen Lichtern, die über die blutigen Episoden der spanischen Desperados gesetzt sind. Beide entwerfen sie Grundfiguren der Weltaneignung: der eine ist mit dem Typus des Flaneurs und dem Bildersinn seiner Verjährung befasst, der andere mit dem Typus des Eroberers und der Raumbühne der Neuen Welt. Für einen Augenblick leuchtet dieses Doppelbildnis in der Opernszenerie der Bibliothèque Nationale auf, um gleich wieder zu verlöschen, denn kein Wort darüber ist überliefert. Über die schönsten Geschichten schweigt sich die Geschichte aus.

Wer fremde Länder entdeckt, entdeckt dabei auch etwas von sich. Man hat sich nicht. Nein. Und im Winkel entdeckst du dich auch nicht. Das sagt Lucie zu ihrem Geliebten Stauffacher im nachfolgenden Romanwerk *November 1918*, als wäre damit ein Rückblick auf den Erzähler der *Amazonas*-Trilogie gewährt. Es ist das alte Motiv, das mit der *Amazonas*-Trilogie aufgerufen wird: Der Autor wird seiner eher durch den Stoff als durch Innenschau gewahr, denn er wird durch den Eigensinn der Literatur, durch die Schrift entworfen.

Er bekannte, er habe sich durch das Material von Kierkegaard weg nach Südamerika locken lassen. Der erste Band der Trilogie setzt ein mit der Magie der beseelten Natur, blendet zurück ins Sagendunkel der animistischen Indianerreligionen, zu Geistern, mythologischen Verkörperungen in Tiergestalt, zu den Strömen, die den Kontinent durchmustern, mitten hinein in den Urwald, in die Savanne, ins Gebirge, zu Sammlern, Jägern und Nomaden. Die Zwiesprache mit der Natur und ihre Feier, vom Gestein über Pflanzen und Tiere bis zum Naturwesen Mensch, die in der Schrift *Das Ich über der Natur* von 1927 triumphiert hatte, wird erneut aufgenommen. Nach dem Familienroman also wie in einer epischen Übersprungshandlung hinein in die metapherndichte Wildnis und ins vegetabilische Dasein, in die Geheimnisse einer anderen Zivilisation. Döblin an Robert Minder, 28. Juli 1938: *Für den Beginn des ersten Bandes, ja für den Trieb zu schreiben, hatte ich nur meine tiefe alte Bewunderung (schwaches Wort) fürs Wasser, jetzt des Stroms, meines Amazonas, und daß ich zufällig beim Blättern solchen Sagen wie der von der Mutter des Stromes Sukuruja begegnete, hat mich ganz fest an das alte Thema, eines meiner Lieblingsmotive, gebunden.* Eine Episode nach der anderen flimmert im Raum des Romans, zusammen ergeben sie einen geradezu schwebenden Stil des magischen Realismus. Davon hat Jorge Luis Borges gesprochen, vermutlich der einzige der großen lateinamerikanischen Autoren, der Deutsch sprach und der ihn pries: »Döblin ist der wandlungsfähigste Schriftsteller unserer Zeit. Jedes seiner Bücher (wie die achtzehn Kapitel des ›Ulysses‹ von Joyce) ist eine Welt für sich, mit ihrer eigenen Rhetorik und ihrem eigenen Vokabular.« Die atmenden Urwälder, durchzogen vom Amazonas und seinen in der Regenzeit anschwellenden Nebenflüssen, belebt mit wildem Getier wie Tigern, Kaimanen, Schlangen, mit Affen und Papageien, durchglüht von tropischer Hitze, die grüne Hölle, das amphibische Reich mit Seen und Sümpfen, unbezähmter Dschungel, werden von den *Dunklen* durchwandert: voller Daseinskraft, aber auch voller Furcht vor den Geistern, mit untrüglichen Instinkten und zitternd vor den Dämonen, verkörpern die Indianer den Urzustand von Natur. Wie im *Wang-lun* entfaltet die Phantasie einen exotischen Beschreibungszauber, wie im *Wallenstein* entsteht ein vielstimmiges Konzert, eine Polyphonie: Geräusche, Schreie, Tierlaute, Signaltrommeln, indianische Sprachen und das Gemurmel des Aberglaubens. Und nicht zu vergessen ist, dass Döblin über die Reise ins Herz der Finsternis, in die Verbrechen des weißen Mannes hinauswollte: hinein in das Urbild des Epischen, wie er es verstand: in den Romanstrom. So mag das Quellgebiet dieser Trilogie in den brillanten Tafelwerken und Atlanten über Südamerika in der Pariser Nationalbibliothek liegen, aber seine überwältigende strömende Fülle ist gebettet ins magische Bild vom Epos. Im *Amazonas*-Roman huldigte Döblin nicht nur einer tropischen Topographie, sondern dem verschwenderischen Geist des Erzählens selbst.

Die Unholde und bösen Geister, die für die Indianer den Dschungel, die Gebirge, Savannen und Gewässer besetzt haben, nehmen allmählich die Gestalt der weißen Männer an, die mit ihren unbekannten Tieren, genannt Pferde, mit Bluthunden, Donnerbüchsen, Rüstungen und dem Signum der Unsterblichkeit kommen, um das Gold zu rauben, die Ungläubigen hinzumetzeln, die Frauen zu vergewaltigen und die Stämme von ihren Jagdgründen zu vertreiben. Die Eroberung des Kontinents durch die Konquistadoren ist schon vorbei, aber das Land ist überwiegend noch nicht unterworfen. Die Schicksalswaage enthält für die Indianer auf der einen Seite das Gold und auf der anderen das Gewicht der Grausamkeit. Wohin immer sich die Waage neigt, die Eingeborenen werden verlieren. Der Roman setzt im 16. Jahrhundert ein, aber Jahreszahlen sind nicht erwähnenswert.

Der Roman blendet hinüber nach Europa, zu einem alten, mürben Mann, zu Kaiser Karl V. Vor seinem Tod verleiht er den Augsburger Welsern, die ihm Geld geliehen haben, das Recht, in der Neuen Welt die Schätze zu holen, die er nicht zurückzahlen kann. So machen sich aus der Alten Welt die Desperados auf, versehen mit dem Freibrief für Raub und Mord, bemäntelt als katholisches Bekehrungswerk an den Ungläubigen. Der Krieg ist für die europäischen Hungerleider der Ausweg der kleinen Leute, der Raub ihre Art, etwas von der Gerechtigkeit abzuzweigen. Die Eroberer kommen an *wie eine Krankheit in einem Körper*, aber wenn sie sich mit den Indios vertraut machen, werden sie von der anderen Natur verführt. Die kindliche Unschuld der indianischen Lebensweise übt auch auf sie einen Zauber aus. Oder sie werden von dem Raum, den sie erobern wollen, unterjocht: vom Fieber zermürbt, von Krankheiten überwältigt, von Giften zersetzt, gebannt vom Schrecken des Waldes und der Ströme, Beute ihres eigenen Irrsinns.

Döblin betreibt eine ungemeine Raumerweiterung: Der ganze lateinamerikanische Kontinent wird von seinen Figuren bevölkert, geographische Entfernungen sind in dieser *Amazonas*-Trilogie souverän missachtet. Auf dieser Bühne prallen mythische Narrative gegeneinander: die Erzählung von der biblischen Sintflut auf die Sage vom amazonischen Schlangengott und Flussgeist Sukuruja, der vielstimmige indianische Naturglaube auf das Christentum des dreieinigen Gottes. Zum einen gibt es die Geschichte von Jesus Christus, zum anderen die indianische vom *Land ohne Tod* (womit die zweibändige Erstausgabe überschrieben war).

Der Titel enthält mehrdeutige Möglichkeiten: Naturmythos und Gegennatur in der Nichtsterblichkeit, Traumland. Dieses mythische Land ohne Tod ist ein imaginäres Gegenreich zu Europa.

Der Dominikanermönch Bartolomé de Las Casas, der im mexikanischen Süden von Chiapas als Bischof wirkte und leidenschaftlich für die Rechte der Indianer eintrat, ist der Deuter des Geschehens: Er möchte die Indianer im gleichen Maße missionieren, wie er gegen den scheinheiligen Klerus auftritt und wie er den spanischen König vom Thron stoßen möchte. Er ist von christlichen Idealen beseelt und von deren irdischen Folgen in der Neuen Welt abgestoßen, er verkörpert einen ersten Befreiungstheologen. Mit einem Hymnus auf den großen Strom, der alle Not, alle zwiespältige Natur, alles Seiende überschwemmt, wird dieser erste Roman der Trilogie abgeschlossen. Im Bild des Flusses, der die Welt erneuert, ist zugleich das Erzählen selbst mythologisiert: zum Großreich der Wörter, das Wirklichkeit und Traum, Schöpfungsgeschichte und Historienbild umfassen.

Las Casas ist auch die Portalfigur für den zweiten Band des Romans, *Der blaue Tiger* genannt in Verehrung für Franz Marc. Er ist im Titel wiederum einem indianischen Mythos unterstellt: Der blaue Tiger kommt vom Himmel zur Erde nieder, um die Welt zu zerreißen. Dieser Roman gilt dem historisch verbürgten Versuch der Jesuiten, in Paraguay einen eigenen, christlichen Staat der Indios zu gründen. Für Döblin war damit eine Parallelführung zur vorgestellten jüdischen Siedlungsgeschichte möglich und eine spirituelle Erneuerung erzählend zu vergegenwärtigen. Der Roman ersetzte den Handlungsort in der Wirklichkeit. Mochte Döblin anfangs im Amazonasstrom ein Urbild des Epischen gefunden haben, so stellen sich bei diesem Stoff rasch zeitgeschichtliche Analogien ein. Zwischen der Feier des Naturmagiers, der zivilisatorischen Entfaltung eines Christenreichs, das einige sozialistische Momente aufwies, dem scheiternden, ermordeten Visionär Las Casas und den Indios mit ihrer Rechtgläubigkeit hat er, ein genialer Puppenspieler, viele Verbindungsdrähte auch zu seiner eigenen Lebenswirklichkeit gespannt. Die Konstruktion der sich sammelnden und der zum Untergang bestimmten Eingeborenen verweist, ohne dass ausdrücklich davon die Rede wäre, auf die Geschicke der Juden.

Döblin folgte im Großen und Ganzen dem geschichtlichen Verlauf dieses historisch verbürgten Modellstaates im südamerikanischen Urwald. Jesuitenpatres brachen 1609 von Asunción in die Urwälder vor allem Paraguays mit einem Missionsauftrag jenseits der Städte auf. Ihr Ziel war aber nicht nur die Verkündigung des Gottesworts, sondern der Schutz der Indios vor Ausbeutung, Leibeigenschaft und Sklaverei auf den spanischen Plantagen. Sie gingen mit methodischen Vorsätzen in die Wälder: Sie zeichneten die verschiedenen indianischen Sprachen auf, schufen die einheitliche Schriftsprache des Guarani, das neben dem Spanischen noch heute Verkehrssprache ist. Sie fassten jeweils 1000 bis 5000 Eingeborene zu einer Großkommune zusammen; ein Jesuitenduo bildete eine organisatorische Einheit und Oberaufsicht, aber die einheimischen Kaziken übernahmen die Selbstverwaltung dieser Jesuitenreduktionen, die nach dem spanischen Wort »reducir« gleich »zusammenführen« benannt waren. So bildete sich eine arbeitsteilige Gesellschaft heraus, die ohne Geld auskam und auf der Grundlage des Tauschhandels funktionierte. Diese reformversessene Theokratie eines »Jesuitenstaats« fand wegen ihrer Fortschrittlichkeit den Beifall der Aufklärer, zum Beispiel von Voltaire. Aber die Jesuitenrepublik war bald vom Hass der spanischen Plantagenbesitzer und von den Kaufleuten bedroht. Deshalb stellten die Geistlichen Truppen auf und konnten 1641 die Feinde endgültig abwehren.

Erst Intrigen am königlichen Hof bereiteten dem Modellstaat ein Ende. 1767 wurden insgesamt 1617 Patres in Asunción zusammengetrieben und mit Schiffen nach Spanien deportiert. Infolge eines Gebietstausches mit den Portugiesen wurde die Republik am Paraná dezimiert. Die Indios flohen in die Wälder, als die Kolonisten wieder die Herrschaft übernahmen. Nach 160 Jahren war der Jesuitenstaat zu Ende.

Im zweiten Band des Romans werden also Aufstieg und Fall dieses Jesuitenstaates erzählt. Döblin stellt vor, was den Juden in Döblins damaliger Vorstellung auch gelingen sollte, wofür er kämpfte, nämlich inmitten unzugänglich erscheinender Natur eine eigene Gemeinschaft zu errichten, eine menschliche Möglichkeit für das Kollektiv zu bauen. Im exotischen Stoff konnte Döblin auch den anarchistischen Kommunitarismus vergegenwärtigen, wie er ihn von Gustav Landauer her kannte: eigener Grund und Boden zur Selbstversorgung, kollektives Eigentum für die Bedürfnisse des Handels, für Notzeiten und für die Armen, das Prinzip der gegenseitigen Hilfe und der freiwilligen Assoziation.

Nach den beiden Romanen findet ein schlagartiger Szenenwechsel statt.

In der zweibändigen Erstausgabe sind dem Roman *Der blaue Tiger* rund 150 weitere Seiten angefügt: Sie befassen sich kritisch mit der europäischen Entwicklung seit der Renaissance und springen abrupt an die Gegenwart der dreißiger Jahre heran. Sie wirken zunächst aus stofflichen Gründen wie angeklebt, aber sie bieten eine Conclusio dessen, was die Europäer bei den Indios angerichtet haben. Mit dem dritten Teil *Der neue Urwald* und seiner Rückwendung nach Europa wird die Generalabrechnung geleistet.

Er spielt vorwiegend im 20. Jahrhundert, in veränderter Lage. Es gibt auf der Erde keine unentdeckten Gebiete mehr, der Zauber ist vorbei, das Christentum hat ausgedient, Gott ist so, wie ihn Nietzsche wollte: tot. Der Urwald aber ist den Figuren nach innen gerutscht. Ein alter Bekannter aus der *Reise in Polen* eröffnet ein Kaleidoskop von Gestalten: der dort erwähnte polnische Edelmann Twardowski aus dem 16. Jahrhundert, der seine Seele dem Teufel verschrieben hat wie Faust, ruft in der Marienkirche von Krakau die Geister von Kopernikus, Galilei und Giordano Bruno zu einem erkenntniskritischen Gespräch über Glaube und Fortschritt auf. Die Trias der Forscher und Ketzer räsoniert über Schuld und Opfer in der Zivilisation, die sie mitgeprägt haben. Diese surrealen Geistergespräche bilden einen Rahmen für die Verlaufsgeschichten dreier Männer ohne Herz. Der reiche Pole Jagna ist ein erotischer Roué, eine Art Pygmalion der Lust. Die beiden Deutschen Posten und Klinkert üben sich in der Seelenpanzerung, in einem nietzscheanischen Egoideal, das Werte wie Solidarität und Demokratie, Glaube und Hingabe abgeworfen hat und das seine Erfüllung in der Verbindung von Technik und Macht findet. Klinkert erprobt seine Herzlosigkeit in einer Dreiecksgeschichte, die in ihrer minutiösen Drastik den Leser innehalten lässt: Wird da nicht, versteckt unter andersartigem Motivgewebe, auf sehr direkte Weise von Erna Döblin und Yolla Niclas erzählt? Die eine Frau versucht, den Geschlechterkampf aufzunehmen und zu gewinnen, verliert aber unweigerlich, und die andere, ganz Hingabe, überlebt, weil sie das Duell nie ganz angenommen hat. Dieser dritte Teil bietet ein etwas mühsames Ende. Die fließende Bewegung des Erzählers durch den exotischen Großraum, wie sie die beiden ersten Romane boten, ist abgestoppt. Hermetisch und erzwungen bedeutungsschwer in den Einzelheiten, gleichzeitig ein wenig zerfahren wirken diese letzten Kapitel. Man kann diese Schwäche einordnen in die bekannten Schwierigkeiten des Romanciers, zu einem schlüssigen Ende zu kommen. Aber es zeichnet sich auch ab, dass er eine Lösung anstrebte, die ihm nicht, noch nicht, zur Verfügung stand: der zwar eröffnete, aber noch nicht konsequent beschreibbare Weg Jagnas als Büßer, sozusagen die christliche Karriere des Sünders. Zu viel andere Motive mischen sich drein, und erst Friedrich Becker wird diesen Weg in den vier Bänden *November 1918* finden.

Diese Schlusskapitel hat Döblin auf Rat des Verlags in der ersten Nachkriegsausgabe von 1947/48 in einen eigenen, dritten Band mit dem Titel *Der neue Urwald* gefasst. Man kann nicht entscheiden, welche Präsentation die richtige ist: die zweibändige unter dem Obertitel *Die Fahrt ins Land ohne Tod* wird man dem verlegerischen Notbehelf im Exil, die dreibändige unter dem Titel *Amazonas* den Publikationsmalaisen der Nachkriegszeit zurechnen.

Die Erstausgaben der beiden Bände erschienen getrennt voneinander. Band eins kam Ende April 1937 in Amsterdam heraus; zu diesem Zeitpunkt arbeitete Döblin noch am Manuskript des zweiten, das er erst im Spätsommer zu Querido schicken konnte. *Der blaue Tiger* mit *Der neue Urwald* wurde im Frühjahr 1938 veröffentlicht.

Diese zeitliche Teilung der Bände, von Döblin selbst so vorgesehen, bedingte einen erheblichen Nachteil: Die Rezensenten hatten anfangs nur einen Romanteil vor sich und konnten das Ganze nicht überblicken. Das publizistische Echo war (und blieb) ungenügend, nur fünf zeitgenössische Besprechungen sind überhaupt erwähnenswert. Der kommunistische Kritiker Kurt Kersten bemühte sich im »Wort« um Verständnis, meinte jedoch, Döblin sei »nicht befähigt, zu der kraftvollen Parteilichkeit des Tätigen, zum Willen der Leidenden und Aggressiven«, auch mangele es dem Roman an der Schilderung ökonomischer Zusammenhänge. Kersten lobte den Roman durchaus, aber seine Zustimmung war taktischer Natur und der offiziellen Bündnispolitik geschuldet. Julius Hay hingegen fand in der »Internationalen Literatur« zu einer weitaus sorgsameren Kritik, die auch als Korrektur Kerstens zu lesen ist. Ihm lag das ganze Romanwerk vor, als er es zum 60. Geburtstag Döblins erörterte. Er wandte sich gegen die vulgärmarxistische Abbild-Theorie und hielt Döblins Roman gerade dort für besonders antifaschistisch, wo »sein Gegenstand uns zeitlich und örtlich am fernsten liegt«. Er lobte das »biologische Sehen«, das den Realismus fördere, das mache Alfred Döblin »in einem gesteigerten Maß zum Dichter des deutschen Volkes«. Man spürt den Subtext, gegen den sich Hay wehrte. Auch Ferdinand Lion besprach den ersten Band in »Maß und Wert« außerordentlich zustimmend. Für ihn erschien wieder der alte Gegensatz zwischen Tat und Ergebung wie im *Wang-lun* wirksam: hier die weißen Täter, dort die indianische Hingabe. Lion sah ihn in der Beispielreihe seiner Romane wie eine Art Klassiker und färbte ihn damit zu einem zweiten Thomas Mann um. Das geschah mit Vorbedacht: Erst in diesem Vergleich zweier Gleichgearteter konnte der Redakteur der Zeitschrift, die Thomas Mann herausgab, eine diplomatische Schlussformel finden: »Die beiden mythischen

Romane der Emigration, das Jakob-Josephwerk Thomas Manns und dieser Roman Döblins: beide geschaffen aus der gleichen Not und Bedrängnis wie die innere Politik Deutschlands, doch während diese alles erniedrigt bis zum Unkenntlichen, sind jene Kunstwerke würdig der Erkenntnis- und Gestaltungskraft des früheren Deutschland. Gegen solche seltsam-wissende Oppositionen muß der Haß der Machthaber am größten sein.«

Lion, der seinen Spielraum in diesem Konflikt keineswegs überschätzte, beließ es bei dieser vagen Benennung der Gleichheit. Es gab einen ausgewachsenen Krach zwischen dem Autor und seinem an sich wohlmeinenden Kritiker, zumal der auch, in den Augen Döblins, bei der Veröffentlichung des Essays *Prometheus und das Primitive* versagt hatte. Wie prekär sich die Nachbarschaft von Amazonien (Döblin) und Ägypten (Thomas Mann) gestaltete, zeigte die Besprechung von Hermann Kesten. Er pries Döblins Werk im »Neuen Tage-Buch« nicht ohne Überschwang als das »erste (Indianerbuch) voll wahrer, eigentümlicher Poesie« und lobte den Urheber »des mythischen Epos deutscher Zunge«, vergaß aber den Kotau vor Thomas Mann. Der hatte das kritische Echo durchaus genau im Blickfeld und schäumte in seinem Tagebuch mit antisemitischer Wut über »das infame jüdische Cliquenwesen«. In einem Brief an Bruno Frank verstieg er sich zu ähnlichen Formulierungen und wollte mit dem »Neuen Tage-Buch« Leopold Schwarzschilds nichts mehr zu tun haben. Alfred Döblin konnte diese Ausfälle durchaus wahrnehmen. Er wiederum veröffentlichte nur einen einzigen Text in »Maß und Wert«, dann nie mehr einen anderen. Als er im Mai 1938 wiederum briefliche Verbindung mit Ferdinand Lion suchte, geriet ihm das Schreiben zu einer erneuten Hinrichtung des Kollegen. Er nahm nichts von dem, was er über ihn als Kritiker gesagt hatte, zurück. Er nannte dessen Urteil an Nachahmern gewonnen, *an dem Epigonen Mann,* und er ließ erkennen, wie sehr er den Vergleich des *Amazonas* mit dem »Joseph« als kränkend empfand. Es schien, als wollte er die letzte Brücke zu einem Mitarbeiter Thomas Manns abbrechen, aber die Nöte der Exilanten rückten manches wieder in andere Beleuchtung. So schlug Döblin gegenüber dem Gescholtenen im gleichen Jahr 1938 wiederum versöhnliche Töne an: *Ihnen selbst bleibe ich dabei wohlgesinnt wie immer.* Aber weder mit dem Redakteur Lion noch mit Thomas Manns Zeitschrift wollte er in Zukunft etwas zu tun haben.

Auch als historischen Roman wollte Döblin sein Werk verankern. Er nahm dafür drei essayistische Anläufe, um den in Begriffen kaum zu bändigenden *Amazonas* in sichere Bahnen der Reflexion zu bringen. Zugleich wollte er sich an einer Debatte beteiligen, die Lion Feuchtwanger sehr prononciert mit seinem Essay »Vom Sinn des historischen Romans« eröffnet hatte. Mit den

Bemerkungen *Historie und kein Ende* bestimmte er sein Interesse am geschichtlichen Stoff: Es handle sich um den Versuch eines Emigranten, Grund zu fassen, *als kein Boden ihn festhielt.* Die Historie erscheint dem Flüchtling als seine Basis: *Die Sturzbäche historischer Bücher werden vertrocknen, wenn die Bitterkeit, die sie speist, etwas nachläßt.* Er versah diese kursorischen Notizen mit dem Appell: Die deutschen Exilliteraten dürften sich nicht abschotten *in Landsmannschaften,* sie müssten den Austausch mit den Franzosen suchen und sich an die Gegenwart heranwagen. Er wusste, die deutsche Literatur, die er als solche anerkannte, war mit schwerem Gepäck versehen. Er lobte die Latinität, Vernunft und Leichtigkeit und sogar die Psychologie als Vorzug französischer Bücher. Der Text ist ausgelöst von Feuchtwangers Programm »Vom Sinn des historischen Romans«, aber er benötigte keinen ihn provozierenden programmatischen Anlass, denn die Beispiele der historischen Romane häuften sich, Heinrich Mann hatte den ersten Band seines zweibändigen »Henri Quatre« veröffentlicht, Hermann Kesten über »Ferdinand und Isabella« geschrieben, Joseph Roths »Radetzkymarsch« war bereits erschienen, und Lion Feuchtwanger schrieb einen Welterfolg nach dem anderen im geschichtlichen Kolorit.

Mit den Bemerkungen *Historie und kein Ende* war nur der Anfang einer theoretischen Begründung seines Verhältnisses zum geschichtlichen Stoff gemacht. Nach einem entsprechenden Vortrag im SDS, Oktober 1936, suchte er in dem Essay *Der historische Roman und wir* nach größerem Landgewinn. Der Essay ist eine Selbstverständigung noch ziemlich am Anfang der Niederschrift des *Amazonas*-Romans. Zum letzten Mal sollte er eine Theorie seines Romans begründen.

Der Umfang des Essays übersteigt den vorangegangenen um ein Mehrfaches. Döblin hatte auch, ohne von ihr ausdrücklich zu reden, die literaturpolitische Orthodoxie Moskauer Herkunft im Blick. Er ging zurück bis zu einer Epik, die *Mitteilungsform, die Verbreitungsform und die Aufbewahrungsform für wirklich abgelaufene Vorgänge* gewesen sei. Davon leitete er ein Bündnis zwischen Autor und Leser ab, die Brücke *eines Als ob, einer Scheinrealität,* einer imaginären Gemeinschaft. Es handelte sich um eine von Ironie durchsetzte Rechtfertigung des historischen Romans gegenüber der *Mischgattung* der Biographie und dem falschen Wahrheitsanspruch des Geschichtsschreibers, denn *der Historiker hängt sich einen weißen Bart um und mimt: Weltgeschichte ist Weltgericht.* Döblin widersprach der marxistischen Widerspiegelungstheorie. Nicht ohne saloppe Grazie behauptete er, *der geschichtliche Roman ist erstens Roman und zweitens keine Geschichte.* Die auch schon damals abgelebte Frage, ob der Autor ein Schriftsteller oder ein

Dichter sei, beantwortete er mit einem mutwilligen Coup: er verstand ihn als *Wissenschaftler.* Im übrigen setzte seine Schnoddrigkeit ein: bei den Autoren unterschied er *Aufgeweckte und Eingeschlafene.* Der gute Autor habe in sich einen fein entwickelten *Resonator: Mit jedem gelungenen Werk ist wieder einmal die Erde größer geworden, unser Reichtum ist vermehrt, eine neue Kolumbusfahrt ist geglückt, ein neues Indien entdeckt.*

Zwischen hohem Ton und ironischer Untertreibung des poetologischen Anspruchs pendelnd, visierte er mit diesem Essay eher das übernächste Großwerk, *November 1918,* an als die südamerikanischen Stoffmassen. Auf den Chronisten des zeitgeschichtlichen Schlüsselereignisses bezog sich am treffendsten die Formel *von der Parteilichkeit des Tätigen.* Mit der Veröffentlichung des Textes in der Moskauer Zeitschrift »Das Wort« im Oktober 1936 hatte er sein Publikum erreicht: Nirgendwo anders hätte Döblin die außengeleiteten Ansprüche an den Autor mit größerem Aplomp zurückweisen können.

PROMETHEUS

Noch einmal suchte Döblin sein Romanwerk theoretisch zu begründen. Er schrieb den grundsätzlichen Essay *Prometheus und das Primitive,* der etwas entstellend verkürzt und verspätet Anfang 1938 in der Zweimonatsschrift »Maß und Wert« erschien. Ihr Redakteur war Ferdinand Lion, von dem Döblin zu diesem Zeitpunkt so gut wie nichts hielt – und es auch auszudrücken wusste. Döblin beschwerte sich bei ihm Januar 1938 über die Behandlung und bezeichnete den Adressaten als einen unsicheren Kantonisten, sogar als Wetterfähnchen, das seine Richtung nach dem stärksten Wind ausrichtet. Damit meinte er Thomas Mann, den Herausgeber der Zeitschrift.

Der Essay *Prometheus und das Primitive* gehört zu Döblins am meisten erhellenden Aussagen im Exil. Wie schon im *Wallenstein* ging es ihm um eine Wiederanknüpfung an die Thematik von Handeln und Nichthandeln, Geschichtlichkeit und Außergeschichtlichem. Eine großgeartete Archetypik der Gegensätze wird entworfen, die Zeitdiagnose ist eingespannt in einen riesigen Bogen, der bis zum Ursprung der Menschheit in der Bibel reicht. Der Mensch, der sich von der Natur löst und ihr entgegentritt, ist die Ausgangsfigur seiner Überlegungen. *Die Ahnung von der erlittenen Trennung, Ablösung, Aussonderung wohnt allem Lebendigen inne.* Das Wissen um den verlorenen Ursprung erzeugt zwei unterschiedliche Haltungen: einerseits den prometheischen Willen zu Tätigkeit und Gestaltung, andererseits die Versenkung, »Mystik«, Religion, *das Primitive*. Der prometheische Antrieb ist der vorherrschende; er steht ganz am Anfang der Bibel. Durch eine Schuld hat sich der Mensch vom Urgrund, von Gott gelöst, hat er die Dinge in die Hand genommen. *Kämpfen, Unterwerfen, Ansammeln von Reichtümern* ist die Devise des prometheischen Stolzes. Das Christentum ist der Ausdruck des Ungenügens an diesem Typus, es sammelt um sich viel Heidnisches, Primitives, Wissen um den Ursprung, bleibt als Gegenpol erhalten. Das Prometheische hat sich auf dem Weg vom Mittelmeer ins Zentrum Europas zunehmend in eine abstrakte Größe verwandelt, hat einen *skelettartigen, ja schattenhaften, nihilistisch vereisten Menschen* hervorgebracht. Es entsteht der absolute Staat mit seinen zwanghaften Kollektivismen, es ist *die Verkümmerungsepoche der Menschen*. Ein solches Gebilde der Macht ist schwach, neigt zum Zerfall und stützt sich deshalb auf Surrogate aus der anderen Sphäre: Propaganda, Massenveranstaltungen, inszenierte Ideologie. Das ist der Totalitarismus: *Es laufen lauter kleine Tyrannen herum, armselige Menschen in der Toga der Cäsaren, ein entsetzliches Maskenfest. Sie wissen jetzt nur noch gelegentlich von sich, kommen an ihre inneren Güter, an ihren eigentlichen Umfang nicht mehr heran. Es ist Veräußerlichung und Verrohung. Hier haben wir Barbarei als Resultat eines entarteten prometheischen Impulses.* Dieser tyrannische Staat setzt brachliegende mystische Reste ein, eine *Masse der Hirnblüten, die sich mythisch gebärden*, erklärt die Nation für heilig, zielt auf Agitation. Der Verlauf des anthropologischen Bogens, den Döblin spannt, gilt der Kritik der instrumentellen Vernunft, die sich zu ihrer Selbsterhaltung pseudoreligiöser Vorwände bedient und die im diktatorischen Staat ihren Kultraum findet. Nicht irgendeine weitere Faschismus-Theorie wollte Döblin liefern, sondern ein Modell von der Entstehung des totalitären Staats. Auch wenn man einwenden kann, dass die Polarität von Vernunft und Glaube zu glatt durch die Jahrtausende buchstabiert wird, bleibt doch eine staunenswerte Prägekraft des Essayisten.

Wie immer waren für den Essayisten Döblin die aufgeworfenen Fragen mit der Veröffentlichung des Textes nicht stillgestellt. Er arbeitete weiter daran: es gibt im Nachlass eine umfänglichere Fassung des Textes, die nach der Publikation in »Maß und Wert« entstanden sein muss. Und wie immer, wenn dem Essayisten der Romancier ins Wort fällt: der epische Raum schluckt den essayistischen. Döblin hat die Langfassung von *Prometheus und das Primitive* irgendwann aufgegeben.

EINBÜRGERUNG

Döblin hatte bei seiner Einreise für sich und seine Familie ein zweijähriges Aufenthaltsvisum erhalten. Allmählich gewann er Frankreich auch angenehme Züge ab, selbst wenn der Vorbehalt immer noch mitsprach: *So schön, so wirklich schön der Zug vieler Straßen mit den Gärten und vielen Denkmälern, etwas Ferienmäßiges liegt eigentlich trotz aller Lebendigkeit dauernd über dieser Stadt mit den Terrassen der Cafés voller Menschen.* André François-Poncet, den Döblin wie auch Heinrich Mann schon als Botschafter Frankreichs in Berlin kennengelernt hatte, schob einen außergewöhnlichen Verwaltungsakt an, der am 16. Oktober 1936 seinen krönenden Abschluss fand: An diesem Tag erhielt Alfred Döblin mit Frau und Kindern, soweit sie im Lande lebten (also alle außer Peter), die französische Staatsbürgerschaft. Das war ein großer Erfolg: Heinrich Mann, Bewunderer des Landes, am Ende der Weimarer Republik fast schon in halbdiplomatischer Mission, Leitartikler der »Dépêche de Toulouse« und über dessen Herausgeber mit dem Innenminister der Volksfrontregierung bekannt, wurde die Gunst nicht gewährt. Auch Lion Feuchtwanger blieb trotz seines Weltruhms diese Ehre verwehrt. Mit Döblin wurden wohl nur fünf emigrierte Vertreter der Kulturszene auf diese Weise ausgezeichnet: Annette Kolb, Bruno Walter, Friedrich Wilhelm Foerster und Siegfried Trebitsch.

François-Poncet hatte als Botschafter sein ganzes Gewicht in ein Empfehlungsschreiben vom 25. Juni gelegt. Man hatte keinen Rechtsanspruch auf die französische Staatsbürgerschaft, sie blieb Ermessenssache der Behörden. Bedingung war ein dreijähriger Aufenthalt im Land, ein Nachweis über Mittel zur Existenzsicherung, ein Leumundszeugnis. Es gab eine zehnjährige Bewährungsfrist, die in wenigen Fällen auf ein Jahr verkürzt wurde. Dabei kamen die Söhne Döblins ins Spiel. Die Einbürgerung war mit einer Verpflichtung verbunden: Wolfgang und Klaus mussten in der französischen Armee dienen. Das war für die Eltern und die betroffenen Söhne anscheinend selbstverständlich: kein Wort eines pazifistischen Einspruchs oder der Klage darüber ist bekannt. Klaus wurde im Oktober 1937, Wolfgang im November 1938 eingezogen.

1937

Im Februar 1937 hatte der Gedanke der Volksfront noch eine gewisse Schlagkraft. Döblin war durchaus eine intellektuelle Größe, der sich die Dogmatiker nähern wollten. F. C. Weiskopf hatte sich im Mai 1935, einige Wochen vor dem in Paris stattfindenden »Internationalen Kongreß zur Verteidigung der Kultur« im »Gegen-Angriff« um Sachlichkeit gegenüber Döblin bemüht und die diffamierenden Angriffe von Albin Stübs konterkariert. Werner Türk verurteilte in der »Neuen Weltbühne« im April 1936 zwar den jüdischen Neoterritorialismus, meinte aber den Autor in den Umkreis des antifaschistischen Kampfes eingemeinden zu können. Wie sehr man Döblin (vermutlich auch einem Regiehinweis Brechts folgend) umarmen wollte, zeigt die Tatsache, dass Döblins Essay *Der historische Roman und wir* in der Moskauer Zeitschrift »Das Wort« veröffentlicht wurde.

Das Wechselbad von Verwerfung und Vereinnahmung durch kommunistische Taktik hielt an, solange der Volksfront-Gedanke noch nicht ausdrücklich dementiert war. Döblin nahm seine Rolle als Antipode der marxistischen Literaturdogmatik ernst. In seinem Konfrontationskurs ließ er nicht nach. Im Februar 1937 beispielsweise lancierte er eine Attacke auf den sozialistischen Literaturtheoretiker Georg Lukács. Der hatte im »Wort« eine »These über den Niedergang des bürgerlichen Realismus« und in der »Internationalen Literatur« im November 1936 einen Aufsatz über »Erzählen oder Beschreiben. Zur Diskussion über Naturalismus und Formalismus« veröffentlicht. Da fand sich der Polemiker Döblin in seinem Element. Bei ihm selbst habe sich nach der Lektüre *eine große Ermattung* eingestellt, die *Durchsichtigkeit seiner Gedankengänge* habe durch Lukács' Wechsel zum Marxismus nicht gewonnen, er bemühe sich darum, *einfache Dinge dunkel und wissenschaftlich* darzustellen. Lukács mache *eigentlich alle Literatur seit Flaubert und Zola* nieder, auch die Naturalisten würden abgekanzelt. Die gesamte Moderne sei für ihn verkehrt, da sie mit isolierten Menschen, nicht mit Gesellschaftswesen arbeite. *Hol mich der Teifel, soll er sich doch seine Gedichte, Dramen, Romane allein schreiben.* Und er spottete obenhin, Lukács halte es mit Oblomow: *Ja, in einem staubigen Winkel liegt er, und mit einem Druckbogen aus dem »Kapital« von Marx glaubt er, sich zudecken zu können.* Er sprach ihm die Fähigkeit ab, sich über die aktuell entstehende Literatur äußern zu können. Der frische Geist der Frechheit und der Rebellion mustert die Kanzelreden des literaturpolitischen Kanonikers. Lukács nahm die Gelegenheit wahr, sich wiederum Döblin mit seinem Essay *Der historische Roman und wir* auf seine Weise vorzunehmen.

Döblin unternahm in diesem Jahr erneut einen literarischen Anlauf, sich beim Film verwendungsfähig zu machen. Er hat Ende April 1937 ein Exposé *Natascha macht Schluß* an Julius Marx, den Leiter eines Filmverlags, nach Zürich geschickt. Er arbeitete immer wieder schon seit 1935 daran. Mit seinem Entwurf verlängerte er die ironisch-groteske Innensicht auf das Pariser Emigrantenleben und schloss in dieser Stimmung an den Roman *Baby-*

lonische Wandrung an. Aber die Mühe, die er sich gab, hat sich nicht gelohnt. Das Projekt blieb auf der Strecke.

Er hatte für sich das Gefühl, dass er *wieder erheblich ins Dunkle* gesunken sei; in der Emigration machten sich andere breit und Literaturkritik als Distinktionsorgan sei nicht vorhanden. Döblin schloss sich Leopold Schwarzschild, dem Herausgeber der Zeitschrift »Das Neue Tage-Buch«, enger an. Er unterzeichnete den Gründungsaufruf für einen »Bund freie Presse und Literatur« – neben Bruno Frank, Walter Mehring, Konrad Heiden, Hermann Kesten und Hans Sahl. Die antikommunistische Gruppe wurde Mitte Juli 1937 im Pariser Café Biard von 24 Autoren gegründet und sollte auf rund 60 Mitglieder anwachsen. Es ging vor allem um die Verteidigung der Geistesfreiheit, um politisch unabhängige Positionen, gegen die kommunistische Infiltration der Exilorganisationen, vor allem des SDS. Aber diesen Furor Leopold Schwarzschilds, der in dieser Zeit – nach einem Wort Ludwig Marcuses – sich wie später der Kommunistenjäger McCarthy gebärdete, wollte Döblin nicht mitmachen: *Wir sind ein nicht-kommunistischer Verband, aber kein antikommunistischer. Wir haben Anti-Kommunisten unter uns, (aber) das ist ihre Privatsache.* Klaus Mann zog seine Unterschrift nach Intervention seines Onkels Heinrich Mann, der in den Aktivitäten Schwarzschilds nur eine Aktion zur Zerstörung seiner eigenen Bemühungen um eine deutsche Volksfront sah, wieder zurück. Damit fanden sich Döblin und Heinrich Mann in getrennten Lagern wieder, was ihrer gegenseitigen Wertschätzung aber keinen Abbruch tat. Döblin war nie ein Anhänger der deutschen Volksfront, diesem Konzept Heinrich Manns, das im Kern die Zusammenarbeit der beiden Linksparteien vorsah, wodurch diese sich auch – ein gravierender idealistischer Irrtum des Autors – erneuern sollten. Anfang Juli war Döblin von Schwarzschild zur Mitarbeit am »Neuen Tage-Buch« aufgefordert worden, und er schickte ohne Zögern einen Bericht vom *Anthropologen-Kongreß*, der Mitte August 1937 in dieser am meisten angesehen aller damaligen Exilzeitschriften erschien. Zwei Monate später folgte Döblins *Kleines Märchen*, eine Satire aus dem Lande Maulfaul, in dem das Heroische besonders geschätzt wird. Es handelt sich um eine leichthändige Philippika gleichermaßen gegen Nazis und Stalinisten.

Paris oder Frankreich überhaupt ist zum Leben schön, aber zum Verdienen nichts. Umgang hatte er, seitdem er nicht mehr in Maisons-Laffitte wohnte, vor allem mit Hermann Kesten, Arthur Koestler, Manès Sperber und Joseph Roth, Ywan und Claire Goll sowie Kurt Kersten. Diese Kollegen ließen sich schwerlich auf die gleiche Linie bringen; Döblin hat wie immer politisch gemischte Gesellschaft gesucht.

Bei Döblin machten sich gesundheitliche Probleme bemerkbar. Er klagte über Schmerzen im rechten Arm, die er als rheumatische Beschwerden deutete. Ende Juli fuhren die Döblins ins Thermalbad Bagnères-de-Luchon im Department Haute-Garonne. Vorübergehend scheint eine Linderung eingetreten zu sein, aber die Schmerzen kehrten in Amerika stärker zurück. Von Luchon aus besuchte das Paar Lourdes, wo wenige Jahre später Franz Werfel sein Gelübde tat. Er machte August/September einige Wochen lang mit seiner Frau in La Baule/Bretagne Urlaub. Er musste am 18. September 1937 erneut seinen Sohn Peter trösten: der hatte seine Arbeitsstelle verloren, fand aber im Dezember 1937 schon wieder einen Job als »Buchentwerfer«.

Döblin hatte im September mit Neuigkeiten von seinen Territorialisten aufzuwarten: *Von unserer territorialistischen Gruppe geht nun endlich bald die erste Expedition ab, sie sucht in den französischen Kolonien Neu-Kaledonien und später in Guana (Südamerika).* Über Ergebnisse ist nichts bekannt. Lauter abgerissene Nachrichten aus einem turbulenten Jahr.

FREUND ROBERT MINDER

Im September 1937 kam es zu einer Begegnung, mit der eine 20-jährige Freundschaft beginnen sollte. Der 24 Jahre jüngere Germanist Robert Minder hatte einen Aufsatz über Döblin geschrieben, und diese zwölf Druckseiten umfassende Deutung bot ein Mehrfaches an Eindringlichkeit von dem, was der Autor von der Literaturkritik üblicherweise erfuhr. Er antwortete, sichtlich beeindruckt und bewegt: *Es ist doch eine merkwürdige Freude für einen Autor, sich so ernst betrachtet zu sehen; man schreibt die leisen und flüchtigen Dinge hin, die einem kommen und die man gerade erwischt, man haut so oft vorbei, und nun wird es da ausgebreitet, hat einen Grund, hat Beziehung nach vorn, rechts, links, merkwürdig. Ich kann Ihnen nur für Ihren eindringenden Blick und die Vorsicht, mit der Sie mit mir umgehen, danken.* Minder vermittelte ihn gerne an seinen Bekanntenkreis, öffnete ihm einige Türen. Er hat Versuche unternommen, ihn mit Simone de Beauvoir, Jean-Paul Sartre, Jules Romains und Jean Wahl bekanntzumachen. Minder meinte, Sartre habe den Rang Döblins noch aus den unzulänglichen Übersetzungen der drei Romane, die damals erschienen waren, geahnt, aber ihr Verfasser sei zurückhaltend geblieben: »Von vornherein fühlte er sich infolge ungenügender Sprachkenntnis französischen Partnern gegenüber unter dem eigenen Niveau, verkrümelte sich, schwieg.« Jean Wahl war Kierkegaard-Experte, aber auch bei ihm sprang kein Funke über. »Merkwürdiger ist der mangelnde Kontakt zu James Joyce, der als irischer Einsiedler seit Jahren in Paris lebte. ›Wir sahen uns an und schwiegen‹, berichtete Döblin nach dem ersten und einzigen Besuch.« Döblin hielt Vorträge an verschiedenen französischen Universitäten, im Wintersemester 1937/38 wurde *Berlin Alexanderplatz* zur kanonischen Lektüre für französische Germanistikstudenten. Döblin berichtete (am 16. Oktober 1937) stolz über diese Wahl. Minder hatte 1936 seine Habilitationsschrift über Ludwig Tieck vorgelegt und war stark am französisch-deutschen Literaturaustausch interessiert. Er hatte als Student an den legendären Kulturtagen in Pontigny teilgenommen, war außerdem sehr bewandert in der Psychoanalyse, zumal er sich dreimal einer solchen unterzogen hatte. Es dürfte auch auf eine Anregung Minders zurückgehen, dass Döblin 1939 zum zweiten Mal in der Sorbonne, diesmal über psychoanalytische Probleme, sprach.

Döblin wurde in Frankreich zwar als europäischer Autor angesehen, aber sein Werk war in Frankreich weitgehend unbekannt geblieben. Das änderte sich durch die Freundschaftsdienste Robert Minders ein wenig. Er lud Döblin ein, in der Société des Études Germaniques über literarische und politische Erinnerungen aus Berlin zu sprechen. Fürs Literarische kam Döblin auf Herwarth Walden zurück, fürs Politische auf die Novemberrevolution. Die Freundschaft zu Robert Minder wurde zu der für ihn in Frankreich wichtigsten und zuverlässigsten Verbindung. Fortan wurde der französische Germanist nicht müde, sich für Döblin einzusetzen, ihn zu beraten und ihm Wege zu ebnen. Er hat sich unschätzbare Verdienste um den Schriftsteller erworben.

BILD

Robert Minder hat den Pariser Emigranten mit wenigen Strichen treffend porträtiert: »Den Verfasser von *Berlin Alexanderplatz* stellt man sich häufig genug als Gift und Galle speiend, hemdsärmelig randalierend vor. Döblin war anders: klein, zierlich gebaut, urban abwartend in seinem Verhalten, nicht ohne Eleganz, mit ironisch geschürzten Lippen und einer typischen Haltung, den Kopf leicht zurückgelegt, hinhorchend und zugleich selbstbewußt, als sei er im Begriff immer gleich loszukrähen, was er im engeren Kreis mit jungenhafter Provokation gern und ausgiebig tat. Die Augen hinter dicken Gläsern; der Blick teils scharf beobachtend, teils abwesend: der Kurzsichtige mußte sich erst mühsam an die Außenwelt herantasten, die er begierig mitschwingend durch alle Nüstern und Poren aufnahm und die doch letzten Endes aufging in der übermächtig hervorquellenden inneren Vision. Unter der Berliner Munterkeit und Härte lag die tiefere Schicht: etwas Leises, in sich Ruhendes, der mystische Kern, um den sein eigenstes Wesen kreist.«

ABKEHR VOM VERFASSTEN JUDENTUM

Zweifel am Sinn seines Engagements begleiteten Döblin von Anfang an. Schon im Mai 1934 war er gegenüber Ferdinand Lion in einen scharfen Ton aggressiver Enttäuschung verfallen: *Sie raten mir zur Historie? Aber die verfluchten Juden mag ich nicht, man erlebt nur Enttäuschungen mit ihnen, sie sind ein verruchtes heilloses Volk, glauben Sie mir, es sind gerissene bequeme Kerle, eine völlig andere Bande als in der Bibel steht, sie haben sich völlig mit den Propheten ausgegeben, jetzt laufen nur Ketzer herum, aber ohne Format, es reicht nur zum Teppichhandel und betrügerischen Bankrott, was soll ich damit?* Der Ausbruch an jüdischem Selbsthass vom Mai 1934, hier noch einmal zitiert, mag ein Einzelfall sein, aber er beleuchtet doch die Düsternis des Misserfolgs und der Vergeblichkeit, in der Döblin als Funktionär von O. R. T. gesteckt hat. In seiner Tätigkeit für die jüdischen Organisationen schwingt immer auch der Zweifel an ihrer Wirksamkeit mit. In vielen Texten hallt der Widerruf der Assimilation nach. Aber genau diese Polemiken zeigen doch nur: Döblin konnte sein Deutschtum nicht abstreifen, er war kein Jude von früh auf. Ins Hebräische versuchte er in Paris einzudringen und nahm Unterrichtsstunden, aber weit ist er nach eigenem Bekunden nicht gekommen. Die Sprache, die noch seine Mutter beherrscht hatte, war ihm nicht geläufig, die heiligen Texte waren ihm kaum bekannt, vom Alten Testament abgesehen. Mit Talmud und Thora war er unvertraut. Er las die historischen Quellen des Judentums, wie er seine Romane vorbereitete; er vertiefte sich unsystematisch ins Material, bis die Bilder auflebten. Er orientierte sich an zwei Standardwerken, die sich in seiner Bibliothek befanden: an der elfbändigen »Volkstümlichen Geschichte der Juden« von Heinrich Graetz und an Simon Dubnows »Weltgeschichte des jüdischen Volkes«, einbändig. Diese Klassiker prägten im wesentlichen seine Auffassungen. Die Territorialisten wurden auch »Jiddischisten« genannt, aber gerade das Jiddische war Döblin unvertraut; er muss sich sprachlich wie ein Ausländer vorgekommen sein.

Döblin ruhte nicht eher, bis er im Auftrag seiner Organisation nach Holland zu einem Besuch bei Nathan Birnbaum reisen konnte. 1937 kam er nach Scheveningen, wo der Publizist mit seinem polemischen Talent, seiner Debattierlust und seiner verwegenen Einseitigkeit bei seinem Sohn Menachem wohnte. Es scheint, als suchte Döblin in dem anderen sich selbst zu begegnen. Aber er kam zu spät. Er fand einen sterbenskranken alten Mann vor, der zwar noch Interesse für Döblins Arbeit aufbrachte, aber sich nicht mehr richtig verständlich machen konnte. Birnbaum konnte nur noch flüstern, das angekündigte Gespräch beschränkte sich auf den Austausch von Stichworten. Döblin gab in wenigen Sätzen ein eindrucksvolles Porträt dieses Weltweisen und Polemikers: *Ich habe einen großen wachsbleichen Alten angetroffen, ausgezehrt wie ein Skelett. Er lag in einem Gewand auf einer Chaiselongue. Er hatte einen riesigen Bart. Gleich mit dem ersten Blick habe ich gesehen, daß es keine Hoffnung mehr gab. An den beiden Tagen, die ich dort verbracht habe, ließ sich keine ernsthafte Verbindung mehr mit ihm anknüpfen, wie ich mir das gewünscht hatte.* Nathan Birnbaum starb am 2. April 1937, und Döblin schickte ihm einen bewegenden Nachruf hinterher, der erstmals auf Jiddisch in einer Warschauer Zeitung erschien: *Ein Anreger, ein Aufbrauser, ein Antreiber, ein Richter und ein Lehrer,* auch ein Ahasver sei dahin. In dieses Porträt hat Döblin viel Eigenes gegeben.

Döblins Engagement für die Siedlungsbewegung kann man als einen Dienst der Treue ansehen: er wollte einen Beitrag leisten angesichts der nationalsozialistischen Bedrohung. Vielleicht beflügelte ihn auch zeitweilig die Hoffnung, doch in die Welt seiner Vorfahren eindringen zu können. Die Reise nach Polen hatte ein Jahrzehnt zuvor ja keine entscheidende Nähe erbracht. Aber Döblin hatte den Rückweg zum Judentum mit so viel moralischen Kautelen und Ansprüchen versehen, dass die Wanderung als Aufgabe für ihn geradezu zwingend war. Seine Juden sollten in der Welt siedeln und gleichzeitig sich innerlich wandeln, praktische Tätigkeit und kontemplative Arbeit verrichten, sich kulturell erneuern. Wie hätte das in den existentiellen Notlagen, in denen sich das Judentum befand, geleistet werden können? In diesem Anspruch lag eine – geradezu protestantische – Überforderung.

Das Thema des »Territorialismus« verlor an persönlicher Bedeutung, als Döblin und seine Familie im Oktober 1936 in Frankreich eingebürgert wurden: *Ich reiste, schrieb und sprach für diese Bewegung. Aber ich blieb draußen. Meine Worte bedeuteten hier nichts, und ich empfing nichts. Wieder eine Fahne, die ich nicht halten konnte.*

Döblins Rückzug aus Ämtern und Dienst war nach Birnbaums Tod, nach dem Verlust dieses energetischen Zentrums, beschlossene Sache. Auf oder nach der vom 12. bis 14. November 1937 in Paris stattfindenden Territorialisten-Konferenz scheint er sich abgewendet zu haben. Aber der Abschied war schon innerlich vollzogen, gleichsam in den Akten seines früheren Einst abgelegt, als er Ende Januar 1938 an Viktor Zuckerkandl geradezu unbeteiligt buchhalterisch schrieb: *Recht ab bin ich vom Jüdischen; ich habe wirklich ak-*

tiv und praktisch viel Zeit dran gegeben; von hier aus sehe ich keine Möglichkeit, da einen Einfluß zu üben. Es ist und bleibt der Kernpunkt: die Juden wollen nicht, sie können auch nicht wollen; die Heilung: welch Kapitel. Seinen publizistischen Abschied von seinem jüdischen Engagement veröffentlichte er wiederum vier Monate später, am 5. Mai 1938 in der von Richard Thalheimer herausgegebenen Zeitschrift »Ordo«; er besteht in einer Attacke gegen *erbärmliches Intrigantentum, Faulheit, Doppelzüngigkeit und den erschütternden Unernst.* Die Heftigkeit der Wortwahl weist auf seine Enttäuschung, wohl auch auf schlechtes Gewissen, hin. Er wurde pauschal: *Ränkeschmiede, Maulhelden, Politikaster, Stellenjäger drängen sich vor und beherrschen das Terrain.* Gerade mit seiner drastischen Wortwahl blieb er: Sehr viel Mühe hat sich Döblin mit der Begründung seines Abschieds nicht gemacht.

Sein Engagement für die Siedlungsbewegung hatte ihn in ähnliche Schwierigkeiten gebracht wie bei der Polenreise. Die Bewegung für eine nichtstaatliche Vereinigung von Juden in großen Siedlungsräumen machte ihn zum Außenseiter: zwischen den Fronten, zwischen östlicher Orthodoxie und Zionismus wollte er einen dritten Weg sondieren, der allein schon durch den Antisemitismus des »Dritten Reiches« immer weniger sichtbar war. Merkwürdig, wie wenig er Palästina und die dort lebenden Vertrauten auf der Rechnung hatte. Zu dem ganzen Komplex, der sich aus seelischen Tatsachen und Überzeugungen, utopischen Momenten, Glaubensbereitschaft, Fluchten aus der bedrohlichen Wirklichkeit und Erwartungen an eine Religion zusammensetzt, zog er anscheinend weder Martin Buber noch Arnold Zweig oder jemand anderen zu Rate.

Es gibt überdies eine denkwürdige Parallele zwischen dem Romancier und Döblin als Organisator in O.R.T.: Den Abschied vom organisierten Judentum vollzog er, als er die *Amazonas*-Trilogie weitgehend abgeschlossen hatte. Über das Scheitern der Republik am Paraná wurde ihm wohl auch die Sachlage des jüdischen Territorialismus klar, der Erzähler half dem Organisator auf die Sprünge. Wahrscheinlich lehrte ihn die Auseinandersetzung mit der Jesuitenrepublik, dass die jüdische Siedlungsbewegung angesichts des aggressiven Antisemitismus ohne militärische (damit auch staatliche) Macht nicht lebensfähig war. Vielleicht hat er aus seinem Roman etwas über das Irreale seiner praktischen Pläne für das Judentum gelernt und seine Ablehnung des politischen Zionismus gemildert.

Döblins Verhängnis aber bestand wohl vorwiegend darin, dass er als deutscher, gar als »preußischer« Jude die Grundtatsache, ein Assimilierter zu sein, und das in seiner äußersten Steigerungsform, als grandioser deutscher Schriftsteller, tilgen wollte, um seine Solidarität zu erweisen. Ein unlösbarer

Konflikt, den er nur mit Verbalradikalismus, einmal in die eine, einmal in die andere Richtung, überdecken konnte. Auch die Schmähung der jüdischen Assimilation ist ein polemisches Ostinato gegen seine eigene Existenzform und kulturelle Aura, die er damit nicht löschen konnte.

STREIT UM DÖBLIN

Johannes R. Becher hat sich bemüht, im ideologischen Richtungsstreit um Döblin eine Befriedung zu erzielen. In einem Aufsatz, den er im Februar 1938 in der »Deutschen Zentral-Zeitung« (Moskau) veröffentlichte, erwähnte er Döblin als einen jener antifaschistischen Autoren, die den allmählichen Übergang zum Realismus vollziehen würden, und der sei die vorherrschende Richtung jener Schriftsteller, »die in der Volksfront vereinigt sind«.

Die eigentlichen Propagandisten einer Verständigung mit Döblin waren jedoch Bruno Frei und Julius Hay. Frei, früher Redakteur des »Gegen-Angriffs«, zeitweilig im Parteiauftrag in Paris lebend, dort Sekretär des wiederbelebten SDS, berichtete am Ende Januar 1938 sehr erfreut über einen Vortrag, den Döblin im SDS gehalten hatte. Er verzerrte, ganz im Sinne der kommunistischen Bündnispolitik, die Aussagen Döblins geradezu idealtypisch: Alle Passagen, in denen der Autor seine grundsätzliche Gegnerschaft zur marxistischen Literaturauffassung dargestellt hatte, blieben ausgeklammert, wurden verschwiegen zugunsten des eingemeindenden Formelvorrats vom »kämpferischen Humanismus« und der antifaschistischen »Einheitsfront«. 1938 war die deutsche Volksfront als politisches Konzept von der KP (sprich: von Stalin) schon aufgegeben, aber als Bündnispolitik sollte sie im literarischen und intellektuellen Exil weitergeführt werden – eine gewisse Verlagerung des Rayons.

Julius Hay hat sich gar zweimal aufgemacht, um der KP Döblins Werk schmackhaft zu machen. Er besprach den *Blauen Tiger* in der »Internationalen Literatur« und schrieb eine Glückwunschadresse zum 60. Geburtstag Döblins in der »Deutschen Zentral-Zeitung«. Er rückte die dogmatischen Zerrspiegel aus der »Linkskurve« und 1934 aus den »Neuen Deutschen Blättern« ins Abseits und betrieb geradezu ein Dementi jener Propaganda. Er bewertete in der »Deutschen Zentral-Zeitung« Döblin als Anwalt der Unterdrückten: »Seine Kenntnisse von den tausend Qualen des proletarischen Lebens und der kapitalistischen Gesellschaft erweckten in ihm schon lange vor dem erschütternden Erlebnis des Ausbruchs der Barbarei in Deutschland ernsthafte Sympathien für die politischen Kämpfe des Proletariats.« Das war nun deutlich ein Widerruf. Döblin bewegte sich nach seiner Auffassung unweigerlich auf dem richtigen Weg hin zum »sozialistischen Realismus«. Anscheinend wollte er jene Verdammungsurteile widerrufen, die seit den Tagen des BPRS Döblins Bild entstellt hatten; anders kann man sein Plädoyer nicht verstehen. Doch die Keime, die Julius Hay via Moskau gepflanzt hatte, sollten nicht mehr aufgehen: die Eingemeindung Döblins in den Sozrealismus blieb ein unvollendetes Werk.

Am Expressionismusstreit hat sich Döblin nicht beteiligt. Mit Kriegsausbruch wurden die Bemühungen der KP um kulturelle Sammlung der Kräfte abgebrochen. Dazu kam es nicht mehr, der Hitler-Stalin-Pakt verhinderte es, und die 19 Artikel, die sich allein im »Wort« mit dem Expressionismus-Streit befassten, fanden keine Fortsetzung. Döblin war für die Frontbegradigung durchaus empfänglich, auch wenn er von seinen Auffassungen nichts zurücknahm.

DEUTSCHE LITERATUR IM AUSLAND

Mitte Januar 1938 hatte Döblin zum fünften Jahrestag der Neugründung des SDS im Exil seine in Moskau beachtete Rede über *Neuerscheinungen der Emigranten-Literatur* gehalten. Er konnte auf zahlreiche Bücher zurückgreifen, die er besprochen hatte. Es lag nahe, die dort oft nur angerissenen Behauptungen und die Skala der Beispiele zu erweitern. Im November des gleichen Jahres erschien dann seine 62-seitige Broschüre über *Die deutsche Literatur (im Ausland seit 1933)* im Pariser Verlag Science et littérature.

Kesten hatte die gleichen Auffassungen über die Emigrationsliteratur wie Döblin: Es gibt sie nicht als eine eigene Kategorie. Beide Autoren hatten den gleichen Gewährsmann: den holländischen Literaturkritiker Menno ter Braak, der sich mit seinem großgearteten Engagement für die deutsche Gegenwartsliteratur auch das Recht herausgenommen hatte, die Exilautoren zu kritisieren. Sie erschienen ihm zu selbstvergessen und zu rigoros auf das Nazireich bezogen. Im Gegensatz dazu umriss er eine europäische Sendung der deutschen Literatur und polemisierte Ende 1934 in Schwarzschilds Zeitschrift »Das Neue Tage-Buch« gegen eine Selbstbescheidung der literarischen Emigration. Schroff wandte er sich gegen den von ihm konstatierten »Provinzialismus« der Exilanten und erzeugte mit seiner Schärfe manche Friktionen. Döblins Äußerungen über *Deutsche Literatur im Ausland* sind ohne Kenntnis des ter-Braakschen Furors nicht zu denken. Der holländische Literaturkritiker und Essayist, mit Thomas Mann befreundet, hat für seine Liebe zur deutschen Literatur den Höchstpreis bezahlt: Beim Einmarsch der Wehrmacht

1940 hatte er für sich mit dem Konzentrationslager zu rechnen und nahm sich das Leben.

Döblin fasste die Bilanz und Rechenschaft über ein halbes Jahrzehnt Exilliteratur als einen *Dialog zwischen Politik und Kunst* auf. Er ging vom Riss aus, der die deutsche Literatur seit Hitlers Machtantritt teilte, aber er wollte ihn nicht nachzeichnen, sondern andere Beobachtungen darüberlegen. Schon eine Umwidmung nach wenigen Anfangssätzen weist darauf hin: als Emigrationsliteratur wollte er lieber die Bücher der in Deutschland verbliebenen Autoren bezeichnen. Er sortierte die deutschen Schriftsteller ein wenig schematisch und holzschnittartig nach drei Gruppen: erstens *eine konservative mit feudalistischen, agrarischen und großbürgerlichen Zeichen,* worunter er die völkischen Autoren, aber auch Walter von Molo und Ricarda Huch einreihte, also nicht durchweg Nazis; zweitens eine *mittlere Gruppe mit fortschrittlicher Tendenz, bürgerlich versöhnlich,* das Gros mit den Brüdern Mann, Gerhart Hauptmann, Hofmannsthal, Schnitzler, Wassermann, die wohltemperierten Inhaber des deutschen Kulturerbes; drittens eine *geistesrevolutionäre Gruppe, sehr gegenwärtig, bald politisch, bald unpolitisch, bald rationalistisch, bald mystisch,* ungebundene, schweifende Geister, dem Experiment zugetan. Zu ihnen rechnete er sich selbst und fand darin die meisten Referenznamen von Kafka bis Brecht, von Benn bis zur Lasker-Schüler, von Joseph Roth bis zu Ernst Jünger. Er wollte die schreibenden Emigranten von der Einseitigkeit befreien, dass es sich ausschließlich um eine linke Gruppierung handle. Wenig hielt er von der Dachformel des Antifaschismus. Die Kluft zwischen denen, die im Reich ausharrten und den Emigranten war damit nicht beschrieben. Deutlich ist die geradezu provozierende Setzung, die sich gegen eingeschliffene politische Sehweisen richtet. Den Konservativen gestand er, nicht ohne Spott, zu, dass sie sich den Nationalsozialismus etwas anders ausgemalt hätten: *Manche hatten sich das Ganze mehr dekorativ, wie die Festwiese im 3. Akt der Meistersinger oder à la Parsifal mit oder ohne Blumenmädchen vorgestellt.* Mit dem Namen Thomas Mann verband sich keine einschränkende Beifügung, die Geistesrevolutionäre konnten politisch rechts oder links stehen. Nicht eine einzige Erwähnung findet die proletarische Literatur.

Warum aber ist die Literatur im Reich eine der Emigration? Döblins Lesart: Im Krieg schweigen die Musen, und Deutschland befindet sich in einem Krieg der Zivilisationen, deshalb ist diese Art von Literatur zugleich eine der Emigration. Es war eine zumindest eigenartige Volte, die er vornahm. Auch die Unterscheidung zwischen Politik und Elfenbeinturm beim Schreiben lehnte er ab: jeder Autor nehme dabei seine Gesellschaft mit. Allerdings seien die deutschen Schriftsteller im Vergleich zu den Franzosen *schwache Gesellschaftswesen.* Er machte damit wiederum eine Anleihe bei Heinrich Mann. Seit dessen Essay über »Geist und Tat« von 1910 findet sich dieser Gedanke oft bei ihm, aber Döblin kam nicht über ihn hinaus.

Döblin wollte der aktuell entstehenden Literatur mit seinem Überblick politischen Freiraum verschaffen. Er wehrte sich gegen parteipolitische Ansprüche: *Man soll uns in Ruhe arbeiten lassen. Wir sind die deutsche Literatur im Ausland und lassen uns über unsere Aufgaben von keinem Politiker belehren.* Bei der Typisierung der literarischen Landschaft kam er jedoch über Vorläufigkeiten kaum hinaus. Er muss seine eigene Argumentationsschwäche instinktiv bemerkt haben und rettete sich in eine Revue von einzelnen Beispielen. Die Bandbreite seiner Aufmerksamkeit für die Arbeiten der Kollegen wird sichtbar, aber die Beschreibungskraft ist ihr nicht angemessen.

DER VORLAUFENDE SCHATTEN

Sein Engagement für die jüdischen Siedler hatte er begraben. Gegenüber Viktor Zuckerkandl bestätigte er Ende Januar 1938, dass er einen Schlussstrich gezogen habe. Aber er hatte weder die Empfindung für noch das Wissen um seine jüdische Existenz aufgegeben. Mit Elvira Rosin korrespondierte er im Juli 1938 über den antisemitischen Romancier Céline und sah sich und sie vor das *Grundproblem* ihrer jüdischen Existenz gestellt: *Man wirft uns solche Bücher ins Gesicht, vertreibt uns und unsere Kinder, reißt die Familien auseinander, vernichtet den Boden unserer geistigen Existenz, verfemt uns und – wir müssen wehrlos bleiben! Wir müssen bestenfalls, wie Sie vorschlagen, hoffen, ein Arier habe die Gnade, sich mit einem guten Wort unserer anzunehmen. Hélas! Man kann sich nicht viel davon versprechen. Aber wovon denn? Man erklärt uns den Krieg und wir müssen die Kriegserklärung annehmen. Das ist mit unseren heutigen Mitteln glatt unmöglich. Wir sind nur Opfer. Wie kann sich das ändern? Nur durch Beförderung* aller *Dinge, geistiger und materieller, die einen festern und festern Zusammenschluß der Juden, eine innere und äußere Wehrhaftmachung der Juden herbeiführen können. Das jüdische Dasein unter andern Völkern ist hoffnungslos. Es kann aus inneren und äußeren Gründen nicht bei diesem Dasein bleiben, wo jeder schmähsüchtige Thersites [hier aufgefasst als Demagoge] uns ungehindert aufs Korn nehmen kann. Es ist schon gut und ein Fortschritt, daß wir dies im Unterschied zu den Voreltern nicht mehr akzeptieren. Liebe Frau Rosin, ungeheuer schwer und langsam wird der weitere Weg bei diesem zerrissenen*

Volk, das kaum noch eins ist, sein; aber mir scheint, es gibt keine Bekämpfung des Antisemitismus als unsere *innere und äußere Reform.*

PARALLELAKTION

Im Juni 1936 war begonnen worden, die Familien der Geisteskranken von Karthaus-Prüll systematisch nach ihrem erbbiologischen Bestand zu erfassen; man befragte damals die Angehörigen und legte »Sippentafeln« an.

Drei Jahre später wurde in Karthaus-Prüll die Zahl der Geisteskranken dramatisch durch Evakuierung aus anderen Anstalten erhöht. Man machte sich fit für die Verkleinerung des »Bestands« durch Hunger und Krankheiten und für die Ermordung der Patienten. Der damalige Leitende Oberarzt Paul Reiß (der 1945 seines Amtes enthoben wurde; die Ermittlungsakten verschwanden auf unerklärliche Weise bei den amerikanischen Behörden) in einem Vorbericht zum Jahresbericht 1939: »Die Anstalt verfügt über 1000 Krankenbetten. Werden jedoch geeignete Abgebaute, Stumpfe, Unheilbare, Unreine, Zerreißer und kriminelle Minderwertige auf Stroh gelegt, so ist es möglich, etwa 1330 Kranke bei äußerster Zusammenlegung unterzubringen. Die dadurch freien Betten können den wertvolleren Zivilkranken zur Verfügung gestellt werden. Das ist keine Härte, die Kranken empfinden dieses nicht, einem kriminellen Psychopathen schadet eine härtere Unterbringung überhaupt nicht. Dabei wird der Anstalt eine Menge guter, heute nicht mehr beschaffbarer Wäsche gespart. In Regensburg können Strohsäcke verwendet werden, die vorhanden sind, während bekannt wurde, daß in anderen Anstalten die zugewiesenen evakuierten Kranken ausschließlich auf Strohschütten lagen.«

EIN POLITISCHES LABOR: DIE »ZUKUNFT«

Seitdem der französische Intellektuelle André Gide 1937 seinen kritischen Reisebericht über die UdSSR hinter den Potemkinschen Kulissen der stalinistischen Propaganda veröffentlicht hatte, war er das Hassobjekt der kommunistischen Schriftsteller. Die Schmähungen des Autors von »Zurück aus Sowjet-Rußland« leisteten auch zurückhaltende Kollegen wie beispielsweise Anna Seghers, sie wurden epidemisch. Allerdings hat Brecht sich zurückgehalten. Döblin kam Gides Abrechnung mit dem Stalinismus gewiss gelegen. 1938 entstand eine aus mehreren Gründen gespeiste Krise: Die stalinistischen Säuberungen mit ihren Schauprozessen und ungeheuren Opfern schockierten auch gutwillige Sympathisanten und leiteten bei ihnen ideologische Wandlungen ein. Im März 1938 fand in Moskau der Prozess gegen den sogenannten »Antisowjetblock der Rechtsgerichteten und der Trotzkisten« statt. Bucharin, von Lenin »Liebling der Partei« genannt, Rakowski, früherer Botschafter in England und Frankreich, Krestinski, Stalins Vorgänger als Generalsekretär der KPdSU, Rykow, ehemaliger Vorsitzender des Rats der Volkskommissare, waren angeklagt; außerdem geriet Jagoda, vormals Chef der GPU, in die Mühlen. In Spanien zerbröckelte die Volksfront-Bewegung, die Stütze der republikanischen Regierung, und die Internationalen Brigaden wurden demobilisiert. Dazu kam auf der anderen Seite die schrittweise Preisgabe der Tschechoslowakei gegenüber den Ansprüchen Hitlers, außerdem der Einmarsch der deutschen Wehrmacht in Österreich unter dem Jubel der fanatisierten Massen. Das alles führte bei den Hitler-Gegnern zu einer Neigung, Bilanz zu ziehen, den eigenen Standpunkt zu überprüfen, das Engagement und die politischen Bindungen zu klären und vor allem: den Kampf um die von Ideologie vernebelten Fakten anzunehmen.

Mit dieser Ausstattung fand Döblin Zugang zu einem Kreis von Renegaten. Im Februar 1938 hatte Arthur Koestler auf einer Versammlung des SDS in Paris eine Rede gehalten und dabei die kommunistische Position im spanischen Bürgerkrieg einer vorsichtigen Kritik unterzogen. Einige Tage danach erklärte er seinen Austritt aus der KPD, der er seit 1932 angehört hatte, verband ihn aber mit einer Art Loyalitätserklärung für die Sowjetunion. Erst mit dem deutsch-sowjetischen Nichtangriffspakt vom August 1939 zerbrach auch dieses letzte Band vollends. Das literarische Zeugnis seiner Abkehr ist der Roman »Sonnenfinsternis« von 1940. Er schrieb damit auch gegen Genossen wie Ernst Bloch an, die sich von Zweifeln an den Moskauer Schauprozesen entlasten wollten.

Auch wenn es im öffentlichen Raum der Hitlergegner keinen nennenswerten Platz für eine linke Kritik am Stalinismus gab oder wenigstens für eine Auseinandersetzung fernab des Lagerdenkens, so fehlte sie nicht im privaten Umfeld. Seit Frühjahr 1938 trafen Arthur Koestler und Manès Sperber regelmäßig in Döblins Wohnung mit dem Autor zusammen, um Themen zu diskutieren, die Döblin so nannte: die *Entwicklung des Sowjetstaates mit ihrer Bedeutung für die sozialistischen Theorien überhaupt* und der *Zusammenbruch der Linksbewegung in Deutschland, einschließlich Sozialismus-Communismus*. Gewiss waren es Ideen und Themenfelder, die schon seit 1931 in Berlin in Döblins Gesprächskreis diskutiert worden waren und die diese drei wieder zusammenbrachte. Döblin wird nach einer historischen Fixierung und analytischen Durchdringung der Novemberrevolution 1918/19 für sein *Er-*

zählwerk gesucht haben; vielleicht auch tasteten sich Sperber und Koestler zu jener Verbindung von linker Kapitalismus- und Sowjetkritik vor, die Döblin bereits 1931 in seinem Briefwerk *Wissen und Verändern!* ausformuliert hatte und die nun einen neuen Anwendungsfall erhielt.

Die publizistische Plattform dieser Diskussionen war die Wochenschrift »Die Zukunft«, deren erstes Heft am 12. Oktober 1938, knapp zwei Wochen nach dem Münchner Abkommen, erschien. Der Untertitel formulierte parolenhaft ein Programm, das nur als Utopie zu verstehen war: »Ein neues Deutschland! Ein neues Europa!« Herausgeber war der erfolgreichste Pressegründer und Propagandachef der kommunistischen Internationale, der damals 49-jährige Willi Münzenberg. Er hatte furiose Propagandafeldzüge geleitet: das »Braunbuch« zu einer Abrechnung mit den Nazis inszeniert, denen die Schuld am Reichstagsbrand angeheftet, den Schriftstellerkongress zur Verteidigung der Kultur aus dem Hintergrund organisiert, ebenso das Amsterdamer Friedens-Komitee gegen Krieg und Faschismus, den antifaschistischen Wortkrieg gegen Franco gemeistert. Er war 1935 ins Zentralkomitee der KPD wiedergewählt worden, nun war er seiner diversen Ämter und klandestinen Aufgaben enthoben. Er hatte sich den Zielen des Bolschewismus unter Stalin entfremdet, war als Leiter des Westbüros der Komintern abgelöst worden. Mehrfach wurde er aufgefordert, zum Rapport nach Moskau zu kommen, lehnte jedoch das Ansinnen ab, weil er – mit einigem Recht – fürchtete, liquidiert zu werden. Er hatte zahlreiche Gründe, sich von der KP zu trennen. Die deutsche Volksfront, von ihm mit entwickelt, war durch die Machenschaften der von Moskau ferngelenkten Emissäre gescheitert und damit war eine Einigung der Hitler-Gegner im Exil nicht mehr in Sicht. Münzenberg zweifelte am Sinn eines Systems, das sich die Moskauer Prozesse und mit ihnen die Liquidierung der alten kommunistischen Führungsschicht in der Sowjetunion leistete. Er war zu intelligent, um die Botschaften der Renegaten nicht ernst zu nehmen. Durch seine Verbindungen ins bürgerliche Lager hinein war er imprägniert mit den Werten und politischen Vorstellungen der Demokratie, auch wenn er oft genug ihren Gegner verkörpert hatte. Den Ausschlag für seine Abwendung ist wohl in der Verhaftung des Freundes Heinz Neumann im April 1937 und seiner Liquidierung noch im gleichen Jahr zu suchen. Aber Münzenberg nahm seinen Abschied von der KP außerordentlich geräuschlos. Er hatte sich mit Koestler und Sperber darauf geeinigt, die eigene Kritik an der Sowjetunion zunächst nicht laut werden zu lassen. Münzenberg wollte die antifaschistische Rolle der Sowjetunion in diesen schwierigen Zeiten nicht angreifen, aber er fürchtete auch Anschläge von Attentätern im Komintern-Auftrag, falls er offen die Rolle des »Verräters« einnahm. Wie berechtigt diese Annahme war, kann man in den Tagebüchern Georgi Dimitroffs nachlesen. Zum anderen dürfte es ihm darum gegangen sein, das angestrebte neue Forum der diversen Hitler-Gegner nicht durch Auseinandersetzungen über Renegatentum zu belasten. Döblin war da von anderer Provenienz: Er hatte seinen linken Antikommunismus oft geäußert und sah auch jetzt keine Notwendigkeit, mit seinen Auffassungen hinter dem Berg zu halten.

Zwei (zu Lebzeiten) ungedruckte Selbstverständigungstexte, die man als Döblins Tischvorlagen für die gemeinsamen Diskussionen verstehen kann, haben sich im Nachlass erhalten. Der eine beschreibt in drei unterschiedlichen Fassungen *Das Vakuum nach dem Sozialismus.* Karl Marx erscheint als *gewaltigster Realist und Totengräber* des utopischen Sozialismus. In seinem Gefolge hätten sich die Sozialisten ausschließlich auf das Proletariat konzentriert, aber: *Es war Größeres gedacht.* Das alte Feuer sei ausgelöscht worden von der Partei und der Bürokratie, durch den Gedanken des Klassenkampfes, der Marxismus habe seine Wurzeln vertrocknen lassen. Das Zusammengehen der marxistischen Parteien mit anderen Gruppen sei nichts anderes als *Bruch- und Fuschwerk.* Schärfer konnte die Absage an die Volksfront-Politik nicht ausfallen. Aber damit war der Gedanke der Einheit nicht vom Tisch: es ging Döblin um einen Neubeginn in einem anderen, gemeinsamen Europa auf demokratischer Basis. Die einzelnen Formulierungen dafür sind schlicht und nichts anderes als vorläufig, nur ein Anfang, aber es ist doch bemerkenswert, wie er sich von der Kriegsdrohung nicht abhalten ließ, Programmideen für einen humanistischen Sozialismus sich zurechtzulegen, *gegen den Leerlauf der hitleristischen Tierstallidee und die stalinistische Fabrikkultur mit Byzantinismus.* Der Einzelne sei in sein Recht zu setzen, *gegen das Cyklopentum der Diktatoren und Feudalen.* Der Weg zur Gesellschaft der Zukunft laufe über das Individuum.

In einem Brief an Arthur Koestler, der ausdrücklich auch für Manès Sperber bestimmt war, hat Döblin nach einer Zusammenkunft die Gemeinsamkeiten formuliert. Ihre Gespräche dienten der Klärung der Lage nach der Entwicklung des Sowjetstaats und nach dem Zusammenbruch der sozialistischen Parteien in Deutschland: *Beide Fakta sind in ihrem Umfang zunächst einmal von uns genau zu umschreiben, festzustellen.* Dann komme es darauf an, Schlüsse zu ziehen, das war für ihn *von einer kompaßartigen Wichtigkeit.* Ihm kam es vor allem darauf an, den von seinen Gesprächspartnern zugestandenen »subjektiven Faktor« des politischen Geschehens aus seiner marxistischen Abhängigkeit vom scheinobjektivierten »Sein« zu lösen, das »Bewußtsein« als eigene Realität zu setzen, nicht nur als Widerspiegelung der materiellen Verhältnisse. Erst durch diese für Marxisten kopernikanische

Wende sah er die Möglichkeit einer Verwandlung der sozialistischen Idee in ein humanistisches Ideal. Er brachte seinen *Prometheus*-Essay ins Spiel, bat die beiden anderen darum, ihn zu lesen.

Dem Trio blieb wenig Zeit, diese geplante Unabhängigkeitserklärung vom materialistischen Zwangsdenken zu entwickeln: genau genommen waren es nur wenige Monate, dann holte sie im August 1939 das unerhörte Ereignis des Hitler-Stalin-Paktes ein und zwang sie wie alle, die den Verrat Stalins am kommunistischen Widerstand nicht für möglich gehalten hatten, in Schockstarre.

Arthur Koestler fasst in seiner Autobiographie »Als Zeuge der Zeit« die Empfindungen der Exgenossen zusammen: »Wir alle gingen durch die kritische Periode nach dem Bruch wie Rekonvaleszenten, die nach einer Operation wieder gehen lernen. Sperber und ich hatten es leichter, unseren Weg zu finden, als Willi, dessen ganzes Leben, von den Tagen seiner Jugend in der Schuhfabrik in Erfurt an, die Partei und nichts als die Partei gewesen war.« Am leichtesten hatte es Döblin: Er musste sich von keiner Vergangenheit als Kommunist lösen.

Er hielt nichts von der Arbeiterklasse als dem Motor im antifaschistischen Kampf. Er begriff angesichts des Siegs der Nazis ihr Versagen und die strukturellen Schwächen der sozialistischen Bewegung, wie sie sich im 19. Jahrhundert herausgebildet hatte. Das *Vakuum nach dem Sozialismus* wollte er mit einer Aktualisierung seines anarchistischen, von Landauer geprägten Gedankenguts wieder füllen. Die Herrschaft irgendeiner Bürokratie führe niemals in die Freiheit des Einzelnen, zum Königsparagraphen der Utopie, wie er meinte. Das heißt also: er plädierte angesichts der Krise und der düster verhängten Horizonte der Politik wieder einmal für einen Neuanfang, für ein Neubeginnen. Die Marxismus-Kritik ist bei ihm nicht gerade zwingend durchgeführt, eher dominiert der Visionär. Aber die Defizite der linken Diskussionen vor und gegen Hitler wurden durch das Trio auffällig freigelegt. Eine faszinierende Vorstellung, dass die drei Renegaten Koestler, Münzenberg und Sperber mit Döblin regelmäßig konferierten, wie am Vorabend des Zweiten Weltkriegs Sozialismus und individuelle Freiheit miteinander zu verbünden wären.

Die Wochenschrift »Die Zukunft« wurde von Arthur Koestler redigiert, Sperber begleitete das Blatt als freier Mitarbeiter und Berater, Ludwig Marcuse betreute das Feuilleton, bis er im März 1939 den Posten aufgab. »Die Zukunft« war das Organ der von Münzenberg ins Leben gerufenen Gruppe »Freunde der Sozialistischen Einheit«; sie bildete nach dem Scheitern der Volksfront an den Machenschaften der Komintern, vor allem Walter Ulbrichts, ein neues Gremium, das den Gedanken der Sammlung der politischen Kräfte bis ins konservative Lager hinein tragen wollte. Die Zeitschrift, deren erstes Heft fünf Monate nach der Entfernung Münzenbergs von allen Parteiämtern erschien, stand der »Deutschen Freiheitspartei« nahe, einer Gruppe, die auf Kurzwelle antifaschistische Propaganda machte und Flugblätter illegal nach Deutschland schleuste. Münzenberg stellte sich als Kern dieser »Volksfront ohne Kommunisten« eine linke Partei vor, die sich dem Ziel einer parlamentarischen Demokratie nicht verschloss. Die Zeitschrift sollte ein Organ sein für die Gestaltung Deutschlands nach Hitler, verstand sich also auf publizistische Vorgriffe und sollte den dritten Weg sondieren. Bei der Beurteilung der Appeasement-Politik hielten sich die deutschen Mitarbeiter jedoch auffällig zurück und überließen die deutliche Aussprache den ausländischen Autoren wie Georges Bidault und Harold McMillan; sie hätten sonst ihren Flüchtlingsstatus gefährdet.

Döblin war zur Mitarbeit nicht von Koestler, sondern von Hans Siemsen aufgefordert worden; er sollte Glossen im Stile, Linke Poots aus dem *Deutschen Maskenball* schreiben. Ihn hat aber wohl mehr die linke Kritik am Stalinismus interessiert. Er wollte nicht, wie seine Gesprächspartner bei ihrem schwierigen Ablösungsprozess, taktische Rücksichten nehmen. Dieser Unterschied erklärt vielleicht die besondere Situation, in der er sich als politischer Publizist befand: seine prononcierten Artikel erschienen 1938/39 nicht in der »Zukunft«, sondern in Schwarzschilds »Neuem Tage-Buch«; andererseits diskutierte er gewiss mehr mit Koestler und Sperber, vermutlich auch mehr und intensiver mit Willi Münzenberg als mit Schwarzschild. Jedenfalls war die Zeitschrift nicht seine Plattform, was aber auch auf ein personelles Problem zurückzuführen war: Sein Vertrauter Ludwig Marcuse demissionierte als Feuilletonredakteur früh und zog weiter nach Amerika. Nach seinem Weggang verkümmerte der Kulturteil des Wochenblatts und bestand zeitweilig fast nur noch aus Döblins 15 Vorabdrucken von *November 1918*. Von ihm findet sich nur ein einziger Text, den man als politischen Leitartikel verstehen kann, in Münzenbergs Zeitschrift: *Der Friede von morgen*, Ende April 1939 erschienen, ist eine Absage an den selbstbezogenen Nationalismus, an die Aufrüstung, eine Warnung vor der Kriegsgefahr: *Krieg ist absolut keine Kraft, sondern Schwäche, Faulheit, physische Nachgiebigkeit, bloße Hingerissenheit, Ohnmacht gegenüber einem stupiden Naturphänomen.* Noch einmal wird Prometheus ins Feld geführt: Die prometheische Kraft des Menschen habe bisher darin bestanden, solche Entwicklungen niederzuhalten. Eine Skizze über die Welt von morgen ist eingefügt: Es komme darauf an (was 1918 versäumt wurde), eine Verzahnung der Völker untereinander zu erreichen, also eine europäische Dimension zu gewinnen. Und ganz zum Schluss der drei Blatt fügte er unvermutet den Verweis an, dass *diese Welt von keinem Dämon, sondern von Gott geschaffen ist.* Das gab eine Richtung vor, in die er zukünftig gehen wollte: hin auf eine Instanz über den Einzelheiten der Realität und ihrer politischen Bestimmung.

Eine gewichtige Rolle spielte auch die Verbindung, die alle drei zur Psychoanalyse Freuds hatten. Döblin wandte sich in einem Aufsatz *Die Psychoanalyse. Zu einer deutschen Kritik* gegen die Verfälschung und Verunglimpfung der Lehre Freuds, gegen eine antisemitische Umdeutung der Psychoanalyse durch den NS-Psychiater und Neurologen Oswald Bumke. Mit diesem Namen schloss sich ein autobiographischer Kreis: Bumke war zum Zeitpunkt, als Döblin in Freiburg promovierte, der Assistent Alfred Hoches gewesen. Später stand er, schon eine wissenschaftliche Berühmtheit, am Krankenbett Lenins. Nun war er eines der Oberhäupter einer »deutschen« Psychologie, die sich als Handlanger der NS-Ideologie verstand. Bumke war auch förderndes Mitglied der SS. Döblin musterte ironisch den ideologischen Totenschein, den Bumke der »jüdischen« Psychoanalyse ausstellen wollte.

Sperber war 1927 nach Berlin gekommen, um mit Vorlesungen zur Einführung in die Individualpsychologie Alfred Adlers beizutragen. Er wollte einen Weg der Vernunft mittels der Psychologie gegen den regierenden Irrationalismus leisten und die Psychoanalyse mit dem Sozialismus verbinden. Sperber war Ghostwriter bei Arthur Koestlers drittem Teil der »Encyclopaedia of Sexual Knowledge«, die Arbeiten über die Sozialpsychologie der Familie, über die Judenfrage und über Kriminalität enthielt.

Selbstverständlich ging es in Döblins Wohnung auch um andere Fragen als psychologische – um Politik gewiss. Aber die Psychoanalyse, ihre verschiedenen Schulen und ihr Motivgeflecht auf dem Weg zu einer politischen Kritik als psychologischer boten den dreien eine gemeinsame Grundlage und Ansatzpunkte. So ist dieser Artikel auch als eine Art Selbstverständigung des Trios zu verstehen. Sperber meint, erst nach dem Münchner Abkommen im Oktober 1938 sei bei den Diskutanten die Politik in den Mittelpunkt gerückt.

Vordringlich wurde in der »Zukunft« der Begriff eines neuen Europa entwickelt. Döblin hat anscheinend 1939 keinen einzigen Artikel über die Weiterführung der Marxismus-Kritik skizziert. Doch findet sich noch aus dem Jahr 1940 eine (zu Lebzeiten unveröffentlichte) Döblin-Skizze *Programmatisches zu Europa.* Wiederum kommt die doppelte Niederlage des Sozialismus, bereitet durch Hitler und den imperialistischen Stalinismus, ins Visier, leuchtet der Gedanke vom freien Menschen und seinen unveräußerlichen Rechten auf. Auf die Fahne wird das Wort »Europa« geschrieben. Er forderte, als wäre der

Krieg nicht unausweichlich, einen Feldzug der Menschenrechte: *Es muß ein Missionswille sein von derselben Art, wie ihn die antiken und christlichen Kolonisatoren gegenüber Barbaren und Heiden empfanden.* Döblin schlägt den Ton der flehentlichen Rede an. Er ging für sich noch einen Schritt weiter, was Sperber und Koestler verleitete, ihm den Titel eines »Konfusionsrats« zuzumessen: er visierte das Christentum als »regulative Idee für die Beendigung der europäischen Gewalt- und Unheilsgeschichte« an. Damit legte er den Boden für eine Deutung seiner Roman-Tetralogie *November 1918.*

Mitten in den politischen Wirren, die dem Zweiten Weltkrieg vorausgingen, wurde das Labor jenes Denkens eingerichtet, das so lange als »Revisionismus« gebrandmarkt worden ist. Döblin war gewiss kein analytischer politischer Denker, in dieser Hinsicht waren ihm seine Gesprächspartner weit voraus. Aber er war einer der frühen Konzeptualisten, die eine fortschrittliche Welt hinter der ökonomistischen Kapitalismuskritik anpeilten. Er hielt bekanntlich wenig von einem Materialismus, in dem der Ökonomie eine *führende leitende Rolle im geschichtlichen Ablauf* zugedacht wurde, und er glaubte nicht an eine *Reifung des Bewußtseins, etwa bei der Arbeiterschaft.* Er wollte den Sozialismus befreien von *seinem Charakter als Arbeiterbewegung,* um eine *allgemeine humanistische Bewegung* zu erzielen.

Arthur Koestler hat früh die Lust am Dasein des Chefredakteurs verloren; er schrieb an seinem Roman »Sonnenfinsternis« und wollte sich von der politischen Agenda zurückziehen. Er wurde durch den Katholiken Werner Thormann ersetzt. Später hat Koestler skeptisch bemerkt, die Zeitschrift sei »von Anfang an eine totgeborne Idee« gewesen, aber es blieb ja wenig Zeit zur Entfaltung der Ideen, die in Döblins Wohnung diskutiert wurden. Unter dem Wortbanner »Europa« versuchten sie, Hitlers bürgerliche und antimarxistische Gegner zu einer Plattform zusammenzuführen. Mögen diese Bemühungen gescheitert sein angesichts der symmetrischen Absichten der beiden Diktatoren, die einen Nichtangriffspakt schmiedeten, um jeder für sich Zeit zu gewinnen, so haben sie doch eine Würde der Vergeblichkeit, und die Zeitschrift fand zum Beispiel in Raymond Aron, Anthony Eden, den Brüdern Mann, Nehru, H.G. Wells, Arnold und Stefan Zweig einige herausragende Mitarbeiter.

Bis zum 11. Mai 1940, einen Tag nach dem Einmarsch der Deutschen in Belgien und Holland, erschien die »Zukunft« ohne jede Unterbrechung. Die französischen Behörden, die nach dem Hitler-Stalin-Pakt die Kommunisten als Gegner betrachteten, haben den Charakter der Zeitschrift also durchaus als nützlich für sich erkannt und gewürdigt.

FEIERN ZUM SECHZIGSTEN

Zum 60. Geburtstag im August 1938 rückte Döblin, ganz gegen seine Bekundungen der Isolation, wieder in den Mittelpunkt: Öffentliche Feiern seines Werks und seiner Wirkung versammelten noch einmal prominente Vertreter der deutschsprachigen Exilliteratur. Es handelte sich um das letzte Treffen einer glanzvollen, verzweigten Familie auf europäischem Boden. Wer nicht persönlich anwesend sein konnte, schickte Gratulationsbriefe. Aus diesem Chor nur drei Stimmen. Brecht aus Svendborg: »Ich halte Ihr Werk für eine Fundgrube des Genusses und der Belehrung und hoffe, daß meine eigenen Funde daraus enthalten.« Er hatte seinen Gruß über Hans Siemsen geschickt, aber der verlegte ihn, so dass er sie an Döblin nicht rechtzeitig expedieren konnte. Stefan Zweig: »Von allen deutschen Schriftstellern hat keiner eine regere, raschere, universalere Phantasie. (...) Jeder von uns hat an Ihnen gelernt oder zu lernen versucht.« Hermann Kesten: »Was für eine klassische Ironie, daß dieser vertriebene Jude in Berlin zu Hause war, wie kaum einer von zurückgebliebenen Millionen Berlinern, daß sein Werk so deutsch-eigentümlich ist, ein solch stolzes Zeugnis deutscher Sprache und deutscher Dichtung ist, wie kaum einer der in vielfachem Sinn zurückgebliebenen zensurdeutschen Dichter liefern kann!«

Peter Döblin kam eigens aus den USA angereist, die Familie machte in der Bretagne einige Wochen Urlaub. So mussten die offiziellen Festakte, falls sie um den 10. August herum geplant waren, zunächst verschoben werden. Man fuhr am 22. Juli zu gemeinsamen Ferien nach Trégastel, Hotel de la Grève blanche. Claude war aus Orléans gekommen. Wie immer, wenn er en famille für längere Zeit im Urlaub war, fühlte sich der Schriftsteller nicht recht wohl. Anders ist seine ironische Bemerkung, *es heißt ja, man muß sich »erholen«*, nicht zu deuten. Erna und Alfred Döblin blieben mit ihrem Jüngsten, der politischen Ereignisse wegen, lange Wochen in der Bretagne, wechselten nach Dinard und warteten ab: *Wir wohnen zu dritt in einer winzigen Chauffeurswohnung über einer Garage, aber es gibt einen mächtigen Garten, und der Vormittag gehört mir.* Wolfgang Döblin hegte große Befürchtungen, dass es wegen der politischen Krise um die Tschechoslowakei bald zu einem Krieg kommen werde und die Deutschen Paris bombardieren würden. Kriegsgefahr hin oder her, Döblin sehnte sich nach Paris; er kam sich Anfang September *schon wie eine Provinzpflanze vor.* Man hatte in Dinard anscheinend die Miete im voraus bezahlt und wollte sie nun abwohnen. Der Aufenthalt wurde am 25. September beendet, zwei Tage später fand, Döblin zu Ehren, in Paris ein Bankett statt, für das auch eine Liste Döblins mit französischen

Der 60-jährige
Alfred Döblin in Paris
1938

Namen vorliegt, die er eingeladen wissen wollte. Man kann danach auf seinen Bekanntenkreis schließen – und sehr groß war er in französischer Hinsicht nicht. Neben Robert Minder erwähnte er nur ein halbes Dutzend: das Ehepaar Aron (»Deutsche«), Professor Paul Lévy, Écoles des Mines, Professor Boucher, Madame Costard.

Beim Bankett sprachen Heinrich Mann und Anna Seghers sowie der Jubilar selbst, im »Cercle des Nations«. Hans Siemsen veröffentlichte im Oktober 1938 eine kleine Huldigung an Döblin. Er sprach von einem »geborenen Rebellen« und fügte hinzu: »Er erfreut sich infolgedessen einer weitgehenden Unbeliebtheit. Außerdem ist er auch noch ein großer Dichter.«

Es gab – einigermaßen bizarr – eine weitere Geburtstagsfeier zum Teil mit den gleichen Personen in Paris. Auch der SDS richtete einen offiziellen Festakt aus. Auf ihm sprachen Arnold Zweig, zu Besuch aus Palästina gekommen, ebenso Ludwig Marcuse, Anna Seghers und wiederum Hans Siemsen. Der Jubilar erfuhr Huldigungen, die scheinbar seinen politischen Intentionen zuwiderliefen. Kurt Kersten erschien er in der »Deutschen Volkszeitung« vom 21. August 1938 als »einer der streitbarsten Humanisten dieser Zeit und deshalb ein wahrer Antifaschist, ein großer Vertreter des kritischen Geistes.« Diese Bewertung durch den KP-nahen Publizisten war wegen der vorausgegangenen Umstände gewiss ungewöhnlich. Döblin schien jedoch inzwischen zu einer Zentralfigur des Pariser Exils geworden zu sein, was man auch anerkennen konnte, wenn man ansonsten seine Position für verwerflich, weil antikommunistisch hielt.

Der Bruder Hugo, seines Zeichens Schauspieler, trat wieder ins Gesichtsfeld. Auch er war 1933 emigriert, zunächst nach Wien, dann 1938 nach Zürich, wo er in der gleichen Pension Jörg in der Gladbachstraße 65 sich eingemietet hatte wie fünf Jahre zuvor sein Bruder Alfred. Welch eine Zufallsfügung. Nun wollte Hugo im August 1938 weiter nach Paris, denn er laborierte mit einem drohenden Schweizer Ausweisungsbeschluss für den 10. September, aber Alfred bat seinen Vertrauten Sigmund Pollag, er solle sich mit seinem Bruder in Zürich beraten. Ganz unverblümt steht zwischen den Zeilen: er solle ihn von Frankreich abhalten, wogegen Hugo hoffte, sein Bruder werde ihn nach Paris einladen. Alfred Döblin war nervös, fürchtete, sein Bruder könne ihm, der schon wenig besaß, mittellos zur Last fallen. Er hatte offensichtlich auch Schwierigkeiten mit ihm, weil er seine Frau und seine zwei Kinder wegen einer Jüngeren verlassen hatte und damit der Entschluss des Vaters, das alte Trauma, sich wiederholt hatte. Hugo Döblin konnte denn doch in der Schweiz bleiben und starb 1960 in Zürich.

Aber vor allem der andere Bruder Kurt geriet in dramatische Nöte. Nach der Pogromnacht vom 9. November 1938 wurde seine Lage und die seiner Frau in Berlin äußerst bedrohlich. Am 8. Dezember 1938 wandte sich Alfred Döblin an Isaak N. Steinberg um Hilfe. Der Bruder Kurt hing in Berlin fest und war offensichtlich mittellos. Der Hilfsverein der deutschen Juden in Berlin konnte keine Unterstützung mehr gewähren. Da Steinberg nicht umgehend antwortete, wiederholte Döblin nur sechs Tage später im Telegrammstil seine Bitte noch einmal – ein Zeichen für die starke Unruhe, in der er sich befand. Steinberg konnte anscheinend auch nicht weiterhelfen. Döblins Bruder Kurt saß in einer Falle: die Flucht aus Deutschland gelang ihm nicht mehr. Er wurde später mit seiner Frau nach Auschwitz deportiert und dort umgebracht. Der vorhandene Briefwechsel enthält die Korrespondenz, die Alfred und Kurt Döblin miteinander führten, nicht. Deshalb mag es so erscheinen, als habe sich der Schriftsteller um Familienmitglieder nicht besonders gekümmert. Aber das war nicht der Fall; man muss zu den mittelbaren Zeugnissen greifen. Nach der Reichspogromnacht, einen knappen Monat später, regte er sich über die Vergesslichkeit gegenüber den deutschen Zuständen auf. An Viktor Zuckerkandl: *Was sagen Sie dazu, daß die Judendinge schon wieder versickern? Noch 3–4 Wochen, und es war nichts und sie waren tot. Und die ›hohe‹ Politik befiehlt, daß man accords mit den Herrschaften der anderen Seite schließt.* Da wird die Unruhe handgreiflich.

AM VORABEND

3,2 Millionen tschechoslowakische Staatsbürger waren Deutsche. Hitler wollte die Böhmen vorgeblich »heimholen«. Daladier bekräftigte zwar rhetorisch das Bündnis mit der CSR, wollte aber der Friedensrhetorik und den Beteuerungen Hitlers über seine unverfänglichen Absichten Glauben schenken. Thomas Mann warnte in »Vom kommenden Sieg der Demokratie« vor dem Irrglauben, Hitler sei durch Nachgiebigkeit zu gewinnen. Er sehe in Zugeständnissen nur ein Zeichen der »Rückständigkeit, Abgelebtheit, historischen Hinfälligkeit der Demokratie«.

In der Nacht vom 29. auf 30. September 1938 akzeptierten die Regierungschefs von Großbritannien und Frankreich die Abtretung des mehrheitlich von Deutschen bewohnten Sudentenlandes und dessen Besetzung durch die deutsche Wehrmacht innerhalb von zehn Tagen. Die Vertreter der tschechoslowakischen Regierung warteten in einem Münchner Hotel vergeblich darauf, zu den Verhandlungen, die von Benito Mussolini moderiert wurden, zugelassen zu werden. Aber Neville Chamberlain, Édouard Daladier und Adolf Hitler wollten das keineswegs, das Münchner Abkommen, der Tiefpunkt der »Appeasement«-Politik der westlichen Demokratien, wäre unter ihrer Mitwirkung nicht zustande gekommen. Die alliierten Vertreter der Anpassungspolitik glaubten, den Frieden noch einmal gerettet zu haben, aber sie täuschten sich gründlich: Hitler ließ sich durch Zugeständnisse nicht besänftigen. In England wurde Chamberlain als Retter gefeiert, der Krieg war zwar für einige Lidschläge der Geschichte gebannt, aber der Preis war viel zu hoch, und die Beute, die Hitler zugesprochen wurde, ermutigte ihn, den Zweiten Weltkrieg vom Zaun zu brechen. Hitler hatte erklärt, das Sudetenland sei seine letzte territoriale Forderung in Europa. Und die Vertreter der Westmächte hatten, im Verein mit den pazifistischen Kräften in ihren Ländern, dem Selbstbetrug ein Opfer dargebracht.

Für eine kurze Zeit entspannte sich nach dem Münchner Abkommen die Lage. Die Mobilisierung der französischen Armee wurde wieder aufgehoben. Döblin gab sich wie die offizielle französische Politik dem Trugschluss hin, die Opferung der Tschechoslowakei habe noch einmal den Frieden gerettet: *Wir haben jetzt also nach der Unruhe Frieden; ich bin überzeugt, daß der Friede für den Westen jetzt auf längere Zeit gesichert ist (aber unter welchen Opfern!).* Aber er fürchtete weitere Konzessionen der Franzosen und Briten gegenüber der deutschen Erpressungsdiplomatie.

Nachdem Hitler im März 1938 in Österreich einmarschiert war, wurden die dortigen Lager des S. Fischer Verlags festgesetzt, auch Döblins Bücher konnten von Wien nicht mehr ausgeliefert werden. Der deutschsprachige Markt war enorm geschrumpft. Ende 1938 drückte Döblin gegenüber Viktor Zuckerkandl, der auch mit Bermann-Fischer gut stand, seinen Unmut über ihn aus. Er kam mit seinem Verleger einfach nicht mehr zurecht, wusste nicht, wo genau er stand, und wünschte sich Klarheit: *Das ewige Handel und Gebändel mit Berlin, jetzt wegen seiner Bestände, daraufhin Compromisse, Leisetreterei. Und da glauben Sie, lieber Zuckerkandl, ich könnte mich (wenn der Wind sich irgendwie ändert) in solche Hände begeben? Er möge klar und offen mit Deutschland Schluß machen.* Er selbst habe Querido keine Option für sein neues Werk gegeben, sei also frei in seinen Entschlüssen. Aber: *Will Bermann sich für das umfangreiche und sehr bunte Opus interessieren, so müßte ich klar über seine Haltung sein und daß er in keinerlei Pakt mit unseren Feinden steht. Ich möchte darüber von Ihnen hören.* Das klingt, als wollte Döblin weniger von Zuckerkandl und mehr von Bermann selbst hören: Der Brief war eine unausgesprochene Bitte, dem Verleger die Zweifel seines Autors nahezubringen.

Am 12. November 1938 wurde in Frankreich eine spezielle Fremdenpolizei eingerichtet; man befasste sich mit den Vorbereitungen zur Internierung »feindlicher Ausländer«. Infolge der Flucht von annähernd 150 000 spanischen Republikanern beim Ende des Bürgerkriegs wurden Lager eingerichtet, beispielsweise im Februar 1939 in Rieucros im Departement Lozère; in die Gegend sollte Döblin als gehetzter Flüchtling kommen. Am 1. September 1939 beschloss der französische Generalstab Aktionen zur »Sammlung« der Ausländer, am 4. September erfolgte die Bekanntmachung, die betreffenden Personen hätten sich bei den angegebenen Lokalitäten einzufinden. Am 14. September wurde beschlossen, alle männlichen Ausländer von 17 bis 55 Jahren zu internieren. Das geschah auch, aber nach wenigen Wochen kamen die meisten von ihnen wieder frei.

In Paris Ende 1938 häuften sich die Emigranten aus Österreich und aus Prag. Döblin war durch seine französische Staatsbürgerschaft geschützt.

SELBSTBILD

Er schraffierte zu seinem Sechzigsten in wenigen Sätzen ein *Selbstporträt*, das im Februar 1939 erschien: *Da schlendert nun ein älterer Herr, Zigarette im Mund, Hände in den Manteltaschen, trägt eine scharfe Brille, hat ein glattes lebendiges Gesicht. Es ist Alfred Döblin, der in Paris ebenso spaziert wie einst in Berlin. Nur Arzt darf er hier nicht sein; wie würde er sich erst über die Pariser freuen, wenn sie deutsch sprächen und ein bißchen berlinerten.*

BÜRGER UND SOLDATEN

Über einen Mangel an Produktivität infolge der täglichen Turbulenzen konnte sich der Emigrant Döblin nicht beklagen. Nach der *Amazonas*-Trilogie begann er seine vier Bände über *November 1918*. Kein erklärender Hinweis findet sich auf den Ursprung des titanischen Unterfangens, nach der Expedition ins Abenteuergelände des südamerikanischen Urwalds sich in eine Odyssee der deutschen Zeitgeschichte zu versenken. Das Unvorstellbarste in Döblins Arbeitsbiographie kommt immer begründungslos daher. Das Projekt wurzelte in seiner politischen Enttäuschung, die man mit seiner Absage an die SPD spätestens auf 1927 datieren kann. Zehn Jahre später, nach dem Exerzitium des Familienromans *Pardon wird nicht gegeben* und nach *Land ohne Tod*, drängte sich der Wunsch vor, erzählend an den Ursprung der gesellschaftlichen Katastrophe vorzudringen.

Er muss innerlich darauf vorbereitet gewesen sein, innerhalb weniger Monate den Erzählstrom zu wechseln. Aber die Niederschrift der vier Bände zog sich bis weit ins amerikanische Exil, bis ins Jahr 1943, hinein. Sie gehört, Döblins eigene, oft stilisierende Kommentare eingerechnet, zu den besonders verwickelten und unübersichtlichen Spannen seines Daseins am Schreibtisch. *Wie wird (...) aus einem Stoff wie* November 1918 *etwas möglich, was nicht journalistisch und nicht Historie oder gar eine niedliche Liebesgeschichte (ist)? Krieg, Politik, viel Welt, massenhaft Vorgänge in vielen Schichten, – wie wird das mit tausend Farben zu einem eigenen sprechenden verkündenden Bild werden?* Der erste Band, *Bürger und Soldaten* betitelt, gibt eine meisterhafte Antwort auf diese Frage.

Die Zeichen, unter denen die frühe Niederschrift stand, waren für den Romancier günstig. Die Kierkegaard-Lektüre trat wieder in den Vordergrund und bedrängte ihn: *Er erschütterte mich. Er war redlich, ehrlich, wach, wahr. Seine Resultate interessierten mich nicht so sehr wie seine Art, die Richtung und der Wille.* Döblin wollte eine mit dieser Frageradikalität ausgestattete Figur in einen Roman setzen, nach seinem eigenen Verständnis als eine *Sonde*, die auf ihren Urheber rückverwies. Die Niederschrift setzte wohl unmittelbar nach Abschluss des *Amazonas*-Manuskripts und noch vor dessen Korrektur ein. Dessen zweiten Teil schickte er am 18. September 1937 nach Amsterdam zu seinem Verleger Fritz H. Landshoff. Aber bereits am 1. September hatte er Hans Siemsen vom Beginn des neuen Manuskripts berichtet: *Ich schreibe, erzähle; bin, beginnend am 10. November, so etwa beim 21. November, aber es ist schon ein kleines Buch, ein Tag ist eben schon lang, wenn man von einem Menschen erzählt und dann um zugleich von mehreren und von der Politik, die es zugleich gibt; man muß sich verdammt vorsehen, daß einem die Dinge nicht auseinanderlaufen.* Anfang Mai 1938 hielt Döblin bei Robert Minder, der gerade in Nancy außerordentlicher Professor geworden war, einen Vortrag über *Berlin Alexanderplatz.* In der Sorbonne sprach er auf Einladung des französischen Germanisten Henri Lichtenberger am 18. Dezember 1937 über *Literarische und politische Erinnerungen an Berlin.* Der Text ist nicht erhalten, aber man kann vermuten, dass die Erinnerungen vor allem um die Novemberrevolution kreisten. Mit Minder zusammen fuhr er ins Elsass, auch zu Albert Fuchs nach Straßburg und wiederholte die Vorlesung über seinen Hauptroman. Danach ging er auf Besichtigungstour nach Hagenau, um sich die Atmosphäre zu vergegenwärtigen, in der er ein Vierteljahrhundert zuvor als Militärarzt im Ersten Weltkrieg gelebt hatte.

Als er von Juli bis September 1938 in der Bretagne Urlaub machte, konnte er den ersten Band erheblich weiterbringen. Mitte Oktober des Jahres las er aus dem Manuskript im SDS einiges vor. Und gegenüber Ferdinand Lion meinte er, nicht ohne ein wenig zu renommieren, das Manuskript gehe *gut und fast zu flüssig voran.* Noch war er sich im Dezember 1938 allerdings über die zeitliche Aufteilung des Stoffes nicht klar. Er erwog zu diesem Zeitpunkt noch zwei Bände, von denen der erste bis zum 12. Dezember reichen, also 30 Tage umfassen sollte. Die Komplexität des Stoffes erzeugte jedoch Schwierigkeiten bei dieser Disposition.

Am 4. Februar 1939 hat er das Manuskript des ersten Bandes an Fritz H. Landshoff geschickt. In den 15 Kapiteln des Vorabdrucks, die in Münzenbergs Zeitschrift »Die Zukunft« zwischen Anfang März und Anfang Juli 1939 erschienen, fehlen jedoch einige Textstellen, so dass man vermuten kann, Döblin habe noch in die Fahnen hineingeschrieben.

Der Roman *Bürger und Soldaten* setzt mit dem 10. November 1918 in der lothringischen Provinz ein – einen Tag nach Ausbruch der Revolution und einen weiteren vor Unterzeichnung des Waffenstillstands in Compiègne. Allenthalben zerbrechen der Alltag und die gewohnte Ordnung: Telefonverbindungen sind unterbrochen, Patienten im Militärlazarett werden nicht mehr versorgt, revolutionäre Matrosen aus Wilhelmshaven sind angekündigt. Landsturm und Rekruten ziehen mit roten Fahnen durch die Straßen. Aus minutiösen Störungen und befremdlichen Einzelheiten baut Döblin ein Großbild des Umsturzes, wie er sich im Truppen- und Lazarettort Hagenau, in Straßburg, auf endlosen Irrfahrten durch Deutschland und in Berlin zugetragen hat.

Mal die eine, mal die andere Figur streifend, tastet sich der Erzähler durch diesen unübersichtlichen Raum des Geschehens, pendelt zwischen mehreren Schauplätzen hin und her, bewegt sich durch die von vorlaufenden Nachrichten erzitternden Tage. Er entwirft ein intimes Panorama: Jeder Einzelne ist in Nahsicht gemustert, zusammen ergeben sie ein weites Beobachtungsfeld.

Eine Losung hallt wie eine Folge von einzelnen Glockenschlägen in das

Erstausgabe
des ersten Bandes
von *November 1918*
Amsterdam 1939

Geschehen hinein: Der Krieg ist aus, alles ist aus, das Kaiserreich ist perdu. Am 11. November, einen Tag nach Eröffnung dieser Roman-Chronologie, ist auf Plakaten zu lesen: Allerhöchstderselben hat abgedankt, seine Depesche umfasst nicht mehr als 11 Wörter. Der erste Zug der Soldaten setzt sich in Bewegung, es geht in Richtung Heimat, durch die Orte der Provinz, durch *Marienthal, Bischweiler, Weyersheim und Vendenheim und Lampertheim, für uns noch lange kein Heim*. Die patriotische Behauptung, das Elsass sei ganz und gar und immerdar rechtmäßig deutsch, zerfällt wie der Müll auf den Straßen. Die Elsässer werden ein unübersichtliches Volk, sind nicht mehr zu durchschauen: Sie führen rasch ein antideutsches Eigenleben und versorgen sich in Erwartung der Franzosen mit der Trikolore und den in den Speichern gehorteten Vorräten der deutschen Armee. 220 revolutionäre Matrosen, allesamt Elsässer, werden von Wilhelmshaven nach Straßburg geschickt, um dort die Revolution zu befördern und die Stadt vor den französischen Truppen zu schützen. Revolutionäre Gesinnung mischt sich bei ihnen mit Patriotismus. Aber die Einheimischen bleiben reserviert. Ihr sozialdemokratischer Bürgermeister Peirotes handelt den Revolutionären ab, dass sie sich ruhig verhalten und auf die Verwaltung beschränken. Die biederen Helden geben sich der Illusion hin, die französischen Truppen würden sich dem Aufstand anschließen und sich mit ihren deutschen Kameraden verbrüdern. Eine Woge von Reden, geheimen Vorsätzen, Intrigen und offenem Protest läuft hin und her. In Straßburg drängen sich die Menschen: Flüchtlinge, Soldaten, die Elsässer in wachsend freudiger Erwartung der Franzosen, untergetauchte Offiziere, Kriegsgewinnler, Schieber, manche im Chaos hemmungslos gewordene Frauen – eine Kakophonie von Entwurzelten. Bürger und Soldaten verbrüdern sich, vor allem, wenn man Geschäfte machen kann.

Von den vier Bänden *November 1918* ist der erste am sorgfältigsten gearbeitet. Der Erzähler wahrt eine jederzeit nachprüfbare Geschichtstreue, montiert eine Unzahl von dokumentarischen Materialien in seine weiträumige Konstruktion; sein Ehrgeiz besteht darin, ein Monumentalbild der Revolution und ihrer Gegenkräfte, ihrer handelnden Figuren und ihrer Opfer auszuführen, aber am offenen Herzen der Einzelnen registriert. Die Zeitspanne, die der Roman *Bürger und Soldaten* umfasst, ist denkbar knapp: nur 12 Tage werden erzählt, aber sie sind so gedehnt, dass eine Art Ozean der Erlebnisse und der Stimmungen, der schlagkräftigen Meinungen und der nagenden Zweifel entsteht.

Auf den ersten Seiten treten die Figuren auf den Plan, die durch das ganze *Erzählwerk* ziehen: der an Körper und Seele verwundete Oberleutnant Friedrich Becker, in seinem zivilen Dasein Altphilologe, sein Kamerad im Lazarett, der verletzte Leutnant Maus, und eine gütige Seele, die Krankenschwester Hilde. Anfangs streifen sie nur die Aufmerksamkeit des Erzählers und erhalten erst später Gewicht und Stimmkraft. Maus ist hinter Hilde her, drängt sie in ein leeres Zimmer und – nachwirkende Gewalt des Krieges – vergewaltigt sie. Viele Seiten lang wendet sich der Roman in der Folge von ihnen wieder ab; erst im Zug und dann in Berlin sind Becker und Maus mit ihrem pochenden Gewissen, ihrer Ratlosigkeit und ihren desperaten Empfindungen wieder präsent. Der Roman streift durch die verwildernden Verhältnisse, die auch ein politisches Hoffnungsgelände bilden, kehrt aber immer wieder zurück zu den Figuren, die durch das ganze Quartett der Bücher geführt werden. Wenn Becker vom Granatsplitter erzählt, der ihn verwundet und zeitweilig gelähmt hat, ist die Erinnerung und die Empathie des Militärarztes Döblin aus dem Ersten Weltkrieg noch anwesend: *War es Schmerz? Ich weiß nicht einmal, ob es Schmerz war, ob ich es für Schmerz hielt. Eine grauenvolle finstre Daseinsform. Ich stelle mir Quallen so vor, die Jungs am Meer mit einem Stock aufspießen. Es hat noch seinen Fangarm, seine Fühler, den Mund und Darm, aber sein ganzes Dasein ist Schmerz. Wo mein Ich sonst war, weiß ich nicht. Ich unterschied auch nicht Arm, Kopf, Bein an mir. Es bewegte sich allerhand an mir vorbei; ich stellte keine Fragen an sie, ich hatte nichts zu fragen, es war nichts fraglich, denn alles war nur, es war, und ich selbst war der dumpfe Schmerz.* Nach dem 13. November wandert die Chronologie aus den Kapitelüberschriften in den vielstimmigen Text, die Innensicht der Figuren drängt sich vor. Becker hadert mit seinem Geschick: der Genesung. Er ist ziel- und ortlos, er weiß sich verurteilt zum Wandern, hält sich und Maus für *Schiffbrüchige auf einem Floß*, die jetzt an den Strand geschleudert werden wie einst Odysseus. Der robustere Maus wird von den Furien des schlechten Gewissens über seine sexuelle Untat gehetzt. Der Lazarettzug, der sie nach Berlin bringen soll, irrt durch die Lande: er ist ein Totenzug und zugleich eine

Herberge der Überlebenden. Becker weiß: der Krieg wird zum Lehrstoff werden *wie der Siebenjährige Krieg und der Perserkrieg.* Während er und Maus im Zug sich vom Elsass immer mehr entfernen, blendet der Erzähler dorthin zu einer intimen Szene: Hilde im Bad, nackt, ganz vegetativer Körper. Sie gehört dem Reich der weiblichen Gestalten an, das seine heimliche Königin der Ergebung in Yolla Niclas hat.

Der Zug endet in Naumburg, endet dort, wo Nietzsche, mit ihm ein Idol des Krieges, strandete und im Irrsinn lebte. Den Subtext kann man mithören. Becker kommt so rechtzeitig nach Berlin, dass er noch die Gedenkfeier für die gefallenen Revolutionäre auf dem Tempelhofer Feld und den Trauerzug zum Friedrichshain miterlebt. Zum ersten Mal tritt Karl Liebknecht im Roman als Redner auf. Der Erzähler deutet ihn in diesem Roman noch nicht als politischen Akteur, sondern als das Organ des Schmerzes und einer kreatürlichen Wut. Auch andere zeitgeschichtliche Figuren finden einen Platz im Roman, vor allem Friedrich Ebert, nun Chef der Reichsregierung nach der Abdankung des letzten Kanzlers aus der Kaiserzeit, Max von Baden.

Für Becker ist der Krieg nicht zu Ende, er lebt in ihm fort, und er kann ihn für sich nicht beenden. Die Frage nach der Tiefe des Krieges wird gestellt, wo überall und in welcher Gestalt er sich die Menschen untertan gemacht hat. In Straßburg marschieren die Franzosen ein, die Amerikaner besetzen Luxemburg, die deutschen Truppen verlassen in Gewaltmärschen die besetzten Gebiete, der französische Schriftsteller und Abgeordnete Maurice Barrès stachelt mit seinen nationalistischen Sottisen die Feindschaft der Elsässer gegenüber den Besiegten an. Der Einzug der Sieger in Straßburg wird aus dem Blickwinkel eines Alldeutschen erzählt, und der Anführer der Wilhelmshavener Matrosen, die zehn Tage lang das Regiment in Straßburg führten, mustert kritisch die Rolle der Sozialdemokratie: *Die sind die Puffer zwischen uns und dem Volk. Schlimmer als die Bürger sind die.* Gerade aber die revolutionären Soldaten werden als treuherzig naiv und ein wenig tumbe geschildert: sie sind den Ereignissen, die sie auslösen, nicht gewachsen. So ergibt sich in diesen finalen Bildern ein ständiger Perspektivenwechsel: keinesfalls nur die Sozialdemokratie wird kritisiert. In Berlin finden sich Intellektuelle und Künstler zum Rat geistiger Arbeiter zusammen – eine Gelegenheit für den Erzähler, ihre Redesucht, ihr falsches Pathos und ihre Selbstversessenheit mit sarkastischem Spott zu mustern. Zum ersten Mal tritt, in diesem Kreis, der Dramatiker Stauffer auf; er wird in der Tetralogie die Kontrastfigur zu Friedrich Becker. Er erinnert in wichtigen Einzelheiten an den Schriftsteller Eduard Stucken, aber er trägt auch Züge Döblins selbst.

Nach der feierlichen Beerdigung toter Revolutionäre wird am 21. November der zeitgeschichtliche Kalender des Romans verlassen. Aber seine Blätter bleiben aufgeschlagen, drängen auf Fortsetzung. Der Roman läuft aus in Geschichten wie der vom Justizrat, der in Straßburg seinen Sohn an die Fremdenlegion verliert, oder der Episode von der Frau, der ihr Sohn abhandenkommt. Es sind Erzählungen, in denen der Krieg weiterläuft, bis in die Verirrungen des Herzens hinein.

Ein faszinierendes politisches Tableau ergibt sich, wenn man Zeit und Ort der Veröffentlichung von *Bürger und Soldaten* mitbedenkt. Zu Beginn des Zweiten Weltkriegs, in dem die Deutschen wiederum in Frankreich einmarschieren werden, gibt der Roman eine Vorschau der Kraftproben, der Greuel, der Grausamkeiten, der Orgie an Gewalt und Hass, der Erschütterungen, die kommen werden. Die Geschichte, die rekonstruiert wird, wird sich auf dem gleichen Atlas in nächster Zukunft ereignen.

Es blieb kaum Zeit, diesen Abgrund einer Vergangenheit, die bevorstand, überhaupt zu mustern, so sehr überlagerte der Beginn des neuen Krieges die Veröffentlichung des Buches. Fritz H. Landshoff publizierte den Roman als eines der letzten Zeugnisse seines deutschsprachigen Programms im Amsterdamer Verlag am 24. Oktober 1939, übrigens in einer Verlagsgemeinschaft mit Bermann-Fischer. Da war der Krieg schon sieben Wochen alt, der deutschsprachige Markt war auf eine Schwundstufe verkleinert, und die meisten der 2200 Exemplare, die gedruckt wurden, verschwanden auf Nimmerwiedersehen, als die deutsche Armee am 10. Mai 1940 in Holland einmarschierte. Hervorzuheben ist neben der kontinuierlichen Publikationsgeschichte, die Fritz H. Landshoff Döblin und anderen Exilautoren ermöglichte, auch die Generosität des Verlagsinhabers Emanuel Querido, der nach dem Einmarsch der Wehrmacht im Versteck lebte, bis er 1943 durch Verrat in die Hände der Gestapo kam und mit seiner Frau im gleichen Jahr in Sobibor umgebracht wurde.

Noch war mit diesem ersten Band nicht ganz zu übersehen, wohin das ganze *Erzählwerk* hinlaufen könnte – neben dem epischen Nachvollzug der Novemberrevolution. Das Christentum, das sein Erweckungslicht später in die Tetralogie wirft, war noch kaum sichtbar. Becker wird zweimal von einer Traumgestalt besucht: Johannes Tauler, der mittelalterliche Prediger und Mystiker aus Straßburg, erscheint ihm und trägt ihm einige Sätze des Gottvertrauens an: *Oh guter Christ. Deine elende verlassene Seele, in welcher Drangsal steckt sie. Nicht einmal klagen kann sie recht. Komm. Verlaß mich nicht. Vergiß meines Landes nicht. Ich werde dir eines Tages ein Zeichen schicken, ein hilfreiches.* Aber auch mit dieser – wohl erst in den Fahnen eingefügten – Hinwendung zu einem christlichen Gott, der nach Tauler im Urgrund der menschlichen Seele, meistens unerkannt, wohnt, ist noch kein religiöser Roman begründet.

Während der Korrekturen an diesem ersten Band schrieb er unverdrossen weiter. Unter der Hand entstand ein riesiges Konvolut, das noch den Titel *Waffen und Gewissen* trug und das er dann in den USA erweiterte und ergänzte. Erst diese Hauptstrecke an Text, die er wegen ihres Umfangs in zwei Bände aufspaltete, steht ganz unter dem Eindruck der Glaubensdramatik, die er auf der Flucht durch Frankreich erfuhr, in die USA mitnahm und durch seine Konversion 1941 keineswegs stilllegen konnte.

PEN-KONGRESS IN NEW YORK

Lange behinderte ihn ein schwerwiegender Unfall: Beim Verlassen des Louvre wurde Döblin am 31. März von einem Auto angefahren. Im Krankenhaus stellte man nach seiner mehrstündigen Bewusstlosigkeit eine Gehirnerschütterung fest. Erst nach zwei Wochen konnte er wieder entlassen werden. Beinahe hätte ihn dieser Unfall davon abgehalten, eine besonders spektakuläre Reise anzutreten – nämlich zum »World Congress of Writers« des Internationalen PEN im Rahmen der New Yorker Weltausstellung. Er hatte die Einladung für die Tagung, die vom 8. bis 10. Mai 1939 stattfinden sollte, durch die Präsidentin des amerikanischen PEN-Clubs, Dorothy Thompson, erhalten. Doch wollte er trotz der gesundheitlichen Kalamitäten anscheinend unbedingt fahren. Neun Tage Passage, gute zwei Wochen Aufenthalt. Am 27. April bestieg er in Le Havre die »President Harding«. Zum ersten Mal fuhr er über den Ozean. In Southampton kamen zwei Jungen in die Kabine: es waren Emigranten. Überhaupt entdeckte er, dass zahlreiche Passagiere Auswanderer waren, Juden auf der Flucht. Es gab merkwürdige, gewiss auch bizarre Situationen: Sie wurden von reichsdeutschen Stewards bedient, von denen Döblin vermutete, dass unter ihnen stramme Nazis waren. Das Schiff war von Hamburg gekommen. *Sie erzählten alle, welche schrecklichen, schmerzlichen Abschiedsscenen sich da bei jeder Abfahrt eines Schiffes nach Amerika abspielen, zwischen Auswanderern und den Angehörigen, die zurückbleiben mußten.* Döblin fiel auf, dass die Flüchtlinge über die zurückliegenden, bedrückenden Erlebnisse kaum reden wollten: *Das Gefühl des Drucks läßt nicht nach, es gibt Dinge, über die sie in vollkommener Stummheit verharrten.* Und auch er hat kaum Auskünfte erhalten. Obwohl ihr gemeinsames Geschick sie hätte verbünden können, blieben sie stumme Einzelne, in ihrem Kokon.

Ein gespenstisches Abschiedsfest: Vor der Einfahrt in den Hudson maskieren sich die Emigranten auf phantastische Weise, amüsieren sich ausgelassen und betäuben damit für einen gespenstischen Abend ihre Zukunftssorgen. Er erlebte auch, wie bei der Ankunft in New York heimkehrende amerikanische Spanienkämpfer frenetisch gefeiert wurden. *New York begann, es rief schon mit seinem roten, erregenden Himmel.* Als er am 6. Mai ankam, wurde er von seinem Sohn Peter, der seit September 1935 in den USA lebte, begrüßt, und auch Erika Mann, die seit 1938 Mitglied der »German-American Writer's Association« war, stand am Pier. Seine Eindrücke waren überwältigend. Er diktierte einen Reisebericht, der ohne Klauseln der Ich-Problematik die Eindrücke festhält und sortiert. Einen Gesamteindruck von New York konnte er nicht gewinnen, die Dimensionen waren auch für diesen hochtrainierten Städtebewohner zu gigantisch, er beschränkte sich auf Einzelbilder. Es ist weithin die übliche New-York-Prosa, die er seiner Frau nachträglich nach Notizen diktierte: die belebten Straßen, die Silhouette der Wolkenkratzer, das Alltagsfest der Illumination, aber es entsteht auch eine Art Befreiungsgefühl von den Sorgen und Bedrückungen des Exils: *Man war wie in einem Wald, aber in keinem Urwald in dem man sich verlief und verloren war, sondern in einem mit bekannten Bäumen, mit bekannter Richtung, mit sicheren Wegen.* Da fiel einiges an Last von ihm ab. Er ging ins Museum of Modern Art, suchte die bekannten Aussichtspunkte auf, besichtigte die Radio City Hall und ließ sich mit den anderen Gästen *die Television* demonstrieren. *Ja, man bekommt hier andere Vorstellungen von Fortschritt, von Technik und deren Folgen als in Europa.* Wenige Jahre, bevor die Atombombe den Massenmord in Sekundenschnelle ermöglichte, räsonierte er noch einmal über den Segen der durch die Technik freigesetzten menschlichen Möglichkeiten. Er ließ sich durch Bibliotheken führen, ging ins größte Kino der Welt, bedachte die Schwierigkeiten, in New York ebenso zu flanieren wie in Europa. Der Vergleich mit Berlin und Paris fiel in jedem Fall zugunsten von New York aus, es hätte seine Stadt werden können. In diesem Bericht, der irgendwann abbricht, kam Döblin gar nicht bis zum PEN-Kongress, obwohl eine zugehörige handschriftliche Stichwortliste dies vorsieht. Er hat mit zwei Großbildern zu tun: der Überfahrt auf einem Schiff, das mit Auswanderern bestückt ist, und mit Eindrücken von New York.

Beim offiziellen Dinner zu Ehren von Jules Romains im Plaza-Hotel stellte Ernst Toller die deutschen Autoren den internationalen Gästen vor. Dabei nahm er aber auch die Gelegenheit wahr, auf die Schriftsteller hinzuweisen, die zu Opfern des Nationalsozialismus geworden waren, wie Erich Mühsam, Carl von Ossietzky und wie im Exil Kurt Tucholsky. Am zweiten Tag des Kongresses wurde darüber debattiert, auf welche Weise die Kultur das Exil überdauern könne. Von den deutschsprachigen Emigranten sprachen Arnold Zweig, Ernst Toller, Ferdinand Bruckner und Klaus Mann; Döblin hielt sich zurück.

Zum Abschluss des PEN-Kongresses wurden die Teilnehmer für den 10. Mai nach Washington ins Weiße Haus eingeladen. Döblin, Arnold Zweig, Annette Kolb, Ferdinand Bruckner, Prinz zu Löwenstein defilierten am Präsidenten vorbei, und Klaus Mann notierte: »Jeder wurde ihm vorgestellt, und er schaute jedem eine Sekunde aufmerksam ins Gesicht, während er ihm die Hand gab. Sein Blick schien mir sehr herzlich und etwas müde. Ich fand seine Augen von einem intensiven, stärkeren Blau, als ich es, den Bildern nach, erwartet hatte. Er wußte, daß viele unter uns Verbannte waren, Flüchtlinge aus Italien, Deutschland oder Spanien. Die Gewalthaber in unseren Heimatländern würden uns umbringen, wenn sie uns erwischen könnten. Er aber ist der mächtigste Mann des mächtigsten Landes der Erde, und er legte Wert darauf, uns Freundlichkeit zu erweisen.«

Im Schlaglicht der kommenden Ereignisse war es, alles in allem, eine absurde Episode: Unwissend, wie auf Probe, waren die emigrierten Schriftsteller nach New York gereist, und nur ein Jahr danach hatten es die meisten von ihnen ungemein notwendiger und schwieriger, in die Vereinigten Staaten zu gelangen. Und einige von ihnen lebten nicht mehr.

Einen Tag vor der Rückfahrt mit der »Champlain« traf sich Döblin im Bedford-Hotel mit seinem Exilverleger Fritz H. Landshoff. Der war *in keinem guten Zustand, Hummerntoxikation und Gelbsucht, Fieber.*

Die Rückreise trat Döblin nach gut zwei Wochen am 24. Mai 1939 an. Auf dem Schiff traf er wieder auf Annette Kolb, deren klare politische Haltung er sehr schätzte, auch wenn er mit ihren Büchern nicht allzu viel anfangen konnte. Erna Döblin holte ihn am Hafen von Le Havre ab.

In der Zwischenzeit hatten sich einige dramatische Ereignisse abgespielt. Toller hatte sich am 22. Mai, da war Döblin noch in New York, am Gürtel seines Bademantels erhängt, obwohl er kurz zuvor noch mit seiner Sekretärin gearbeitet und ein Ticket nach England in der Tasche hatte. Er wollte an sich mit dem Kollegen Döblin auf dem gleichen Schiff nach Europa fahren. Der seelisch Erkrankte hatte den Psychiater beim Kongress beiseitegenommen, ihn des Abends auch mehrmals im Hotel aufgesucht und um ärztlichen Rat gefragt. Döblin war noch auf dem Schiff, da wurde aus Paris ein zweiter Tod gemeldet: Joseph Roth war am 27. Mai 1939 im Alkoholdelirium nach einem Zusammenbruch gestorben. Döblin bemerkte anteilnehmend, das sei eine *triste, ja echt tragische Sache, denn sein Alkoholismus war au fond ein chronischer Selbstmord.* Er hat wohl niemals bemerkt, dass Joseph Roth alles andere als sein Freund war: er wollte ihm am Zeug flicken, wann immer er konnte. Roth hat in Döblin wohl den gleichen Konkurrenten gewittert wie der in Thomas Mann.

In New York war Döblin intensiv von den Rosins betreut worden. Er bedankte sich dafür sofort nach seiner Rückkehr. Er schrieb seine Eindrücke von der Rückreise in einem Brief an sie vom 4. Juni 1939 nieder, fand sich wieder an seinem gewohnten Arbeitsplatz ein: *Liebe Rosins, nun bin ich also wieder im alten Europa, mehr: in meinem kleinen, etwas düsteren Zimmer, und sitze wieder an demselben Schreibtisch, an dem ich nun schon seit bald 30 Jahren sitze und schreibe, also ein alter Kampfgenosse, ein geduldiges Dromedar, das mich durch die Wüste trägt.* Er fand Paris *so sanft, fröhlich, friedlich, alles ist beinahe kleinstädtisch gemütlich.* Er schrieb am zweiten Teil von *November 1918* und war nach seiner Rückkehr unverzüglich in die Romanwelt wieder eingetaucht. Er machte sich auch an die Umbruchkorrekturen von *Bürger und Soldaten,* des ersten Bandes von *November 1918;* er war damit bis in den Juli 1939 hinein beschäftigt.

Ende Juni ging er noch einmal in Gedanken nach New York zurück und hielt einen Vortrag über seine Eindrücke im »Cercle des Nations«; es war der zweite Abend der Freunde der »Zukunft«. Vielleicht wollte er den Text auch in dieser Zeitschrift veröffentlichen. Aber dazu kam es nicht mehr: Der Krieg kam dazwischen, und die in Straßburg wie in Paris erscheinende Zeitschrift musste ihr Erscheinen einstellen.

1939

Von der »American Guild for German cultural freedom« erhielt er die Mitteilung, dass man ihm ein Arbeitsstipendium von monatlich 40 Dollar gewähre, und gegenüber dem Generalsekretär der Guild, Hubertus Prinz zu Löwenstein, bedankte er sich am 19. Februar 1939 sehr herzlich. Gleichzeitig akzeptierte er die Auszeichnung, als ordentliches Mitglied der »Deutschen Akademie der Künste und Wissenschaften« berufen zu werden. Präsident war Thomas Mann, was ihn wahrscheinlich zögern ließ mitzumachen, aber es überwog doch die Freude. Den Vorsitz der wissenschaftlichen Klasse hatte Sigmund Freud, dem er im gleichen Monat einige giftige Krawallsätze entgegengeschleudert hatte.

Die Akademie hatte unter anderem die erklärte Aufgabe, der Guild Vorschläge zur Förderung von Manuskripten und Autoren zu machen. Fortan wurde Döblin zur Abfassung von Gutachten herangezogen. In der Folgezeit schrieb er Beurteilungen über Henry William Katz, seinen Schulkameraden Moritz Goldstein, über James Broh und Walter Jonas. Womit er nicht gerechnet hatte: Sein Stipendium erlosch bereits wieder nach drei Monaten, wogegen er sich zu seinem Ingrimm nicht wehren konnte.

Nach Jahren erreichte ihn wieder ein Brief seines Sohnes Bodo Kunke. Die Antwort auf diese offensichtlich deprimierte und verzweifelte Nachricht, die ein Glückwunschbrief zum Sechzigsten war, ist erst ein Jahr später, auf den 19. August 1939, datiert. Er habe geglaubt, Bodo sei irgendwo im Ausland. *Wir anderen sind froh zu wissen, daß Deutschland (und besonders unter dem heutigen Regime) nicht die Welt ist. Und was das heutige Regime anlangt, so glaube ich, Du irrst, wenn Du glaubst, daß in fünfzig Jahren sich kaum etwas ändert.* Auch das Regime der Hohenzollern, *enorm viel stärker, gesünder, reicher als das von heute,* sei 1918 zu Ende gewesen. Der Blick von außen, den er seinem Sohn anriet, würde den *Blick für das faule, krötige Deutschland von heute* ermöglichen. Er sei nicht der Meinung, dass der Krieg unvermeidlich sei (wie der Sohn). *Hoffen wir aber auf Frieden, wünschen wir Frieden und sprechen auch so; man soll niemals sagen: »Der Krieg ist unvermeidlich«, man führt ihn dadurch mit herbei.* Das schrieb er zwei Wochen vor Beginn des Zweiten Weltkriegs. Seine Epistel, die ein wenig frostig klang, wo doch der Sohn nur deprimiert war über die Entwicklung in Deutschland, unterzeichnete er nur mit *Dein V.*, um die Anonymität zu wahren und den Empfänger ein wenig zu schützen. Das Datum des Poststempels ist nicht weiter verwunderlich, denn die Korrespondenz ging auf abenteuerlichen Wegen vonstatten. Der Brief seines Sohnes hatte Döblin anscheinend stark verspätet über eine Mittelsperson erreicht. Bodo Kunke hatte den Engländer Darcy Lee über einen internationalen Korrespondenzclub kennengelernt und im Sommer 1939 in England besucht. Über den Amsterdamer Querido Verlag hatte Bodo an seinen Vater geschrieben, doch traf die Antwort erst ein, als Bodo schon wieder abgereist war. Darcy Lee, wohnhaft in der Nähe von Manchester, wollte Bodo nicht gefährden und schickte Alfred Döblins Antwort nicht nach Deutschland. Er hob sie bis nach dem Krieg auf. Der Brief kam damit erst mit sechsjähriger Verspätung an seinen Adressaten, als Darcy Lee ihn bei einem Deutschlandbesuch persönlich überbrachte.

Den Kriegsausbruch erlebte Döblin kurz nach dem Urlaub. Im August 1939 war er nach Combloux in die Savoyen gefahren. In den Ferien erreichte ihn eine Einladung von Prinz Löwenstein, in Paris mit ihm zu essen. Er musste absagen, wollte sich aber wenigstens über den Gegenstand, der den Anlass bot, nämlich der deutsche Verfassungstag, mit ihm austauschen: *Der Berliner Historiker Arthur Rosenberg, der jetzt in Amerika ist, hat es in seinem Buch sehr klar dargelegt, daß »Demokratie« nicht Volksherrschaft, sondern Herrschaft einer Regierung für das Volk ist; wer aber die tatsächliche Regierung in Deutschland war, welche Kräfte sie trieben, auf welche sie sich (seit Eberts Geheimbündnis mit General Groener) stützte, das wurde einem doch von Jahr zu Jahr deutlicher. Und, von heute gesehen, sind die Nazis nur das Tüpfelchen auf dem I. – Am Verfassungstag muß man nachdenken, was falsch gemacht wurde.*

Im Urlaub traf zunächst die vernichtende Meldung vom Hitler-Stalin-Pakt ein. Nach dem schockierenden Coup der beiden Diktatoren vom 23. August 1939 wurden die deutschen Emigranten, auch diejenigen, die nicht mit der Sowjetunion sympathisiert hatten, in der Öffentlichkeit zu feindlichen Ausländern erklärt, danach wurden sie in Lagern, Stadien und großen Hallen sistiert. Die KPF war nun ganz und gar scheinpazifistisch: den Krieg stellte sie als eine Verabredung des Großkapitals und der imperialistischen Westmächte hin, als ein Ereignis der »Londoner City«. Sie zog sich aus dem antifaschistischen Selbstverständnis zurück und wurde als Partei in Frankreich verboten. Lion Feuchtwanger fand sich, wie alle moskautreuen oder mit der Sowjetunion sympathisierenden Emigranten, schlagartig in einem Dilemma. Sie wurden zu einer Entscheidung gezwungen, oder sie drückten sich vor ihr. Feuchtwanger, etwas leichtfertig und selbstbezogen, vertraute die Sorgen nur seinem Tagebuch an: »Kriegsgefahr. Meine Stellung durch Schwenkung der stalinistischen Politik recht erschwert.« Heinrich Mann war tagelang sprachlos und schloss sich in ein Zimmer ein. Das Kriegsbündnis der Westalliierten mit der Sowjetunion hat es ihm bei Kriegsende ermöglicht, Stalin ungeschmälert als einen der großen Staatsmänner neben Churchill und Roosevelt zu stellen. In der aktuellen Situation blieb er stumm. Auch Döblin schwieg sich über den schockierenden Pakt aus. Aber das hatte eigene Gründe: zu den politischen Großereignissen gibt es von ihm keine öffentlichen Texte. Er wollte der Rolle als zeitgeschichtlicher Festredner und präsidialer Deuter niemals entsprechen.

GEGENPROPAGANDA

Im Juli 1939 plante die französische Regierung unter Daladier, der deutschen Propaganda eine eigene rhetorische Offensive entgegenzusetzen. Sie hatte erkannt, dass der drohende Krieg nicht nur mit Waffen, sondern auch mit Worten, mit Bild und Schrift und Tönen auszutragen sei, dass er auch ein Krieg der prägenden Bilder und der moralisch besetzten Parolen werde. Generalfeldmarschall Keitel vom Oberkommando der Wehrmacht und Goebbels hatten im Winter 1938/39 ein förmliches Abkommen über Kriegspropaganda unterzeichnet. Die Franzosen hingegen kamen mit ihrer Organisation der Gegenpropaganda zu spät.

Kurz vor Kriegsbeginn, im Juli 1939, wurde das »Commissariat Général à l'Information« gebildet. Daladier ernannte den Schriftsteller Jean Giraudoux zum Chef des Informationsministeriums. Das dort angesiedelte Amt für Gegenpropaganda verfolgte mehrere Ziele: Es sollte die Zensur für Presse, Rundfunk und Kino ausüben, war aber auch zuständig für wirkungsvolle Dokumentation und antifaschistische Agitation. Eine von zwei Abteilungen, das »Service de l'Information à L'Étranger«, wurde von Oberst Paul Lazard geleitet; dessen Section germanique unterstand dem Germanisten Ernest Tonnelat. In dieser Gruppierung waren führende Häupter der französischen Germanistik, ein ganzes Professorenkollegium, zusammengezogen: Pierre Bertaux, Edmond Vermeil, Albert Fuchs und Robert Minder. Auf eigenen Wunsch, aber auf Vorschlag von Robert Minder und Henri Luc, Direktor im Erziehungsministerium, war dort auch Alfred Döblin seit Oktober oder November 1939 als freier Mitarbeiter angestellt.

Seine Aufgabe war es, Flugblätter zu verfassen und Einfälle für antifaschistische Propaganda zu entwickeln. Gelegentlich wurden auch einige anderen deutsche Emigranten herangezogen, unter ihnen Kurt Wolff und Paul Landsberg. Minder meinte, der feste Kreis habe aus nicht mehr als fünf oder sechs Männern bestanden. Viele Belege dieser Arbeit haben sich nicht erhalten: die Dienststelle, im Juni 1940 auf der Flucht vor der anrückenden Wehrmacht, schleppte ihren Nibelungenschatz an Akten mit sich, bis sie ihn in einem Feuer auf dem Hof des Mädchengymnasiums von Moulins verbrannte.

Döblin bestimmte seine Aufgabe in einem strategischen Feld. Er ging davon aus, dass die deutsche Propaganda den kritischen Sinn des Volkes außer Acht lasse. Genau diese offene Stelle, dieses *freigelassene Feld,* sollte nach seiner Meinung von der französischen Seite besetzt werden. Sie sollte Fakten, Unklarheiten, Widersprüche in der deutschen Propaganda herausstellen und damit den Zweifel der Deutschen herauslocken. Er wollte an die Kritikfähigkeit der deutschen Bevölkerung appellieren. In einer (nur fragmentarisch erhaltenen) 12-seitigen Denkschrift *Hinweise und Vorschläge für die Propaganda nach Deutschland hinein* entwickelte er ein bemerkenswert eigenständiges Konzept für die französische Gegenpropaganda. Er wollte keinesfalls Agitprop im Dienst der Demokratie und der guten Sache. Vielmehr plädierte er dafür, die Begriffe der politischen Grundwerte zunächst außer Acht zu lassen, da sie von den Nazis desavouiert seien. Sein Augenmerk galt dem Einzelnen, die Gegenpropaganda sollte dazu dienen, ihn aus dem Zusammenhang der indoktrinierten Masse herauszuholen. Döblins Propaganda wollte an die Kritikfähigkeit der deutschen Soldaten appellieren, aber auch Affekte erzielen. Er glaubte an eine befreiende Schockwirkung, wenn die Adressaten aus dem nazistischen Trommelfeuer an Propaganda herausfänden; er rechnete mit *Schreckvorstellungen* und *Panikstimmung.* Für jene, die im Dunstkreis der Lüge isoliert waren, bedeute es einen harten Schlag, wenn sie zum ersten Mal das freie Wort erführen. Er gab sich keiner Überschätzung hin: *Das stark vom Nazismus besetzte Bewußtsein frontal anzurennen, gelingt im Augenblick nicht. Dieses Bewußtsein muß erst von dem Träger selber unterminiert sein.* Über die Ereignisse und den Radius der Nazipropaganda im Deutschen Reich war er erstaunlich gut informiert. Er sammelte systematisch Material und archivierte es. Immerhin war er (wie wohl damals alle Mitwirkenden im Amt) nicht frei von Überschätzung der Möglichkeiten. Für ihn war die antifaschistische Gegenpropaganda eine *4. Waffe im Krieg, neben der militärischen, ökonomischen und diplomatischen.* Und er erkühnte sich zur Behauptung, sie könne dem Heer den Weg ebenso ebnen *wie es die Gedanken der französischen Revolution dem napoleonischen Heere taten.* Da hat er die Rolle der Dienststelle im Informationsministerium genauso überschätzt wie seine eigene. Robert Minder hat sich öfter über diese Arbeit geäußert – und immer ironisch. Für ihn war sie der lächerliche Versuch, die von Sieg zu Sieg eilende deutsche Wehrmacht mit Flugblättern und Liedern zu destabilisieren. Jean-Paul Sartre saß im Elsass als Wetterbeobachter und registrierte einen Phantomkrieg der Worte »à la Kafka«. Minder erzählt, die Zelebrität Paul Claudel habe ein unbrauchbares Pamphlet mit biblischen Verfluchungen der Deutschen abgeliefert und Giraudoux sei in große Verlegenheit geraten: er konnte den Text weder verwenden noch an den Autor zur Überarbeitung zurückgeben. Döblin habe vorgeschlagen, den Text als verwendet zu fingieren. Schließlich habe man ihn auf Glanzpapier gedruckt und an Claudels Freunde im Ausland verschickt.

Man saß im Hotel Continental gegenüber den Tuilerien, bastelte an einer satirischen Zeitschrift namens »Fliegende Blätter«, auch an einem »Taschenkalender für Soldaten«, die als Tarnschriften verbreitet werden sollten.

Vier Proben der praktischen Arbeit Döblins haben sich erhalten, wobei nicht mehr zu ermitteln ist, ob es sich um Entwürfe oder fertige Texte handelt: Sie sind von eher schlichterer Art, jeweils kurze Reihen von Aussagesätzen über Hitler, den Verrat, die Kriegsrohstoffe, das *Bündnis zwischen Hakenkreuz und Sowjetstern;* sie wenden sich an die deutschen Soldaten. Döblin hat aber auch eine Art Sprechgesang geschrieben:

Sie haben Erdöl, achtmal mehr als Ihr. / Sie haben Kupfer, neunmal mehr als Ihr. / Sie haben Zinn: Ihr habt keines. / Sie haben Gummi: Ihr habt keines. / Euere Flugzeuge ohne Benzin werden Kriechzeuge. Unsere nicht. / Euere Kraftwagen werden still liegen. Unsere nicht. / Euere Panzerwagen werden zu Sieben. Unsere bleiben fahrende Bunker aus Stahl. / Was hofft Ihr noch? / Was wollt Ihr hier ausrichten?

Seine theoretischen Überlegungen haben eine lange Vorgeschichte und weisen auf seine poetologischen Vorstellungen von den treffenden Worten, des Medienbewusstseins, der verknappten Rede zurück bis zum *Berliner Programm* von 1913, finden Anhaltspunkte in Überlegungen, die er etwa in *Der Bau des epischen Werks* oder in *Literatur und Rundfunk* niedergeschrieben hatte: *Kunst ist nicht frei, sondern wirksam: ars militans*; das war seine Gegenerklärung zur kommunistischen Agitprop-Literatur.

Wie sehr ihn die Chancen für propagandistische Aktionen gegen Hitlers Deutschland beschäftigten, geht auch aus einer unveröffentlichten Rezension hervor. Sorgfältig referierte er Hermann Rauschnings »Gespräche mit Hitler«, die 1940 erschienen sind: Aufzeichnungen des ehemaligen Senatspräsidenten von Danzig, der sich vom Nazi-Sympathisanten zum Hitler-Gegner gewandelt hatte. Als Summe bedenkt Döblin die Möglichkeiten der Propaganda nach Deutschland hinein. Man habe dort anzusetzen, wo Hitler versage: *Er gibt selbst an, nur zur Masse sprechen zu können. Man hat sich also an den Einzelnen zu halten. Statt des Instinktes ist der Verstand, die Kritik, die er überritten hat, wieder zu beleben.*

Komisch erscheinen die im Amt anvisierten Verbreitungspläne für das Material. Im »drôle de guerre« wurden Schallplatten mit Texten und mit der Stimme einer Operndiva hergestellt und an der Front abgespielt, Flugzeuge sollten Flugblätter über deutschem Gebiet abwerfen. Minder meinte trocken im Rückblick: »Döblin fühlte sich in die Zeit Homers zurückversetzt, wo die Helden vor dem Kampf sich gegenseitig beschimpfen.« Am 7. Dezember 1939 begann diese neue Kampfetappe, nämlich der Einsatz der Dichter an der Wörterfront.

Als Frontagitator kam Alfred Döblin nicht zum Einsatz, er empfand in seinem Amt eine Kafka-Atmosphäre, denn er verstand sich mit Jean Giraudoux nicht besonders gut, da mögen die extrem unterschiedlichen literarischen Auffassungen eine Rolle gespielt haben. Er gestaltete ein Flugblatt, das aus einer *Ballade von den drei Räubern* Hitler, Göring und Goebbels und sieben oder acht Holzschnitten des sozialistischen Künstlers Frans Masereel bestand. Es wurde aber nicht mehr eingesetzt. Robert Minder berichtet: »Die Deutschen standen in Paris, ehe der Drucker die Arbeit hätte abliefern können.«

Das Ergebnis dieses »phoney war« der Worte und der aufrüttelnden Musik war jedoch eine wechselseitige Selbsttäuschung im »Commissariat à l'Information«; es verdichteten sich in diesem Kriegstheater der Reden, Flugblätter und der einnehmenden Musik die Simulationen, hinter denen die Wirklichkeit des Krieges selbst verschwand. Im Mai 1940 ging diese Episode des Gegenpropagandisten Döblin zu Ende.

IMPROVISATIONEN

Kaum waren die Döblins aus dem Urlaub zurückgekehrt, überschlugen sich die Ereignisse: Am 1. September 1939 überfielen deutsche Truppen Polen, am nächsten Tag erfolgte die französische Generalmobilmachung, am 3. September erklärten Frankreich und England den Deutschen den Krieg. An diesem Tag floh die dreiköpfige Familie aus Paris nach Avallon, rund 200 Kilometer südöstlich von Paris; sie bezog eine winzige Mansardenwohnung und wollte dort abwarten, ob die französische Hauptstadt bombardiert werde. Döblin ließ sich unverzüglich als Arzt registrieren, wurde aber nicht eingesetzt. Am 24. September schrieb er Tröstendes an Hermann Kesten, der in einem Lager für feindliche Ausländer in Nevers interniert war, auf Französisch. Die Devise hieß: auch sprachlich nicht auffallen. Er teilte ihm unter anderem mit, dass Hans Siemsen im Radfahrstadion Colombes interniert war.

Im Oktober kehrten die Döblins zurück, aber ihres Bleibens war nicht länger am Square Henri Delormel: die Wohnung wurde am 25. November 1939 aufgegeben, und vorübergehend fand Döblin mit den Seinen Unterschlupf im Pariser Vorort Marly-Le-Roi. Möbel und Bücher wurden in den Speicher einer Spedition gebracht, Robert Minder sorgte dafür, dass die Manuskripte im Keller der Sorbonne versteckt wurden. Die Söhne Wolfgang und Klaus waren eingezogen, hatten also an diesen Entschlüssen keinen Anteil; der eine diente als Funker, der andere als Infanterist. Noch in dieser bedrängten Lage half Döblin einem Kollegen: Er befürwortete Anfang Januar 1940 Benjamins Aufnahme in den PEN gegenüber dem Generalsekretär Rudolf Olden. Für die wahrscheinliche Flucht kamen Papiere, die die Zugehörigkeit zu einer internationalen Organisation nachwiesen, mehr als gelegen.

Im Dezember 1939 konnte die Familie in eine möblierte Wohnung in Saint-Germain-en-Laye einziehen. Es herrschte jener eigenartige Zustand, der »drôle de guerre« genannt wurde, bis Hitler im Mai 1940 zuschlug. Aus dem »Sitzkrieg« wurde ein »Blitzkrieg«, als deutsche Panzertruppen unter General Guderian die Maginot-Linie umgingen, in Holland und Belgien einmarschierten und in schnellem Vormarsch durch das nördliche Frankreich bis an die Kanalküste vorstießen.

DAS ERSTE HALBJAHR 1940

Mit Nachrufversen von Alfred Wolfenstein auf René Schickele am 16. Februar und einem Bericht von Gertrud Isolani über den Einsatz der Frauen in den Rüstungsbetrieben Frankreichs endete am 18. Februar die »Pariser Tageszeitung«, das liberale Blatt der deutschen Emigration in Paris. Trotz aller Wirren und Ablenkungen war Döblin heftig in Arbeiten verstrickt. Am 8. März 1940 teilte er Peter mit, dass er an den Kürzungen für eine englische Ausgabe von *Das Land ohne Tod* saß; er musste von 950 auf 600 Seiten einstreichen. Aber die Mühe war umsonst: Die Ausgabe kam dann doch nicht zustande, obwohl schon eine Teilübersetzung ins Englische vorlag.

In diesen Monaten bereitete Döblin auch eine Konfuzius-Auswahl vor. Er hat die Arbeit an »Les gages immortelles de Confucius« für den Pariser Verlag Corréa im Herbst 1939 begonnen und im Winter unbeirrt abgeschlossen. Das Buch kam wegen der Kriegsereignisse allerdings erstmals in englischer Sprache 1940 bei Longmans, Green & Co. heraus; bei seiner Ankunft in den USA erhielt er dafür die sehr benötigte Summe von 500 Dollar. Erst 1947 erschien die französische Ausgabe.

Gegenüber Peter berichtete er am 13. Februar 1940 von den Geschwistern in Frankreich: *Die beiden Brüder schreiben, Wolf lebt meist in einer Scheune, aber er ist immer bei guter Laune, ja schickt sogar gelegentlich mathematische Entwürfe; Klaus in Orléans, war neulich zuhaus; der Meyer* (gemeint: Stefan) *geht zur Schule, muß viel (aber ungern) pauken.*

Genau an diesem Tag fand in Döblins Kindheitsort Stettin die erste größere Deportation von Juden aus dem Regierungsbezirk statt. 1124 Männer und Frauen wurden in ausrangierten Vierte-Klasse-Wagen verfrachtet, um ins »Judenreservat« des Generalgouvernements Polen verschleppt zu werden, nämlich 600 Kilometer weiter nach Lublin und von dort in die Ghettos von Piaski und Glusk, von wo aus später der Weg zur Vernichtung in Belzec führte.

Der Schock des deutsch-sowjetischen Nichtangriffspaktes vom August 1939 wirkte nach, die Sorge um die Bedrohung Frankreichs füllte die Tage aus. Am 10. Mai 1940 die Tagebuchnotiz: *Es kommt eine Zeit schwerer Opfer, schwerer Erregungen. – Ich schreibe die letzten Seiten meines 2. Bdes; Becker nach der Wendung, Gespräch mit Maus. Herrliches Sommerwetter, fast täglich im Park St. Germain; was kann jetzt Propaganda leisten? Nachrichten!*

Aufklärung! An diesem Tag machte er sich vor allem Sorgen um Klaus, der seit fünf Tagen im Urlaub war und möglicherweise zur Einheit zurückgerufen wurde und in den Krieg ziehen musste. (Er wurde erst nach zwei Jahren Wehrdienst Ende Juli 1940 demobilisiert.) Es war der Tag, an dem die Scharmützel zwischen Deutschen und Franzosen jäh in offene Schlachten umschlugen. Nicht geringere Sorgen machte er sich um Wolfgang, der am 3. November 1938 eingezogen worden war und der unweigerlich in den Krieg ziehen musste. Er ließ wenig von sich hören. Döblin notierte den Überfall der Deutschen auf Holland und Belgien: *Unruhe und Spannung, aber es kommen nach der langen unsicheren Spannung jetzt wohl sehr wichtige Schläge. Werden die Deutschen in Holland und Belgien aufgehalten? Hitler rennt dem Traum der »Landung in England« nach.* Trotz alledem ließ sich der Schriftsteller nicht vom Schreibtisch abhalten.

Ach, wie war er doch ein Berliner geblieben. Das saß in den Reflexen. Als er an die Rosins schrieb, 15. März 1940 aus Saint-Germain-en-Laye, teilte er mit, dass sie *2 x wöchentlich* nach Paris führen, aber zunächst hatte er ganz automatisch »*Berlin*« hingeschrieben und musste korrigieren. Seinen Sohn Peter fragte er ängstlich im Brief: *Lieber Peter, ich hoffe, du kannst auch noch deutsch lesen?* Sogar in der Ungewissheit der neuen Lage gingen seine Gedanken nach Deutschland zurück.

Während die Döblins wenige Monate später auf der Hetzjagd um Stempel und Geld waren, schrieb eine andere Verfolgte an Döblin, ohne zu wissen, wo er sich befand, nach Saint-Germain-en-laye: Yolla Niclas schickte am 25. Juli einige hastige Zeilen aus Oloron ins Nirgendwo, wo Döblin schon längst nicht mehr war: »Brüderlein, ich sende Dir viele Grüße nach verlorener Zeit und noch immer. Ich möchte nur wissen ob Du gesund bist und die Kinder und die Erna auch. Von Rudi habe ich seit 9 Wochen kein Zeichen, weiß noch immer nicht, wo er ist. Ich bin allein. Deine Yolla.« Sie selbst hatte mit großen Schwierigkeiten zu kämpfen. Ihr Mann Rudolf Sachs war interniert worden, sie selbst kam ins Pariser Velodrom. Unterdessen entstand ein unersetzlicher Verlust: »Da meine Schwiegermutter wußte, daß ich mit Alfred Döblin, der jetzt auf der Nazi Schwarzen Liste stand, seit 1922 eine nahe Beziehung hatte, suchte und fand sie in meiner Wohnung einen großen Kasten, auf dem ›persönliches Eigentum‹ stand. Er enthielt sämtliche Briefe Alfred Döblins, die ich während meiner unvergeßlichen Freundschaft seit 1922 erhalten hatte.

Im Glauben mich schützen zu müssen, verbrannte sie den ganzen Inhalt dieses Kastens. Als ich später davon erfuhr, weinte ich lange; denn dieser Verlust hinterließ in mir eine Wunde, die ich bis auf den heutigen Tag nicht überwunden habe.«

Vom Pariser Velodrom wurde Yolla Niclas ins Internierungslager nach Gurs deportiert. Erst am 5. März 1941 erhielt sie und ihr Mann Rudolf Sachs in Marseille das amerikanische Einreisevisum.

SCHICKSALSREISE

Am 16. Mai hat er nach eigener Annahme das Manuskript des zweiten (später geteilten) Bandes von *November 1918* abgeschlossen. Das Datum fand er auf der Flucht wieder: als Schicksalswink auf einem Plakat, das für einen Zirkus warb. An diesem Maitag erfuhr er im Radio vom Durchbruch der deutschen Truppen an der Nordfront. Das Plakat, das im mittelfranzösischen Mende angeschlagen und das längst überholt war, als er es las, versprach einen *Circus ohne Bluff*. Eine merkwürdige Assoziation stellt sich ein, *ein Klingelzeichen.* Auch sein Büro im Innenministerium trug den Spitznamen *Circus.* Es schien ihm, als wolle ihn das Schicksal verhöhnen. Er hat solche Sachverhalte, die man als das absurde Spiel des Zufalls ansehen mag, anders verstanden: *Aus den unsichtbaren Welten strömen auch die Winke und Zufälle, die Zeichen in diese sichtbare Welt ein. Das ist eine eigentümliche Erweichung der Realität. Die Realität wird transparent.* Seit sechs Tagen waren die Kämpfe zwischen Franzosen und Deutschen nach dem »Sitzkrieg« in vollem Gang. An diesem 16. Mai 1940 erfuhr er: *Der Ansager meldete: die »Tasche« an der Nordfront der französischen Armee hätte nicht geschlossen werden können. Die Meldung sagte nichts von einem Durchbruch, von einem Zerreißen der Front, aber wer Ohren hatte zu hören, hörte. Die Feder wurde mir aus der Hand geschlagen.* Er sei nicht unvorbereitet gewesen, habe auf den Chausseen schon tagelang Wagenkolonnen mit Flüchtlingen aus Belgien und Nordfrankreich gesehen. *Offenbar waren ganze Dörfer in Bewegung.* Das spätsommerliche Wetter in St. Germain wirkte wie ein Dementi der bedrohlichen Situation: *Der herrliche Park stand in sommerlicher Blüte, die Wege waren voller Ausflügler und Spaziergänger, die Kinder spielten auf den Plätzen.* Anscheinend wiederholte sich das Zögern Döblins: Er wollte genauso wenig aus Paris weg wie sechs Jahre zuvor aus Berlin. Ein Freund habe ihm dringlich geraten wegzureisen. Wenn erst die Evakuierung von Paris stattfinde, könne man sich ausmalen, wie die Massenflucht von Hunderttausenden aus der französischen Hauptstadt stattfinde. Der Freund war gewiss Robert Minder, der ihn auch mit dem Informationsministerium in Verbindung gebracht hatte. Am 25. April abends kam ein Anruf mit der Aufforderung, sofort nach Paris zu fahren. Doch blieben die Döblins noch über Nacht. *So sah auf dieser Flucht unsere*

Habe aus: ein großer Koffer, zwei kleine und der Rucksack. Wie ein Tier, das sich häutet, hatten wir seit Kriegsbeginn alles von uns geworfen: zuerst die Möbel einer ganzen Wohnung mit der Bibliothek – sie lagerten irgendwo – dann die Wäsche, Kleidungsstücke, einen restlichen Bücherbestand; sie blieben in St. Germain. Wir schrumpften immer mehr auf das direkt von uns Tragbare ein. – Aber wir trugen noch zuviel. Sie kamen am Vormittag des 26. Mai in Paris an: *Die wunderbare Stadt nahm uns mit dem gleichen Lächeln wie immer auf. Sie schien noch nicht zu bemerken, was vorging – und ihr bevorstand. Die Menschen saßen auf den Terrassen der Cafés und beobachteten verwundert einige schwer bepackte Matratzenautos, die sich unter die anderen mischten.* Die Döblins tauchten in einer *Gerümpelkammer* unter, einer kleinen Wohnung in 95, rue des Petits-Champs, Paris 2e, chez Audry – der Mädchenname von Colette Minder.

Am späten Abend setzten sich Erna Döblin und ihr Sohn Stefan in den Zug nach Süden, um nach Le Puy zu fahren. Döblin selbst blieb noch in Paris, er hauste mehr als zwei Wochen lang in dieser Rumpelkammer, zusammen mit einem Lehrer, der als Soldat seinen Dienst in Paris versah. *Da saß ich in der staubigen Stube, ohne Teppich, ohne Gardinen, las wenig, schrieb wenig, besuchte die und jene Bibliothek.* Frau und Sohn erhielten durch Vermittlung der französischen Germanistin Marthe Schmidt ein Zimmer in Le Puy; nach der Abreise von Erna und Étienne bildete sie mit Telegrammen das Bindeglied zwischen den Verlorenen. Erst am 10. Juli sollte die Familie wieder zusammentreffen.

Nach der Kapitulation von Belgien und der Eroberung von Dünkirchen setzte die Wehrmacht am 4. Juni zu ihrem Vormarsch nach Paris an, es gab vereinzelt Bombardements der Stadt. Es war nicht die letzte Flucht, die Döblin bevorstand, aber es war der Beginn der endgültigen. Alle weiteren waren nur noch Wegstrecken auf vorgezeichneter Bahn, auch die Rückkehr 1945, die eine Heimkehr nicht mehr oder nur eine vorläufige war. Döblin trat die *Schicksalsreise* an. Sie ist das von ihm am genauesten dokumentierte seiner Lebensabenteuer. Die erste Wegstrecke: von Paris nach Marseille: Heute wären es knapp 800 Kilometer, damals, im Kreuz und Quer, machte sie schätzungsweise mehr als das Doppelte aus.

Sie umfasst das Chaos der Flucht, die jähen Peripetien des Daseins, die Demütigungen des Ausgestoßenen, die Wucht der Ereignisse im geschlagenen Frankreich, aber sie geht darüber weit hinaus. Diese *Schicksalsreise* vollzieht sich auf drei Wegen, wie man aus dem gleichnamigen Buch, fast ein Jahrzehnt später erst veröffentlicht, entnehmen kann: Es ist die ungemein bewegende Odyssee eines Flüchtlings, der alles verliert: jede Gewissheit, der sich zeit-

Der lebensrettende französische Pass
1939

weilig eines Manuskripts entledigen muss, ins Lager kommt, Frau und Kind zwischendurch verliert, rundweg alles verliert; es ist die Kopfreise eines Beobachters, der sich selbst mit dem diagnostischen Blick des geschulten Arztes, des Aufklärers und Rationalisten mustert, in peinlicher Genauigkeit prüft; und es ist die Initiationsreise in den Glauben an den leidenden Christus, die für ihn ein Weg nach oben ist. Äußere Ereignisse und innere Wandlung laufen aufeinander zu, stehen in Korrespondenz zueinander. *Lohnt es, das niederzuschreiben, die Fahrt von da nach da, die Schwierigkeiten, die sich erhoben und was es sonst noch gab? Bietet das wirklich Interesse?*

Wenn ich es genau und rundheraus sagen soll: es war keine Reise von einem französischen Ort zu einem andern, sondern eine Reise zwischen Himmel und Erde.

Von Anfang bis zu Ende hatte die Reise einen – ich möchte sagen: traumhaften, imaginären Charakter; ich meine: einen nicht nur realen Charakter.

Bei der Reise von ihrem Anfang bis zu ihrem Abschluß (ist er erfolgt?) reiste »Ich«. Aber der Reisende war kein gewöhnlicher Passagier mit seinem Billet.

Die Reise verlief zugleich an mir, mit mir und über mir. Nur weil es sich so verhielt, begebe ich mich daran, die Fahrt, ihre Umstände, aufzuzeichnen. Eine Flucht, eine Suche, eine Irrfahrt, ein Weg zu Gott, aber auch in den Zweifel, vergebliche Routen, verrutschte Ziele, und nur das eine ist gültig: durchzukommen, ein Kreuz und Quer.

Sich selbst hat er im Bild des *gestrandeten Robinson* gedeutet. Und mit dem Wegfall des kommunikativen Netzes am Ende der französischen Tage entstand auch die innere Bühne als ein leerer Raum: Kierkegaard ist ein stumm gewordener Wegweiser. Erst die gänzliche Verlassenheit, die er auf dieser *Schicksalsreise* erlebte, ermöglicht die Konversion. Sie war allerdings vorbereitet, wenn auch ein Zögern unverkennbar ist. Robert Minder überliefert, dass Döblin schon 1939/40 »unter Zuspruch von Erna Döblin« in Paris gelegentlich die Messe besucht habe. Die Hinwendung zum Glauben, die im Buch als jähe Epiphanie erscheint, vollzog sich auf einem längeren Weg in nicht unbedingt folgerichtigen Schritten.

Es ist ein für den Autor atypisches Buch, versteht sich als Autobiographie und Bekenntnis. Und zugleich wird dieser Annonce Einhalt geboten. Im Rückblick deutet sich Döblin nämlich als einen, der sich auf der Flucht abhandenkam wie niemals zuvor, als einen Unwirklichen: *Ich erinnere mich nicht, je zu irgend einer Zeit meines Lebens so wenig »ich« gewesen zu sein. Ich war weder »ich« in den Handlungen (meist hatte man nicht zu handeln, man wurde getrieben oder blieb liegen), noch war meine Art zu denken und zu fühlen die alte.* In erster Fassung wurde das Buch schon 1940/41 in Kalifornien geschrieben – als Bericht über das Durcheinander der Wege in Frankreich. Er zeigt das Eingangstor ins Reich des Glaubens, der in der *November*-Tetralogie und in den laientheologischen Reflexionen *Der unsterbliche Mensch* ausgebreitet ist.

An diesem 26. Mai 1940, dem Abschiedstag der Familie, wurden vor allem britische Truppen in einer Stärke von 223 000 Mann im Raum Dünkirchen eingeschlossen, doch konnten die meisten Streitkräfte vor dem Fall der Festung nach England evakuiert werden. Der Vorgang wird in der *Schicksalsreise* kommentiert, spielt auch in dem Skript *Mrs. Niniver* eine nicht unwichtige Rolle. In einem Passus, der in der *Schicksalsreise* gestrichen wurde, schrieb Döblin von Selbstmordabsichten, falls ihm drohe, in die Hand der Deutschen zu fallen: *Ich selbst hatte mir in den kritischen Tagen des Junianfangs Schlafmitteltabletten besorgt, eine ausreichende Menge. Ich trug sie sorgfältig in meiner Brieftasche bei mir. Wenn ich im Gebirge anlange und es stellt sich heraus, wir sind verloren, so werden wir das Kind in der Nähe in Sicherheit bringen. Wir selbst aber werden zu der ›lieblichen Phiole‹ in meiner Tasche greifen.* Er wäre den gleichen Weg gegangen wie sein Kollege als Arzt und

Schriftsteller, Ernst Weiß, der in radikaler Einsamkeit sich am 14. Juni in Paris das Leben nahm, als die deutschen Truppen einmarschierten.

Am 28. Mai kapitulierte die belgische Armee unter ihrem König Leopold III. bedingungslos. Wie zur Probe wurde Paris bombardiert, es gab Fliegeralarm, in drangvoller Enge saß Döblin im Keller. Er blieb noch einige Tage in der Stadt, zumal er ja in einer Dienststelle verpflichtet war und sich nicht in das Massenheer der Flüchtlinge gen Süden einreihen wollte. Am 9. Juni beschloss die französische Regierung unter Ministerpräsident Paul Reynaud, die wichtigsten Ministerien nach Tours zu evakuieren.

In Paris, Rue Rivoli, Anfang Juni 1940. Die Tuilerien waren verwaist, Unterstände für die Flak wurden ausgegraben, die Stadt war schon fast eingeschlossen. Überall wurden Abschiede geprobt. *Es bricht über uns herein. Wir können keinen Widerstand leisten. Der Deutsche ist überstark. Seine Art hat etwas Grauenhaftes, Unheimliches an sich. Erst die Österreicher, dann die Tschechen, Polen, dann die Dänen und Norweger, dann die Holländer und Belgier, sie werden alle spielend umgelegt. Sie fallen, als wenn sie erstarren wie der Vogel vor der Schlange, von selbst dem Feind zu. Es ist, als ob sie sich als Opfer anbieten.*

Am 10. Juni um 14 Uhr verließ Döblin mit seiner Gruppe unter Leitung von Kapitän Gaston Berger, *sein himmelblaues Käppi in der Hand,* Paris vom Güterbahnhof Port d'Ivry aus nach Tours. In der Bahnhofskneipe haben sich die Flüchtlinge und die Transportarbeiter in einem Anfall von Galgenhumor zu einem Fest verabredet, wenn sie wieder nach Paris zurückkehrten. Aber die Grundstimmung war eine ganz andere: *Ich stehe in dem Haufen und werde gequält von einem elenden Gefühl: wie unrecht, wie schäbig, wie erbärmlich es ist, hier wegzulaufen und seine persönliche Sicherheit zu suchen. Verflucht, daß man in diese Lage gekommen ist, fliehen zu müssen, fliehen, abermals fliehen. Welch schändliches, unwürdiges Los.* Der Güterbahnhof Port d'Ivry war damals nicht einmal Döblins Taxifahrer bekannt, heute ist er ein verwischter Ort. Die Türme der Nationalbibliothek haben den Platz erobert.

Am gleichen Tag floh auch Anna Seghers aus Paris in den Süden, wurde von den deutschen Truppen überholt und kehrte noch einmal in die französische Hauptstadt zurück, wo sie illegal lebte, bis sie im September 1940 über die Demarkationslinie nach Marseille geschleust wurde und nach Mexiko entkommen konnte. Die deutschen Truppen rückten vier Tage nach der Flucht Döblins in Paris ein.

Heere von Flüchtlingen hatten Tours besetzt, in der Nähe fielen Bomben. Döblin kam nachts an, in kompletter Finsternis. Einige Tage später wurde die

Hauptstraße von Tours, die Rue nationale, in Schutt und Asche gelegt. *Aber was vorging, sah man, man sah es mit eigenen Augen: der Gegner war nicht aufzuhalten. Niemand hielt ihn auf. Man war wehrlos. Und die Menschen fuhren und gingen, sie wußten nicht, wohin.* Döblin trieb sich in der Stadt herum, er wurde zum Inspizienten des Chaos. Seine Behörde, 30 Personen, richtete sich ein: man wollte den Betrieb wieder aufnehmen, die Propaganda gegen die Eroberer weiterführen. Daran war freilich nicht zu denken. Soldaten kamen in Massen an; es entstand das Gerücht, südlich der Stadt würde eine neue Front aufgebaut. Die Regierung kam nach Tours, dann zog sie wegen der unsicheren Lage weiter nach Bordeaux. Am 13. Juni, Döblin befand sich noch in der Stadt, landete Winston Churchill auf dem von Bomben durchlöcherten Flugplatz der Stadt, um sich mit dem französischen Ministerpräsidenten Reynaud zu treffen. Wohlweislich flog er am gleichen Tag wieder ab, denn die Deutschen bombardierten die Stadt in den nächsten Tagen unaufhörlich. Die Altstadt ging in einem Flammenmeer unter. Churchill kommt in der *Schicksalsreise* nicht vor: wahrscheinlich hat Döblin seinen Besuch gar nicht wahrgenommen. Auch die Abteilung des Informationsministeriums blieb nur drei Tage in Tours an der Loire, dann musste sie sich erneut auf den Weg machen. *Ich hatte den Eindruck, die Akten verloren mit jedem Umzug mehr an Wert. Jetzt warf man sie schon auf die Lastwagen. Ich sah den Tag kommen, wo die Lastwagen mit dem Papier irgendwo auf einer Chaussee stehen blieben.* Am 21. Juni rückten die Deutschen ein. Mit dem Abzug von Tours fand eine Verwandlung statt: Aus dem Beobachter und Reisenden wurde ein Angehöriger der Masse Mensch.

Am 14. Juni wurde Döblin mit den anderen Mitgliedern der Dienststelle auf dem Lastwagen bis Moulins gefahren. Eine Fahrt durch die Provinz, stehengebliebenes Mittelalter, steinerne Antiquitäten, dazwischen die gesammelte Not. Döblin überlegte sich dort, den Trupp zu verlassen: *Ein bißchen Fahnenflucht – aber es war nicht einmal Fahnenflucht. Kein Hahn würde nach mir krähen. Aber – das waren doch nur Träume. Wahrscheinlich würden ja morgen oder übermorgen auch diese friedlichen Kleinstädter fliehen. Morgen würde auch diese verschlafene Straße erwachen. Ich konnte mir schon vorstellen, wie –.* Im alten Wachturm von Moulins, der ehemaligen Hauptstadt der Bourbonen, haben die Nazis später politische Gefangene inhaftiert und auf der Freifläche davor die Gruppen zusammengestellt, die für die Deportation bestimmt waren.

In einer weitläufigen höheren Schule für Mädchen wurde die Dienststelle mit ihrem Personal untergebracht. Es sah so aus, als wolle man den Amtsbetrieb wieder aufnehmen, aber das Interesse verflog rasch wie das Amtsgepäck selbst: ein Autodafé wurde angerichtet, die Akten verschwanden in einem Feuer auf dem Schulhof. Einige Mitarbeiter der Dienststelle hatten sich schon davongemacht.

Wo die Deutschen standen, wusste man nicht. Kapitän Berger forderte Döblin auf, zu seiner Familie nach Le Puy zu fahren. Nach einigem Zögern und einer Beratung mit Robert Minder machte er sich auf den Weg, kaufte ein Billet – und zog sich angesichts der auf dem Bahnhof wartenden Massen wieder ins Lyzeum zurück. Diese Flucht auf eigene Rechnung war vorläufig missglückt. Am nächsten Tag wurde ein Zug nach Le Puy versprochen, dann sollte die Fahrt nach Clermont-Ferrand gehen, endlich brach man mit ungewissem Ziel, *irgendwie Südwesten,* auf. Inzwischen war die Truppe auf *120 bis 150 Menschen* angewachsen: *Man war Zivil und Militär, Dienststellen und Anhang, Herren und Damen, und jetzt auch Kinder.*

Der Bericht wahrt bis dahin gegenüber den Depressionen des Flüchtlings eine gewisse Distanzkälte und ironischen Ingrimm: das Gefühl der Agonie, die leere Seele, die sich mit Verzweiflung füllt, die Langeweile, das Lähmungsgift für alle Entschlüsse, sind dem Buch bis dato kaum eingeschrieben. Den Strecken durch die bedrängende Wirklichkeit sind andere Linien eingezeichnet, die andere Ziele suchen. Döblin ging es vordringlich darum, das Unheimliche und Schemenhafte der Ereignisse zu schildern, einen geradezu imaginären Raum, den er durchschritt.

Nach einer langen Nacht setzte sich der Zug mit seinen Viehwaggons in Bewegung. Die Fahrt (und die langen Stopps unterwegs) dauerten drei Tage und die Nächte. Er schleppte das Manuskript des zweiten Bandes von *November 1918* mit sich, immerhin ein Konvolut von mindestens 600 Seiten, dazu die Briefe Rosa Luxemburgs und die Predigten Taulers, die er von der Sorbonne ausgeliehen hatte. Döblin verglich später die beiden Wechselfälle: die deutsche Revolution vor 22 Jahren mit der akuten Umwälzung von 1940 in Frankreich. Er verstand es so: Er war mit seinem Geschick in den voraus geschriebenen Roman geraten, zu dessen Figur des Friedrich Becker geworden. *Es war vorerlebt aber nicht aberlebt.* Er rief insgesamt seine Romane zu Hilfe, um seine Lage zu benennen: die *Situation der Massenflucht* wie im *Wang-lun,* das *Fliehen und Ausgetrieben* wie im *Wallenstein,* aus der Geborgenheit *in die Fried- und Haltlosigkeit, in Schmerz, Elend und Ohnmacht sinken* wie im *Manas* und in der *Babylonischen Wandrung.* Es ist seine Art einer absurden Souveränitätserklärung: der Erzähler erleidet die Geschicke seiner Romanfiguren, die Wirklichkeit spielt auf dem Feld der Erfindung und trägt sie ab.

Diese Passagen strich er später wieder aus der *Schicksalsreise,* vielleicht haben sie ihm nach Rechthaberei geklungen. Ein besondere Flüchtlingsemotion bestimmte ihn, eine Art von Patriotismus, durchsetzt mit Schwermut: *Was für ein eigentümliches Gemisch von Gefühlen, was für ein Wirrwarr von klaren und unklaren Gedanken, mit dem wir fuhren, uns ausstreckten, zu schlafen versuchten, mit dem man wieder aufwachte und sich wieder in dem Wagen fand inmitten seiner Bekannten, seiner Leidensgefährten. Da war die Trauer, der Gram um das Geschick des Landes, das auch unser Geschick war. Und da wuchs dann über mich wieder jene schon nicht mehr bloß psychische Verstörung, die mich seit dem 16. Mai nicht mehr losließ, und statt nachzulassen mich schärfer einschnürte.* Am Morgen des 18. Juni erreichten die flüchtenden Beamten des Innenministeriums Arvant im Südwesten Frankreichs, Le Puy lag in ihrem Rücken. In dem Provinznest war die Bekanntmachung zu lesen, dass Maréchal Pétain, Nachfolger Paul Reynauds als Ministerpräsident, am Tag zuvor um einen Waffenstillstand gebeten hatte. Einen weiteren Tag benötigte die Zwangsreisegruppe bis Capdenac im Midi. *Die Finsternis, die Unruhe weicht für eine Weile von uns. Was für eine Welt! Man scheint hier nichts vom Krieg gehört zu haben – und gar nichts von etwas Schrecklichem, Unvorstellbarem: von einer Katastrophe, einer Niederlage.* Am 19. Juni fuhr der Zug endlich in Cahors ein. Döblin hoffte, über Rodez und Séverac-le-Château nach Le Puy zu gelangen. Eine Reihe unbekannter Ortsnamen markiert die Landkarte dieser Irrwege. Döblin übergab Robert Minder den Manuskript-Packen, um sich eines Teils seines Gepäcks zu entledigen und beweglicher zu sein. Die beiden trennten sich voneinander – für fünf Jahre. Sein Manuskript habe er weggegeben, als die Reise gefährlich wurde. *Es war eine unbewußte Geste. Es geschah zum Zeichen, daß ein Schritt über das Buch hinaus nötig wurde.* Auch diesen Passus hat Döblin nicht für den Druck bestimmt und später gestrichen. Der Roman griff gleichsam nach seinem Erfinder; diese Spur wollte Döblin später tilgen. Das wird ihm zu intim gewesen sein, und seine Diskretion, auch gegen seine Figuren, wollte er gewahrt wissen. Im übrigen bemächtigte sich seiner nun die ausweglos erscheinende Wirklichkeit. Aber die *Schicksalsreise* ist angefüllt mit Verweisen wie Boten aus einem Rückraum. Der Okkultismus, dem er in seinen frühen Jahren gefrönt hatte, verschob sich, ergab nun eine Substanz, die sich später in Religiosität verdichten sollte. Nach Le Puy wollte er auch deshalb *so rasch triebhaft, fast zwangsartig,* weil seine Frau sich dort in Schwierigkeiten sah: Döblin bemühte die Telekinese, um seine Unruhe zu begründen.

Die Wege der beiden Freunde trennten sich fürs erste, Minder wollte nach Toulouse. Mit einem dienstlichen Befehl, seine Familie aufzusuchen, und einem Passierschein der Präfektur ausgestattet, bestieg Döblin am 20. Juni den letzten, überfüllten Zug, wie Minder berichtet, um zu Frau und Kind ins zentralfranzösische Le Puy zu fahren. Der Plan war nicht richtig durchdacht: unterwegs konnte Döblin, allein reisend, wegen seines Akzents als Spion verhaftet werden, und er fuhr nach Norden, dem Feind entgegen. Überdies hatte er seit Tagen keine Nachricht von seiner Frau erhalten, der Kontakt war abgebrochen. Den Entschluss zu dieser Reise hat er wohl nicht selbst gefällt, er geschah mit ihm. Döblin verstand sich in dieser Zeit als Medium, deutete sich als Vollzugsorgan: *An Händen und Füßen war ich gebunden. In einer Weise, die mich manchmal selber entsetzte, war mein Wille beschlagnahmt, mein bewußtes Ich durchkreuzt und in den Winkel geschoben. Es war dabei keine Lähmung. Ich war heftigst beteiligt. Ein dumpfes Trotzgefühl, ja, ein abgründiger Ernst, eine Trauer stand hinter meinem Trieb zu reisen. Die Niederlage war gekommen. Die Niederlage, eine große Niederlage, drang in mich ein. Ich ging ihr entgegen.* Auf dem Bahnhof in Capdenac, wo er zwei Tage zuvor schon einmal eingetroffen war, erregte er als Einzelreisender Aufsehen und wurde streng kontrolliert. Er übernachtete in Rodez, in Flüchtlingsbaracken und geriet – gespenstisch die Szene – in ein Straßenfest.

Erna Döblin hatte in Le Puy erfahren, dass die deutschen Truppen bereits bei Clermont-Ferrand standen. Sie brach mit dem Sohn Stefan auf, um ihren Mann zu suchen. Sie kam bis Rodez mit einem Dienstwagen und übernachtete am selben Abend in der gleichen Barackensiedlung wie Alfred Döblin, aus umgekehrter Richtung kommend auf der Suche nach ihr. Sie waren vielleicht nur einige Meter voneinander entfernt, haben nichts voneinander erfahren und verfehlten einander. Ein schwarzer Gott schnitt den Exilanten auf ihrer babylonischen Wanderung eine Grimasse.

Aber die Zuspitzungen dieses Tages hatten damit kein Ende.

VINCENT ALIAS WOLFGANG

Während der Schriftsteller von einem Ort zum andern zog, um seine Frau und seinen Sohn Stefan zu suchen, während die beiden wiederum sich in umgekehrter Richtung aufmachten, um ihn zu suchen, während sie sich also, fast in traulicher Nähe, an diesem 21. Juni verfehlten, vollzog sich im Vogesendorf Housseras ein finales Drama. Am frühen Morgen dieses Tages, einen Tag vor Unterzeichnung des Waffenstillstandes, schoss sich der Mathematiker Wolfgang Döblin, Soldat 2. Klasse im 291. französischen Infanterieregiment, kurz

Der Soldat Vincent Doblin (hinter dem Funkgerät) mit seiner Gruppe 1939

vor Ankunft der deutschen Truppen in einer – noch heute erhaltenen – Scheune eine Kugel in den Kopf.

1939/40 hatte er im kalten Winter in einem Dorf an der Maas, später in Lothringen östlich von Nancy seinen Dienst als Telegrafist geleistet. Als Doktor Vincent Doblin, der sich seines deutschen Akzents wegen gegenüber hänselnden Soldaten als Elsässer ausgab, hätte ihm der Dienstrang eines Offiziers der Reserve zugestanden, aber den wollte er nicht. Er war entschlossener Sozialist und vom Gleichheitsgedanken erfüllt; so blieb er aus Überzeugung bei den niederen Diensträngen. Für seinen Einsatz bekam er das Verdienstkreuz, aber die Vorgesetzten behandelten den dünnen jungen Mann mit der Nickelbrille und dem etwas weltfremden Gesicht ein wenig von oben herab. Er hatte es, angetreten, um seine Wahlheimat Frankreich gegen seine Landsleute zu verteidigen, anscheinend beim Militär nicht leicht. Auch in der Familie blieb er weitgehend ein Fremdling: Er war zwar der Liebling der Mutter, aber der Vater lebte in einer anderen Welt und hatte für die Mathematik nichts anderes als Spott im Sinn.

Die Kompanie Renard, der Wolfgang angehörte, kämpfte zum letzten Mal am 18. Juni 1940. Die Geschlagenen versammelten sich zwei Tage später auf einer Passhöhe und wurden am 22. Juni von der deutschen Wehrmacht gefangengenommen. Vincent Doblin hatte sich jedoch zuvor von der Truppe entfernt und mit Hilfe seines Kompasses durch den Wald nach Housseras ge-

Mathematiker und Soldat:
Wolfgang Döblin 1939

schlichen. Er versteckte sich in einer Scheune der Familie Triboulot; im Haus verbrannte er seine Papiere. Die Deutschen hatten den Ort schon umzingelt und waren im Anmarsch. Aus Angst, wer mag das wissen, seinen siegreichen Landsleuten in die Hände zu fallen und im Konzentrationslager zu enden, hat Wolfgang Döblin, wie sein Bruder Klaus im Kampf gegen die Nazis, Hand an sich gelegt. Er starb rund 100 Kilometer von Saargemünd entfernt, wo sein Vater im Ersten Weltkrieg Dienst als deutscher Militärarzt geleistet hatte.

Ohne jede kirchliche Zeremonie wurde er neben französischen und deutschen Gefallenen in einer Grube in Höhe der Apsis der Dorfkirche begraben. Der Leichnam wurde in eine Decke gewickelt, das zerstörte Gesicht war durch einen Militärmantel bedeckt. Er kam am Nachmittag noch des gleichen Tages in die Erde, ohne Sarg. Er war 25 Jahre alt. Da er zuletzt die Verbindung zu seiner Einheit abgebrochen und seine Papiere verbrannt hatte, wusste zunächst niemand über sein Geschick Bescheid, und es gab keine offiziellen Angaben. Bei dem Selbstmörder fand sich keine Erkennungsmarke, deshalb wurde der Vorfall als »Nr. 13, Tod eines unbekannten Soldaten« noch 1940 in den amtlichen Papieren des Bürgermeisteramts von Housseras vermerkt. Am 30. Dezember 1940 wurde eine offizielle Sterbeurkunde, aber ohne Namen, ausgefertigt. 1944 kamen an der Stelle wiederum deutsche Soldaten in die Erde, und man fand im Stiefel seine Erkennungsmarke. Dadurch konnte er identifiziert werden. Einer anderen Version zufolge fand man bei der Exhumierung seine Brille und Teile eines Armreifs, durch die seine Daten ermittelt werden konnten. Die Gemeinde von Housseras hat ihn geehrt: Sein Name findet sich auf der Tafel der einheimischen Gefallenen am Fuße des Friedhofs. Sein Grab ziert eine zerbrochene weiße Marmortafel: Vincent Doblin, 1915 geboren, »mort pour la France«. Die Eltern erfuhren auf ihrer Odyssee jahrelang nichts über ihren zweitgeborenen Sohn. Bis März 1945 blieben sie, seit September 1940 in Amerika, trotz aller Nachforschungen ohne jede Nachricht über ihn, er galt als vermisst. Dann schrieb ihnen eine Studienfreundin Wolfgangs von seinem Tod. Sie bot eine schonende Version seines Todes auf: er sei bei einem Patrouillengang gefallen. Vielleicht kannte sie die Umstände seines Selbstmordes auch nicht. Die Einzelheiten erfuhren die Eltern erst nach ihrer Rückkehr aus Amerika.

ERWECKUNG IN MENDE

Alfred Döblin fuhr am gleichen Tag, am 21. Juni, von Rodez weiter mit dem Bus nach Séverac, einem Eisenbahnknotenpunkt, um einen Zug nach Le Puy zu ergattern, vergeblich. Auch am Bahnhof konnte ihm niemand Auskunft geben über Fahrpläne. Das Durcheinander wurde für ihn unermesslich und unbegreiflich. Er bestieg einen Zug zu einem anderen, wildfremden Ort, um vielleicht von dort aus, eine vage Hoffnung lenkte ihn, nach Le Puy weiterzukommen. Aber er landete in völliger Finsternis im Nirgendwo, konnte sich weder orientieren noch eine Unterkunft finden. Bei strömendem Regen übernachtete er wie ein Penner am Bahnhof unter freiem Himmel, fuhr mit einem Frühzug wieder nach Cahors. Das Misstrauen der Passanten, die er befragte, war groß: *Es ist ein Lasso auf mich geworfen; ich kämpfe gegen die Schlinge, die sich um mich legt.* Schließlich gelang es ihm, mit einem aus Paris geflohenen Industriellen bis nach Mende zu gelangen. Am gleichen Tag, am 22. Juni, fand im Wald von Compiègne die Unterzeichnung des deutsch-französischen Waffenstillstandsvertrags statt. In einem Abseits rund 80 Kilometer nordöstlich von Paris liegt die Gedächtnisschneise für zwei spiegelverkehrte Ereignisse. Im November 1918 hat Marschall Foch den Sieg über die Deutschen paraphiert, 22 Jahre später triumphierte Hitler, der damit die »Schmach« auslöschen wollte und nach einem ähnlichen Zeremoniell wie einst Foch verfuhr. Der Salonwagen, in dem dies stattfand, ist ein Grabmal der doppelten Bitternis. Hitler nahm sofort den Platz am Tisch ein, den einst der Maréchal Foch beansprucht hatte. Sein Gegenüber, der französische General Huntziger, stutzte und wartete, bis sich die Sieger niedergelassen hatten. Den Salonwagen nahm die Armee nach Berlin mit, als Siegestrophäe, wo er im Krieg verbrannte. Ein anderer dient heute als Museumsstück in Compiègne. In seinem Eisenbahnwaggon nach Mende hegte der nun vogelfreie Emigrant andere Gedanken: *Ich fühle wie die andern nur den schweren dumpfen Schlag. Ich erlebe wie sie, die hier mit mir im Wagen sitzen, stumm sind, reden oder tun, als ob sie schlafen: wir sind getroffen und uns selbst überlassen. Wir waren geleitet, behütet, von einem Staat – wir sind es nicht mehr. Urzustand, die Niederlage.*

Schicksalsreise:
der leidende Christus
in der Kathedrale von Mende

Es trifft mich bis in die Wurzel. Warum? Warum so tief? Die Antwort, ihre ganze Antwort, ging mir langsam erst in den folgenden Wochen auf.

Mende, Hauptstadt des Départments Lozère, im Lot-Tal, am Fuß einer Hochebene, war ein Zufallsort dieser Odyssee. In einer alten Schule fand er ein Dach über dem Kopf. Am nächsten Tag sondierte er vergebens die Möglichkeiten, nach Le Puy zu fahren, das nur 110 Kilometer entfernt war. Alle Reisenden, die er ansprach, kamen *von* dorther, waren auf der Flucht vor den Deutschen. Entmutigt schleppte er sich auf die Präfektur, kam auch dort mit seinem Begehr nicht weiter, beantragte einen Passierschein für alle Fälle zum Rückweg – bis nach Toulouse. Am Fluss, etwas außerhalb der Altstadt von Mende, stieß er auf ein Barackenlager, wurde aufgenommen, wenn auch nach einer verhörartigen Befragung: Sein Geburtsort Stettin wirkte sich wie ein Hinweis auf eine Vorstrafe aus. Die Baracken stehen schon lange nicht mehr. Niemand an diesem Ort will sich genau erinnern, wo sie standen. Es war eine Transit-Zeit, die aus dem Gedächtnis gefallen ist. Stattdessen gibt es eine riesige Kathedrale, die Ewigkeit in einem Steingehäuse.

Am nächsten Tag fand er einen Bus, der wenigstens in Richtung Le Puy zuckelte, wurde aber zuvor noch von Zivilpolizisten strengstens observiert. *Ich könnte sofort gestehen: ich bin naturalisierter Franzose, aber in Stettin geboren, in Pommern, in Preußen, in Deutschland. Man kann mir zwar nicht das Mindeste vorwerfen, aber das besagt selbstverständlich nur, daß man mir nichts nachweisen kann, was mich nur noch verdächtiger macht.* Mit einer Übernachtung unterwegs kam Döblin am 24. Juni in Le Puy an: vergebens, wie man aus seinem Bericht erfährt. Erna Döblin hatte sich mit ihrem Sohn aufgemacht, um den Mann in Bordeaux, dem Sitz der französischen Regierung, zu suchen. Nach einigen Stunden, das wurde von der Germanistin

Marthe Schmidt organisiert, sollte er mit einem Auto wieder nach Rodez expediert werden. Aber die Fahrt ging wegen Benzinmangels doch nur bis Mende und wieder ins Flüchtlingslager am Fluss. Er kehrte aus Le Puy *konfus und wie betäubt* zurück. Er gab fürs erste die Suche nach Frau und Kind auf.

In diesem Ort verbrachte Alfred Döblin nach seiner Rückkehr aus Le Puy rund zwei Wochen. Liest man die entsprechenden Passagen in der *Schicksalsreise* nach, so wirkt dieser Aufenthalt weitaus länger, als eine entgrenzte Zeitspanne der Einkehr, der Rückgewinnung des Subjekts, der spirituellen Wandlung und des Lebensrückblicks. Diese Texte dehnen sich über so viele Seiten wie die Irrfahrten durch Frankreich bisher: Vom Gestrandeten in Mende wollte Döblin so viel erzählen wie vom Flüchtling.

Im Lager las er etwas über die Bestimmungen des Waffenstillstandsabkommens, besonders über den Artikel 19,2, die Auslieferung deutscher Emigranten auf Wunsch der Nazis betreffend. Er versuchte, die aufkommende Unruhe zu bekämpfen, aber er vertraute seiner Selbstbezwingung nicht recht. In der Untätigkeit des Lagers kreisten die Gedanken um ihn selbst. Er bemühte sich um eine Geste der Distanz und fügte in Parenthese hinzu, *ich will von mir selbst als von einem andern sprechen*, aber dieser Vorsatz wollte und konnte nicht gelingen. Er unterschob dem, was ihm geschah, einen höheren Sinn, *geradezu eine Dämonenlehre*. Die Anhäufung von Malheurs, Widrigkeiten und Pech grenzte, so sah er es selbst, an den *Beziehungswahn der Paranoia*. Er stellte solche Mutmaßungen an, um die Größe »Ich« zu festigen. In der Not wurde er ihrer gewahr. Die Tücken waren für ihn nichts Objektives, vielmehr ein subjektiver Faktor; das Ich ist ihr Resonanzkörper. In diesem Krieg rekonstruiert sich der Einzelne. Das ist die Volte, die der Ich-Auslöscher und Selbstvergesser Döblin in Mende vollzog. Er erfuhr sich in radikaler Vereinzelung, aber er versuchte, der Katastrophe einen Sinn zu geben.

Die Grundlagen seines Schreibens und seiner Existenz waren erschüttert. *Ich habe mir einen zu leichten Kahn gebaut, um über den Ozean zu fahren. Natürlich wurden die Wände eingedrückt. Der Boden erwies sich als Papier und weichte auf. Ich schleppte mich weiter, so lange die Witterung es erlaubte, dann ein Windstoß, und noch ein Windstoß, und der Kahn kippte und die Seefahrt war zu Ende.* Er nahm sich als Schriftsteller in Selbstkritik: *Welche ehrlichen Waffen hatte ich? War das der Herkuleskampf gegen eine Hydra, der man mit Keulenschlägen und Feuersbränden nicht beikommen konnte? Ich hatte immer gefragt: ich sah keine Waffen.*

Dieses Ich gewinnt seine Gründlichkeit bei der Selbstbefragung und seine Konsistenz durch die Irrealität seiner Situation. Döblin grub sich in Mende noch einmal aus: in einer dritten autobiographischen Rechenschaft nach der ersten, in der Schublade verheimlichten von 1918 und nach der veröffentlichten ein Jahrzehnt später, zu seinem 50. Geburtstag: *Ich fühle mich gezwungen, ein Fazit meines ganzen Lebens zu ziehen, abzurechnen mit mir, als ob ich vor dem Tode stünde.* Wiederum besichtigte er sich als den Jungen, der zehnjährig, auf der Flucht vor der familiären Katastrophe, nach Berlin kam; wie wenig ihn das Judentum berührte; welche Leseräusche und imaginäre Entführungen er durch seine Götter Kleist und Hölderlin, Dostojewski und Nietzsche erfuhr. Die Stichworte für Lebensmarken häufen sich: die Begegnung mit orthodoxen Juden in Polen, die Freiland-Bewegung. Er stellte seine geistigen Attraktionen dar als halbe Vertiefung in einen Glauben, der versiegte, als er seinen Gegenstand berührte. So auch der Sozialismus. Nur zu den Armen bekannte er sich ganz, sie ließ er als die einzige Partei gelten, ihnen fühlte er sich noch immer verpflichtet. Aber die Strahlkraft seiner Lesegötter hatte nachgelassen: Kierkegaard, der Prophet der Selbstbefragung in der Pariser Nationalbibliothek, hatte für ihn jetzt nur begrenzte Haltbarkeit. In seiner Barackenkoje von Mende wandte er sich noch einmal mit luzider Genauigkeit der Art seines Erzählens zu: die Versenkung in den Stoff, bis die Einfälle *im Gewand der Sprache erschienen*, dann das Schreiben gleich einer Ausfahrt auf den Ozean, das Ende der Romane begriffen als Heimkehr: *Meine Fahrten bei geschlossener Tür führten mich nach China, Indien, Grönland, in andere Epochen, auch aus der Zeit heraus.* In bedrängter Lage und in radikaler Ungewissheit über sich und seine Familie leistete er noch einmal das Bekenntnis zur Traumbildnerei, die evozierte er in nachhallenden Bildern vom Schreiben als Aufbruch und Meerfahrt, als Auslieferung an den Strom der Wörter. Wiederum wird die Magie von *Bauen, Spielen und Bilden* berufen, dieser Abglanz des erzählenden Souveräns. Eine stolze Geste, aber sie geht in die Leere: Zu diesem Zeitpunkt ist er sich als Erzähler abhanden. Kein Romanvorhaben gibt ihm Schutz, er fühlt sich nackt. Die Dichte dieses Lebensberichts wird gerade durch solche Paradoxien beglaubigt, die späteren Abschnitte in Amerika fallen dagegen ab.

Trotz aller Schrecknisse, die diese Lebensimprovisation mit sich brachte, ist Döblins Bericht darüber weitgehend von einer ruhigen Souveränität; die existentielle Nötigung dieser *Schicksalsreise* ist im Nachhinein zwar beschrieben, aber durch sorgfältige Überarbeitung und Streichung emotionalerer Passagen in der Sachlichkeit einer Reportage gehalten. Ganz im Gegensatz dazu wird der Ausnahmezustand in diesen rund zwei Monaten der Flucht aus Frankreich (und Europa) als blankes Entsetzen spürbar, wenn man Briefe liest, die Döblin an seinen Freund Robert Minder aus Mende schrieb: *Ich bin vom Schicksal gehetzt, das ist eine Prüfung für mich. Ich weiß nicht, was ich tun soll. (...)*

Ich bin in einem schlimmen Zustand, in völligem Schweigen, ohne Hilfe in völliger Verwirrung. Das kann nicht lange dauern. Jeder Schritt, den ich mache, schlägt fehl. Ich schleppe mich hier durch die kleinen Straßen, morgens, nachmittags, gedankenlos, in schwarzer Einsamkeit, innerlich gelähmt, wie ich es nicht kannte.

Seinem Sohn Peter berichtete er von Lissabon aus, welche Tortur er in diesem Lager erfahren hatte: *Zum Beispiel habe ich mich wochenlang allein in einem Flüchtlingslager aufgehalten, dabei 7 Kilo abgenommen, war aufs Äußerste erschöpft und hatte einen wirklichen Collaps. Und was noch.*

Auf der Schicksalsreise, verfolgt von den deutschen Besatzern, ohne Kenntnis, wo sich seine Familie befand, hatte Döblin sein Erweckungserlebnis – in der Gegend, wo Kylis aus den *Giganten* gelernt hatte zu beten. Rund ein Jahr später sollte er in Hollywood unter dem Einfluss zweier Jesuiten die Konversion vollziehen. In der riesigen gotischen Kirche von Mende kämpfte Döblin um den unbekannten, fremden Gott: *Ich blicke mich im Raum um, sehe nach dem Kruzifix.*

In Paris stand ich oft vor Läden, in denen man Kruzifixe verkaufte. Ich stand und versuchte vor ihnen zu denken. Sie zogen mich an. Vor ihnen fiel mir ein: das ist das menschliche Elend, unser Los, es gehört zu unserer Existenz, und dies ist das wahre Symbol. Unfaßbar der andere Gedanke: was hier hängt, ist nicht ein Mensch, dies ist Gott selber, der um das Elend weiß und darum herabgestiegen ist in das kleine, menschliche Leben. Er hat es auf sich genommen und durchlebt. Er hat durch sein Erscheinen gezeigt, daß dies alles hier nicht so sinnlos ist, wie es scheint, daß ein Licht auf uns fällt und daß wir uns auch in einem jenseitigen Raume bewegen. Ja, die Erde kann schöner und reicher werden durch diesen Gedanken – wofern man ihn faßte und annahm. Es heißt, wir würden so erlöst. Auf die Erde und unsere Existenz fiele durch dieses Bild mehr Licht als von den Sonnen aller Sternensysteme.

Während ich sitze, fällt mir ein:

Wenn dies stimmt, wenn dies richtig wäre – und was nützt der bloße Glaube? Wahrheit muß in der Sache liegen – wenn dies richtig wäre, so erhielte die menschliche Existenz überhaupt erst einen Boden.

Schon in seinem allerersten Text *Modern* kam Jungfrau Maria vor, auch in *Der schwarze Vorhang*, dann folgte die Erzählung *Mariä Empfängnis*. Er hatte Jesus Christus bis dahin als einen Weisheitslehrer etwa in der Rolle Buddhas gesehen. Er hatte ihn 1919, im Jahr seiner paradoxen Gottsuche und Christentumsverwerfung, als Inbild des Leidenden, als Schmerzensmann zu verstehen gelernt. Auf seiner Polenreise war ihm jäh die Gestalt in Form eines Kruzifixes von Veit Stoß in Krakau vor Augen gekommen. Nun, nach Wochen der Trauer, Erschöpfung und des Irrens, erschien ihm der an der Südseite der Kirche in einer erhabenen Höhe von rund zehn Metern hängende Christus als *Gott selber.*

Aber das Kruzifix ist nicht der magische Mittelpunkt der Kathedrale. Das ist vielmehr auf der Nordseite eine ungemein eindrucksvolle Marienplastik: eine geschundene, verstümmelte Figur, die trotz ihrer Versehrung und ihrer Schrunden die Kraft der Pietà ausstrahlt. Es ist bemerkenswert, dass Döblin über sie kein Wort verloren hat. Das Marianische spielte bei seiner Wandlung offensichtlich keine wesentliche Rolle für ihn.

Für Robert Minder ist diese Emanation der christlichen Religion im Bildnis des Gekreuzigten der Endpunkt der Reise Döblins nach Westen.

Es handelt sich auf jeden Fall um eines der bedeutsamsten Ereignisse seines Lebens: dass die geschundene Existenz ein Bildnis habe im Gemarterten am Kreuz und dass der ewige *Urgrund* da sei, aus dem noch das bedrohteste Leben einen Halt finde, eine Instanz, die *Gott* genannt ist. Viel weiter reichen Döblins raunende Reflexionen in diesem Abschnitt seiner ergreifenden *Schicksalsreise* allerdings nicht. In Mende überwogen offensichtlich noch die Zweifel und Unsicherheiten. Er hatte noch viele offene Rechnungen zu begleichen und viele Zweifel abzudichten, um eines christlichen Glaubens sicherer zu sein. Und ganz gewiss war er seiner niemals. Auch kam er nicht damit zurecht, dass Gott, falls es ihn als Schöpfer gibt, *sich auch in die Gestalt der Nazis steckt und Konzentrationslager baut.* Der Gott, den er in Mende erst als Umriss erblickte, ist nicht »lieb« und nicht vertraut. Er ist ein Fremder, *zum Zittern unbegreiflich.* Aus Döblin spricht mehr Sehnsucht als Gewissheit, und auf den vielen nachfolgenden Seiten der *Schicksalsreise,* die der Etappe in Mende gelten, werden mehr Zweifel ausgestellt als Einsichten. Er mochte an den Erlöser glauben, suchte Trost. *Aber es – gelingt mir nicht. Das Öl der Beruhigung fließt nicht in mich.* Er konnte seine Einsicht vom *Urgrund,* der alles trägt, noch nicht dauerhaft mit der Gestalt Jesu verbinden. Der christliche Glaube wollte sich nicht einstellen, nur als Verlockung und Ahnung, auch als gespiegeltes Bild ist er vorhanden. Döblin machte einen Rückgriff auf die mythologische Figur, die er 1938 in einem Essay ausgeführt hatte. Er sah Jesus als Gegenfigur zu Prometheus: *Prometheisch sein ist menschliche Hoheit; nicht die Grenzen des Prometheischen erfassen, menschliche Torheit.* Da sprechen frühere Einsichten in die Welt der mythologischen Gestalten wieder vor. Mit der Anziehung des christlichen Glaubens war auch eine einschränkende Verwerfung verbunden. Selbstironisch wandte sich in der *Schicksalsreise* der Arzt Döblin dem Glaubenssucher zu: *Zwei Wochen in ruhiger Umgebung, bei ausreichender Nahrung würden genügen, den Mann von seiner Theo-*

logie zu befreien. Das klingt so schnoddrig, wie eben nur Döblin sich konterkarieren konnte.

In Mende veränderten sich innerhalb weniger Wochen die Passanten: Die Soldaten in Uniform, die auf ihre Demobilisierung warteten, wichen dem Räuberzivil. Aus überwachen Augen registriert der Gestrandete jede Bewegung: Zivilpolizisten, die versammelten Flüchtlinge, selbstvergessene Figuren, arme Leute, die Exerzitien des Lagers, eine Hungerrevolte. Und gegenüber den Okkupanten gab es einen Stimmungswechsel, die dem Flüchtling auffiel. Man begann, die anfangs verhassten Deutschen zu loben – als die Überlegenen.

Er führte erstmals wieder ein Notizbuch, sammelte die Eindrücke und Gedanken bei seinen Exkursionen in die Stadt, musterte die Einzelheiten der unvertrauten Situation, zur Untätigkeit verurteilt zu sein. Es gab für ihn zwei Pole: das Lager und die Kathedrale. Dazwischen bewegte er sich, einmal verschnürt von Verzweiflung, ein andermal freudig bewegt, *die strahlende Wärme* preisend, die vom Kruzifix ausging.

Er erwog, ob seine Frau mit dem Sohn vielleicht über Bordeaux den Weg nach England gefunden habe. In seinem Wartezustand überfielen ihn Tagträume, sogar Halluzinationen, die er vergeblich versuchte abzuschütteln: *Das Schreiben, meine ich, würde meine Phantasie ablenken und »dränieren«, aber so wenig ich essen mag, mag ich schreiben, und auch nicht lesen, von den zwei Seiten Tageszeitung abgesehen.* Der Sinn des Schreibens war ihm abhandengekommen, die Notizen waren wohl das Äußerste, was er in dieser Lage zustande brachte.

Eines Tages erhielt er von Marthe Schmidt ein Telegramm mit dem rätselhaften Hinweis, er solle sich wegen der Adresse seiner Frau an eine bestimmte Behörde in Bordeaux wenden. Auf der Präfektur in Mende kam er jedoch nicht weiter: Er durfte nicht telefonieren und wurde mit dem Hinweis abgespeist, die Behörde sei größtenteils nach Clermont-Ferrand abgewandert. Robert Minder versicherte ihm brieflich, dass er auch nach Erna und Stefan Döblin suche. Aus Le Puy kam die Mitteilung, dass sich Marthe Schmidt um die Ermittlung der Adressen über den Umweg des neuen Regierungssitzes Vichy bemühe. Schließlich erhielt Alfred Döblin ein erlösendes Telegramm seiner Frau – aus Toulouse. *Die Reise ins Ungewisse ist beendet. Wenn das Schicksal etwas will und an mich heran will, ich bin zu dritt. Die Dinge haben ein anderes Gesicht, die Angriffsfläche wird breiter, die Schläge werden besser aufgefangen.* Ihm waren allerdings die Hände gebunden: Er erhielt auf der Präfektur keinen geeigneten Passierschein, und ein Zug nach Toulouse verkehrte noch nicht. Er wurde wieder streng verhört: die vielen Briefe und Telegramme (von Amts wegen vorab geöffnet und gelesen) hatten den Argwohn der Leitung des Camps des réfugiés de La Vernéde geweckt. Er wagte zunächst nicht, sein Asyl in Mende aufzugeben, obwohl sich Frau und Sohn fragten, warum er denn nicht unverzüglich aufbrach, um zu ihnen zu stoßen: *Unter normalen Umständen würde ich das Haus verlassen. Aber ich riskiere, daß man mich anderswo noch anders verfolgt. Ich muß bleiben, obwohl die Möglichkeit besteht, daß ich von hier in ein paar Tagen weggegrault werde.* Schließlich fiel auch dieses Hindernis weg. Am 10. Juli 1940 machte sich Döblin auf den Weg nach Toulouse. Wie isoliert er in Mende gewesen war, geht aus einem winzigen Detail hervor. Erst beim Abschied von der Stadt, schon vom Zug aus, bemerkte er ein anderes Lager, höchstwahrscheinlich Rieucros.

In einem Tal, ganz nahe bei Mende, sind aus den Augenwinkeln noch heute Reste dieses Auffang- und Internierungslagers zu mustern: Verwahrort für Spanienkämpfer, Kommunisten, deutsche Emigranten, 1939 eingerichtet. Ein solches Lager ist Döblin erspart geblieben. Er und seine Angehörigen waren nicht in Les Milles (wie Lion Feuchtwanger) oder Le Vernet (wie Arthur Koestler) oder Gurs (wie Hannah Arendt und Yolla Niclas). In Rieucros wurden hinter Kilometern von Stacheldraht seit 1940 ausschließlich Frauen kaserniert, unter anderem Steffie Spira und Lenka Reinerová. Als die deutschen Truppen ganz Frankreich besetzten, wurden viele von ihnen nach Auschwitz deportiert. Rieucros, ein verschollener Name, eine allzu bekannte Geschichte. Was wusste Döblin davon? Vermutlich nichts. Die Erbärmlichkeit der Lage kommt in dieser rabiaten Beschränkung seines Gesichtsfeldes zum Ausdruck.

WIEDERVEREINIGUNG IN TOULOUSE

Das Lager hatte ihm trotz der desaströsen Verhältnisse zeitweilig doch Sicherheit im Ausnahmezustand geboten. Der Gedanke an etwas Neues wollte sich bei ihm zunähst nicht einstellen. Die Selbstverlorenheit hielt an, er empfand sich wie abgeschnitten. Die zurückliegenden Wochen seien *wie eine Krankheit* verlaufen. Er verstand sich nicht als Reisenden mit einem Ziel, das die Wiedervereinigung mit Frau und Sohn versprach, sondern als Anhängsel der *Zusammenbruchserlebnisse*, die ihn mitnahmen. Er trat diesen Abschnitt seiner Reise *äußerlich verwahrlost und innerlich verändert* an.

In Béziers musste er übernachten. Am Mittag des 11. Juli traf er mit dem Schnellzug in Toulouse ein, seine Angehörigen warteten auf ihn am Perron. *Sie stehen an der Bahn, meine Frau und der Junge, blaß und mitgenommen, und da bin ich, blaß und mager wie sie.* Kein Foto hält diesen Augenblick fest, da sie einander ins Gesicht sahen. Eine große Stadt hat sie aufgenommen, fürs erste eine Rettung.

In der *Schicksalsreise* ergreift nun Erna Döblin das Wort, um ihre Erlebnisse der Fluchten, des Wartens, der Trennung nachzuholen. Sie war mit Stefan (Étienne) am 26. Mai nach Le Puy geschickt worden. Die junge Germanistin Marthe Schmidt hatte die Unterkunft in einer Familienpension arrangiert. Bald war die Stadt überfüllt mit Soldaten, auch mit belgischen und holländischen Flüchtlingen, Evakuierten, Leuten aus den Internierungslagern. Als die Deutschen noch rund 200 Kilometer von Le Puy entfernt waren, fuhren Erna und Stefan Döblin mit dem Wagen einer französischen Behörde in Richtung Rodez. Am 21. Juni mussten sie dort übernachten – und ganz in ihrer Nähe war der gesuchte Mann und Vater.

Mit dem Taxi war Erna Döblin am 22. Juni nach Bordeaux gefahren, wo sie ihren Mann bei seiner Dienststelle wähnte. Freundliche Menschen, unter ihnen auch der junge Leutnant Pierre Bertaux, halfen bei ihrer – freilich vergeblichen – Suche. Ein Unbekannter schenkt den Mittellosen Geld. Schon lassen sich in der Stadt einige Vortrupps der deutschen Wehrmacht blicken und werden von der Zivilbevölkerung bestaunt. Erna Döblin: »Da entschließe ich mich, Bordeaux unter allen Umständen zu verlassen. Ich will, muß und werde es schaffen. Denn wenn ich länger hier warte, riskiere ich, daß die Deutschen uns fassen.« Das Ziel, das ihr offensteht, ist das unbesetzte Toulouse. Am 28. Juni kamen sie dort an, unterwegs hatten sie deutsche Militärkonvois passiert. 13 Tage musste sie mit ihrem Sohn Stefan auf den Verlorenen warten. In einem alten Gebäude, *ziemlich verfallen, dunkel und feucht,* kamen sie unter. Eine persönliche Rettung für kurze Zeit, ein Augenblicksglück. Turbulente Wochen lagen hinter ihnen. Ein vielleicht leuchtender Moment, eine Kurzperipetie im Lebensdrama. *Meine Frau führt mich in die Stadt, in die Gegend des Rathausplatzes. Das ist ein weiter viereckiger Platz. Die eine Seite wird von dem Rathausgebäude, einem stattlichen Bau, eingenommen. An den anderen Seiten haben sich Restaurants, Cafés, Geschäfte etabliert.*

Noch am Tag der Ankunft Döblins in Toulouse berieten die beiden ihre nächste Zukunft. Erna Döblin hatte sich einen Plan zurechtgelegt, und Alfred Döblin stimmte, innerlich vielleicht widerstrebend, äußerlich aber unverzüglich, zu: nach Amerika, um nicht, wenn die unbesetzte Zone doch von der Wehrmacht okkupiert würde, in die Hände der Deutschen zu fallen. In einer nicht veröffentlichten Passage der *Schicksalsreise* heißt es: *Nicht das Mindeste hatte dieser überraschende Amerikaplan mit meinen Gedanken zu tun; er paßte zu ihnen wie die Faust aufs Auge; ich fühlte das, – und doch stimmte ich dem Projekt zu, drängte, ihn zu realisieren. Wollte ich einen Schlag gegen meine Gedanken tun, wollte ich sie aus mir herauswerfen und sie begraben? Quälten sie mich, hatte ich schon genug von ihnen? War ich schon wieder ein anderer und wies die Gedanken als mir nicht angemessen ab?* Noch am Nachmittag der Ankunft wurde der im September 1935 in die USA emigrierte Sohn Peter um drei Visa und Billets angegangen, *unser Sohn sollte New Yorker Freunde und die Schriftstellerorganisation informieren.* Ein schwieriges Unterfangen für den seinerseits fast mittellosen Sohn. Erst nach einer Woche traf seine – notwendigerweise noch vage – Antwort ein. Missmut und Unzufriedenheit waren die Folge und unvermeidlich: *Wir, die hier herumgehen, wissen nicht, daß man drüben an uns denkt, daß sich schon an allen Ecken und Enden auch ohne unser Rufen drüben Menschen zusammentun und beraten, wie uns helfen. Wir – alle Flüchtlinge dieser Stadt – sind besessen von der Vorstellung: wir sitzen in der Mausefalle.* Über sein Erweckungserlebnis in Mende sprach er anscheinend mit niemandem; die Sorge um die nächste Zukunft füllte ihn aus. Die Gerüchteküche vergrößerte den seelischen Stau und die Angst. Es hieß, die Deutschen kämen bald, ein Vortrupp sei in Toulouse schon gesichtet worden. Bei der Überprüfung der Pässe fiel dem Ehepaar auf, dass sie abgelaufen waren. In der Zeitung fand sich der lebensbedrohliche Hinweis, dass man Einbürgerungen auch zurücknehmen könne. Auf der Präfektur aber wendeten sich, durch Zufall und Zuvorkommenheit der Schalterbeamtin, die Dinge: ohne größere Wartezeit wurden die französischen Pässe prolongiert. Für eine Ausreise war jedoch eine besondere Genehmigung erforderlich – und die sollte, mit Hinweis auf das Waffenstillstandsabkommen, nicht erteilt werden. Der Häscher- und Auslieferungsparagraph 19 sah es nicht vor. Da trat die tatkräftige Erna Döblin wieder einmal auf den Plan und brachte vor: zwei ihrer Söhne beim französischen Militär, einer dekoriert, der Mann in einem französischen Ministerium beschäftigt. Sie wurde laut, machte eine Szene, appellierte an die Offiziersehre und erreichte, dass das Gesuch um ein Ausreisevisum dem General Théodore Marcel Sciard am 22. Juli zur Entscheidung vorgelegt wurde: *In diesen Wochen stand sie neben mir, auf einem anderen Boden als ich, auf einem realen und festen. Sie, eine Realität, warf ihre Gewichte in die Waage. Sie schlug um sich und behauptete sich. Es gab nicht nur den Krieg und das geschriebene und gedruckte Recht, sondern auch Menschen, die es anwandten.* Der General traf eine lebensrettende Entscheidung: Er genehmigte die Ausreise. Abgeschlossen wird die Erinnerung in der *Schicksalsreise* mit einem geradezu zeremoniellen Satz, die auf die Ehre auch des okkupierten Frankreich anspielt: *Das Land hatte eine Schlacht verloren. Es war keine Niederlage. Hier am Tisch der Kommandantur von Toulouse erkannte ich es. So besiegt war man nicht, daß man sich verriet.* In Toulouse erhielt Döblin von Robert Minder das Manuskript von *November 1918* zurückgeschickt, war aber darüber ungehalten und nahm den Packen nur mit einigem Widerwillen an. Er wollte sich mit dem Manuskript nicht beschäftigen, hielt es, von der Dramatik der Ereignisse überwältigt, für aus der Zeit geraten: *Was für alte, verschollene Dinge.* Er selbst wurde, zum ersten Mal nach mehr als einem Monat der Hast, Wirrnis und lebensbedrohlichen Ungewissheit, wieder mit einem erreichbaren Rettungsziel versehen, von einer Depression erfasst. *Sogar Todesgedanken und Todesphantasien suchten mich heim.* Das Ausreisevisum, ausgestellt von der Präfektur Haute-Garonne am 22. Juli, war bis zum 30. Juli befristet. Noch in der Nacht fuhren die Döblins nach Marseille. *Man hat die Pässe in Händen, weiß über die Züge Bescheid, darf ausreisen, – man wird nach Marseille fahren. Schwierigkeiten tauchen auf, alle werden vergrößert; man lebt immer dicht vor einer Katastrophe. Wir bleiben gejagt, auf der Flucht.* Und doch war in Toulouse das Entscheidende, Lebensrettende geschehen: Das französische Exitvisum war gesichert, ein Telegramm versprach die Aussicht auf ein amerikanisches Visum, der Rest sollte erledigt werden können.

RETTUNG IN MARSEILLE

Von 1933 bis zum Kriegseintritt der USA 1941 wanderten rund 105 000 Deutsche und Österreicher in die Vereinigten Staaten ein, die meisten erst ab 1938. Dabei wurde die Quote, die für deutsche Immigranten vorgesehen war, nur 1939 voll ausgeschöpft. Für dieses Jahr hatte der amerikanische Präsident sie für »fully available« erklärt und damit eine klammheimliche Praxis der Einwanderungsbehörde konterkariert, die durch Reglements und Schikanen die Zahl der Immigranten möglichst klein halten wollte. Zur Ausstellung eines Visums war ein Ämterkrieg zu absolvieren. Die Fälle und die eingereichten Unterlagen wurden von einem Komitee für politische Flüchtlinge vorgeprüft, sodann ans Justizministerium und schließlich ans Außenministerium weitergereicht. Das verzögerte die Bearbeitung und wirkte in vielen Fällen wie ein Filter, in dem die Notfälle hängenblieben. Es war gewiss nicht die Ausnahme, wenn man 1939 mit einer Frist von vier bis sechs Jahren bis zur Erteilung eines US-Visums zu rechnen hatte.

Anfang 1940 hat Roosevelt als Beratergremium einen Ausschuss für Flüchtlingsfragen gründen lassen. Der empfahl nach einigen Monaten, 567 Schriftsteller, Künstler und Intellektuelle zur Aufnahme in die USA, doch hat das State Department bis Oktober 1940 erst in 40 Visa eingewilligt. Der Ausschuss verstand sich infolge dieser Obstruktionspolitik des Außenministeriums darauf, 3000 Menschen für die Einreise vorzuschlagen, aber weniger als die Hälfte kam schließlich in die Vereinigten Staaten. Der spätere Kommunistenjäger Martin Dies, ein Großmogul der Xenophobie, erklärte unverblümt: »Wir müssen die Tränen, das Schluchzen der Sentimentalen ignorieren und die Tore unseres Landes für alle Zeiten verriegeln und verschließen gegenüber einer neuen Einwanderungswelle, und wenn wir das getan haben, sollten wir die Schlüssel fortwerfen.«

Zeitweilig warteten und hofften im Sommer und Herbst 1940 bis zu 50 000 Menschen auf Rettung durch ein Schiff nach Nordafrika oder nach Amerika. Das historische Flüchtlingsviertel Belsunce hat seine Bestimmung nicht verloren. Heute leben vorwiegend arabische Emigranten aus dem Maghreb und Flüchtlinge aus Schwarzafrika dort. Viele von ihnen sind wie ihre Vorgänger: gelähmt von der Entwurzelung und der Nichtswürdigkeit ihres Daseins, vom Gefühl der Leere und der blicklosen Melancholie. Ob sich unter Emigranten alles wiederholt – unabhängig vom Einzelfall und von der geschichtlichen Situation? Fürwahr eine babylonische Wanderung, diese Schicksalsreise in Frankreich. 1932 hatte der Schriftsteller einen Roman begonnen, der seinem eigenen Exil vorauslief: den Roman eines alten Gottes, der dazu verurteilt ist, auf der Erde umherzuirren. Nun lief der Erzähler in den Fußspuren seiner erfundenen Figur.

Es hat in der Familie Döblins wohl Überlegungen gegeben, dass man auch anderswohin reisen könne, etwa in eine der französischen Kolonien; die entsprechende Staatsbürgerschaft lag ja vor. Aber für Amerika sprach doch alles: die Anwesenheit vieler Kollegen, die kulturelle Bildung, nicht zuletzt die Präsenz des Sohnes Peter, der als Buchgraphiker in New Jersey lebte.

Döblins Versuch, die rettenden Papiere und die Geldmittel für die Überfahrt in die USA zu erhalten, fiel mit dem europäischen Start eines Mannes zusammen, der sich unschätzbare humanitäre Verdienste erwerben sollte. Im August 1940 wurde der 33-jährige Harvard-Absolvent Varian Fry, ein Politologe und Journalist, vom »Emergency Rescue Committee« mit 3000 Dollar Handgeld in den unbesetzten Teil Frankreichs geschickt. Er richtete, nicht nur zum Missfallen der französischen Kollaborationsregierung Pétains in Vichy, sondern auch zum Ärger mancher amerikanischer Konsularbeamter in Marseille ein Büro ein. Äußerlich war es als Hilfskomitee für Flüchtlinge getarnt, im geheimen betrieb es ihre illegale Schleusung außer Landes.

Das »Emergency Rescue Committee« (ERC) war drei Tage nach dem deutsch-französischen Waffenstillstand von Compiègne in New York gegründet worden. Den Beteiligten war klar, dass die amerikanische Flüchtlingspolitik nicht ausreichte. Sie war, nicht den Buchstaben nach, aber in der Praxis, restriktiv: nicht mehr als 35 000 europäische Juden erhielten zwischen 1940 und 1945 ein Einreisevisum. Varian Fry führte eine Liste von 200 gefährdeten Autoren, Künstlern und Intellektuellen mit sich und zeichnete sich durch souveräne Handhabung der unlösbar erscheinenden Schwierigkeiten aus. Er stattete Flüchtlinge mit Geld aus, bestach Behörden, ließ Papiere fälschen, überredete zögernde amerikanische Diplomaten, organisierte einen verschwiegenen Kreis von Helfern, ließ Fluchtrouten über die Pyrenäen nach Spanien erkunden. Auf diese Weise wurden mehr als 600 Personen durch das ERC aus Frankreich geschleust.

Die Döblins kamen am 23. Juli 1940 in Marseille an. In ihrer Not schickten sie auf Französisch ein Telegramm an den überforderten Peter: »Cablez tout de suite 200 Dollar aurons visas difficultes transit portugal trouverrez bateau date depart claus reste france = Doblin Hotel prefecture bd Salvator marseille.« In Marseille hatte sich das Strandgut der Angst aus aller Herren Länder versammelt. Viele von ihnen waren aus französischen Internierungslagern geflohen. Der Feind, Papiere, Visum, Frist, Geld – zwischen diesen Wörtern spielte sich alles Wesentliche ab. Eine neue, zwangsläufige Leidenschaft brach aus: Abschiedsbesessenheit am Ende der europäischen Tage.

In Marseille waren die Döblins 1926 als Urlauber gewesen; die Stadt hatte ihnen damals noch besser als Paris gefallen. Am frühen Morgen nach der Ankunft 1940 haben sie, Gewissheiten spielend, ein Café an der Canebière aufgesucht, danach das amerikanische Konsulat, vor dem sich eine Menge gebildet hatte. *Alle diese, ja, alle diese wollten auf das Konsulat. Einfache und gut gekleidete Leute, Männer und Frauen. Deutsch, Französisch, Holländisch, Slavisch und Jiddisch sprachen sie.* Ein vorgedruckter Zettel verwies sie auf das Haus des Vizekonsuls außerhalb der Stadt. In der *Schicksalsreise* werden die Marseiller Tage wie aus der Zeitlupe einer Betäubung heraus erzählt: das Meer, die Landschaft, der Badestrand, Erinnerungen an den Urlaub 14 Jahre zuvor, die im Schatten lagernde Klientel der Flüchtlinge, die Berichte untereinander über die Erlebnisse in den verschiedenen Lagern, die politische Situation, alles mischt sich ineinander: *Merkwürdig, wie die Unruhe und Angst in jedem die Vermutung steigerte, die Nazis hätten es gerade auf ihn abgesehen, und jeder suchte heraus, was er da und dort Verdächtiges oder Gefährliches gesagt oder geschrieben hatte. Man hielt sich (und andern) sein vermeintliches Schuldenregister vor und gab sich verloren.* Kein Name wird genannt, ein Schleier der Diskretion breitet sich über die Unwürdigkeit der Situation.

Die USA unterhielten bis Ende 1941 diplomatische Beziehungen zur französischen Vichy-Regierung. Das war eine wenn auch brüchige Garantie für eine Option zugunsten der Flüchtlinge. Aber der amerikanische Generalkonsul verhielt sich ihnen gegenüber restriktiv; er fürchtete einen Konflikt mit den französischen Behörden, die sich ihrerseits vor der Wehrmacht fürchteten. Aber genauso verhielten sich die meisten Diplomaten in amerikanischen Botschaften und Konsulaten anderer Fluchtländer. Sie waren bestrebt, die großzügige Quotenregelung, die Präsident Roosevelt erlassen hatte, zu unterlaufen. Aber die Absichten, die im amerikanischen Konsulat verfolgt wurden, waren für Betroffene nur schwer zu durchschauen. Der Konsul hielt sich etwas zugute auf seine guten Verbindungen zum Vichy-Regime; außerdem wollte er die Politik des Außenministeriums umsetzen. Der Vizekonsul Miles Standish hingegen und auch Hiram Bingham jr., der für die Visa-Abteilung zuständig war, verfolgten andere Ziele und waren, soweit es in ihrer Macht lag, hilfsbereit. Standish hatte sogar Verbindungen bis ins »Milieu« von Marseille, zu Passfälschern und anderen dienstbaren Phantomen, aber die Ganoven erwiesen sich als unzuverlässig: sie hatten Angst vor den Deutschen, obwohl die besetzte Zone noch weit weg lag.

Das Kunststück bestand darin, zum richtigen Zeitpunkt in der richtigen Reihenfolge die erforderlichen Papiere und Stempel zu ergattern. Es gelang den Döblins zu dritt in unverhältnismäßig kurzer Zeit – nicht aber zu viert. Klaus schaffte es nicht rechtzeitig, nach Marseille zu gelangen, so dass nur Alfred, Erna und ihr jüngster Sohn weiterkamen. Über Wolfgang gab es keine Nachricht.

Hatte man für Nizza oder Marseille eine Aufenthaltsgenehmigung erhalten, konnte man sich um das amerikanische Einreisevisum bemühen. Dazu war eine Bürgschaft aus den USA, ein Affidavit, nötig. Danach galt es, das spanische Transitvisum zu erwerben. Das aber war nur zu ergattern, wenn man ein portugiesisches Transitvisum vorweisen konnte. All diese Papiere aber waren nötig, um ein französisches »visa de sortie« zu erhalten. In diesem Schicksalslotto waren viele Nieten eingeplant. Beim Vizekonsul musste der eigene Fall in kurzer Zeit möglichst plastisch vorgetragen und als Sonderfall aus der Masse der Bittsteller herausgehoben werden. Papiere aus Toulouse, die Döblins betreffend, waren zwar erhofft worden, aber nicht eingetroffen. Auch aus den Vereinigten Staaten war wohl nichts Schriftliches eingegangen.

Alfred und Erna Döblin wiesen ein Telegramm ihres Sohnes Peter vor, nannten den amerikanischen Verleger Huebsch, der früher in den USA ein Buch Döblins herausgebracht hatte, zeigten die Korrespondenz mit ihm, Dokumente vom New Yorker PEN-Kongress ein Jahr zuvor und die Eintrittskarte ins Weiße Haus. Der Vizekonsul war sichtlich beeindruckt und forderte die Flüchtlinge auf, in zwei Tagen wiederzukommen. Eine Zusage hatte er nicht gegeben, aber auch nicht verweigert. Zurück in Marseille redeten die Döblins ihre Situation schön, wiegten sich in Illusionen: *Langsam stellte sich Beruhigung ein. Die Dinge verloren ihre Schärfe. Man gelangte in eine Übereinstimmung mit der Umwelt.* Es sollten jedoch dramatische Tage, angefüllt mit Angst und vibrierender Unrast, folgen. Von Exkursionen durch die Stadt ist in der *Schicksalsreise* nirgendwo die Rede. Man konnte in Marseille jederzeit in eine Razzia der Polizei geraten. Heinrich Mann, illegal in der Stadt, um auf eine Reisemöglichkeit zu warten, geriet in eine solche und konnte sich mit Mühe gegen die Beamten behaupten. Auch deutsche Wehrmachtsautos fuhren durch die unbesetzte Stadt. Im Sommer 1940 inspizierte eine deutsche Delegation, der Mitglieder der SS und der Abwehr angehörten, die Internierungslager und andere Winkel im unbesetzten Teil Frankreichs. In ihrem Abschlussbericht wurde die Zahl von 800 namentlich bekannten Emigranten erwähnt, die nach Deutschland bereits überstellt worden oder dafür vorgesehen waren.

Für die geordnete Ausreise waren noch andere Konsulate aufzusuchen, als erstes das portugiesische. Dort wurde das amerikanische Einreisevisum zur Voraussetzung für das eigene gemacht, außerdem war zunächst eine bezahlte Schiffsfahrkarte oder wenigstens der Nachweis einer Anzahlung nötig. Am nächsten Tag wieder das Defilee beim amerikanischen Vizekonsul, der sich an den Fall von vorgestern nicht erinnerte, aber dann doch ein Visum für sechs Monate ausstellen ließ. Eines für die Dauer des Krieges war nicht vorgesehen oder wurde abgelehnt. Nach Ablauf des terminierten Visums, so der Bescheid, könne Döblin mit den Seinen als französischer Staatsbürger nach Kolonialfrankreich gehen. *Wir widersprachen nicht. Im Augenblick war es nur wichtig, ein Asylland zu finden. Sechs Monate, oh, das war eine lange Zeit.* Ein letztes Versehen bei der Beschaffung wie die Farce zum Drama: Die Döblins hatten die Passbilder vergessen, konnten sie aber am gleichen Tag noch nachliefern und hielten am Abend das Zauberdokument in Händen.

Nun also die Schiffspassage, mit 3000 Francs angegeben, dazu die Kosten für die Fahrt zur Grenze, die Zugreise durch Spanien und Portugal bis nach Lissabon. Der Betrag überstieg die Barschaft des Trios erheblich. *Wir flohen auf die Post und sandten hilferufend ein Kabel nach Amerika. Was konnten wir anders als kabeln und kabeln.* Die knappe Frist lag wie ein Damoklesschwert über ihnen, Döblin erwähnt es selbst. Das Scheitern im Falle des Nichtgelingens stand ihnen vor Augen: *Diesen Kampf konnten wir nicht noch einmal führen.* Das Portugal-Visum konnte beschafft werden, weil sich die Konsularbeamten mit der Quittung über eine Anzahlung zufriedengaben. *Nun waren es noch vier Tage.* Am nächsten Tag auf dem spanischen Konsulat zunächst ein Misserfolg: Die Portugiesen hatten angerufen, dass etwas mit den Pässen der Döblins nicht in Ordnung sei. Es fehlte eine Stempelmarke, nichts mehr. Zurück aufs portugiesische Konsulat geeilt, prallte den Döblins aufgestauter Widerwille und unausgesprochener Verdacht entgegen: sie hatten französische Pässe, aber ihre Inhaber waren in Stettin bzw. in Berlin geboren. Immerhin wurden die Papiere abgestempelt. *Er tat es gewiß nicht gern, – Visen geben. Leuten zur Flucht verhelfen, die der befreundete andere Faschist gerade greifen wollte. Es kam ihm gewiß vor, als ob er Verrat übte. Das war das Gegenstück zu dem Vorgang auf dem Toulouser Militärbüro. Es war das andere Ende des Stricks. An dem einen Ende hatte Rechtlichkeit, Menschlichkeit und Mitempfinden gezogen, an diesem hier zog politische Engstirnigkeit, Haß und Menschenverachtung.* Die Döblins hatten die Jagd nach den Überlebenspapieren in Rekordgeschwindigkeit geschafft: am Montag aus Toulouse abgereist, am Samstag das spanische Durchreisevisum, das anscheinend nur eine Formalität war.

Noch fehlte das Reisegeld. Dessen Beschaffung entwickelte sich zu einem dramatischen Glücksspiel. Von seinem Pariser Bankkonto konnte Döblin in Marseille nichts abheben, eine telefonische Klärung von Bank zu Bank war nicht möglich. Robert Minder, telegraphisch um Hilfe gebeten, hatte den notwendigen Betrag nicht zur Verfügung. Erna Döblin pilgerte zu Zeitungsredaktionen und zum Roten Kreuz, vergeblich wie das Flehen bei der jüdischen Hilfsorganisation HIAS; sie fühlte sich nur für die Versorgung der Flüchtlinge mit Lebensmitteln zuständig. Eine Dame, als mögliche Geldgeberin genannt, war verreist. *Wir saßen in der Falle: kein Geld. Morgen, Montag, war der letzte Tag.* Der Montagmorgen verging in Depression: die Döblins wollten aufgeben. Am Nachmittag rappelten sie sich auf, als sie sich der Empfehlung eines Schuldirektors in Toulouse erinnerten. Der verfügte nicht über die nötigen Mittel, aber er gab eine schriftliche Empfehlung an einen hohen Beamten in der Präfektur. Dieser Unbekannte zückte seine Brieftasche und gab den Döblins, ohne auch nur eine Quittung zu verlangen, den gewünschten Betrag: 4000 Francs. Hinter ihnen wurde die Präfektur geschlossen, es war 7 Uhr abends, sie waren gerettet. Unter der fahlen Beleuchtung dieses Satzes stand jeder Schritt, den sie in Marseille unternahmen. Das Weitere ist rasch berichtet: am nächsten Morgen in aller Frühe der Zug nach Perpignan, dort umsteigen in den Zug an die französisch-spanische Grenze bei Cerbère. Dieser letztmögliche Zug vor Ablauf des Ausreisevisums sollte, so ein Gerücht, ausfallen. *Aber – er fuhr.*

Am 10. Juni war Alfred Döblin aufgebrochen, am 30. Juli traf er mit Frau und Kind im spanischen Grenzort Port Bou ein. Nicht einmal ein Jahr zuvor war dieser Marktflecken ein Sammelplatz der Geschlagenen geworden, eine Station der flüchtenden spanischen Republikaner und der Reste der Internationalen Brigaden auf dem Kreuzweg in die französischen Internierungslager. Auf dieser Gegenroute von Spanien in den Süden Frankreichs befand sich auch einer der großen Lyriker Spaniens: Antonio Machado, im spanischen Krieg auf der republikanischen Seite kämpfend, starb im Februar 1939 und liegt im nahen Collioure, auf französischem Boden, begraben. In seiner Ruhestätte liegt auch seine Mutter Ana Ruiz, die drei Tage nach ihrem Sohn gestorben ist.

Franco hatte Port Bou mit besonderer Hingabe bombardieren lassen: Vom katalanischen Widerstand gegen den Caudillo sollte nichts übrigbleiben. Das größte Monument im Ort ist der Bahnhof, zwei maßlos lange Gebäuderiegel hintereinander. Mag anderswo eine Burg herrschen, ein Palast oder eine Fabrik, so triumphiert an diesem spanischen Randposten der Transit: niemand verharrt. Ein aufgefächertes Gewimmel von Gleisen, rostige Geometrie, die taub in der Sonne glänzt, breitet sich in der Fläche auf. Drüben in Cerbère, heute eine Passage von vier Minuten Zugfahrt durch den Tunnel, ein ähnliches Bild: Gleise, die sich über ein Rangiergelände auseinanderfalten. Zwei stählerne Fächer verklammern den Berg, auf dessen Sattelhöhe ein winziges weißes Gebäude dahindämmert. Die alte Grenzstation ist längst außer Gebrauch, verödeter Zeuge strenger Mienen und amtlicher Handlungen. Lion Feuchtwanger kam wenige Wochen nach Döblin durch, Heinrich Mann mit Frau und Neffe Golo Mann sowie dem Ehepaar Werfel folgte. Und für Walter Benjamin wurde Port Bou am 26. September 1940 zum finalen Ort. Alfred Döblin hingegen hat in Port Bou den Ausgang gefunden. Das spezifische Gewicht dieses Grenzübertritts vermerkt er eigens: *Wie es uns schwer wurde zu gehen. Und Menschen hier lassen, an denen wir hingen. Weggehen zu müssen aus einem Land, das uns beschützt hatte. Wegzugehen im Augenblick, wo es litt. Wieder wie in Paris die Scham, zu einer solchen Handlung gezwungen zu werden.* Das spanische Intermezzo wird von Döblin hingegen erzählt, als wäre es eine farbige Sekunde in der Geschichte eines Reisenden gewesen: Verhör in Port Bou, die Lichter der Landschaft, die Temperaturen, die kleinen Schikanen auf Banken und bei der Polizei, die Beschwerlichkeit des Unterwegs. Aber der Transit ist nicht mehr als ein Nachspiel der erlebten Not und der durchlittenen Verzweiflung. In der Nacht des 31. Juli kommt das Trio in Barcelona an, fährt am nächsten Tag durch die kastilische Sommerglut nach Madrid und wiederum am nächsten zu einer kleinen Grenzstation namens Valencia. *Ein neuer Abschnitt der Geschichte begann: Portugal.*

WARTEN IN LISSABON

Der Eingangssatz für das (vorläufig) letzte europäische Kapitel lautet: *Portugal ist ein wunderbares Land.* Die Erleichterung und ein wenig Gelassenheit, trotz aller Anspannung wegen Geld, Visa und Passagen in die USA, hellen die Aufzeichnungen darüber auf. Gerüchte über das abweisende Verhalten der Portugiesen gegenüber Flüchtlingen waren Reisebegleiter gewesen, als die Döblins am Abend des 31. Juli in Madrid den Zug bestiegen. Unterwegs habe ein spanischer Faschist, Döblin erwähnte es ausdrücklich in einem Rundfunkinterview nach dem Krieg, den letzten Bissen Brot mit ihnen geteilt. (Der französischen Zensur ging das zu weit; sie ließ den Hinweis auf die Güte eines Feindes aus dem Südwestfunk-Gespräch herausschneiden.) An der Grenze gab es wider alle Erfahrung keine Schwierigkeiten, wildfremde Portugiesen servierten ihnen ein Frühstück, andere hatten eine Schlafgelegenheit organisiert, als das Trio nachts um 2 Uhr in Lissabon eintraf. Einen Unterschlupf für die kommenden fünf Wochen bot die Pension Gloria in der Rua dos Fanqueiros, der Straße der Stoffhändler, in der gleichen, in der auch die Schifffahrtsagentur der »Greek Line« lag, am belebtesten Platz der Stadt, dem Rossio. Eine sensorische Beschreibungslust lässt den Erzähler wieder einmal um sich blicken und aufhorchen. *Lissabon ist, industriell gesprochen, ein moderner Großbetrieb zur Erzeugung von Lärm.* Die Kakophonie einer südlichen Großstadt besticht den Reporter seiner selbst. Ein Anflug heiterer Daseinsfreude über die Vielstimmigkeit betäubt die gestressten Nerven. Auf der Avenida da Liberdade begegnet er einer Figur aus seiner *Amazonas*-Trilogie wieder: Marquez de Pombal, der Modernisierer und Lenker des Landes in der zweiten Hälfte des 18. Jahrhunderts, hoch zu bronzenem Denkmalsross. Das verleitet den Autor der *Schicksalsreise* zu einer Seite über aufgeklärte Despoten. Vielleicht wollte er auch auf den aktuellen Selbstherrscher Portugals anspielen, aber es bleibt die Erstaunlichkeit: Über Salazar und sein Regime fällt kein Wort; was zählt, ist nur die freundliche Neutralität des Landes.

Die Post an der Praça do Comércio nahe dem Tejo war der Zielort der meisten Gänge: *Die Poste restante-Ecke in Lissabon, in Portugal, im äußersten Winkel von Europa, wurde der tragische Treffpunkt für viele Menschen in diesem Unglücksjahr 1940, welches die Leichtfertigkeit und Gedankenlosigkeit des geruhigen Lebens in Europa aufgedeckt hatte.* Am Schalter wartete auf die Döblins ein Telegramm, das ihnen Geld versprach: eine Summe, um das Warten auf die größere, die für die Schiffspassage nötig war, zu überbrücken, denn diese Mittel waren Anfang August noch nicht beisammen. In Lissabon stellte sich die Wirrnis prompt wieder ein: die Suche nach Adressen,

Verbindungen, Büros, schwankende Nachrichten, widersprüchliche Ankündigungen, ferngelenkt von Telegrammen aus Amerika: *Dann standen wir vor einem Widerruf des Widerrufs des Widerrufs.* Nach zwei Wochen zeichnete sich eine Alternative ab: entweder mit einem amerikanischen Schiff frühestens Ende September oder mit einem griechischen am 30. August. Der zweiten Möglichkeit vertraute Döblin wenig, da er italienische Attacken auf das Passagierschiff befürchtete, die erste war wegen des späten Termins (und der Aufenthaltskosten in Lissabon) kaum annehmbar. Dann wieder die Tatarenmeldung: entweder am 30. August oder in vier Tagen.

An sein eigenes Geld kam er nicht heran, da es in einer Bank der besetzten französischen Zone lag. Er musste wieder seine Freunde aus Berliner Tagen, Elvira und Arthur Rosin, darum bitten, ihm eine Summe vorzustrecken. In Amerika machte sich auch Thomas Mann als Spendenbeschaffer bemerkbar. Es ist allerdings nicht mehr genau zu ermitteln, wer das Reisegeld aufbrachte oder einwarb. Auf jeden Fall war ein größerer Kreis damit befasst. Dazu gehörten auch Dorothy Thompson, Dudley Wadsworth und Hermann Kesten. Bruno Walter gab angeblich ein Benefizkonzert für die in Lissabon Ausharrenden. Zu den Erschwernissen kamen die Laufereien zur Polizei, um die Aufenthaltsgenehmigung zu verlängern, die erzwungene Untätigkeit und der Mangel an Möglichkeiten zum Schreiben.

In Lissabon erhielten Alfred und Erna Döblin einen Brief ihres in Frankreich zurückgelassenen Sohnes Klaus. Er berichtete von seinen letzten Tagen im Krieg. Er war wegen seiner schlechten Augen zunächst »Hilfssoldat« gewesen, hatte als Bibliothekar gedient und war noch in den letzten Tagen des Krieges eingesetzt worden. Erst am 25. Juni hatte er mit seiner Einheit in Bergerac von dem drei Tage zurückliegenden Waffenstillstand erfahren. Teile dieses längeren Briefes, auf Französisch geschrieben, hat der Vater ins Deutsche übersetzt und in die *Schicksalsreise* eingerückt. Klaus berichtete von seiner Sehnsucht nach den Eltern, fürchtete, sein Bruder Wolfgang sei in Gefangenschaft geraten, da er nichts von ihm hörte. Er selbst war noch immer nicht offiziell aus dem Militärdienst entlassen und verfügte nicht einmal über Zivilkleidung. Tapfer sprach der 23-jährige Klaus über die Trennungsschmerzen hinweg und beruhigte die Eltern: »Ich habe Vertrauen in die Zukunft. Sie wird besser sein als die traurige Vergangenheit. Erwarten wir den Tag der Entlassung, und dann an die Arbeit.« Er bemühte sich intensiv um die erforderlichen Papiere zur Ausreise, doch das mochte ihm nicht gelingen.

Nach dem Erweckungserlebnis in Mende und seinem Glaubensaufruhr in der bedrängtesten Lage scheint bei Döblin eine Art religiöser Ermattung eingekehrt zu sein; in die Kirchen Lissabons zog es ihn kaum. Nicht ohne einen

Anflug von Selbstironie vermerkte er darüber: *Einem Gottesdienst wohnte ich nicht bei.* Der Glaube war gleichsam in Wartestellung, Döblin trug nur eine Sehnsucht nach einfachen Wendungen, nach der schlichten Botschaft des Wortes ohne Pomp, Rituale, Institution und Theologie in die Zeilen: *Was Jesus wollte, lief auf das Einfachste hinaus, das ist: Zu Gott beten, ihm für das Dasein danken, sich dem menschlichen Geschick unterwerfen, seine Verantwortung kennen, Brüder und Schwester in allen Menschen sehen, und so leben, mutig und aufrecht, und auch den Tod als unsern Tod, zu uns gehörig, annehmen und begrüßen.* Für wann gilt diese Botschaft? Der Autor der *Schicksalsreise* gab für sie keine Zeitmarke aus: Sie kann sich auf Lissabon beziehen, auf das Datum der Niederschrift in Amerika genauso wie auf die Nachkriegsjahre, als sie veröffentlicht wurde. Dieser Glaube stand von Anfang an unter dem Banner einer schlichten Humanität, die so kinderfromm erscheint wie das Vertrauen auf den immerwährenden Kalender und seine abgeschliffenen Weisheiten.

Dabei ging es schon in der kruden Realität um alles; die ganze Existenz war in der einen Waagschale und in der anderen ein Wort: Entkommen. Erich Maria Remarque hat die Situation in seinem Roman »Die Nacht von Lissabon« ins biblische Urbild gefasst: »Das Schiff rüstete sich zur Fahrt, als wäre es eine Arche zur Zeit der Sintflut. Es *war* eine Arche. Jedes Schiff, das in diesen Monaten des Jahres 1940 Europa verließ, war eine Arche. Der Berg Ararat war Amerika, und die Flut stieg täglich. Sie hatte Deutschland und Österreich seit langem überschwemmt und stand tief in Polen und Prag; Amsterdam, Brüssel, Kopenhagen, Oslo und Paris waren bereits in ihr untergegangen, die Städte Italiens stanken nach ihr, und auch Spanien war nicht mehr sicher. Die Küste Portugals war die letzte Zuflucht geworden für die Flüchtlinge, denen Gerechtigkeit, Freiheit und Toleranz mehr bedeuteten als Heimat und Existenz. Wer von hier das Gelobte Land Amerika nicht erreichen konnte, war verloren.«

Die Rettungsaktion für die Döblins in Lissabon hatte viele Regisseure und Helfershelfer. Die Mittel für die Passage trieben nach Meinung des Betroffenen die Rosins, der Sohn Peter und ein befreundetes Ehepaar in Westport sowie Hermann Kesten auf. Namen fallen in seinem Bericht kaum. Wer die Gelder bezahlt hat, ist bis heute umstritten, und ob Döblin alle seine Helfer kannte, darf bezweifelt werden. An anderer Stelle werden zusätzlich Lotte Lehmann, Bruno Walter und Erika Mann genannt, für die Affidavits auch die Regisseure Max Reinhardt und William Dieterle.

Das ERC, das in Lissabon ein Büro unterhielt, beauftragte Varian Fry, sich um die Döblins an Ort und Stelle zu kümmern. Auch eine jüdische Hilfsorganisation (HIAS) beteiligte sich bei der Organisation; für den Erzähler der *Schicksalsreise* war sie in diesem Zusammenhang keiner Erwähnung wert.

Schließlich erhielten die Döblins Schiffspassagen einer amerikanischen Linie, zogen aber das kürzere Ausreisedatum vor und tauschten die Tickets gegen das griechische Schiff ein. Am 3. September 1940 konnte Alfred Döblin mit seiner Frau und seinem jüngsten Sohn endlich an Bord der »Nea Hellas« gehen – mit 600 anderen Flüchtlingen und displaced persons. Die letzten schifften sich an diesem Abend um 6 Uhr ein. Die Döblins aßen zu Abend. Mancher der Exilautoren hat diesen letzten Augenblick als ein Trauerzeremoniell empfunden. Unvergesslich ist der Abschied von Europa, wie ihn Heinrich Mann in seinen Erinnerungen in wenige Sätze gebannt hat: »Der Blick auf Lissabon zeigte mir den Hafen. Er wird der letzte gewesen sein, wenn Europa zurückbleibt. Er erschien mir unbegreiflich schön. Eine verlorene Geliebte ist nicht schöner. Alles, was mir gegeben war, hatte ich an Europa erlebt, Lust und Schmerz eines seiner Zeitalter, das meines war; aber mehreren anderen, die vor meinem Dasein liegen, bin ich auch verbunden. Überaus leidvoll war dieser Abschied.« Es wirkt so, als habe Döblin diesem ergreifenden Farewell nachgeschrieben. Als sie den breiten Fluss abwärtsfuhren, sahen sie auf die Illumination der Weltausstellung, die in Lissabon gerade veranstaltet wurde. *In der Dunkelheit setzte sich das Schiff in Bewegung. Langsam wurde es gedreht und den Tejo hinausgeschleppt. Märchenhaft strahlte die Ausstellung herüber. Ihr zauberhaftes Licht war das Letzte, was wir von Europa sahen, in Trauer versenkt.*

6

FILM, DEMUT, STUMMHEIT UND PAPIER VERSCHOLLEN IN AMERIKA 1940–1945

Stumm hatte ich während der fünf Jahre in Hollywood gehockt, in der Ecke. Das Land im Ganzen, Amerika, gefiel mir sehr. Es tat mir wohl, aber es nahm mich nicht an, es war nicht mein Land oder: Ich war nicht ein Mann für dieses Land.

Schicksalsreise, 1949

ÜBERFAHRT NACH NEW YORK

Welche Erwartungen mögen die Döblins auf ihrer Passage nach Amerika bewegt haben? Der Schriftsteller hatte das Land schätzen gelernt, als er 17 Monate zuvor zum PEN-Kongress nach New York gefahren und in Washington mit Präsident Roosevelt bekannt geworden war. Zwei Arten der Flucht überlagerten einander, als er mit seiner Rumpffamilie in Lissabon das griechische Schiff bestieg: des Vaters Entrinnen aus der Ehe mehr als ein halbes Jahrhundert zuvor und nun die Fahrt ins transatlantische Exil, das heißt: in eine vollständige Isolation. Aus den Briefen, die er in den Vereinigten Staaten schrieb, geht hervor, dass die Wörter »Flucht«, »Vertreibung« und »Exil« für ihn erst in den USA ihren scharfen lebensgeschichtlichen Umriss erhielten.

Zurückgelassen hatten die Döblins ihren Sohn Klaus – und ihrer Meinung nach auch Wolfgang, der allerdings schon in französischer Erde lag. Klaus war nicht rechtzeitig ausgemustert worden und sollte nachkommen. Aber daraus wurde nichts: Claude Doblin kam nicht mehr aus Frankreich heraus. Er lebte vom August 1940 bis November 1942 in Marseille, arbeitete zeitweilig als Sekretär von Aaron Syngalowski, dem Leiter der örtlichen jüdischen Hilfsorganisation O. R. T., die auch Peter unterstützt hatte. Der Berliner Rechtsanwalt, 1921 Mitbegründer und seit 1926 stellvertretender Vorsitzender des Exekutivkomitees der jüdischen Umsiedlungs- und Hilfsorganisation, lebte bis 1943 im unbesetzten Teil Frankreichs, dann in Genf und leitete dort Umschulungskurse für jüdische Flüchtlinge. Weil die freie Zone von deutschen Truppen besetzt wurde, zog sich Claude Doblin nach Moirans (Isère) zurück und lebte im Versteck, musste jedoch fürchten, als Illegaler aufzufliegen. Er war daran beteiligt, jüdische Kinder in die Schweiz zu schleusen. Wie durch ein Wunder wurde er nicht von der SS geschnappt. Im April 1944 floh er selbst in die Schweiz, lebte dort in Flüchtlingslagern. Noch vor Kriegsende kehrte er nach Frankreich zurück und übernahm ab Februar 1945 die Direktion von O. R. T. in Nizza. Im März 1946 gründete er ein eigenes Geschäft, einen Großhandel für Dekorateurswaren.

Klaus war also ein nur imaginärer Passagier auf der Überfahrt in die Vereinigten Staaten. Die Eltern werden sich jahrelang darum bemühen, ihm von Amerika aus die erforderlichen Visa und die notwendigen Geldsummen für den Weg nach Übersee zu verschaffen. Es hatte denkbar vernünftige Gründe für die Flucht der Eltern mit Stefan gegeben; auch war eine Koordination der erforderlichen Visa mit den unbekannten Entlassungsdaten des Soldatensohns nicht möglich. Aber Gründe kamen gegen die innere Last aus dem Wissen, zwei Jungen in Frankreich zurückgelassen zu haben, nicht auf. In den Briefen der Döblin-Eltern ist von den Nachforschungen und Bemühungen um die Kinder in Frankreich immer wieder die Rede, aber kaum mehr als Andeutungen gibt es über das Ausmaß ihres Kummers.

Aus den bekannten Texten kann man jedoch ein schneidendes Zerwürfnis zwischen den Eltern in Amerika herauslesen. In der *Schicksalsreise* hat Döblin den Entschluss zur Emigration nach Amerika eindeutig seiner Frau zugeschrieben: In Toulouse habe sie ihn sofort nach ihrer Wiedervereinigung damit konfrontiert, er habe nicht im Traum an Amerika gedacht. In ihrem eigenen Text, der für das Buch vorgesehen war (und in Teilen veröffentlicht ist), stellt Erna den Sachverhalt anders dar. Darin weist sie die Entscheidung für die Flucht nach Amerika von sich und erklärt leidenschaftlich, dass ihr Platz immer an der Seite ihrer beiden Söhne gewesen sei: »Pflichtgemäß habe ich dann geholfen meinen Mann und meinen jüngsten Sohn nach Amerika zu geleiten. Mir war nie wohl dabei. Ein Mensch steht nicht auf dem Boden, den seine Beine berühren, sondern da, wo die Menschen sind, die man liebt. Zu meinen Söhnen will ich und wenns im Übrigen noch so gräßlich in Frankreich hergeht. Wenn ich das Fahrgeld hätte, führe ich noch heute, wenns sein muss zu den Boches.« Dieser ungeklärte Widerspruch markiert die innere Schuldmasse, die zwischen Erna und Alfred Döblin hin- und hergeschoben wurde.

Das Ehepaar schiffte sich mit Sohn Stefan am 3. September auf dem griechischen Passagierschiff »Nea Hellas« ein. Mitreisende auf der Überfahrt waren unter anderen Leopold Schwarzschild, Hertha Pauli und Carl Misch, auch Leo Lania. Ein halbes Jahr später wollte Döblin von Hermann Kesten wissen, was aus ihnen in Amerika geworden war. Er erkundigte sich wie nach Schulkameraden, die man aus den Augen verloren hat. In der *Schicksalsreise* ist von keinem dieser Fluchtgefährten die Rede. Wie bei seiner ersten Amerikareise zum PEN-Kongress begegnete er auf dem Schiff vorwiegend jüdischen Auswanderern und beobachtete an ihnen die Neigung, an der Oberfläche der Ereignisse zu verharren und die vertrauten Gewohnheiten weiterführen zu wollen. Er vermisste eine innere Wandlung: *Ich stellte fest: sie spinnen den alten Faden weiter.* Diese Bemerkungen stehen wohl unter dem kritischen Licht seiner Konversion; er hat mit diesem Urteil ihrem kreatürlichen Lebenswillen vermutlich unrecht getan. Folgt man dem veröffentlichten Bericht, so hat er seine eigene Wandlung verheimlicht: *Was mich beschäftigte, konnte ich hier nicht sagen. Es ging mir nicht auf die Zunge.* In einem getilgten Abschnitt der *Schicksalsreise* erzählte er anderes: wie er versuchte, sich mit einzelnen jüdischen Passagieren über seine Auffassung von Jesus Christus zu verständigen. Es habe ihm jedoch an Überzeugungskraft gefehlt: *Aber ich kann mich ihnen mit den Worten Jesus oder Heil, Heilsbotschaft nicht nähern. Ich weiß, sie sind schwer von Vertretern dieser Botschaft in der Vergangenheit geschlagen worden. Ich bin offenbar noch zu jung in der Wahrheit.* Er betonte sein Anfängertum im Glauben, aber ist er jemals darüber hinausgelangt? Wollte er überhaupt mehr als Dilettant der Religion mit seinem eigentümlichen Verständnis sein und mehr als im Zauber des Anfangs stehen?

Am 12. oder 13. September kamen die Passagiere in Hoboken, New Jersey, an. Kesten holte die Döblins gemeinsam mit Elvira Rosin am Pier ab und brachte sie für die drei Wochen, die sie in New York ausspannten, in seinem Hotel Park Plaza unter. Es gab Begrüßungstelegramme, für den Abend war von Arthur Rosin ein Festessen arrangiert. Wie weltfremd komisch, aber auch anrührend das gewesen sein muss: Abendkleidung erwünscht. Aber Kesten erinnerte sich noch lange Jahre danach, »wie fröhlich Döblin damals war, voll vom Übermut des durch viele Wunder Geretteten«. Am 19. September gab es eine »réunion d'accueil des émigrés« im Hotel Commodore unter dem Vorsitz von Eleanor Roosevelt. Auch Mitglieder des »Emergency Rescue Comitees« mit Hermann Kesten sowie die Journalisten Dorothy Thompson und William S. Shirer waren geladen.

Döblin war einer von rund 130000 deutschsprachigen Flüchtlingen, die Amerika in den 12 Jahren der Hitler-Diktatur aufnahm. Er hatte den Gang zum fatalen Fluchtpunkt seines Exils getan: in die amerikanische Vergessenheit. Döblin konnte von ihr noch nichts wissen, aber es gab bereits ein erstes Anzeichen: die mediale Aufmerksamkeit, die seine Rettung erfuhr, beschränkte sich auf einige dürre Zeilen. Auch der deutschjüdische »Aufbau« überschlug sich nicht gerade, als er ein von W. M. Citron mit Döblin geführtes, einsilbiges Interview über *Jüdische Zukunft* am 27. September veröffentlichte. Ganz anders ging es zu, als Heinrich Mann mit seinem Neffen Golo und den Werfels ankam: Über deren Ankunft am 13. Oktober 1940 in Hoboken berichtete am nächsten Tag ausführlich die »New York Times«.

Die ersten Schritte in Amerika waren vororganisiert. Die Döblins verfügten über Mittel, *denn diese Verträge, die uns in den Schoß fielen*, zeigten Wirkung: Er musste die Abmachung mit MGM für ein Jahr als angestellter Drehbuchautor nur unterschreiben und einen Vorschuss quittieren. Mit dem Geld konnte sich die Familie auf den Weg nach Kalifornien machen. Außerdem empfing er in New York das Honorar in Höhe von 500 Dollar für das Buch *The living thoughts of Konfuzius.* Februar 1940 hatte es Longmans, Green & Co., Toronto und New York, in englischer Übersetzung herausgebracht. Es war der 17. Band in der Reihe. Thomas Mann hatte Schopenhauer ausgewählt, Stefan Zweig Tolstoi, Heinrich Mann hatte sich mit Nietzsche befasst, Arnold Zweig mit Spinoza – und Leo Trotzki mit Karl Marx. Eine deutsche Ausgabe der Döblinschen Auswahl erschien nicht, wohl aber auch eine französische, spanische und eine italienische Edition, allerdings wurde der Herausgeber mit einer Einmalzahlung abgegolten. Die Dollars, die Döblin für die englischsprachige Ausgabe erhielt, waren in den folgenden fünf Jahren wohl sein einziges überhaupt erwähnenswertes amerikanisches Buchhonorar.

ANKUNFT IN HOLLYWOOD

Mit dem Zug fuhren die Döblins über Chicago nach Westen – damals eine Dreitagesfahrt mit einer Unterbrechung: Einen Besuch des Grand Canyon ließ sich der Flüchtling, ausnahmsweise in der Rolle des Touristen, nicht entgehen. Als die drei (vermutlich) am 5. Oktober *nach einer Durchquerung von Einöden, Wüsten und Berggegenden* in der Union Station von Los Angeles ankamen, wurden sie von Elisabeth Frank, Charlotte Dieterle, den unermüdlichen Helferinnen des »Emergency Rescue Committee«, sowie dem Schauspieler Alexander Granach erwartet und zunächst im Hotel Crescent untergebracht.

Große Verdienste um die Rettung von Flüchtlingen in die USA hat sich der Filmagent Paul Kohner erworben. Er bürgte persönlich mit seinem Vermögen für etwa 60 Flüchtlinge und übernahm damit eine Unterhaltsgarantie. Wäre nur ein Bruchteil davon zur Zahlung angestanden, hätte ihn dies finanziell ruiniert. Kohner steht im Schatten der ungleich prominenteren Produzenten, Regisseure und Schauspieler von Hollywood. Doch ohne ihn hätten viele der Mogule, Stars und Konjunkturritter sich kaum im Filmgeschäft behaupten können. In seinem kleinen Büro am Sunset Boulevard konnte man ihm noch Mitte der achtziger Jahren begegnen: ein schneller, agiler Mann, durch Krankheit eingeschränkt, aber mit einer Unfähigkeit zum Selbstmitleid ausgestattet.

Ein Jahr vor Döblins Ankunft war in Beverly Hills, im Haus von Fritzi Massary, der European Film Fund gegründet worden. Er unterstützte notleidende Filmleute, aber durch den Writers Fund auch Schriftsteller. Die treibenden Kräfte waren Liesl Frank, Charlotte Dieterle, Ernst Lubitsch und Paul Kohner. Zahlungen leisteten vor allem Thomas Mann, Franz Werfel, Lion Feuchtwanger (der auch regelmäßig Geld an Arnold Zweig nach Haifa überwies) und Erich Maria Remarque; ebenso war Charlie Chaplin mit von der Partie.

Paul Kohner ist es zu verdanken, dass am 24. Oktober 1939 diese besondere Rettungsaktion für bedrohte Emigranten ins Leben gerufen werden konnte.

Er überzeugte einige Tycoons, einjährige Arbeitsverträge für Autoren auszustellen; sie waren die Voraussetzung, um die Bedrohten aus Frankreich mit kurzfristigen US-Visa herausholen zu können. Kohner, diplomatisch geschickt, köderte die Studiochefs mit einer günstigen Aussicht: Wenn nur einer der unter Vertrag genommenen Writer ein verwertbares Drehbuch abliefern würde, wäre bereits der Großteil der Ausgaben wieder eingespielt. Henry Warner versprach, vier Autoren unter Vertrag zu nehmen – unter ihnen waren dann Heinrich Mann und Leonhard Frank. Louis B. Mayer verpflichtete sich, sechs Schriftsteller zu engagieren. Mehr als ein Dutzend lebensrettende Verträge kamen auf diese Weise nach und nach zustande.

Louis B. Mayer, Sohn eines russischen Schrotthändlers, regierte über Metro-Goldwyn-Mayer wie ein Cäsar und verfolgte für seine Company die Devise: »Mehr Sterne als am Himmel.« Der Löwe, der die Kinobesucher am Beginn jedes MGM-Films noch heute anbrüllt, ist vielleicht ein Ebenbild des Studiobosses. Es war nicht einfach gewesen, ihn zu überzeugen, aber Kohner schaffte es.

Viele Gefährten und Freunde waren vor Döblin angekommen. Thomas Mann, um den Gegner zuerst zu nennen, hatte 1938 in »Vom kommenden Sieg der Demokratie« mit Gravität Amerika als das Land der demokratischen Ideale und als das neue Zentrum der abendländischen Kultur bestimmt, hatte dem amerikanischen Publikum den regierenden Nationalsozialismus erklärt, mit Sätzen, die auch wissen ließen, daß noch viele Emigranten kommen würden. Er rechnete wohl insgeheim mit der weit verbreiteten Xenophobie, die im amerikanischen Außenministerium einen organisatorischen Kern hatte.

Zu den allerfrühesten Hollywood-Bewohnern aus Deutschland gehörten Vicki Baum (seit 1932 in Hollywood), vor allen anderen Salka und Berthold Viertel. Er arbeitete als Regisseur, sie schrieb die Drehbücher vieler Filme mit Greta Garbo. Mit dem Wiener Komponisten Ernst Toch, der seit 1936 in Pacific Palisades lebte, traf Döblin einen Freund, der 1930 seine Kantate *Das Wasser* vertont hatte. Toch half, wo er konnte, und hat manches Affidavit im heutigen Gegenwert von 5000 Dollar beschafft.

Der Schauspieler Alexander Granach war 1933 nach Moskau geflüchtet, war dort als Spion denunziert und verhaftet worden. Er konnte jedoch der stalinistischen Schicksalsmühle entrinnen und kam im Frühjahr 1938 in die USA. Ludwig Marcuse war von Le Havre aus Ende März 1939 nach Amerika gefahren und schlug sich in Los Angeles als Lecturer durch. Nach Döblin trafen Heinrich Mann und die Werfels ein. Lion Feuchtwanger kam 1941 nach Los Angeles, Brecht fand nach seinem Aufenthalt in Schweden einen Fluchtweg aus der Sowjetunion; er hat sich in Moskau nur kurz aufgehalten und konnte damit den stalinistischen Häschern entkommen. Am 21. Juli 1941 traf er auf dem Seeweg in Los Angeles ein. Er wurde mit dem Honorar für »Hangmen also die« vom »European Film Fund«, der Hilfsorganisation für notleidende Emigranten, im Oktober 1942 finanziell unabhängig. Danach unterstützte er Döblin mit Zuwendungen, notierte den Vorgang jedoch weder in den erhaltenen Briefen noch in seinem Arbeitsjournal, aber er ist durch einen Brief Döblins bekannt.

Das Ehepaar wurde anfangs herumgefahren, um die Stadt kennenzulernen und eine Wohnung suchen zu können. Los Angeles wird damals so ausgesehen haben, wie es Raymond Chandler in »Die kleine Schwester« beschrieben hat: »Am Wilshire Boulevard waren Bäume. Beverly Hills war eine ländliche Kleinstadt. Westwood waren leere Berge, Grundstücke wurden für elfhundert Dollar angeboten – und keine Interessenten. Hollywood war ein paar Holzhäuser auf der Straße zwischen den beiden Städten. Los Angeles war ein großer, ausgedörrter, sonniger Ort mit hässlichen, stillosen Häusern, aber gutmütig und friedlich. Es hatte genau das Klima, dem sie heute nachjagen. Die Leute schliefen draußen auf der Veranda. Die kleinen Klüngel, die sich für Intellektuelle hielten, nannten es das Athen Amerikas. Das war es nicht, aber es war auch nicht dieser Slum mit Neonbeleuchtung.« Als Brecht kam, sah er in Los Angeles überall unsichtbare Preisschildchen kleben, auch an den Menschen.

Die Wohnungssuche wurde verkürzt: man quartierte sich im gleichen Apartmenthaus ein, in dem auch Leopold Jessner und Alexander Granach wohnten: zwei bescheidene Zimmer in 1842 Cherokee Ave., aber doch die erste eigene Unterkunft nach mehr als vier Monaten. Das vierstöckige Haus gibt es, weitgehend unverändert, noch heute: eine klassizistisch wirkende Fassade mit Art-déco-Applikationen, die alte Backsteinfassade grau getüncht, 50 Namen auf dem Klingelschild. Man wird sich beholfen haben wie später Brecht, als er aus der Sowjetunion eintraf: mit Möbeln aus dem Altwarenfundus der Heilsarmee und der Wohlfahrt. Granach beschrieb den Neuankömmling mit Sympathie: »Er ist über sechzig – aber sehr frisch, sehr munter und ein sehr, sehr Netter – möglich, ein Prächtiger. Er wohnt auf derselben Etage mit mir.« Leopold Jessner berichtet, Döblin habe ihm am ersten Tag seines Aufenthalts in Los Angeles einen Brief geschrieben und seine Stimmungslage mitgeteilt: *Das Schicksal wirft uns recht übel herum, aber es ist noch lange nicht alles zu Ende, und es kommt wirklich auf uns an, auf den Grad unserer Besinnung und Selbstsicherheit, unserer inneren Entschlossenheit und Klarheit, ob wir uns oben halten.* Die Zeilen las Jeßner vor, als er Döblin offiziell begrüßte.

Der Jewish Club veranstaltete, seltsamerweise in einer Kirche der Unitarier, am 26. Oktober eine Willkommensfeier für die Döblins. Jeßner gab in seiner Begrüßungsrede eine hoffnungsvolle Prognose: »Amerika weiß, daß die Werke unserer Dichter Werte sind, auch für Amerika. Und so rief Amerika auch Alfred Döblin, den guten Europäer und *also* den guten Amerikaner.« Was den Ruf betrifft, sollte sich Jeßner gründlich irren. Auf der Feier lasen Granach, der das Kulturprogramm des Jewish Club organisierte, und Leo Reuß aus Döblins Werken. *Orgel vorher und nachher –. Sonderbar. Auch der Rabbiner, ein Hamburger mit langem Bart und kleinen Zwinkeraugen, war da. Und plötzlich begrüßt mich ein Vetter aus Berlin, den ich 40 Jahre nicht in Berlin gesehen hatte! Er sagte jedenfalls, er wäre es, und er muß es ja wissen.* Döblin improvisierte eine (nicht erhaltene) Antwortrede, die er später ein wenig ironisierte: *Zuletzt redete ich auch, und von dem, was ich sagte, ist mir nur noch das Wort »dämonisch« in Erinnerung. Das brachte ich von den Fluchtwochen mit. Sie hatten von den politischen Umständen gesprochen, die uns über den Ozean trieben, ich schilderte, was in den letzten Monaten geschehen war, und wie ich es erlebte. Ich mußte davon sprechen und nannte Vorgänge, an die ich mich im Augenblick erinnerte, dämonisch – grauenhaft unheimlich.* Veranstaltet wurde unter großer Beteiligung jener, die sich gerettet wussten, ein Fest der jüdischen Exilgemeinde, vielleicht ein wenig gespenstisch, aus der Zeit geraten und an einem merkwürdigen Ort, in diesem New Weimar unter Palmen, aber denn doch auch im Vertrauen darauf, dass sich das Judentum behaupten könne, wie Leopold Jessner hoffte. Niemand auf dieser Begrüßungsfeier konnte ahnen, dass Döblin persönlich eine andere Botschaft in sich trug. Thomas Mann war nicht zugegen; er war zur Ankunft seines Bruders Heinrich und seines Sohnes Golo nach New York gereist und hatte dann in Princeton zu tun.

Gleich zu Beginn bemühte sich Döblin um einen literarischen Agenten. Er nahm, wie von Rosin empfohlen, Kontakt zu Harold Ober auf, doch der schickte eine Absage: Er wollte nur englischsprachige Werke vertreiben, da er nicht über deutsche Lektoren verfügte. Das war der Anfang einer Serie von Ablehnungen und vergeblichen Versuchen, Döblins Werk auf dem amerikanischen Buchmarkt unterzubringen. Er erwähnt nichts von Verhören durch ein »Super Committee«, denen auch er nach seiner Ankunft ausgesetzt gewesen sein muss und dem auch Vertreter der Armee und der Marine angehörten.

Der Dienst bei MGM begann wohl am 9. Oktober 1940, doch scheint Döblin anfangs sein Büro noch nicht bezogen zu haben. Er hatte den Auftrag, Outlines über seine Bücher nach eigener Wahl zu skizzieren. Die Company wollte auf diese Weise prüfen, mit welchem Stoff- und Ideenvorrat zu rechnen sei; und das ging am besten in Heimarbeit. Zunächst versuchte er sich an einer Bearbeitung seines Romans *Berge, Meere und Giganten,* die unter dem Titel *Die Enteisung Grönlands* oder (in englischer Version) als *The Deglaciation of Greenland* vorliegt. Aber er konnte sich nicht darauf verstehen, aus dem Großgebilde eine Filmstory herauszulösen: Er beließ es bei einer Art Digest des gesamten Romans, was gewiss keine Übertragung des Stoffes in ein anderes Medium war. Auch eine Outline über *Der blaue Tiger* hat er angekündigt.

Bei Metro-Goldwyn-Mayer war Döblin einer von fünf angestellten deutschen Schriftstellern. Die anderen waren Alfred Polgar, Wilhelm Speyer, Jan Lustig und (etwas später) Walter Mehring. Noch im November besuchte er sein Büro eher selten: Er war in der Erprobungsphase, und das Studio hatte anfangs für diese Art von Angestellten keine Beschäftigung.

Den Rosins berichtete er von seinen neuen Eindrücken in Los Angeles bereits am 10. Oktober: Der Berliner schlägt durch und erörtert ironisch seine Fassungslosigkeit über die Stadt, die dem leidenschaftlichen Spaziergänger, der nicht Autofahren konnte, fremd und eine nicht zu erobernde Größe blieb. In die launige Beschreibung mischt sich unrettbar das Heimweh. Los Angeles sei eine Gegend und keine Stadt. *Man hat am Meer, und hie und da, einige Ortskerne gebaut, mit niedrigen Häusern und Häuschen, und »dazwischen Zwischenräume«. Soweit ich sehe, besteht Los Angeles wesentlich aus Zwischenräumen. In einigen Lücken findet man Ölfelder, auf andern stehen die Müggelberge mit vielen Villen, manchmal gibt's auch nur simple Müllflächen. Wenn man wo hin will, muß man immer da durch. Es ist immer so weit wie von Berlin nach Prenzlau oder Frankfurt an der Oder. Das Geschlecht der Fußgänger ist ausgestorben infolgedessen, oder ausgerottet. Die Menschen kommen als Autofahrer zur Welt.* Eigentlich sei die Stadt menschenleer, man sehe immer nur Villen und Häuschen bedenklichen Zuschnitts sowie Autos. *Die Menschen finden sich in Drug-stores, Häuschen und Ateliers vor. Die Frauen tragen mit Vorliebe Strandhosen. Kurz, warum es verschweigen, Los Angeles ist das Gegenteil von einem Ort, den ich mir zum Wohnen aussuchen würde; denn ich liebe ja nun einmal das verwegene Spazieren unter vielen Menschen, beobachte sie dabei und komme auf meine Kosten. Aber ich bin nicht zum Spaß in der als paradiesisch verschrienen Gegend. – Ich sah übrigens auch den Pazifik, den Ozean, den andern. Jedenfalls, kam mir vor, habe ich es weit gebracht in meinem Leben; ich dachte mich in der Mark Brandenburg einzuspinnen und muß mich, oder darf mich, jetzt mit den verschiedenen Ozeanen auseinandersetzen. Neugierig bin ich auf das Rote Meer, das mir noch blüht; ob ich da wie unsere Vorväter trockenen*

Fußes hindurchpilgern werde? Der heiter-flapsige Ton kommt bei Döblin häufig auf, wenn die Lage fremd und unübersichtlich ist.

Sorgen machte sich das Ehepaar vor allem um Wolfgang, aber auch um den in Frankreich zurückgebliebenen Klaus. Seit einer Weile waren sie wieder ohne Nachricht. Ein Professor aus Princeton, vermutlich durch Thomas Mann vermittelt, nahm jetzt Nachforschungen nach ihm auf – erfolglos.

Wir fangen an Schulden zu bezahlen, man macht uns wöchentliche Abzüge für die 200 Dollar, die man uns zur Fahrt gepumpt hat, wir hatten weiter pumpen müssen, da man uns nach zehntägigem Aufenthalt das erste Geld gegeben hat. Erna Döblin begann schon im Oktober 1940 mit dem Klagelied über die familiären Finanzen, das sie in Amerika nicht mehr abbrechen konnte. Ende Dezember bis in den Januar 1941 hinein schrieb und redigierte Alfred Döblin den Frankreich-Teil der *Schicksalsreise*, genannt *Robinson in Frankreich.*

Peter Döblin erhielt ein Telegramm aus Berlin: Sein Onkel Kurt bat um finanzielle Hilfe, um mit seiner Frau aus Deutschland herauskommen zu können, doch der Neffe konnte genauso wenig helfen wie der Bruder Alfred. So war Kurt Döblin mit seiner Frau dazu verurteilt, in Auschwitz zu enden.

BEI METRO-GOLDWYN-MAYER

Anfangs gab es einige Schwierigkeiten mit Döblins Arbeitserlaubnis, die von der tatkräftigen Liesl Frank behoben wurden. Er schrieb nun für ein Jahr auf gelblichem Papier mit dem Briefkopf von Metro-Goldwyn-Mayer Pictures, Culver City, California. Loew's Inc., dazu der Löwenkopf und die Devise: Ars gratia artis. Schon kurz nach seiner Ankunft, noch im Oktober 1940, fand Döblin einen losen Kontakt zu Curt Goetz und Wilhelm Thiele, um *einen »lustigen« Unsinn auszuhecken.* Allerdings ist nicht klar, welches Projekt in Frage stand. In seiner gemeinsam mit Valerie von Martens verfassten Autobiographie hat sich Curt Goetz über die Begegnung mit Döblin ausgeschwiegen, die erfolglose Zusammenarbeit wird für ihn nicht wichtig gewesen sein. Bei diesem Treffen prallten jedoch zwei Hollywooder Sozialwelten aufeinander, wie sie unterschiedlicher nicht ausfallen konnten: Curt Goetz, dem früheren Star der Theater- und Filmszene, eilte sein großer Ruf voraus: er reiste mit einem Besuchervisum in die USA ein und bekam gleich zu Beginn pro Woche 1000 Dollar auf die Hand – das Zehnfache Döblins. Später bot man ihm 5000 Dollar die Woche. Er hatte mit Joe Mankiewicz sogleich einen hochrangigen Gesprächspartner und wurde von ihm umwor-

Filmarbeit bei MGM.
Identification Card
Juni 1942

ben. Döblin jedoch wurde an der langen Leine, gewirkt aus Gleichgültigkeit, gehalten. Gemeinsam jedoch war den beiden ein eisiges Befremden über die Usancen der Filmindustrie. Curt Goetz: »Der Gott in Hollywood ist, nach unseren damaligen Erfahrungen, *der job.* Und den riskiert *keiner*! Wer immer es auch sei. Und für nichts auf der Welt. Für keinen Freund, für keine Liebe, für keine Überzeugung! Denn man ist in Hollywood nur das wert, was man auf dem letzten Wochenscheck stehen hat. Bezieht man keinen, ist man eben *nichts* wert. Gar nichts! Und *jeder* kann seinen *job* verlieren, ob er 35 Dollars oder tausende pro Woche macht. Oft nur durch ein Wort, eine Gebärde, einen Blick, der dem Vorgesetzten nicht behagt, und alles Gewesene zählt dann nicht mehr.«

Schon im Monat seiner Ankunft spottete Döblin über *die Autorenfabriken, drin sitzen lauter Dichter auf Wochenlohn.* Zwei Wochen später, Ende Oktober 1940, hielt er sich für *hier aus der Welt.* Er nahm sich wieder Los Angeles und die Filmstadt vor: *Es läßt sich gar nicht sagen, wie oft Hollywood aufhört; aber es fängt immer wieder an. ¼ Stunde nach rechts und links von uns beginnt die Wüste und eben fuhren Sie noch Fahrstuhl in einem Wolkenkratzer.*

In den Memoiren von Curt Goetz und Valerie von Martens stehen auch einige Sottisen über das viele Gerede bei der Filmindustrie, über die Masse an Story-Konferenzen, bei denen der Stoff zerredet wird. Diese Zeilen hätte Döblin gewiss mit unterschreiben können. Das Vanitas-Gefühl stellte sich bei ihm allzu früh ein. Mitte Dezember 1940 an Hermann Kesten: *Tun tut man nichts. Absolut nichts. Angeblich sollen wir an etwas mitarbeiten, aber bisher ist das nur ein Gerücht.* Ein Widerspruch ist bemerkenswert: Einerseits betonte er seine Arbeitslosigkeit im Studio, andererseits berichtete er von Projekten, mit denen er zu tun hatte. Das geht nicht zusammen, aber es charakterisiert eher den jähen Wechsel seiner Laune als die Fakten.

Spätestens Anfang Dezember ging die Heimarbeit zu Ende. Er schrieb den Rosins, er sitze in einem Büro in Culver City, *wo ich jetzt meine Tage verbringe, – ehrlich gesagt: mit Nichtstun. Wie die andern.* Er hatte gehofft, weiterhin zu Hause schreiben zu können, aber dann wurden er und Polgar einem Team zugeordnet. Die Mannschaft bestand aus sechs Personen, einschließlich des Producers. Den Verbindungsmann zwischen den deutsch- und englischsprachigen Kollegen stellte Georg Fröschel, vormals Redakteur bei Ullstein, dar. Er war von 1939 bis 1956 bei MGM beschäftigt und hatte den Auftrag, Mehring, Polgar und Döblin mit den örtlichen Usancen bekanntzumachen und zu beaufsichtigen. Aber noch am 11. Dezember 1940 hielt es Döblin gegenüber Kesten für *nur ein Gerücht,* dass er an etwas mitarbeiten solle. Er fand sich selbstironisch in *Sitzhaft.* Der Anlass für diese Nachricht an Kesten war eine Notiz im »Aufbau«, dass er an einem Musical arbeite. Das sei überholt. Es könnte sich dabei um die allerersten Entwürfe für die *Jazzkomödie* über *Queen Lear* handeln, die sich vor Jahren in einem in Frankfurt am Main aufgetauchten Döblin-Konvolut befand.

Mitte Dezember 1940 musste er dann jeden Tag im Büro antreten. Fröschel berichtet: »Täglich holte ich Döblin mit dem Auto ab und brachte ihn nach Culver City. Dort schrieb der kleine, ein wenig flackrige Mann mit den roten Bäckchen und den blitzenden Augen hinter dicken Brillengläsern an seinem Buch über seine Flucht aus Frankreich. Für den Film zeigte er kein Interesse und die Filmindustrie hatte vorerst keine Aufgabe für ihn.« Es ist schwer, einen zeitlichen Überblick über seine Tätigkeit im Büro von MGM zu gewinnen. Die Projekte liefen offensichtlich durcheinander, dazwischen gab es Pausen des Nichtstuns. Im Office: *Also – schreibe ich für mich, lerne englisch. Wenn einem etwas zur Sache einfällt, telefoniert man begeistert, diskutiert erregt, bis an der Sache nichts mehr übrig ist, und nennt das »gearbeitet« haben. (Rätselhaft, von wo die Millionenverdienste einkommen; das muß ich noch ermitteln.)*

Das damalige Hauptprojekt der Schreibercrew ging auf den Roman-Bestseller »Mrs. Miniver« von Jan Struther zurück. Erzählt werden in loser Folge die Alltagserfahrungen und häuslichen Begebnisse einer Familie. Die Idee war zu zeigen, wie die Engländer in Gestalt von Mrs. Miniver ihr Beharrungsvermögen und ihren Durchhaltewillen erweisen – für ein Amerika, das sich noch nicht im Krieg befand, aber bald eintreten sollte. Döblin fasste den Stoff so auf, dass man darüber einen wundervollen Film voller chaplinesker Episoden machen könne. Fröschel befiel eine Art mildes Entsetzen: »In der damaligen Welt- und Filmsituation war diese Antwort so abwegig, daß ich nicht hoffen konnte, Döblin würde jemals Brauchbares zu einem Drehbuch betragen.« Aber er beauftragte Döblin mit der Abfassung eines Skripts, und Fröschel war höchlich überrascht: »Bereits zwei Tage später lieferte der neue writer ein in deutscher Sprache geschriebenes Manuskript von etwa vierzig Seiten ab. (...) Es war ein Meisterstück.« Aber von diesem Masterpiece wurde nur in einer Minimalportion Gebrauch gemacht. Eine Szene aus Döblins Feder überstand die nachträglichen Bearbeitungen und Neufassungen von anderer Hand: Evakuierung der englischen Armee bei Dünkirchen. Der fertige Film erhielt 1943 acht Oscars. Hätte Döblin bei MGM ausharren können, wäre für ihn vielleicht auch etwas vom Ruhm abgefallen.

Das von Döblin verfasste Szenario *Bergromanze* verrät schon mehr Einarbeitung seines Autors in die filmischen Belange. *Es handelt sich um einen Machtkampf in einem Farmerhaus zwischen einem Mann und einer Frau, zwei starken Charakteren – mit tragischem Ausgang.* Die Frau will, um ihren Machtwillen zu befriedigen, den Mann an der Stelle umbringen, die sie für ein angebliches Rendezvous ausgewählt hat, aber als er dann am Ertrinken ist, will sie ihn retten, da sie nun ihre Zuneigung für ihn spürt. Doch geht sie mit ihm unter. Immerhin ist an dieser Kolportagegeschichte die Straffheit der Handlungsführung bemerkenswert.

Überliefert ist auch ein handschriftlicher Entwurf *Der Ausreißer* (auch *The run away*). Ein junger Amerikaner kann mit knapper Not den Ehebanden entrinnen, die für ihn von Mutter und Braut vorgesehen sind; er flieht auf eine Südseeinsel, wo das gleiche Geschick auf ihn wartet. Das Projekt bricht ab mit dem Entkommen des jungen Mannes nach Japan. Die Filmerzählung ist aus dem vorhandenen Manuskript mit zahlreichen Einschüben auf Zetteln, mit kontrastierenden Varianten und vielfachen Korrekturen bisher nicht verbindlich rekonstruiert. Die Wirrnis des vorhandenen Materials gibt eine Anschauung für die Kalamitäten des Szenaristen Alfred Döblin.

Nach einem halben Jahr fiel die Bilanz eher vernichtend aus: *Die »storys«, die man für den Film schreibt, werden wohl kaum hier überhaupt gelesen;*

es ist eine fantastische Überproduktion darin, au fond hoffnungslos für outsider wie wir. Drei Monate später, wiederum gegenüber den Rosins, überblickte er die Kunst der Selbstpräsentation in Hollywood besser. Er wusste zwischen den Storys zu unterscheiden und der Schwierigkeit, sie an den Mann zu bringen: *Verkaufen heißt: die Idee einem der zwanzig Producer der Firma als zugkräftig suggerieren. Sehr schwer für meines Vaters Sohn.*

Der Mediziner übernahm auch eine Art fachlicher Beratung für das Projekt »Random Harvest« (in Deutschland unter dem Titel »Die verlorenen Jahre«), der Verfilmung von James Hiltons gleichnamigem Roman. Fröschel meinte, Döblin habe eine Ausarbeitung geliefert, die zum Teil ins Drehbuch übernommen wurde und einen beachtlichen Beitrag darstelle. Aber da wird die Erinnerung die Sachlage ein wenig geschönt haben. Döblin musste bei dieser Geschichte eines doppelten Gedächtnisverlusts auch die psychiatrischen Einzelheiten überwachen. Es gibt zwischen diesem Stoff und dem späteren *Hamlet*-Roman einige Verbindungslinien, vor allem, was die Amnesie betrifft. Das beweist: Immerhin hat Döblin den Filmentwurf nicht gleich vergessen, sondern im Gedächtnis bewahrt.

Das psychologisch vielleicht am meisten Erhellende hat der Emigrant Alfred Neumann über die Filmarbeit der Emigranten geschrieben: »Die charity, die einen hergebracht hat, und die $ 100 Wochenlohn, die sie vergibt, haben sich zu einem vitiosen Kreis verschweißt, dergestalt, daß die unsichtbaren Götter der charity in der Office nun den 100-$-Mann sehen, der eben deshalb zu nichts nütze sein kann, weil er nur $ 100 in der Woche kriegt. Und da hierzulande – hierzulande – eine geradezu organische Leseangst grassiert – so als ob die Lese-Organe oder, wenn man boshafter noch sein will, die Lese-Kenntnis fehlten – tut man sich bei 100-$-Charity nun schon gar keinen Zwang an. Also: man ist zwar – aus ursprünglich mildtätigem Herzen – als *writer* angestellt und wird dafür bezahlt: aber das, was man beruflich und vertraglich schreibt, wird nicht *gelesen.* Man hört und sieht nichts mehr von dem, was man abgeliefert hat – man hört und sieht überhaupt niemanden.« Zum Vergleich: 30 Dollar pro Woche entsprachen dem Durchschnittsverdienst eines ungelernten Arbeiters. Kaum mehr als das Dreifache verdienten die europäischen Flüchtlinge, die Drehbücher für millionenschwere Erfolgsfilme fabrizieren sollten. Aber an der oft wiederholten Behauptung von der Unfähigkeit und dem Unwillen der Studiobosse, den Genius der deutschen Exilautoren entdecken zu wollen, ist doch zu kratzen. Die Anstellung war von Anfang an befristet, als Bedingung für die Erlangung der amerikanischen Sondervisa akzeptiert und auf Wohltätigkeit angelegt. Keiner der Engagierten wurde vorzeitig entlassen. Die Bosse waren handfeste Geschäftsleute, hochtrainiert im Business und ohne Verständnis für die Vorbehalte, die ihnen (vor allem von Leonhard Frank) entgegengebracht wurden. Die vage Hoffnung, dass aus dem Dutzend an Schreibern doch eine brauchbare Filmvorlage herauskommen könnte, wird die Mildtätigkeit beflügelt haben. Das *office* wiederum war für die Insassen auf der anderen Seite das Treibhaus der Ängste und Enttäuschungen. Hollywood wurde angelastet, was von anderen verschuldet worden war; daraus entwickelte sich eine Überlieferung der Mokanz, die bis in unsere Tage weitergetragen wird.

Sonderbar versunkenes Leben, das ich hier führe oder führen muß. Straßen ohne Menschen, Gartenidylle, Büro, – nun es wird auch das nicht ewig dauern. Schließlich hört mein Vertrag bald auf, dann wird alles anders, – und dies alles ist ja Krieg, und man darf wohl auch ein Ende erwarten. Der Krieg tritt langsam, aber doch in seine zweite Phase, langsam stellt sich ein Gleichgewicht her, die dritte Phase, also die Überwältigung Hitlers, wird kürzer sein als die erste, es ist sogar dann ein rascher Kollaps möglich. Immerhin, wir stehen erst am Beginn der zweiten Phase. So überspielte Döblin im Juli 1941 an die Rosins die Existenzangst, indem er eine geradezu illusionistische Täuschung ausbreitete: die baldige Niederlage Hitlers voraussagte, herbeireden wollte. Dieses Gespinst aus Illusionen und Selbsttäuschungen, vergeblichen Hoffnungen und zwanghaftem Optimismus kennzeichnet die Exilsituation am Rand der Nachrichten, in der Ungewissheit der fremdsprachlich nicht bewältigten Lebenssituation. Es ist das Netz, in dem sich die Erschöpfungen, die sich später, als er zurück in Deutschland war, sammelten. Stofflich hat Hollywood auch dem Erzähler nichts angetragen – genauso wenig wie Heinrich und Thomas Mann, Franz Werfel oder Bert Brecht; sie waren zu eng an Europa gebunden. Es sind nur poeta minores, die sich Amerika für einen Roman auserkoren, zum Beispiel Karl Jakob Hirsch mit »Manhattan-Serenade«, Salomon Dembitzer mit »Das Affidavit« oder Friedrich Sally Großhut mit »Der Schwitzkasten«.

Döblins Widerwille gegen den Job sammelte sich in einem Brief an Hermann Kesten gegen Ende Juli 1941. Da klingt es so, als wäre ihm das Ende dieser Tätigkeit und die Ungewissheit über die weitere berufliche Existenz lieber als die Tätigkeit selbst, als wäre sie das größere Übel: *Lieber Kesten, arbeiten Sie denn nun wenigstens was Richtiges und zwar nach Ihrem Geschmack? Ich denke da an mich: ich habe hier in dem office zu sitzen und muß Raubbau an meinem Gehirn üben und Storys »erfinden«, daß sich Gott erbarm. Jetzt läuft ja der Vertrag auch nicht unbegrenzt und da muß man was abliefern. – Üblen Stuß, aber ich kann ihn doch nicht übel genug machen. (...) Jeder von uns murkst hier so rum, und man kanns den Göttern nicht gleich tun. Sonst arbeite ich nichts.* Im Filmgeschäft eine neue Erfahrung zu machen war nicht vorgesehen. Er nannte als die Götter Fröschel, einen gewissen Reisch und Franz Schultz – alles deutschjüdische Namen. Die beiden Letztgenannten waren Filmautoren; kaum Kontakt unterhielt er zu Hans Lustig, den er wohl aus seiner Zeit als Feuilleton-Redakteur der »Vossischen Zeitung« kannte.

Er glaubte nicht, *daß man gleichzeitig Herrn Louis B. Mayer und der eignen Arbeit dienen kann.* Aber er ließ sich nicht daran hindern, beides gleichzeitig zu versuchen, mit großem Erfolg, was die Erweiterung seines eigenen Werks betraf. Und er setzte in der nächsten Zeile des Briefes an Hermann Kesten nach: *Voilà eine Sklaverei. Es ist keine Prostitution, denn ich bin nicht anwesend bei dieser Art verlogener Druckserei.* Wiederum ein merkwürdiger Gegensatz: Einerseits wies er es weit von sich, dass er diese Nichtswürdigkeiten an sich heranlasse, andererseits hinderten sie ihn an eigenen Arbeiten.

Das vorletzte seiner Projekte für MGM war das Szenario *Staatsanwalt Fregus* (englisch *Opium*). Die Story ist weitgehend ausgearbeitet. Ein Sohn will den Mord an seinem Vater aufklären. Dabei entdeckt er, dass sich der Vater, der Staatsanwalt war, selbst gerichtet hat: Er war früher am Opiumhandel beteiligt und wurde in seinem Amt erpresst. Der Freitod ist ein Akt der Entsühnung, und die Erpresser können gefasst werden, die Gerechtigkeit ist wiederhergestellt. Döblin hielt die Arbeit eines Szenaristen für *viel mühsamer als Romanschreiben, weil ein Dutzend Menschen ihre Nase reinstecken und jeder was besonderes zu meckern hat.* Noch im August 1941 arbeitete er an dieser Filmgeschichte, *vielleicht reüssiert das bei den hohen Herren von M. G. M.* Kaum mehr als drei Wochen später, nämlich Ende August 1941 an Peter: *Ich hatte fürchterlich zu tun mit dem Abschluß einer Kriminalstory, jetzt habe ich sie abgegeben, – ob sie gebraucht und verwendet wird, muß ich abwarten.* Trotz seiner notorischen Misslaunigkeit über die Forderungen (eher: Nichtanforderungen) bei MGM hatte er also die Hoffnung, eines Tages mit einem Projekt landen zu können, nicht aufgegeben. Man hatte ihm einen amerikanischen Junior writer zur Seite gestellt, um die Story zu entwickeln.

Das letzte Dokument des Drehbuchschreibers Döblin wurde erst 1998 durch einen Zufall aufgefunden. Das Material in einer Schachtel, die im Freien Deutschen Hochstift von Frankfurt ohne jedes Anschreiben bei Umzugsarbeiten gefunden wurde, ließ sich unschwer als ein Konvolut von Alfred Döblin identifizieren. Vermutlich wurden die Papiere von Erna Döblin dem damaligen Direktor des Museums und Forschungsinstituts, Ernst Beutler, als Materialprobe für einen erwünschten Ankauf des Nachlasses übergeben und gerieten dann in Vergessenheit. Darin befanden sich auch die 27 Seiten eines Typoskripts über *Queen Lear.* Das ist das letzte Wort des Szenaristen von Culver City, und vielleicht war es auch das erste gewesen: es könnte sich um die Wiederaufnahme des Projekts handeln, das er zu Beginn seiner Tätigkeit in Hollywood mit Curt Goetz und Wilhelm Thiele ausgeheckt, aber nicht ausgearbeitet hatte. Am 10. Oktober 1941 berichtete er den Rosins, dass er im Schlussspurt seiner Arbeit als *Filmschriftsteller* sei und er habe *verrückt zu tun mit einer Story, die ich noch abgeben wollte.* Bis zuletzt hoffte er anscheinend, die Entlassung abwenden und einen neuen Vertrag erreichen zu können, da er – wie auch Hollywood-Regisseur William Dieterle – generell an die Erfolgschancen der deutschen Exilautoren bei den Companies glaubte. Seine Outline von *Queen Lear* umreißt einen witzigen, humoristischen Umgang mit dem Stoff: *Heitere Variation des alten Learstoffes: ein Vater teilt seine Habe auf unter seine Kinder und erntet Undank. Hier denkt sich der lustige und bankrotte König Lear durch Erbteilung zu sanieren, gerät in Elend durch die Grausamkeit der Töchter, wird aber wieder gehoben und gerettet, ja wieder auf seinen Thron geführt durch die Rührigkeit seiner neugewonnenen Queen Lear und durch das zugkräftige Theaterstück seines treuen Hofdichters Shakespeare.* Manch burleske Rückverweise auf Döblins eigene Situation sind eingebaut: König Lear wird von einer kämpferischen Gattin begleitet. Der Dichter namens William Shakespeare bemüht sich vergeblich, den König intellektuell auf Vordermann zu bringen; er ist anfangs nur für »entertainment« vorgesehen, landet dann aber mit dem Propagandastück »King Lear« einen Treffer. Er erfüllt damit exakt die Rolle, für die Döblin mit »Mrs. Miniver« vorgesehen war.

Als er an die Rosins schrieb, war er schon drei Tage arbeitslos: Nach einem Jahr, am 7. Oktober 1941, war Döblin entlassen worden. Er hatte zuletzt Fürsprecher in der Branche selbst, *mehrere Herren, auch producers,* gefunden, aber *sans effet.* Der prominenteste Anwalt Döblins bei Louis B. Mayer war Thomas Mann; er setzte sich für ihn ein, um eine Verlängerung der Anstellung zu erreichen, habe aber, so sein Sohn Golo, »nur Hohngelächter geerntet«.

Auch kein anderer der Drehbuchverträge mit Exilschriftstellern wurde nach einem Jahr erneuert. Am 4. April 1942 lief der Kontrakt des später eingetroffenen Walter Mehring aus; das war der Schlussstrich unter einem Kapitel der Missverständnisse, Zerwürfnisse und der gegenseitigen Missachtung zwischen einigen deutschsprachigen Schriftstellern und der amerikanischen Filmindustrie. Die Autoren, auch ihr Anhang, haben mit bösen Nachreden nicht gespart. Curt Goetz retirierte auf eine Hühnerfarm und fand es angenehmer, »den zweitausend Viechern unter den Bürzel als einem Filmproduzenten ins Gesicht zu sehen«.

Erst gegen Ende, als er auf Verlängerung des Vertrags hoffte, ging Döblin entschlossen ans Werk. Da war es zu spät. Wollte man dieses Jahr als Geschichte einer Verfehlung begreifen, so tragen beide Seiten an ihr. Der Kontaktmangel der Oberen der Filmindustrie zu den importierten Schreibern ist bemerkenswert. Der Bedeutungsverlust von ehemals berühmten oder wenigstens anerkannten Autoren, als Entwürdigung empfunden, äußerte sich oft genug in brüskierender Arroganz. Die für die Autoren ungewohnte Situation von Lohnschreibern mit festen Bürozeiten verfremdete auch ihre eigene Arbeit. Teamwork in einem hoch spezialisierten und arbeitsteiligen Produktionsprozess war für sie ganz und gar ungewohnt. Das Beispiel William Faulkners lehrt, dass die deutschsprachigen Autoren mit ihren Schwierigkeiten in Hollywood nicht allein waren. Obwohl ungleich besser bezahlt, konnte der amerikanische Weltautor bei der Filmindustrie auch nicht im erhofften Maße reüssieren und hatte manche Erfahrungen zu bestehen, die ihm Wunden schlugen.

Das unterschiedliche Selbstverständnis ergab Kollisionen des Nichtverstehens. Ludwig Marcuse hingegen schätzte die Sachlage anders ein. Er meinte, dass die deutschsprachigen Autoren trotz ihrer »Verachtung für dieses Gewerbe« Großes hätten leisten können; ohne Nachprüfung bleibt seine Behauptung: »Dabei hatten die deutschen Geschichten-Schreiber, Döblin voran, eine so fruchtbare Phantasie, daß Hollywood üppig hätte leben können.« Döblin selbst hat, weltfremd, wie er sein konnte, mehr erhofft, als er selbst leisten wollte. Anders lässt sich die Bitterkeit, mit der er seine Tätigkeit resümierte, nicht erklären: er nannte sie *das große Malheur, ein ganzes Jahr Filmbemühung, was bedeutet leeres Strohdreschen.* Die Unproduktivität des Lohnschreibers habe ihn an eigenen Arbeiten gehindert, was ihm besonders missfiel. Das hat er in diesem Jahr wenigstens öfter behauptet. Aber schon Fröschel bemerkte, dass er in seinen Bürostunden das Manuskript seines Berichts *Robinson in Frankreich* fortführte. Und auch die Niederschrift des dritten Bandes von *November 1918* ging zügig voran. Der Erzähler, der sich für einen vom Szenaristen Verhinderten ausgab, dementierte sich selbst. Denn Döblin schrieb unbeirrt und gegen alle Katastrophen hinweg an seinem literarischen Werk.

Aber war dieses Jahr in den Studios von Culver City für sich nur sinnlose Zeitvergeudung? Der Vertrag hatte immerhin die Rettung aus Frankreich gebracht, und während die Autoren in ihren Büros saßen, arbeitete beispielsweise der Philosoph Günther Anders in der Putzkolonne des Hollywood Custom Palace und sann darüber nach, wie Geschichte und Konfektion übereinkommen. Also: die Filmautoren hätten es noch schlechter treffen können.

Und es gilt das Diktum Alfred Polgars: »Zusammenfassend läßt sich sagen, daß es dem, dem es hier schlecht geht, besser schlecht geht, als es ihm unter gleichen persönlichen Umständen etwa in einer der großen Städte des Ostens ginge. Er lebt hier in entschieden bequemeren traurigen Verhältnissen als anderswo (...).«

Die Döblins hatten nach den ersten Monaten ein kleines Haus in Hollywood, 901 Genesee Ave, gemietet, wo sie neun Monate lebten. Die Straße quert den Sunset und den Santa Monica Boulevard und atmet noch etwas vom amerikanischen Kleinbürgerglück hinter unaufgeräumten Vorgärten und exotisch blühendem Gebüsch. Anstelle des Häuschens findet sich ein Doppelhaus, das an einen Wohnblock in der Querstraße angeschlossen ist. Die Bodenspekulation setzt heute gerade das außer Kraft, worauf sie vertraut: die Anmutung von familiärem Rückzugsgelände in Hollywood.

Döblin litt unter Heimweh, auch weil er sich mit Los Angeles nicht vertraut machen konnte. Dem leidenschaftlichen Spaziergänger waren die einzelnen Stadtviertel nur erreichbar, wenn er mit Heinrich Mann von dessen Frau Nelly durch die Gegend kutschiert wurde. Sein Sentiment bezog sich jedoch nicht mehr nur auf Berlin. Brecht bemerkte Ende September 1941 in einem Brief an Karl Korsch: »Döblin spricht mitunter von daheim und meint damit Frankreich.« Aber es ging ihm nicht wie Heinrich Mann, der von den Vereinigten Staaten nur belanglose Eindrücke empfangen haben wollte. Döblin empfand die Amerikaner frisch, offen, demokratisch gesinnt und unbefangen – auch eine von ihm so benannte Oberflächlichkeit mit eingerechnet.

NEUEINREISE

Die amerikanischen Besuchervisa der Döblins waren in Marseille nur für eine gewisse Zeitspanne erteilt worden. Die drei mussten außer Landes gehen und neu einreisen, um eine unbefristete Aufenthaltsgenehmigung für die Vereinigten Staaten zu erhalten. Die Familie reiste nach Nogales/Sonora, über die Grenze von Arizona nach Mexiko, um bei der Rückkehr ein offizielles amerikanisches Einreisevisum zu erlangen. Die Eltern mussten Angaben zum Verbleib ihrer vier Söhne machen und meldeten Wolfgang als »vermisst«. Erst am 13. März kehrten sie nach Los Angeles zurück. Die Unkosten für diese Unternehmung betrugen für jede Person rund 200 Dollar. An Kesten schrieb Döblin, die Angelegenheit habe sie tief verschuldet. Und Erna Döblin zog sich ein exotisches Leiden zu, das sie anfangs fast jeden Monat einmal und bis an ihr Lebensende immer wieder heimsuchte: eine Amöbenruhr.

Wie seltsam sich die Ereignisse trotz einer Entfernung von vielen tausend Kilometern überlagern konnten: Am gleichen Tag, an dem die Döblins wieder in Los Angeles eintrafen, begann in Moskau ihr ehemaliger Gefährte Herwarth Walden seinen stalinistischen Leidensweg. Er wurde auf seiner Datscha unweit der sowjetischen Hauptstadt verhaftet, seine Frau und seine Tochter Sinah konnten in die deutsche Botschaft fliehen. Herwarth Walden starb am 31. Oktober 1941 im Gefängnis von Saratow an der Wolga, behaupten wir: an gebrochenem Herzen.

SUCHE NACH KLAUS

Döblin hatte im gleichen Monat März 1941 frohe Kunde mitzuteilen: Klaus verfügte über einen französischen Pass und hatte das französische Ausreise- wie das amerikanische Einreisevisum in der Tasche, und die Eltern freuten sich, dass einer Übersiedelung in die USA formal nichts mehr im Weg stand. Aber noch fehlte es an Entscheidendem, nämlich an Reisegeld. Es war eine herbe Enttäuschung, dass im April doch nichts daraus wurde: Klaus fehlten die Mittel für die Passage, und die Eltern, schon mit der Finanzierung seines Lebensunterhalts in Frankreich überfordert, konnten es nicht aufbringen. Das »Emergency Rescue Committee« steckte auch in einer akuten finanziellen Klemme und konnte nicht helfen. So war Amerika für Klaus, alias Claude Doblin, ganz nahe und zugleich in entlegene Ferne gerückt. Auch in den Folgemonaten fehlte in dieser Kette der Erforderlichkeiten immer ein Glied. Der Vater hat sich intensiv darum bemüht, dass Klaus der Weg nach Übersee eröffnet wurde, von Washington bekam er positiven Bescheid, die recommandation. Aber er schränkte ein: *Wir haben sonst schon eine ganze Zeit von Klaus nichts gehört.* Das war Mitte September 1941. Gegenüber den Rosins stöhnte Alfred Döblin zwei Monate später über neue Schwierigkeiten; sie *müssten jetzt (hören Sie) nachweisen oder glaubhaft machen, daß unser Wolfgang nicht mehr am Leben ist, – denn man gibt Visa nur, wenn drüben keine nahen Verwandten mehr leben! Nun, wir haben die triste negative Antwort des croix rouge in Genf, daß er nicht in den Listen der prisonniers steht.* Wegen Klaus schrieb er Briefe an das State Department, das Emergency Rescue Committee und an das President's Advisory Committee on Political Refugees in New York. Die briefliche Verbindung zu ihm riss schließlich ganz ab. Claude Doblin war im Widerstand und musste später in die Schweiz fliehen. Der Vater empfand Schuldgefühle gegenüber den Söhnen, weil er sie durch das Exil wurzellos gemacht habe. Claude Doblin hat zeitlebens das

Gefühl, von den Eltern verlassen worden zu sein, wider alle Vernunftgründe nicht unterdrücken können und empfand Groll gegenüber seinem jüngeren Bruder Stefan (Étienne), der bei den Eltern leben konnte.

GEBURTSTAG HEINRICH MANNS

Wieder einmal fand sich ganz »Weimar« ein, als im Haus von Salka Viertel am 2. Mai 1941 der 70. Geburtstag Heinrich Manns nachgefeiert wurde. An Kesten: *Thomas Mann zückte ein Manuskript und gratulierte daraus, dann zückte der Bruder sein Papier und dankte auch gedruckt daraus, wir saßen beim Dessert, etwa 20 Mann und Weib, und lauschten deutscher Literatur unter sich. Da waren noch Feuchtwanger, Werfel, Mehring, die Reinhardts, einige vom Film.* – Es war wie immer, wenn einer der Emigranten ein Jubiläum feierte: die Gegner und Streithähne, ansonsten nervös aufeinander reagierend wegen des schmalen Platzes, auf den sie verwiesen waren, saßen einträchtig beieinander und würdigten wechselnd ihre Verdienste. Mit Heinrich Mann, den Döblin schon seit ihrer gemeinsamen Arbeit in der Akademie uneingeschränkt schätzte, verband ihn viel: von allem Unkonventionellem über Politik und über Erotik abgesehen, auch ein zuverlässig gefestigtes menschliches Band. Heinrich Mann, einst in Frankreich das geistige Oberhaupt der exilierten Schriftsteller, war in Kalifornien ein König ohne Land. Ihrer beider Nichtbeachtung, quittiert ohne jede Larmoyanz, eher mit Sarkasmus, verklammerte sie außerdem. Auch Döblin hielt eine Ansprache. Sie hat sich allerdings nicht erhalten. Thomas Mann wollte sie in Klaus Manns Zeitschrift »Decision« unterbringen, sie wurde aber nicht veröffentlicht und ist vermutlich in den Redaktionskonvoluten verlorengegangen.

KONVERSION

Die Gestalt am Kruzifix hat Döblin seit seiner Polenreise 1924 immer wieder beschäftigt. Man muss auf der Suche nach seiner Befassung mit der christlichen Religion ziemlich weit zurückgehen, einen langen, verschlungenen Weg. Döblin hat viele vorausweisende und begleitende Zeichen gesetzt: Hinweise, Zufälle am Wegrand, eigentümliche Wendungen. Und schon in der Abwehr Gottes durch den Atheisten in der Novemberrevolution von 1918/19 ist die Übermacht und Verführungskraft einer rätseldunklen Instanz spürbar. Genau genommen wäre zurückzublenden bis zu jedem Porträt der Näherin

Bertha in *Modern* – dem ersten literarischen Zeugnis des 18-Jährigen von 1896. Die Beschäftigung mit dem Katholizismus in Hollywood wirkte, als wolle er nun das Passepartout eines Satzes füllen, den er 1904 an Else Lasker-Schüler geschrieben hatte: *Nichts ist mir widriger, als der aufgeklärte Liberalismus, der über die Religionen lacht und sie für Massenfraß hält.* Die Beschäftigung mit dem Glauben ist ein doppelter Verlauf: der Erweckungsweg bei der Flucht wird in *Robinson in Frankreich* zurückverfolgt, und er wird als Konversion für die zukünftige Lebensplanung praktisch vollzogen. Auch hier scheint Döblins Prosa die Wegmarken zu beleuchten. Das Erweckungserlebnis im französischen Mende lässt sich zwar auf einen Tag, den 25. Juni 1940, datieren, es ist aber, wenn es sich überhaupt so zugetragen hat, die Folge verwickelter innerer Komplikationen, keineswegs ein plötzliches Ereignis wie eine Epiphanie. Und es war nicht einmal unabänderlich, sondern merkwürdig instabil. Er hatte sich zwar den leidenden Christus am Kreuz als einen Bruder vergegenwärtigt, war aber damit noch nicht in die Religion selbst eingedrungen. Er hatte in Frankreich nur ein Bild in Händen, der Stoff wurde erst in Hollywood nachgeliefert.

Seine wachsenden Gewissheiten leitete er von zwei Einsichten ab. Die Gestalt des Gekreuzigten erschien im Nachklang nicht mehr nur als Inbild des leidenden Menschen: *Der Finger Gottes! Das Zeichen! Nun wurde das Zeichen in dieser Form gegeben, in dem Glücksgefühl. Wie noch zweifeln, ob man auf dem richtigen Weg war. Wir zögerten nicht, den Weg zu gehen.* Zum anderen verwies die Ferne einer ethischen Ordnung in den Verhältnissen des getriebenen Flüchtlings auf eine Welt, in der sie präsent ist. *Und wenn sich jetzt nicht Gerechtigkeit zeigt, – und dies ist das einzige, was ich nach der Katastrophe und der Aufdeckung meiner Armut in Händen habe, – dann habe ich zu erkennen: Dies ist nicht die einzige Welt. Der Mangel an Gerechtigkeit in dieser Welt beweist, dies ist nicht die einzige Welt.*

Im Sommer 1941 wurde er von dem katholischen Kunsthistoriker Alois Schardt mit Jesuitenpatres zusammengebracht. Er nahm Bibelunterricht, las unter anderem Thomas von Aquin, Therese von Aquila, Thomas von Kempis, die Kirchenväter, intensiv das Neue Testament. Spätestens seit Juli 1941 nahmen die Döblins Konvertitenunterricht in der Blessed Sacrament Church in Hollywood. Vor allem zwei Jesuitenpatres waren an diesem Bekehrungswerk beteiligt: Cornelius J. McCoy und Harold E. Ring lasen Abschnitte aus dem Katechismus vor und fügten Erläuterungen an. Robert Minder deutete im Rückblick die Gespräche über Gott und die Welt als einen geistigen Wettkampf um die richtigen Argumente. Döblin betont die intellektuelle Bildung der Patres; eine Überrumpelung habe nicht stattgefunden. Auf das Potential der Aufklärung, die Döblin immer vertreten hatte, wollte er auch in diesem komplexen Fall nicht verzichten. Es ist nicht vorstellbar, dass er nur Glaubensinhalte nachredete und sie sich aneignete wie einen Stoff, den man auswendig lernt, um über ihn verfügen zu können. Er wollte die Prinzipien der Rationalität nicht abstreifen und allein durch Glauben ersetzen, war auf spirituelle Durchdringung seines intellektuellen und moralischen Vorrats aus, nicht auf dessen Abschaffung. Und man kann davon ausgehen, dass die beiden intellektuellen Patres diesen Vorsatz unterstützten. Es war wohl der wichtigste Disput seiner späteren Jahre, den er führte: nicht mehr über den Inhalt und die Formen seines Sozialismus, nicht mehr über die Mystik der Natur, den Bau des epischen Werks. Es war, seine nachfolgenden Arbeiten, die mit dem Christentum umgehen, zeigen es: ein ausgreifender Dialog, den er mit seinen geistlichen Partnern führte und den er dann in zwei Religionsgesprächen, außerdem in den Erzählungen *Der Oberst und der Dichter* und *Die Pilgerin Aetheria* in ein Gespräch verschiedener Rollenträger, oft seiner selbst, in einen dialogisierten Monolog überführte.

In dieser Zeit hat er wohl sogar seine literarische Arbeit unterbrochen, was nicht weiter verwundert, wenn man sich sein Pensum vergegenwärtigt: die Bewältigung des Kulturschocks in Kalifornien, der Bericht *Robinson in Frankreich,* der *November*-Roman, dieser nicht enden wollende Mammut, MGM und der Streitunterricht in religiösen Fragen.

Ein ganzes Menschenleben, Äonen der Erfahrung und eine Umdrehung des indischen Schicksalsrades schien es her zu sein, als Linke Poot angesichts eines Protestzuges von Katholiken verkündet hatte: *Wie ich sie hasse. Mögen die Frommen ihre Religion haben. Platz für die, denen diese Religionen welk, tot, fremd sind.* (…) *Ich habe keine Zeit, gerecht zu sein. In diesem Augenblick wünsche ich, ich könnte an den Gott dieser Leute glauben, um einen Fluch auf sie herabzubeten.*

So zwangsläufig, wie er es darstellte, landete er nicht im Katholizismus. Davor lagen Versuche, mit den Unitariern ins Gespräch zu kommen. Er war ihnen wegen ihrer Liberalität und Humanität zugetan. Ihnen kam bei der Rettung vieler Flüchtlinge aus Frankreich eine Schlüsselrolle zu; in Lissabon wurde von ihnen den Döblins ebenfalls Hilfe geleistet. Sie bemühten sich auch, Klaus aus Frankreich herauszulotsen. Es war also naheliegend, sich ihnen anzuschließen. Aber er brach den Kontakt wieder ab, denn seine religiösen Erwartungen waren mit einem gewissen Diskussions- und Unterhaltungsbedürfnis gekoppelt: ohne geistige Auseinandersetzung kein Zugewinn im Glauben. Den Katholizismus hatte er also nicht von Anfang an allein auf der Rechnung, und seine Frau übrigens war protestantisch getauft.

Eine Fügung stellte eine unterirdische Beziehung her, verknüpfte Fäden in einem seiner Romane mit seiner biographischen Wende, als spräche ein Manuskript aus der Schublade in sein Leben hinein. In der *Amazonas*-Trilogie hatte sich Döblin mit den Jesuiten und ihrer Republik 1609 am paraguyaischen Paraná intensiv beschäftigt. Nun geriet er selbst monatelang in ihren Bannkreis: *Ich war in ein uraltes, weitläufiges Gebäude eingetreten. Man führte mich durch Saal um Saal, durch diese Tür und jene. Ich blickte in neue, weitere Räume, helle und dunkle. Es war nicht nötig, daß ich das ganze Gebäude besichtigte und in jedes Zimmer eintrat. Für vieles wird sich noch Zeit finden. Die Gelegenheit wird es mit sich bringen.* Sein Glaubensgebilde enthält einige feste Haltepunkte: das Vertrauen auf eine transzendierende Kraft, auf Christus als den Erlöser, als Gottessohn und leidenden Menschen. Er zog Streben in Räume jenseits der kruden Realität. Aber viele Bereiche blieben, wenn man versucht, seinen Katholizismus stofflich zu überblicken, ausgeblendet: Auffällig ist damals die weitgehende Abwesenheit des Marianischen; auch der Gedanke der Erbsünde zum Beispiel ist eher im allgemeinen Wort von der geerbten Schuld der Vorfahren gefasst als theologisch bestimmt. Walter Muschg, der vermutlich mit ihm nach dem Krieg öfter darüber gesprochen hat, drückte sich mit Vorsicht aus: Döblin sei ein Spötter und Gaukler nach seiner Konversion geblieben, »sein Lachen war da nur weiser geworden, die geisterhafte Lustigkeit eines Mannes, der seine Zeit ganz durchschaut hatte«.

Wie in Mende schrieb er über eine geradezu sensorische Empfindung beim Anblick des Gekreuzigten: *Wenn auch über meine Gedanken das Christentum noch keine Kraft hatte, mein Schiffchen suchte diesen Kurs und ließ sich nicht aufhalten. Ich empfand eine große Wärme, eine unbedingte Sicherheit in mir, wenn diese Dinge in mir auftauchten.* Als weiteren Grund für seine Taufe führte er seinen jüngsten Sohn Stefan an. Man habe ihn nicht ohne Wissen von dem, was die Welt und die menschliche Existenz ausmacht, *ohne Weg und ohne Halt*, aufwachsen lassen können. Die Pädagogik als Hilfsargument für seine Konversion? Ganz und gar sicher scheint er sich nicht gewesen zu sein, wenn er zu solcher Stütze greifen musste.

Pater Harold E. Ring glaubte, dass Döblin schon eine Taufe erwogen hatte, bevor er zum Unterricht kam. Ring unterrichtete Döblin zwei- bis dreimal pro Woche. Er meinte, der Schriftsteller habe schon eigene Gedanken über die katholische Kirche in diese Unterredungen mitgebracht. Er habe wenig Fragen gehabt und niemals über sich selbst gesprochen. Sein einziges Interesse schienen die Unterweisungen durch eine kirchliche Autorität gewesen zu sein. Er kam wohl weniger als der Florettfechter und Disputant, als den ihn Minder zeichnete, zu den Patres, vielmehr in der demütigen Rolle des Lernenden, der seiner Religiosität Inhalt und Kontur geben wollte. Döblin hielt in den folgenden amerikanischen Jahren noch immer den Kontakt zu den beiden Jesuiten. Ring beriet im Januar 1945 mit, in welcher Armee Stefan seinen Wehrdienst ableisten sollte.

Am 30. November 1941 wurden Alfred, Erna und Stefan Döblin durch Cornelius McCoy in der Blessed Sacrament Church, 6657 Sunset Boulevard, nach katholischem Ritus getauft, ein halbes Jahr später empfingen sie die Kommunion. In der *Schicksalsreise* wird die Taufe nicht erwähnt. Die Taufpaten, unter ihnen Paul Menz, wurden von Pater McCoy ausgewählt, weil Döblin unter seinen Bekannten in Los Angeles keine zuverlässigen und verschwiegenen Katholiken hatte. Erna Döblin hatte ihrem Sohn Peter den Akt am 31. August 1941 angekündigt und sprach von der Notwendigkeit, diesen Schritt zu verschweigen: »Es gibt mir ein merkwürdiges Gefühl, daß ich geheim halten muß, daß wir auf dem Weg zum Katholizismus sind (in wenigen Wochen unser formeller Übertritt) weil der Papa sonst unweigerlich aus dem Studio fliegt, wo die Leitung wesentlich in jüdischen Händen ist und jüdische Leute unterstützen will. Da sind wir zunächst (wohl für die Sünden unserer Vorväter) von Land zu Land gejagt wegen jüdischer Abstammung, müssen jetzt unseren Glauben geheim halten, um die Existenz nicht zu verlieren. Sonderbare Welt!« Außer Ernst Toch, Elisabeth Reichenbach, Hermann Kesten und Ludwig Marcuse, vielleicht auch Yolla Niclas dürfte damals kaum jemand von der Konversion erfahren haben. Zumindest glaubte Döblin, dass niemand anderer davon Kenntnis habe. Es ging nicht nur für seine bürgerliche Existenz, sondern auch für den Schriftsteller um einiges. Er vermutete, dass seine Entscheidung mit Ressentiments aufgenommen würde. Da sollte er sich keinesfalls täuschen.

Der Schritt zum Christentum hin wurde ihm von wechselndem Publikum niemals verziehen. Das Verständnis hält sich auch bei den Döblin-Deutern in engen Grenzen. Die Vorbehalte sind bis heute nicht geschwunden, sie haben eine eigene Tradition der Ablehnung gegenüber dem Spätwerk begründet, und die zwei großen, unter dem Einfluss des Christentums entstandenen Romane, *November 1918* und der *Hamlet*, befanden sich, was ihre Wirkung betrifft, jahrzehntelang wie unter einem schwarzen Schatten. Döblin sagte es voraus: *Was würden diese Demokraten und Sozialisten zu meinen Mender Gedanken sagen? Sie würden schweigen und nachher über mich höhnen.*

Die Konversion in Hollywood, offengelegt im Willen, nicht davon zu sprechen, hatte für seine Umgebung den Skandal einer Person, die man nicht sein durfte. Man durfte – wenigstens im Buch – alles andere sein: Wang-lun in

China, Wallenstein in der Geschichte, Transportarbeiter Franz Biberkopf in Berlin, abgefallener Jude überall, bekennender Sozialist, Renegat, verschimmelnder Gott im Babel des Exils. Aber Christ? Das nicht. Das Christentum Döblins gilt den Deutern wechselnd als Dementi der Vernunft, als Wendung ins Reaktionäre, als Nachlassen der geistigen Spannkraft, als Verrat an der Kunst, als Widerruf der Modernität – jedenfalls als unverzeihlich. Keine dieser Abmahnungen ist haltbar. Man hat den Eindruck, dass der Christ Döblin nach dem Krieg weitaus anstößiger wirkte, als es die Gleichgültigkeit gegenüber seinen Büchern ausdrückt, eine Indifferenz, die ihn in die Verschollenheit trieb. Andererseits wurde seine Glaubenssubstanz in der katholischen Presse nur allzu willig in einen universellen Vorrat ohne Anfechtungen harmonisiert und damit ins spannungslose Idyll getrieben. Eher handelt es sich um das Zentrum einer bipolaren Unruhe, um einen Dialog, in dem der Häretiker selten verstummte.

Peter Döblin hat seine eigene Konversion aus Solidarität mit dem Vater rund vier Wochen nach der seiner Eltern in Philadelphia vollzogen. Er hatte den Rosins schon Monate zuvor vom Glaubenserlebnis erzählt, hatte es als gemeinsame Erfahrung der ganzen Familie verteidigt. Außerdem trug Peter ihnen schon Ende August 1941 das Typoskript von *Robinson in Frankreich* mit der Bemerkung an: »Ich denke oft an Sie beide und habe das Gefühl wenn Sie, auch die liebe Frau Elvira, das Buch gelesen haben werden, etwas besser verstehen werden wieso und warum. Ich hoffe sehr Sie werden mir nicht fremd bleiben. Ich habe Sie beide von ganzem Herzen gern und das Christ werden ist etwas was mit den Eltern besprochen worden war.« Das war in den Augen des Vaters höchst undiplomatisch, und bei den Rosins war es Salz in die jüdische Wunde. Vor allem Elvira Rosin war konsterniert, nannte die Glaubensentscheidung einen Verrat und komplimentierte Peter hinaus. Döblin, der um seine berufliche Stellung bei MGM noch kurz vor ihrem Ende fürchtete, schrieb ihnen zwei Wochen nach Peters Offenherzigkeit und wollte den Vorgang herunterspielen. Er versuchte, die Entscheidung als eine Privatangelegenheit darzustellen. Darüber solle man nicht reden, und das habe er Peter ohne Einschränkung mitgeteilt. Im übrigen handle es sich um ein Missverständnis. Gewiss: er habe sich in Anschluss an Kierkegaard *mit christlicher Mystik und Philosophie* befasst. Den literarischen Niederschlag könne man schon im Roman *Bürger und Soldaten,* noch mehr im (noch nicht gedruckten) zweiten Band von *November 1918* finden. Aber dann passte er das Glaubensgut in seine bisherige Gedankenwelt ein und versah den angeblichen Skandal mit einer Isolierschicht: *Es ist nichts weiter als meine (oder im Grunde die allgemeine) ewige Unterhaltung über das »Ich« und die »Natur«.* Von

»Verrat« könne man nur sprechen, wenn er mit dem Christentum öffentlich herauskäme und damit das bedrohte Judentum kompromittiere: *Tue ich das? Tat ich das? Es ist mir unbekannt.* Er bog ein in die schon öfter formulierten Auffassungen: Die Juden seien *ein in voller Auflösung und Einschmelzung befindliches Volk,* die jüdische Religion sei national ausgerichtet und sie passe weder für ihn noch für die Rosins. Er sei davon ausgegangen, dass die Rosins nicht *fromm* fühlten. Warum nun die Aufregung? Er könne doch *heute oder morgen katholisch oder protestantisch werden,* ohne dass jemand davon gestört sein müsse, wenn er diesen Glauben in sich verwahre. Das Register seiner Gegnerschaft zum nationalistischen Judentum ohne spirituelle Vertiefung, den Rosins in allen Einzelheiten vertraut, wurde noch einmal aufgeboten. Er sei zwar 1912 aus der jüdischen Gemeinde ausgetreten, sei aber weiterhin *öffentlich 1000 x als Jude hervorgetreten,* er habe kein Versteck gesucht, es gehe um einen Kampf und da vertrete er das Judentum. Er verwies noch einmal auf seine Unterstützung der Siedlungsbewegung. Er hielt Peters Redereien bei den Rosins für *mißverstanden oder übertrieben.* So wollte er sich aus der Peinlichkeit herauswinden, die ohne sein Zutun entstanden war und aus der er nur als Verlierer herauskommen konnte: als Verräter an der jüdischen Sache. Er sprach sogar über das Beispiel des jüdischen Henri Bergson, der jahrelang verheimlicht habe, dass er Katholik geworden sei, um seinem Volk nicht in den Rücken zu fallen. Ihn benutzte er, um seinen eigenen Fall zu schildern.

Die hochbesorgte Mutter Erna wandte sich, um dem Sohn dieses Beispiel einzutrichtern, brieflich am 13. September 1941 an Peter: »Wir haben neulich mit unserem father ausführlich über unsere Haltung gesprochen. Der sagte nicht etwa: Gehen Sie jetzt und erzählen Sie jedem Menschen, wie es um Ihre Seele steht. Im Gegenteil, er sagte: You must be very prudent. (...)«, er solle sehr vorsichtig sein. Der Vater fügte einige deutliche und dringliche Zeilen an, der Sohn solle den Mund halten oder nur über sich sprechen: er selbst riskiere *hier glatt jede Erwerbsmöglichkeit, falls ich damit hervortrete.* Und der Sohn wolle ihm doch nicht schaden. Bei MGM war jedoch das Ende, aus ganz und gar nicht religiösen Gründen, trotz der Intervention von Thomas Mann besiegelt. Der Vertrag wurde bekanntlich über den Oktober 1941 hinaus nicht verlängert.

Drei Wochen nach seinem gewundenen Brief an die Rosins hatte er zwei offensichtlich verständnisvolle Antworten von ihnen in der Hand und schrieb seinerseits am 10. Oktober 1941 zurück. Aber er wollte sich mit den Religionsfragen nicht befassen: *Lassen Sie mich, liebe Frau Rosin, von den religiösen und theoretischen Dingen ein andermal schreiben. Mein Kopf ist jetzt woan-*

ders. Er schilderte in knappen Sätzen sein Elend: nur noch Arbeitslosenunterstützung, ein Wohnungswechsel notwendig. *Ich kann nicht sagen, daß ich an langer Weile leide, aber ich habe doch das Gefühl en chômage* [arbeitslos] *zu sein.* Zu allen Sorgen kam der Kummer über den von der Bildfläche verschwundenen Wolfgang: *Wir bekamen Nachricht aus Frankreich: man habe sich ergiebig nach Wolf erkundigt, auch bei seinen Regimentskameraden, sein Name findet sich nicht in irgendwelchen Listen, sein Regiment habe »sensibles pertes«* [erhebliche Verluste] *beim Rückzug gehabt.* An diesem Abend kam Brecht zu Besuch, und auch bei dieser Gelegenheit schwieg sich Döblin über seine Bekehrung aus. Im gleichen Monat schrieb Döblin nochmals an Peter, um ihn davon abzuhalten, mit den religiösen Wahrheiten herauszurücken, und er wurde dringlich: *Petrus, die Mamma hat dir schon geschrieben wegen der religiösen Dinge und Rosins. Also du läßt das jetzt endlich. Du willst doch nicht Leute beleidigen. Und man hat jedes Gesinnung zu achten und nicht aufdringlich zu werden. Wenn man nichts hören will, so läßt man es, und du sollst dies absolut für dich behalten! Es ist kein Gesprächsstoff. Hier ist schon Bermann damit gekommen.*

Aber es gibt einen weiteren Grund, vice versa: die Döblins waren wegen antisemitischer Äußerungen in katholischen Kreisen besorgt. Stefan war damit konfrontiert worden. Pater McCoy, zur Rede gestellt, gab einen eisern pragmatischen Ratschlag: Alfred Döblin solle sich nicht in der Schule seines Sohnes zeigen und seine jüdische Abstammung verheimlichen. Das nannte der Jesuit »Realpolitik«.

Döblin hatte *Robinson in Frankreich* im Januar 1941 abgeschlossen und das Typoskript Mitte März 1941 an die L. B. Fischer Corporation nach New York geschickt, doch wollte Gottfried Bermann-Fischer das Buch nicht verlegen, und amerikanische Verlage sahen davon ab, eine Übersetzung herauszubringen. (Den zweiten – matteren und skizzenhafteren – Teil über Amerika und die Rückkehr fügte Döblin 1948 in Baden-Baden hinzu.) Er musste befürchten, dass Bermanns Einblick in das neue christliche Koordinatensystem als Emigrantengerede kursieren würde.

Der Eintritt in die katholische Kirche war vielleicht auch der eigenen Isolation in Los Angeles geschuldet. Nun hatte Döblin immerhin einen Zusammenhang mit einer amerikanischen Gemeinde. Aber es blieben bei ihm entschiedene Zweifel, die vor allem die religiöse Erkenntnis betrafen und die sich mit der Frage verbanden, *wie soll man sich selbst erkennen, wenn man zu gleicher Zeit das ist, was erkennt, und das, was erkannt werden soll.*

Der Übertritt zum Christentum wurde trotz einiger interimistischer Beruhigungen zwischen den Familien Rosin und Döblin zu einem anhaltenden Problem. Vor allem Elvira Rosin war verletzt und konnte den Freund in Hollywood nicht verstehen; unannehmbar war für sie der Katholizismus. Döblin verteidigte sich immer wieder, noch 1950: *Ja, nicht ein einziges Mal nenne ich das Wort katholisch oder römisch-katholisch. Ich spreche von Christentum, und dieses ist natürlich erwachsen aus dem Jüdischen. Es läuft ja, wie tausendmal festgestellt, auch objektiv eine einzige Linie von einem Bekenntnis zum anderen. Der Eine wird durch die Umstände dahin und der Andere dorthin geschoben.* Jahrelang war dieser Konflikt trotz der Beteuerung gegenseitiger Freundschaft nicht aus der Welt zu schaffen.

FÜRSORGE

Die Kündigung bei MGM stürzte die Döblins in große materielle Schwierigkeiten. Brecht notiert am 25. Oktober 1941 in sein »Arbeitsjournal«: »Abends bei Döblins. Kleines möbliertes Haus für 60 Dollar im Monat, aus dem sie herausmüssen, jetzt, wo er (zusammen mit acht andern, darunter Heinrich Mann, die, aus Frankreich ankommend, Picturewriterkontrakte bekamen) fired ist. Er steht vor dem Nichts, zeigt aber seinen alten Berliner Humor. Was für ein Geschäft aufmachen? Um ein Arztexamen zu machen, müßte er ein Jahr studieren, als healer müßte er englisch können (ich kann nich 'nen Mann in Hypnose ersuchen, er soll mir 'n Wort sagen, das mir für ihn fehlt). Aus der Filmindustrie könnte man vielleicht was rausschlagen, wenn man ein Bordell für ältere Damen errichtete, denn das würde die Zensur mildern, die hauptsächlich von diesen Damen ausgeübt wird. – Ich schlage ihm vor, ein halbes Dutzend klassischer Werke zu verzeitlichen.«

Das Häuschen mit den Palmen davor mussten sie aufgeben und zogen am 6. November zu dritt in eine unmöblierte Zweizimmerwohnung: 1347 North Citrus Ave. Man fährt heute auf dem Santa Monica Boulevard die legendäre Route 66, an Verwaltungsgebäuden von Warner Bros. vorbei, die hölzernen Strommasten bilden eine windschiefe Galerie. Links abgebogen in eine Straße, die der zuvor bewohnten gleicht, wenn auch als deren ärmere Ausgabe. Das alte Häuschen wurde erweitert und mit bunten Majolikafliesen aufgehübscht, man erkennt es nicht mehr wieder. Es wird Mexikanisch gesprochen.

Um Platz zu gewinnen, haben die Döblins den größeren der beiden Räume durch einen Vorhang geteilt. Freunde beschafften die Einrichtung. Die Damen Dieterle und Frank fragten bei Bekannten nach überzähligen Möbelstücken aus den Garagen herum: ein altes Feldbett, eine Couch vom Vermieter, Wolldecken kamen auf diese Weise zusammen, Stühle und ein Tisch fehlten beim Einzug noch. *Es ist eben Krieg und Exil, und wir sind dazu bestimmt, den Kelch ganz auszutrinken.* Wenig ist in seinen Briefen aus diesen Wochen von der Literatur die Rede, stattdessen vom teuren Frigidaire und den Diwans zum Schlafen. Mit anderen Utensilien halfen ihnen die Tochs. Sie schleppten Einrichtungsgegenstände heran, fuhren die Döblin herum, auf der Jagd nach Gegenständen aus zweiter Hand. Sie schenkten ihnen *Kochgerät, Reinigungszeug, Besen etc.* und sorgten auch für Gardinen. Peter Döblin hatte eine Madonna gemalt; die zierte nun den »dining-room«.

Die Arbeitslosenunterstützung, zwei Wochen nach Vertragsende bei MGM erstmals bezahlt und für 20 Wochen zugestanden, hielt er für einen Lichtblick, auch wenn er von einem ähnlich darbenden älteren Kollegen nur Trauriges zu berichten wusste: *Heinrich Mann (mit dem ich oft zusammen bin und mit dem ich mich gut verstehe, ein vorzüglicher Mensch, ernst, gütig, und persönlich absolut nicht »revolutionär«) ist noch in seiner Wohnung; er war das I. Mal auf dem employment office, wo man stundenlang warten muß, sehr ungeduldig und schwer niedergeschlagen; er ist über 70 Jahre alt.* Bei ihm selbst griff wenige Wochen nach der Entlassung schon wieder ein gewisser Stoizismus Platz: Den Ärger über den Jobverlust hatte er, wenigstens behauptete er es, überwunden; schließlich sei er nicht allein in dieser misslichen Lage. Er wollte sich an die Behelfsexistenz gewöhnen. Auch die Wohnung Brechts sei auf diese Weise *zusammengestellt* worden.

Die Arbeitslosenunterstützung betrug wöchentlich 18 Dollar und 50 Cent, das war, auf den Monat gerechnet, etwas mehr als die Hälfte des Durchschnittsverdiensts eines ungelernten amerikanischen Arbeiters. Die Döblins lebten außerdem von Zuwendungen aus dem Writers Fund, monatlich 150 Dollar, wie Charlotte Dieterle an Brecht schrieb. Zu den Geldschwierigkeiten kam die Ungewissheit, ob die Zuwendungen über den jeweiligen Monat hinaus noch gewährt wurden. Ende 1941 besserte sich die Lage des Fund etwas. Außerdem schickte Peter seinem Vater zeitweilig fünf Dollar monatlich. Döblin erwog, die Tätigkeit eines Wach- und Aufnahmearztes aufzunehmen, aber dazu hätte er ins Krankenhaus ziehen und sich von Frau und Sohn trennen müssen. »Das machtvolle Talent des Verfassers von *Berlin Alexanderplatz* und des *Wallenstein*« führe »ein beschämend unbeachtetes Dasein«, so Thomas Mann in »Die Entstehung des Doktor Faustus«.

Keine offene Klage ist von Döblin überliefert, diesen Part übernahm Erna. Er wunderte sich eher, dass Amerika auch mit seinen eigenen Schriftstellern schlecht umgehe, wie mit dem *alten Dreiser, wie O'Neill,* aber er blickte über die Frist, in der Arbeitslosenunterstützung gewährt wurde, bereits hinaus: *Alsdann die Sintflut.*

Es war ein tiefer sozialer Abstieg, der vermutlich vor den Bekannten vertuscht wurde wie ein ungehöriges Laster. Schon gegenüber dem Sohn Peter, der sehr beunruhigt war, machte er von seiner schlimmen Lage kein Aufhebens. Man unternehme noch Demarchen, dass es weitergehe, und er könne ja, wenn schon kein neuer Jahresvertrag mehr zustande komme, *für spezielle Arbeiten* Wochenverträge erhalten. Man habe für einige Monate zu leben und durch den Umzug die Monatsmiete von 60 auf 40 Dollar drücken können. Da verriet er sich mit all seinen beruhigenden Worten. Die soziale Deklassierung bedingte wohl auch seinen Rückzug aus dem gesellschaftlichen Dasein in der kalifornischen Exilgemeinde. Er unterhielt nur noch spärliche Kontakte zu anderen Emigranten. Sogar Brechts »Arbeitsjournal« vermerkt nur wenige Treffen.

KRIEGSEINTRITT DER USA

Am 7. Dezember 1941 meldete das Radio den japanischen Überfall auf Pearl Harbor. Den Schock, der die amerikanische Gesellschaft traf, hat Döblin mitempfunden, er dringt sogar noch in den späten *Hamlet*-Roman. Die amerikanische Bevölkerung, bis dahin eher neutral und pazifistisch, schwenkte damit ganz auf die Seite der Alliierten um, erst recht nach der deutschen Kriegserklärung an die USA vom 11. Dezember 1941. Die Emigranten galten fortan wie 1940 in Frankreich als »feindliche Ausländer«, aber die Auflagen der Regierung für sie waren bescheiden. In Kalifornien galt für sie zunächst nur eine nächtliche Ausgangssperre von 8 Uhr abends bis morgens früh um 6 Uhr. Aber auch sie wurden als »enemy alien« eingestuft und durften sich zeitweilig nicht mehr als fünf Meilen vom Wohnort entfernen. Einmal im Monat mussten die deutschen Flüchtlinge sich bei einem Amt melden; interniert wurden sie (im Gegensatz zu den in Amerika lebenden Japanern) nicht. Die Konten wurden eingefroren. Aber diese Maßnahmen, die bis 1944 galten, konnten die Döblins ohnehin nicht behelligen, da sie ja französische Staatsbürger waren.

Gegenüber den Rosins kommentierte Döblin den Eintritt der USA in den Kampf der Alliierten gegen Hitler mit Genugtuung. Er hob zu einer politischen und militärischen Analyse an, die trotz seiner kalifornischen Abgeschlossenheit einen hellwachen Zeitgenossen verrät. Die Amerikaner hätten diese Art von Krieg noch nie gehabt: *Diesmal ist es ein amerikanischer Krieg. Roosevelt hat von vorneherein (nach manchen Irrtümern der Vorkriegszeit, die mit den englischen Fehlern à la Chamberlain parallel liefen) eingesehen, daß Amerika mit diesem europäischen Krieg und durch ihn selber angegrif-*

fen wird, – erst seine Wirtschaft, dann politisch durch den Druck eines feindlichen Regierungssystems, dann wahrscheinlich direkt auf dem Umwege über Südamerika. Er hat einer schlauen hinterlistigen Person wie dem Hitler nicht die lange Berechnung überlassen, er hat auch berechnet. So ist es also ein Präventivkrieg, – aber jeder andere Krieg ist gegen Hitler ein verlorener Krieg. Da schwangen die Erfahrungen aus Frankreich mit. Zum ersten Mal bestimme Hitler nicht den Beginn und die Führung des Krieges. Er habe gehofft, die Amerikaner durch die Unterstützung Japans schwächen zu können. Nun sei, durch den Rückzug der deutschen Armee in Russland auf befestigte Stellungen, der umgekehrte Fall eingetreten: Hitler brauche die Hilfe Japans. Döblin vertraute auch auf England, das sich in diesem Krieg bisher nicht vorgedrängt habe; aber auch im Ersten Weltkrieg habe es seine Arbeit getan. Und optimistisch fügte er hinzu: *Wir treten in die zweite Kampfrunde ein.* Aus Deutschland kamen trübe Nachrichten: Großonkel Magnus Döblin war im Jüdischen Krankenhaus von Berlin gestorben. Im Januar 1942 traf die Nachricht ein, dass dort auch Döblins Großcousin, der Komponist Leon Jessel, nach schweren Misshandlungen durch die Gestapo verstorben war.

NOVEMBER 1918

Auf der Flucht durch Frankreich hatte er das dickleibige Manuskript des zweiten Teils von *November 1918* als eine unerträgliche Last und als einen fremd gewordenen Stoff angesichts der herandrängenden Ereignisse abgetan. In Amerika rückte es wieder in den Vordergrund. Zu diesem Zeitpunkt wurde das bislang vorliegende Manuskript des zweiten (später geteilten) Bandes von *November 1918* abgeschrieben; es ergab mehr als achthundert maschinenschriftliche Seiten.

Den Rosins kündigte er den Abschluss der ersten beiden Teile des *November*-Zyklus unter einem anderen Titel an: *»Waffen und Gewissen«, Untertitel »Berlin November 1918, – Zur Warnung und Erinnerung«.* Er hat nach eigener Aussage das Manuskript des zweiten Teils fast unverändert aus Frankreich mitgebracht und nur um etwa 30 Seiten verlängert. Er rechnete nicht mit Aufmerksamkeit dafür in den USA, baute damit dem Misserfolg bei der Plazierung des *Erzählwerks* in einem amerikanischen Verlag innerlich vor.

Anfang 1942 begann er mit dem letzten Teil, *Karl und Rosa.* Kurz vor Ablauf des Jahres war er noch immer damit befasst, wollte jedoch unbedingt abschließen, aber da traf ihn eine Herzattacke. Die Frau wurde ebenfalls krank; erst am 21. Mai 1943 konnte er seinem Sohn Peter den Abschluss mitteilen.

Eine Stenotypistin, die auch gelegentlich für Heinrich Mann arbeitete und die vom Film Fund bezahlt wurde, übertrug den Sommer 1942 über seine Manuskripte in die Maschine und nahm seine Diktate auf. Am 10. Februar 1942 bat er Kesten schon wieder um Hilfe: er benötigte Material über die Ermordung Karl Liebknechts und Rosa Luxemburgs, denn er kam in Los Angeles nicht an die nötigen Quellen heran. Er suchte nach einem Bericht aus der »Roten Fahne«, überdies versprach er sich Aufschlüsse aus KPD-Unterlagen, die angeblich in der New Yorker Public Library lagen: *Ich wollte Sie bitten, lieber Kesten, falls Sie Lust dazu haben und die Zeit finden, für mich einmal dort auf der public library (mit Grüßen an Frau Kiesler) nachzulesen und mir zu schreiben, wer danach daran beteiligt war (Namen), wie das Komplott zustande kam (Namen) und eventuell dieses oder jenes Detail. Es braucht wirklich nicht viel sein.* Er schrieb auch Steffi Kiesler selbst, Bibliothekarin an der New Yorker Public Library, die verwies ihn April 1942 an die Public Library in London, an Sammlungen in Berkeley, Stanford und Los Angeles. Aus Berkeley erhielt er eine liebenswürdige Antwort: eine Selbstpräsentation als Romanautor sei unnötig, man sei mit seinem Werk vertraut. Er arbeitete in der Public Library von Los Angeles, in der University Library of California, aber entscheidende Hilfen scheint ihm erst die Hoover Library on War, Revolution and Peace der Stanford University gegeben zu haben.

Der Agent Barthold Fles, den Döblin seit seiner Amerika-Reise zum PEN-Kongress 1939 kannte, wollte sich um die Veröffentlichung kümmern, bat um das Typoskript von *Karl und Rosa*, konnte aber genauso wenig etwas erreichen wie zuvor Ben Huebsch. Döblin hat sich besondere Mühe gegeben, um seinen Mammut übersichtlich und stofflich verständlich zu machen. Er schrieb ausführlich wie über kaum ein anderes seiner Werke einen Begleitkommentar, außerdem zwei werbende Texte für eine Übersetzung von *Karl und Rosa*, die nicht zustande kam, sowie eine lange Erklärung und Inhaltsangabe über den zweiten (später in zwei Hälften zerlegten) Teil. Barthold Fles hämmerte er geradezu ein: *Erste Schicht des Romans: die politische und revolutionäre Bewegung nach dem Kollaps, Ebert Scheidemann gegen Liebknecht Luxemburg.*

2. Schicht: der persönliche [Roman] Rosas, – fast völlig imaginär, fantastisch, eine Geistergeschichte.

3. Schicht: der Roman des Friedrich Becker s. Freundes Maus, Hildas, – ebenfalls in das »Geisterreich« herüber gehend, um sich zu einem religiösen Streit zu entwickeln.

4.) die burlesken Affairen des Autors Stauffer – Link und Idealismus, – steht in Gegenbewegung zu den Themen von Becker.

Dies also ist schon etwas vollständiger der plot des Buches. Vor allem und voransteht die Frage nach dem »Tod«, nach seiner Natur, – daher die »Geister« und was sich da entwickelt. Zweite Frage: welche Fragen hinterläßt der Krieg und wie ist der Krieg zu verhindern? Döblin operierte mit einer künftigen Realität: nämlich dem Zusammenbruch Deutschlands. Für diese Stunde wollte er seinen Roman untergebracht wissen.

Um dieses *Erzählwerk* kämpfte er in seinem Schriftstellerdasein am meisten, und es bereitete ihm, was den Erfolg betraf, die größten Kalamitäten.

Zwei Konversionen, vom Revolutionär zum Reformer, von der Gottesferne zum Christentum, sind ihm eingeschrieben. Und eine Konstanz: sein sozialer Sinn, der von seinem politischen Verständnis nicht abhängig war. Zentriert ist das vierbändige Werk um ein Schlüsselereignis der deutschen Geschichte in jenem Teil des 20. Jahrhunderts, den Döblin kannte und den er erlitten hatte, den er musterte als das Wurzelland der deutschen Katastrophen, deren Augenzeuge und Opfer er war. Er blieb in einer unerhörten Dichte am Diarium der Ereignisse, erzählte eine exakt fassbare Spanne von nicht einmal zweieinhalb Monaten mit einer Riesenfülle an zeithistorischen Details. Er »rettete« Karl Liebknecht und Rosa Luxemburg aus dem geschichtlichen Wirrwarr sowie der verfehlten politischen Entscheidungen und umhüllte sie mit der Aura des Opfers. Er ließ den mittelalterlichen Mystiker Johannes Tauler in der Novemberrevolution mitsprechen. Die vier Bände, erst 1991 in einer editorischen Großtat Werner Stauffachers komplett erschienen, fügen sich zu einem faszinierenden Panorama. Alles andere, was von seinen Büchern später durch die Maschen fiel oder nicht gedruckt wurde, wog wenig im Vergleich zur schmählichen Behandlung, dem verstümmelten Erscheinen, der gleichgültigen Aufnahme dieser Tetralogie.

Eine ungeheure Leistung seiner Vorstellungskraft ist hervorzuheben: abgeschnitten vom Reichtum der Dokumente, mehr oder weniger nur mit dem Studium in amerikanischen Bibliotheken befasst, gelang es Döblin, diesen mehrsinnigen Abriss der Revolution, ihres vielfachen Verrats und die desaströsen Folgen zu Ende zu führen. Ein grandioses Epos der Zeitgeschichte vor Hitler, die sich zu seinem Steigbügelhalter macht und die dieses Romanvolk der Deutschen durcheinanderwirbelt.

Von dem ersten, noch in Holland erschienenen Band *Bürger und Soldaten* abgesehen, wurde lange Jahre nichts davon gedruckt. Nur zwei Auszüge wurden in Amerika publiziert: das Kapitel *Der Chefarzt* in englischer Übersetzung in einer von Klaus Mann herausgegebenen Anthologie und *Nocturno* in der Winzigauflage von 250 Exemplaren bei der Pacific Press.

1942

Voller Bangnis schrieb er an die Rosins Anfang Februar 1942 schon wieder wegen finanzieller Schwierigkeiten. Frau Dieterle wusste nicht, ob sie vom Writers Fund auch in Zukunft eine Summe zum Lebensunterhalt der Döblins beisteuern konnte: *Immerhin hätten wir dann noch den Monat weiter diese Versicherungssumme wenigstens, – aber was nachher kommt, ist das reine Grauen.* Die Arbeitslosenunterstützung war ja zeitlich begrenzt und lief aus. Er hatte sich erfolglos an verschiedene Stellen gewandt, um wieder als Arzt arbeiten zu können. Zum ersten Mal ging er die Rosins direkt um Hilfe an: *Sie luden mich quasi öfter ein, wenn es schlimm werde, einen S. O. S.ruf auch an Sie zu richten. Nun, dies ist schon einer, – selbst wenn ich noch nicht gerade am Ertrinken bin.* Mitte Februar 1942 bedankte er sich gegenüber den Rosins überschwenglich für die prompte Hilfe, die ihnen zuteil geworden war. Peter schickte *wöchentlich, aber unregelmäßig* seine fünf bis sieben Dollar an die Eltern. Er arbeitete als Setzer und Graphiker für Buchumschläge bei der Firma The Haddon Craftsmen Inc. in Camden, New Jersey.

1941 hatte sich Thomas Mann von den Architekten Julius Davidson und Paul Huldschinsky am San Remo Drive eine weiße Villa im Nachklang der Bauhaus-Moderne errichten lassen. Unweit davon, am Paseo Miramar, mit einem Höhenblick auf den Pazifik, residierte Lion Feuchtwanger inmitten von 20 Zimmern eines schlossähnlichen Anwesens. Es war 1927 als Musterhaus errichtet werden; Feuchtwanger kaufte es preiswert, und seine Frau Marta hatte wiederum eine Bühne (nach der Berliner Villa und einem Haus im südfranzösischen Sanary), um ihn als Schriftstellerfürsten zu inszenieren. Zweimal im Jahr gaben die Feuchtwangers große Festivitäten mit Lesungen in ihrem Haus von Pacific Palisades; dazu fand sich die ganze, zerstrittene Exilgemeinde sowie die amerikanische Hollywood-Society ein. Dagegen muss man sich Döblin vergegenwärtigen: Infolge seiner Isolation lernte er nicht richtig Englisch und hätte sich in einer internationalen Gesellschaft sprachlich nicht so ungehemmt bewegen können, wie er es sicher wollte. Er fand keinen Kontakt zu amerikanischen Intellektuellen, etwa zu Clifford Odets, Lee und Paula Straßberg, Richard Brooks, Theodore Dreiser. Salka Viertel schildert in ihren Memoiren die verschiedenen Gruppen der deutschen Emigrantenkolonie. Döblin kommt in der Aufzählung nicht einmal vor. Es erging ihm, wie Ernst Bloch in einem Vortrag »Zerstörte Sprache – zerstörte Kultur« im September 1939 in New York bekannt hatte: »Wir sprechen nun einmal deutsch. Diese Sprache haben wir mitgenommen, mit ihr arbeiten wir. (…) Sogleich aber erhebt sich die Frage: wie können wir als deutsche Schriftsteller in einem anderssprachigen Land das Unsere tun, uns lebendig erhalten? Wie können wir wirtschaftlich unseren Ort finden, wie können wir politisch-kulturell unsere Aufgabe erfüllen? Man kann Sprache nicht zerstören, ohne in sich selber Kultur zu zerstören. Und umgekehrt, man kann eine Kultur nicht erhalten und fortentwickeln, ohne in der Sprache zu sprechen, worin diese Kultur gebildet worden ist und lebt.« Döblin vertrat eine ähnliche Auffassung. Von der ererbten Sprache sich zu trennen, um vielleicht in der des Exils einige materielle Verbesserungen erreichen zu können, hätte für ihn bedeutet, *sich die Haut abziehen, das heißt sich ausweiden, Selbstmord begehen.* So habe er lieber ausgeharrt, obwohl er sich als *lebendiger Leichnam* vorkam. Bloch hat zwischen »Schnell-Amerikanern« und Isolationisten unterschieden; der zweiten Gruppe rechnete sich Döblin zu. Und die Entfernung von den Kollegen in gleicher Lage brachte ihn dazu, die Situation noch radikaler zu empfinden als die anderen. Im Ghetto der immerschönen Jahreszeit jedenfalls hat sich Döblin zeitweilig in einem Exil wie nie zuvor und nirgendwo sonst empfunden.

Und doch gab es den übermütigen, witzigen Döblin noch immer. In einem Brief an Erna Budzislawski erinnerte er sich 1947, rund fünf Jahre danach, an manche Daseinslust, an ein schönes Café an der Beverly Station, wo sie *so oft schlemmten* (was immer er darunter verstanden haben mag) *und aus dem man mich einmal mit Bruno Frank wegen Deutschsprechens rausschmiß; wir kamen aber wieder, denn wir sind stolz!*

Rosin hatte ihm den Verlag Simon & Schuster empfohlen, Döblin wandte sich sofort dorthin, schlug den ersten Band von *Amazonas* sowie den *Wang-lun* zur Übersetzung vor, doch gab es wiederum nur eine Absage. Rosin teilte er Anfang März 1942 mit, dass das *fertige* Typoskript von *November 1918*, 2 Teile, insgesamt mehr als 1100 Seiten, an ihn abgehe. Er wollte es dort gelagert wissen, denn er befürchtete eine Evakuierung der emigrierten aliens von der Westküste. Man war zwar französischer Staatsbürger, aber was sollte das im Ernstfall ausmachen? *Wir bedenken jetzt ernsthafter als vorher die Möglichkeit, nach dem Osten bzw. Philadelphia zu kommen, sobald meine »social security« hier um ist (es sind doch noch gegen 2 Monate).* Es war ein Vorschlag von Peter gewesen: die Eltern sollten mit dem ältesten Sohn zusammenziehen, doch wurde der Plan nicht realisiert.

Brecht in seinem »Arbeitsjournal« über einen Besuch Döblins, Mitte April 1942: »Ein Sohn in der französischen Armee vermißt, ein zweiter ohne Mittel in Marseille, bettelnd. Döblin ist witzig und schnoddrig wie je. Lange sehr antirussisch, ist er jetzt von den Büchern des Dean von Canterbury und des amerikanischen Botschafters Davies konvertiert. Mit ihren Jungen sprechen sie immer noch französisch, aber die Rückkehr nach Berlin ist wieder ins Auge gefaßt.« Der Erzbischof von Canterbury, Hawlett Johnson, hatte erklärt, er sei stolz auf den neuen Verbündeten, die Sowjetunion, und Joseph E. Davies, ehemaliger US-Botschafter in der Sowjetunion, hatte 1941 das sowjetfreundliche Buch »Mission to Moscow« veröffentlicht, das 1943 als Grundlage für einen – gleichnamigen – Spielfilm diente. Eine wie immer geartete Annäherung Döblins an sowjetische Politik mochte sich allerdings nur in Brechts Wunschdenken ereignen, in der Realität blieb Döblin über alle Maßen misstrauisch und abwehrend gegenüber dem Stalinismus.

Aber er geriet anderswo in Verdacht. Döblin hat nach eigenen Angaben von Alvaro de Vayo, dem früheren Mitglied der spanischen republikanischen Regierung, die Empfehlung erhalten, er solle sich wegen Klaus an Edoardo Villasenor, den Generaldirektor der Banco de Mexiko in Mexico City, wenden. Er schrieb ihm am 24. April 1942, stellte den Fall seiner beiden Söhne Wolfgang und Klaus dar, die beide das »Croix de Guerre« erhalten hätten, legte ein Empfehlungsschreiben Thomas Manns bei. Er schilderte die Schwierigkeit, aus Frankreich herauszukommen. Die Mühlen für das französische Ausreisevisum hätten zu lange gemahlen, und nun müsse alles von vorne beginnen. Deshalb bat er den Bankier um Mithilfe bei der Beschaffung eines *mexikanischen* Visums. Klaus wohnte in Marseille. Die Bitte war diesem Schreiben etwas unbeholfen angefügt. Offensichtlich hatte Döblin Schwierigkeiten, diesen Brief auf Englisch zu schreiben und musste sich fremder Hilfe bedienen. Von einer Antwort ist nichts bekannt, aber mit diesem Schreiben geriet er in das Netz des FBI. Der Geheimdienst verdächtigte den Bankier, er agiere als kommunistischer Agent unter zwei Decknamen, unterhalte auch Beziehungen zu Nazi-Agenten und habe sich an dem Plan beteiligt, den Boulder Dam an der Grenze von Arizona und Nevada in die Luft zu sprengen. Das reichte aus, Döblin weiterhin unter Beobachtung zu halten.

Mitte Mai 1942 gratulierte er Arthur Rosin, der lange Zeit nach einer schwierigen Darmoperation im Krankenhaus gelegen hatte, zu seiner Genesung, sprach verwegen sogar von *Verjüngung*. Peter war eingezogen worden und schickte den Eltern die Hälfte seiner Löhnung, wozu noch die gleiche Summe vom Staat kam: insgesamt belief sich diese Summe auf 52 Dollar monatlich. Döblin fügte dem Brief an Rosin eine stoische Sottise hinzu: *Schließlich ist der ein Narr, der sich einbildet, die Erde ist ein Paradies; man ist ja auch kein Engel.* Drei Tage später erhielten sie von Peter die Nachricht, dass er sich in einem Sammelcamp befand. Kurioserweise fand der Sohn in der Bibliothek, die er benutzen konnte, auch ein Buch seines Vaters vor. Stefan, alias »Fähnchen« alias Steven alias Étienne, wer durchschaut diese babylonische

Namensverwirrung, wurde wie im Jahr zuvor auf ein katholisches Feriencamp geschickt.

Am 8. Juni beauftragte Benjamin Huebsch einen Rechtsanwalt mit der Ausstellung eines Affidavits für Claude Doblin. Das war nur zu erhalten, wenn sich im besetzten Land nicht noch ein weiterer Familienangehöriger aufhielt. Was aber war mit dem vermissten Wolfgang? Er erwies sich mittelbar nun als Verhinderer seines Bruders. Erna und Alfred Döblin unternahmen einen gespenstischen Coup: Ihn, den Liebling der Mutter, erklärten sie für tot, für gefallen in Frankreich, damit Klaus zu seinen erforderlichen Papieren kommen sollte. Sie schafften ihn in effigie weg, wo sie ihn doch nichts sehnlicher als am Leben wünschten.

Gegen Ende Juni erhielt Döblin Besuch aus seiner Vergangenheit: Eine Gruppe Territorialisten besuchte ihn und wollte seine Unterstützung für ein Siedlungsprojekt, aber der Umworbene lehnte mit einem gewissen Schaudern ab: *Da lasse ich mich nicht mehr, wie eine Weile in Paris, auf den Holzweg eines jüdischen Nationalismus locken.*

Es ging nach dem Juni 1942 auf der sozialen Abstiegsleiter noch tiefer hinab, denn die Arbeitslosenunterstützung lief aus. Die Döblins waren nun ausschließlich auf die Hilfe des Writers Fund angewiesen. *Die ganze Schwere des Exils liegt auf mir. Für mich ist Amerika weder Immigration noch einfache Emigration, sondern selbstverständlich Asylland eines Exilierten. Wodurch Exil? Durch die völlige Unmöglichkeit (für mich wie viele andere) hier Fuß zu fassen, oder gar Wurzeln zu schlagen.* Das war aus dem Abstand eines Jahres berichtet, aber es war ein unabänderliches Fatum für diese amerikanischen Jahre. Im Kreis von Geldnot und Isolation, Erfolglosigkeit und einer Nirwana-Zeit sammelte sich alles. Die Briefe an die Rosins gehören in dieser Zeit zu den bewegenden, intimeren Aussprachen. Er selbst gab dem Ehepaar gegenüber sogar an: *Sie, liebe Rosins, sind die einzigen, mit denen wir noch in Correspondenz stehen; es reißt sonst alles ab oder erlischt, man kommt sich schon mythisch vor.* Am 11. Juli 1942 wieder ein Dank wegen einer offensichtlich größeren Dotation. Frau Döblin werde den Betrag weglegen als Reserve für den Fall, dass der Film Fund plötzlich nichts mehr gebe, *es ist ja auch etwas sehr Schönes und geradezu Wunderbares dabei, daß auch ohne den Staat der private Mensch eingreift und dem anderen beisteht; es klingt natürlich; aber wenn man es erlebt, wirkt es in dieser Zeit doch wie ein Wunder, – und so empfinde ich auch Ihre Güte und Bereitschaft.* Die Döblins könnten jetzt sogar in Ferien gehen, aber man versage es sich; der einzige Kompromiss war ein Aufenthalt im Haus des Philosophen Hans Reichenbach, das in Santa Monica lag und das sie während dessen Abwesenheit hüteten.

Von Peter hatte er Juli 1942 schon einen Monat lang nichts gehört. Der Sohn war zum Militär eingezogen worden, Angehörige seiner Kompanie hatten sich infiziert, die Truppe lag in Quarantäne. Er durfte zwar Briefe empfangen, aber nicht abschicken. Anfang Juli kommentierte Döblin gegenüber Arthur Rosin auch die Todesnachricht, Robert Musil betreffend. Er war am 15. April des Jahres in Genf gestorben. Döblin hatte die Mitteilung *par hazard* in der in Mexiko erscheinenden deutschen Wochenschrift »Freies Deutschland« gelesen. Kisch hatte dort einen *respektvollen Nachruf* veröffentlicht. (Musil war im Ersten Weltkrieg dessen militärischer Vorgesetzter gewesen.) Zuletzt hatte ihn Döblin in der russischen Botschaft nach Ende des Kongresses zur Verteidigung der Kultur 1935 in Paris gesprochen. *Ein feiner Mann; sein Werk wird noch wirken, die Qualität seiner Arbeit war stark und verhinderte eine größere Verbreitung seiner Bücher.* Und wenn schon die Toten in sein Blickfeld rückten, wollte er auch an Alfred Mombert (gestorben am 8. April 1942) erinnern und an Oskar Loerke (der schon seit Februar 1941 tot war). *Wie fern und verschollen ist Deutschland, nicht wahr?,* fügte er melancholisch hinzu. Er rechnete Kisch und Renn in Mexiko zu den *marxistisch versumpften Leuten,* bewunderte aber, dass sie unter dem Namen »Freies Deutschland« eine Zeitschrift und einen Verlag zustande gebracht hatten. Er wollte dort nicht veröffentlichen, aber für ihn war es wie eine Schmach, dass die kalifornischen Emigranten von den mexikanischen an Initiative übertroffen wurden. Voller Bitterkeit und Ingrimm wetterte er gegen sie: *Lieber Herr Rosin, diese deutsche »Emigration« hat noch ihre besondere Bitternis in sich, daß sie so furchtbar verlumpt ist. Herausgeworfene, aber sehr wenig Exilierte; schwach, nutzlos und ohne Gesinnung und Überzeugung wie schon in Deutschland. Demokratie? Demokratie für das? Oder durch sie?* Er erinnerte an das leuchtende Beispiel amerikanischer Präsidenten, an Jefferson, Lincoln, Wilson und Roosevelt, an ihre demokratischen Überzeugungen und ihre Willenskraft; sie waren für ihn Gegenbeweise, und man kann ahnen, warum Döblin trotz seines eklatanten Misserfolgs in den USA dem Land bei seinem Abschied doch dankbar war und es auszudrücken wusste, *denn ich bin nun einmal ein Europäer, der sogar, trotz allem, ein Herz für Amerika und die wirklich gewachsene Demokratie hier hat.*

Und wie immer in Amerika: die Suche nach einem Verleger. Bermann-Fischer und Landshoff, zu denen ihm Rosin geraten hatte, blieben für ihn außer Betracht; sie wollten keine deutschen Bücher herausbringen. Er sah wohl über die besonderen Schwierigkeiten hinweg, in denen vor allem Landshoff steckte. Mitte 1942 wandte sich Wieland Herzfelde, früherer Verleger des Malik Verlags, an Döblin und unterbreitete ihm einen Plan, deutsche Texte herauszubringen, wenn auch das erste Tausend ohne Honorierung. Der Gemeinschaftsverlag solle »Tribüne« heißen, wie eine Organisation in New York, die 1941/42 literarische Abende veranstaltete. Herzfelde wollte Anteilscheine verkaufen, und die Autoren sollten zeichnen. Er sah vor, Bändchen mit 32 bis 64 Seiten herauszubringen. Doch der Plan kam vorläufig nicht zustande, auch wenn Brecht sich lebhaft dafür interessierte. Döblin drückte sich erst um eine Antwort, bis er Mitte September ablehnte. Er habe nichts Passendes, sei ganz mit der Beendigung seines *November 1918* befasst und er verfüge nicht über Mittel: *Es ist eine fatale Sache, lieber Herr Herzfelde, für einen Autor heute, erstens kein Geld zu haben und von Unterstützungen zu leben wie ich (und andre) und zweitens noch umsonst zu arbeiten; das werden Sie bestimmt einsehen.*

Wie ernsthaft und entschlossen Döblin allen Widrigkeiten zum Trotz arbeitete, geht wiederum aus einem Brief an die Rosins zwei Wochen später hervor. Er gab Rechenschaft über sein Riesenbuch ab. *Ich steure mit den letzten Schwimmstößen auf das endliche und endgültige Ende meiner 1918-Trilogie hin; in ca 4 Wochen habe ich es, denk ich, geschafft; dann folgt das Diktat, – und das hängt nicht mehr von mir ab; vielleicht versuche ich diesmal, auch etwas allein zu tippen, ich hatte es in den Studios schon etwas begonnen. Dieser Schlußband (Karl und Rosa) hat nur ca 300 Maschineseiten (vielleicht sind es etwas mehr). Dann atme ich auf.* Das war nichts anderes als eine Fehlkalkulation: Das Manuskript wuchs unter der Hand enorm an und erforderte viel mehr Zeit bis zur Fertigstellung.

Viel mehr hatte er nicht zu berichten: das war jedenfalls die Hauptsache. Stefan ging nun zur High School, und der Vater wollte darauf achten, dass er Französisch nicht verlernte, wenn er schon des Deutschen nicht mächtig sei. Erna Döblin verzehrte sich nach Frankreich, sie hing *mit jeder Fiber ihres Herzens* an dieser Nation *und ihr Gefühl zu dem Land ist gewaltig verstärkt durch den Schmerz (und die unentwegte Hoffnung) um Wolfgang.* Die Rosins schwärmten von der Landschaft um Vermont; Döblin empfand gerade eine solche Abgeschiedenheit als deprimierend, *man hört und sieht keinen; man steht außerhalb des Lebens, nun, man ist im Exil.* Wie oft wiederholte er nun diese Feststellung: er kam nicht drüber hinaus und nicht drüber hinweg. Seine finanzielle Situation hatte sich nicht entscheidend gebessert; er lebte von den Zuwendungen des Writers Fund, den Frau Frank betreute, war also weiterhin *Almosenempfänger,* aber auf niedrigem Niveau hatte sich alles eingependelt. So weit die Situation Ende September 1942.

Aus New York hatte er zwei Wochen zuvor die Einladung erhalten, sich an einem politischen Komitee zu beteiligen. Der ehemalige preußische Minister des Inneren, der Sozialdemokrat Albert Grzesinski, wollte eine Bewegung »Freies Deutschland« ins Leben rufen. Döblin war skeptisch bis ablehnend und wich aus. Das ist nicht als apolitische Wendung zu verstehen, sondern als Vorbehalt gegen die Sozialdemokraten, der aus dem Manuskript von *November 1918* in seine Einschätzung der Lage ausstrahlte. *Ich bin so weit vom Schuß; habe keine Ahnung, was das werden soll, der Marxismus und Materialismus lag mir nie, wenn auch die gesellschaftliche Erneuerung, aber die taugt ohne gleichzeitige menschliche Erneuerung bekanntlich nix; siehe unsere deutsche Republik, die wahrhaftig ein guter und weiter politischer Rahmen war, aber es blieb dabei, und darum blieb es auch nicht dabei.* Gegenüber Hermann Kesten, der als Mitunterzeichner auftrat, wurde er am 10. Januar 1943 sehr viel deutlicher: *Wie andre hier habe ich persönlich negativ reagiert. Denn ich weiß nicht, was da gespielt wird, und was die ehemaligen Sozialdemokraten an der Spitze anbetrifft, so gibt es wenig aus dem alten Deutschland der Demokratie, was ich so heftig und inbrünstig hasse. (Das hängt mit meinem »Nov. 1918« Buch zusammen; darin habe ich die fürchterliche Rolle der Ebert etc., kennen gelernt, eine tiefinwendige Verwahrlosung, die weit die spätere französische übertrifft, und so wollte man eine Republik gründen.* Eine etwas bizarre Antwort: Döblin wollte die SPD, deren Mitglied er gewesen war, durch sein Buch kennengelernt haben. Die Behauptung deutet den Roman wieder einmal als Sonde zur Kenntnis historischer Wirklichkeit.

Anfang/Mitte Oktober sah Döblins Situation auf einen Schlag katastrophal aus. Der Writers Fund stellte seine Zahlungen – wenigstens zeitweilig – ein. *Worauf meine Frau prompt zusammenklappte. Es war für ein paar Tage eine schlimme und recht trostlose Situation.* Erna Döblin erlitt einen Nervenzusammenbruch, Alfred Döblin einen Herzanfall – die ersten schweren Symptome einer Coronarerkrankung. Er musste sich ins Krankenhaus begeben, und während Erna Döblin ebenfalls in einer Klinik lag, wurde er zeitweilig sogar in ein Pflegeheim überführt, um seine Versorgung sicherzustellen.

Ein weiteres Problem war hinzugekommen: Peter unterstützte seine Eltern, und ein Fragebogen, der wahrheitsgemäß auszufüllen war, gefährdete nun auch noch diese winzige Sozialleistung: *Nun, das Letztere läuft noch; wir müssen es abwarten.* Am 26. Oktober 1942 immerhin kam dann von Frau Dieterle die erlösende Nachricht, dass der Writers Fund seine Zahlungen, wenigstens von Monat zu Monat, wieder aufnehmen konnte. *So steht es, lieber Rosin, und ich bin also nicht in direkter Sorge. Der Schlag ist wieder vorübergegangen, und so war es ja in den letzten Jahren öfter, – aber es ist schon kritisch und ängstlich, und ich verhehle es mir trotz meines einge-*

borenen und unausrottbaren Optimismus nicht (meine Frau hat sich auch wieder erholt, auf sie fällt alles ungeheuer schwer). Er erinnerte Rosin an dessen Hilfsaktion für Robert Musil in der Schweiz; der Schriftsteller hatte von einigen Stiftern eine regelmäßige Summe zum Lebensunterhalt erhalten. *Ist für mich in irgendeiner Weise nicht auch so was zu schaffen?* Er hatte sich an die Guggenheim-Stiftung gewandt, hatte Thomas Mann, den Germanistikprofessor Gustave Arlt sowie den Verleger Ben Huebsch als Referenzen angegeben. Aber die Aussichten waren gering: 1000 Bewerbungen für 60 Stipendien, außerdem lag Döblins Antrag etwas quer zu den Statuten. Es wurde ganz und gar nichts daraus, und Hermann Broch zählte zu den Auserwählten.

Döblins weitere Versuche, seinen Sohn Klaus aus Marseille in die USA zu lotsen, zogen ein Verhör durch die Einwanderungsbehörde in Los Angeles nach sich. Seine Korrespondenz mit den Ämtern darüber lag vor. Man rekapitulierte noch einmal seine eigene Einreise. Auffällig war für die Behörden, dass sie der gleiche Rechtsanwalt Ronald H. Button betrieben hatte, der den Einwanderungsbehörden wegen angeblich überhöhter Gebühren im Falle Lion Feuchtwangers aufgefallen war. Auch nach dem Verhältnis zu Thomas Mann wurde er gefragt, und der Beamte war sich nicht sicher: »Is Thomas Mann his real name?«

Döblin verfügte über die außergewöhnliche Gabe, sich gegenüber den meisten Problemen abzuschotten und seine Produktivität damit zu erhalten. Mitte Dezember 1942: *Nun, ich ziehe einen »Zauberkreis« um mich und arbeite. Bald habe ich meinen Schlußband beendet; ich werde aufatmen. Dann die Gedanken sammeln und sehen, wo man eigentlich steht.*

Am 12. Dezember dankte Erna den Rosins für ein Geburtstagsgeschenk an Stefan. Man hatte zusammengelegt und einen Phonographen gekauft: *Nun kann das Jungchen sich Noten aus der Bibliothek holen und aufmerksam einer Partitur folgen. Er spielt selber schon sehr hübsch Klarinette, denkt sogar daran Berufsmusiker zu werden. – Welch ein Segen, daß der Eine bei uns bleiben darf.* Stefan wurde kurze Zeit von der Cembalistin und Pianistin Wanda Landowska unterrichtet. Auf Rat von Igor Strawinsky wurde für ihn eine Klarinette angeschafft, und er nahm regelmäßig Musikstunden. Peter absolvierte seinen zweijährigen Militärdienst im Quarter Master Corps of the USA in Camp Lee. Eine Aussicht, dass Klaus herüberkommen konnte, gab es nicht: *Wir sind oft sehr down, wegen Frankreich und Klaus* – Döblin musste nicht erwähnen, dass »Frankreich« auch die Umschrift für »Wolfgang« bedeutete.

Ende Dezember 1942 bilanzierte Alfred Döblin seine finanzielle Situation und teilte den Rosins die gute Nachricht mit, dass sich Liesl Frank und ihr Committee unermüdlich bemühten, *uns, ich darf sagen, Gestrandeten und Gelandeten* zu helfen. Aber mit einer festen, längeren Verabredung konnten die Hilfsbedürftigen nicht rechnen. *Ich selbst bin, wie gesagt, froh trotz des wendigen Charakters der Sache; meine Frau freilich beunruhigt sich stärker gegen Monatsende.* Es war die salvatorische Umschreibung für scharfe Auseinandersetzungen zwischen den Partnern.

WIEDERUM YOLLA NICLAS

Ein Anlass war der zurückliegende Wiederauftritt von Yolla Niclas auf der Bühne, wenn auch nur als Briefpartnerin aus New York. Über ihre turbulenten Zeiten in Frankreich und die Flucht nach Amerika bis zum Juni 1941 schrieb sie einen autobiographischen Bericht. Sie verstand ihn als Pendant zu den Tonbandinterviews, die ihr Mann Rudolf Sachs im »Institute of Local History« am Manchester Community College, Connecticut, niederlegte. Sie hatte ihn 1940 in Frankreich, mitten im Krieg, geheiratet. Er war im Lager St. Jean-de-la-Ruelle bei Orleans interniert, wogegen sie noch in ihrem Pariser Atelier leben konnte. Der Häftling Sachs erhielt Heiratsurlaub vom Lager, zwei Mitglieder der Wachmannschaft stellten die Trauzeugen, geheiratet wurde auf der örtlichen Mairie. Zurück in Paris eröffnete sie Döblin diese Entscheidung. Nach ihrem Zeugnis habe er die Entscheidung in höchster Aufregung zur Kenntnis genommen, sich aber nach einigen Tagen damit abgefunden. Minder meinte denn auch, innerlich habe sich für die beiden durch die Heirat nichts verändert. Rudolf Sachs und Yolla Niclas schlugen sich zunächst auf getrennten Wegen durch: sie war zeitweilig in Gurs interniert, konnte fliehen und ihren Mann wiederfinden. Ihr schon früher emigrierter Vater vermittelte den beiden ein Visum und schickte Geld, aber ihr Mann war zu diesem Zeitpunkt bereits wieder interniert. Sie konnte ihn am Vorabend der Abfahrt vom Lager »Les Milles« loseisen, sie fuhren von Marseille aus mit dem französischen Frachtschiff »Winnipeg« über Casablanca nach Martinique. Aber sie kamen dort nicht an. Eines Nachts kamen 60 bewaffnete Holländer an Bord; im Hafen von Trinidad wurden die Flüchtlinge ausgebootet und kamen in ein englisches Internierungslager. Auf der »Evangeline« konnten sie dann weiterfahren und kamen am 13. Juni 1941 in New York an.

Als Döblin September 1940 in New York ankam, suchte ihn Yollas Vater auf, um etwas über den Verbleib seiner Tochter zu erfahren. Aber auch er wusste nicht, wo sie hingeraten war; er hatte sie aus den Augen verloren. Erst im Oktober 1941 scheint er erneut Verbindung zu ihr gefunden zu haben. Er schrieb ihr am 20. des Monats zum ersten Mal wieder, in allgemeinen Worten über die Lage, die materielle und die private. So auch das Zeugnis seiner Unwandelbarkeit ihr gegenüber: *Meine Gedanken haben sich gewiß wie immer verändert, jedoch ich nicht.* Yollas Vater nahm sich nach einem depressiven Schub in Amerika das Leben. Danach bekam sie einen zweiten Brief, datiert auf den 14. Februar 1942: *Geduld und Vertrauen Schwesterchen, – ich sage es auch zu Dir. Dies ist nicht die einzige aller Welten, und Du kannst sicher sein: auch in dieser Welt ist man nicht verloren und verlassen, und es sind, trotz allem keine bösen Mächte, die diese Welt regieren. Ich habe das, obwohl völlig kaputt und hin, auch in Frankreich erfahren. Nur wenn man allein auf sich vertraut – und wer ist man denn? – fällt man in ein Loch. Liebes Schwesterlein, ich drücke Dir herzlichst die Hand. Ich fühle mit Dir, ich wünsche Dir, daß Du Dich bald aufrichtest!* Yolla Niclas überliefert nur wenige Briefe Döblins aus seinen fünf Jahren in Amerika. Aber es müssen weitaus mehr gewesen sein. Als der Kontakt wiederhergestellt war, hätte Yolla Niclas ihn in Kalifornien besuchen können. Aber weder sie noch Döblin verfügten über Reisegeld, im übrigen hatte Erna eine Kontaktsperre eingerichtet. Die Darstellung von Yolla Niclas: »Erna war mir gegenüber unerbittlich, – ihre Parole: ›Pardon wird nicht gegeben‹, hielt sie bis zu ihrem Tode aufrecht. Von jetzt ab dirigierte sie meine Briefe an das ›Dead-Letter-Office‹ von Los Angeles.« Erna Döblin hatte Wind bekommen von der Fortsetzung der Verbindung und unterschlug anscheinend jahrelang die Briefe von Yolla Niclas, die wiederum den Eindruck haben musste, Döblin habe eine chinesische Mauer um sich errichtet. An einer bestimmten Stelle im Werk hat Döblin diesen Vorgang der Briefkontrolle als Szene versteckt: der Schriftsteller Erwin Stauffer findet nach Jahren Briefe einer Geliebten, die von seiner Frau zurückgehalten worden sind. *Ein Staunen, eine tiefe Befremdung: in dem Pack lauter geschlossene Briefe, sechs, acht, elf, fünfzehn Briefe, dieselbe Handschrift, an unsere Berliner Adresse gerichtet. Ich habe keinen einzigen davon geöffnet? Ich war verreist, zu beschäftigt, krank? Unmöglich, ich war damals gesund. Warum sind diese Briefe nicht geöffnet.* Im Roman ist es die blutjunge Schauspielerin Lucie, die ihm ihre Liebe wie einen Besitz anträgt. Ihre Schwärmereien gehen jedoch von einer tiefen Gewissheit aus, und man ist versucht, in ihren von der Ehefrau unterschlagenen Briefen die Stimme der *Schwesterseele* Yolla Niclas zu vernehmen: *Der Ring, Erwin, der zwischen dir und mir geschlossen wurde, ist kein willkürlicher. Es ist keiner, den du oder ich durch irgendeinen Akt brechen kann. Es ist dir und mir auferlegt, ihn zu schließen, nach natürlichen und übernatürlichen Gesetzen.* Die anschließenden Szenen verführen zu einem heiklen Entschlüsselungsspiel, da sich biographisch belegbare Motive von Trennung und Wiederbegegnung mit vexierten Erfindungen mischen. Belassen wir es bei diesem Hinweis. Im Gegensatz zu seinem Urheber bekennt sich Stauffer in der *November*-Tetralogie zu seiner Geliebten und hat sich von seiner Frau getrennt. Die Romanfigur ist in dieser Hinsicht ihrem Erfinder an Entscheidungskraft überlegen: sie agiert aus, was dem Autor verwehrt blieb. Ausgerechnet diese Episoden hat Döblin aus dem Riesenberg des Manuskripts von *November 1918* ausgewählt, als er für einen Privatdruck von 55 Seiten bei der Pazifischen Presse eine Vorlage zusammenstellte. Was mag in Erna Döblin vorgegangen sein, als sie diese Seiten abtippte oder in diesem Luxusdruck *Nocturno* las?

Yolla Niclas schrieb ihm weiterhin, doch als sie »das grausame Spiel der unerreichten Briefe« nicht mehr ertrug, rief sie ihn an. Er freute sich und schickte ihr am 18. Mai 1943 eine Nachricht. Er berichtete vom gerade erfolgten Abschluss von *November 1918*, der letzte Band war fertig, aber noch nicht abgeschrieben. Er scherzte ein wenig darüber: *Es geht in Himmel und Hölle hinein, Satan und Engel treten zwischen den »normalen« Personen auf, es gibt auch Gespenster – es wäre mir sonst zu langweilig bei den ollen Figuren von 1918 geworden – und nun habe ich sie alle eingesperrt und sie stehen schwarz und weiß auf Papier und können nichts mehr verrichten.* Er nahm ihr das Versprechen ab, nicht mehr zu schreiben. Er wollte vom Aufflammen alten Disputs mit Erna nicht mehr mitgenommen werden. Es ist allerdings mehr als zweifelhaft, ob er sich selbst an diesen Vorsatz gehalten hat. Vielleicht tauchen eines Tages noch die fehlenden Bruchstücke dieser Briefliebe auf.

VERLEGER BENJAMIN HUEBSCH

Die größten Erwartungen, in Amerika gedruckt zu werden, verband Döblin nicht mit Bermann-Fischer, sondern mit Benjamin Huebsch. Er hatte die Bekanntschaft mit dem Verleger, Teilhaber der Viking Press, erneuert. Huebsch hatte bereits 1931 die englische Übersetzung von *Berlin Alexanderplatz* herausgebracht und war auch der durchaus erfolgreiche Verleger von Hermann Broch, Carl Zuckmayer, Stefan Zweig und Lion Feuchtwanger, war in der Weimarer Republik öfter nach Berlin gefahren, und dort hatte ihn Döblin kennengelernt.

Über Huebsch versuchte Döblin, den *Wang-lun* unterzubringen – ohne Ergebnis. Der Verleger war nimmermüd bei der Hilfe für emigrierte Autoren, aber er leitete keinen Anspruch ab, dass sie auch von ihm verlegt werden sollten oder gar mussten. Er trennte strikt zwischen Geschäft und Person. Das war nicht jedem der Betroffenen verständlich, und auch Döblin machte sich wohl Illusionen. Erna Döblin hat ihm einen Teil von *November 1918* geschickt und bekam ihn nach vier Wochen zurück.

Viking Press erhöhte Mitte 1942 den Werbeetat für Werfels Roman »Das Lied der Bernadette« auf mehr als 20000 Dollar. Vermutlich hat Döblin, alle karitativen Zuwendungen eingerechnet und alle Charity bedacht, in den fünf Jahren seiner amerikanischen Existenz weniger eingenommen.

DER UNSTERBLICHE MENSCH

Als Weiterführung der Gespräche mit den Jesuiten, aber auch als Bestimmung von Kontroversen, die er mit sich selbst austrug, und als Summe seiner intensiven Lektüre vor allem von Thomas von Aquin entstand ein Konvolut von 1214 handschriftlichen Seiten. *Nach einer Pause gab ich mir Rechenschaft, wo ich stand und was ich wirklich aufgenommen und mir einverleibt hatte, was also »mein« geworden war. Um es ganz zu meinen Besitz zu machen, mußte ich es vor mich stellen und in meine Sprache übersetzen.* Daraus wurde das Religionsgespräch *Der unsterbliche Mensch*, das er 1942/43 kurz nach den Gesprächen mit den Patres begann und das parallel zum letzten Band von *November 1918* entstand.

Das Bild des leidenden Christus in der Kathedrale von Mende hatte Döblin bei der Flucht aus Frankreich begleitet: ein Bild nur, wenn auch ein wirkungsmächtiges, nämlich ein mythologisches. Es ging ihm damals darum, mit Hilfe dieses Bildes sich selbst zu helfen. Der Stoff des Glaubens war diesem Wunsch noch nicht einverleibt. Nun wollte er die vorgegebene Form des christkatholischen Glaubens, wie er ihm in der Blessed Sacrament Church von Hollywood zugänglich geworden war, ausfüllen und schriftlich repetieren. In einigen Umrissen wird sogar eine Gebetstheorie entwickelt, die eine gewisse Ähnlichkeit, zumindest: Nähe zu seiner Auffassung von Literatur aufweist. *Die Gebetsworte tragen, ob wir es betreiben oder nicht, über die Grenze unserer Sphäre hinaus. Sie reichen an sich, ohne unsere Gefühlsmitwirkung, wunderbar in größere Tiefen, als unser jetziges Bewußtsein berührt.* Der Gedanke vom Aufbruch des Textes aus nichtrationalen Schichten taucht hier, kaum verändert, wieder auf. Psychologische Konditionen und christliche Heilserwartung greifen in komplexer Weise ineinander. Es ist angelegt als Fortsetzung des Gesprächs mit den Jesuiten im Selbstgespräch, als Tastversuch im Glaubensstoff, Recherche im religiösen Wissensschatz, als Monolog aus zwei kontroversen Stimmen, die jeweils eine Position Döblins vertreten. Vor allem ist die Schrift als Selbstaufklärung zu verstehen, indem er mit sich in Dialog tritt.

Es gibt einen jüngeren Häretiker und einen älteren Gläubigen. Der Jüngere greift an, attackiert den Älteren mit Spott, versucht, ihn mit rationalistischen Gewissheiten zum Verstummen zu bringen. Der Ältere weicht zurück, hält seine Argumente in der Hinterhand, erwirbt sich aber durch die Gelassenheit, mit der er seine Auffassungen über Erde und Kosmos vorträgt, die Überlegenheit. Offensichtlich ist die Konstruktion: Der junge und der alte Döblin stehen einander gegenüber, aber auch der Ältere stellt mehr Fragen, als er Antworten gibt: *Und mein Inneres, – kann ich mich an mein Inneres klammern, um zu bestehen? Mein Inneres, ach was ist das? Eine Molluske, eine Gallerte, die ich nicht fassen kann, und wenn ich sie fasse, zerquetsche ich sie. Da fließen und sickern, ich weiß nicht von wo und aus wie vielen Quellen und Kanälen Vorstellungen, Bilder und Ideen. Gefühlsfäden begleiten sie, Wahrnehmungen senken sich ein. Und von Zeit zu Zeit bilden sich Wirbel, Willensantriebe stoßen durch, und wie über einem finsteren, unruhigen Meer zuckt ruckweise das Licht eines Leuchtturms, das Bewußtsein.* Mit dem Glauben verbunden ist nach wie vor die alte Frage nach der Zerbrechlichkeit und Unhaltbarkeit der Behauptung »Ich«. Zu Jahresbeginn 1950 betonte er noch einmal den monologischen Charakter dieser Schrift: *Dieses Buch, von dem Sie sprechen, wurde zu ¾ bestimmt nicht geschrieben um sich als Buch oder gar als Kunstwerk auf den Büchermarkt zu stellen. Ich notierte und notierte und das erleichterte mich. Es half mir auch alles zu überdenken.* Die Lektüre hinterlässt einen zwiespältigen Eindruck: Döblin reitet, wenn er abstrakte Glaubensformeln sucht, ein dürres Steckenpferd, aber andererseits ist der Gesprächsfuror in diesem Buch nicht ohne Schlagfertigkeit, überraschenden Witz, gar mit einem hintersinnigen Humor versehen. Bestimmend ist ein christliches Rebellentum, dessen Motto er im *November 1918* Karl Liebknecht in den Mund legte: *Oportet haereses esse, man muß es wagen, abtrünnig zu sein.* Das paulinische Wort prägt dieses Religionsgespräch, hält es offen.

Aber es gibt in der Döblin-Deutung bemerkenswerte Differenzen darüber, was *Der unsterbliche Mensch* überhaupt sei: Adhortation (Lüth), »die Wiederherstellung des gefallenen Menschen«, Ausdruck einer »theologisch orientierten Anthropologie«? Widersprüche gehören zu diesem Buch; sie sind kein Manko, sondern ein stabilisierender Faktor. Die Anhäufung von Stoff gleicht dem Vorgang, den der Romancier seit dem *Wang-lun*, erst recht mit dem *Wallenstein* und der *Amazonas*-Trilogie in den Bibliotheken betrieb: Lektüre,

Aufsaugen von Einzelheiten, bis sich die Bilder lösen und frei arbeiten. Das Gedächtnis ist in dieser Hinsicht auch eine evokative Kraft. Für das Christentum hat er jedoch nicht so sehr auf Bibliotheken vertraut, auch wenn die geistige Attraktion des Christentums mit der *Amazonas*-Trilogie verbunden ist: *Mir war sicher, obwohl ich nicht wußte warum: es war das Christentum, Jesus am Kreuz, was ich wollte. Ich hatte keine Schritte getan, um mich ihm zu nähern, ich hatte keine Bücher gewälzt.*

Das Lesen ging dem Entschluss nicht voraus, es folgte hinterher: *Es war ein eigenartiger Lernprozeß. Denn hier galt es ja nichts Neues zu assimilieren und zu dem Bestand hinzuzufügen, sondern das Neue zentral einzufügen und es da aktiv werden zu lassen. Nur so konnte eine Entwertung der alten Vorstellungen erfolgen.* Er hat versucht, seinen Glauben mit Sätzen an die Wand des unveränderlichen Bestandes zu heften: man spürt die Anstrengung. Ihn beherrschte eher der Glaube an den Glauben, weniger ein Besitztum und Überzeugungsreservoir, und er konnte seine zeitlebens empfundene metaphysische Obdachlosigkeit nicht ganz wegsprechen. Die Gestalt des Aufklärers und Moralpädagogen als Guter Hirte beherrschte ihn in diesem Religionsgespräch, ein utopischer Fernenimpuls. Wenn man Döblins in der Folgezeit entstandene christliche Selbstverständigungen genauer liest, wird die Einsicht unumgänglich: Der Text kann nie halten, was er verspricht. Das, was er fassen will, verfehlt er. Die Geschichte dieser Annäherung an den Glauben erreicht ihren Gegenstand niemals ganz. Wahrscheinlich arbeitete in dieser Hinsicht der rabiate Frager Kierkegaard bei ihm weiter. Diese Texte machen vor allem sichtbar, was sie nicht sagen konnten. Es verhält sich ähnlich wie bei seiner Auseinandersetzung mit dem Judentum: ganz eindringen, nichts als heimisch werden konnte er nicht – auch nicht als Christ. Man kann dafür Pascal zitieren: »Wir suchen nie die Dinge, sondern die Suche nach den Dingen.«

FBI

Wie kompliziert die Lage für Emigranten sein konnte, geht aus einer Episode um Hermann Kesten hervor. Er hatte Flüchtlingen im Rahmen seiner Arbeit für das »Emergency Rescue Committee« geholfen, aus Frankreich herauszukommen, und wurde von ihnen beim FBI denunziert. So galt er, wenigstens zeitweilig, wahlweise als kommunistischer oder als nationalsozialistischer »Führer«, während er im reichsdeutschen Radio heftig attackiert wurde. Auch Döblin geriet in das Beobachtungsnetz der amerikanischen Geheimdienste –

wie Heinrich Mann (dessen FBI-Akte mehr als 300 Seiten umfasst). Selbstverständlich war auch Brecht im Fadenkreuz der G-Men Edgar Hoovers. Man hat die deutschen Emigranten intensiver überwacht als ihre amerikanischen Kollegen. Das begann mit den Akten der Einwanderungsbehörde, die dem Geheimdienst zur Verfügung gestellt und von ihm ausgewertet wurden. Mit dem Sammeln von Daten und Gerüchten, Meinungen und Einschätzungen befasste sich eine Reihe von Organisationen: das FBI, der Foreign Nationalities Branch des Office of Strategic Services (die Vorläuferorganisation der CIA), die militärischen Geheimdienste der US-Army und der Marine, das Office of Censorship, das für die Postzensur zuständig war, und das kalifornische Fact Finding Committee on Unamerican Activities des Senators Jack B. Tenney. Ausgekundschaftet wurde beispielsweise, welche Autos vor der North Citrus Avenue 1347 standen, Agenten mischten sich in Veranstaltungen, beschnüffelten die Post. Robert M. W. Kempner, der spätere stellvertretende Chefankläger im Nürnberger Prozess, ließ durch den Germanisten Adolf D. Klarmann von der University of Pennsylvania Ende 1942 für den OSS eine Reihe von Kurzporträts anfertigen. Immerhin rangiert Döblin dort unter den Ehrbaren, wird als bedeutender Mann tituliert, der eines Tages die Aufmerksamkeit der Welt finden werde, die ihm so reichlich zustehe. Dennoch machte Döblin etwas Bestimmtes verdächtig: er hatte Kontakt zum mexikanischen Generaldirektor der Banco de Mexico, Edoardo Villasenor, der seinerseits im Verdacht stand, an der Planung von Sabotageaktionen in den USA beteiligt zu sein. Die Haltlosigkeit solcher Insinuationen bremste ihre Ausbreitung jedoch nicht. Über Drangsalierungen oder Einschüchterungsversuche von Seiten der Geheimdienste, geschweige denn über Repressalien, Döblin betreffend, ist allerdings nichts bekannt.

1943

Auf der Konferenz von Casablanca legten im Januar 1943 Roosevelt und Churchill die weiteren Kriegsziele fest, unter anderem den Kampf um die bedingungslose Kapitulation der Deutschen. Im gleichen Jahr lief auch der Film »Casablanca« an, in dem die Abenteuer, Überlebensfinten, die Angst und die Ratlosigkeit der Emigranten die Weihen der klassischen Filmgeschichte erhielten. Gegenüber Kesten erklärte Döblin am 10. Januar 1943, er habe der Bewegung »Freies Deutschland« die Unterschrift verweigert: *Wie andre hier habe ich persönlich negativ reagiert.* Er wisse nicht, was da gespielt werde und sowieso hasse er die ehemaligen Sozialdemokraten an der Spitze. Über die Dauer des Krieges machte er sich auch Anfang 1943 keine Illusionen: *Lieber Kesten, ich glaube an keinen kurzen Krieg; es setzt sich ja erst alles von Alliierter Seite in Bewegung, und das braucht viel viel Zeit – und der Hund drüben ist schlau und fix. Er ist noch böser als die andern, und das ist im Krieg ein Vorteil.*

Sein Bekanntenkreis war ziemlich klein. Er traf öfter Heinrich Mann *nebst Nelly, comme d'habitude,* wie gewohnt, und seltener Brecht. Mehr Menschen nannte er nicht. Hinzuzurechnen sind in jedem Fall: Ludwig Marcuse, Toch und die Reichenbachs. Eine merkwürdige, nirgendwo begründete Distanz zu den Feuchtwangers ist spürbar. Seine Einsamkeit geht auch daraus hervor, dass er in den Memoiren und autobiographischen Zeugnissen der Mitemigranten als Teilnehmer von Geselligkeiten kaum vorkommt. Auch mit Lesungen aus eigenen Werken scheint es nicht weit her gewesen zu sein. Dazu kam seine tief empfundene Sprachisolation. Englisch hat er einfach nicht mehr hinreichend gelernt, um sich ungezwungen unterhalten zu können. Der Mangel hat seine Vorstellungen von Amerika mitgeprägt. Sie ergaben den negativen Faktor. Die Jungen, schrieb er im Februar 1944 an die Rosins, könnten hierbleiben und einfach Amerikaner werden. *Bei uns Älteren steht es natürlich anders, und Leute wie ich haben wiederum keine Wahl nach der anderen Seite hin; freilich ist das exceptionell; ein Schriftsteller trägt mit der Sprache ein Stück seiner Heimat mit sich und eine Amputation (Herüberwechseln zur anderen Sprache) ist tödlich.* Kesten kam sich in New York wie inhaftiert vor. Gleich den anderen deutschen Emigranten war er in seiner Bewegungsfreiheit eingeschränkt. Dieses Gefühl teilte Döblin mit ihm; es sei an der Westküste nicht anders, *man ist eingesperrt nicht in einem Hotelzimmer, sondern in einer Bretterbude, die sich hier bungalow oder flat nennt; und in der Tat, man ist viel und ausgedehnt im Grünen, – bin ich aber eine Kuh? Und wie soll man irgendwo hinkommen? (Wenn man kein Auto haben kann.) Außerdem, wo soll man hin? Exil, lieber Leidensgefährte, Exil zehnmal präciser als in Paris, waschechtes Exil. Der Emigrierte hat wirklich nur zu wählen zwischen der sichtbaren Zelle, die ihm sein Heimatland reserviert, und der unsichtbaren, mit der das Asylland aufwartet.* Im gleichen Brief schilderte er seine erbärmliche Situation: *Stellen Sie sich bitte meinen Fall vor: seit bald 2 Jahren völlig für die »Gesellschaft« unbrauchbar, unverwendbar, auf milde Gaben verwiesen (die die diskrete Hand von Liesl Frank verteilt; sofern und soviel sie findet), – und dabei habe ich sozusagen fleißig gearbeitet, und vor 8 Tagen ist also der vierte Band, der Schlußband, m. »November 18« wirklich fertig geworden (und wartet auf die Abschrift).* Das war Mitte Mai 1943, nach vielen Ansagen, dass der Band demnächst fertig sei;

die Arbeit war auch schon mal mit 300 Schreibmaschinenseiten annonciert worden und umfasste davon nun ein Mehrfaches.

Er suchte nach einer Begründung für seinen Misserfolg in den Vereinigten Staaten. Er lobte die Amerikaner für ihre gesündere, freiere Lebensart und für die Betonung des Individuellen. Dagegen die europäischen Völker, die unter dem Druck der Dynastien, der Polizei und Behörden wüchsen. *Da gewinnt das Ich, die Seele ganz andere Tiefen, sie muß ins Tiefe herunter, alles Äußere muß furchtbar erkämpft werden. So kamen wir zur Musik, Dichtung, wie in anderer Beziehung zu Philosophie und Religion. Wie sollen wir Europäer uns also mit Amerikanern berühren und ihnen was bedeuten? Ich jedenfalls füge mich, äußerlich wie innerlich, in mein Schicksal.* Das war sein taoistisches Credo, sein Glaube an das Wu Wei, dem er noch in der bedrängtesten Lage verpflichtet scheint. Den Erfolg, den andere, wie Thomas Mann, Werfel und Feuchtwanger, ebenso Europäer und Vertreter der »Seele« wie er, in Amerika hatten, ließ er bei diesem geradezu anthropologischen Kulturvergleich souverän außer Acht.

Peter Döblin hat darauf spekuliert, dass er als Soldat in der Nähe von Los Angeles stationiert werde. Aber die vage Hoffnung zerschlug sich; er wurde anderswo als »interpreter« eingesetzt, als eine Art Dolmetscher und Ermittler für deutsche Kriegsgefangene in Amerika. Auf dem europäischen Kriegsschauplatz fand er keine Verwendung. Der Vater berichtete Ende Mai 1943 auch von Stefan, der sich viel mit Musik beschäftigte. Ansonsten wusste er nichts zu erzählen, außer einem Kommentar über die Auflösung der Komintern, die von deren Exekutivkomitee Mitte Mai 1943 beschlossen wurde. Die Kommunistische Internationale mit ihrer Moskau-Hörigkeit und ihrem stalinistischen Zentralismus machte er dafür verantwortlich, dass sich die Gewichte vor allem der deutschen Politik Anfang der dreißiger Jahre nach rechts verschoben hatten: *Das ist wirklich von ganz großer Bedeutung. Wir haben durch die Tätigkeit dieser Internationale seinerzeit den Hitler in Deutschland gehabt, und so ist in Spanien Franco durch die gekommen. Manche meinen, die Auflösung sei nicht echt; aber das stimmt nicht, sie war längst fällig; sie hat eigentlich Rußland den Krieg eingebrockt.* Es war eine der Hochrechnungen, die Döblin in seinem Antibolschewismus geradlinig und ohne Rücksicht auf jeweilige innenpolitische Gegebenheiten vornahm.

Peter kündigte seinen Eltern an, dass er nach dem Krieg heiraten wolle. Die Mitteilung gab dem Vater die Gelegenheit, seine Auffassung über den erforderlichen Typus von Ehepartnerin (am 14. August 1943) festzuhalten. Handelte es sich um eine Skizze von – Yolla Niclas? *Voraussetzung jeder Verbindung ist, daß die Charaktere zusammenpassen; kein harter oder kalter oder leidenschaftlicher Charakter taugt für die Ehe, die ich dir wünschen möchte, sondern nur ein mildes, ruhiges und fröhliches Temperament, das gleichmäßig ist.* Angesichts dieser Vorstellung waren Erna und Alfred Döblin durchgefallen: beide vertraten sie ihre jeweiligen Auffassungen mit erbitterter Entschlossenheit gegeneinander. Die Streitexerzitien dieser Verbindung werden in der Erinnerung des jüngsten Sohnes Stefan auf eine eindringliche Weise anschaulich.

Anfang November 1943 machte Döblin bei Brecht einen Besuch und brachte ein Heft der »Internationalen Literatur« mit, worin Johannes R. Becher in einem Artikel »Deutsche Lehre« das »Nationale« pries und es gegen Hitler retten wollte. Nach der stramm »internationalistischen« Komintern-Linie war nun ein Kurswechsel gefordert: nationale Eigenständigkeit wurde proklamiert (wenn auch keinesfalls praktiziert). Vermutlich hat Döblin nur eine graduell mildere Haltung gegenüber diesem Rettungsversuch wie Brecht, der in sein »Arbeitsjournal« eintrug: »Ein entsetzlich opportunistischer Quark, Reformismus des Nationalismus.« Und Brecht schloss ab mit dem durch nichts zu übertreffenden Ausruf: »Nachbar, euren Speikübel!« Wenige Tage später fielen Brecht die Melancholie und der Überdruss an. Er stellt eine Gleichung zwischen Döblin und Heinrich Mann her, befasst sich mit ihrer Erfolglosigkeit in Amerika. »Die Schriftsteller werden nach dem ersten Büchlein nach Hollywood gelockt und rapid ausgequetscht. Sie schreiben niemandem. Sie trinken alle. In dieser Umgebung Döblin und Heinrich Mann zu sehen, ist anstrengend.«

1943/44 ging Döblin mit *November 1918* geradezu hausieren. Er hätte einer Übersetzung auch von Teilen oder einer eingekürzten Fassung zugestimmt, aber niemand wollte das Typoskript, auch in dieser Zeit nicht, zu welchen Konditionen auch immer, drucken. Nur eine Probe aus dem Romanmammut erschien 1944 in Amerika. Sie beweist die gähnende Gleichgültigkeit gegenüber diesem Schriftsteller. Ernst Gottlieb und Felix Guggenheim gaben einige Luxusdrucke von deutschen Exilautoren heraus, darunter von Werfel, Leonhard Frank, Lion Feuchtwanger und Thomas Mann. Von Alfred Döblin erschien, ohne Honorarzahlung, *Nocturno*.

FEIER ZUM FÜNFUNDSECHZIGSTEN

Am Abend des 14. August 1943 wurde Döblins 65. Geburtstag gefeiert: mit rund 180 Gästen, darunter die Prominenz der Exilanten, im Play House El Pablo Rey in Santa Monica. Helene Weigel und Elisabeth Reichenbach hatten das Fest organisiert. Eisler hatte eigens Klaviermusik komponiert, Berthold Viertel trug ein Dutzend Grußadressen von Bekannten vor, die überwiegend im Saal anwesend waren. Fritz Kortner und Alexander Granach lasen aus seinen Büchern, Peter Lorre aus einem Manuskript, Ernst Toch spielte, Ludwig Hardt rezitierte Kleist. Blandine Ebinger sang »Lieder eines armen Mädchens« von Friedrich Hollaender, Heinrich Mann hielt die Festansprache. Es war eine wohl alle ergreifende Huldigung für den Armenarzt, den Berliner, den sozialen Schriftsteller, für seine Tapferkeit bei der Übung des Ausharrens: »Gleichviel, der Jubilar ist eigentlich noch lange keiner, denn fünfundsechzig Jahre sind kein Alter, man vergleiche die Zwanzigjährigen, die in ungeheuren Mengen jetzt fallen. Gestern jung, haben sie heute kein Datum, nur die Ewigkeit. Dagegen sind fünfundsechzig gar nichts. Mit etwas Glück, Kriegsglück und eigenes, wird Doktor Alfred Döblin eines Tages in Berlin eintreffen. Sein Alexanderplatz ist inzwischen von Bomben zertrümmert: er nicht. Daß er aushielte, bis Berlin seinen tiefen Kenner, tiefen Liebenden wieder hat und er sein Berlin.«

Helene Weigel las eine Rede Brechts vor, in der er seine Dankbarkeit gegenüber dem Verfremdungserzähler begründete: »Von Döblin habe ich mehr als von jemand anderm über das Wesen des Epischen erfahren. Seine Epik und sogar seine Theorie über Epik hat meine Dramatik stark beeinflusst, und sein Einfluß ist spürbar noch in englischen, amerikanischen und skandinavischen Dramen, welche wiederum von den meinen beeinflußt sind.«

Die Mappe mit Glückwunschadressen der Kollegen enthielt auch eine von Thomas Mann, der zeilenfromm über seine Verlegenheit hinwegredete: »Der Ehrentag ist auch für mich ein Tag des Gedenkens an viele großartige erfüllte Stunden, die ich Ihrem Werk verdanke, und auch mir ist die Gelegenheit lieb und festlich willkommen. Ihnen alle Bewunderung meines Herzens auszudrücken für soviel Kühnes, Neues, Belebendes, Vorwärtsführendes, womit Sie die deutsche dichterische Prosa beschenkt haben, indem Sie zugleich die jüngsten Schicksale des abendländischen Romans überhaupt auf die persönlichste Weise mitbestimmen.« Thomas Mann hat sich mit diesen Zeilen schwergetan. Er wollte Döblin zwar gebührend würdigen, aber das wollte ihm nicht recht gelingen. Am 7. August 1943 vermerkte er in seinem Tagebuch: »Nachmittags Versuche mit einem Glückwunsch an A. Döblin, der geschrieben werden muß.« Schon morgens war er verstimmt gewesen. Den nächsten Vormittag benötigte er ebenfalls, um an dem Glückwunsch zu arbeiten, am späten Nachmittag fertigte er nochmals eine Abschrift an. Am übernächsten Tag machte er sich wiederum an eine »Durchsicht und Bereitmachung des Grußes«. Dafür hat sich Döblin wenige Tage später artig bedankt und eine Brücke über die

Befremdung, die sie mehr verband als alles andere, gesucht: *Wir gehen alle, die wir deutsch schreiben und von der deutschen Sprache genährt werden, den gleichen Weg, von verschiedenen Seiten her, – zu den »Müttern« des alten Faust.* Es war wiederum wie ehemals, wenn auch sporadisch, in Europa: eine Emotion über das gleiche Geschick hat sie miteinander verbunden. Und Thomas Mann war es zufrieden: Er notierte im Tagebuch extra den Dank des Jubilars, »bedeutend, zum Dank für meinen Beitrag«. Ansonsten kamen Verständnislosigkeit und Entrüstung auf. Wenn die Feier zu Heinrich Manns 70. Geburtstag am 2. Mai 1941 im Haus von Salka Viertel gesellschaftlich vielleicht das repräsentativere Ereignis der deutschen Exilgemeinde in Los Angeles war, so bot doch die Veranstaltung zu Döblins Fünfundsechzigstem unvergleichlich mehr Stoff zu Klatsch und Skandal.

Brecht vertraute seinem »Arbeitsjournal« am 14. August 1943 einen sarkastischen Bericht an: »(...) und am Schluß hielt Döblin eine Rede gegen moralischen Relativismus und für feste Maße religiöser Art, womit er die irreligiösen Gefühle der meisten Feiernden verletzte. Ein fatales Gefühl ergriff die rationaleren Zuhörer, etwas von dem verständnisvollen Entsetzen über einen Mitgefangenen, der den Folterungen erlegen ist und nun aussagt. Tatsächlich haben besonders harte Schläge Döblin niedergeworfen: der Verlust zweier Söhne in Frankreich, die Undruckbarkeit eines 2400-Seiten-Epos, Angina pectoris (die große Bekehrerin) und das Leben mit einer ungewöhnlich dummen und spießigen Frau. Dem Rezitator Hardt passierte ein bezeichnendes Mißgeschick. Er las Kleists ›Gebet des Zoroaster‹, und anstatt der Bitte, er möge fähig sein, die Torheiten und Irrtümer seiner Gattung zu übersehen, las er die Bitte feierlich mit dem Wort ›Gattin‹ statt ›Gattung‹: Döblin hatte mit seiner Frau gerade das Weekend in Hardts Haus verbracht.

Als Döblin anfing zu beschreiben, wie mit vielen anderen Schreibern auch er mitschuldig wurde an dem Aufstieg der Nazis (Sagten nicht Sie, Herr Thomas Mann, er sei wie ein Bruder, ›ein schlechter natürlich‹, fragte er nach der ersten Reihe herunter), und die Frage entschlossen aufwarf, warum denn, glaubte ich für Minuten kindlich, er werde jetzt fortfahren: ›weil ich die Verbrechen der Herrschenden vertuscht, die Bedrückten entmutigt, die Hungernden mit Gesängen abgespeist habe‹ usw. Aber er fuhr nur verstockt, unbußfertig, ohne Reue fort: ›Weil ich nicht Gott suchte.‹« Brecht wollte sich über den Vorgang schämen, dass sein verehrter Kollege angeblich zu den Feinden übergelaufen war. An Ruth Berlau schrieb er anderntags bissig, er habe »immer noch Asche im Mund von gestern abend, wo für Döblin eine Feier gemacht wurde (er ist 65) und er am Ende eine Rede hielt, man müsse religiös werden«. Hanns Eisler konnte sich über das Ansinnen, Gott zu suchen, noch

15 Jahre später aufregen. In seinen Gesprächen mit Hans Bunge schäumte er: »Der niedrige Idealismus des Gottsuchers – eine Sache, wo mir doch persönlich speiübel wurde.« Er habe die Geburtstagsfeier mit Gesten des Protests verlassen.

Was aber hat Döblin genau gesagt? Und was ergab sich an Wortlaut aus der verzeichnenden Interpretation der Anwesenden? Das ist nicht leicht auszumachen, denn ein Manuskript der Stegreifrede liegt nicht vor. Nach dem Bericht seiner Frau verfehlte er vor allem den Ton bei diesem literarischen Familientreffen. Ausgerechnet Thomas Mann stimmte den Ausführungen Döblins mit wohlwollender Ironie zu. An Wilhelm Herzog, noch unter dem unmittelbaren Eindruck: »Die Dankesworte des Jubilars waren bemerkenswert. Der Relativismus sei der Ruin, sagte er. Heute gelte es, ›das Absolute‹ anzuerkennen. Nachher, im Gespräch mit mir, ging er weiter und erklärte: ›Die Gêne, von Gott zu sprechen, die wird einem ausgetrieben!‹ – So steht es. Ich habe mich noch mit meiner protestantisch-humanistischen Tradition zu drücken gesucht und gesagt, Katholiken und Juden hätten es leichter. Aber so steht es.« Im Tagebuch ging er über die Rede hinweg, in »Die Entstehung des Doktor Faustus« bemühte er sich um eine würdig-getragene Darstellung und nannte die Rede »gewandt und sympathisch«.

Erna Döblin schrieb an Peter, der Vater habe »very decently«, sehr geziemend, davon gesprochen, dass es nicht genüge, Hitler anzuklagen, sondern dass man sich dem Selbstgericht aussetzen müsse und den Weg zu einer höheren Entität finden müsse. Die Ablehnung käme von wenigen »socialists or physics«, die unter den Anwesenden waren. Sie hätten gelacht und gesagt, er sei für seine Phantasterei oder Narretei entschuldigt, denn er sei ja ein Poet. Also auch von der Frau keine genaue Darstellung, eher eine gutmeinende Vernebelung des unangenehmen Vorfalls. Ganz und gar nicht auf der Höhe des Geschehens erwies sich der Drehbuchautor Georg Fröschel: »Dann trat Döblin an die Rampe und sprach so dunkel, so geheimnisvoll, daß niemand begriff, was er sagen wollte. Erst ganz am Schluß wurde uns klar, daß Döblin ein religiöses Bekenntnis ablegte und andeutete, er habe auf der Flucht aus Frankreich eine seelische Erleuchtung erlebt und den Weg zu Christus gefunden.« Diese Erinnerung war wohl der nachträglichen Lektüre der *Schicksalsreise* zu verdanken: So übergenau wird der Schriftsteller kaum von sich gesprochen haben, da er doch die definitive Konversion verbergen wollte. Aber er bemerkte, dass die Zuhörer den Saal »in betretener, zwiespältiger Stimmung« verlassen hätten. Döblin selbst war von dem Vorgang hinterher befremdet. Er kam auf den Vorfall nur in der *Schicksalsreise* mit drei einsilbigen Sätzen zurück: *Ich nahm mich und uns alle von dem großen Gericht nicht aus, das sich an der Welt entlud. Man lehnte mich schweigend ab. Es war keine Rede für eine Geburtstagsfeier.* Er wagte sich wohl weiter heraus, als er ursprünglich gewollt hatte, und später spielte er den Vorgang wie einen Fauxpas herunter, doch war es wohl ein entscheidendes Ereignis: fortan häufen sich Döblins briefliche Bemerkungen über seine Zurückgezogenheit in Hollywood. Er hatte sich ins Aus manövriert oder genauer: ins Aus bekannt.

Brecht verfertigte das Gedicht »Peinlicher Vorfall«, in dem er die Freunde und Schüler Döblins zu »schweißgebadeten« erklärte; er parodierte dabei die christliche Moraltheologie und geißelte den »frommen Sündenfall«. Es war ein reichlich spießiges Elaborat. Der »peinliche Vorfall« betraf nicht nur die religiöse Wendung, die da sichtbar wurde, sondern auch etwas wie eine existentielle Beichte: Döblin zeigte seine Not, seine Wunden vor, verwies die Emigranten, die sich diese Lage nicht eingestehen wollten, auf ihren, das heißt: einen ähnlichen Platz. Darin liegt wohl der Kern des Skandals, denn wer mag sich seine Notlage so drastisch vorführen lassen?

Dieser Geburtstag markiert auch eine allmählich wachsende Entfremdung zwischen Döblin und einigen wohlmeinenden Bekannten. Erst entstand in der Beziehung zu Brecht ein Haarriss, der sich gelegentlich überbrücken ließ, vielleicht auch für einige Zeit kitten, der aber dann, in der Frühphase des Kalten Kriegs, nach Brechts Rückkehr (1948) sich verbreiterte.

NOCH 1943

Nach dem Abschluss von *November 1918* gab es bei Döblin eine Unterbrechung, er konnte sich längere Zeit nicht einem neuen Projekt widmen. Es fehlte ihm der Stoff, vielleicht auch der Antrieb, oder die Tentakel seiner Phantasie, die sich früher vor Abschluss des einen Werks schon an das nächste herantasteten, blieben wirkungslos. Das ging monatelang so: Er befasste sich mit Lesen, Schreiben, ein wenig Radio- und Grammophonhören, das war mehr oder weniger alles. Anfang Oktober 1943 an die Rosins: *Ich habe nach dem Abschluß meines »November«werks noch nichts Neues angefangen, der Antrieb fehlt noch, der Ruf. Ich pausiere, oder »ich bin arbeitslos«.* Der gesellige Verkehr war unterbrochen; vermutlich wollte er auch seine soziale Misere niemandem präsentieren.

Thomas Mann scheint, was die Dauer des Krieges betraf, optimistisch gewesen zu sein. Überliefert ist dessen Bemerkung, Döblin habe mit seinem Geburtstag nur ein wenig warten müssen, dann hätte er ihn in Berlin feiern können. Auch Heinrich Mann war dieser trügerischen Ansicht. Döblin aber blieb skeptisch, bezeichnete sich als *mehr reluctant* [zurückhaltend], *die Nazis sind eben erst in die zweite Phase ihres Krieges eingetreten, die Verteidigung, – ihre Stärke liegt gewiß im Angriff, aber bisher jedenfalls zeigen sie sich auch in der Verteidigung nicht schlecht.*

Den Rosins, die sich in New York und an ihrem zweiten Domizil in Vermont offensichtlich gut eingelebt hatten und die nicht mehr nach Europa wollten, schrieb er eine ausführliche Epistel über seine Sicht der Dinge. Aus ihr geht eindeutig hervor, wie sehr er – bei aller Bewunderung für amerikanische Lebensart – nach Europa zurückdrängte. Er konnte den Tag nicht erwarten. Er konzedierte gegenüber Elvira Rosin, dass sie in Deutschland viel verloren hätten, und führte das Beispiel Thomas Manns an, der ihm gegenüber bekannt hatte, dass er nach dem Krieg nur noch besuchsweise in die Schweiz wolle. Er selbst sah sich in einer völlig anderen Situation: Wie sollte er in Amerika existieren? Auch war er überzeugt, dass man seinesgleichen nach dem Krieg in Europa benötige *wie Brot und wie die Wiederaufbauarbeit.* Er mochte die Amerikaner, aber jeder seiner lobenden Sätze enthielt auch eine leise Einschränkung, vor allem die über die oberflächliche Auffassung der Amerikaner vom Glauben. Religion, und gar die christliche, beruhe *auf der Einsicht: es ist Böses und es ist Leiden in der Existenz, und sie lassen sich nicht wegdisputieren.* Da vermisste er bei den Amerikanern einiges, und es formte sich zu diesem Zeitpunkt seine Weltsicht vom Bösen in jeder menschlichen Existenz.

Aber er führte Schopenhauers Wort vom »ruchlosen Optimismus« an, das für ihn selbst galt. Ihn leitete ein Zukunftsvertrauen, fast zwei Jahre bevor der Krieg zu Ende ging, der Glaube an Europa, an die Verantwortung, die man dort habe, und das Selbstbewusstsein, helfen zu können. Es ist ein mächtiges Lied, das zum ersten Mal in den Briefen zu vernehmen ist – und es wird die Quelle jeder Enttäuschung werden. Elvira Rosin scheint der Brief nicht ganz gefallen zu haben. Jedenfalls antwortete ihr Döblin am 9. Februar 1944 noch einmal und bekräftigte seinen Standpunkt: Er beneide die beiden, aber auch die Maler und die Komponisten, die sich in die fremden Verhältnisse leichter fügen könnten; aber das führte er nur an, um seine eigene Position genauer geltend machen zu können. Es war der Standpunkt eines geborenen Europäers, der in den Vereinigten Staaten eine Anschauung von Deutschland nach dem Kriege vorgelebt sah: *Diese Abwesenheit des Gehorsamgeistes, der Subordination. Dieses viel bessere Aufwachsen, charakterlich, der Jugend.*

Anfang Oktober 1943 fand an der University of California in Westwood ein Kongress über »Writers in Exile« statt; Döblin nahm daran teil. Die Festrede hielt Thomas Mann; er notierte das Geschehen in seinem Tagebuch: »Wachsende Fülle des Auditoriums. Rede Feuchtwangers, dann [der französische Historiker] P. Périgord, dann meine, dann der Grieche Minotis (dessen Frau mit Bauchfellentzündung liegt. Er war bleich und trug Trauer!), dann [der Germanist] Arlt. Wurde ausnehmend gefeiert u. bewegte das Publikum stark. Abschwächendes Nachspiel der Questions.« Von Alfred Döblin war mit keinem Wort die Rede. Er muss sich wie ein Zaungast gefühlt haben.

Der Sohn Peter war wegen seiner schwachen Gesundheit aus der Armee entlassen worden und lebte ab November 1943 in New York. Döblin ermahnte ihn, ja nichts verlauten zu lassen von des Vaters Konversion. Noch immer saß die Angst tief, dass er *massenhaft Schwierigkeiten und Unannehmlichkeiten dadurch* haben könnte. Dabei hat wahrscheinlich alle interessierte Welt etwas von seinem Übertritt zum Christentum gewusst oder geahnt. Er hatte schließlich seine Manuskripte, die diese Wandlung bezeugen, ohne Vorbehalt herumgeschickt. Und er bot Ende Dezember 1943 dem kommunistischen Verleger Wieland Herzfelde die noch nicht ganz beendete Erzählung *Der Oberst und der Dichter* an – einen Text, in dem Glaubensgründe eine eindrucksvolle Rolle spielen.

DER OBERST UND DER DICHTER

Das gesellschaftliche Unverständnis und die moralische Blindheit der deutschen Militärs nach dem Krieg ist der Ausgangspunkt dieser Erzählung. Die zurückgewiesene Schuld eines nationalsozialistischen Offiziers, gewonnen aus der Erfahrung der Niederlage nach dem Ersten Weltkrieg, projiziert auf die Zeit nach 1945: da hat Döblin dem Gang der Ereignisse vorweggeschrieben. Die Musik der Bomber, die vom Himmel kam, *die keine Jazzkapelle imitieren könnte*, ist verstummt. In den Straßen ist es heller geworden: ganze Häuserzeilen sind wegradiert. In seiner erzählten Vorschau auf die Zeit nach dem Bombenkrieg tritt auf ein *Herr Sonderbar, Herr Tiefverstört, Herr Schwerverwirrt*, ein Oberst inmitten seiner abgelebten Familie, Frau, Söhne, Tochter, alle tot, nur Geister am Tisch, und eine Bilanz rotiert in seinem Kopf: *Deutschland ist hin, das Reich ist verloren, wir haben keine Heimat, wir haben keinen Boden, es gibt keine Ehre, kein Ziel, keinen Auftrag, – schlafe dabei, wer schlafen mag.* Das Endspiel, das um diesen Unbelehrten in Gang kommt, könnte von Untergangspathos regiert werden, aber Döblin balanciert seine Geschichte auf einem schmalen Grat: angespielt wird auf das christliche Mysterientheater wie auf den Comic; Knittelverse, übergangslos in die Prosa gestreut, halten den gehobenen Ton in Schach, die feierliche Rede wird mit der Burleske konfrontiert. Die Erzählung ist damit umringt von artistischen Mitteln der Verfremdung.

Der Oberst hat einem Richter Rede und Antwort zu stehen über seine Taten und seinesgleichen Verantwortung für die Katastrophe. Angestrebt wird Gerechtigkeit, die aber nichts Feststehendes, vielmehr ein wandelbarer Wert ist. Mit der Suche nach der Schuld werden auch die moralischen Begriffe für sie gesucht. Der Oberst reagiert wie einer, der in Nürnberg erst noch als Kriegsverbrecher vor Gericht sitzen wird, und wappnet sich mit Redensarten: Der Krieg wurde uns aufgezwungen, wir haben nur im Interesse Deutschlands, als Patrioten, gehandelt. Der Richter dringt auf ein Geständnis und trifft nur auf verstockten Hohn. Er möchte sein Gegenüber aufwecken und findet nur taube Ohren. So pessimistisch hat sich *der Erzähler* Döblin ein Jahr vor Kriegsende die Reeducation der Deutschen vorgestellt, wo er sein entsprechendes Amt in der französischen Besatzungsbehörde erst noch suchen musste. Ein überraschender Realismus über das Selbstverständnis der Täter lenkt die Gespräche in diesem Buch. Auch wenn man in Rechnung stellt, dass in den zwei Jahren bis zur Veröffentlichung 1946 noch manche aktuelle Ergänzung und Anpassung des Manuskripts möglich war, so ist diese erzählerische Vorschau doch höchst erstaunlich.

Je weiter der Richter ausholt, um den *blutigen Wahn* zu benennen, desto weniger erkennt der Oberst überhaupt ein Gericht an. Deshalb wechselt der Richter Kostüm und Rolle. Er hängt die Robe an den Nagel und geht mit dem Delinquenten spazieren. Auf einen Schuldspruch kommt es ihm bei diesem Täter nicht vordringlich an: *Er wollte ihn umkehren, überführen, erweichen, um bei ihm eine wirkliche Kapitulation zu erreichen.* Der Richter, nun ein *Gaukler,* lockt ihn auf ein mythisches Trümmerfeld: *Nun zog sich diese grausige Fläche still und schwarz, ein Grabmal des Krieges, kilometerweit hin, mit Resten von Baracken, verbogenen Eisengerüsten, die Tierskeletten ähnelten, verbrannten Balken und Unrat, hügelhohem Schutt. Und mittendrin Erdtrichter, von Bomben gerissen.* Falls solche Passagen schon in Amerika 1943/44 geschrieben wurden, kann man ihnen eine visionäre Kraft nicht absprechen.

In der Dämmerung, die hereingebrochen ist, tritt ein leuchtender antiker Flötenspieler, eine Rätselgestalt, auf und lässt die Steinhaufen durch seine Musik sich neu ordnen. Als Intermezzo erzählt der zum Dichter verwandelte Richter nun die Geschichte von Deukalion und Pyrrha, den letzten Überlebenden der Sintflut in der griechischen Mythologie, die darin ein Orakel lesen: durch die Kunst die Dinge ordnen. Der Flötenspieler, der mit seiner Musik die Trümmer wieder zusammenfügt, ist niemand anderes als Orpheus:

Vergleichen Sie das mit dem, was Ihre Bomben anrichteten. Nach dem Gericht wird also der Verwandlungszauber des Dichters und Sängers berufen: *Er ist nicht aufzuhalten und niemand, niemand hält ihn auf. Er trägt keine Waffen, er führt keine Bataillone, über ihm jagen keine Flugzeuge, und hinter ihm rasseln keine Panzerdivisionen. Er brüstet sich mit keiner Kraft. Er geht allein.* Mit Orpheus wird die mythologische Bevölkerung: Zerberus, Danaiden, Tantalus und Erinnyen besichtigt, die Opfer eines leidvollen Geschehens, und als der Oberst fassungslos nach dem Titel des Stücks fragt, das ihm da vorgesetzt wird, antwortet der Dichterrichter knapp: *Das menschliche Herz.* Auf die Verinnerung der Schuld, auf den magischen Spiegel der Dichtung setzt Döblin bei dieser Konfrontation mit einem Täter. Das Ende des Orpheus, *Schatten neben Schatten, jetzt unberühmt, ohne Talent, nur ein Schatten, unbeachtet wie die andern,* wird in der Erzählung zum Gleichnis für die fragile Endlichkeit des Menschen, wogegen der Oberst eine überzeitliche Heroenrolle anvisiert. Die Erzählung *Der Oberst und der Dichter* ist halb Burleske im antiken Gewand mit einem Proteus, der Richter, Gaukler, Dichter sein kann, halb ein Spiel über die überzeitliche Schuld, die ihre Darstellung im nicht erblindenden Spiegel der Mythologie findet.

Krieg, Schuld und Tod sind in dieser Erzählung in einen weiten Rahmen gespannt: sie kommen aus der Sagenferne her. Die Zeitgeschichte ist nichts Einmaliges, sie entpuppt ihre blutigen Verstrickungen in der Sage oder, wie der erzählte Dichter einwirft: *Es ereignete sich wirklich, und es ereignete sich nicht nur, sondern, wie Sie sehen, es ereignet sich noch, es ereignet sich jetzt, wo ich es rufe und beschwöre und ihm gebiete, sich zu zeigen und zu offenbaren, wie es damals geschah.* Gegen Ende der Erzählung wienert ein Diplomat herbei und teilt eine böse Botschaft mit: Der Völkerbund (alias die Vereinten Nationen) werde durch den Kalten Krieg weniger Hegemonialmächte ersetzt. Das ist ein jäher Umsprung in eine bestürzend exakte politische Voraussage. Ganz am Schluss jedoch öffnet sich das Terrain ins biblische Großbild: Erzengel Gabriel bittet bei Gott für die Menschen, doch der lässt sich nicht zu christenfrommer Vergebung erweichen. Er bleibt der alttestamentarische Rächer, dessen Botschaft hart und herausfordernd ist: nur im Dienst seines Gesetzes ist ein Friede möglich, *an den kein Plan und keine Eroberung führt.* In diesem Schlussbild wird Jahwe und nicht Jesu Botschaft lebendig, eher der Gott der hebräischen Bibel als der verzeihende Christenvater. Das Christentum Döblins kennt Rückgriffe und Verwerfungen, wie es über einen Fächer an Bildern verfügt, die sogar die antike Mythologie zeigen.

1944

Sein Neffe Rudolf hatte in einem Brief auf die »Deutschen Blätter« in Chile hingewiesen; Döblin schickte Ende März 1944 an Albert Theile, den Mitherausgeber dieser in Santiago de Chile erscheinenden deutschen Exilzeitschrift, einige Textproben aus *November 1918*, unschlüssig über die Wirkung der ausgewählten Stücke. Er könne auch etwas Burleskes liefern. Aber er erhielt nicht einmal eine Antwort. Im Oktober jedenfalls wollte er die beiden Texte, *die ich zur Ergänzung meines Exemplars brauche*, zurückhaben. Er war gekränkt darüber, dass er nicht einmal eine Empfangsbestätigung erhalten hatte, wollte aber die Nichtbeachtung nicht persönlich nehmen: *Glauben Sie mir, ich bin nicht unglücklich, wenn Sie die Einsendung für Ihre Zeitschrift nicht brauchen können. Ich stehe wirklich schlecht in dem Ensemble Ihrer Mitarbeiter, ich kann mich zwischen den Stefan Georges, Jüngers etc. gar nicht wohl fühlen. Aber ich möchte Sie persönlich damit nicht kränken.* Eine Formel ungewohnter Behutsamkeit schleicht sich in manchen dieser Briefe ein, als wolle er sein Unglück wegstreicheln oder könne es wenigstens verkleinern.

Arthur Rosin bemühte sich ebenfalls, das *Erzählwerk* unterzubringen, Döblin bedankte sich bei ihm Mitte März 1944 für dessen rührende Umtriebigkeit. Aber auch ihm war ein Misserfolg beschieden. Mehr als sechs Jahre hatte Döblin an dem Manuskript gearbeitet, mehr als 2000 Druckseiten waren zu erwarten, aber kein einziger Weg zu den Lesern eröffnete sich in Amerika. Die abschließende Enttäuschung verband Döblin mit dem Literaturagenten Barthold Fles. Es gebe mit ihm keine vertragliche Abmachung: *Der Mann ist bestimmt kein großer Verkäufer, – aber ich habe ja sonst niemand, und in der Not frißt der Deibel Fliegen. Schlimmer ist, daß er offenbar keine Beziehung zu dem Buch hat; ich denke, man läßt ihn einen Versuch machen, dann nehme ich ihm das Manuskript weg, und Sie können mir raten, was dann unternehmen?* Von Alfred A. Knopf war eine ablehnende Antwort eingetroffen. Er hielt die Arbeit für ein »work of genius«, das er aber nicht verlegen könne.

Am 24. Mai bat er Rosin, doch bei Fles auf den Busch zu klopfen. Er war über ihn verärgert: *Seine Agentur scheint eine bloße Manuskriptenfalle zu sein.* Rosin solle ihm die Verfügung darüber wegnehmen. Interessant dabei ist auch, dass Döblin jemand anderen vorschiebt; offensichtlich will er sich eine andere Handlungsmöglichkeit noch immer vorbehalten. Mitte Juni hatte er nun endgültig die Lust verloren, mit Fles zusammenzuarbeiten. Ihn hatte aufs höchste das Gerücht geärgert, dass der Agent wohl schon seit 10 Tagen in Los Angeles war, ihn aber nicht angerufen habe. *Ich mache jetzt wirklich keinerlei Bemühung mehr, um in diesem Land (wo man sogar das Platteste und Leerste druckt) noch irgendwie zu Wort zu kommen; faktisch ist, seit ich hier bin, keine einzige Zeile von mir gedruckt; ich muß es wohl oder übel zur Kenntnis nehmen, daß ich hier gänzlich fehl am Platze bin. – Aber auch diese Zeit wird vergehen, – und vielleicht überlebe ich sie.* Auch bei Döblin gibt es – in der zweiten Hälfte des kalifornischen Exils – Zeugnisse des Nichtverstehens, des Pauschalurteils, die wuchernde Klage über die Verhältnisse, dieses Emigrantenleiden. Aber es überwiegt eine bewundernswerte Tapferkeit im Ertragen der Gegebenheiten, im Bemühen, sich wenigstens am Schreibtisch nicht beirren zu lassen.

Auch hatte er einen durch seine einschneidenden Missgeschicke nicht korrumpierbaren Blick für die amerikanischen Leistungen und Freiheiten. Wahrscheinlich sehr ähnlich der Auffassung, wie sie Fritz Kortner in seiner Autobiographie »Aller Tage Abend« formuliert hat: »Das Gefühl, in guter Hut zu sein, dieses in der Heimat und Wahlheimat mir fremd gebliebene Gefühl des Geborgenseins, diese das Gefühl von Heimat vermittelnde Atmosphäre landesväterlicher Wärme wie im Amerika des Roosevelt, lernte ich nur dort in der Fremde kennen, sie endete mit Roosevelts Leben offenbar für immer.«

Am 6. Juni 1944 landeten die alliierten Truppen in der Normandie. Heinrich Mann ließ seine Memoiren »Ein Zeitalter wird besichtigt« auf diesen Tag der Entscheidung hinlaufen, schrieb an das Ende: »Abgeschlossen am siebzehnten nach dem D-Day. Die Tage werden kürzer.« Auch Döblin wertete die Bedeutung dieses Tages. In einem Brief an die Rosins vom 12. Juni 1944 plädierte er für ein hartes Zugreifen der Alliierten, und je näher das Kriegsende rückte, desto mehr Schärfe wendete er an die *angeblich eigenen Bemühungen dieses unfähigen, an Unfreiheit gewöhnten Volkes.* Er meinte die umlaufenden, aber unzuverlässigen Nachrichten über den deutschen Widerstand. Den Krieg verglich er mit den Napoleonischen Feldzügen und mutmaßte, dass auch das Ende ähnlich sei – *gewiß Frieden, aber einer mit verhüllten Spannungen und mit Verschiebung der doch notwendig gewordenen wirtschaftlichen und sozialen Neuordnung.* Er sah den Kalten Krieg voraus und die Nützlichkeit der Deutschen in ihm für die jeweiligen Siegermächte.

Am 7. Juli 1944, *im 11. Jahre der deutschen Barbarei und unseres Exils* gratulierte er Lion Feuchtwanger zum 60. Geburtstag. Es war keine der üblichen Würdigungen von Kollege zu Kollege, vielmehr eine Ansprache an das Alter, eine kalauernde Rede über die Abstrusität der Jahre. Er erzählte Feuchtwanger einiges *aus der Schreckenskammer des Alterns,* damit er vorbereitet sei. Man solle sich mit einem Metallbecher ausrüsten, in den hinein die ausgefallenen Zähne klimpern lassen. Wenn man mehrere nehme, ergebe sich jeweils ein eigener Ton. *Wenn Sie sich zu Tisch setzen, fangen sie an zu klappern, es ist eine wunderbare Musik, leicht zu erlernen, mit vielen Varianten.* Das Alter verhelfe zu Memoiren, *leicht, originell und absolut persönlich.* Auch das malte er in einer Groteske aus. Feuchtwanger solle seine ausgefallenen Haare, jedes einzeln, auf ein Blatt kleben und die Lebensumstände dazuschreiben. *Mit Ehrerbietung fixieren Sie jedes Haar. Sie haben es sich nicht ausraufen müssen, milde wie Gras ist es gewelkt, und da sieht man dann seitenlang die braunen und dunklen Haare, glatt, blank, dann entfärben sie sich, werden grau, brüchig, trocken, spalten sich. Die Natur hat für Sie ein Werk geschrieben. Sie lesen es aufmerksam und oft, mit Genuß, es gibt Ihnen viele Gedanken ein, nur Ihnen.* Er fügte noch einige absurde Scherze über Augenlicht und mangelnde Beweglichkeit an. Es war gewiss der merkwürdigste Geburtstagsbrief, den Feuchtwanger, *verehrter Jubelgreis,* jemals erhalten hat.

Anfang Juli schrieb Döblin in ein Exemplar von *Pardon wird nicht gegeben* eine längere Widmung für Elisabeth Reichenbach hinein. Die Zeilen deuten darauf hin, dass dies gleichzeitig ein indirekter literarischer Abschiedsgruß war: *Wie ein Töpfer geht das Schicksal um die Menschen herum und klopft an ihnen. Und wenn einer lange genug lebt, erreicht es die Stelle, die den Sprung hat und schlägt zu. Pardon wird nicht gegeben.* Das war die eine bittere Aussage; die andere stand im Begleitbrief. Man müsse die Aussage des Titels nicht hinnehmen: *Gewiß, das sieht man, das geschieht. Aber man muß es wissen. Man muß es nicht dazu kommen lassen. Man muß kein Topf werden (und noch dazu einer mit einem Sprung) und man muß sich nicht von etwas wie einem »Schicksal« umwandeln lassen. Zum »Schicksal« gehören immer zwei (wie zu jeder Tyrannis). Also lassen wir uns nicht in zerbrochenen Topf und Schicksal verwandeln, verzaubern.* Da ist sie wieder – die heroische Geste. Es ist die Spur des sich ergebenden Wang-lun, die aus dem alten Roman-China Döblins hinüberreicht bis an die Gestade des Pazifiks. Unglaublich, wie sich Döblins Leben ausbreitete nach den Gesetzen und Lebenslinien, die er in seinem ersten großen Roman, vor dem Ersten Weltkrieg, ausgelegt und entworfen hatte. Wie sehr dieses Leben unter dem Diktat eines Literaturgesetzes steht. Als wäre er biblischer Prophet, als hätte er seinen Geschöpfen und sich selbst die Gesetzestafeln verordnet.

Es gelang ihm mit Hilfe von Alfredo Cahn, im argentinischen Verlag Editorial Futuro eine Übersetzung von *Bürger und Soldaten* unterzubringen. Zuvor waren im gleichen Haus schon *Das Land ohne Tod* und *Der blaue Tiger* erschienen. Aber auch dabei gab es Komplikationen. Im Brief an Cahn musste er zugeben, einen weiteren Agenten für Südamerika zu beschäftigen, was alle weiteren Verhandlungen über spanische und brasilianische Lizenzausgaben belastete. Es gab bei diesen Verhandlungen eine besondere Schwierigkeit: Döblin konnte die deutschen Ausgaben als Vorlagen nicht zur Verfügung stellen. Seine Bücher waren ihm abhandengekommen, und wann immer ein Exemplar für eine Übersetzung benötigt wurde, musste es von Freunden wie den Rosins beschafft werden. Welch groteske Enteignung.

Nachdem er den Plan, in Los Angeles Fuß zu fassen und mit den Eltern zusammenzuziehen, aufgegeben hatte, ging Peter wieder nach New York. Der Vater hielt die Entscheidung für richtig und freute sich über eine gute Fügung seiner beruflichen Situation: *Lieber Petrus, es ist sehr erfreulich, wie es dir doch jetzt offenbar erheblich besser geht als in der Zeit, bevor du her kamst und wo du so sehr klagtest. Du siehst, man muß nicht verzagen.*

1944 nahm sich der Geheimdienst Döblin wieder vor. Man sprach mit ihm über die Zukunft Deutschlands, die Kollektivschuldfrage und die Reeducation – im OSS-Büro von John Norman und anderen Ende 1944. Döblins Englisch galt noch als so schlecht, »that a good portion of the time he conserved in French« Nach der Zusammenfassung im Protokoll hielt Döblin die Deutschen für das Werk der Reeducation nicht zugänglich, war sich nicht sicher, ob die linksrheinische Seite nach dem Krieg nicht doch an Frankreich gehen solle, aber wichtiger waren ihm die grundsätzlichen Standpunkte: eine vertrauenswürdige Liga der Nationen sollte geschaffen werden, eine Rückkehr zur Religion habe stattzufinden, und die Einrichtung eines föderativen Regierungssystems hielt er für unerlässlich. Die Ethnologin Eva Lips hatte (für das »Authors' League Bulletin«) im Oktober 1944 Schriftsteller genannt, die nach dem Krieg zu isolieren seien. Thomas Mann tat das als »kommunistische Eseleien« ab, »nicht klüger, als das der Nazis und mit derselben Totschlageneigung«. Alfred Döblin hingegen bestärkte sie: Autoren seien vom öffentlichen Leben fernzuhalten, falls sie die Nazis aktiv unterstützt hätten. Bei der Einschätzung der vertrauenswürdigen Politiker für die Zeit nach dem Krieg irrte er sich jedoch gewaltig: Er nannte Heinrich Brüning und Hermann Rauschning. Der eine hatte mit seinen Notverordnungen seit 1930 die Weimarer Demokratie abgebaut, der andere war als Danziger Senatspräsident ein Gefolgsmann Hitlers gewesen, bis er sich mit dem örtlichen Gauleiter überwarf und aus Deutschland floh. Das Gespräch der Geheimdienstler mit Döblin fand am 12. Dezember 1944 statt und hatte, wie andere, ebenfalls sorgsam vorbereitete mit anderen Autoren, das Ziel herauszufinden, wie die Stimmung unter den Emigranten in den USA beschaffen war. Eine nichtamtliche Einschätzung der Lage in Deutschland nach dem Sieg über Hitlers Armeen sollte gewonnen werden.

Die Einwanderungsbehörde lieferte dem FBI 39 Blatt über Döblin. Da geht es bürokratisch um die Daten der Einreise in die USA, um eidesstattliche Erklärungen, die als Ersatz für nicht vorhandene deutsche Papiere gelten mussten, und um polizeiliche Führungszeugnisse. – Bruno Alfred Döblin war »wanted for the commission of any crime«, also gecheckt in der allgemeinen Form.

Im Dezember 1944 endete die schwierige Ehe Heinrich Manns mit einem Tragödienschluss: Seine Frau Nelly hatte unter Alkoholeinfluss einen Verkehrsunfall verursacht und Fahrerflucht begangen; bevor sie vor Gericht erscheinen musste, verübte sie Selbstmord. Alfred und Erna Döblin fanden sich am 20. Dezember 1944 unter den wenigen Trauergästen ein, die ihr die letzte Ehre erweisen wollten – außer ihnen nur noch Thomas und Katja Mann, Helene Weigel, Ludwig Marcuse und die teilnahmsvolle Liesl Frank sowie Nelly Manns Freundin Salomea Rottemberg. Es war eine der Schlüsselszenen für die Erbärmlichkeit des Exildaseins, für die Entwurzelung und für die menschliche Isolation, die auch die Döblins betrafen: die wenigen Versprengten im Woodlawn Cemetery von Santa Monica, Heinrich Mann sprachlos in seiner Trauer, eine Beerdigung ohne Reden, eine leere Zeremonie. Es war ein Tod, dem die Form entglitten war, als hätte Nelly Mann gar nicht gelebt. Vielleicht eher als Trauer machte sich eine Verstörung breit. Wer vom Leben der Exilanten spricht, hat auch ihre Tode zu beschreiben. Und wie merkwürdig berührt diese Zeremonie, wenn man sie, einmal wenigstens, nicht auf die herzliche Abneigung Thomas Manns für seine Schwägerin rückbezieht, sondern auf die gespenstische Beerdigung Döblins in einem abgelegenen Vogesenort, 13 Jahre später.

HEITERE MAGIE

Überraschend schossen ein paar Erzählungen auf, ich schrieb sie schnell nieder und gestehe, ich weiß nicht recht, wie ich zu ihnen kam, wieder Koboldstücke. Die Befreiung vom Riesenwerk des *November 1918*, das ihn mit erzwungenen Unterbrechungen seit 1937 beschäftigt hatte, führte nicht zu Wortlosigkeit, sondern zu neuer Produktivität. Mehrere Jahrzehnte, nachdem er Geschichten geschrieben hatte, stellten sich wieder einzelne Erzählungen ein. Gemeint sind vor allem *Reiseverkehr mit dem Jenseits* und *Märchen vom Materialismus*, 1948 unter dem Titel *Heitere Magie* zusammengefasst. *Reiseverkehr mit dem Jenseits* nannte er eine *Gespensterparodie*. Die Erzählung schrieb er im Frühjahr 1944 nieder. Döblin wollte sie ursprünglich mit den beiden anderen, die in zeitlicher Nachbarschaft entstanden, nämlich mit *Märchen vom Materialismus* und mit *Der Oberst und der Dichter* in einem Band versammeln, entschied sich dann jedoch anders, als in Deutschland wieder Publikationsmöglichkeiten für ihn vorhanden waren: für die einheitliche »Stimmung« der beiden kleineren Erzählungen, die wegen ihrer sprühenden Laune und ihres heiteren Aberwitzes doch besser zusammenpassen als das Trio.

Döblin plazierte die Erzählung *Reiseverkehr mit dem Jenseits* ins Sonderheft der »Neuen Rundschau«, das als Huldigung für Thomas Mann zum 70. Geburtstag angelegt war; Döblin hat seinem Text einen Glückwunsch für den Jubilar vorangestellt. Der fiel allerdings denkbar knapp aus; er bestand nur aus einem wohlmögenden, aber förmlichen Satz: *Thomas Mann wünsche ich zu seinem 70. Geburtstag weiter den Schutz und den äußeren Frieden, deren er sich bisher erfreuen konnte, und daß es ihm vergönnt sei, Kraft, Wissen um die Aufgaben des Menschen und Kampfwillen für die echten Ziele in sein neues Lebensjahrzehnt hineinzutragen, um neben uns anderen mitzuarbeiten an der Aufrichtung dieser wieder einmal in Tobsucht verfallenen Welt, wo freche Giganten und sogenannte Machtpolitiker es glauben, allein machen zu können.* Das klang allgemein, unverbindlich und ging mit keinem Wort auf die Dankespflicht ein, die Döblin für vielfältige Unterstützung empfunden – und unterdrückt haben mag.

Der heitere Spaß *Reiseverkehr mit dem Jenseits* beruft noch einmal die längst verschollenen Geister seiner frühen Erzählungen: Spuk und gothic, das Spiel mit dem Okkultismus, der die Psychologie im Text ersetzt; die Neigung für phantastische Hinterwelten und für den Kriminalfall, wie sie 1908 erstmals vom 30-jährigen Journalisten Döblin in *Die Witwe Steinheil* erprobt worden war. Schon nach den ersten beiden Abschnitten ist es gegenwärtig, dass das Medium in einer Spiritistenrunde, der Spieler Wiscott, wenn er in Trance verfällt, aus mehreren Menschen, aus einer Vielheit besteht – eine witzige Chimäre des polyphonen Erzählers: Döblin betreibt in allem burlesken Einfallsreichtum ein Spiel der Selbstparodie.

Ein Mordfall wird gesetzt: In einer Kleinstadt findet man den Bierbrauer und Genussmenschen van Stehen tot in einer Blutlache auf. Da die Umstände dieses offensichtlichen Mordes nicht aufgeklärt werden können, wird ein Spiritistenverein namens »Freie Durchfahrt« mit dem überaus erfolgreichen Medium Wiscott bemüht, um in Kontakt mit dem Geist des Verstorbenen zu treten. Das Jenseits erweist sich als eine überaus komische Versammlung von zänkischen Astraliern, die nur darauf warten, die Verbindung zu den Diesseitigen aufzunehmen. Sie schicken ihrerseits einige Hilfsmedien vor, und von beiden Sphären also arbeiten sich die Wirklichen und die Unwirklichen wie beim Tunnelbau aufeinander zu, was zur Aufdeckung einiger peinlicher Geheimnisse und zu überaus komischen Einfällen und Verwirrungen führt.

Das *Märchen vom Materialismus* ist 1943 in Hollywood entstanden und Anfang Mai 1944 abgeschlossen worden. Die Geschichte fängt an als sprühender Spaß über den Glauben an den mechanistisch verstandenen Fortschritt. Demokrit, *der Unheimliche, aus Milet oder aus Abdera,* also aus der Geburtsstätte der Wissenschaft oder aus dem Zentrum der Spießbürger, kommt von einer mehrjährigen Vergnügungsreise nach Ägypten mit einer neuen Theorie über sogenannte Atome zurück, aber das schert niemanden, und die Natur wächst und gedeiht weiter, wie sie es immer getan hat, ganz ohne Bewusstsein von materialistischen Lehren. Dann aber sickert bei ihr durch Meldeboten und Kolporteure diese neue Lehre ein: *Elektronen, Wellen, Ätherschwingungen bildeten die Welt. Sie waren die eigentliche Realität.* Diese Neuigkeiten rufen in der Fauna Verwirrung und Depression hervor, alles gerät durcheinander.

Niemand und nichts kann diese Optik des Materialismus und ihre Lieblosigkeit aushalten. Die Natur findet sich nicht ab und probt einen anarchistischen Aufstand. Die Vögel und die Elemente erwägen, den Sozialismus auszuprobieren: miteinander Solidarität üben und zu einer gemeinsamen Aktion übergehen. Die Späße in dieser heiteren Groteske überschlagen sich.

Es geht drunter und drüber mit glücklichen und fatalen Folgen, und niemand weiß mehr, wo ein, wo aus. Kriege können nicht mehr geführt werden, und die Generäle sind vom obwaltenden Pazifismus so sehr erschüttert, dass sie nicht mehr zum Allmächtigen beten können. Die Lehre vom Materialismus, (nach dem Willen des Erzählers) von Demokrit nach Griechenland importiert, wird von den Menschen widerrufen, die Tiere und die Dinge kehren zu ihrem vormaligen Zustand zurück, sie annullieren ihre Menschengläubigkeit, die Natur findet wieder ihr unwillkürliches Leben, und die lieblose Lehre hat sich *hinter den harten menschlichen Schädelknochen verschanzt.* Alles ist wieder in seiner Ordnung, und die Menschen können somit wieder in den Tag hineinleben.

Döblin selbst wollte nicht, dass sein Sohn Peter etwas hineingeheimniste oder die Geschichte tiefer nahm, als er sie angelegt wissen wollte: *Petrus, das ist keine Parabel, keine Allegorie, also nichts, was etwas anderes meint, als was es sagt und wohinter einer menschliche Dinge suchen muß, sondern eben einfach ein lustiges und manchmal trauriges Märchen. Was wäre, wenn die heutige Lehre vom Materialismus wahr wäre, lautet das Thema, – und ich schildere im Märchen die Antwort. Das ist eine alte Geschichte, daß viele*

Leute in Dinge, auch in Bilder, einen großen »Sinn« hineinlegen wollen; aber das ist falsch, das ist nicht nötig; wenn man es einfach als Märchen liest, das das Thema des Materialismus hat, ist es genug und hat seinen Charakter. Eine Laune der krausen Erfindung, der Märchenspuk vom Aufstand der Tiere, eine heitere Ironie über den lieblosen Rationalismus, einige Reminiszenzen an Münchhausiaden und nicht wenige muntere Albernheiten gaukeln durch die Seiten. Es bleibt offen, ob das *Märchen vom Materialismus* eher dem Naturverehrer oder dem gestärkten Gläubigen, dem Fortschrittsskeptiker und gar einem Religionsironiker zu verdanken ist. Inmitten seiner existentiellen Nöte und lebensbedrohlichen Herzgeschichten regierten ihn also auch heitere Spaßlust, und er ließ ein Feuerwerk an kuriosen Einfällen aufleuchten. Vielleicht sind die beiden Erzählungen nichts anderes als die Niederschriften eines unbesiegbaren Übermuts.

COUNCIL FOR A DEMOCRATIC GERMANY

Döblin hatte zugesagt, beim »Council for a Democrativ Germany«, einer ihm schon annoncierten politischen Plattform, mitzumachen, wie viele seiner Kollegen, zum Beispiel Heinrich Mann, Fritz Kortner, Lion Feuchtwanger, Elisabeth Bergner, Leopold Jessner und Berthold Viertel, aber er wünschte mit Max Horkheimer und Fritz Lang noch »Unterhaltungen«. Brecht, Mitinitiator des CDG, war als Vermittler gegenüber Döblin aufgetreten. Am 3. Mai 1944 wurde die Gründung dieses »Rats für ein demokratisches Deutschland« öffentlich gemacht. Es handelte sich um eine Reaktion auf das Moskauer »Nationalkomitee Freies Deutschland«. Beabsichtigt war eine Tribüne für alle Emigranten in den USA, gleich welcher politischen Grundierung. Manche – wie Heinrich Mann – hofften auf eine Erneuerung der – vor allem am Mehrheitswillen in der SPD und an kommunistischen Machenschaften gescheiterten – Volksfrontbewegung, die im Pariser Lutetia-Kreis ein vorbereitendes Zentrum gehabt hatte. Den Vorsitz dieses »Exilrats« übernahm der evangelische Theologe Paul Tillich. Nach der Gründung trat der Council mit mehreren Aufrufen an die Öffentlichkeit, zum Beispiel zur Landung westalliierter Truppen in der Normandie am 6. Juni 1944. In einzelnen Ausschüssen wurden Vorstellungen über die Nachkriegsgestaltung Deutschlands diskutiert. Man wollte damit auf die Deutschlandpolitik der Vereinigten Staaten Einfluss nehmen.

Einige Exilautoren haben eine Mitwirkung abgelehnt: Thomas Mann, zunächst wohlwollender Unterstützer, vermisste die kritische Auseinandersetzung mit Deutschland und machte einen Rückzieher. Andere Verweigerer vermuteten übermäßigen kommunistischen Einfluss, hatten dafür allerdings aber keine Beweise. Wiederum anderen passte die Vorstellung, man müsse die amerikanische Politik belehren, keinesfalls. Das FBI überwachte die Gründung und hielt sie, wie immer auch sonst, wo sich nationaler Konsens nicht einstellte, für kommunistisch unterwandert.

Döblin lehnte seine Mitwirkung im April 1944 mit Verweis auf Thomas Mann ab und führte eine Reihe von Gründen auf. Teils erschienen ihm die Ziele *unreif, teils hat es keinen Sinn, eine Sache mitzumachen, die die U.S. nicht von vornherein unterstützen, teils kann man wohl eine Meinung äußern, aber sich als ein Häuflein Intellektueller einmischen, wenn Großmächte Millionenheere kämpfen lassen und natürlich dann auch fordern, – das scheint mir nicht realistisch (von den kommunistischen Hintergründen abgesehen).* Brecht hatte noch nicht alle Hoffnung aufgegeben, ihn und Thomas Mann dennoch gewinnen zu können: »Ich verfluche Sie keineswegs; sondern möchte Sie weiterhin bitten, Ihren Beitritt in Betracht zu ziehen, schon weil ein solcher Ausschuss eben genau so schwach oder stark, lächerlich oder wichtig ist als die Leute, die drin sind.« Noch einmal klopfte er bei Döblin auf den Busch, ob er nicht doch eine Erklärung vom 1. August 1943, eine Manifestation der deutschen Kriegsgefangenen in der Sowjetunion betreffend, unterschreiben wolle. Döblin lehnte auch diese Aufforderung ab. Die Beurteilung des Potsdamer Abkommens spaltete das Komitee und führte zu dessen Auflösung am 1. Oktober 1945.

AURORA VERLAG

1944 gehörte Döblin doch zu den Mitbegründern des New Yorker Emigrantenverlags »Aurora«, obwohl er zuvor eine Beteiligung an Herzfeldes verlegerischen Aktivitäten abgelehnt hatte. Er hatte Brecht versprochen, für das Projekt Wieland Herzfeldes etwas beizusteuern. Anfang 1944: *Lieber Herzfelde, also ich gab meinem Herzen einen Stoß, und Sie können mich also auf Ihre Gründerliste setzen. – Teilen Sie mir mit, wann Sie zu arbeiten anfangen, bzw. wann Sie (besonders finanziell) soweit flott sind, um drucken zu können.* In New York betrieb Herzfelde einen Briefmarkenladen und wollte unbedingt an seine Tradition als Verleger des Malik Verlags wiederanknüpfen. Der Name »Aurora« stammte wohl von Brecht; er bezog sich auf die Göttin der Morgenröte ebenso wie auf das Schiff, das Lenin an Bord genommen und das in St. Petersburg das Winterpalais des Zaren beschossen hatte. Als Leserschaft hatte Herzfelde deutsche Kriegsgefangene vorgesehen, doch kam er mit seiner Gründung dafür zu spät. Er konnte überdies nicht mehr als 12 Bücher veröffentlichen. Die legendäre Buchhändlerin Mary S. Rosenberg in New York hat das Unternehmen beim Start unterstützt.

Ende 1943 hatte Döblin wahlweise die Erzählung *Der Oberst und der Dichter* oder ein Kapitel aus dem *November*-Roman angeboten, aber bei ihm blieb eine gewisse Reserve. Er wollte nur Autor des Verlags sein, ihn nicht im Ganzen mittragen. Außerdem bat er darum, dass auch Hermann Kesten und Ludwig Marcuse zum Mitmachen aufgefordert würden. Bei Aurora war er damit in einer Reihe unter anderen mit Bloch, Brecht, Feuchtwanger, Graf und Heinrich Mann. Er winkte mit einem Band aus drei neuen Erzählungen. Aber er wies auch auf Vorbehalte hin, die der Kommunist Herzfelde ihm gegenüber haben könnte. Er wolle abwarten, *ob Ihr Verlag nicht (wie es bisher jedenfalls aussah) ideell so gebunden ist, daß er keinen Raum für religiös positiv gefärbte Erzählungen hat.* Damit kam er aus der Deckung heraus und fügte skeptisch hinzu: *Brecht z. B. (mit dem ich doch wahrhaft gut stehe) war empört darüber, – und er gehört zum Bau.* Es blieb bei dem einen Text aus *November 1918*, den Döblin bei Aurora veröffentlichte. Aber dessen Produktion kam auch ins Stocken, weil das Unternehmen zu einem Zeitpunkt auftrat, da mit dem Kriegsende eine neue Phase der Orientierung eintrat und bald das Verlagswesen in Deutschland wieder auflebte. Die 12 Aurora-Bücher, jeweils in einer Auflage von 1600 bis 4000 Exemplaren, waren überwiegend noch zwei Jahrzehnte später lieferbar: es fehlte dem Verlag an einem größeren Markt.

FRÜHJAHR 1945

Das janusköpfige Jahr 1945: für Alfred Döblin Abschied und Anfang, eine perennierende Geschichte des Misslingens, der Weg aus der Wüste des Schreibeinsiedlers, der nur für die Schublade produzieren konnte, aber hinein in neue, andere Verschollenheit. Manchmal fällt das Licht eines einzigen Jahres auf ein ganzes Leben und bündelt in diesem Kegel der Aufmerksamkeit eine biographische Existenz.

Im Frühjahr 1945 war Döblin, wie so oft, vor allem mit der Organisation seiner Familie beschäftigt. Stefan mit seinen 18 Jahren in einem Alter, in dem er nach amerikanischem Gesetz eingezogen wurde, überlegte, in welchem Heer er Dienst tun sollte. *Er besaß, wie wir alle, die französische Nationalität, aber weil hier wohnhaft, hatte er auch das Recht, in die amerikanische Armee einzutreten. Damals gab es bei uns ein aufregendes Hin und Her vor der Entscheidung.* Stefan wollte zunächst in der amerikanischen Armee dienen, entschloss sich aber dann doch für die französische Truppe. Wohl Ende Dezember 1944 oder Januar 1945 besuchte er mit seinen Eltern das französische Generalkonsulat in San Francisco. Sein Bruder Peter konnte diese Entscheidung nicht nachvollziehen und warf ihm Drückebergerei vor. Im Januar 1945 antwortete der Vater seinem Ältesten und wies auf die Unterschiede zwischen den beiden hin: Peter sei dem Habitus nach Amerikaner, der Jüngste hingegen in Frankreich aufgewachsen, mit der Muttersprache Französisch, *denn Deutsch kann er ja nicht, wie du weißt.* Stefan wollte nach dem Krieg in Frankreich leben. Auch der Vater, kündigte er an, werde keine Minute länger bleiben, abhängig von Charity und gelegentlichen Almosen: *Daß wir also nach Europa zurückgehen, hat der Junge oft gehört und das hat bei ihm mitgewirkt.* Ende Januar war aus Frankreich ein erlösendes Telegramm gekommen: Klaus war am Leben und richtete sich in Nizza ein. Die Mutter drängte wegen ihm und dem vermissten Wolfgang nach Frankreich. Die Entscheidung Stefans für die französische Armee war auch nach dem Rat der Jesuitenpatres erfolgt. Der Vater verwies es seinem Ältesten: Die Entscheidung des Jüngsten sei zu akzeptieren, man dürfe den Jungen jetzt nicht beunruhigen. Stefan reiste am 23. März 1945 ab und begann seine militärische Ausbildung in »Basic Training Camp« in Fort Mead/Maryland bei Baltimore. Im April fuhr Stefan auf einem Truppentransporter nach Europa. Am 10. September wurde er demobilisiert, arbeitete aber zunächst weiter beim Militär als Dolmetscher in Vincennes.

Von Wolfgang (Vincent) wussten die Eltern seit Mai 1940 nichts. Am 21. März 1945, zwei Tage bevor Stefan zur Armee abreiste, traf die Meldung mit der Gewissheit ein: Wolfgang ist tot. Die Eltern hatten bis zuletzt daran geglaubt, dass er in Gefangenschaft sei. Erna Döblin hatte in Gedanken daran regelmäßig für die Gefangenenhilfe gespendet. *Es war die Aufhellung, die ein Blitz gibt, der in ein Haus schlägt.* Simone Tonnelat, seine Studienfreundin, hat diese Nachricht brieflich übermittelt, und sie hat wahrscheinlich zu einer schonenden Notlüge gegriffen: Er sei bei einem Patrouillengang gefallen, sein Kamerad sei zurückgekehrt und habe es berichtet. Die Fakten sollten sich als viel grausiger erweisen, aber die Tochter des Döblin-Freundes und Germanisten Ernest Tonnelat wollte sie anscheinend nicht einem Brief anvertrauen. Möglicherweise war sie jedoch auch nicht über alle Einzelheiten unterrichtet. Die Eltern Wolfgangs erfuhren die ganze Wahrheit erst, als Erna im Begräbnisort Housseras mit Dorfbewohnern sprechen und im Bürgermeisteramt der Geschichte jenes unbekannten französischen Soldaten nachgehen konnte, als der ihr Sohn beerdigt worden war.

Stefan Döblin als Soldat der Freien Französischen Armee Ende 1944

Simone Tonnelat hatte sich vor Kriegsende auf eindrucksvolle Weise bemüht, den Verbleib ihres Studienfreundes Wolfgang zu ermitteln. Sie gab Zeitungsannoncen auf, erkundigte sich bei Regimentskameraden, bemühte die Militärregistratur – alles ohne Erfolg bis 1944. An Peter Döblin schrieb der Vater voller Kummer: *Mit dem Gedanken, daß der Wolf so umgekommen ist und nicht mehr ist, kann man sich schwer vertraut machen. Das Leben ist bitter.* Die Seelenlast des toten Sohnes trug der Vater monatelang in fast jedem seiner Briefe herum. An Hermann Kesten, vier Wochen nach der Mitteilung: *Eine träge, unwahre, schwere Existenz führt man. Wann wird das enden, und wie? Mein Optimismus ist nicht stark. (...) Schwerer als auf mich sind die Dinge noch auf meine Frau gefallen; Sie können es sich vorstellen. Aber schließlich, wie gut geht es uns noch verglichen mit Hiob, unserem Stammvater.* Er streifte die alttestamentarische Mythologie, um von sich und seiner Familie zu erzählen; nur in solchem Rahmen konnte er sein Unglück ermessen. Auch gegenüber den vertrauten Rosins, wiederum zwei Wochen später, gilt das meiste dem Andenken Wolfgangs: *Er war jung, ernst, bemüht und hoffnungsvoll; er hatte, beinah sicher, eine Karriere vor sich, der Krieg war für ihn fast schon zu Ende –, dann dies. Jetzt fragen wir uns öfter, nachdem wir den Schock überwunden haben: ob er es nicht so doch besser gehabt hat als den Nazis in die Hände zu fallen; die französischen Gefangenen, soweit sie überhaupt zurückkehren, scheinen sich in einem üblen, hoffnungslosen, lethargischen Zustand zu befinden, auch viele körperlich leidend.* An diesem 2. Mai waren die Eltern noch immer ohne Kenntnis über Stefan in Frankreich; sie wussten nicht, ob auch er in Kampfhandlungen verwickelt war. Der Kontakt zum ältesten Sohn Bodo aus der Verbindung mit der Krankenschwester Frieda Kunke, der in Deutschland ausgeharrt und wegen seiner Abkunft manche Prüfungen zu bestehen hatte, war seit einem Jahrzehnt abgerissen. Nach dem Krieg erwies es sich, dass die Söhne keine gemeinsame, verbindende Sprache hatten, in der sie sich zwanglos hätten verständigen können. Zu prägend war die Sprachkraft der unterschiedlichen Länder geworden, in denen sie sich aufgehalten hatten.

Das Leitmotiv, das Geschick zu nehmen wie Natur, die einen ummantelt, redet in Döblins ganzem Lebenstext. Aber auch der Widerspruch dazu, der Furor der Verzweiflung, ist laut, und von dieser Antinomie ist dieses Wendejahr Döblins bestimmt. Aus seinem alten Roman-China führen die Linien hinüber bis an die Gestade des Pazifiks. Döblins Biographie breitet sich aus und strandet nach dem Muster, das er vor dem Ersten Weltkrieg entworfen hatte. Auch der Tod Wolfgangs brachte das Lebensdiktat eines Literaturgesetzes wieder ans Licht: Im August 1945, noch in Amerika, begann Döblin damit, die Geschichte eines jungen, verwundeten Soldaten, eines Kriegsheimkehrers, zu schreiben, eine Gegenschrift zur Wirklichkeit dieses toten Sohnes zu entwerfen. Der erste Satz im *Hamlet*-Roman ist eine Fanfare des Widerrufs des realen Geschehens: *Man brachte ihn zurück.* Dieser Eröffnungszug ist triumphal und gespenstisch zugleich: ein Siegeszeichen der Literatur über die Lebenstragödie, doch auch nur eine Schrift auf fahlem Papier und zur Beruhigung nicht geeignet. Bei Döblin hatten sich einzelne Erzählungen eingestellt, und sie hatten, nach des Autors Aussage, keinen Zusammenhang miteinander. Einige Wochen nach der Todesmeldung gab ihnen Wolfgangs Unglück eine Orientierung. Die Stücke traten zueinander in Verbindung, und so entstand das Geschichtenmosaik des *Hamlet*-Romans.

Ungefähr ein Drittel des Romans wurde bereits in den USA geschrieben. Die frühe Spur dieses Versuchs, sich Trost in der Arbeit am Roman zuzusprechen, findet sich in einem Brief an Charlotte Dieterle vom 20. August 1945. Döblin bedankte sich bei ihr für Geburtstagsgrüße und fügte hinzu: *Und entschuldigen Sie, daß ich erst jetzt schreibe – es ist wirklich ein Elend: ich bemale Tag um Tag so viel Papier gänzlich überflüssigerweise, (ein Gewohnheitslaster, Schreibomanie), daß ich für das Notwendige keine Zeit finde –.*

Döblin entfaltete noch einmal alle Magie des Erzählens, seinen erprobten Zauber. Das Buch enthält auch die epische Klage über eine zerbrochene Familie, eine Art Wahrsagen der Erfindung. Die Sehnsuchtsphantasie vom heimkehrenden Sohn Wolfgang bildet die Achse dieses Buches. Das Warten und das Nichtwissen sind dem Buch auf eindrucksvolle Weise eingeschrieben. In einer Geschichte, betitelt *Die Mutter auf dem Montmartre*, verharrt eine Frau auf der Suche nach ihrem vermissten Sohn. Die alte Frau geht alle Möglichkeiten durch, welche Lebensarten es geben könnte für ihn; auf den Ämtern wird sie mit zusätzlichen Versionen vertröstet. Ihr ist, als müsse sie ihren Sohn noch einmal gebären. Die Mutter wartet auf dem Montmartre wie ein Baum, dem im Herbst die Blätter abfallen. Sie wird nichts anderes mehr tun als warten.

Sie steht, bis ihr Herz bricht –
Erwarte keine Folge.
Erwarte keine Folge.
Es ist das Ende, das grausige.

SOHN WOLFGANG

Noch einmal zu Wolfgang/Vincent Döblin. Das Bildnis des Toten ist unverzichtbar. Wie ein Nachtmahr liegt er und der *Hamlet*-Roman über der weiteren Ehegeschichte von Alfred und Erna Döblin. Er war wohl das begabteste der Döblin-Kinder gewesen – und der vom Vater unverstandene Sohn. Im Mai 2000 stellte ein versiegelter Brief, der nach 60 Jahren in der Académie des Sciences aus dem Archiv geholt und geöffnet wurde, die Verbindung zur biographischen und zur wissenschaftlichen Vergangenheit dieses Sohnes her. Der Umschlag enthielt ein einfaches Schulheft, das dicht mit mathematischen Formeln beschriftet war. An der Pariser Wissenschaftsakademie können Forscher unveröffentlichte Arbeiten für 100 Jahre hinterlegen, um damit ihr Urheberrecht zu sichern. Schon zehn Jahre zuvor hatten Forscher versucht, den von Vincent Doblin hinterlegten Umschlag zu öffnen. Sie waren jedoch am Widerstand seines Bruders Claude gescheitert; er wollte damals offensichtlich nicht mit dem Selbstmord des Bruders und der Familientragödie noch einmal konfrontiert werden.

Das Manuskript trug den Titel »Über eine Gleichung von Kolmogorov« und erwies den jungen Mathematiker als einen Mitbegründer der Wahrscheinlichkeitsrechnung. Es befasste sich mit Arbeiten des Russen Andrej Kolmogorov, der als mathematischer Pionier gilt. Vincent Doblin, der Fernmelder in Uniform, der überzeugte Sozialist, war seiner Zeit weit voraus gewesen und hätte, falls am Leben geblieben, nach dem Weltruhm gegriffen. Die Arbeit hatte Vincent alias Wolfgang vom November 1939 bis Februar 1940 bei seiner Stationierung an der Maginot-Linie geschrieben. Das Manuskript schickte er am 13. März 1940 an die Akademie nach Paris, um es in Sicherheit zu bringen vor den Kriegswirren.

Er hatte im Herbst 1933 sein Mathematikstudium in Zürich begonnen und dann in Paris an der Sorbonne fortgesetzt. Schon im Alter von 23 Jahren veröffentlichte er erste Arbeiten, und seine in den wenigen Jahren verfassten 13

Artikel erschlossen ihm den Ausblick auf eine glänzende akademische Karriere. 1936 wurde er, wie die gesamte Familie (mit Ausnahme von Peter), in Frankreich eingebürgert. Nach Abschluss seines Doktorexamens mit Auszeichnung wurde er im November 1938 in die Garnisonsstadt Givet in den Ardennen zum Militärdienst einberufen. Er französisierte seinen Namen, verschwieg seine Herkunft, bezeichnete sich als gebürtigen Elsässer, um seinen deutschen Akzent zu erklären. Es gab zumindest einen Kriegskameraden, der erst nach mehr als 60 Jahren, mit der Erinnerung an ihn konfrontiert, seine wirkliche Identität erfuhr.

Wolfgang Döblin wurde nur 25 Jahre alt. Er hatte als 14-jähriger Junge mit seinem berühmten Vater am Radio über »Vater und Sohn« gesprochen, wovon leider keine Aufzeichnung, weder eine schriftliche noch eine Wachsplatte, erhalten ist. Er war der Lieblingssohn der Mutter gewesen. Der 50-jährige Vater erinnerte sich seiner eigenen Schulqualen, falls er die Talente seines Drittgeborenen (nach Bodo und Peter) erwog: *Eine lächerliche Sache überhaupt, diese Mathematik auf den Schulen. Für die meisten wertlos, ein abseitiges Gedankenspiel, eine Qual, weil ohne Anschauung, ohne Ziel, ohne Bindung mit einem Leben. Man soll diese Art Abstraktion verbieten oder in die Akademien schicken.* Als der Sohn über seiner Dissertation brütete, formulierte der Vater sein rasantes Unverständnis gegenüber den Leistungen des Hochbegabten: *Wolf, der unnahbare, der in den Wolken schwebt, schreibt seine meilenlange Doktorarbeit in Hieroglyphen, welche wahrscheinlich im ägyptischen Museum einen ersten Platz finden werden. Hebräisch ist gar nichts dagegen. Er geht aber nicht zu einer anderen Schrift über. Da ist nichts zu machen. Es ist eben Mathematik.* Der Soldat Wolfgang hatte sich vor seinem Tod längere Zeit nicht bei den Eltern gemeldet, und sein Verschwinden im Nichts, die leere Stelle, konnte der Vater nur mit Schuldvorwürfen gegen sich und Versagensphantasien beantworten. An die Rosins, 15. August 1945: *Ich habe eine neue große Romanarbeit begonnen, die flott vorwärts geht, – schließlich hilft man sich nur so über die Zeit hinweg und gibt wenigstens sich selbst ein Zeichen, daß man noch lebt.* Überschreiben des Schmerzes als Lebenszeichen – das ist die Sigle des geradezu unheimlichen Prozesses, der den *Hamlet*-Roman gebiert.

ABSCHIEDSVORBEREITUNGEN

Trotz allen Kummers fand Döblin offensichtlich noch Zeit, um sich über seinen Widersacher Thomas Mann zu echauffieren. Es ging anscheinend um abfällige Äußerungen über dessen Artikel »Das Ende«: Thomas Mann erzürnte sich am 6. Mai über die »blödsinnigen Gehässigkeiten des patriotischen Emigrantentums (Döblin)«. Man hatte einander wenigstens aus den Augenwinkeln im Blick; als ein persönlicher Geburtstagsglückwunsch des anderen ausblieb, kommentierte Thomas Mann sechs Wochen später wieder im Tagebuch pikiert: »Das undankbare Benehmen Döblins.« Dass Döblin für das Thomas-Mann-Heft der »Neuen Rundschau« einen Text und einen kleinen Glückwunsch beigesteuert hatte, wurde von Thomas Mann anscheinend nicht als ausreichend empfunden. Mit manchen seiner Gegner ging Döblin freundlicher um: Er gratulierte Egon Erwin Kisch Anfang April 1945 zum 60. Geburtstag und fand herzerwärmende Formulierungen, obwohl zwischen den beiden fast nur Differenzen vorlagen. Das *bergehohe und täglich höher wachsende Unglück der kriegerischen Umstände,* das er betrauerte, nötigte ihn, über die politische Kluft, die sie trennte, eine Brücke zu bauen. Ein Wunsch nach Selbstcharakteristik mischte sich ein, als er Kischs Leidenschaft für die Realität hervorhob. Er hob an dem kommunistischen Reporter sich selbst hervor: *Dann burleske Dinge, ein spitzbübischer jungenhafter Humor, dicht beim Gassenbuben und beim Eulenspiegel.* Der Brief war für Kisch in Mexiko eine Überraschung und löste bei ihm Verblüffung aus. Er benötigte fast acht Wochen zu einer Antwort und fragte sich, wie ihm diese Ehre widerfahren sei, um dann wieder in Abgrenzungsrituale zu verfallen. Er selbst war zu einer solchen Haltung der Großmut nicht fähig. Er habe Döblin seit den *Drei Sprüngen des Wang Lu* [sic!] nie verstanden. Er ließ Groll in die Zeilen fahren. Er habe sich Döblins Polemik in *Wissen und Verändern!* gegen das bloß ökonomische Denken, den Führungsanspruch einer Handvoll Menschen in der KP, ihren martialischen Militarismus, seinen Vergleich mit der Inquisition bestens gemerkt. »Ich war damals nicht mit Ihnen einverstanden und kann es nach Hitler noch weniger sein. Er wäre nicht so leicht zur Macht gekommen, hätte es mehr, ein paar Millionen mehr organisierter Marxisten als Hitleristen gegeben, und er hätte sich länger gehalten, hätten nicht die Marxisten in aller Welt die Wahrheit über ihn verbreitet, hätte Russland nicht so prinzipiell unversöhnlich Krieg gegen ihn geführt.« Kisch hatte offensichtlich keine innere politische Entwicklung durchgemacht und blieb seinem parteigebundenen Schematismus verfallen. Da wurden alte Rechthaber-Schlachten geprobt, wogegen Döblin durch seine Geste Versöhnung gegenüber einem ideologischen Gegner andeuten wollte. Kischs Position war nicht nur eine des dogmatischen Klassizismus, sie umschrieb auch künftige Auseinandersetzungen, die Döblin im Kalten Krieg zu führen hatte. Der Reporter, der 1946 nach Prag zurückging, hatte Glück, dass er dort nicht auf die Anklagebank in einem der mörderischen Schauprozesse geriet. Er starb so rechtzeitig, dass ihn die Segnungen des regierenden Stalinismus nicht mehr an den Galgen bringen konnten.

Kein tiefes Aufatmen, keine Feierlichkeit drang am 8. Mai auf Döblins Schreibpapier, als das Deutsche Reich in Reims und in Berlin-Karlshorst bedingungslos kapitulierte und der Zweite Weltkrieg ein Ende fand. Zu diesem Ereignis wandte sich Heinrich Mann mit einem aufrüttelnden Text »An das befreite Berlin«. Er hatte etwas dagegen, dass bei der Frage nach der Schuld nur der »abgehauste Lump« Hitler in Betracht kam. Er hatte auch dessen Geldgeber, die Industriellen und Finanzleute sowie den Adel im Blick. Er forderte Gründlichkeit beim Ausmisten, den Vorgang nannte er »Revolution«. Von Döblin war in dieser Hinsicht nichts zu hören: Die geschichtlichen Schlüsselereignisse wollte er nicht mit Programmatik versehen. Als der Krieg in Europa zu Ende ging, überwog bei ihm die Skepsis alles andere. An die Rosins, wenige Tage vor der Kapitulation: *So erleben wir denn jetzt, wenn auch noch nicht das Ende dieses Krieges, so doch den Sturz des Nazitums. Geht es Ihnen so wie mir: ich kann mich beinah kaum darüber freuen. Daß diese Bestie endlich daliegt, gut: aber was hat sie angerichtet. Den andern Verbrecher, in Italien, hat man auch zur Strecke gebracht. Wenn nun doch ein allgemeiner belebender Wille entstünde, wenn wir nun doch einen Sturm von Freiheit und menschlichem Gefühl, Schmerz und Solidarität erlebten. Aber kaum etwas davon. Eine neue Zeit, eine neue weltpolitische Periode bereitet sich vor, die Mächte gruppieren sich neu, eine lange Schwächeperiode (Gott sei Dank) steht in Aussicht; welch Schlag für uns, daß Roosevelt hinging, – es fehlen Stimmen. Aber vielleicht krabbelt man sich zurecht; wir hatten eine greuliche Zeit der »großen« Männer; vielleicht findet sich die Menschheit, ungestört von den schändlichen Herren, besser zurecht. Mein persönlicher Bedarf an historischen Ereignissen ist nun völlig gedeckt, – Ihrer wohl auch.* Das Aufatmen fiel bescheiden aus, und wenn schon, dann war es mit Schmerzen verbunden.

Immerhin vertraute er auf den Wiederaufbau des europäischen Geisteslebens, einschließlich des deutschen. Man solle ihn nur zulassen und nicht behindern. So äußerte er sich gegenüber Ywan und Claire Goll. Aber falls er an eine Stunde null geglaubt haben sollte, dann nur im kalifornischen Exil. Nur in den USA rechnete er noch fest mit einem anderen Deutschland. Er hat seine

Hoffnungen darauf gesetzt und angenommen, die geeigneten Kräfte müssten nur versammelt werden, um den Nationalsozialismus auszutreiben. Als Illusion wurde dieser Glaube von ihm noch jahrelang gepflegt.

Er wollte nichts anderes als zurück nach Europa. Exil in Amerika? Das war die Etappe der radikalen Nichtbeachtung: Er nannte sich eine Null für die Amerikaner. Schon 1942 hatte er gegenüber Brecht von einer Rückkehr gesprochen, wenn der Nationalsozialismus besiegt sei. Am 18. September 1945 berichtete er ihm, dass er bald nach Europa abreisen werde und Washington eine Zusage für die Ausreise im Oktober gegeben habe. Das Exit-Permit war einen Tag zuvor eingetroffen. Döblin war damit in einer privilegierten Situation: Kaum ein anderer deutscher Schriftsteller hätte so rasch ein Ausreisevisum zum Verlassen der Vereinigten Staaten erhalten wie dieser naturalisierte Franzose. Nur Angehörige der Army (wie zum Beispiel Klaus Mann, Hans Habe oder Stefan Heym) bildeten eine Ausnahme. Doch hielt ihn nach der Kapitulation und der Besetzung Berlins durch die Rote Armee ein dezidierter antikommunistischer Realismus von der Hoffnung auf Wiederanknüpfung in der Hauptstadt ab. Er dachte an einen Aufenthalt in Frankreich.

Aber die Frage einer Rückkehr war durchaus nicht so klar entschieden, wie es die Bekundungen seiner Absichten und der frühe Termin suggerieren. Vor allem Erna Döblin hatte Vorbehalte, wie er bekannte: *Ich zögerte. Was sollte mich locken, nach Deutschland zu gehen: Meine Frau, nun nach dem Verlust unseres Zweiten, schüttelte sich bei dem Gedanken, den Boden dieses Landes wieder zu betreten – es erschien ihr eine Art Verrat an dem Gefallenen.* Doch trieb etwas anderes die Entscheidung voran: Döblin war auf einen Schlag gänzlich mittellos. Er hatte in Los Angeles zuletzt von den Zuwendungen des European Film Fund gelebt und von verschwiegen gewährter Hilfe, die vor allem von dem befreundeten Bankier Arthur Rosin kam. Im Juni war Bruno Frank, einer der Promotoren des Unterstützungsfonds, gestorben, seine Witwe zog sich zurück. Die Mittel wurden nun von Charlotte Dieterle, der Frau des Hollywood-Regisseurs William Dieterle, verwaltet. Faktisch konnten nur noch einige ältere Autoren wie Heinrich Mann, Alfred Polgar und Alfred Döblin unterstützt werden.

Noch einmal, in der allerletzten Phase des amerikanischen Exils, gab es deswegen große Ungewissheiten: Im August 1945 wurde Döblin mitgeteilt, dass die Unterstützung von monatlich 150 Dollar nur noch zwei weitere Monate gewährt werde. Es war dann in der Folgezeit doch wieder Geld im Fonds vorhanden, aber die Entscheidung zur Abreise war längst getroffen. Er ließ sich von der Hiobsbotschaft über das Versiegen der Unterstützung nicht grundsätzlich behelligen, er schrieb einfach weiter – ohne Aussicht auf einen Verlag und ein lesendes Publikum. Noch in den größten Nöten stand ihm seine Parallelwelt offen.

Am 26. August 1945 starb Franz Werfel in Beverly Hills. Er hatte das Exil kaum ertragen können, er hatte noch an seinem Roman »Stern der Ungeborenen« gearbeitet, war tot vor seinem Schreibtisch aufgefunden worden. Man begrub ihn in der Ausstattung seines letzten Helden: mit Smoking und Seidenhemd, Brille und einem zweiten Hemd zum Wechseln. Döblin verlor einen Gleichgesinnten, der vom Judentum zum Christentum übergewechselt war (auch wenn Werfels Katholizismus anders ausgerichtet scheint). Der Witwe Alma Mahler-Werfel gegenüber konnte Döblin sein Christentum ohne weiteres aussprechen: *Wie schön, daß er sich in den letzten Jahren – wie manche andere von uns – der Religion genähert hat, – wie gut und heilsam.*

Döblin hat die Schwierigkeiten für die Exilanten nach dem Krieg vorausgesehen und von Los Angeles aus die Fäden nach Frankreich wieder aufgenommen. Ernest Tonnelat, mit dem (und mit Robert Minder) er fünf Jahre zuvor im französischen Informationsministerium antinazistische Propaganda verfertigt hatte, schlug ihm vor, eine Stelle im französischen Bildungsbereich zu übernehmen. Der Plan scheint sich rasch zerschlagen zu haben; man erwog eine Stelle bei den französischen Militärbehörden in Deutschland. Der Freund Robert Minder riet ihm rundweg davon ab; er rechnete mit gravierenden und tiefsitzenden Vorbehalten der deutschen Umgebung gegen ihn als Emigranten, der nun in der Uniform eines Siegers zurückkehren wollte. Minder konnte sich jedoch nicht durchsetzen, denn Döblin musste nach diesem Strohhalm greifen. Mitte August 1945 wartete er noch immer auf Antwort aus Paris, was möglicherweise mit ihm geschehen könne. *May be wir haben die Partie ein für allemal (jedenfalls für die Zeit unseres Lebens) verloren, may be es gibt ein changement (schon sind einige Autoren im russisch besetzten Gebiet). Aber schließlich wovon und wie lebt man da, wenigstens jetzt? So heißt es also Geduld haben.*

Noch im gleichen Monat jedoch erhielt er die erlösende Zusage: *Man teilt mir mit, daß ich »une bonne place« würdig bezahlt« in einem dieser services haben könne, man fragt mich, ob solcher Posten mir reserviert werden solle; ich habe natürlich »ja« gekabelt; man teilt mir mit, l'affaire est »entendue«*. Stolz und Genugtuung schwingen in diesen Zeilen mit, aber keine Beruhigung und Zufriedenheit. Er empfand es so: Die Niederlage Deutschlands schloss auch die der Exilanten ein. Dieser erneute Ortswechsel erschien ihm wiederum als Flucht vom einen Kontinent zum anderen. *Im übrigen bin ich nicht mehr jung, und ich singe mit Heine: »Wo wird einst des Wandermüden letzte Ruhestätte sein?«* Dieses Zitat sollte einer seiner Leitsterne werden. Aber er verstand den neuen, ihm noch nicht benannten Posten im Dienst des französischen Militärs als Rettung aus einem Debakel. Freilich war unklar, wovon er die Überfahrt bezahlen wollte. Das »Emergency Rescue Commitee« hatte ihm, Erna und Stefan fünf Jahre zuvor die Reise von Lissabon nach New York ermöglicht, Hermann Kesten hatte alles für seine Rettung getan. Aber gab es auch für die Rückkehr einen solchen Fonds? Er fragte besorgt bei seinem Ratgeber in allen Nöten, Arthur Rosin, an. Schließlich, im Lauf des Septembers, ging er ihn unverblümt um einen Zuschuss an. Im kleinen Kreis wurde für die Rückfahrt der Döblins gesammelt. Außerdem benötigte er Geld, um seine Möbel auszulösen, die unbehelligt, aber auch unbezahlt, was die Miete betraf, in einem Pariser Speicher lagerten. Zwei Jahre später, noch hatte er keine Valuta in Händen, wollte er immer noch eine Summe an Arthur Rosin zurückzahlen.

Familiäre Komplikationen stellten sich erneut ein: Stefan wollte nicht mehr als Dolmetscher in Marseille arbeiten und nach Amerika zurück. Peter rief an und berichtete von einer bedrohlichen beruflichen Situation. Döblin kabelte an Stefan, er solle bei seinem Bruder Klaus in Nizza ausharren, bis die Eltern ankämen. Klaus, der in Nizza einen schwierigen beruflichen Anfang als Dekorateur und Händler für Schaufensterwaren unternahm, war in des Vaters Augen eine Vertrauensperson; er hatte am 24. Juli 1945 die zwei Jahre jüngere Französin Juliette Foussadier geheiratet.

Mitte September informierte Döblin seinen Kollegen Brecht über seine geplante Rückkehr, die Behörden hätten eine Zusage für den Oktober in Aussicht gestellt. Das amerikanische Exit-Permit hatte er am Tag zuvor erhalten. Döblin habe die »Gastfreundschaft« der Vereinigten Staaten aufkündigen müssen, um nicht zu verhungern, notierte Brecht sarkastisch in seinem »Arbeitsjournal«. Der kalifornische Aufenthalt Döblins endete mit einer – heute nicht mehr aufzuhellenden – Farce: In seiner FBI-Akte findet sich ein Hinweis auf eine unbekannte Dame, die Brecht bat, er solle Döblin veranlassen, acht oder zehn Tage nach seiner Frau abzureisen. »The unknown woman felt that Brecht might be able to convince Doblin that he should remain behind.« Entweder hat Brecht den Wunsch nicht übermittelt, oder Döblin ließ sich nicht beirren: er reiste mit seiner Frau Erna ab. Das letzte Bild von Los Angeles: die 1939 eröffnete Union Station, angelegt als eine Kathedrale der Bewegung, mit ihrem bemalten Zeltdach, ihrem noch heute unverbrauchten Schick an streamline modern, den bemalten Fliesen, den alten Schriften, dem weitläufigen Gelände mit Springbrunnen, Spazierwegen, Arkaden, dem Lichtfleckentheater auf Marmorquadraten, den Sesseln, die mit ihren honigfarbenen Kunstlederbezügen zum Verweilen einladen, wo es doch um den

Wechsel, um Ankunft und Abfahrt geht – eine luxuriöse Repräsentation des glückenden Reisens, ein ironisches Gegenbild für den Exilanten, der seine Reise nach Europa, ins Ungewisse, antritt.

Johannes R. Becher war schon im Juni 1945 mit den Sowjets nach Berlin zurückgekehrt. Am 22. November veröffentlichte er über den Kulturbund in der »Täglichen Rundschau« einen seiner pathetischen Aufrufe: »Laßt Euch sagen, daß Deutschland Eurer bedarf; so wie Ihr in brennender Ungeduld den Tag der Heimkehr kaum erwarten könnt, so rast- und ruhelos sind wir am Werk, um Euren Werken eine Heimstätte zu bereiten.« Das klang wie eine päpstliche Enzyklika. Aber der Aufruf hatte im Westen nicht seinesgleichen: Niemand rief die Emigranten zurück.

ÜBERFAHRT NACH EUROPA

Die ursprüngliche Absicht Döblins, in Frankreich zu bleiben, ließ sich nicht verwirklichen. Das war schon vor dem Abschied von Amerika klar. Er sollte in den Verwaltungsbereich des Germanisten und Résistance-Offiziers Raymond Schmittlein kommen. Tonnelat hat für ihn eine Namensliste mit empfehlenswerten Personen zusammengestellt, auf der auch Döblin stand. Tonnelat schlug eine Stelle im Universitäts- und Schulbereich vor, doch blieb die genaue Verwendung offen. Sie sollte erst nach Döblins Rückkehr bei einem Gespräch in Paris bestimmt werden. Es fand Mitte Oktober 1945 mit Schmittlein statt, wobei nicht mehr zu klären ist, ob Döblin eigenen Wünschen oder einer Direktive folgte, als er sich auf den Weg nach Baden-Baden machte.

»Eindrücke belanglos«, hatte Heinrich Mann über Amerika geäußert. Das war bei Döblin gewiss nicht der Fall. Er hatte sich öfter über die Vorzüge des Landes geäußert: Freiheit, Individualität und eine gewisse frische Daseinskraft waren ihm als positive Merkmale aufgefallen. An Viktor Zuckerkandl, 18. März 1945: *Immerhin hatten Sie auch damals recht darin, daß Sie in vieler Hinsicht Amerika unserem Europa überlegen fanden, in freiheitlicher Hinsicht, im täglich Kooperativen, – ich finde auch, die gesamte Persönlichkeit wächst ungehindert, manchmal sogar excessiv auf, und man kriegt hier die Kehrseite der Medaille zu sehen.* Er hat sich freigehalten vom Amerika-Hass eines Brecht, der es fertigbrachte, in seinen Bemerkungen »Wo ich wohne« zu urteilen: »Kein Wunder, daß etwas Unedles, Infames, Würdeloses allem Verkehr von Mensch zu Mensch anhaftet und von da übergegangen ist auf alle Gegenstände, Wohnungen, Werkzeuge, ja auf die Landschaft selber.« Nichts von der als Schwäche durchschaubaren Arroganz eines Leonhard

Frank, der mit Hollywood die Hölle sah, der den Wechsel der Jahreszeiten vermisste und behauptete, dass »keine Luft in der Luft« liege. Womöglich wäre er, trotz häufiger Klagen über die stadtunähnliche Stadt Los Angeles, über die Hitze und über manche Oberflächlichkeit, gerne geblieben, aber es blieb ihm gar nichts übrig, als zurückzukehren: er hätte sich finanziell nicht mehr über Wasser halten können.

Man wollte sich vor der Abfahrt noch einmal mit Erna Budzislawski treffen, aber ein Missverständnis über den Zeitpunkt des Treffens in der Bahnhofshalle verhinderte es. So blieb ihm nur die Möglichkeit, seine Herzlichkeit schriftlich auszudrücken. Auf der Reise nach New York noch ein Ausflug zu den Niagara-Fällen. Das Paar besuchte auch den Neffen Rudolf Döblin in Snyders, einem Vorort von Buffalo. Am 4. Oktober gab er ihnen von New York aus einen launigen Abschiedsbericht. Sie hatten Peter mit seiner Freundin Lili getroffen, außerdem *ein freundliches, stilles Kunstpaar Schön (sie webt, – hoffentlich bald ihm himmlische Rosen ins irdische Leben).* Die Omnibusfahrer streikten, aber auch die Hafenarbeiter, *das gibt neue Perspektiven für uns.* Er hätte den New Yorker Aufenthalt gerne noch etwas ausgedehnt. Im übrigen ließ er sich auch von zwei medizinischen Autoritäten untersuchen. Über die Befunde schwieg er sich jedoch aus. Ansonsten vermeldete er die übliche Abschiedsgeschäftigkeit: *Wir sahen allerhand Leute, von denen wir in Hollywood nie was hörten und erfuhren; man gibt uns Adressen nach drüben, wir sollen Mäntel mit rübernehmen für tote und lebende Angehörige. Tante Erna kauft enorme Lebensmittelmassen ein, man darf für 50 Dollars pro corpus food einkaufen; ich plane ein Extrakamel zu mieten, das damit hinter dem Schiff über das Meer wandelt.* Ein aufgekratzter Döblin präsentierte sich seinem Neffen. Er dankte Erna Budzislawski, die ihm im Auftrag von Frau Dieterle nach New York noch einen »Unkostenbeitrag« geschickt hatte. Er kaufte sich eine kleine Armbanduhr, Ruth Berlau wollte von ihm ein Abschiedsfoto machen. Um Günter Anders zu treffen, hatte er keine Zeit mehr. Er bedankte sich für ein Abschiedstelegramm von Elisabeth Reichenbach.

Zum letzten Mal traf er Yolla Niclas, wohl am 7. Oktober. Erna war mit Einkäufen beschäftigt und abgelenkt. Peter begleitete ihn und wich bei dieser Begegnung nicht von der Stelle. Er schrieb ihr in den Roman *Berge, Meere und Giganten,* das Buch, das sie verloren und in New York wiederbeschafft hatte, eine beziehungsreiche Widmung: *In einer zweiten Kopie, in New York erworben, bei unserem letzten Wiedersehen mit zwei 4blättrigen Kleeblättern eingeklebt.*

Die Welt ist nicht verloren. –

Wir brauchen nicht auf das Heil zu warten. –

Liebes Schwesterlein, heute sehe ich Dich wieder – und wir werden uns noch oft wiedersehen, sei gewiß! –

Es war, wenn man die Szene näher betrachtet, ein zeremonieller Abschied sondergleichen. Als er 1924, auf Probe von seiner Frau getrennt, an *Berge, Meere und Giganten* schrieb und von den schwierigen Lebensumständen wie vom Stoff nervlich überwältigt wurde, war sie sein guter Geist gewesen. Ihr Bildnis war in den Roman eingegangen. Nun also eine Signatur seiner Erinnerung an diese weit zurückliegenden Monate in Berlin. Es war noch nicht das Ende ihrer beider ungelebten Leben, der Briefkontakt blieb erhalten, aber der persönliche und unwiderrufliche Abschied wurde in dieser Stunde vollzogen. Am nächsten Tag schrieb er ihr, noch aus New York: *Mein liebes Schwesterlein, Yollachen, es ist heute Sonntag, ich sitze im Hotel, es ist alles nicht nur gepackt, sondern auch schon abgeholt, morgen Mittag geht es europawärts. Jedenfalls ich habe mein Schwesterchen noch gesehen und gesprochen und habe sie so gut befunden, wie ich sie immer kannte, und vielleicht hat sie auch mich als den alten, unveränderten (wenn auch älteren) gefunden. Schwesterlein, wo und wann werde ich Dich wiedersehen? Ach, was wird überhaupt drüben aus mir werden? Ich gehe so mutig – und vielleicht ahnungslos – hinein. Denke an mich, hilf mir mit Deinen Gedanken, – und wenn Du kannst, Gebeten.*

Am 9. Oktober 1945, mittags 1 Uhr 30 schifften sich die Döblins auf der »SS Argentina« ein: »*Als ich einmal im Beginn, das Schiff fuhr, auf Deck ging, zogen wir gerade langsam an der herrlichen, unvergeßlichen Front der Wolkenkratzer vorbei. Es war noch hell, kurz vor der Dämmerung. Bald werden sich zehntausend Fenster erhellen. In der Finsternis, während wir draußen über den Ozean schweben, werden zehntausend Lichtlein herüberflimmern, zauberhaft, unirdisch. Viel ist uns in diesem Land zuteil geworden.*

Leb wohl, Amerika. Du hast mich nicht gemocht. Ich liebe dich doch.

Das Paar reiste auf einem Truppentransporter mit rund 350 Passagieren, *jede Kabine mit 9–10 Betten, immer 3 übereinander, kein Tisch, kein Stuhl, eine Räuberhöhle für uns Civilisierte, die nicht wußten, wo was hinlegen. Man aß gut, fror oft, aber es ging hin.* Noch acht Jahre später hob er das Abschiedsbild von New York mit einer gewissen Feierlichkeit hervor: *Aber wie unvergleichlich ist es, wie rührte mich jedes Mal fast zu Tränen die Einfahrt in den Hafen von New York und die Ausfahrt, der Anblick der königlichen Familie der Wolkenkratzer, ihre stolze Front, ein Symbol, das an Ausdruckskraft den Pyramiden und den Kathedralen nicht nachgibt, ja ein Bild, herrlich bekleidet mit der Majestät des Heute, Morgen und Übermorgen.*

7

WIEDERAUFBAU, GLAUBE UND POLITIK NACHKRIEGSJAHRE 1945–1949

Da steht das also, was meine Tage ausgefüllt und aufgefressen hat. Ich kann es anfassen und stehe davor und entsinne mich dunkel, und sie stehen aufrecht mit ihren dreihundert, vierhundert bis sechshundert Druckseiten, Papier in festen Pappbänden, da. Sie habe ich in Kost gesetzt und gepflegt und bin selber darüber alt und schwach geworden. Da stehen meine Blutsauger, meine Parasiten. Ich wollte mich immer von ihnen befreien, aber gegen ein keimendes Buch ist kein Kraut gewachsen. Sie haben es geschafft, sie haben es erreicht. Und ich könnte sagen, wenn ich mich ganz einer Bitterkeit hingeben wollte, sie florieren und mich haben sie zur Strecke gebracht.

Kritik der Zeit, 1952

DIE RÜCKKEHR

Ankunft in Le Havre am 16. Oktober, nachts. Die erste, befremdliche Begegnung mit Landsleuten, die im Scheinwerferlicht das Frachtgut entladen: *Es verlief ganz maschinell wie bei einer Theateraufführung inszeniert; man hörte kein Geräusch. Das waren Deutsche, Kriegsgefangene. So sah ich sie wieder. Ich hing fasziniert an dem Bild. Als wir ausstiegen, standen sie in einem Haufen beieinander. Sie betrachteten uns Wanderer von jenseits des Ozeans, stumm, ohne Ausdruck. Die Leute gingen an ihnen vorüber, als wären sie nichts. Das war die erste, die furchtbare, niederdrückende Begegnung.* Im ersten Moment des Aufeinandertreffens ist schon alles enthalten, was diesen Rückkehrer später quälen wird: das gegenseitige Verfehlen, die unsichtbare Wand zwischen ihnen, das lastende Schweigen.

Dann die Nacht durch im überfüllten Zug nach Paris, Ankunft morgens um zehn. *Man kam recht gebrochen an und wollte irgendwas trinken, da war gerade Café- und Restaurantsstreik, und wir torkelten weiter.* Erna suchte am Porte d'Orléans nach der Wohnung des Germanisten Ernest Tonnelat, während Alfred auf das Gepäck aufpasste. Tonnelat hatte Platz in seiner Wohnung; er war Witwer, sie kamen bei ihm unter. Nach einer ersten Erfrischung gingen sie in die Stadt, in ihr ehemaliges Viertel. *Ja, die Häuser sind dieselben, aber wie sind die Läden leer; die Leute klappern mit ihren Holzsohlen, man sieht nicht gepflegt, nicht fröhlich, nicht gut ernährt aus. Und wie abgemagert war unser Wirt, der Professor, den ich voll und wohl in Stand kannte, er hatte eine 2jährige Hungerzeit in Lyon hinter sich, daheim starb seine Frau, er selbst konnte sich noch nicht erholen, ein wunderbar freundlicher, lebhafter Mann, der er geblieben ist.* Der Lebensmittelmangel und die Rationierung versetzten Döblin zurück in die Hungerzeiten des Jahres 1918. Dieser erste Bericht nach der Rückkehr ging an Elisabeth Reichenbach am 22. Oktober 1945. Eine Woche später schrieb er ein kurzes Billet an einen Monsieur Lombat, dessen Anschrift er von einem gewissen M. F. Aymon bekommen hatte: unter dem Pseudonym »Raoul Lombat« verbarg sich der Schriftsteller Rudolf Leonhard, der den Krieg unter abenteuerlichen Umständen in der Illegalität überstanden hatte. Döblin wollte ihn, bevor er selbst nach Baden-Baden fuhr, in Paris noch treffen. Er schrieb an den *nom de guerre* des Résistance-Kämpfers, der er bis zum Mai 1945 gewesen war. Die zweite Identität war Leonhard angewachsen. Aber zu einer persönlichen Begegnung mit dem Mitbegründer der »Gruppe

1925« kam es damals nicht. Döblin hatte in Paris bereits am 19. Oktober an einer ersten Dienstbesprechung im Erziehungsministerium teilgenommen und drei Tage später Kontakt mit seinem zukünftigen Chef, dem General Raymond Schmittlein, gesucht; er musste rasch nach Baden-Baden und wartete nur noch auf die Nachsendung des Gepäcks von Le Havre, die sich verzögerte. Am 20. Oktober meldete er sich bei seinem Sohn Peter noch aus Paris. Sie hatten Stefan in einem kleinen Hotelzimmer gefunden, er arbeitete als »interpreter« in Vincennes. Klaus hatte aus Nizza telegrafiert. So waren die Familienbande wieder geknüpft. Aber Döblin zog nur allein auf seine Dienststelle in Baden-Baden, seine Frau, die noch im November das Grab Wolfgangs in Housseras aufsuchte, fuhr zunächst nicht mit. Für sie und Stefan musste ein Quartier in Paris gefunden werden. *Die Wohnungsverhältnisse hier sind vielleicht noch schwerer als in New York.* Deshalb blieb Erna mit dem Jüngsten bis auf weiteres bei Professor Tonnelat, und auch Alfred Döblin kam dort unter, wenn er besuchsweise in Paris war.

An einem beziehungsreichen Tag, am 9. November 1945, brach er auf, um sein ungewisses Abenteuer mit den Deutschen nach 12 Jahren Abwesenheit zu bestehen. Er hat es vermutlich selbst zwischen dem Schiffbruch des Odysseus am Strand der Phäaken und der Heimkehr des verlorenen Sohnes verortet. Bis Straßburg fuhr er im Liegewagen. Von dort aus ging die Reise nur noch langsam und beschwerlich vor sich: Brücken waren zerstört, wegen des Zolls und der Kontrolle durch die Militärpolizei ergaben sich Verzögerungen. *Was ich dachte, was ich fühlte, als ich die Nacht über fuhr und man sich der Grenze näherte? Ich war oft wach und prüfte mich. (…) Aber da meldet sich kein ursprüngliches Gefühl. Es meldet sich allerhand, aber nichts von früher. Ich bin nicht mehr der, der wegging. (…) Und dies ist das Land, das ich ließ, und mir kommt vor, als ob ich in meine Vergangenheit zurücksinke. Das Land hat erduldet, wovon ich mich losreißen konnte. (…) Ich lese »Steinbach, Baden«, »Sinzheim«, »Baden-Oos«. Der Bahnhof ist fürchterlich zugerichtet: viele steigen um. Baden-Baden. Ich bin am Ziel. Am Ziel, an welchem Ziel?*

Ich wandere mit meinem Koffer durch eine deutsche Straße (Angstträume während des Exils: ich bin durch einen Zauber auf diesen Boden versetzt, ich sehe Nazis, sie kommen auf mich zu, fragen mich aus).

Ich fahre zusammen: man spricht neben mir Deutsch! Daß man auf der Straße Deutsch spricht! Ich sehe nicht die Straßen und Menschen, wie ich sie früher sah. Auf allen liegt, wie eine Wolke, was geschehen ist und was ich mit mir trage: die düstere Pein der zwölf Jahre. Flucht nach Flucht. Mich schauderts, ich muß wegblicken und bin bitter.

Dann sehe ich ihr Elend und sehe, sie haben noch nicht erfahren, was sie erfahren haben. Es ist schwer. Ich möchte helfen.

Aus dem Zug stiegen in Baden-Baden fast nur französische Offiziere aus. Es regnete, niemand holte ihn ab. Allein ging er mit seinem Koffer ins ehemals mondäne Hotel Stephanie, zum Amtssitz der französischen Verwaltung, wo kaum mehr als ein Jahr zuvor Mitglieder der Vichy-Regierung bei ihrer Flucht vor ihren Landsleuten gehaust hatten. Er machte sich bekannt, schon am nächsten Tag sollte er mit dem Dienst beginnen. Einen Unterschlupf fand er in der Pension Bischof am Römerplatz: *Ich sitze auf meiner schmalen Studentenbude, einem requisitionierten Raum, der geheizt ist, aber keinen Stuhl und keine Tischbeleuchtung hat.* Er hat anscheinend nur den Koffer ausgepackt und dann sofort an seine Frau geschrieben.

Mit welchen Vorgaben war er zurückgekehrt? Seine Aufgaben und sein Titel waren anfangs nicht genau bezeichnet; das ergab eine Quelle von Differenzen. Er wurde als »Chargé de Mission« geführt, aber der Titel wirkte in einer Organisation, in der bis zur Sekretärin militärische Hierarchien herrschten, zunächst zu unbestimmt, um seine Rolle festzulegen. Erst ab 1. April 1946, also nach Monaten, erhielt er seine förmliche Anstellung. Dann war sein Rang als »Administrateur de 4^{e} Classe« ausgewiesen, sein Gehalt betrug monatlich 15 000 französische Francs. Aber er bewegte sich innerhalb eines bürokratisierten Systems; allein die Beschaffung einer Leselampe erwies sich als eine Aufgabe, die ihn wochenlang enervierte.

Bereits im Januar 1946 hat er in einem ergreifenden Bericht *Abschied und Wiederkehr,* der dann auch Eingang fand in das Manuskript der *Schicksalsreise*, der Verfremdungen gedacht, die seine Existenz bestimmten. *Und als ich wiederkam, da – kam ich nicht wieder. Es gibt einen schönen amerikanischen Roman mit dem Titel: »Du kamst nicht nach Hause zurück.« Warum kann man nicht? Du bist nicht mehr der, der wegging, und du findest das Haus nicht mehr, das du verließest. Man weiß es nicht, wenn man weggeht; man ahnt es, wenn man sich auf den Rückweg macht, und man erfährt es bei der Annäherung, beim Betreten des Hauses. Dann weiß man alles, und siehe da: noch nicht alles.*

Zwei Wochen nach seiner Ankunft in Baden-Baden teilte er Brecht mit: *Privatleben, auch Schreiben, z.Z. beiseite gelegt.* Die Behauptung, wann immer von Döblin geäußert, konnte allenfalls für einige Wochen gelten. Zur gleichen Zeit schilderte er der Vertrauten Elisabeth Reichenbach die Lage in Baden-Baden: *Ich habe hier langsam Berührung mit einigen aus der Civilbevölkerung, Gebildeten, die mich kennen, Otto Flake wohnt hier. Ein kleiner Badeort voller militär. administrativer Büros in den großen u. kleinen Ho-*

tels; man ist privat bei den Civilpersonen untergebracht; alles ist freundlich, zuvorkommend, diese Gegend, streng katholisch, war kaum nazistisch. Die kennen aber kaum etwas anderes als den eingebleuten Göbbelsslogan. Man möchte viel hören, viel wissen. Völliger Büchermangel, da die gesamte alte Produktion geblockt ist. Die Universitäten von Freiburg und Tübingen arbeiteten, die Schulen waren *mit Behelfsbüchern (ohne Geschichtsunterricht)* in Betrieb. Döblin fühlte sich wieder einmal isoliert, konnte kaum reisen, denn es gab nur sehr umständliche, langsame Zugverbindungen, und an Autos herrschte chronischer Mangel. Er war drei Wochen nach seiner Ankunft aus der Stadt noch nicht hinausgekommen. *Entsetzlich die Schwierigkeit der Kommunikation; sie handikappt furchtbar. – Sonderbar, von deutschsprechenden Leuten (auf der Straße) umgeben zu sein, – ich habe gar kein Gefühl von »Heimkehr«, bis jetzt jedenfalls nichts davon. Paris und Amerika sind mir näher.* Da ist, getarnt als Schwierigkeit der Eingewöhnung, das Schisma, das bald nicht mehr verdeckt werden konnte: der Mangel an Verständigungsmöglichkeiten, die in 12 Jahren anders ausgeprägte Sprache, das wechselseitige Misstrauen, das sich wie Flugasche auf die Beziehungen legte.

An Rudolf Leonhard hatte er sich bereits am 20. November aus Baden-Baden mit der Mitteilung gewandt, dass er eine Zeitschrift plane, *eine Wochen- oder Monatsschrift in deutscher Sprache.* Das war die erste Erwähnung des Projekts, dessen Vorbereitung zu den frühesten und wichtigsten Aufgaben Döblins in seinem Amt gehörte. Er forderte Leonhard auf, ihm Adressen von Kollegen, die in Paris saßen, mitzuteilen. Am 22. November wandte er sich an den in London lebenden Journalisten und Schriftsteller Kurt Karl Doberer, *mir doch bald eine Liste (mit Adressen) der drüben residierenden Kollegen zu geben und zwar mit kleinen Notizen (jedenfalls soweit es möglich ist) was sie in der Emigration geschrieben ev. publiziert haben.* Seine Zeitschrift solle *der Darbietung epischer, dram., lyrischer, essayist. Stücke dienen und die heute lebende deutschspr. Litteratur in einem größeren Rahmen wieder auf dem alten Boden vorführen.* Auch Hermann Kesten bat er zwei Wochen nach Dienstantritt um Adressen, Mitarbeiterwerbung, *Beiträge aus Ihrer laufenden Produktion, eventuell Nachdruck älterer hier unbekannter Arbeiten.* Und im übrigen stenogrammartig zu den Absichten: *Also unser allgemeindemokratisches Programm, freilich resoluter, und vor allem die Öffnung der Tür für die, die man lange nicht hörte.* Aus seiner Zurückgezogenheit heraus, die er in Hollywood als Isolation empfunden hatte, musste er nun seine weitreichenden Zeitschriftenpläne entwickeln. Es fehlte ihm nicht an Mut oder an Entschlossenheit. Am 25. November bat er Brecht und Feuchtwanger um ihre Mitarbeit, vier Wochen später lockte er Wieland Herzfelde, *die Autoren um*

Sie, also Graf, Bloch, Broch (auch Brecht, dem ich schon, ohne Antwort direkt schrieb) und andere davon zu informieren. Er hatte später in der sowjetischen Besatzungszone einen Kollegen, der sich mit ähnlichen Schwierigkeiten herumschlug: Alfred Kantorowicz mit seiner Zeitschrift »Ost und West« (seit Juli 1947). Döblins Zeitschrift verstand sich wie jene vor allem als Plattform der in Deutschland 12 Jahre lang unerwünschten Literatur, aber auch als eine Wiederanknüpfung an internationale Traditionen, die durch das Naziregime unterbrochen worden waren.

Der Strom der Briefe, den er in diesen ersten Monaten in Deutschland schrieb, brach nicht ab. Döblin setzte in der französischen Besatzungszone geistig zunächst dort an, wo er Deutschland verlassen hatte. Er exponierte diesen Grundirrtum geradezu: *Die Deutschen sind dieselben, die ich 1933 verließ.* Dieses Missverständnis hinderte ihn allerdings keinesfalls daran, die kollektiven psychischen Belastungen und Deformationen wahrzunehmen. Die Menschen erschienen ihm uniformer, mit einer geringeren individuellen Skala von Denk- und Reaktionsweisen versehen. Die Propaganda habe sie nivelliert. *Sie sind wie eingerostet. Sie verfügen über ein kleines Repertoire an Vorstellungen, das man ihnen eingeprägt hat, und damit arbeiten sie, und man kann sie schwer daraus ziehen. Das hat das Regime hinterlassen. (...) Und darum kann man auch bei Diskussionen über die Schuldfrage mit ihnen nicht weiter kommen. Darum sperren sie sich auch gegen politische Unterhaltungen mit Leuten, die eine andere Auffassung haben. Sie sind verstört, gequält und wollen zufrieden gelassen sein. Wie begreiflich. Wie kommt man hier nun weiter? Vor allem mit Vernunft und nicht drängen, kommen lassen, die Umstände wirken lassen.* Döblin erwies sich in diesen ersten Monaten, als er in der französischen Besatzungszone sein Amt versah und nur gelegentlich in anderen Zonen Ausschau hielt, als ein weitgehend vorurteilsfreier Geist, der sich mit der Tugend der Geduld, die nicht gerade seine Stärke ausmachte, gewappnet hatte und mit viel Verständnis sich den mentalen und geistigen Schwierigkeiten aussetzte, die er vorfand. Immer wieder übte er in dieser allerersten Nachkriegszeit seine Zurückhaltung, was autoritäres Gehabe oder vorschnelle Schlüsse betraf. Er sprach von Krankheitsbildern und hielt sich mit moralischen Urteilen zurück. Für die Verstörungen fand er das Bild des Alkoholikers, der an das Gift gewöhnt sei und es beim Entzug vermisse, wo es sich doch um einen Prozess der Gesundung handle. Schemenhaft arbeiten in seiner Zeitdiagnose noch einmal die Vorstellungen des Arztes Döblin mit und der Patient, den er in seiner Dissertation mit seinen *Confabulationen* beschrieben hatte, nunmehr aber als kollektives Wesen. Der Entzug des autoritären Charakters versprach ihm eine Wendung zum Besseren: *Es ist aus mit dem Befehlen, und das ist gut, Ihr seid auf Eure eigenen Beine gestellt.* Anderswo ersetzte er das Wort *Verstörung* durch *Betäubung*. Döblin ging mit amerikanischen Umfragen konform, die ein Jahr nach Kriegsende ermittelten, dass der Nationalsozialismus noch von einem großen Teil der Bevölkerung als gute, wenn auch schlecht ausgeführte und missratene Idee akzeptiert wurde.

Er hat wie viele andere die Ermordung der europäischen Juden und den Weltkrieg ins Bild der Krankheit gefügt, hat von *Wahnideen* und vom *Geschwür* gesprochen. Von den ermordeten Mitgliedern seiner eigenen Familie ist nicht die Rede, sie werden öffentlich nicht ins Spiel gebracht.

Das Bild der Deutschen erschien im Entwicklungsbad seines gesellschaftlichen und pädagogischen Optimismus. Dieser seltsame Umerzieher im Dienst und in der Uniform einer Besatzungsmacht war also den Deutschen gar nicht so fremd, wie sie ihn wahrnahmen. Er teilte in gewisser Hinsicht ihre Einsichten und ihre Barrieren, ihren Stand der Vergegenwärtigung der abgelaufenen Geschichte. Der Verleger Max Niedermayer berichtete über einen Vortrag Döblins in Frankfurt: »Er war von Liebe und gutem Willen der deutschen Jugend gegenüber erfüllt, fast möchte ich sagen, von einem missionarischen Glauben an sie.« Sein Vorsatz, am kulturellen Wiederaufbau von Amts wegen sich zu beteiligen, und sein Werk, das diesem Ziel gewidmet war, erschienen vice versa vielen deutschen Beobachtern im fahlen Licht ihrer Ressentiments dennoch als Oktroi.

IN BADEN-BADEN

Aber war das wirklich eine Stadt, wie ich Städte kannte? Es war eine leblose Mittelstadt, ein Kurort, Baden-Baden. Ich marschierte. Was fand ich in Deutschland vor? Und was wollte ich hier? Ich sah mit Widerwillen die ungepflegten Facaden, die leeren Geschäfte. Es gab Schaufenster und Schaufenster, die nichts ausstellten. Wenig Menschen auf den Straßen, viele in schmutzigen und zerrissenen Kleidern, unbedeutender Wagenverkehr. Der Liebhaber der Metropolen war von seiner neuen Umgebung angeödet. Ab und zu ging er ins Café König oder besuchte das Friedrichsbad, viel mehr Abwechslung gab es nicht. Er stöberte in den Buchhandlungen, aber sie boten nur antiquarische Bücher an und hatten drei Tage in der Woche geschlossen. Französische Zeitungen kamen nur mit Verspätung an, ein Radio stand anfangs nicht zur Verfügung. Er arbeitete und lebte zunächst im Provisorium. Sein erstes Arbeitszimmer, zunächst im requirierten »Badischen Hof«, war bis auf Tisch, Stuhl und Schrank leer. *Es hieß kulturell auf die Deutschen ein-*

wirken, zunächst natürlich sie aufzuklären über ihre Situation, da sie sich über ein Jahrzehnt von der übrigen Welt abgesperrt hatten. Sie mußten erfassen, in welchem Zustand moralischer und geistiger Art sie sich befanden, welches unsichtbare Trümmerfeld sie umgab. Ich wollte aktiv sein, wollte helfen. Aber mir kam schon im Beginn vor, es war ein ungeheuerliches Unterfangen. Er war der einzige prominente literarische Emigrant, der gleich 1945 in eine westliche Besatzungszone zurückkehrte. Als naturalisierter Franzose brachte er die formalen Voraussetzungen mit, um die Genehmigung und die Visa rasch zu erhalten und die bürokratischen Schwierigkeiten überwinden zu können. Früh musste er feststellen, dass die Dinge nur schleppend vorankamen.

In seinem Dienst, der rund 40 Personen umfasste, konnte er sich nicht zu den Siegern rechnen oder nur bedingt; zu den Besiegten gehörte er aber auch nicht. Seine weitere Geschichte ereignete sich in dieser knirschenden Dialektik mit ungemeinen Reibungsverlusten. Er musste mit solchen Spaltungen leben. Was er in seinem *Journal 1952/53* rückblickend zu berichten weiß, beschreibt eindringlich die Normallage des Problems und der menschlichen Verhaltensweisen, mehr mit stoischer Miene als mit Zorn und moralischer Entrüstung wahrgenommen. Er habe nach einem überzeugten Nazi gesucht und keinen gefunden. *Wen auch immer ich sprach: er wußte nichts, er wußte von nichts, er leugnete, bemäntelte und verschwieg. Es wäre eigentlich alles eine riesige Übertreibung, eine Propagandaangelegenheit gewesen, die das Radio und die Zeitungen so mächtig aufbauschten.* Das Kleinreden des Massenmords an den europäischen Juden bei gleichzeitiger Betonung, dass es andernorts ebenfalls Antisemitismus gebe, hat er notiert; auch die Abwehr, dass die Deutschen mit den Nazis identifiziert wurden. Man rechnete das Verhalten der Besatzer beim Einmarsch mit dem Krieg auf, den die Wehrmacht geführt hatte. All diese klebrigen Schablonen der Ausflüchte, des Überdrusses an Problemen, die man nur vor sich herschieben wollte, ist getreulich berichtet. *Vor diesen Leuten von Demokratie zu reden, war schwierig. Sie lächelten oder grinsten. »Das Fräulein Demokratie kennen wir nun schon aus der Nähe.«*

Gut zwei Wochen nach Antritt seines Dienstes beschrieb er seinen Freunden Rosin seine Situation, wohl etwas freundlicher, als er sie empfand, seine Solitude: Dienststunden, kärgliche Unterkunft, aber gutes Essen. Seine Frau und sein Sohn Stefan hatten es in Paris schlechter, sie konnten bei Tonnelat nicht kochen. Stefan suchte die Anerkennung seines amerikanischen High-School-Diploms in Frankreich. *Erna ist grade jetzt auf einem traurigen Unterwegs, nach den Vogesen, zum Grab Wolfgangs, eine geschlungene Tagesfahrt; aber all diese verstreuten Vogesengräber werden in Kürze auf einem großen cemetière nationale vereint.* Er erwartete, dass die sterblichen Überreste seines Sohnes aus dem Grab, das *kaum sichtbar, verfallend zwischen Nazigräbern* dalag, von den Behörden geborgen würden. Auch wenn es solche Pläne gegeben haben mag: Erna Döblin hätte sich einer solchen Lösung auf jeden Fall widersetzt; sie fand in dem gottverlassenen Dorf Housseras zwischen den Ausläufern der Vogesen, dem Sterbeort ihres Lieblingssohnes, eine Wallfahrtsstätte ihrer Trauer.

Einen Tag nachdem er Ernas Bericht über ihre Reise erhalten hatte, am 28. November 1945, schrieb er ihr. Ein markerschütternder Schmerz über den Verlust durchzieht die Zeilen. Für einen Moment fiel alles von ihm ab, was ihn sonst schützte: Distanzroutine, Schnoddrigkeit, Witz, die Flucht in Zitate, das Von-sich-Wegschreiben, und er war nichts mehr und niemand anders als klagender Vater und keinem Trost zugänglich: er konnte weder einen empfangen noch seiner Frau einen geben. Er fing französisch an, aber nach einem Satz wechselte er ins Deutsche: nur in dieser Sprache konnte er seinem Schmerz nahekommen. Der Brief verdient es, im Ganzen abgedruckt zu werden. *Chère erni, un jour a passé après cette lettre de ton voyage. Es geht dir gewiß wie mir: es erregt und verfolgt einen; es ist unsäglich qualvoll, daß unser Junge so weggegangen ist. Er hat so gearbeitet, war so ordentlich, aufmerksam, bemüht, er trieb seine mathemat. Sachen noch im Feld und es ging vorwärts, aufwärts mit ihm; er hatte Kameraden, mit der jungen Tonnelat war er befreundet und dann wird er in eine so grausige Situation getrieben – und weiß sich keinen Rat, muß mit allem ein Ende machen – es ist unvorstellbar, der Gedanke ist zerreißend und fürchterlich – und keiner da, der ihm hilft und beisteht. Der Gedanke, nicht den Nazis in die Hände zu fallen, war ja fest in ihm; wenn er doch nicht so fest gewesen wäre, – vielleicht hätte er noch die Möglichkeit zur Flucht gehabt. Warum diesem Jungen solch Ende, und er hat noch alles vor sich und steht in Blüte, und ich altes Geschöpf lebe, und das muß auf uns fallen. Man muß leben bleiben, um so geschlagen zu werden. – In den letzten Jahren näherte er sich mir langsam, er hing ja eigentlich nur an Dir, aber ging mir nicht mehr so wie früher aus dem Weg, und ich hoffte, wir werden noch ganz gut werden; und hoffte immer während des Krieges, er möchte noch am Leben sein, damit zwischen uns alles gut würde, – nein. Und du, Erni, ich weiß, was Du zu leiden hast; daß ihm solch Ende bereitet wurde. – Ich bete morgens und abends für ihn; obwohl ich, ich schrieb es Dir schon, zwischendurch mir denke: ich muß ihn bitten, daß er für mich bete. Und so ist es auch. Er ruht längst, wie es heißt, »im Schoß des Vaters«. Die Schlacke ist von ihm abgefallen. Sein Ende hat mir einen fürchterlichen Schmerz bereitet; es ist viel schlimmer als das leichte »Fallen« im Feld;*

nicht einmal das fiel ihm zu. Ach, Erni, ich möchte Dich trösten; habe Geduld mit mir, ich will bald besser werden. – Ich umarme dich, Dein F.

In Baden-Baden war seine Anfangsstellung nach eigener Anschauung sehr provisorisch, und er fürchtete zeitweilig, abgebaut zu werden. Man hatte ihn in Paris von oben den französischen Besatzungsbehörden zugeteilt und wusste anfangs in Baden-Baden nichts Rechtes mit ihm anzufangen. *Ich spiele keine große Rolle unter den anderen hier. Meine Arbeit tritt nicht deutlich hervor.* In seinem Amt sah er sich durchaus als eine Person mit Wirkungsmöglichkeiten, um nicht zu sagen: wie eine Art Seelsorger, selbstironisch auch als *die Taube mit dem grünen Zweige.* Doch täuschte er sich nicht: das Gefühl verließ ihn nicht, dass er keine richtige Position innehatte, ortlos und offensichtlich kaum mehr als geduldet war. Einem sporadisch geführten Tagebuch vertraute er schon am 3. Dezember 1945 an: *Trübe das Sitzen bei Tisch, das französische Geschwätz, dem ich nicht folgen kann und das mich auch nicht interessiert. Ich bin der älteste, weitaus älteste da; bin so völlig fehl am Platz, der einzige in Civil. Ich spiele da zwischen den Jungen eine merkwürdige, mir unsympathische Rolle. Offenbar bemitleidet man mich.* Er hielt fest: Er schrieb Briefe, die ein anderer unterschrieb.

Mit Otto Flake, der dort seit 1928 lebte, verkehrte er privat und in einem »Kulturrat«, der aus einheimischen Antifaschisten gebildet worden war. *Ein ungeheurer Hunger nach Bildung, Büchern. Dies Gebiet war wenig nazificiert.* Aber die Lage kam ihm selbst denkbar merkwürdig vor: *Was für eine sonderbare Existenz ich führe, in meinem Alter, es war bequemer drüben, aber es ließ sich ja nicht halten, und hier kann ich etwas Nützliches leisten; meine Schublade war schon drüben voll von Manuskripten, die liegen blieben; auch das wird anders werden, viele Verlagsprojekte werden genannt.* Er veranstaltete 1946/47 deutsch-französische Begegnungsabende, »Réunionen«, im Kleinen Theater von Baden-Baden. *Der zündende Funke blieb aus, man kam nicht zueinander.* Döblin gab den Versuch auch wegen der nur spärlichen Mittel, die ihm zur Verfügung standen, bald wieder auf.

Die »Neue Rundschau« war wieder erstanden, von New York aus für Bermann-Fischers Verlag in Stockholm. Die erste Ausgabe der neu gegründeten Zeitschrift, an der Döblin mehr als ein Vierteljahrhundert zuvor als Redakteur mitgewirkt hatte, huldigte 1945 mit einem Sonderheft Thomas Mann zum 70. Geburtstag. Auch Döblin war mit einem Beitrag vertreten: *Reiseverkehr mit dem Jenseits.* Er hatte sich der Anfrage Gottfried Bermann-Fischers nicht verweigern wollen, aber zu einem persönlichen Brief an den Jubilar hat es nicht gereicht. Thomas Mann nahm übel, hat vielleicht bei der Durchsicht der vielen Devotionalien Döblins Beitrag übersehen.

An Weihnachten reiste er für acht Tage nach Paris zu seiner Frau, als einfacher Soldat, ohne die Vergünstigungen, die den französischen Offizieren normalerweise zustanden. Er erfuhr einiges über die Zeit seiner Abwesenheit von Paris in den Kriegsjahren. Die Gestapo hatte sich in seiner Pariser Wohnung öfter nach seinem Verbleib erkundigt. Sie entdeckte auch die Bleibe in St. Germain und konfiszierte dort liegende Bücher wie Manuskripte. Allerdings gelang es ihr nicht, das bei einer Spedition eingelagerte Mobiliar zu entdecken. Die Miete dafür hatte sich bis zur Rückkehr Döblins auf einen Betrag von 500 Dollar aufgestaut. Er wird sie in dieser allerersten Zeit nach der Rückkehr nicht bezahlt haben können, so dass der Hausrat fürs erste noch abgestellt blieb. *Aber man trägt es tapfer, die alte Regsamkeit, keine Spur von Apathie.*

RÉÉDUCATION

Döblin sollte in einem Bereich arbeiten, der schwierig zu bestimmen und bisweilen auch fragwürdig war: bei der Umerziehung der Deutschen. In allen drei westlichen Zonen blieben die Ziele ebenso weit gesteckt wie die Wege dorthin unbestimmt. Worin bestand seine Auffassung von »Rééducation«? Dass es sinnvoll sei, nach Deutschland zurückzukehren, davon war Döblin überzeugt. Sinn? Nicht die Auflistung dessen, was die nazistischen Täter gewollt und angerichtet hatten, nicht den Schuldspiegel vorhalten, nicht die Stimme im antiken Chor über das deutsche Verhängnis abgeben, sondern Gesinnungsänderung, aus Einsicht den Geist, aus Scham das moralische Empfinden, aus historischer Rechenschaft die Neuordnung der politischen Verhältnisse – das hat er gewollt. Jede Vorstellung davon musste jedoch von seiner inneren Spaltung ausgehen: deutscher Schriftsteller und französischer Kulturoffizier zu sein. Das bedingte Spannungen und den Versuch, sie durch besondere Entschlossenheit zu negieren. Damit waren aber auch seine höchstpersönlichen, eigensinnigen Auffassungen in einem Netz von auseinanderlaufenden Loyalitäten gefangen.

Er kam mit widersprüchlichen Vorstellungen über den Nationalsozialismus zurück. Im *Journal 1952/53* bilanzierte er den Kenntnis- und Urteilsstand des Heimkehrers sieben Jahre danach: *Die Aktionsformel, die ich von draußen heimbrachte, lautete: der Nazi, mit Hitler an der Spitze, stellte einen bösartigen Fremdkörper im deutschen Fleisch dar, eine Art Krebsgeschwulst. Hitler hatte mit Lug, List und Gewalt Deutschland zersetzt, wie später die Tschechoslowakei und andere Länder.* Döblin hielt den Nationalsozialismus einerseits für eine Radikalisierung von Antisemitismus, den es schon in der wilhelminischen Ära gegeben habe, andererseits für etwas genuin anderes. In der Schrift *Die literarische Situation* von 1947 heißt es: *Auf der deutschen Stufe gibt es, wie wir bemerkt haben, Unverbrauchtes. Und dieser Fond wird sich nicht nur für die Deutschen, sondern (die Umstände, die schweren Umstände, die guten Umstände haben es dazu gebracht) auch für die anderen als wertvoll erweisen in der immer mehr sichtbar werdenden Einheit des Menschengeschlechts.* Seine rapide Enttäuschung über die Deutschen in den Nachkriegsjahren rührt wohl gerade daher, dass er sie überschätzt hatte und die Katastrophe nicht so gravierend aufgefasst.

Döblin suchte nicht nach einer definitiven Aussage, er versammelte Antworten, die seinen Zwiespalt artikulierten. Das führte nicht zu einem einzigen besiegelnden Schluss. Das macht seine gewinnende Unvoreingenommenheit in den ersten Nachkriegsjahren aus und erklärt seine spätere rabiate Enttäuschung danach.

Seine Aufgaben waren vermutlich bereits in Paris umrissen, wenn auch nicht im einzelnen festgelegt worden: Er sollte eine Zeitschrift herausgeben und die Vorzensur für Bücher mit betreiben, außerdem ging es darum, Kontakte im zerrissenen Nachkriegsdeutschland herzustellen und Verbindungen zu knüpfen. Selbstverständlich war auch der Schriftsteller gefragt.

DAS ERSTE JAHR

Der Jahresbeginn brachte zunächst eine böse Überraschung: ein – nicht näher bekannter – ehemaliger Theaterdirektor Faber aus Straßburg sollte Anfang 1946 seine Stelle bei den französischen Behörden übernehmen. Döblin war aufgebracht wegen der Gerüchte, zumal er sich kaum wehren konnte, denn er befand sich in untergeordneter Stellung. Schmittleins »Direction de l'Éducation Publique« war in fünf Abteilungen gegliedert, und die wiederum teilten sich in Unterabteilungen auf. Einer von ihnen sollte er vorstehen, aber seine Rolle war anfangs nicht genau beschrieben. In vier erhaltenen »Bescheinigungen der französischen Behörden für Alfred und Erna Döblin« zwischen dem 15. Oktober 1945 und dem 1. April 1946 gibt es abweichende Angaben über seine Funktion.

Sein Status blieb in tieferer Hinsicht auch für ihn selbst offen, obwohl seine Position bei den französischen Militärbehörden nach dem 1. April 1946 gefestigt war. An den Psychoanalytiker Gustav Bally in der Schweiz, April 1946: *Übrigens bin ich »ein ehemaliger Deutscher«? Ich weiß nicht, wie das staats-*

GOUVERNEMENT MILITAIRE
DE LA
ZONE FRANÇAISE

N°. 619.--

Valable jusqu'au
30 juin 1947 inclus

LAISSEZ-PASSER

Mr. DÖBLIN Alfred-Chargé de Mission

de la DIRECTION DE L'EDUCATION PUBLIQUE -BEAUX ARTS
P. 242

est autorisé à pénétrer à HOTEL STEPHANIE

de 8h30 à 18h30 heures, pour les besoins

de son Service.

Baden-Baden, le 13-3-1947

NOTA. — Cette carte est strictement personnelle.

I N. 5068-J. 5498 46 (M)

Ausweis und Passierschein in Baden-Baden
1947

rechtlich steht. Die »Dichterakademie« in Berlin hat mir ja mitgeteilt, daß ich unverändert ihr Mitglied bin, da die Nazigesetze null und nichtig sind. Und so ist ja auch die Verfügung der Nazis, die mir die deutsche Staatsbürgerschaft absprach, eo ipso hinfällig; bleibt die Frage, ob entweder ich selbst die auf mich zurückgefallene deutsche Staatsbürgerschaft abweise, also sie ablege, oder ob die von mir inzwischen erworbene französische Staatsbürgerschaft die gleichzeitige deutsche ausschließt, – was ich klären müßte, wenn ich daran interessiert wäre, was ich aber im Augenblick wirklich nicht bin. Er tat das Beste, was er machen konnte: Er ließ auch fortan die Zugehörigkeit in der Schwebe.

Sein amtlicher Titel lautete seit April 1946: »Chargé de Mission auprès du Gouvernement en Allemagne (Direction de l'Éducation Publique)«, aber auch »Chef du Bureau des Lettres«. Bei diesem Bureau handelte es sich um eine von sechs Abteilungen der »Sous-Direction Beaux-Arts«. Er hatte also eine Reihe von gleichgeordneten Kollegen in der Behörde, die schon seit Juni 1945 in Baden-Baden residierte.

Mitte Januar 1946 nahm er die Verbindung zu Theodor Heuss, den er aus den zwanziger Jahren gut kannte, wieder auf und schrieb ihm nach Stuttgart. Es war ein erstes Lebenszeichen nach so vielen Jahren der Trennung – und der Beginn einer Korrespondenz, die ihrerseits wieder von Trennung und Abschied sprach. Heuss dankte sofort für das Lebenszeichen, erzählte, wie er durch die Nazizeit gekommen war, und beschrieb seine aktuelle Überforderung: »Ich stecke in einem Übermaß von Arbeit, ersaufe in Konferenzen, kriege Tag um Tag aus ganz Deutschland Bittbriefe und Hilfsgesuche, will auch noch Publizistik machen und komme kaum dazu. Man müßte ein Mehrfaches an Zeit zur Verfügung haben, um den dienstlichen Pflichten gerecht zu werden und in die menschlichen Dinge eingreifen zu können.«

Prägend für Döblins deprimierende Erfahrungen mit deutschen, im Reich gebliebenen Intellektuellen war sein Versuch Mitte Januar 1946, in Freiburg Helfershelfer zu finden und um sich zu versammeln. Er wollte eine *Aufklärungsgruppe* gründen; sie sollte für später die Zelle einer neuen Schriftstellerorganisation ergeben. Das Vorbild, das ihm vor Augen stand, war der ehemalige Freundeskreis der »Zukunft« in Paris und in deren Umfeld auch die »Deutsch-Französische Union«. Ihr hatten unter anderem René Schickele, Annette Kolb, Franz Werfel und Fritz von Unruh angehört. Ihr Ziel war gewesen, »in einer besseren Zukunft die Aufgabe der deutsch-französischen Verständigung auf einer neuen Basis der Zusammenarbeit an der Organisation Europas wieder in Angriff zu nehmen«. Nun also wollte Döblin dieses Ziel erneuern und suchte Verbündete; er wollte eine Gruppe zusammenstellen, *um mit ihr gegen die herrschende Indifferenz und gegen die gefährlichen Rückstände zu kämpfen.* Die Namen, die er erwog, sind nicht bekannt, aber höchstwahrscheinlich handelte es sich um Autoren des Herder Verlags und der Halbmonatsschrift »Die Gegenwart« um Benno Reifenberg, Bernhard Guttmann und Wilhelm Hausenstein. Von den Freiburger Germanisten kommen Friedrich Maurer, Walter Rehm und Erich Ruprecht als Gesprächspartner in Frage. Drei Tage lang hielt er sich im Januar 1946 in Freiburg auf, um Gespräche zu führen, doch blieb die Sondierung ergebnislos.

Eine zweite Runde versammelte er Mitte Mai noch einmal in Freiburg. Die strittige Frage war die Zensur. Döblin vertrat sie, und er hat auch die erste Fassung eines Vorworttextes von Reinhold Schneider zur Herder-Sammlung »Sieger in Fesseln. Christuszeugnisse aus Lagern und Gefängnissen« zurückgewiesen. Für einen im »Dritten Reich« mit Schreibverbot belegten Autor war der Vorgang schwer erträglich. Eine Gruppe von rund zehn Personen, unter ihnen Reinhold Schneider, Helene Henze und der Erzähler Oskar Wöhrle, war bei dieser zweiten Zusammenkunft anwesend, aber die französische Zensur, die Döblin qua Amt verkörperte, wollte keiner der Schriftsteller und Publizisten akzeptieren. Das Ergebnis war rundum negativ: *Sie wollten nicht zu einer Gruppe zusammentreten, – welche mit Franzosen kollaborierte. Sie fanden das Ganze beinah beleidigend. Dementsprechend äußerten sie sich zum Teil mit großer Heftigkeit.* Es fehlte ihnen die Bereitschaft, sich schon wieder organisieren zu lassen. Vielleicht redete man aus dem großen Erfahrungsabstand heraus, der sich gebildet hatte, notwendigerweise aneinander vorbei. Es gab zwischen innerer und äußerer Emigration in diesen ersten beiden Nachkriegsjahren keine gemeinsame Erlebnisbilanz, die Bilder und die Wünsche drifteten auseinander. Helene Henze bestätigt diese Vermutung: »Unsere Erfahrungen dieser Jahre, er konnte sie so wenig ermessen wie wir die seinen.« Döblin war in Freiburg unwillkürlich als Oberlehrer aufgefasst worden und hatte Befremden ausgelöst. Er wollte, wie er selbst schrieb, *ihnen ein Bild von der gesamten Lage am Kriegsende geben, von der Lage nach dem Fall des Regimes.* Er suchte in ihnen *Glut und Flamme zu entfachen.* Solche Bemühungen haben sie anscheinend nicht ertragen.

Ende Januar 1946 berichtete er Elisabeth Reichenbach und auch Ludwig Marcuse nach Los Angeles von den Nachkriegswirren und dem Notbehelf im Südwesten Deutschlands, in Freiburg: *1/3 der schönen Stadt, die ganze Innenstadt ist ein Klumpen, die Straßen schon (aber nicht alle) freigelegt, – Kirchen, Theater, Universität alles hin oder fast hin. Schauerlich toter Anblick; zwischen den Ruinen liegen oft Kränze, öfter auch Kränze mit Inschriften, – Menschen, die da verschüttet sind.*

Er fand den einen und anderen Kontakt in Baden-Baden, aber die Kleinstadt bedrückte den Metropolenbewohner. Aus den Gesprächen mit der Bevölkerung gewann er keinen günstigen Eindruck: *Ich sprach da viele Leute; man sieht und erkennt noch immer nichts oder sehr wenig, man schlägt sich mit alten Gedanken, und dem faulen Rückstand von gestern herum; nur trübe Ware von Autoren, denen man begegnet, Leute von vorvorgestern, bewußtlos; Flucht und Verdrängungsliteratur. Große Unsicherheit und Schreckhaftigkeit, glauben allen Gerüchten, je dummer, desto lieber, natürlich nur mit Gedanken, an wieder einen Krieg, andere Vorstellungen kennt das nicht.*

Auf die Nerven ging ihm auch der französische Behördenapparat, den er als freier Schriftsteller nicht gewöhnt war: *Lesen und Lesen von Manuskripten und Büchern für die literar. Censur, Durchsicht von Zeitungen, Korrespondenz, Besprechungen. Manchmal schenke ich mir abends das Abendessen und gehe vom Büro direkt auf mein Zimmer, um für mich zu sein und zu schreiben (mein Roman, der fortschreitet; er ist meine einzige Zuflucht; wenn ich ihn schreibe, komme ich wieder zu mir und atme auf.)* Erna saß in Paris mit dem Jüngsten unter bedrückenden Umständen und wollte nicht umziehen, untertags war sie einsam, sie wollte (Ende Januar 1946) *jetzt eine leichte Büroarbeit übernehmen*, hat den Vorsatz aber wohl nicht ernsthaft verfolgt. Sie schrieb selten, hatte auch nicht viel zu berichten. Das galt für ihn ebenso: *Man möchte gerne dies und nicht das, aber du bist in einem behördlich geschlossenen Rahmen, und da verlangsamt sich alles. Man muß das alles einmal von innen gesehen und erfahren haben; der Instanzenzug, l'échélon.* Man kann mit Händen greifen, wie er sich – schon Ende Januar 1946 – am falschen Platz und in widrigen Umständen fühlte. Plötzlich dachte er mit Freude und Sehnsucht an Hollywood, den Strand von Santa Monica, die Spaziergänge dort.

Döblin verharrte keineswegs in der Rolle des moralischen Pädagogen, die er aus dem Exil mitgebracht hatte. Er bemühte sich zu verstehen, was im Lande vorgegangen war. Er hatte Demut genug für diese Absichten. Er wollte, freilich war es ein vergebliches Bemühen, zum Beispiel etwas von Ricarda Huchs Material über den deutschen Widerstand gegen Hitler veröffentlichen, erhielt aber nichts. Die geplante Zeitschrift hatte mit dem Eindruck zu kämpfen, dass es sich um eine Publikation der französischen Besatzungsbehörden handelte.

Eine Bekannte aus den zwanziger Jahren, die Journalistin Marieluise Henniger, die nicht emigriert war, berichtete ihm von ihren Aversionen gegen die Nazis. Er antwortete milde: *Sie sind die erste Deutsche von denen, die hierblieben, die mit solchem Haß von den Nazis spricht (ich meine, die ich so sprechen höre); ich – bin beinah über den Haß hinaus.* So antwortete einer im Februar 1946, der manches Mal gnädig über Verstrickungen von Partnern, Mitarbeitern, Bekannten hinwegsah oder hinwegsehen musste, weil er sonst zu wenig deutsche Partner gefunden hätte, und der durchaus mit Milde ausgestattet war – jedenfalls gemessen an seinen eigenen Erlebnissen.

Im Februar 1946 nahm Döblin den Kontakt zu Fritz H. Landshoff in Holland wieder auf. Der Verleger war Ende 1945 aus den Vereinigten Staaten nach Amsterdam zurückgekehrt und wollte rasch die Produktion wiederaufleben lassen. Er brachte bis 1950 noch 41 Bücher heraus, doch keines von Döblin war dabei. Bermann-Fischer war im Februar/März 1946 zunächst die Einreise nach Deutschland verwehrt worden. Die Verständigung mit ihm über den Ozean (auch der Missverständnisse) hinweg blieb außerordentlich schwierig. Döblin hatte mit ihm den Plan, ausgewählte Werke der deutschen Exilliteratur für einen kurzen Zeitraum von zwei bis drei Jahren in lizensierten deutschen Verlagen zu publizieren, um auf diese Weise rasch einen Ausgleich des Nachholbedarfs zu erzielen. Die beiden scheiterten mit diesem gemeinsamen Vorhaben. Die Lizenzpolitik der dafür zuständigen »Direction de l'Information« war restriktiv und wollte Exilverleger in die französische Zone nicht einmal einreisen, geschweige denn produzieren lassen. Döblin wandte sich mit einem geharnischten Schreiben an den »Président de la Commission de l'Édition«, Maurice Sabatier, und forderte Bevorzugung der Exilautoren bei der Papierzuteilung. Selbstverständlich blieb sein Brief ergebnislos: auch die französischen Besatzungsbehörden konnten blind und taub sein.

Carlo Schmid, als »Staatsrat« annonciert, besuchte ihn Februar/März 1946 in Baden-Baden. Elisabeth Langgässer, vom Verleger Goverts empfohlen, schlug er eine Mitarbeit in seiner zukünftigen Zeitschrift vor. Er hatte ihr 1931 den Literaturpreis des Deutschen Staatsbürgerinnen-Verbandes übergeben. Sie lobte ihn gegenüber Dritten als christlichen Dichter, aber nur im eigenen antirationalistischen Verständnis. Sie schickte Prosa und Poesie, er hielt die Proben für ausgezeichnet – aber nichts davon fand sich später in der Zeitschrift. Hinter der freundlichen Fassade lauerte eine ganz und gar andere Geschichte. Elisabeth Langgässer hatte sich 1936, als sie Schreibverbot erhalten hatte, in einem persönlichen Brief an Reichskommissar Hans Hinkel gewandt und darin Döblin geschmäht. Sie hatte seinen Namen benutzt, um durch Abgrenzung ihre konforme Gesinnung zu bestätigen. Es war der Versuch einer Selbstrettung, denn sie war als »Halbjüdin« eingestuft und aus der Reichsschrifttumskammer geflogen. Sie konnte allerdings auch nach dem Krieg mit Döblin nicht viel anfangen. Emanuel bin Gorion, einem erklärten Döblin-Gegner, schrieb sie hämisch: »Döblin ist inzwischen ein dicker, weißhaariger seriöser Oberst der französischen Armee geworden – und nicht gerade sympathischer trotz seiner Bekehrung.« Den Döblin-Roman *Heimkehr der Fronttruppen* putzte sie geradezu als »Niete« herunter, hielt ihn für »gräßlich!«. Sie hat ihre Arbeiten für das »Goldene Tor« aus unbekannten, wohl auch nicht formulierten Gründen wieder zurückgezogen, oder Döblin ließ sie liegen. Im März 1946 überfiel ihn der Überdruss, der vermutlich umso heftiger wurde, je weniger er ihm aus materiellen Gründen nachgeben durfte: *Ich bin hier nichts und überhaupt, was habe ich am Ende meines Lebens erreicht? Wie werde ich gesehen? Da reden und schreiben sie wesentlich über Kafka und dann über Joyce, der ganz groß ist, – noch andre, – mein Name existiert nicht. Meine Art hat nichts bezwungen. Meine Bücher sind zu schwer, zu dick, zu voll, und zu verschlossen. Ich bin nicht einfach, nicht eindeutig genug. Wo meine »Zukunft« – Ich habe mich schon überlebt – ohne recht gemerkt zu haben, daß ich lebe. Ich erwarte nichts mehr. Ich bin ohne Hoffnung für mich. Wenn nur, wie ich dachte, der Glaube noch besser hielte. Es wird bei mir immer zu abstrakt, – dieser Gehirnglaube.* Als Mitarbeiter der französischen Kulturbehörde erfüllte er seine Amtspflichten gewissenhaft und loyal, und gleichzeitig sah er sie von außen als nichtig und gleichgültig an.

Gegenüber Wieland Herzfelde, der in seinem Aurora Verlag Döblins Auszüge aus *November 1918* unter dem Titel *Sieger und Besiegte* noch immer nicht herausgebracht hatte, schwelgte er im März jedoch geradezu prahlerisch mit seinen eigenen Möglichkeiten: *Es macht auch nichts; ich habe hier im Lande, welches ja vom Rhein bis zur Oder reicht, massenhaft Verlagsmöglichkeiten und -angebote. Also wies beliebt mit dem, was ich Ihnen gegeben habe, lieber Herzfelde.* Von den Emigrantenverlagen, also von Bermann-Fischer, Landshoff und Oprecht, erwartete er für sich nichts: *Die Stockholmer Verlage, ebenso die Schweizer, Amsterdamer haben für die nächste Zeit keine Chance; Parole ist: d'abord vivres, après livres. So gibts keinen Buchimport, aber viele Verlage hier, auch Rowohlt in Stuttgart und Hamburg, Inselverlag etc.*

Er fragte bei Mynona (alias Salomo Friedländer), in *Erinnerung an verflossene Zeiten (z.B. bei Walden, Else Lasker-Schüler etc) schönstens grüßend,* um Mitarbeit an. Erstaunlicherweise forderte er auch Friedrich Georg Jünger am 3. April 1946 dazu auf. War er schlecht informiert über ihn, oder wollte er zeigen, dass er zwar seinen Bruder Ernst Jünger befehdete, aber nicht die Jünger-Sippschaft damit meinte? Von Paul Wiegler in Ostberlin erbat er *Historisches z.B., – ich denke an Ihren »Wallenstein«, – oder Ähnliches.* Hermann Kesten hatte ihm eine Erzählung geschickt und einen Abschnitt aus einem Roman versprochen. Originalbeiträge waren das freilich nicht. Döblin war überwiegend enttäuscht über die Emigranten, für deren Brückenschlag ins Nachkriegsdeutschland er seine Zeitschrift vor allem konzipierte. Er klagte offen darüber, dass er so wenig von ihnen erhielt. Kesten hat ihn wohl besuchen wollen, aber einem Nichtfranzosen wurde das Visum für die französische Zone 1946 praktisch noch nicht erteilt. Nicht einmal die Korrespondenz wurde zuverlässig zugestellt. Seine Briefe musste Döblin nach Paris bringen lassen, und von dort aus wurden sie verschickt. Ihm schrieben die Kollegen ausschließlich an seine Amtsadresse. Wie schwierig und umständlich die Verhältnisse noch immer lagen, geht aus einer Mitteilung Döblins vom April 1946 hervor: *Man wird in der Tat bald an Privatpersonen in Deutschland vom Ausland aus schreiben können.*

Er berichtete in diesem Brief auch etwas genauer von Verlegern: Rowohlt hatte keine Konzession und betrieb die Geschäfte über seinen Sohn Heinrich-Maria Ledig. Der bekundete gegenüber Döblin am 9. Februar 1946 sein Interesse, doch diese Bemühungen zerschlugen sich. Döblin wollte anfangs mehr oder weniger nur in der eigenen, der französischen Zone agieren; er hielt die Beschränkung für einen notwendigen Akt der Solidarität mit den Besatzungsbehörden, wobei keines der bekannten Schriftstücke etwa einen entsprechenden Druck der Franzosen erkennen lässt. Immerhin hätte Rowohlt, damals in Stuttgart, diese Bedingungen erfüllt. Von Kiepenheuer hatte er nichts gehört. Landshoff hatte ihm geraten, mit der Veröffentlichung neuer Bücher zu warten, bis sich die Dinge geklärt hätten, aber er hatte weder damals noch in der Folgezeit eine Heimstatt für Döblins Werk anzubieten.

Peter Suhrkamp, der den S. Fischer Verlag getreulich durchs »Dritte Reich« gebracht und den die Gestapo noch ins Konzentrationslager gesperrt hatte, war von Hans Paeschke über die Lebensumstände Döblins in Baden-Baden unterrichtet worden. Suhrkamp schrieb dem langjährigen Autor des Hauses S. Fischer im Mai 1946 einen herzlichen Verlockungsbrief aus Berlin: Er äußerte »den intensiven Wunsch, Ihnen die Hand zu geben und mit Ihnen sprechen zu können«. Besonders freue ihn, dass die Freundschaft zu Brecht sich bei Döblin erhalten habe. Paeschke habe ihm von einer Lesung aus Döblins Arbeiten erzählt. »Würden Sie mir etwas davon zugänglich machen? Das würde mich sehr freuen. Wie Ihre verlegerische Situation ist, übersehe ich nicht, auf jeden Fall möchte ich Ihnen sagen, daß ich Ihnen mit dem Fischer Verlag selbstverständlich wieder voll und ganz zur Verfügung stehe. Es wäre schön, wenn Sie eines Tages bei mir hier hereintreten würden.« Eine Antwort auf diesen Vorschlag ist nicht bekannt. Suhrkamp hatte als erster im britischen Sektor Berlins eine Verlagslizenz erhalten. Döblin hat ihn geradezu sträflich verkannt und giftete noch zwei Jahre danach gegenüber Kesten, Suhrkamp sei *unverändert einer aus Worpswede und zwei Zentimeter vom Blu-Bo entfernt und ist damit richtig bei den Anglo-Saxonen.* Nicht auszudenken, welche verlegerische Kompetenz und welche Umsicht sich Döblins Werk im Nachkriegsdeutschland angenommen hätte, wenn er zu Suhrkamp gegangen und nicht seinen eigenen Vorurteilen aufgesessen wäre.

Er gab seine zukünftigen Bücher, beginnend mit *Der unsterbliche Mensch*, an einen Newcomer mit Namen Paul Keppler. Der gebürtige Schwabe hatte in Schlesien eine Druckerei besessen und war vor Kriegsende zuletzt Verleger einer Finanzzeitschrift gewesen. Er erhielt in der französischen Zone früh eine Verlagslizenz; ihn trieb der Ehrgeiz, ein literarisches Unternehmen zu begründen. Otto Flake hat sich gleichzeitig mit Keppler um eine Lizenz bemüht. Er erhielt sie auch, aber er hatte kein Geld, um einen Verlag aufzumachen. Stattdessen ging er zu Keppler, wie auch zeitweilig Döblin. Die Franzosen konnten den Verleger dreifach schurigeln: durch die Zensur, in der Döblin nur ein Handlanger war, durch die Verweigerung des Papiers und, wie Flake schrieb, »durch die Vordringlichkeit ihrer Arbeiten in den Druckereien«. Flake zog für sich bald den Schluss, den Döblin anscheinend, als Mitglied der französischen Behörde, nicht ziehen konnte oder wollte: seine Manuskripte auf die drei Westzonen zu verteilen. Döblins Werk ist nach dem Krieg vor allem am restaurativen Klima, an den unwilligen (oder unvorbereiteten) deutschen Lesern und an der Presse gescheitert, aber auch an der französischen Besatzungsbürokratie, und er hat es nicht durchschaut.

In Frankfurt gab Keppler nach einiger Zeit wieder »sein Finanzblatt« heraus, dann auch eine »Zeitschrift für die Papierindustrie«. Er wollte vom Ertrag des belletristischen Verlages unabhängig sein, aber er gewann zu diesem Zweig seiner Tätigkeiten zunehmend Distanz. Keppler kaufte nun in Frankfurt eine Druckerei und machte damit mehr Gewinn als mit den Büchern. Otto Flake in seinen Erinnerungen: »Vorerst hatte ich nur eines auszusetzen: dass Keppler den Verlag nicht ausbaute, keine neuen Autoren suchte und die Propaganda abstellte. Der Verlag sank langsam in die Klasse der Firmen ab, deren Name dem Publikum nichts mehr bedeutet, weil sie verstummen.« Ähnliche Einsichten in die Geschäftspraxis Kepplers sind von Döblin nicht bekannt.

Gegenüber Johannes R. Becher kam Döblin im April 1946 auf eine öffentliche Kontroverse zu sprechen, die seit Monaten in der Presse tobte: die große Auseinandersetzung, die Frank Thieß über Thomas Mann, die »innere Emigration« und die Rolle der Exilschriftsteller inszenierte. Sie war nach einem offenen Brief entstanden, in dem Walter von Molo Thomas Mann am 4. August 1945 zur Rückkehr nach Deutschland aufgefordert hatte. Frank Thieß mischte sich ein und veröffentlichte Mitte des Monats jene Infamien von den »Logen- und Parterreplätzen« des Exils, von den Emigranten als Zuschauern der »deutschen Tragödie« und von der unausgesprochenen Unterstellung, dass Thomas Mann, weil im Ausland lebend, nicht zu den deutschen Schriftstellern zu rechnen sei. Die Polemik von Thieß löste ein weitreichendes Presseecho aus, in dem die Konfrontation von Autoren der »inneren Emigration« und des Exils eher verhärtet als aufgelöst wurde. Sie hielt indirekt bis 1949 an und bezog sich später auf die Abkehr von Thomas Manns Büchern.

1946 nahm sich Döblin aus der Alternative heraus, behauptete, das Material nicht zu kennen. Er habe nur wenig in dem publizierten Briefwechsel und in den Kommentaren gelesen, *aber es dreht sich wohl noch um andere Dinge als um Material.* Es ging wieder gegen den von Döblin so empfundenen Alleinvertretungsanspruch Thomas Manns, der ihm aufstieß: *Ich selbst habe über Mann auch meine besondere Auffassung, vielleicht dieselbe wie Sie. Wir hatten in Amerika, in Californien uns genügend darüber geärgert, was für Reden er hielt und im Radio heraussagte und dabei quasi sich als Repräsentant des Exils hinstellte. Er und Emil Ludwig waren für uns sehr peinliche Nummern.* Gemeint waren die 58 Radioansprachen »Deutsche Hörer!«, die Thomas Mann von 1940 bis 1945 für die BBC gehalten hatte.

War es denkbar, dass der französische Kulturoffizier Döblin zu diesem Zeitpunkt die Grundzüge der Fehde nicht vollständig kannte? Verfügte sein Amt nicht wenigstens über einen Ausschnittdienst, kamen die Artikel nicht automatisch auf seinen Schreibtisch? Er forderte Becher auf, ihm die Unterlagen zu schicken, dann wollte er etwas zu dem Plan von Thieß sagen, eine Broschüre daraus zu machen. Es blieb erstaunlicherweise bei der Nichtbeteiligung Döblins an dieser so weitreichenden öffentlichen Debatte, in der nicht nur die Stellung Thomas Manns und die Frage seiner Rückkehr verhandelt wurde, sondern sich die Invektiven und das Unverständnis über die Emigranten häuften. Hat ihn nur der durchtrainierte Unwille, sich von Gruppen und Parteiungen vereinnahmen zu lassen, an einer Stellungnahme gehindert? Oder sogar allein seine Abneigung gegenüber Thomas Mann, obwohl er sich doch in den Angriffen des Nazikollaborateurs Frank Thieß inbegriffen wissen musste? Seine Feindschaft gegenüber Thomas Mann, eine verlässliche Größe, hatte ihn auch früher nicht daran gehindert, gelegentlich dessen Partei zu ergreifen. Die Broschüre über die Kontroverse erschien noch 1946 in einem Dortmunder Verlag. Eine eigenartig zögernde, abwartende Haltung spricht aus Döblins Verhalten. Gegen die Anforderungen des Tages verhielt er sich also wieder einmal eigensinnig zurückhaltend. Aber er suchte nach einer anderen, umgreifenden Antwort. Er wollte mit einer Darstellung der Exilliteratur in seiner Zeitschrift einen umfangreicheren Beitrag zur Debatte leisten. Gegenüber Hermann Kesten, bei dem er einen solchen Bericht bestellte, relativierte er die Aufgabe: *Sie kennen natürlich die Atmosphäre hier nicht und die literarische Politik, die man unter den jetzigen Umständen einschlagen muß, und was drüben und überhaupt innerhalb der Emigration gut und richtig ist, kann hier ganz falsch klingen oder Falsches als Reaktion bewirken.* Döblin hatte Thomas Mann im Dezember 1945 ausdrücklich noch zur Mitarbeit im »Goldenen Tor« eingeladen, und der war von der Anfrage so angetan, dass er sie in seinem Tagebuch vermerkte. Im Februar 1946 jedoch forderte er Hermann Kesten auf, möglichst wenig über Thomas Mann in seinem Bericht über die literarischen Emigranten zu schreiben. Doch der entzog sich dem Ende Juli erneuerten Auftrag; er wollte keinen Direktiven folgen und weigerte sich, diesen Bericht zu schreiben. Und auch niemand anderer wollte einen solchen Beitrag leisten. Kurt Pinthus scheiterte daran, und die umfangreiche Darstellung von F. C. Weiskopf erschien in der »Neuen Zeitung«.

Mit Yolla Niclas nahm Döblin Ende April 1946 den Briefverkehr wieder auf und berichtete ihr von seinem Tagesablauf. Baden-Baden hielt er unverblümt für *ein totes Nest, 23 000 Franzosen, 30 000 Deutsche; ich sitze in einer Miniaturstube.* Er erzählte auch von seinem *Hamlet*-Roman, an dem er noch saß: *Weil ich völlig kaputt nach der Büroarbeit bin, die ich ja überhaupt nicht gewöhnt bin und bei dieser Hatz, ich stehe um ¼ 7 auf und arbeite für mich bis ½ 9 oder 9; mein Roman, der nun schon zu ⅔ steht, aus der Zeit nach diesem Krieg, aber kein deutsches Milieu, England; ein torpedierter Rückkehrer torpediert langsam seine Familie, – eine besondere Technik der Darstellung, eine Rahmenerzählung –; schwer mit ein paar Worten zu beschreiben; er entdeckt langsam auf seine psychoanalytische Art das Geheimnis seiner Familie und verwandelt dabei seine Familie und sich, zerstört und heilt sie, stellt sie auf eine neue Basis; sehr spannend – jedenfalls beim Schreiben und Erfinden für mich. – Der Morgen erholt mich.* – Und er kam auch auf Erna zu sprechen. Sie saß in einem schäbigen Hotel Avenue d'Orléans, war ziemlich lange mit Stefan in einem Raum zusammengepfercht. Noch nannte er bürokratische Schwierigkeiten der Familienzusammenführung, aber die inneren, die er gegenüber Yolla Niclas verschwieg, waren gewichtiger. Später ließ er ihr regelmäßig die Zeitschrift »Das Goldene Tor« schicken.

Sein ältester Sohn Bodo meldete sich nach vielen Jahren wieder; er war lebend, wenn auch nicht wohlbehalten durch die Zeiten gekommen, war verheiratet und wieder in den Polizeidienst aufgenommen worden. Döblin nahm es mit Wohlwollen, dass sein Enkel »Thomas« hieß – der einzige Enkel, den er damals hatte: *Es ist ein Name, den ich sehr liebe, denn es gibt einen großen mittelalterlichen Philosophen, Thomas von Aquino, den ich in Amerika die ganzen Jahre las, Band nach Band.* Er wolle sich selbst demnächst fotografieren lassen, um dem Sohn ein Bild zu schicken. Von mehr war in diesem Brief, wahrscheinlich vom Mai 1946, nicht die Rede.

Herbert Döblin, ein Sohn von Döblins älterem Bruder Hugo, von Beruf Bühnenmaler, schrieb seinem Onkel Mitte 1946, dass mehrere Angehörige im Krieg abgeholt wurden und spurlos verschwunden seien. Die Mitteilung bezog sich auf den Döblin-Bruder Kurt und dessen Frau Hede, auf Käte Döblin, die Mutter seines Neffen Rudolf, und dessen Schwester Eva. Mitte August 1946 mahnte Alfred Döblin seinen Neffen Rudolf, er solle mit seinen Recherchen nach den Verschwundenen nicht nachlassen: *Es ist aber, scheint mir, noch nicht alle Hoffnung aufzugeben; es kommt auch sonst sehr schwer Nachricht aus der russischen und polnischen Zone. Habt Ihr das Red Cross mit Recherchen beauftragt? Tut es doch!* Also bis zu diesem Zeitpunkt war das Schicksal Kurts und der weiteren Angehörigen nicht klar. Die Parallele zu Döblins Sohn Wolfgang, das Drama des Nichtwissens, stellt sich unwillkürlich ein. Wann genau die Döblins von der Verschleppung ihrer Angehörigen ins KZ und ihrer Ermordung erfuhren, ist ungewiss.

Seine Frau Erna kam erstmals zu Besuch; sie fürchtete sich vor den neuen

Deutschen, war aber nach drei Wochen Aufenthalts doch angenehm überrascht, wie viele sympathische Menschen sie getroffen hatte. Sie war wegen der Enge seines Zimmers in einem Sanatorium untergebracht und fuhr bald nach Paris zurück, um nach Stefan (Étienne) zu sehen, der im amerikanischen Haus des Universitätscampus wohnte, aber auch um das Grab Wolfgangs in den Vogesen zu besuchen. Doch hielt es Erna Döblin in Deutschland nur mit großen Vorbehalten aus. Das Eheleben jedenfalls war weitgehend unterbrochen. Im Dezember 1946 hoffte er auf Rückkehr seiner Frau nach Baden-Baden. Und außerdem: *Viele ernste, ja sogar viele religiöse Gespräche.* Der Glaube wirkt wie ein letztes Band, das sie zusammenhielt. Erstmals am 21. Juni 1946 besuchte er selbst das Grab seines Sohnes Wolfgang in Housseras.

Er schilderte in diesen Tagen Elisabeth Reichenbach sein Grauen beim Anblick der Ruinenorte, des ausradierten Pforzheim und des zu 85 Prozent zerstörten Mainz, wo man gerade eine neue Universität aufbaute. Sehr genau registrierte er schon die sowjetische Kulturpolitik in der Ostzone. Er kommentierte bissig und lakonisch, dass es ehemalige Nazis dort *nicht schlecht (*haben)*, wenn sie mitmachen.* Er sah, wie Druck ausgeübt wurde: *In der russischen Zone, Berlin etwa, intensive Arbeit zur Gleichschaltung, jetzt Gleichschaltung nicht mit den Nazis, sondern nach links, die dreifache Lebensmittelkarte erleichtert schwankenden Gemütern die Wendung, so macht man Einheitsparteien gestern und heute.* Dasselbe galt für die Kollegen Schriftsteller seiner Meinung nach: *Wer nicht mitspielt, kann es tun, kann auch schreiben, aber das Papier und der Druck ist nicht seine Sache, so sitzt z.B. jetzt der Suhrkamp Verlag (ehemals Fischer) da.* Döblin spielte auf die Schwierigkeiten an, mit denen Suhrkamp in der Viersektorenstadt konfrontiert wurde und die ihn bewogen, nach Frankfurt zu ziehen.

Noch war erst ein halbes Jahr seit seiner Rückkehr vergangen, da überwogen schon die Bemerkungen über die Schwierigkeiten der Lage, die Ernüchterung über den Zustand der Gesellschaft und die Verbildung der Einzelnen. Die Skepsis kam wie eine Lawine über ihn: *Die Leute sind ja geistig 13 Jahre unterernährt worden und merken es jetzt kaum. Das Bildungsniveau ist grauenhaft gefallen. Die Professoren auf den Universitäten stellen fest, daß eine unvorstellbare Ahnungslosigkeit und Unbildung bei den Studenten herrscht; viele haben, obwohl sie das Abiturium absolviert haben, die Bildung eines Tertianers, kaum Sekundaners. Sie sind eben jahrelang mit ganz anderen Dingen (»Ertüchtigungen«) befaßt worden, zugleich wurde ihnen Nichtachtung spiritueller und intellektueller Dinge eingeprägt.*

Ein Problem, dem sich viele noch im Ausland lebende Kollegen Döblins stellen mussten, war das Malheur des Marktes in Deutschland: Obwohl die

Grenzen zwischen den Besatzungszonen auch im Westen manchmal bürokratisch gezogen wurden und zu wenig durchlässig erschienen, konnte man einen Artikel nur ausnahmsweise gleichzeitig in mehreren Zonen verkaufen. Das musste Döblin Gabriele Tergit klarmachen. Und außerdem wurde in nicht konvertierbarer Mark bezahlt, die gegenüber anderen Währungen einen unbedeutenden Wert hatte. Man musste also dieses Honorar in der jeweiligen Zone, in der es ausgestellt worden war, in Empfang nehmen und in Deutschland ausgeben. Das war auch auf der anderen Seite kompliziert: die Besuchsmöglichkeiten waren noch immer gering. Und es erforderte Überwindung des mentalen Hemmnisses, sich in Deutschland aufzuhalten. Nicht zuletzt von solchen Schwierigkeiten wurde die Planung für seine Zeitschrift behindert.

Robert Minder hatte ihn gewarnt, sich noch einmal auf das Experiment mit einer französischen Kulturbehörde einzulassen. Er hielt Schmittlein für arrogant und selbstverliebt, aber auch für eine Person vom Format eines Studienrats. Das war denn doch eine Verkennung: General Raymond Schmittlein leitete als »Inspecteur-Général« die Kulturbehörde in Baden-Baden; er war ein gebildeter Germanist, war vormals Professor im litauischen Kaunas gewesen, hatte das Amt eines Militärattachés in Moskau bekleidet, nach seinem Engagement in Deutschland wurde er Abgeordneter der Nationalversammlung und auch Minister.

Wohl im August 1946 zog auch Erna Döblin nach Baden-Baden. Sie hatte ihre Aversionen, deutschen Boden noch einmal zu betreten, zügeln können. In der Schwarzwaldstraße 6 fanden sie zwei Zimmer in einem Häuschen. Sie wohnten Parterre, und die Feuchtigkeit kroch an den Wänden hoch. Erna hielt Baden-Baden weniger für eine deutsche Stadt als eine französische Enklave und konnte deshalb ihre Emotionen ein wenig bremsen, allerdings nicht auf Dauer. Der Glaube war bei ihr tiefer und bedingungsloser verankert als bei ihrem Mann, und sie freute sich über ihre religiöse Festigung. Im Oktober 1946 war sie nach vier Monaten schon wieder in Paris; sie hatte es in Baden-Baden doch nicht ausgehalten, pendelte in der Folgezeit hin und her, ohne sich entscheiden zu können.

Über einen Mangel an Publikationsmöglichkeiten für seine Bücher konnte er sich 1946 nicht beklagen. Fast gleichzeitig erschienen im Herbst *Der unsterbliche Mensch* mit 8000 Exemplaren, drei Wochen später *Der Oberst und der Dichter* in einer Erstausgabe von 12000 Exemplaren und rasch danach einer zweiten mit 10000 sowie der *Wang-lun*. Den *Hamlet*-Roman hatte er gerade abgeschlossen und zum Abschreiben gegeben. Eine weitere Ausgabe von *Der unsterbliche Mensch* mit 2500 Exemplaren druckte der Borromäusverein, da die Papierzuteilung für den Verlag nicht so rasch vonstattenging wie erwünscht. Auch die Publikation des Vierbänders *November 1918* peilte er schon an. Döblin schwelgte in Zukunftsmöglichkeiten: *Man kann so viel Verleger haben, wie man wünscht. Sie zahlen auch normal, aber es ist leider noch nicht möglich, die Mark zu transferieren. Ich kann von meinem Geld nur einen Teil für meine Familie abgeben.* Abermals wandte er sich, geradezu dringlich, Ende November an Hermann Kesten. Er ging ihn um Beiträge an und monierte das Desinteresse der New Yorker Emigranten. Nach wie vor forderte er in seiner Zeitschrift einen Beitrag über die Exilliteratur selbst ein: *Ich vermisse unverändert das Interesse anderer Schriftsteller aus der Emigration. Ist man gar nicht interessiert wieder auf deutschem Boden in deutscher Sprache gehört zu werden? Aber gar nicht liegt mir etwa an dem langweiligen Hermann Broch. Sogar Zoten ersetzen noch nicht ein Talent. Feuchtwanger hat mir einen Vortrag über Schriftsteller im Exil geschickt, den ich bringen werde. Aber wichtiger als Betrachtungen sind Prosa und Lyrikstücke. Hier mangelt es enorm.* Das Vorhaben einer Zeitschrift bereitete enorme Schwierigkeiten. Er bat weiterhin einige Exilautoren der Ost- und Westküste um Texte, *die schon drüben irgendwie publiziert sind und verdienen reproduziert zu werden.* Was in den USA schon einmal veröffentlicht worden war, ging leichter durch die französische Prüfung, und Döblin konnte darauf verweisen, dass die Texte schon einmal honoriert waren, zumal die Reichsmark, die von der Redaktion bezahlt wurden, keinen Devisenwert hatten. Aber das Echo unter den Exilautoren in den USA blieb anhaltend schwach.

Komplikationen ergaben sich mit der Familie seines ältesten Sohnes Bodo. Der hatte ihn in Baden-Baden besucht, und Döblin hatte ihm Geld für dessen Frau Leni mitgegeben. Sie antwortete ihm in einem anscheinend bitterbösen Brief. Am 16. Dezember antwortete er ihr mit einigem diplomatischen Geschick zur Beschwichtigung, aber auch mit einer Selbstverständlichkeit, aus der die unterschiedlichen Lebensverläufe sichtbar wurden. Er kannte weder sie noch seine Enkel. Er lobte ihre Aufrichtigkeit, weil er daraus auf eine ehrliche und geradlinige Person schloss. Er habe ihr nur eine Freude machen wollen und sehe nichts Ehrenrühriges im Überreichen eines Geldscheins. *Sie haben einen tiefen Groll, der bis zum Abscheu geht, auf mich, und Sie waren empört, ja angriffswütig, als ich ein herzliches Empfinden zu Ihnen durch ein Geschenk, wie es diese Zeit erlaubt, ausdrücken wollte.* Sie halte ihn für einen *Schubjack, einen Strolch und anderes,* aber wenn sie ihm gegenübersäße, würde sie anders über ihn reden. Er selbst habe sich in der Vergangenheit gefreut, *als man mir Papier gab, gar nicht war ich gekränkt, wir leben in einer gestörten Zeit, man muß einander helfen und rechttun und erfreuen, wenn man es kann.* Er hatte ihr offensichtlich auch eines seiner Bücher geschickt, und das war wohl ein Anlass zur Besänftigung.

Im Dezember 1946 konnte Erna Döblin ihre Deutschen-Phobie für einige Zeit überwinden und fuhr ebenfalls für einige Zeit wieder nach Baden-Baden.

DER NÜRNBERGER LEHRPROZESS

Wenige Tage nach Döblins Ankunft in Deutschland, am 20. November 1945, hatte in Nürnberg der Prozess gegen die Hauptkriegsverbrecher vor dem Internationalen Militärtribunal begonnen. Es tagte bis zum 1. Oktober 1946 und hatte 24 Nazigrößen wegen Verschwörung gegen den Weltfrieden, Planung, Entfesselung und Durchführung eines Angriffskrieges, Verbrechen und Verstöße gegen das Kriegsrecht und gegen die Menschlichkeit angeklagt. An 218 Tagen wurde verhandelt, 240 Zeugen wurden gehört, mehr als 5000 Dokumente in den Prozess eingebracht. Die internationale Staatengemeinschaft wollte maßstäbliche Arbeit leisten, die Verbrechen wenigstens beispielhaft aufklären und die grundsätzlichen Rechtsbegriffe in ihrer überstaatlichen Gültigkeit bestätigen. In dieser Hinsicht war dieses Verfahren modellhaft angelegt – als ein Weltgericht.

Beim Prozess waren rund 350 Journalisten und Schriftsteller aus 20 Ländern anwesend. Sie bildeten im Schwurgerichtssaal 600 das Publikum: Die deutsche Öffentlichkeit war nur mit Ausnahmegenehmigung zugelassen, wohl aber fanden deutsche Autoren und Journalisten Einlass.

Döblin selbst war wohl niemals im Gerichtssaal, doch veröffentlichte er unter dem etwas parodistisch klingenden Pseudonym Hans Fiedeler über den Nürnberger Prozess eine 32-seitige Broschüre, die in einer Massenauflage von 200 000 Exemplaren in Baden-Baden gedruckt wurde und für 50 Pfennig zu kaufen war. Er hatte den Decknamen gewählt, weil er offensichtlich mit psychologischem Widerstand rechnete, wenn er als Emigrant unter seinem eigenen Namen Lehren aus dem Prozess gezogen hätte. Er wollte aus der Nähe zu den Menschen sprechen, *die das letzte Jahrzehnt in Deutschland verbracht haben.* Das Ziel des *Lehrprozesses* in Nürnberg sei es, *die persönliche Haftbarkeit und Verantwortung des Menschen für seine Taten* wieder geltend zu machen.

Er ging von dem ungeheuren Eindruck aus, dass führende Gestalten des »Dritten Reiches«, *jeder Name eine Totenglocke,* nunmehr als gewöhnliche Angeklagte vor Gericht saßen. Doch wollte er dieses Verfahren gegen die Rädelsführer nicht abtrennen von der Frage, wie die Bevölkerung am abge-

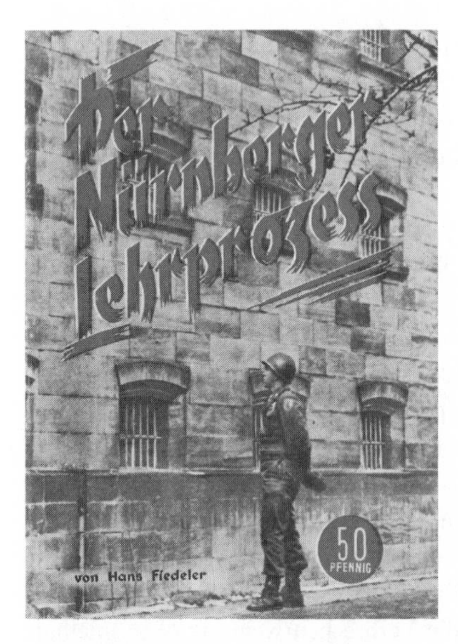

Titel der Broschüre
über den Nürnberger Prozess
1946

laufenen Geschehen beteiligt war. Der Prozess, so seine Überzeugung, bot die Chance für innere Umkehr. Ankläger seien nicht die alliierten Vertreter, sondern die Millionen Toten. Döblin erweiterte die juristische Bühne: Nichts Geringeres als *die Wiederherstellung der Menschheit* sah er in Verhandlung. Mit Geduld, geradezu gleichmütig nahm er die Vorbehalte auf, die gegen den Nürnberger Prozess in Umlauf waren, das Wort von der Siegerjustiz, von der Rache der Ausländer. Er legte einen langen Katalog von Fragen vor, wie überhaupt weniger die Aussagen als die Fragesätze die prägende rhetorische Figur dieses Traktats bilden. Moral und Vernunft, *eine unscheinbare, zivile und biedere Realität,* seien das Gegenspiel zur Tyrannei. Döblin wollte nicht argumentieren. Vor allem ging es ihm darum, den heroischen Ton von gestern zu zivilisieren, indem er schlichte, leicht zugängliche Wahrheiten aufführte. Er wollte eine Demobilisierung der großen Worte, eine Befriedung der Redeweise.

Die Schuldfrage wurde von ihm nur berührt, nicht gerade eindringlich gestellt. Seine Rolle war weniger die eines Anklägers als eines Dolmetschers der Vorgänge und der Ziele in diesem Verfahren. Mit dem Stuttgarter Schuldbekenntnis der evangelischen Kirche (vom 19. Oktober 1945), den erbitterten Diskussionen über eine Kollektivschuld, den Auseinandersetzungen, die Karl Jaspers (im November 1945) entfachte, hatte diese Schrift nichts zu tun; vom Pathos der großen Aussprache ist sie weit entfernt. Hier wird mit einfachen Vokabeln um Möglichkeiten zur Menschlichkeit geworben. Und auch praktiziert: Wenn man an die in Auschwitz ermordeten Angehörigen Döblins denkt, so ist diese Schrift der Ausdruck einer verzeihenden Seele, eines souveränen Geistes und einer geradezu patriotischen Zuwendung zu den geschlagenen Deutschen.

In dieser Broschüre spricht kein Oberlehrer, vielmehr ein Mann, der eingedenk ist der Demütigung, die der vollständige Zusammenbruch der politischen

Verhältnisse und des Wertesystems in Deutschland mit sich gebracht hatte. Es sind unerbittliche Fragen, aber sie wurden im vereinnahmenden Wir-Tonfall schonend vorgebracht. Später fand er Gründe genug, sich von diesen Bemühungen mit Erbitterung wieder zu distanzieren. *Hatten diese Hefte eine Wirkung? Mir scheint: kaum. Sie hatten vielleicht eine entgegengesetzte Wirkung und wurden darum so gekauft, nämlich wegen der Bilder, der Photos der Hauptakteure in diesem Prozeß.*

»DAS GOLDENE TOR«

Es kamen nach Kriegsende viele neue Zeitschriften auf, die traten 46/47 geradezu in Rotten und Horden auf, bemalt mit Illustrationen und ohne Illustrationen. Auch Döblin gab in diesem ersten Jahr nach dem Krieg seine Zeitschrift heraus: »Das Goldene Tor« verstand sich ursprünglich als Organ der verschollenen deutschen Literatur und sollte auch das klassische Erbe präsentieren. Obwohl das Publikationsorgan eine der Hauptaufgaben seiner amtlichen Tätigkeit war, musste der Herausgeber einen Antrag auf Druckgenehmigung stellen, gesondert von ihm auch der Redakteur und der Verleger. Die Manuskripte für das erste Heft schickte Döblin im Juni 1946 an den Verlag – das war nach langem Hin und Her der eigentliche Startschuss. Die Lizenz wurde am 16. Juli erteilt.

Er wollte die Zeitschrift nach dem Vorbild der »Neuen Rundschau« und der »Revue Nouvelle Observateur« machen, deshalb sprach er auch öfter von seiner »Revue«. Als Redakteur wurde – für ein Monatsgehalt von 600 Mark – Anton Betzner gewonnen; er war Döblin schon in den zwanziger Jahren als Autor des Romans »Antäus« aufgefallen. Bis zum Sommer 1949 hat er den Redaktionsdienst übernommen. Er war für Döblins arbeitsteilige Vorstellungen besonders von Nutzen, kannte er doch durch seine Mitarbeit bei der »Frankfurter Zeitung« Autoren, zu denen Döblin keinen Zugang hatte. Es ergab sich ein merkwürdiger Widerspruch seiner Zuordnung: Im Impressum der Zeitschrift wurde Betzner nicht geführt, aber bei den französischen Behörden galt er mit Döblin als »Rédacteur en Chef«. Nach seinem Weggang im Sommer 1949 wurde er Literaturredakteur des Süd-West-Funks, dann freier Mitarbeiter des Saarländischen Rundfunks. Für seinen ehemaligen Gönner Döblin konnte er dort einiges tun.

Er hatte anfangs, im April 1946, seine Briefe eigenhändig *(weil ohne Stenodactylo)* zu schreiben, dann erhielt er einen Sekretär: den Maschinenschlosser Kirst, der im November des Jahres von Friedrich Sonntag abgelöst

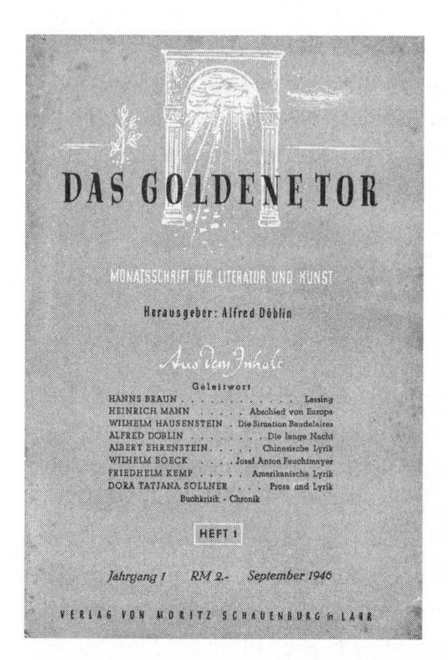

Das erste Heft
von »Das Goldene Tor«
September 1946

wurde. Er hat sich über den zeitlichen Aufwand der Redaktionsarbeit und über die Mühen mit den Besatzungsbehörden getäuscht. Auffällig war, wie sich die Fertigstellung des ersten Heftes verzögerte. Am 6. April 1946 hoffte er, es noch im Mai herausbringen zu können, aber er hatte zu diesem Zeitpunkt noch keinen festen Titel. Er erwog mehrere Möglichkeiten: »Dichtung und Wahrheit«, »Dichtung und Wirklichkeit«, »Die Neue Literatur«, »Die freie Literatur« und »Die freie Dichtung«. Noch einige andere kamen in Frage und wurden bedacht. Gegenüber Kesten meldete er Ende Juli, dass die erste Nummer nun vorliege und bald ausgeliefert werde. Schließlich gab es auch noch Schwierigkeiten bei der Papierzuteilung, der Erscheinungstermin verzögerte sich bis zum 1. Oktober. Dann erschien das Startheft der Zeitschrift, zurückdatiert auf September.

Bewegt war Döblin vom Erlebnis der Golden Gate Bridge in San Francisco und von der Gründung der UNO am 26. Juni 1945 durch 51 Nationen. *Das »Goldene Tor«, durch das Dichtung, Kunst und die freien Gedanken ziehen, zugleich Symbol für die menschliche Freiheit und die Solidarität der Völker,* hatte es ihm angetan. Die Zeitschrift sollte an eine von den Nazis unterbrochene Tradition wieder anknüpfen und verschüttete Potentiale wieder erwecken. *Wir werden in diesen Blättern alles tun, was wir vermögen, einmal um den Realitätssinn im Lande zu stärken, auch die Gewissen aufzurufen und Mut einzuflößen, und das andere Mal auf die eine große Realität, die uns als nächste Aufgabe zugefallen ist, hinzuweisen: für die menschliche Freiheit und die Solidarität der Völker zu kämpfen, eine beglückende Realität, zu der uns unsere Menschennatur verpflichtet.* Mit Lessing plante er einen neuen Aufklärungsfeldzug; schon Döblins Geleitwort nahm ihn als Patron in Anspruch, darauf folgte ein entsprechender Essay des Münchner Theaterkritikers Hanns Braun. Döblin sprach für sich, als er schrieb: *Er kämpfte für*

Humanität und für Wahrheit und kannte keinen Gotthold Ephraim Lessing außerhalb der Humanität und Wahrheit. Und mit dem Kämpfen und Ringen identifizierte er sich so, daß er einmal erklärte, er wolle die Wahrheit, wenn man sie ihm als Geschenk anböte, nicht einmal aus der Hand des himmlischen Gottes annehmen.

Heinrich Mann veröffentlichte im ersten Heft ein Stück aus seinen Memoiren, den ergreifenden »Abschied von Europa«, wenige Wochen nachdem Döblin 1940 aus Frankreich geflohen war, auf den gleichen Wegen. Wilhelm Hausenstein befasste sich mit Baudelaire, worauf einige Gedichte von ihm folgten, Albert Ehrenstein schrieb über chinesische Lyrik. Gedichtproben von Jeffers und Frost, übertragen von Friedhelm Kemp, bestätigten das besondere Interesse des Herausgebers an Lyrik. In einem Literaturbrief aus Argentinien porträtierte Alfredo Cahn die Nobelpreisträgerin Gabriela Mistral. Betont wurde die Internationalität: Skizzen aus Rom, ein Theaterbrief aus London. Die Zeitschrift verstand sich als Türöffner für die Welt. Döblin selbst steuerte den Anfang seines *Hamlet*-Romans bei, wahrscheinlich auch einen (ungezeichneten) Beitrag, die Odyssee einer Reise nach Mainz zur Eröffnung der Universität. Ein etwas entlegener kunsthistorischer Aufsatz und nur ein einziger essayistischer Ansatz, dem Scheitern der Weimarer Republik auf die Spur zu kommen, ergaben ein auch für später bezeichnendes Bild. Döblin wollte die Zeitschrift keineswegs mit Politik überfrachten und hat sich in ihr nicht zum Programm der Umerziehung geäußert.

Die ersten Hefte zeigen eine bezeichnende Titelillustration. Angedeutet ist ein antikisiertes Tor, durch das Sonnenstrahlen wie Schienen dringen; im Hintergrund helle Wolken, eine gerade Linie als Andeutung der Meeresbucht, dazu ein Lebensbaum. Eine optimistische Emblematik: Aufklärung als strahlendes Wetter, eine kaum merklich ironische Umschrift des Wortes in die meteorologische Bedeutung. Der französische Auftraggeber wurde im Heft nirgends erwähnt, die Zeitschrift sollte nicht als eine Publikation der Besatzungsmacht erscheinen.

Während Döblin die Zeitschrift »Das Goldene Tor« vorbereitete, traf er in Baden-Baden unvermittelt auf Manès Sperber. Acht Jahre waren vergangen, seitdem die beiden mit Arthur Koestler am Vorabend des Zweiten Weltkriegs in Döblins Pariser Wohnung ihren Diskussionszirkel unterhalten hatten. Sie begegneten einander als jeweilige Herausgeber einer von den französischen Besatzungsbehörden in Auftrag gegebenen Zeitschrift wieder. Sperber hatte sich im Winter 1939 bei der französischen Fremdenlegion gemeldet, war jedoch nicht in Kämpfe verwickelt worden. Nach seiner Demobilisierung hielt er sich in Südfrankreich auf. Im Herbst 1942, als er den Zugriff der Häscher und seine Deportation nach Auschwitz befürchten musste, floh er in die Schweiz. 1945 kehrte er nach Paris zurück und wurde im April 1946 mit der Herausgabe einer Zeitschrift namens »Umschau« beauftragt, von der bis 1948 13 Hefte erschienen sind. Die beiden Organe hatte vergleichbare Ziele: Den Gedanken der Völkerverständigung als Leitidee, die Aufgabe als Dolmetscher zwischen den französischen Besatzungsbehörden und der deutschen Bevölkerung, den Brückenbau zwischen Ost und West, teilten sie sich. Aber die beiden Herausgeber waren nun ganz und gar unterschiedlich disponiert. Sperber wollte nicht mehr in Deutschland leben, kam nur gelegentlich von Paris nach Baden-Baden oder nach Mainz herüber und war von der Residenzpflicht entbunden. Döblin hingegen hatte sich ganz auf das Rééducationsprogramm eingelassen, wohnte in Baden-Baden und später in Mainz; er betrieb seine Zeitschrift intensiver als Sperber, der allerdings auch weniger Freiheiten von seinen Vorgesetzten erhielt, dem man auf die Finger sah und der 1948 nach deren Kritik wegen Beliebigkeit der Texte die Publikation einstellen musste.

Wie haben wohl die beiden Autoren auf ihre jeweilige Tätigkeit in Deutschland geblickt? Die Archive geben nur Spärliches preis: Von Döblin ist über diese Begegnungen in Baden-Baden und in Mainz nichts bekannt, Sperber hat des Kollegen mit Achtung, aber auch mit Zurückhaltung in seiner Autobiographie »Bis man mir Scherben auf die Augen legt« (1977) gedacht.

ZENSOR

Selten passierte Döblin, dass er überschätzt wurde. Gewiss aber war es der Fall, als er den Besatzungsbehörden in einem Amt diente, das auch die Genehmigungsverfahren für Bücher betrieb. Mit anderen war er zuständig für die Vorzensur von Büchern (die es in der amerikanischen Zone nicht gab), aber sein Bereich war stark eingeschränkt. Mit Schul- und Lesebüchern hatte er nichts zu schaffen, Überschneidungen gab es bei Klassikerausgaben. Andererseits hatte er auch Fachbücher unterschiedlichster Art – von der Philosophie bis zur Medizin, von der Theologie bis zur Technik – zu beurteilen, darunter auch solche über Webarbeiten, Holzbehandlung, Architektur. In diesem Amt war er mit viel mehr – und mit viel lästigeren – Themen als nur mit Belletristik befasst: Sein öfter geäußerter Unmut über die zeitraubende, aufreibende und nutzlose Tätigkeit findet darin ihr Motiv.

Die Vorzensur für die Presse war einem anderen Amt zugeordnet. Er hat seine Aufgaben mit trockener Sachlichkeit in der *Schicksalsreise* beschrieben:

Ich war gar nicht, wie ich bald in Zeitungen las, in diesem Haus in »verantwortlicher« Stelle beschäftigt, oder als »Kulturberater«, wie andere schrieben. Ich hatte eine begrenzte Aufgabe, nämlich Werke der Belletristik, Lyrik, Epik und Dramatik zu lesen und meine Ansicht über ihren ästhetischen Wert, auch ihre Haltung, in größerer oder geringerer Ausführlichkeit, am besten kurz niederzulegen. Also ich war Lektor. Er gab Vororientierungen, oft als handschriftlichen Avis. Niemand musste sich an diese Urteilshilfen halten, sie hatten keine institutionelle Entscheidungskraft. Vom November 1945 bis Ende März 1948 hat er diese Tätigkeit ausgeübt und in dieser Zeit eine Masse an Manuskripten und Büchern gelesen. Seine Angaben darüber, wie viele es waren, schwanken erheblich: zwischen 30 und 60 sollen es pro Monat gewesen sein. Nicht in allen Fällen wird er Gutachten angefertigt haben, weil die Papierknappheit den Wünschen von Autoren und Verlegern an sich schon einen Riegel vorschob. *Gejätet wird, was den Militarismus und den Nazigeist fördern will.* Die Lektüre erlaubte ihm, wenn auch nur eingeschränkt, Rückschlüsse auf das geistige Klima des Landes: *Welche Hilflosigkeit trat vor einen. Wie viel Krampf und Verworrenes, und vor allem wie viel Verblasenes, das sich für »mystisch« hielt. Und dazwischen: wie viel Bemühungen von hundert einsamen Schreibern, die zum ersten Mal wieder schreiben konnten, ohne sich zu fürchten und die nun etwas herausschrien, meist Deklamationen und tief gefühlte Rhetorik.* Den Anträgen auf Druckgenehmigung mussten Personalangaben beigefügt werden. Döblin bekam sie zu sehen und hat sie bestimmt nicht immer ohne Ingrimm gelesen.

Bisher sind 443 seiner Gutachten im Colmarer Archiv der Militärbehörden ausgegraben worden, aber es müssen weit mehr gewesen sein. Döblin hat ungefähr ein Fünftel aller bekannten Avis verfasst. Bei negativen Gutachten wurden weitere Bewertungen eingeholt, vor allem unter politischen Gesichtspunkten, wobei gegebenenfalls auch Auflagenhöhe und Priorität vorgeschlagen wurden. Raymond Schmittlein beanspruchte die letzte persönliche Entscheidung, übte sie aber nicht oft aus, hat sich jedoch in einzelnen Fällen über zwei Gutachter hinweggesetzt. Döblin widmete sich auch den Intellektuellen, die Schmittlein wiederum als zu vernachlässigende Größe bei der Umerziehung ansah und für unbelehrbar hielt. Das wird die Geltung der Döblinschen Arbeit nicht gerade befördert haben. Seine französischen Vorgesetzten beachteten wohl am meisten die Einschätzung der Wirkung auf das deutsche Publikum, wenn er etwa über Maupassant komischerweise schrieb: *Man könnte sagen: Geschichten wie diese vermehren und stützen die deutsche Auffassung von der »französischen Frivolität«. Man wird aber erstens nicht massenhaft solche Lektüre haben, zweitens nicht Maupassant dem ge-*

bildeten Leser vorenthalten wollen. Sein Einzimmerbüro, bald im ehemaligen feudalen Kurhotel Stephanie, war auch noch von zwei »Gehilfen«, einem Redakteur und einem Sekretär, besetzt. Gerade durch diese Gespräche geriet er in eine ungute Position. Er galt als Vertrauensmann der Besatzungsbehörden und sollte ausgleichen. Damit war er sowohl seiner Stellung wie dem Kräfteverhältnis nach überfordert. Er wurde von Verlagen und Institutionen um Hilfe angegangen, aber ihm waren, auch wegen der militärischen Hierarchie, die Hände gebunden.

Von entschiedenen Eingriffen Döblins als Zensor ist nichts nachgewiesen. Nur zwei prominente Fälle sind überhaupt strittig. Neben der Aversion Döblins gegen Ernst Jünger ging es vor allem um Gottfried Benn. Döblin hatte allen Grund, ihm wegen seines Verhaltens in der Akademie und seiner Antwort an die literarischen Emigranten 1933 unversöhnlich entgegenzutreten. Aus der Logik seines moralischen Verdikts wäre jede Verhinderung Benns gerechtfertigt gewesen. Es hält sich die Behauptung, Döblin habe entsprechend gehandelt, allerdings fehlt es, von Gerüchten abgesehen, an jedem klaren Nachweis. Benn schäumte mehrfach brieflich über das Unrecht, das ihm vom Zensor Döblin widerfahre, doch hat sich bisher kein einziges Dokument für eine solche Praxis gefunden. Benn nahm es als cäsarisches Unrecht, dass er eine Schublade voller Manuskripte hatte, sie aber kurz nach dem Krieg nicht publizieren konnte. Unter den möglichen Verlegern zauderten die namhaftesten, auch wenn sie ihn gerne veröffentlicht hätten: Claassen, Rowohlt, Suhrkamp. Sie hatten Rücksicht zu nehmen auf andere Autoren, die keine Nazis gewesen waren. Weder in der amerikanischen noch in der französischen Zone stand er auf einer schwarzen Liste (die es in den Westzonen gar nicht gab), nur eine in der Sowjetzone wirksame Liste der auszusondernden Literatur verzeichnet zwei seiner Titel. Vor seiner beispiellosen Karriere in Adenauer-Deutschland hat Benn nach dem Krieg nur wenig und nur kurzzeitig Unbill erfahren.

Der Konstanzer Verleger Johannes Weyl erhielt für sein Zeitschriftenprojekt »Bucht der Stille« keine Genehmigung und meinte, die Ablehnung geschehe aus Feindschaft Döblins gegenüber Benn, der darin gedruckt werden sollte. Das Gutachten Döblins erwähnt jedoch Benn mit keinem Wort. Aber Weyl informierte Benn in seinem Sinne und setzte damit ein böses Gerücht in die Welt.

Schmittlein richtete sein Augenmerk vor allem auf die jungen Menschen und auf die Schule. Hier sah er die Adressaten seines Umerziehungsprogramms. In einem Brief an den Züricher Psychoanalytiker Gustav Bally zeichnete Döblin die Aufgabe der Umerziehung mit festen Strichen: Es galt, den Nationalismus, auch den der *ärgerlich kryptogamen Form* auszurotten durch lange Okkupation. *Spaß wird das den älteren Herrschaften und allem von gestern nicht machen; aber es kann ihnen nicht schaden, wenn nach Hitler mal was Besseres sie kräftig anfaßt.* Der Gutachter Döblin verhielt sich jedoch weitaus nachgiebiger. Er scheint toleranter als seine französischen Kollegen gewesen zu sein. Döblin wurde vor allem mit einer Masse an zweit- oder drittrangigen Texten konfrontiert. Er erkannte sehr früh, bereits Anfang Februar 1946: *Meine Arbeit hier ist belanglos. Ich sitze im Büro und leiste faktisch nichts (…). Aber was tu ich hier? Avis für Manuskripte geben, aber das ist doch nicht nötig,* und einen Monat später: *Eigentlich hat keiner den Posten nötig; und was soll das auch, die Verlage sollen doch drucken, was sie verkaufen wollen.*

Auch Döblins Zeitschrift stand unter Zensur. Aber er hat eine eigene Regelung finden können: die Aufsicht wurde bei der Lizensierung nicht der »Direction de l'Information« übertragen, sondern der »Direction de l'Éducation publique«, fiel somit in Döblins Rayon und wurde von ihm weitgehend selbst verantwortet. Er war also Herausgeber und formeller Zensor der Zeitschrift in Personalunion, wird sich aber, schon aus Gründen der Diplomatie, mit seinen Vorgesetzten abgestimmt haben.

Döblin sprach davon, dass er in seinem Amt *beim Jäten des Unkrauts* einen Gehilfen gehabt habe. Er meinte damit wahrscheinlich Anton Betzner, dessen Roman »Antäus« er in den zwanziger Jahren bei einem Wettbewerb der »Literarischen Welt« ausgezeichnet hatte. *Verleger und Autoren melden sich, wenn die Arbeit nicht rasch genug vonstatten geht.* Er fand die Arbeit unergiebig, zeitraubend und seinen eigenen literarischen Arbeiten nicht förderlich, aber er hielt die Tätigkeit seines Kollegen Louis Maréchal, der die Zeitungen und Zeitschriften zu kontrollieren hatte, für ungleich schwerer. *Er kam öfters zu mir, erschöpft nach stundenlangen Unterhaltungen mit Redakteuren, die nicht nachgeben wollten. Sie kämpften, sie suchten sich zu verbergen.* Die Volksbibliotheken, die noch viel völkische Literatur in ihren Regalen stehen hatten, ließ er unbehelligt: Döblin hatte keine die Lust, *in alle Ecken zu leuchten.* Zwischendurch kam er mit Büchern oder Manuskripten von Kollegen in Berührung. So äußerte er sich mit Erleichterung über Robert Neumanns »Tibbs« gegenüber dem Verfasser – *eine Freude und Erholung zwischen all dem Zeug, was einem hier durch die Hand läuft.* Er hoffte, das Buch demnächst auf Deutsch gedruckt zu sehen, was als Hinweis darauf zu verstehen war, dass es sein Amt passiert hatte. Als Zensor betrieb er – nach Robert Minder – eine hochironische Maßnahme: »Von seinen Zensurvorschlägen ist nur einer rigoros durchgeführt worden: das Druckverbot seines eigenen Romans *Wallenstein*, eines Glanzstücks des Expressionismus, dessen kriegerische Wildheit er als unzeitgemäß rügte. Den Schildbürgerstreich hat er später belacht und bereut.« Vielleicht hatte er auch eine Aversion gegen das Buch, weil es die Nazis als einziges von Döblin anfangs nicht verboten hatten.

Wilhelm Hausenstein wollte den Druck zweier seiner Bücher in der französischen Besatzungszone erreichen und schrieb deshalb an Döblin. Der war aber im August 1948 nicht mehr im Amt und wusste auch ansonsten Neuigkeiten mitzuteilen: *Inzwischen hat sich in den Zensurverhältnissen in der französischen Zone manches geändert. Vorzensur wird überhaupt nicht mehr ausgeübt mit Ausnahme an politischen, historischen und Schulbüchern.*

Also das Gros sämtlicher Werke und Manuskripte, die durch mein Büro liefen, fällt weg. Schwieriger verhielt es sich allerdings mit einem anderen Instrument der Literaturlenkung: mit der Papierknappheit. Die Zuständigkeit über die Kontingente fiel nicht in sein Ressort: *Es geht ja alles, lieber Herr Hausenstein, furchtbar langsam vorwärts. Jeder von uns hat darunter zu leiden, es ist jetzt ein dreifaches und vierfaches Elend, den Beruf eines Schriftstellers auszuüben.* Dies noch im August 1948. Der in Ost-Berlin lebende Paul Wiegler wollte die Druckerlaubnis für drei seiner Bücher. Döblin schrieb ihm, bevor die Prüfungsexemplare eingetroffen waren, schon eine wohlwollende Nachricht: *Sie können sicher sein, daß ich mein avis, so günstig ich nur kann, einrichten werde.*

Solche Gutachten dienten vor allem dem Ziel, die Buchproduktion durch die Klippen des Papiermangels zu steuern. Er stellte eine Liste von 34 verdrängten Autoren zusammen, fast ausnahmslos Exilschriftsteller, die bei der Papierzuteilung bevorzugt behandelt werden sollten. Dabei wurde keineswegs nur der eigene Geschmack geltend gemacht; es ging Döblin um ein nuanciertes Gesamtbild: *Ihre Werke könnten die heutige deutsche Rumpfliteratur komplettieren und ihr aus dem Kümmerzustand aufhelfen. In jedem Fall können sie aufklären, den Horizont erweitern und eine Reizwirkung haben.*

DER UNSTERBLICHE MENSCH

Döblin hatte seine Konversion in Hollywood verheimlicht, sogar noch zu Beginn seiner Tätigkeit in Baden-Baden wollte er nicht damit herausrücken, fürchtete Befremden bei seinen Vorgesetzten, aber seit Frühjahr 1946 (wohl seitdem er fest angestellt war) drängte er darauf, mit der Schrift *Der unsterbliche Mensch* sein Glaubensbekenntnis zu veröffentlichen. Er wollte mit diesem ersten seiner nach dem Krieg gedruckten Bücher ein öffentliches Zeichen setzen und nahm mit dieser Entschlossenheit auch keine Rücksicht auf sein eigenes früheres Werk.

Man kann nur spekulieren: Wäre es nicht angemessener gewesen, zunächst mit der (allerdings erst etwas später fertiggestellten) *Schicksalsreise* aufzuwarten, mit dem Bericht eines Odysseus, der den Glauben sucht, und nicht mit den schwer lesbaren Disputationen des Konvertiten? Zumindest wäre damit der Prozess, der ihn zum Glauben hinführte, offengelegt worden. Mit dem *Religionsgespräch* schoben sich jedoch die Signale eines offensiven, aber ambivalenten Katholizismus vor die Suchbewegung, die sein übriges Werk bestimmt und von der er selbst sagte: *So ist meine Schreiberei immer solche unbeendete Bemühung gewesen, ein Heranpirschen an Einsichten. Ich habe im Laufe der Jahre eine Anzahl von Büchern geschrieben. Kein Buch ist fertig.* In der Öffentlichkeit entstand der fatale Eindruck, der Aufklärer Döblin sei nun in ein anderes Lager gewechselt. Er selbst hat mit großem Recht den Gegensatz zwischen Ratio und Glauben relativiert und eingeebnet, aber diese Differenzierungen setzten sich kaum durch.

Das bereits im Oktober 1946 ausgelieferte Buch besteht aus Disputen, die zwischen einem »Jüngeren« und einem »Älteren« geführt werden. Die unterschiedlichen Positionen werden ergebnisoffen markiert, und es gibt keinen »Sieg« des Glaubens, nur eben vielleicht stärkere Gründe dafür und die sicherer gewordene Überzeugung, dass die Ratio ihm nicht im Wege steht.

Zu Anfang repetiert der Jüngere die Fassungslosigkeit, die frühere Bewunderer Döblins über seine Christlichkeit empfunden haben. Er betreibt die Provokation gegenüber dem gläubigen Älteren mit aller Raffinesse, setzt neben seiner Überzeugung ein Arsenal an Finten und Tricks, an Rhetorik und sarkastischer Ironie ein, um den anderen aus der Fassung zu bringen. Das Spiel mit verteilten Rollen wird nicht zum Schein aufgeführt. Die beiden schenken einander nichts, gehen dem anderen auf die Nerven, bringen ihn aus der Fassung, müssen sich, um die Anspannung auszuhalten, auch wieder für Pausen zurückziehen. Fraglich bleibt, ob die Feinheiten in diesem Glaubensdisput damals überhaupt wahrgenommen wurden. Beide bewegen sich um den gleichen Leuchtturm der Ratio herum: der Jüngere glaubt ausschließlich an sie, als wäre sie eine Religion, der Ältere will den Glauben mit Gründen verstehen. Ihm geht es um eine Erweiterung des Denkens, um eine Rayonvergrößerung, nicht um ein Dementi der Vernunft. Döblins naturmystische Auffassung, dass der Mensch mit allem, auch der anorganischen Natur, verbunden sei, wird vom Älteren umgewendet: Das Ich findet in sich keinen Grund und keine Herkunft, ein Anderes gibt das Leben, ist der Urgrund; man nennt ihn den Schöpfer. Sein Glaube will alles mitnehmen, was früher gegolten hatte:

Naturmystik, Rationalismus, das Wu-wei. Der christliche Geist zieht das alles an, vermag es aber nicht ganz auf die Religion auszurichten, der Mantel seines Glaubens ist nicht groß genug. Dieses Dilemma ist bei der Argumentation als Mangel spürbar. Der Jüngere hält ihn für *ruchlos und herausfordernd*, denn er unterschlage das Übel und das Unglück der menschlichen Existenz. Er hebt zu einer langen Anklage im ältesten Prozess, der denkbar ist: der Menschen gegen Gott. Es ist die Klage Hiobs, die hier verwandelt intoniert wird. Die jüdische Zentralfigur sitzt erratisch im katholischen Glaubenstext herum.

Einzelne eingestreute Monologe sind als halblaute Stimmen apart des Wechseldiskurses zu verstehen, summarische Inhaltsangaben dessen, was bei den einzelnen Sitzungen verhandelt wird, sind gleichsam vorangestellte Schautafeln und ermöglichen Übersicht über die Masse der Erörterungen. Brechts Verfremdungseffekt ist diesen Dialogen eigen, auch könnte man bisweilen meinen, es führten zwei spitzfindige jüdische Schriftgelehrte einen Disput vor Zuschauern.

Das Buch fand große Aufmerksamkeit, gerade weil erregte Ablehnung aus dem linken und dem rechten Lager kam. In der (Ost-)»Berliner Zeitung« wurde das Werk als Ausdruck überbeanspruchter und versagender Nerven abgetan, der theologische Gehalt der Schrift verspottet. Eine ganz und gar unchristliche Häme schlug dem Werk auch von katholischer Seite entgegen, und einige Funktionäre des Glaubens wurden aktiv. Ein Rektor Hans Böhner von der Kirchenzeitung für das Erzbistum Köln fragte beim Verlag an, ob Döblin für *Der unsterbliche Mensch* denn das kirchliche Imprimatur erhalten habe? Aus dem Verlag Karl Alber, einem Zweigunternehmen von Herder, wurde dem hochwürdigen Herrn eine knappe, aber salomonische Antwort zuteil: »Wir teilen dazu mit, daß der Verfasser nicht bemüht war, ein religionswissenschaftliches Buch, sondern ein autobiographisch orientierendes Religionsgespräch zu schreiben.«

Von den unvoreingenommenen Rezensenten ist Walter Dirks zu nennen; er entgegnete der Ablehnungsfronde auf beiden Seiten mit Witz. Wilhelm Hausenstein nahm sich des *Religionsgesprächs* mit gewinnender Sorgfalt an. Das tat dem Gescholtenen sichtlich wohl. Döblin schilderte ihm seine Absichten in Worten der Demut und der inneren Bescheidenheit gegenüber dem großen Gedanken- und Glaubenskomplex. Er habe in seinem Buch nichts Neues verkündet, er habe den Stoff nur auf seine Weise vor sich stellen und repetieren wollen, *ich will gerne Colporteur heißen.* Gegenüber dem Kollegen Hermann Kasack, der wohl vorsichtig Vorbehalte geltend gemacht hatte, charakterisierte er sich gar mit Schnoddrigkeit als *wirklich nur ein Kellner, der die vorbereiteten Speisen serviert.* Paul Lüth hat gemeint, er habe sich nun bestimmt.

Aber trifft das auf Dauer zu? Er war gewiss religiös, aber nur mit erheblichem Stoffverbrauch: die Lehre des Tao, Buddhismus, Versenkung in die Natur, ein gewisser Mystizismus des aufgeklärten Naturwissenschaftlers, der noch in der anorganischen Natur Leben annahm, die Forderung nach jüdischer Spiritualität – alles Vorläufigkeiten auf dem Weg zur festen christlichen Form? So hat Lüth den Vorgang verstanden. Aber gerade an dieser Endgültigkeit kann man zweifeln. Nur die Religiosität ist die feste Form, doch die Glaubensbilder konnten wechseln.

Hinter den Kulissen gab es um fast jeden Text Auseinandersetzungen. Döblin wollte beispielsweise zwei Erzählungen mit *Der Oberst und der Dichter* zusammenfügen und schickte die Manuskripte voller Ungeduld an den Alber Verlag, offensichtlich sofort, nachdem ihm Herder wegen des *Unsterblichen Menschen* eine positive Antwort gegeben hatte. Doch am 6. März 1946 kam ein harsches Urteil, das etwas vom Geist der Zeit verrät, in dem Kritik nicht erwünscht war. Vorgeworfen wurde Döblin die »Zerstörung auch der letzten Illusionsmöglichkeiten über das schon längst zersetzte Menschenbild der Zeit«, in Tateinheit mit einer »ausgesprochenen radikalen Entwertung und Verneinung des Heldenideals«; zusammen ergab das »so entschiedene und entschieden negative anthropologische Aussagen, dass man es nicht bei ihnen belassen kann«. Döblin war entrüstet, verlangte die sofortige Rückgabe der Manuskripte, aber man stellte bei Karl Alber denn doch die anthropologischen Vorbehalte zurück und fand zu einem Kompromiss: *Der Oberst und der Dichter* erschien in einer Einzelausgabe Anfang Dezember. Zu diesem Zeitpunkt war die Erstausgabe von *Der unsterbliche Mensch* mit 8000 Exemplaren schon vergriffen. Döblin schlug eine Auflage im Rotationsdruck vor, aber der Karl Alber Verlag wies auf die Rentabilitätsgrenze von 50 000 Exemplaren und auf die 21 Tonnen Papier hin, die dazu erforderlich seien. Es wurde nichts daraus.

Von anderer, sehr vertrauter Seite kam wieder Befremden auf. Arthur Rosin hatte anscheinend seine Distanz zu *Der unsterbliche Mensch* geäußert. Elvira Rosin, die es selten unterließ, einem Brief ihres Mannes etwas hinzuzufügen, hatte gar geschwiegen, was Döblin sehr wohl aufnahm und als Missfallen deutete. Aber seine Antwort, ebenso stolz wie aufrichtig, verteidigt die neu gewonnene Position. Das *Religionsgespräch* habe er den Rosins gar nicht schicken wollen, um sie nicht zu ärgern, zumal ihn Frau Rosin schon einmal als »Verräter« gescholten hatte. Er aber verrate nichts, *ich ziehe Consequenzen und spreche wie immer offen und ehrlich meine Meinung aus; keinen Vorteil habe ich davon, Sie können es mir glauben.*

Robert Minder bemerkte eine »ungewohnte menschliche Wärme« in seinen religiösen Schriften, allerdings auch eine nur geringe theologische Substanz, sie seien aber »wichtig als innere Dokumente«.

Im Gefolge seiner Konversion, erst recht, als ihre literarischen Zeugnisse veröffentlicht wurden, entstand eine Art Schisma bei seinem Publikum – zwischen den Atheisten, zu denen sich Döblin selbst gerechnet hatte, und den konfessionell gebundenen Gläubigen, zu denen er sich seit seiner Taufe in Hollywood schlug. Der Zwiespalt, im Buch thematisiert und ausgehalten, blieb auch in der Wirklichkeit und wurde durch nichts begütigt. Hier wurzelt *eine* der Ursachen für die Missachtung des späten Döblin, der doch noch immer der Aufklärer, Spötter und Rationalist war, wenn auch unter veränderten Vorzeichen. Hinter diesem Konflikt wird eine zweite Front sichtbar: der Streit über die Reichweite, die Konditionen und die Grenzen der Aufklärung und den sie prägenden Begriff von Vernunft. Die Religionsbegründung ist mit Vernunftkritik unterlegt. Das geistige Leben sei zu *faul und stickig* geworden, deshalb hätte sich der Nationalsozialismus ausbreiten können. Der kritische Rationalist bleibt eine unversehrte Größe in diesem Buch, nur betont er die unzulängliche Reichweite und Wirkung der Aufklärung.

Döblin selbst hat sehr wohl geargwöhnt, dass ihn die Konfession seines neu erworbenen Glaubens in ein Dilemma bringen werde, dass sie ihm wenig und nicht gerade anspruchsvolle Gesinnungsgefährten zutreiben, andererseits ihn in die Rolle des Abtrünnigen bringen werde.

DIE FAHRT INS BLAUE

1920, als sein Doktorvater Hoche gemeinsam mit einem irregeleiteten Juristen eine Streitschrift für die Tötung sogenannten »lebensunwerten Lebens« veröffentlicht hat, schwieg Döblin zu diesem mörderischen Gedankenspiel über einen »gesunden Volkskörper«, und auch die systematischen Tötungsaktionen der Euthanasie im Nationalsozialismus blieben von ihm unkommentiert. Er schien sich durch diese Pervertierung der ärztlichen Aufgaben nicht herausgefordert zu fühlen. Im Mai 1946 aber erschien in der »Badischen Zeitung« sein Text *Fahrt ins Blaue*, eine gedrängte Darstellung des grausigen Geschehens. Ein Arzt, den Döblin noch aus seiner Berliner Kliniktätigkeit kannte, hatte ihm von den Einzelheiten der Aktionen berichtet, von ihrem Ablauf in den vier großen Berliner Irrenanstalten, vom Behördenreglement, der Ratlosigkeit der Ärzte und Pfleger und besonders eindrucksvoll davon, wie die Mordnachrichten zurückliefen in die Klinik. Der Arzt habe selber einen geisteskranken Sohn gehabt und ihn vor dem Zugriff der Nazis versteckt.

Die organisatorische Vorbereitung verlief damals streng geheim: Unter dem Decknamen »Aktion T4« wurde in der Berliner Tiergartenstraße 4 eine zentrale Behörde mit mehreren 100 Mitarbeitern eingerichtet. In die entsprechenden Krankenhäuser wurden Fragebögen über die Patienten geschickt und dann von NS-Ärzten ausgewertet. Ein entsprechendes Kreuz links unten bedeutete den sicheren Tod, meistens mit Kohlenmonoxyd. Entweder wurden die Opfer unter dem Vorwand der Verlegung gleich zur Ermordung abgeholt, oder man schickte sie zur Verschleierung erst noch durch andere Anstalten, um sie dann umzubringen. Rund 100 000 Patienten der Psychiatrie wurden ermordet.

Döblin monierte, es habe Monate gedauert, bis sich die »Badische Zeitung« zum Abdruck seines Artikels entschloss. Er habe von den Aktionen im Großen und Ganzen schon gewusst, aber der Kollege habe ihn mit bisher unbekannten Einzelheiten versehen, die er nun berichtete. Vermutlich war Döblin mit den Recherchen vertraut, die von der französischen Besatzungsmacht nach dem Krieg durchgeführt wurden. Noch einmal erinnert der Autor an die Beobachtungskraft des Irrenarztes Döblin: *Sehn Sie die Frau, die man aus der Tür auf das Trottoir schiebt. Sie hält den Kopf schief und macht einen spitzen Mund, einen zerdrückten uralten Hut trägt sie auf den grauen wirren Haaren. Die Positur, die sie sofort eingenommen hat, einen Arm fest am Leib, den anderen horizontal gekrümmt vor sich in Augenhöhe, gefällt ihr. Man muß sie Schritt für Schritt vorwärtsschieben, die Stufen zum Auto heraufheben.*

Da geht an der Hand einer Pflegerin ein junges Wesen, geht Schritt um Schritt mit ihr, bleibt stehen mit ihr. Sie hat ein volles gelbliches Gesicht, den Kopf hat sie zwischen den Schultern eingezogen. Sie ist kräftig, blickt keinen an.

Man hat die aufgesammelt, welche seit Jahren durch die Korridore der Häuser gehen oder auf dem Boden sitzen und da vor sich stieren und die manchmal singen, manchmal grell schreien, weinen, greinen – und manchmal im Zorn die Scheiben zerschlagen. So ist das Menschengesicht entstellt – und noch immer ein Menschengesicht. Wir fassen uns an die Brust. So könnte Erna Döblins taubstumme Schwester gegangen sein, als sie aus Berlin-Buch zu ihrer Ermordung abgeholt wurde. Mit dieser unterkühlten Sachlichkeitsstimme erzählte Döblin immer, wenn es um die abgründigsten Geschehnisse ging. Aber welche physiognomische Behutsamkeit steckt in diesen wenigen Zeilen. Vom Ziel der Reise, der Gaskammer, drängte er den Text in äußerster Lakonik zusammen: *Die »Duschen« rauschen.* Mehr als 1000 Patienten aus Emmendingen bei Freiburg wurden »abgeholt« und vom »Gnadentod« ereilt. Die nationalsozialistischen Behörden betrieben diese Massentötungen »im Rahmen planwirtschaftlicher Maßnahmen«. In dieser Verkleinerung des Tonfalls, in dieser Ausklammerung jeder Art von Opferpathos, in der geradezu hingemurmelten Miniatur entsteht Döblins innige Anteilnahme.

IN UNIFORM

Ein leidiges Kapitel aus diesen frühen Nachkriegsjahren: Döblin in Uniform. Viele Zeitgenossen waren befremdet, dass er bei passenden, noch mehr bei unpassenden Gelegenheiten in der Kluft eines französischen Obersts auftrat. Die Verkleidung des Pazifisten im Gewand des militärischen Siegers führte zu Getuschel, Befremdung, Unverständnis. Auch andere deutsche Emigranten sind in der Uniform der Amerikaner zurückgekehrt, aber niemand von ihnen, seien es zum Beispiel die Journalisten Hans Habe oder Hans Wallenberg oder andere deutschjüdische Rückkehrer, die als »Ritchie-Boys« die Reeducation im Auftrag Eisenhowers betrieben, stieß deswegen auf Ablehnung. Bei Döblin in der französischen Zone war es anders. Irmgard Keun nahm den Anblick als Einzige witzig: ihr kam er wie ein »Spielzeug-Soldat« vor und »auf eine verjüngende und verschmitzte Art gealtert«.

Richard Thieberger, der in Frankreich im Untergrund gelebt hatte und nun ebenfalls bei den französischen Behörden in Deutschland tätig war: »Ich bin nur dem Uniformträger Döblin begegnet. Einen andern Döblin gab es ja zu dieser Zeit nicht.« Günther Weisenborn kam er bei einer Berliner Veranstaltung im Juli 1947 »als fremder Gast« vor, denn »der Mann, der dort an der Tür erschien, hatte das Gesicht Döblins, aber es war ein französischer Major in Uniform. Die Hände sanken verblüfft herab. Nur die allgemeine Höflichkeit, die einem Gast zustand, breitete sich aus (...) und niemand sprach die Worte, die den Berliner Schriftsteller begrüßen sollten.« Als der ehemalige Emigrant in französischer Uniform hat er manche Unbill erfahren, oder man hat hinter ihm entrüstet getuschelt. Verwundetes Nationalgefühl richtete sich gegen ihn, eine beschädigte Empfindung, auch bei denen, die unter Hitler gelitten hatten oder verfolgt worden waren. Er hat die Uniform des Landes, das ihm 1936 nicht nur das Aufenthaltsrecht, sondern auch die Staatsbürgerschaft gewährte und bei Kriegsanfang ein Amt anbot, mit Stolz getragen. Vor der Berliner Veranstaltung bemühte sich der französische Kontrolloffizier vergeblich, ihn zu Zivilkleidung zu bewegen. Die Uniform war für ihn keine Verkleidung, um Abstand von seinen deutschen Landsleuten zu gewinnen. Im Gegenteil: Er war gekommen, um Hilfe zu leisten, und diese Aufgabe nahm er über die Maßen ernst, bis an den Rand der persönlichen Erschöpfung.

Einerseits der Fetisch der Uniform und andererseits seine tiefe Anteil-

In Uniform.
Der Kulturoberst
Wohl 1946

nahme am geschlagenen ruinierten Deutschland, nirgendwo emphatischer als bei seinem ersten Berlinbesuch 1947 geäußert. Die Ost-Berliner Wochenzeitung »Sonntag« hat sich über ihn, »französischer Major und Kulturoffizier in Baden-Baden«, in einem Gedenkartikel zur Bücherverbrennung mokiert. Döblin antwortete geduldig und nur wenig ironisch im gleichen Monat Mai 1948. Er sei niemals Major gewesen, er habe das Amt als Chargé de mission eingenommen, das sei keine militärische Aufgabe, *man ist nur assimilé, gleichgestellt dem Range der entsprechenden militärischen Kategorie.* Er kenne die Witze über den Oberst und den Dichter; er wusste darum, wie seine gleichnamige Erzählung zur biographischen Paraphrase benutzt wurde.

Mit militärischen Vorstellungen hatte seine Uniform am wenigsten zu tun.

Otto Flake schildert in seinen Memoiren die inneren Schwierigkeiten des Emigranten-Ehepaars: »Döblin war in einer tragischen Lage; er dachte deutsch und mußte die Worte mühsam ins Französische übersetzen; er stand seinen Kollegen in der Uniform des Okkupanten gegenüber, das Konvertitentum befremdete wohl die meisten seiner Leser, und die Frau, die nach einiger Zeit eintraf, haßte die Deutschen weit mehr als er. Sie hatte einen ihrer Söhne, die französische Soldaten geworden waren, im Krieg verloren und erklärte, daß sie nie wieder deutschen Boden betreten werde, das besetzte Baden-Baden galt ihr als französisch.«

Ein wichtiges psychologisches Motiv, die französische Uniform auch bei falschen Anlässen zu tragen, bestand für Döblin im Verlust des Sohnes Wolfgang. Dessen Tod hat er zwar nicht verheimlicht, aber die Umstände hielt er gegenüber Dritten zurück: Er bestand darauf, dass Wolfgang als Soldat gefallen sei. Ihm gegenüber fühlte er sich in tiefer, wohl unveränderlicher Schuld. Er hatte ihm gegenüber zeitlebens die kalte Schulter gezeigt, und nachträglich erwies sich die Wehrfähigkeit der beiden Söhne Klaus und Wolfgang, die den

Eltern zur französischen Staatsbürgerschaft mit verholfen hatte, wie ein Opfer, das der Sohn für das Überleben der Eltern gebracht hatte. Es spielt keine Rolle, ob solche Überlegungen eine objektive Berechtigung hatten, sie reichten mit ihrer Pein aus, um den Vater an den Soldatensohn zu binden. Man darf in dieser versteckten seelischen Kalamität den Grund für die hartnäckige Weigerung Alfred Döblins sehen, sich bei gegebenem zivilem Anlass der Uniform zu entledigen.

HAMLET

Das Schmerzensbuch seiner späten Jahre und ein Meisterwerk zugleich ist der *Hamlet*. Für diesen letzten in der Reihe seiner grandiosen Romane gilt im besonderen, was Walter Muschg über die Kunst des Erzählers Döblin im allgemeinen geschrieben hat: »Über allem Glanz der einzelnen Werke, über alle Schwächen und Niederlagen hinaus bedeutet sein Name eine innere Bewegung, einen sprengenden Willen, die Kunst wieder in den Dienst des Menschen zu stellen. Mit seiner beispiellosen Phantasie und seiner elementaren Sprachgewalt, mit der blitzenden Schärfe seines Geistes und seiner ins Mediale grenzenden Kraft der Intuition ist dieser Dichterarzt ein Maßstab für den Rang moderner Epik, mit seinem Schicksal als Autor ein Prüfstein dafür, ob der Fluch der Vergangenheit überwunden werden kann.« Dieser Roman wuchs von zwei Polen her zusammen: von seinem autobiographischen Spannungsfeld und von der mythologischen Polyvalenz seiner Geschichten. Die Erschütterung seiner Existenz und der abendländische Bildvorrat der aus der Zeitferne berufenen Figuren bedingen ihn.

Im monologischen Dasein am Ende seiner kalifornischen Jahre waren ihm wieder Geschichten zugeflogen, er gab sich dem freien Fabulieren hin. Im *Epilog* beschrieb er die Versammlung einzelner Geschichten zu einem Roman: *Ich hatte aber außer diesen kleinen Erzählungen noch andere skizziert. Ich kam darauf, sie zusammenzufassen und auszuführen. Man müßte sie, dachte ich, formal für jemanden erzählen, wie in »1001 Nacht«. Also wie und für wen? Wie ich fragte, schrieb ich schon und bereitete schon den Menschen vor, an den die Geschichten sich richten sollten. Er lag krank, war verwirrt, zerrissen – es war Edward, der vom Kriege heimkehrend sich nicht mehr in sich zurechtfindet. Er wird ein »Hamlet«, der seine Umgebung befragt. Er will nicht richten, er will etwas Ernstes und Dringliches: er will erkennen, was ihn und alle krank und schlecht gemacht hat.* Am Anfang also lose Geschichtenfäden, die durch Edward gebündelt werden.

Er fand in Baden-Baden wenig Zeit, um an diesem Roman zu arbeiten: meist morgens vor dem Dienst, zwischen 6 und 8 Uhr. Anfang Dezember 1945 vertraute Döblin einem sporadisch geführten Tagebuch an: *Immer der Gedanke an das schreckliche Unglück unseres Wolfgang. Es ist unfaßbar. Ich bete 3 x am Tage für ihn. Wie damit fertig werden. – Mein neues Buch wird ihm gewidmet werden, – natürlich, – ich rühre an seine (und meine) Geschichte.* Mitte Dezember 1945: *Habe schon lange nicht an meinem Roman geschrieben, – der arme arme Wolferl schwebt mir vor; ich war früher so hart gegen ihn; ich höre noch, wie er einmal als Kind sagte: »Papa haßt mich furchtbar.« Um so mehr war er mit Erna verbunden. Der Gedanke tut mir wohl.* Ein Wunder, dass bei dieser Zerstückelung der Arbeitszeit ein so geschlossenes Werk herauskam.

Heinrich Mann meldete er Mitte Oktober 1946 den Abschluss des Manuskripts. Aber er wusste nicht, wann er es veröffentlichen wollte, und legte das Konvolut zunächst weg. Er wollte die Leser nicht auf einen Schlag mit vielen unbekannten und neuen Büchern verwirren.

Sein letzter Roman ist – vom Stoff aus gesehen – sein persönlichster. Er sollte tiefe Wunden schließen. Döblin entfaltete noch einmal alle Magie seines Erzählens, seinen alten Zauber des Geschichtenerfinders. Im Krieg an Leib und Seele verwundet, kehrt ein Soldat in sein Elternhaus zurück. Was daraus entsteht, wenn er, von keinen Rücksichten mehr gebremst, forschende Augen auf seine Eltern richtet, macht dieses späte Werk aus. Die Sehnsuchtsphantasie vom heimkehrenden Sohn Wolfgang bildet die geheime Spur dieses Buches. Dem Toten sollte der Roman gewidmet sein.

Das Drama des verlorenen Sohnes ist mit dem Eröffnungszug des Erzählers abgebogen. Edward Allison kehrt im Roman im Gegensatz zu Wolfgang in der Wirklichkeit – als Invalide heim, aber er ist körperlich anwesend. Eine Prüfungsfrage wird gestellt: *Der Tod hat es leicht auf der Welt. Er findet Werkzeuge und Eingangspforten. Aber was tut der, der dem Leben zu Hilfe kommen will?*

Das Buch besteht aus aufgestellten Spiegeln. Es trägt eine geheime Schuld ab, und sie kam, da sie keine faktische war, sondern eine der dunklen Empfindung, vermischt und gesteigert einher. Die Schuld, die von ihm im amerikanischen Exil Besitz ergriffen hatte: Klaus in Südfrankreich, Bodo ungewiss in Deutschland, Wolfgang im Totenreich. Man hatte französischer Staatsbürger werden dürfen, weil die Söhne im waffenfähigen Alter waren, und es mochte ihm erscheinen, als habe er seinen Sohn geopfert, wie es einst Isaak mit dem seinen vorhatte. Gerade der Freitod Wolfgangs beschwerte ihn mit der Vorstellung, der Sohn habe sich wegen der väterlichen Lieblosigkeit umgebracht.

Diese Lesart des Unglücks hatte sich in Alfred Döblin eingefressen; unklar ist der Anteil, den seine Frau dabei hatte. Die in der amerikanischen Isolation wieder aufgebrochenen Spannungen in der Ehe, der notwendige Verzicht auf die *Schwesterseele* Yolla Niclas taten ein Übriges, um diesen Aufruhr der Existenz in Schuld und Opfer, missglückter Verantwortung und Untröstlichkeit in Bewegung zu halten. Im Roman wird der Erzähler Gordon Allison zu einem schier empfindungslosen Popanz gemacht. Die Überhöhung des Erzählers Allison und seine Allmacht kommen aus dieser Selbstanklage des Autors, seiner Verworrenheit des Schuldempfindens, wenn er ihn als *eine rätselhafte Figur – mit auswechselbarer Persönlichkeit* tituliert.

Die von einzelnen Episoden durchmusterte Handlung hat Döblin selbst als einen Prozess der Enthüllung von Familiengeschichte und der Offenlegung von geheimen Regungen gedeutet. Man will den Kranken Edward mit breiten Geschichten unterhalten, aber dann bricht alles auf, vor allem die Vergangenheit der Eltern. Vater Gordon und Mutter Alice müssen, jeder für sich, ihren Weg zu Ende gehen. *Sie glauben, frei zu phantasieren, aber sie kennen dunkel die Zusammenhänge und vor dem jungen Edward geraten sie alle in ein und dasselbe Fahrwasser. Man nähert sich der Erklärung. Bei jeder Erzählung, auf jeder Stufe, erfolgt eine stärkere Erregung. (...) Sie ergehen sich alle breit. Man will ja den unruhigen Helden; den kranken, unterhalten. Schließlich ist man durch die Erzählungen an einen Kernpunkt geführt, und die letzte Aufklärung gibt dann das Leben. Die Schuld der Väter, nein, die Schuld der Eltern wurde aufgedeckt. Die Familie bricht auseinander.*

Im *Hamlet* werden auch Muster der Verdrängung vorgestellt, die in der deutschen Nachkriegsgesellschaft wirksam waren. Dazu gehört die Aggressivität derer, die sich zu den Opfern des Nationalsozialismus und Krieg umwidmeten, obwohl sie wenigstens Mitläufer oder willige Diener gewesen waren, die Abwehr von Ermittlung und Gericht. Edward, die unerbittliche Frageinstanz, wird von einem Richter mit jener Empörung kommentiert, die überwiegend die westdeutsche Nachkriegsjustiz bestimmte: *Sitzt er nicht wie der Staatsanwalt beim Verhör? Ich habe manchmal den Eindruck gehabt, als ob dieser Heimkehrer aus dem Krieg uns Zivilbevölkerung verhört, weil wir uns quasi vor ihm wegen seiner Verletzung zu rechtfertigen haben.* Edward will die Fragen nach Schuld und Gerechtigkeit nicht im metaphysischen Nebel zerrinnen lassen. Er hat sich die Leidenschaft des Fragens von Kierkegaard entlehnt, aber von einem Philosophen, den Döblin in der *Schicksalsreise* als Besessenen markierte: *Sein Gewissen treibt ihn zu suchen. Er behauptet, sein Gewissen verhindere ihn zu finden. Aber es ist nicht das Gewissen, das ihn verhindert zu finden. Es ist sein verstockter Stolz. Und so verhält er sich wie ein Hund, der angebunden ist, bellt und bellt, sucht im Kreis herum, aber bewegt sich nicht.*

Sein Vater Gordon Allison ist ein Geschichtenpatriarch, mit Döblin selbst leicht identifizierbar, ein nächster Verwandter des babylonisch schwadronierenden Marduk. Erna Döblin hat als Antipodin im Ehe- und Geschlechterkampf eine klare Rolle. Döblin agiert die Krisen und Katastrophen der Familie aus, wie er es in *Pardon wird nicht gegeben* schon einmal begonnen hatte. Neben dieser Engführung im familiären Wechselrahmen werden kühne Groß- und Vexierbilder der Mythologie in die Romankonstruktion eingehängt. Gordon ist der stößige Eber, aber auch Pluto, der Proserpina in die Unterwelt herabholt, und er ist ebenso Michelangelo in seiner unerlösten Liebe. Edward wiederum hat auch einiges gemein mit einem wilden Eber, der verheerende Wirkungen hat, und er verkörpert Hamlet. Alice Allison ist alles in einem: mädchenhafte Mutter, die heilige Theodora, Salome mit ihrer Lust, Proserpina als die von Pluto Geraubte. Wiederum aber auch die Proserpina als Mutter der Kinder Plutos. Aber auch Geliebte des Zeus und Mutter des Dionysos. Alle sind sie also changierende oder multiple Persönlichkeiten. Der Glaube wird in diesem Roman mitverhandelt, aber er bemisst nicht die Figuren. Festgefügte, umrissene Geschöpfe in einer göttlichen Ordnung sind sie keinesfalls; sie erscheinen, umhergeworfen, bald in dieser, bald in jener Gestalt.

Die Katastrophe des Zweiten Weltkriegs ist ins Schicksal einer zerrütteten Familie und eines Kriegsneurotikers gebannt. So wird bald nach der Kriegsschuldfrage geforscht. Aber der Erzähler will die Traumata des Heimkehrers nicht auf die Erlebnisse auf dem Schiff, auf die Bombardierung zurückführen. Sie liegen viel früher, und der Krieg hat die innere Welt nur gesteigert. In einer seelischen Schicht ist die Figur dieses Edward bereits vorgebildet, bevor sich Döblin an den Roman machte. In dem kleinen Text *Während des Krieges schweigen die Musen* (um 1942/43) findet sich eine Spur: *Da trägt man die Kriegsopfer aus den Schiffen; sie haben übersee in den Dschungeln gekämpft. Wenn diese Verwundeten, Verstümmelten den Mund öffnen würden und sprechen könnten, was sie fühlen, sie würden nur Bitterkeit und Abscheu vor den freundlichen Menschen, vor dem Zuhause äußern, das sie weggeschickt hat.*

Welche Niederlage jeder Krieg.

Welcher Grund zur Scham.

Zu diesem Zeitpunkt erwog Döblin noch nicht einmal das Projekt. Döblin hat diesem Buch seinen Weg zum Christentum eingezeichnet, und man könnte behaupten, dass weniger die Kriegsschuld als die Erbsünde verhandelt werde. Doch genauso berechtigt ist die Behauptung: Ein radikaler Agnostizismus, wer der Mensch sei, beherrscht diesen Roman eines Gläubigen. Dieser Gegensatz ist gleichsam eingelagert in das Geheimnis seines größten Paradoxes: einerseits die Erfahrung des verwundeten Ichs, seiner multiplen Uneindeutigkeit und seines Daseinsschmerzes, andererseits sein triumphales Schöpfertum.

Die Wende tritt ein, wenn *die lange Nacht der Lüge* endet. Geschichten sind Heilungskräfte: *Jetzt umgaben andere sein Bett, wie nach einer Sage die Engel das Bett des schlafenden Königs Salomon, um seinen Traum zu behüten, und rangen um die Seele des Mannes.* Die abendlichen Erzählungen dringen, auch wenn sie weitab zu führen scheinen, in die menschlichen Beziehungen, in die Ehe, in das Verhältnis der Eltern zum Sohn ein. Eine Umkehrung der Patientensituation findet statt: Edward ist ganz forschender Blick, der Verstörte wird zum Richter. Nur für denjenigen, dessen Platz aus der Gewohnheit, der Routine, der Normalität, der Maskenhaftigkeit des Daseins gerückt ist, nur für den Verrückten ist die Wahrheit zugänglich und erkenntlich. Ein allerspätestes Echo aus den fernen Tagen des Irrenarztes dringt herüber in die Gespenster-Vigilien dieses Buches, als Döblin einst sich zu den Kindern und den Irren bekannte.

Lord Crenshaw, wie der Vater im Familienkreis genannt wird, ist eine zusammengesetzte Persönlichkeit wie Wadzek, aber im Gegensatz zu jenem hält er sich selbst aus: Er zerbricht den Spiegel nicht, um nur Bruchstücke von sich wahrzunehmen, er nimmt sich als Ganzen in Augenschein.

Einmal erlaubte sich Döblin in einem Roman, die Ehebande zu lösen. Gordon und Alice Allison trennen sich, als das Gewebe ihrer Daseinslügen nicht mehr aufrechtzuerhalten ist. Sie kommen beide bis auf den seelischen Nullpunkt herunter und erkennen einander erst in dieser Endspielsituation wieder, können nur um den Preis des Lebens für einen letzten Augenblick wieder zueinanderfinden, endend im Bild des zweifachen Todes. Es ist ein symbolischer Ausweg aus dem Strindberg-Ehedrama, von dem Robert Minder vor allem für das amerikanische Exil gesprochen hat. Auf einem Liebeshof des 12. Jahrhunderts wird in einer der Troubadour-Geschichten die Lehrfrage gestellt, ob es wirkliche Liebe zwischen Eheleuten geben könne, und in einem komischen Dekret verneint. In einer der historisch kostümierten Geschichten vom Ritter Jaufie Rudel de Blaia, der die nie gesehene Prinzessin von Tripoli minnen will, findet eine Umkehr statt. Er wendet sich dem einfachen Bauernmädchen Petite Lay zu, und sie gewinnt diese Liebe, gegen den Geschlechterkampf und die höfische Konvention: *Nein, es war keine Ehe, es war eine nachgeholte, selige Jugend.* Zum letzten Mal lugt die *Schwesterseele,* als ein

Gegenbild zur entsagenden Geliebten, aus dem Roman. Petite Lay ist mit allen Listen der Liebenswürdigkeit und der Beharrlichkeit ausgestattet und vermag ihren Ritter zu gewinnen.

Döblin wusste nicht, wann er das Manuskript veröffentlichen sollte. Es gab schon damals ein gewisses Zögern, es hielt einige Jahre an; es wirkt wie ein leiser Wunsch nach Verheimlichung. Er versenkte das Manuskript zunächst in der Schublade, als Vorrat für Notzeiten. Er hielt es für vernünftig, nicht alle Trümpfe in der Hinterhand auf einen Streich ausspielen zu wollen, aber dahinter ist eine bestimmte Scheu zu spüren, mit diesem Roman herauszukommen.

Schon im Dezember 1946 wollte Karl Alber das Manuskript haben und möglicherweise vor *November 1918* drucken. Da keine Reaktion erfolgte, hat der Verlag beim Autor noch einmal im Januar 1947 nachgefragt – ohne Erfolg. Auch Max Niedermayer hat mit Döblin über die Publikation des *Hamlet*-Manuskripts gesprochen, ergebnislos: »Sein in der Emigration geschriebener umfangreicher Roman *Hamlet* sollte noch nicht erscheinen – vielleicht wollte der Autor auf den warten, der sich als würdigster Verleger erwies.« Das klingt ein wenig nach Kränkung. Paul Lüth hat das Manuskript der Kasseler Verlegerin Harriet Schleber angeboten; sie akzeptierte es und garantierte eine Auflage von 20000 Exemplaren. Döblin gab ihr jedoch nur die Lizenz für den *Alexanderplatz* und hielt den *Hamlet* zurück. An Lüth, November 1946: *Sie müssen begreifen, warum ich zögere: plötzlich, nachdem man hier so wenig und fast nichts von mir weiß, mit dem letzten und jüngsten Opus herauszukommen, – und z.B. ein solides Manuskript wie* November 1918 *mit 4 Bänden liegenlassen. Man erzeugt beinah planmäßig ein chaotisches Bild von sich.* Später ging dieser Kasseler Verlag bankrott. Döblin hat wohl erst nach Veröffentlichung des (amputierten) *November*-Erzählwerks ernsthaft an eine Veröffentlichung des *Hamlet* gedacht. Aber nach den vierziger Jahren hatten sich die Zeiten geändert. Minder behauptet, er habe das Manuskript im Auftrag Döblins an die Verlage herumgereicht und habe nur Absagen erhalten. »Döblin galt als erledigt, wurde totgeschwiegen.« Als er es gerne veröffentlicht hätte, war er damit ins Abseits geraten, denn die junge deutsche Literatur bestimmte den Ton. *Nein, mein* Hamlet, *den ich schon ein paar Mal einem Verleger zum Einblicken gab, kehrt wie ein Pferd, das seine Krippe kennt, immer wieder in seinen Stall zurück und da steht es gut.* Der Roman lag auch einige Zeit bei Joseph Caspar Witsch, der ihn auf Wunsch des Autors Anfang 1954 retournierte. Sogar einem Minerva Verlag in Saarbrücken und damit verbunden einer heute unbekannten Buchgemeinschaft wurde das Manuskript erfolglos angeboten. Erst ab 1952 erschien Döblin die Lage hoffnungslos, und er behauptete pauschal, die Verleger in Westdeutschland wollten das Buch nicht.

KRITIK DER ZEIT

Ab 20. Oktober 1946 war Döblin in einer neuen, wenn auch von ihm längst erprobten Rolle zu vernehmen. Er trat beim Südwestfunk als Radiokommentator in der Sendereihe »Kritik der Zeit« auf. Bis April 1951 sprach er zunächst regelmäßig alle zwei Wochen, später in größeren Abständen als Leitartikler, Feuilletonist und Kulturkritiker. Insgesamt wurden 83 Sendungen geplant, 14 davon sind ausgefallen. Ein kompletter Überblick zu dieser Tätigkeit ist nicht möglich: Die Sendungen wurden unzulänglich archiviert, und manche sind ganz verschollen. Wahrscheinlich hat bei diesem journalistischen Auftrag sein Verleger Josef Knecht, der im Verwaltungsrat des Senders saß, eine hilfreiche Rolle gespielt, vermutlich hat aber auch Friedrich Bischoff, der einst den Rundfunk in Breslau geleitet hatte und nun Intendant des SWF war, mitgewirkt. Vor allem dürften die französischen Besatzungsbehörden die maßgebliche Regie bei der Einsetzung Döblins gespielt haben. Dieser Auftrag entsprach der kulturpolitischen Betätigung, die sich die Franzosen von Döblin erwarteten. Das hinderte sie allerdings nicht, auch hier Vorzensur zu üben. Nicht wenige der erhaltenen Manuskripte weisen Striche von fremder Hand auf, wobei jedoch nicht zu entscheiden ist, ob es sich um inhaltliche Eingriffe oder um redaktionelle Kürzungen handelt. Es ging um regelmäßige Viertelstundenbeiträge, *Politisches, Literarisches und allerhand vom Tage*. Oft waren die Texte ein wenig improvisiert, wodurch man ihnen technische Mängel anmerkt. Viele von ihnen wirken in ihrer stockenden Diktion unfertig, technisch wenig bearbeitet. Meistens wurden sie am frühen Sonntagabend, zwischen 19 und 20 Uhr, oft in einer Konzertpause, gesendet, also zu guter bis bester Sendezeit. Ab 1949 vergrößerte sich die Zeitspanne zwischen den einzelnen Beiträgen, und seit Mai 1951 kam Döblin nur noch nachts und in wenigen Sendungen zu Wort.

Es ging um die großen Themen: die Atombombe, den vergangenen Weltkrieg und um den drohenden neuen, die Hoffnung der Menschen auf Frieden, Europa und die Rolle der Deutschen. Er kommentierte politische Entwicklungen in den Vereinigten Staaten, der Sowjetunion, in Japan und in Palästina, sprach von seiner Zuneigung für den verstorbenen Präsidenten Roosevelt. Aber er konterkarierte die großen Linien mit kleinen Begebenheiten: Reiseeindrücken, Meldungen vom Tage, Vermischtem, kuriosen Episoden. Die Ereignisse zwischen dem Welttheater und dem anekdotischen Unterfutter ließ er aus: Kein Artikel findet sich etwa zur Gründung der beiden deutschen Staaten, Adenauer kommt in den erhaltenen Manuskripten nur einmal ohne Namensnennung, Ulbricht gar nicht vor. Er wollte sich nicht mit politischen Journalisten messen, er wahrte die Unabhängigkeit und Subjektivität des Zaungasts auch bei der Auswahl der zu kommentierenden Ereignisse, übte die Kunst des Weglassens mit seiner Art von Souveränität. Er eröffnete seine Sendereihe mit dem Vorsatz, in einem Land, *wo so ungeheuer viel Ernst und Tiefsinn produziert wird, wo einer noch tiefer als der andere sein will, da kann man die Dinge auch einmal leicht und leichter nehmen.* Er nannte seine Glossen selbst *eine Art Leipziger Allerlei, ein Ragout von dem und jenem,* doch je länger dieser Kommentator auftrat, desto mehr verlor er die Erinnerung an den Witz und die Frechheiten, die sich einst Linke Poot geleistet hatte. Sein hoher Ton, den er bisweilen wählte, erzwang durchgehende Passagen ohne thematische Sprünge, die Heiterkeit schwand aus den Texten, die dringliche Einrede gewann die Oberhand, ein Hang zum Metapolitischen ist unverkennbar.

Auffällig ist die anfängliche Zurückhaltung, die er sich bei diesen Beiträgen auferlegte, wenn es um das christliche Glaubensbekenntnis ging. Er wollte vermutlich Aversionen gegen seine Konversion nicht noch schüren, und er wollte wohl auch nicht in die Riege der christlichen Dichter eingereiht werden, die im Reich verblieben waren und sich zur »inneren Emigration« rechneten. Erst um 1948 gab er seinem Glauben im »Goldenen Tor« und in den Rundfunkbeiträgen öffentlichen Raum. In Zeiten des verschärften Kalten Krieges und des Lagerdenkens wollte er sich als radikalen christlichen Pazifisten verstanden wissen.

1950 sind nur noch sechs Sendungen nachweisbar, eine davon wurde »aus politischen Gründen nicht gesendet«. So der Eintrag in Döblins Honorarkartei. Ausgerechnet sein früherer Mitarbeiter bei der Zeitschrift, Anton Betzner, nun Redakteur beim SWF, musste ihm in Vertretung des Literaturchefs Herbert Bahlinger am 4. Dezember mitteilen, dass die politische Redaktion Döblins bereits produzierten Beitrag zur Landtagswahl nicht sendete. 1951 gab es nur noch drei nachgewiesene Auftritte. Am 13. Juli 1952 entfiel auch wiederum ein Döblin-Beitrag aus politischen Gründen, danach wurde er als Mitarbeiter nicht mehr herangezogen.

SCHULD UND REALITÄTSSINN

Ausführlicher als im *Nürnberger Lehrprozess*, dessen Titel wohl nicht zufällig an die Lehrstücktheorie von Brecht erinnert, verhandelte Döblin die Genese des Nationalsozialismus in einem grundsätzlichen Artikel über *Die Utopie von 1933* für das »Goldene Tor«. Dabei ließ er Differenzen zu seinem Vorgesetzten Schmittlein erkennen. Er leitete den Aufstieg der Nazis vom Romantizismus im 19. Jahrhunderts, vom Bismarckschen Imperialismus und von rechtsradikaler Erziehung ab. Humanistische Ideale, Fortschrittsglaube und Demokratie samt den Werten der Toleranz, der kritischen Teilhabe, der Gerechtigkeit sollten an den Schulen gelehrt werden. Wie in anderen Ansätzen zur Umerziehung, auch in den übrigen Westzonen, wurde bei seinem Programm ein Gegensatz von autoritärer Planung und individueller Bildung sichtbar.

Er verstand die *Utopie von 1933* als eine bestimmte Phase des deutschen Verweltlichungsprozesses, den er bis zu den Bauernkriegen zurückverfolgte. Der Abfall von der Metaphysik habe wiederum den Absolutismus im Lande gefördert. Damit seien dann der *Anreiz zu einer besseren, richtigeren Verweltlichung, jetzt gegen und ohne die königlichen Despoten*, verschwunden. Revolutionäre Forderungen seien *überhaupt nicht mehr innerlich, geistig moralisch, religiös, sondern sachlich, politisch, praktisch, später offen antireligiös* formuliert worden. Döblin bemühte sich darum, einen ausgreifenden historischen Zusammenhang herzustellen. Für ihn gab es keine Zwangsläufigkeit beim Sieg der Nazis, den deutschen Weg hielt er nicht für eine Einbahnstraße zu Hitlers Faschismus und seinen Verbrechen. Im regierenden Nationalsozialismus sah er einen utopischen *Kern*, der *formativ, plastisch an der Bildung dieses Machtkörpers mitgewirkt* habe. Nietzsches Übermensch sei als *Idee des weißen arischen Menschen, des Herrenmenschen* ausgedeutet worden; sie habe sich nach dem Ersten Weltkrieg *mit der Revancheidee der Nationalisten* und *dem alten Pangermanismus* verknüpft. Das Wort *Utopie* setzte er in einen sachlichen Gegensatz zur Religion. Utopie bestimme einen *Vollkommenheitszustand beständiger Art*, wogegen Religion zur *realistischen Einsicht* verhelfe.

Rééducation im Sinne Döblins zielte also auf moralische Erneuerung, durch die *feste Sicherungen, unantastbare Werte geschaffen werden.* »Realitätssinn« ist in diesem Verständnis kein Gegensatz zum Weg nach innen. Eine moralisch verpflichtende Metaphysik konnte sich nach seiner Vorstellung als politischer Garant erweisen, und er visierte eine Demokratie mit *religiösem Fundament* an. Er sprach dabei nicht von rasch zu erreichenden Gewissheiten, sondern von einem langwierigen Prozess: Christianisierung, gar ein Kreuzzug zugunsten des Christentums, war ihm fremd.

Schmittlein wandte sich fast ausschließlich an junge Menschen unter 30 Jahren, die ältere Generation und die Intellektuellen (also auch die Hauptleser des »Goldenen Tors«) hielt er für rettungslos infiziert und verdorben. Er vertraute nur den deutschen Exilschriftstellern, wogegen Döblin auch Autoren, die im »Dritten Reich« überwintert hatten, für die Zeitschrift heranzog. In einem Rundfunk-Interview hat Döblin Ende März 1946 seine Rolle bestimmt: *Die Aufgabe eines Schriftstellers meiner Richtung ist die, die Augen zu öffnen, aufzurichten und Besseres für die Zukunft anzuregen.*

Er hatte eine feste Vorstellung von der deutschen Schuld, als er nach Deutschland zurückkam, der Nationalsozialismus war den Deutschen von außen zugefügt worden und wucherte dann in der Bevölkerung wie ein Myom. Also lehnte er die Kollektivschuldthese ab, auch wenn er durchaus davon sprach, dass der Antisemitismus *eine trübe Selbstverständlichkeit im Lande* gewesen sei. Er hatte ihn früh am eigenen Leib erfahren, gerade weil er weniger Jude als Preuße sein wollte. In den sieben Jahren, die er wieder in Deutschland verbracht hat, ist er einigermaßen belehrt worden und hatte 1953 über Hitler etwas dazugelernt: *Ich sah: dieser Mann und seine Clique waren die Konzentration einer zu Deutschland gehörigen Geistes- und Willenshaltung.* Die anderen, *die Guten und Besseren,* seien zu schwach gewesen.

Für die Aufgabe der »Vergangenheitsbewältigung« lassen sich kaum programmatische Artikel Döblins in der Zeitschrift finden. Er wollte, wie er im Geleitwort zum ersten Heft schrieb, der Völkerverständigung dienen, er suchte *die Enttrümmerung* und *das Abräumen im Geistigen* zu befördern und ansonsten: *Wir wollen die guten Dinge, für die wir einstehen, und die entstellt und aus dem Gesichtskreis gerückt waren, wieder an ihren Platz stellen und sind gewiß, damit Spalten schließen zu helfen und zu stärken.* Er wollte lieber die entstandenen geistigen Leerstellen mit progressivem Gedankengut besetzen, als über die Genese des Nationalsozialismus zu dozieren. Er sah, so in *Die literarische Situation,* eine *Massenerkrankung paranoider Art,* gegen die man korrigierend kaum eingreifen könne: *Man wird nicht auf den Einfall kommen, nachdem man die Schädlinge auf diese und jene Weise eliminiert hat, die Masse, welche intoxiziert ist, von den Gelehrten herab bis zu den Arbeitern und Schülern und Hausfrauen, verändern zu können durch Vorwürfe, Anklagen und andere Heftigkeiten, die im Normalen wirken. Auch rationelle Belehrungen und Predigten führen zu nichts.* Er sprach von moralischer Regeneration, wollte aber nicht die Schuldfrage stellen, um nicht Lethargie oder Verstocktheit bei den Deutschen zu erzeugen. Dazu gibt es eine Parallele im *Hamlet*-Roman: Edward will mit seinem Vater den *ewigen abstrakten Streit über Schuld und Verantwortlichkeit beenden,* und stattdessen sollten auf Erzählabenden *konkrete Fälle vorgeführt werden.*

ZWISCHEN DEN JAHREN

Nicht wenige Autoren wollte er für eine Rückkehr nach Deutschland gewinnen. Nachdem er gehört hatte, dass Fritz von Unruh Amerika verlassen wolle, schrieb er ihm: *Es wäre sehr wünschenswert, literarisch und politisch, sowie allgemein kulturell, wenn emigrierte Schriftsteller und Intellektuelle, die eine gute und für die Zukunft wichtige Haltung haben, wieder da wären und hier wirken könnten. Sowohl das Wiedererwachen des geistigen Lebens, das ja recht darniederliegt, sowie die Führung in eine gesunde, zukunftsreiche Richtung würde so viel rascher vor sich gehen.* Unruh solle sich bei ihm melden, er könne eine Einladung in die französische Zone vermitteln. Er fragte bei Marcuse an und wollte verwegenerweise sogar Lion Feuchtwanger zur Rückkehr verlocken. Offenbar glaubte er, dass sich der Erfolgsautor in seinem feudalen Revier in Santa Monica *drüben weiter im Wartesaal* fühlen müsse. Worauf er denn warte? *Man muß doch nicht glauben, daß einem die gebratenen Tauben in den Mund fliegen. Man muß hier sein und sich selber die Tauben holen und braten.* Erfolge solcher Werbung blieben aus. Auf Ywan Goll, der aus New York nach Paris zurückgekehrt war, drang er ein, er solle in Deutschland seine Aufgabe suchen: *Ich hoffe, Sie bleiben nicht in Paris stecken, denn jedenfalls ich halte es für ein ungesundes Dasein in Zwitterform. Man muß sich unter die Leute mischen und die Sprache auch an Ort und Stelle wieder hören und selber sprechen.* Es waren Einreden, die nichts fruchteten; ein rührender, stiller Patriotismus und ein wenig Eiferertum waren mit dabei, auch eine verdeckte Sehnsucht, unter Gleichgesinnten und nicht ganz so allein zu sein. Die Konferenz der Ministerpräsidenten forderte am 6./7. Juni 1947 in München die Emigranten auf, sie sollten in ihre »Heimat« zurückkehren, um »mit uns ein besseres Deutschland aufzubauen«, aber dieser Appell wirkte undurchdacht und auch ein wenig doppelzüngig, denn noch im März/April 1948 hob ein Länderratsgesetz hervor, dass die nationalsozialistischen Ausbürgerungen rechtens und wirksam seien. Erst im Grundgesetz (Art. 116,2) wurden sie schließlich annulliert.

Mitte Februar wurde ein Familienereignis gefeiert. Döblins Jüngster, Stefan, nun Étienne, heiratete die Französin Natalie Lemesle. Der Bräutigam war noch nicht 21 Jahre alt und damit noch nicht volljährig: Döblin musste sein

Einverständnis geben. Voller Wärme für die Jugend des Paares schrieb er den Rosins, dass er *nach langen Jahren wieder eine herzliche Freude, eine sichtbare Zuversicht auf das unverwüstlich junge Leben, das vertraut,* gewonnen habe. Auch gegenüber Ludwig Marcuse gab er sich zuversichtlich: *Natürlich waren wir zur Hochzeit von Étienne, endlich wieder einmal ein glückliches Paar, ganz junge fröhliche Leute, die das Leben vor sich haben und an denen man wieder jung werden konnte.* Er musste die beiden unterstützen: Étienne studierte noch, Natalie lernte an einer Akademie für Filmkostüme. Kurz vor Weihnachten 1947 wurde ihr Sohn Francis geboren. Erna hatte vergeblich versucht, Einspruch gegen die Hochzeit einzulegen; sie hielt die beiden für zu jung und sah wegen ihrer materiellen Notlage keine Zukunft. Aber die Verbindung hielt an, und Stefan brachte es bis zum kaufmännischen Direktor eines Autokonzerns.

Gegenüber den Rosins konnte er (am 8. Oktober 1947) von Publikationserfolgen berichten. Im Mai 1947 hatte er mit Zufriedenheit registriert, dass die Erzählung *Der Oberst und der Dichter* auch in italienischer Übersetzung erscheinen werde. Als Neuauflage kamen die ersten beiden Bände der *Amazonas*-Trilogie heraus; er veröffentlichte die Broschüre *Die literarische Situation* und die beiden Erzählungen *Heitere Magie*. In der amerikanischen Zone, in Kassel, sollte der *Alexanderplatz* erscheinen, in Wiesbaden ein Auswahlband. *So viel Bücher – aber alle sind nach 2–3 Wochen unsichtbar, vom Markt verschwunden, und nur zum Teil bei Lesern, zum anderen einfach Tauschware, also für Lebensmittel, Kartoffeln und so.* Vielleicht täuschte er sich mit diesen raschen Scheinerfolgen doch über seine Stellung im Nachkriegsdeutschland hinweg.

Er publizierte in kleineren Häusern, wiegte sich in der Illusion, seine Chancen seien grenzenlos. Er glaubte, es fehle nur an Autoren: *Zehn Verleger suchen einen Autor. Dem schweren Mangel an Lebensmitteln und materiellen Gütern entspricht ein ebenso großer an geistigen. Hunger nach geistigen Gütern? Ich weiß nicht. Faktisch kauft man alles, was sich kaufen läßt, also auch Zeitschriften und Bücher; aber daraus darf man noch nicht auf geistigen Hunger schließen.* Bald musste er lernen, dass die großen Verlage von ehemals nicht oder nicht mehr für ihn da waren. Aber es bedurfte der Unternehmen wie Fischer, Rowohlt und auch Kurt Desch, um Exilliteratur in größerem Umfang, mit erkennbar klarer Absicht und mit editorischer Energie zu drucken. In keinem dieser Häuser hat Döblin nach dem Krieg veröffentlicht. Man kann behaupten: in dieser Hinsicht hat er als Emigrant den Krieg auf eine radikale Weise mitverloren.

Er glaubte aber schier blindlings an die Jugend, ihre Neugier, Unbefangenheit und Offenheit, ihren Lernwillen. Die inflationäre Vorstellung, die

In Paris:
Das Ehepaar Döblin mit Stefans Frau Natalie, Sohn Peter und dem Enkel Francis
Um 1950

er davon hatte, entsprach seinem Konzept der Hilfe und der Umerziehung, dem er sich verpflichtet wusste. Eine rührende Gleichung, in der sein literarisches Werk als Gewicht nicht vorgesehen war. Als er den Sachverhalt wahrnahm, war er alt und krank, es blieb ihm nur die Entgeisterung und Verbitterung.

REDAKTIONSARBEIT

In kurzer Zeit waren in den vier Zonen rund 150 Zeitschriften entstanden, unter ihnen die »Frankfurter Hefte«, »Der Ruf«, »Die Wandlung« und »Ost und West«. Der Schriftsteller Hartmann Goertz hat damals, mitten im Geschehen, diese Tendenz ironisch als »Flucht in die Zeitschrift« und als überdrehtes Moralisieren beschrieben. Moritz Schauenburg in Lahr war als Verlag für die Zeitschrift gut gewählt. Er war alteingesessen und vertrauenswürdig; er vertrieb Belletristik, Kinderbücher, Zeitschriften und Musikalien, verfügte über eine hauseigene Druckerei und Buchbinderei.

Im Juni 1948, kurz nach der Währungsreform, trat Herbert Wendt in die Redaktion ein und blieb bis Oktober 1949, als Döblin nach Mainz umzog. Seine Zuständigkeit bezog sich vor allem auf die Rubrik »Chronik und Kritik«. Sein Nachfolger wurde in der zweiten Hälfte des Jahres 1949 Wolfgang Lohmeyer, noch in Baden-Baden. Er wurde halbtags angestellt, bewältigte den redaktionellen Alltag und las dem sehbehinderten Döblin viele eingesandte Manuskripte vor. Es war selbstverständlich, dass der Herausgeber auf seiner letzten Entscheidung über Annahme oder Ablehnung von Manuskripten bestand. Die Startauflage betrug 20000 Exemplare, das Papier kam aus einem Sonderkontingent der Direktion. 1947 wurde die Auflage zeitweilig auf 25000 Exemplare erhöht, im gleichen Jahr mussten jedoch zwei Doppelhefte im Umfang erheblich gekürzt werden.

Das »Goldene Tor« hatte, verglichen mit anderen Nachkriegsgründungen, als Zeitschrift ein langes Leben. Döblins Forderungen, die er in *Die literarische Situation* erhob, sind hier überprüfbar. Es handelte sich ja um eine Renaissance der Bemühungen, die er in der Weimarer Zeit angestellt hatte.

Naturgemäß erwuchs dem »Goldenen Tor« bei der Inflation der literarischen Zeitschriften starke Konkurrenz. In der amerikanischen Zone erschien bald eine Art Gegenblatt.

In dem alten amerikanischen Fort Kearny, 60 Kilometer von New York entfernt, hatte ein Dutzend deutscher Kriegsgefangener seit März 1945 an einer Zeitung »Der Ruf« gearbeitet. Die inhaftierten Deutschen sollten begreifen lernen, dass sie sich schuldig gemacht hatten – im Kollektiv. Hans Werner Richter, dorthin beordert, meinte rückblickend: »Meine Antwort ist: in jenen Tagen wurde mir endgültig bewußt, daß auch ich zu den Verlierern gehöre. Wenn ich etwas für die Entwicklung in Deutschland tun wollte, dann konnte ich nur die Interessen der Verlierer vertreten, oder, mit anderen Worten: wir mußten unsere eigene Sache aufbauen, unter Umständen in Opposition zu den Besatzungsmächten.« Richter und Alfred Andersch begannen, zurückgekehrt, im August 1946 in Deutschland mit einer neuen Zeitschrift, die sie wiederum »Der Ruf« nannten und mit dem Untertitel »Unabhängige Blätter der jungen Generation« versahen – in scharfer Abgrenzung gegenüber der amerikanischen Besatzungsmacht.

Von dieser Zeitschrift aus gab es keine Brücke zu den Bemühungen Döblins. Die Zusammenarbeit mit den Westalliierten verstanden sie als Kollaboration, für Andersch war Ernst Jünger ein geradezu heiliger Name, ihm ging es um eine Revitalisierung des Nationalbildes in gereinigter Fassung und das literarische Programm, wie es Richter für die Gruppe 47 verstand, hätte niemals die Billigung Döblins finden können: Richter vertrat den »Kahlschlag«, wollte ganz von vorn anfangen, »bei der Addition der Teile und Teilchen der Handlung, beim A-B-C der Sätze und Wörter«, ohne Rücksicht auch auf Traditionen der Moderne. Es war für die Exilautoren mit ihrem noch nicht abgetragenen, weil unverwendeten Vorrat an Avantgarde eine literarische Konkurrenzmacht am Werk, und die war auf scharfe Abgrenzung bedacht. Für Hans Werner Richter war, so behauptete er, Döblin zwar ein Vorbild, aber er vermied jeden Kontakt, auch als die Gruppe im April 1948 an der Bergstraße und im Mai 1953 in Mainz, also in der Nähe Döblins, tagte. Der Eremit in Mainz an Heuss, Ende Mai 1953: *Als man hier vorige Woche bei einer Veranstaltung der Gruppe 47 fragte, welches die wichtigsten Namen heute in Westdeutschland, literarisch wären, antwortete einer: »Ernst Jünger und Benn.«*

Jüngere Autoren, die später Erfolg hatten, tauchten im »Goldenen Tor« kaum auf. Doch ist der häufig geäußerte Vorwurf, Döblin habe sie nicht drucken wollen, nicht zu halten. Die Korrektur lautet: Er veröffentlichte fast ausschließlich Talente, die sich später nicht durchsetzten oder die nur am Rande der Nachkriegsliteratur eine Rolle spielten: Anton Betzner, Ilse Molzahn, Wolfgang Cordan, Dora Tatjana Söllner, Wolfgang Grothe zum Beispiel. Die Ausnahmen sind rar; vor allem Horst Krüger, Wolfgang Weyrauch, Ernst Kreuder und Karl Krolow sind zu nennen.

Unverdrossen bemühte sich Döblin, mit den Kollegen aus dem Osten ins Gespräch zu kommen. Johannes R. Becher und Paul Wiegler wollte er für die Werbung von Autoren gewinnen, die aus dem Exil in die Sowjetzone gegangen waren, ja, er schlug sogar einen Artikelaustausch mit dem Ost-Berliner »Aufbau« vor und erinnerte Becher ein Jahr nach diesem Vorschlag, im März 1947, daran, weil ihm *an solcher Liaison nach dort herüber* einiges lag. Aber das Projekt strandete mit dem guten Vorsatz. Im übrigen war auch die Zusammenarbeit zwischen der Kulturbürokratie der einzelnen Zonen unter den Westmächten nicht gerade mustergültig. So gab es ein interzonales Raubdruckwesen, weil Zuständigkeiten und Lizenzwege oft ungeklärt waren.

Döblin ging es vor allem um einen Brückenschlag: er wollte die Wiederherstellung einer geistigen Kontinuität. Es war die Gedächtnisfigur des eingreifenden Weimarer Literaten, die Döblin umtrieb. Aber im »Goldenen Tor« wurden weniger Emigranten veröffentlicht, als man, gemessen an der Absicht, ihnen das Tor wieder zu öffnen, annehmen könnte.

In Döblins Zeitschrift sind mehr als 400 Autoren mit eigenen Beiträgen vertreten. Dabei fällt auf, dass die meisten nur einen einzigen Artikel veröffentlicht haben. Eine immense Fluktuation ist zu bemerken: Nur 10 Prozent der Beiträger haben sich mit vier oder mehr Texten beteiligt: außer den Mitgliedern der Redaktion nur einige wenige wie Annette Kolb, Albert Ehrenstein, Kurt Kersten, Gabriele Tergit und Wolfgang Weyrauch. Dieser offensichtliche Mangel an Konstanz beschränkte die Möglichkeit, ein Team über inhaltliche Gemeinsamkeiten und verbindende programmatische Leitlinien aufzubauen.

Daß wir das Fenster nach dem Ausland weit öffnen, versteht sich von selbst. Man lebt weder in der Gesellschaft noch unter Völkern allein; für die Deutschen, die mehr übersetzten als andere, keine Neuigkeit. Eine seiner kulturpolitischen Aufgaben sah Döblin darin, den Nachholbedarf des deutschen Publikums zu stärken und zu befriedigen, aber dieser Vorsatz war für den Zeitschriftenherausgeber mit bürokratischen Schwierigkeiten verbunden. Er benötigte zur Übersetzung, zur Einholung der Rechte und zum Geldtransfer die Genehmigung der Besatzungsbehörden. In Baden-Baden erschien eine zweite Zeitschrift, die Döblins Radius einschränkte. »Lancelot. Der Bote aus Frankreich«, 1946/47 herausgegeben von Hans Paeschke und Gerhard Heller, konzentrierte sich auf die französische literarische Moderne. Eigenmächtiges Handeln war auch Döblin verboten, die französischen Kulturoffiziere waren auf Lenkung und Steuerung bedacht. Es gab vorgefertigte Listen mit erwünschten Autoren und Büchern; sie sollten durchgesetzt werden. (Ähnlich haben es sich die amerikanischen Kulturoffiziere gedacht, wenn auch erfolglos.) Deutsche Verleger konnten bestraft werden, wenn sie sich wegen einer Lizenz eigenmächtig an ausländische Kollegen wandten.

Döblin wollte die vorhandenen Listen keineswegs nur abtragen, er sah in der Vermittlung und Präsentation von Weltliteratur eine globale Aufgabe. Er wollte die *Existenz starker außerdeutscher Leistungen* wieder bekanntmachen, um dem nationalen Dünkel entgegenzuwirken, die Kenntnis fremder Länder nach vielen Jahren der Abschnürung verbessern helfen; ihm ging es darum, dass ein *kompletter Menschentyp* vorgestellt wurde. Das war jener, der nicht, wie es eine deutsche Art präferiere, den Einzelnen ohne Aufhaltens in der Realität zu Gott führe, *eine fürchterliche Neigung, an der der Deutsche festhält.* Bereits im ersten Heft wandte er sich gegen die einseitige Betonung abendländischen Geisteserbes, weil es in den sich abzeichnenden Nachkriegsspannungen zwischen Ost und West als Scheinerbe ausnutzbar war; das würde dem Ziel der Völkerverständigung widersprechen. *Man jagt uns jetzt mit dem dunklen Wort »Abendland«; es wird politisiert. Ideell, kulturpolitisch wird ein »Westen« gegen einen »Osten« konstruiert. Da spukt die freche Wertung aus der Naziperiode von den »minderwertigen Ostvölkern« nach. Nun gibt es notorisch riesenhafte Unterschiede unter den »Westvölkern«, – welches ist eigentlich das Modell eines Westvolkes? Was macht man für ein Geschrei von der Industrialisierung? Woher der Hochmut?*

Von Herzfelde erbat er sich (am 3. August 1946) die Suche nach Artikeln über amerikanische Literatur und Musik. Und nicht ohne bebenden Triumph gegenüber dem noch in Amerika sitzenden Kommunisten Herzfelde meldete er, dass er die »Liste der auszusondernden Literatur in der sowjetischen Besatzungszone«, *ein dickes Buch, 526 Druckseiten* erhalten habe. Er hielt sich mit einem ausgesprochenen Kommentar zurück, aber man meint geradezu die Verachtung über diese kulturpolitische Maßnahme zu riechen.

Hermann Broch, zur Mitarbeit aufgefordert, entgegnete abwehrend, er sei beschäftigt. Döblin meinte daraufhin gegenüber Kesten, es komme in dem erbetenen Artikel über die deutsche Exilliteratur darauf an, *den aufgeblasenen Hermann Broch zu entlarven als literarischen Hochstapler.* Doch Kesten wollte den Auftrag nicht annehmen. Döblin fand für seine Schmähung Brochs einen stellvertretenden Schreiber: Paul Wenger veröffentlichte im »Goldenen Tor« den Artikel »Caesarenkult in der Emigrantenliteratur?« und machte sich zum Stimmenimitator des Herausgebers. Broch weise strukturelle Übereinstimmungen mit dem Faschismus auf. In seinem »Tod des Vergil« sei das »Leichengift der deutschen politischen Romantik« wirksam. Ein Seitenhieb trifft auch Thomas Mann, der sich erdreistet hatte, Brochs Roman zu loben.

Um Kesten als Mitarbeiter bemühte sich Döblin besonders intensiv, aber er warb, nicht ohne Ehrerbietung, auch besonders um Heinrich Mann. Er sah ein großes Desiderat im Lande: *Noch niemals gab es eine solche Verarmung an Schriftstellern, ich meine an richtigen Schriftstellern, wie jetzt im Lande.* Er glaubte an die Sendung der deutschen Exilliteratur, auch im Nachkriegswestdeutschland.

Am 11. März 1947 schrieb er Johannes R. Becher, dankte ihm für die Übersendung von Liebesgedichten, in denen er den hohen Nationalton seiner Deutschland-Gedichte überwunden sah. Er hoffte, dass sie bald erscheinen würden, seinen »Dienst« hätten sie jedenfalls bereits passiert. Es ging um den Becher-Gedichtband »Die Asche brennt auf meiner Brust«, der 1948 erschien. Dann fragte er nach russischen Autoren, die ihm Becher vielleicht empfehlen könne, namentlich nach Alexej Tolstoi. Breiter kann man das Gesichtsfeld kaum anlegen, als es der Zeitschriftenherausgeber Döblin tat.

Zu früh glaubte er an eine allmähliche Auflösung der Exilgemeinde in Amerika. Der Anlass für diese Vermutung war die Rückkehr von Alfred Kantorowicz nach Deutschland, auch die von Anna Seghers. Am 24. März 1947 an Ludwig Marcuse: *Langsam hört ja, wie ich feststelle, die Emigration in Amerika und anderswo auf. Es sind im Grunde nur ein paar Namen da, der Rest ist eingewandert oder ist der Abfall, der er schon vorher war.* An den Kollegen Sigmund Pollag wandte er sich (am 15. März 1947) wegen Material von Else Lasker-Schüler, wie er zuvor sich wegen Frank Wedekind mit Arthur Kutscher in Verbindung gesetzt hatte. Er übernahm von dem Übersetzer Emil Schering den Strindberg-Text »Das Jenseits« und sagte fast gleichzeitig Walter A. Berendsohn zu, sich an einer Festschrift für Strindberg zu beteiligen: *Ich bin ganz Ihrer Meinung, dass das Urteil über Strindberg zu revidieren ist.*

Am 17. November 1947 starb Ricarda Huch, kurze Zeit nachdem sie von Jena nach Frankfurt am Main übersiedelt war. Döblin hatte sie einige Wochen zuvor in Berlin gesehen. Er bat nun Hans W. Eppelsheimer um die Mitteilung über die Erben, um von ihr Ungedrucktes im »Goldenen Tor« posthum veröffentlichen zu können. Ywan Goll, der aus Amerika zurückgekehrt war, schickte ihm Gedichte, er nahm sie an. Von Armin Kesser wollte er unbedingt einen Musil-Essay haben, doch der versetzte ihn, auch nach einer Mahnung. So wandte sich Döblin an Musils Witwe Martha, erbat von ihr Angaben zum Lebenslauf, *vielleicht aus Briefen von Musil über seine Pläne, vielleicht auch, wenn in Ihrem Besitz, einige zeitgenössische Urteile, besonders über den »Mann ohne Eigenschaften«, schließlich die letzte Zeit, seine Lebensumstände, Todestag und -ort.*

Spätestens 1949 wurden die Schwierigkeiten, in denen die Zeitschrift steckte, offensichtlich. Er dachte an eine Artikelkooperation zwischen dem »Hochland« und dem »Goldenen Tor«. Was aber sollte dieser *Tauschhandel* erbringen? Eine Verstärkung der christlichen Stimme auf dem Zeitschriftenmarkt war damit nicht zu erzielen, zumal er sich mit anderen Sphären des Katholizismus hätte auseinandersetzen müssen. Es ist auch nichts daraus geworden.

WIEDERSEHEN MIT BERLIN

Dem (Ost-)Berliner »Ulenspiegel« schickte Döblin, von dort erbeten, einen Geburtstagsartikel, einen kleinen Bericht über Berlin in den zwanziger Jahren und die Auseinandersetzungen in der Akademie. Er deutete auch die aktuelle Situation an: *Und besteht noch eine Kontinuität zwischen dem Menschenschlag, zwischen dem ich aufwuchs, und dem von heute? In vier Zonen soll die Stadt eingeteilt sein; das kann ich nicht realisieren, politisch wohl, aber nicht praktisch. Es wird mir nichts übrigbleiben, als eines Tages hinzufahren. Ich müßte sehen, wer sich als stärker erweist: Berlin oder die Politik, und auch: wie sich Berlin in den zwölf Jahren gehalten hat. Täglich mußte es ein Schlamm- und Jauchebad nehmen. Hat es die Kur gut überstanden?* Das wurde Anfang August 1946 veröffentlicht. Neun Monate später war es so weit; er besuchte wieder, nach dem Krieg zum ersten Mal, Berlin. Er woll-

Der zerstörte Alexanderplatz
1945

te in einer von Suhrkamp veranstalteten Buchausstellung sprechen und die alten Weggefährten (einschließlich der früheren Gegner) wiedersehen. Er hatte sich ziemlich lange Zeit gelassen – wenigstens für einen passionierten Berliner wie ihn, der alle anderen Metropolen – Zürich, Paris und Los Angeles – an der deutschen Hauptstadt gemessen und für ungenügend empfunden hatte. Er war genant, hatte Ende 1946 Edda Lindner gestanden, *ich habe etwas Furcht vor dem Besuch.*

Am 5. Juli 1947 kam er in Tegel an und wohnte in Hermsdorf, in der französischen Zone. *Da fuhr man früher öfter sonntags hin, nachmittags. Jetzt wohnt man hier, meine Frau und ich, in einem Passanthotel. Aber ein wunderbares Gefühl dennoch, hier zu sein. Ich stellte es langsam fest. Langsam traten die Häuser und Räume aus ihrer gleichgültigen Haltung hervor und rührten an etwas in mir, das zurückgetreten war. Ich erkannte die Bäume, ich erinnerte mich an sie, und sie erinnerten mich an mich.* Da draußen war noch nicht zu ahnen, welch Schlachtfeld Berlin gewesen war. *Eine Art Kühle floß in mich, und wie ein Gespenst ging ich durch die Straßen. Ich war nicht mehr wirklich, ich hatte mich überlebt. Hier aber in Hermsdorf war es gut und wurde es fast von Stunde zu Stunde besser. In mir vibrierte etwas und gab eine Resonanz, ein sonderbares, ungewohntes Gefühl; ein guter freundlicher Zustand.* An den Bäumen hingen unzählige Zettel mit Nachrichten und Suchangaben, Tauschadressen und Kaufangeboten. Die Situation erinnerte ihn an Toulouse, 1940, sechs Jahre zuvor. *Ein Abgrund lag zwischen damals und heute. Ich staune, daß ich den Abgrund heraufkriechen konnte.* Er fuhr mit der Straßenbahn nach dem Stettiner Bahnhof und war schon unterwegs wie gelähmt von den ersten Bildern einer *fürchterlichen Verwüstung, einer maßlosen Zerschmetterung.* Ein Urberliner, der in den Orten des Exils immer zurückgedacht hatte an seine Heimatstadt, sein Beobachtungsfeld, sein Sprachrevier seit seinem ersten Prosatext *Modern*, noch vor der Jahrhundertwende geschrieben, erfährt seinen Beobachtungsschmerz. Er wandert durch die Straßen: Die meisten Gebäude, in denen Erinnerungen nisten, sind dahin. Am Stettiner Bahnhof dringt aus einem Lautsprecher die Stimme eines Conférenciers, anschließend wird Verdi gesungen, eine gespenstische Geräuschkulisse für die Elendszüge der Menschen. Auf der Friedrichstraße muss man seine Schritte vorsichtig setzen, der Asphalt ist an vielen Stellen weggebrannt und hat Löcher hinterlassen. Auf dem Kurfürstendamm siedeln erste Läden in den Wracks der Häuser: *Manche Passanten, denen wir begegnen, scheinen aus der früheren Epoche zu stammen und gespenstern hier herum, ein bißchen wie wir.* Die Kaiser-Wilhelm-Gedächtniskirche ist an mehreren Stellen durchlöchert, das alte Romanische Café verkohlt, Wintergarten und Zentralhotel am Bahnhof Friedrichstraße sind weg, ebenso die Bäume unter den Linden, so dass die Straße wie ein riesiger leerer Raum erscheint. Ein junger russischer Soldat mit seiner Frau spaziert herum: *Es hat etwas Symbolisches und zugleich Apokalyptisches.* Erinnerungen an den Ausbruch des Ersten Weltkriegs und an die Novemberrevolution von 1918 kommen bei Döblin auf und verwischen wieder: *Nichts mehr davon, nichts von den Menschen, nichts von den Gebäuden, das Ganze ist jetzt eine Bodenpartie, durch die die Spree fließt. Historisches Geschehen, hier ist die Vergangenheit gründlich liquidiert.* Ein Text, der von einem Schock zum anderen taumelt, der die Zerstörungen wie eine absurde Unglaubwürdigkeit aufnimmt. Auch das Haus in der Frankfurter Allee 340, vormals Wohnung und Praxis, ist ausgelöscht.

Dem Alexanderplatz widmet er eine eigene kleine Reportage. Döblin steht als 69-Jähriger wieder dort, aber nichts von früher zeigte sich ihm: *Ich bin wie Diogenes mit der Laterne, ich suche und finde nichts.* Das Einst, auch wenn es sich ihm in der Erinnerung präsentiert, ist abgerückt, ist nur noch abgetane, erledigte Geschichte.

Unmittelbar nach der Rückkehr schrieb er erschüttert an die Rosins: *Was für ein unvorstellbarer Anblick, dieses ehemalige Berlin – es ist ein völliger*

Untergang. Er registrierte die Aversion gegen die sowjetischen Besatzer und den Willen vieler Intellektueller, dem Ostsektor zu entrinnen: *Nirgendwo bei ihnen Begeisterung für die Roten, die man nun doch im Lande hat; vor Tische las man anders. Man kann nirgends politische Gespräche, ich meine ehrliche, führen, hier in Berlin; wer will sich den Mund verbrennen? Diese beiden Dinge: die Stadt eine leere Wüste und das unehrliche Schweigen und rote Phrasendreschen haben mich in Berlin wirklich chokiert; diese Verlogenheit der Zeitungsschreiber, und die andern, die nicht mitmachen, fürchten sich, daß die Türe nach dem Westen bald ganz zufällt. Ja, liebe Rosins, das ist unser altes Berlin, – eine Erinnerung.*

Aber es gab auch das Befremden gegenüber dem Besucher. In kühlen Farben sind manche der Artikel gehalten, die ihm galten. Er las seinen Vortrag *Unsere Sorge der Mensch* in der Eichengalerie des Charlottenburger Schlosses. Er wollte seine Wendung zum Christentum den Berliner Freunden und Feinden eindringlich nahebringen, den Stand seiner religiösen Innerlichkeit fixieren und testieren. Er fand wenigstens ein verhältnismäßig großes Presseecho. Es regnete scharfe Urteile aus Ost-Berlin und aus der SBZ: die wievielten nun seit den gesammelten Schmähungen in der »Linkskurve«? Im besten Falle erntete er von dort den milden Hohn, der über einen ausgeschüttet wird, der vom rechten Weg abgekommen ist. Aber er wollte es so: *Es kümmerte mich nicht. Mir kam es nur auf Klarheit an.* Wiederum ein Beleg, dass er nicht passte, dass er nicht verwendungsfähig war. Immerhin gaben Johannes R. Becher und Paul Wiegler für ihn einen Empfang im »Kulturbund zur demokratischen Erneuerung Deutschlands«.

Döblin war über die Maßen angestrengt von seinem Hauptstadtbesuch. Es war in ihm die Vermutung entstanden, die dem passionierten Berliner bitter ankam: Er war endgültig heimatlos geworden. Falls er insgeheim die Hoffnung gehegt hatte, er könne doch noch einmal nach Berlin ziehen, so war er nun eines Besseren (oder Schlimmeren) belehrt. Aber das hieß keinesfalls, dass er sich mit Baden-Baden abfand. Nachdem einige Monate ins Land gegangen waren, schwärmte er schon wieder von Berlin. An Erna Budzislawski, 6. November 1947: *Ich war im Juli in Berlin. Oh Budzi, Berlin! Sogar kaputt ist es schöner als Baden-Baden.*

SCHRIFTSTELLERKONGRESS IN BERLIN

Ende Juli 1947, kaum zurückgekehrt, kam er wieder auf Berlin zu sprechen: Im September sollte dort der Erste Deutsche Schriftstellerkongress nach dem Krieg stattfinden. Johannes R. Becher und andere Autoren luden in die Kammerspiele des Deutschen Theaters ein. Man hatte aus den anderen Besatzungszonen nicht Delegationen eingeladen, sondern einzelne Schriftsteller. Andernfalls hätte man sich großen politischen Aufwand, wohl auch viele Absagen eingehandelt. Döblin nannte die persönlichen Einladungen *den bequemen Weg.* Er sah voraus, dass die Tagung in den anstehenden Berufsfragen keine Fortschritte bringen konnte, vor allem als propagandistische Plattform für eine über die SED hinausgehende Zwangsvereinigung der Linken dienen sollte. *Der Kongreß entspricht den Berliner Einheitstendenzen, und er wird als Sprungbrett bezw. als Podium für solche Propaganda benutzt werden.* Aber er überlegte zu diesem Zeitpunkt offensichtlich noch, ob er sich nicht doch daran beteiligen wollte oder konnte, später ist davon nicht mehr die Rede.

Anfang September kam er wieder auf den Berliner Kongress zu sprechen, schlug Heinz Gollong, dem Münchner SDS-Vorsitzenden, ein anderes Verfahren vor: die Verbände der vier Zonen sollten *diese Frage ventilieren und zwar unverbindlich, um die Eventualitäten zu studieren.* Erst danach könne man einen Kongress beschließen und das Wo und das Wie klären. Auch müsse man mit den politischen Stellen Fühlung nehmen. Döblin wollte ein Moratorium erreichen, um die Veranstaltung in den verschiedenen Zonen politisch abzusichern. Dazu kam es nicht: Der Schriftstellerkongress fand nach einer Verschiebung um einen Monat im Oktober 1947 in Berlin statt. Döblin hat Heinrich Berl, den Vorsitzenden des südwestdeutschen Autorenverbandes, als Beobachter geschickt.

Keinesfalls wollte er die sich abzeichnenden Spannungen zwischen den Alliierten gelten lassen. Energisch bestritt er, dass sie überhaupt existierten. »Ost« und »West« waren für ihn damals geographisch und politisch unterschieden, doch ließ er einen kulturellen Gegensatz nicht gelten. Er dürfe erst recht nicht entstehen: *Es darf kein Graben quer durch Europa gezogen werden, und er wird nicht gezogen werden. Das sind alles alte trübe Nachklänge.* Das war eine trotzige Behauptung wider die politische Realität. Gemessen an seinen zahlreichen marxismuskritischen Äußerungen in vielen Jahren zuvor wurde er geradezu rebellisch, hielt Russland für *ein frisch modern, ja preußisch concipiertes Gebilde,* für *das jüngste Kind Europas* – eine geradezu kühne Misskennung. Es ging ihm einfach darum, die Dimension von Weltpolitik ins Auge zu fassen, da konnte ihn der Ost-West-Gegensatz mit dem umlaufenden Mythologem von einem neuen gemeinsamen Kreuzzug der Westmächte gegen den Osten nur stören. Er fand eine harsche Formel: *Europa war einmal eine Halbinsel von Asien und ist jetzt eine stark verwüstete Provinz mit Krähwinkelstaaten.*

ZWEITES HALBJAHR 1947

Emil Belzner, Redakteur der »Rhein-Neckar-Zeitung«, fragte beim Autor nach einem Döblin-Experten an, der ihm hätte etwas über den Dichter schreiben können. Da war guter Rat teuer: Döblin kannte keinen, denn alle Bücher, von 1933 bis 1940 gedruckt, erst recht die unveröffentlichten Manuskripte, waren in Deutschland ja ganz und gar unbekannt. Wie sollte sich da einer finden lassen, der das Œuvre Döblins hätte ausdeuten können? Der Jesuitenpater Herbert Gorski war willens, über Döblin zu schreiben, aber der Autor musste ihn mit Hinweisen auf sein Werk und mit Material versorgen.

Auch über das Religiöse ließ er sich aus: *Sie fragen, Pater Gorski, ob ich mich weiter mit Religionsdingen beschäftigen werde. Aber im Grund mit nichts als dem. Gern würde ich dem Religionsgespräch ein zweites von der Art, also Theoretisches, folgen lassen, wie es ja am Schluß des Buches von dem Alten angekündigt wird, also über das Handeln und über den mystischen Leib Christi. Aber die Bürotätigkeit frißt mich noch auf, vielleicht werde ich auch davon in absehbarer Zeit entlastet.*

Döblin war von den New Yorker Exilautoren enttäuscht. Er erhielt von dort wenig Beiträge, und das, was ihm geschickt wurde, war für ihn bisweilen unbrauchbar. Die älteren Autoren hätten anscheinend kein Interesse, in Deutschland publiziert zu werden. Da tat sich eine neue, wenn auch unsichtbare Front auf. *Ebenso von anderen aus New York, die mir hinhaltende Bemerkungen machen oder nicht antworten. Ich denke nicht daran zu betteln, wenn die Herren nicht interessiert sind. Aber sie sind nicht interessiert, weil uns keine Dollars zur Verfügung stehen. Herrliche Idealisten, Fahnenträger der Zukunft. Gelegentlich schickt mir einer oder der andere, ich will keine Namen nennen, auch solchen Mist, daß ich ihn schleunigst wegtun muß.* Wieder einmal wandte er sich gegen den Lieblingswahn der Kritik, dass er von Joyce, *diesem irischen Experimentator,* mehr oder weniger den inneren Monolog abgeschrieben habe. Das Thema verfolgte ihn jahrzehntelang. Er wollte nicht womöglich als Plagiator dastehen, sondern betonen, dass an verschiedenen Orten der Literatur gleichzeitig ähnliche Gedanken und Strömungen aufbrechen können.

Er trat mit seinem Standardvortrag *Unsere Sorge der Mensch* auch in Frankfurt Ende November 1947 vor dem Katholischen Frauenbund und der Katholischen Volksarbeit auf, hatte in diesem Monat weitere Vorträge in Freiburg und München, im Dezember in Berlin.

Ende November erhielt er Kunde von einem geradezu absurden Vorfall. Er kam aus Freiburg zurück und schilderte denkwürdige Vorgänge, von denen er bei Herder gehört hatte: *Ich erfuhr selber bei dieser Gelegenheit, nachdem ich in Baden-Baden den ersten Band von* November 1918 *zurückgezogen hatte, daß inzwischen auch die Zensur, die in diesem Falle nicht ich war, den ersten Band für die französische Zone als nicht opportun zurückgewiesen hat. Es gehört nicht zur Sache, daß ich selbst diese Zurückweisung als unberechtigt und unbegründet ansehe, sie hat natürlich ein politisches Motiv, man wünscht elsässische Dinge nicht zu berühren. Jedenfalls, wie ich schon voraussah, kommt der Band für die französische Zone nicht in Frage.* Döblin war an den Entscheid nicht nur als Autor, sondern auch als Mitarbeiter des Amts gebunden und musste sich loyal verhalten. Deshalb hatte er den Band schon zwei Wochen zuvor von sich aus zurückgezogen. Er schlug nun eine Veränderung des Editionsvorhabens vor, die tiefgreifende Verschiebungen bedeutete. Er wollte auf eine Neuauflage von *Der unsterbliche Mensch* verzichten und stattdessen lieber Band zwei und drei von *November 1918* herausbringen, nämlich *Verratenes Volk* und *Heimkehr der Fronttruppen*.

Der Verlag Karl Alber bemühte sich 1947 in der amerikanischen Zone vergeblich, das Papier für eine Großauflage von *November 1918* zu erhalten. Döblin war betroffen: Für Bergengruens Roman »Der Großtyrann und das Gericht« war genug Papier vorhanden. Den ersten Band des *November*-Werks wollten die französischen Militärbehörden, wie aus einem Schreiben an den Verlag hervorgeht, nicht gedruckt wissen, da hier Vorgänge im Elsass erzählt worden sind. Daraufhin wollte Döblin diesen Band auch nicht in der amerikanischen Zone veröffentlicht sehen, was man verstehen kann: Er konnte schließlich nicht in Diensten der Militärbehörde stehen und ihre Wünsche gleichzeitig unterlaufen.

Zu Allerheiligen 1947 besuchte er zum zweiten Mal das Grab Wolfgangs im Vogesendorf Housseras. Die Söhne hatten mit dem Deutschen keine gemeinsame Sprache mehr: Klaus sprach Französisch und Deutsch, Peter Deutsch und Englisch, da er 1935 nach Amerika emigriert war, Stefan verstand sich auf Französisch und Englisch, wohingegen sein Deutsch verblasste.

Döblin litt an einer Rückenmarkserkrankung, die wohl, wie ärztlich festgestellt, auf eine Halswirbelsäulenerkrankung zurückging. In seiner Not wandte er sich an den Direktor der Universitäts-Nervenklinik in Freiburg. Am 27. November 1947 wurde er von ihm untersucht und stationär aufgenommen. Er bekam eine Therapie mit Röntgenstrahlen, die seine Beschwerden kurzfristig ein wenig linderte.

Gegenüber den Rosins bemerkte er Ende 1947 sarkastisch: *Wissen Sie, daß es jetzt in Deutschland 60 Millionen Juden gibt? Jeder Deutsche hat mindestens einem Juden das Leben gerettet. Sie wissen wohl auch, daß man von*

Wieder-jud-machung spricht? Er befürchtete neue Kriegsspannungen, die Siegermächte waren zerstritten: *Ich dachte, mit zwei Weltkriegen meinen Kriegsbedarf gedeckt zu haben, nun geht das fatale Gerede wieder los.*

DIE LITERARISCHE SITUATION

Niemand wollte für Döblin einen Essay über deutsche Exilliteratur schreiben. So nahm er das Thema selbst in die Hand: er verband Motive der Darstellung über *Deutsche Literatur im Ausland,* die er 1938 in Paris geschrieben hatte, mit Thesen über die Ausbreitung des Nationalsozialismus in dem Essay *Die Utopie von 1933.* Er wollte von den Veränderungen durch Hitlers Machtantritt sprechen und von der Chance, die Literatur *wiederherzustellen und neu aufzurichten.* 1947 erschien die 62-seitige Broschüre in einer Erstauflage von 15 000 Exemplaren im Keppler Verlag.

Döblin zeichnete den Nationalsozialismus als eine degenerierte Utopie. Die deutsche Literatur habe sich im Raum des Privaten, *in der Außerstaatlichkeit,* aufgehalten, und über *dieses eigentümliche, windstille, weltfremde Territorium der deutschen Dichtung* habe sich 1933 der Nazismus geworfen. Er übernahm sein früheres Gliederungsschema, um die Weimarer Literatur zu charakterisieren: Er teilte sie in eine feudalistische, eine humanistische und eine progressive Gruppe ein. Er hielt diejenigen, die im Land geblieben waren (aber nicht nur sie), nur noch für *Literaturreste im Kümmerzustand.* Aber er sah Möglichkeiten, diese Generation zu aktivieren: vor allem durch Förderung der Buchproduktion von Autoren, die nach 1933 verschollen waren. Er drängte auf einen Kanon, stellte selbst einen mit annähernd 30 Autoren auf, beginnend mit Peter Altenberg und endend mit Stefan Zweig. Als Schriftstellerin fand sich nur Else Lasker-Schüler in dieser ansonsten durchweg männlich besetzten Liste.

Für ihn war Exilliteratur nicht auf jene Autoren beschränkt, die ins Ausland geflohen waren. Er hatte damit jahrelang auch die versteckten und illegalen Bücher im »Dritten Reich« verbunden. Erst 1947 veränderte sich seine Terminologie; die Schrift *Die literarische Situation* unterschied nun *Schriftsteller im Land und die Exilierten.*

Die Verhältnisse im Nachkriegsdeutschland beschrieb er in den Metaphern des Arztes, von Infektion, Vergiftung, Krankheitsherden und Paranoia ist die Rede. Er wusste um das Geduldsspiel, mit einem Fond an Humanität und Zivilgeist die nationalistischen und biologistischen Wahnvorstellungen zu ersetzen. Er glaubte an ein unverbrauchtes Erbe.

Aber je länger er wieder in Deutschland lebte, desto mehr verringerte sich seine Wertschätzung der deutschen Inlandsliteratur, er legte zunehmend engere moralische Maßstäbe an. Andererseits aber führte der genauere Einblick, den er als Zensor in Manuskripte und über Personalbögen in die Biographien ihrer Autoren gewann, zu mancher Differenzierung. *Schweigend hielten im Lande eine Anzahl Autoren durch,* stellte er 1947 achtungsvoll fest. Das klingt nach Unterscheidung bei den im Reich Verbliebenen. Als Ricarda Huch, die von ihm hochgeschätzte Schriftstellerin, im November 1947 starb, würdigte er sie und zog eine Quintessenz: *Es ist in dem letzten Jahrzehnt viel Schweres und Schlimmes in dem Land geschehen, aber jede Verallgemeinerung muß Halt machen und ist momentan widerlegt durch die Figur Ricarda Huchs.*

Er vermied den Begriff »Innere Emigration«, sah diese Gruppierung als die *in ihr Inneres Emigrierten.* Ihre Geistigkeit sei Ergebnis eines Rückzugs *in ihre Mauselöcher,* eine Flucht *in das Symbolische, Allegorische, in die Philosophie und die Mystik.* Er hatte einen Kollegen vor Augen, der ihm oft als Anschauungsbeispiel diente: Hans Carossa. Ihm wollte er nicht Nazigesinnung vorwerfen, aber er sah in ihm den Ästheten, der geschwiegen hatte. Andererseits ließ er viele Autoren, die im »Dritten Reich« veröffentlicht hatten, ohne weiteres gelten und druckte ihre Arbeiten in seiner Zeitschrift. Auch Loerke und Lehmann wurden publiziert, Hermann Kasack in den Kreis der Mitarbeiter aufgenommen. Mit Ernst Kreuder verband ihn viel.

Döblins Bemerkungen, vor allem im »Goldenen Tor«, sind nicht von systematischer Art. Zu einem grundsätzlichen Text über diese Problematik hat er sich nie verstanden. Damit hätte er – zu Lasten der operativen Möglichkeiten, die ihm sein Amt bot – sich auf eine Position gestellt, die mit seinem Aufgabenbereich nicht vereinbar gewesen wäre.

EIN NEUER AUTORENVERBAND

Döblin sollte in der französischen Zone einen Schriftstellerverband gründen. Am 29./30. April 1947 wurde in Baden-Baden der Verband südwestdeutscher Autoren (VSA) ins Leben gerufen. Sekretär war Edwin Ludwig Krutina, der nicht nur Schriftsteller, sondern auch Direktor des Reichsverbandes der Standesbeamten Deutschlands war, Erster Vorsitzender Heinrich Berl, Schriftsteller und Journalist. Er war mit einer Jüdin verheiratet, erhielt deshalb im »Dritten Reich« »Berufsverbot«. Er beteiligte sich nach dem Krieg am kulturellen Wiederaufbau in Südwestdeutschland und wurde wahrscheinlich wegen seines untadeligen Lebenslaufs ausgewählt. Die erste reguläre Sitzung fand vom 7. bis 9. November 1947 in Lahr statt, wo auch ein Literaturpreis ausgelobt wurde. Im »Goldenen Tor« findet sich ein ironischer Bericht Döblins darüber. Er mokierte sich über seine eigene Gründung, weil er die Ahnung nicht loswurde, dass das Häufchen der südwestdeutschen Schriftsteller weit entfernt war von der aktiven Gruppe, die er sich vorstellte.

Ursprünglich war Otto Flake für den Vorsitz auserkoren; er wurde gleichermaßen von Döblin wie von Keppler bedrängt und nahm an. Aber er demissionierte noch vor der Gründung, weil er sich nicht mit der Zensur abfinden wollte. Er nahm Döblin übel, dass er in französischer Uniform auftrat, und der störte sich daran, dass Flake die Franzosen nur als Okkupanten titulierte. Als einziger Schriftstellerverband in der französischen Zone zugelassen, war der VSA unrettbar provinziell. Döblin wollte starke, zentralistische Organisationen schaffen, die den Nazigeist vertreiben sollten und keine Kompromisse mit Konkurrenten machen mussten. Es ist jedoch mehr als zweifelhaft, ob der VSA eine solche Stärke je hätte erzielen können.

Zwei weitere Tagungen veranstaltete der VSA noch 1948/49 in Badenweiler. Im Mai 1948 stiftete er einen Preis für das beste Werk über die Revolution von 1848/49, den mehrere Autoren erhielten. Nach dem Tod Berls im April 1953 löste sich der VSA auf, die Mitglieder wurden vom Süddeutschen Autorenverband übernommen, dem Wilhelm von Scholz vorstand, der einst der »Sektion Dichtkunst« in der Preußischen Akademie präsidiert hatte und der im »Dritten Reich« zu Ehren kam. Und Döblin pflegte seinen Glauben an die Umerziehung wider besseres Wissen: *Gewiß, die größten Nazischlagworte legte man beiseite, die Facade war nicht mehr möglich, jedenfalls nicht jetzt, während der Besatzungszeit. Aber in sehr vielen brannte natürlich der Haß und die Rachsucht weiter. Man war ein geschlagenes Volk, nachdem man eben ganz Europa beherrscht hatte, und es sorgten viele im Lande dafür, daß die schlimmen alten Dinge, auch das Gefühl der Niederlage lebendig blieb.*

EIN SKANDAL

Thomas Mann, der es schwer hatte, bei Döblin zu bestehen und der schon im Exil es nicht leicht hatte mit dessen Invektiven, wurde von Döblin am schärfsten nach dem Zweiten Weltkrieg abgelehnt. Hermann Kesten hat Döblins Gebot, er solle bei der erbetenen Schrift über Exilliteratur Thomas Mann auf keinen Fall glorifizieren, an Thomas Mann weitergetratscht und damit ein fassungsloses Kopfschütteln ausgelöst.

Den zweiten Jahrgang seiner Zeitschrift eröffnete Döblin mit einer Rubrik über die »Revision literarischer Urteile«: *Geltung und Nichtgeltung (und die Grade von Verschattung oder Belichtung seiner literarischen Größe) hängen von der Zeit und der gesellschaftlichen Situation ab, und das heißt von Kräften, die alte Urteile zulassen oder neu untersuchen und revidieren. Wir werden an dieser Stelle solche Revisionen vornehmen.* Wer aber verbarg sich hinter diesem Majestätsplural? War es die französische Kulturbehörde oder Döblin allein? Handelte es sich um offiziöse oder ganz und gar subjektive Ansichten, die zur Geltung kommen sollten? Wie sollten außerdem die Maßnahmen Döblins oder der französischen Kulturbehörde als Beiträge zur Demokratisierung der Gesellschaft anerkannt werden, wenn der Herausgeber der Zeitschrift zugleich als Zensor und in französischer Uniform auftrat? Er war in unlösbaren Widersprüchen gefangen. Die folgenreichste »Revision« galt dem Erzfeind Thomas Mann. Der Herausgeber beauftragte gleich drei Autoren mit dieser Angelegenheit. Zwei der drei Herren, die er zu Revisor-Diensten bat, waren entschieden zu jung für ihre Aufgabe: Wolfgang Grothe war 22 Jahre alt, Lüth drei Jahre älter, und Egon Vietta war zwar 44 Jahre alt, aber er hatte das »Dritte Reich« literarisch auf einem Rückzugsrevier der Neoklassik und der Antike überstanden, also in einer Nische, die Thomas Mann auch nicht gemäß war.

Wolfgang Grothe nahm sich, einigermaßen gelassen, »Tod in Venedig« als »pessimistische Prophezeiung« vor. Egon Vietta wollte (oder sollte) die Erzählkunst Thomas Manns als bürgerliche Scheinblüte entlarven, die sie schon 1918 gewesen sei – also nichts Neues auf dem Tapet, nichts als 19. Jahrhundert. Schon durch die Länge seiner Polemik schoss Paul Lüth den Vogel ab. Sein Text musste in kleinere Type gedrängt werden, damit er im Heft überhaupt Platz fand. Der 25-Jährige veröffentlichte einen harten und ziemlich argumentationslosen Verriss. Thomas Mann sei der Autor des Bürgertums, »ein solcher mit schlechtem Gewissen«. Es wimmelt von abschätzigen Benennungen und Umschreibungen Thomas Manns und seiner angeblichen Halbherzigkeiten. Hat Döblin seinen Mitarbeitern, vor allem Lüth, die Feder geführt, oder hat er mit ihnen so lange über den Rivalen von Pacific Palisades diskutiert, bis die schiefen Urteile saßen und Döblin im Gegenzug für seinen *Wallenstein* gelobt werden konnte? Das Bild Thomas Manns war durch die vorausgegangene, von Frank Thieß ausgelöste Kontroverse sowieso schon verzeichnet und verzerrt, nun kam dieser dreistimmige Verriss hinzu, der nicht einmal den aktuellen Anlass einer Neuerscheinung als Alibi hatte. Niemals hätte Döblin in seiner Zeitschrift gestattet, dass jemand beispielsweise über Lion Feuchtwanger, Jakob Wassermann oder Joseph Roth mit der gleichen ungestümen Ahnungslosigkeit hergefallen wäre. Andererseits überschritten die Verrisse keineswegs die Tonlage, die Döblin von zahlreichen Reaktionen auf sein eigenes Werk gewöhnt war. Der missliche Einfall, drei Schreibsöldner über Thomas Mann herfallen zu lassen, wurde allerdings erst durch einen weiteren Ausfallschritt zum wirklichen Skandal. Paul Lüth veröffentlichte 1947 ein zweibändiges Kompendium »Literatur als Geschichte«, die erste Literaturgeschichte nach dem Krieg, in der er Thomas Mann verdächtig nahe an der Wortwahl Döblins geißelte und seinerseits ihn in den literarischen Olymp hob. Damit fiel der lange Schlagschatten der Missgunst und des Hasses auf den spiritus rector selbst zurück. Er galt als der eigentliche Regisseur des Geschehens. Jahrelang hat ihm diese Inszenierung eines Wutkomplexes mit Hilfe williger Helfer schwer geschadet. Der Vorgang blieb lange im Gedächtnis, denn der Essayist Paul Rilla veröffentlichte im März 1948 eine Streitschrift gegen Lüth, worin er ihn frontal angriff und ihn »als das zu jedem Dienste erbötige Werkzeug« geißelte. Auf 60 Seiten widmete er sich den Sachfehlern des Verfassers und stellte Lüth als Plagiator von Soergels Literaturgeschichte dar. Mit der Thomas-Mann-Schmähung wollte er sich gar nicht aufhalten, benötigte aber, um diesen Vorsatz einzuhalten, immerhin sechs Seiten. Dann nahm er sich Döblin vor. Er unterstellte, dass Lüths Darstellung und Urteile über Thomas Mann von Döblin souffliert seien, hielt die Schändung Thomas Manns für ein Auftragswerk der »Döblinschen Literaturpolitik«, verurteilte scharf, dass er Lüth dafür im »Goldenen Tor« Platz gegeben hatte. Die Affäre (der man eine belebende Kraft im Literaturbetrieb an sich nicht absprechen kann), »die das taktloseste Schauspiel ist, das ein literarisches Deutschland heute der Welt bieten kann«, blieb an Döblin hängen. Er wurde von Rilla noch schärfer angegangen: Er werfe das Gewicht seines Namens »in die Waagschale der literarischen Unehre«.

Rillas Hieb zielte aufs Ganze – und er traf mit seiner blendenden Polemik vor allem Döblin. Dessen Verteidigung fiel lahm aus, denn es blieben ihm wenig Gegengründe übrig. Im gleichen Jahrgang der Zeitschrift stellte Döblin seine »Revisionen« wieder ein, wohl wegen des Drucks, der durch diese Leichtfertigkeit entstanden war.

Doch damit waren der Affäre Wogen noch längst nicht geglättet. Wegen seines Hasses auf Thomas Mann wurde er einmal, mit einer polemischen Verve sondergleichen, gestellt. Erika Mann schrieb ihm am 6. Mai 1948 einen längeren Brief aus New York, in dem sie bewies, dass sie ihres Vaters Statthalterin auf Erden war. Döblin erschien ihr als ein Fall für die Psychoanalyse (sie meinte: für die Psychiatrie), hielt ihm seine »ungesunde Manier« vor, seinen Katholizismus, nannte ihn einen »hysterisch blökenden Neidhammel«, rechnete ihm unverhohlen die materielle Hilfe vor, die ihm durch Thomas Mann zuteil geworden war. Döblin jedoch nahm den Fehdehandschuh nicht auf; er leugnete in seiner Antwort die persönliche Feindschaft, sprach nur von unterschiedlichen Lagern. Das hatte etwas vom ertappten Sünder und vom bockigen Kind zugleich.

NOCHMALS IN BERLIN

Anfang 1948 rüstete er sich für eine zweite Berlinreise, aber weniger mit Freude als mit Kampfesmut. Gegenüber seinem inzwischen vertrauten Jesuitenpater Herbert Gorski hegte er Ahnungen über das, was ihn erwartete: *Am 5. Februar bin ich nun wieder für einige Tage in Berlin und lese da irgendwelche Stücke aus Büchern von mir vor. Die Klicke, die dort das Wort, aber nicht den Geist führt, ist mir nicht wohl gesinnt, wie sich begreifen läßt. Aber das soll mich nicht hindern, wenn Gutgesinnte mich einladen, dahin zu gehen.*« Er las auf Einladung der »Freien Volksbühne« in Berlin-Wilmersdorf aus neueren Werken. Veranstaltet wurde auch eine öffentliche Rundfunk-Diskussion im »Marmorhaus« an der Gedächtniskirche. Er debattierte mit Herbert Sandberg, Kurt Maetzig, Otto Heinrich von der Gabelentz, Alfons Steiniger, Alexander Koval und Günther Birkenfeld über die Frage »Welchen Anspruch hat die Gesellschaft an den Künstler, und welche Rechte hat der Künstler gegenüber der Gesellschaft?«. Döblin kommentierte das Presseecho streitlustig wie eh und je: *Die roten Herrschaften haben noch immer die vorsintflutlichen Auffassungen und treten damit, mit russischer Rückendeckung, hervor, um, wie Sie ja wissen, alles Moderne, das nicht in ihren Kram paßt, als dekadent, wie Göbbels, zu diffamieren. Sie kamen bei mir damit nicht durch, – und das Publikum, obwohl öfter sekundiert von Freunden und geteilt, ging recht kräftig mit mir mit.*

Einem Bericht des (West-Berliner) »Kurier« zufolge, lehnte Döblin jeden Anspruch an die Kunst ab, denn die Künstler stünden außerhalb des Staates, oft gegen ihn. »L'art pour l'art verlangte Döblin, schon, um den Gesprächspartnern das rechte Reizwort hinzuhalten.« Die (Ost-Berliner) »Tägliche Rundschau« hingegen betonte, dass Prof. Steiniger unter großer Heiterkeit des Publikums einige Sätze aus einem früheren Essay Döblins zitierte, »mit denen Döblin selbst widerlegt wurde«. Wieder fiel ihn die Unheimlichkeit des Ruinengeländes an. An die Rosins: *Berlin ist ganz unvorstellbar für den, der nicht da war und nicht da herumgegangen oder herumspaziert ist im Wagen. Kilometerweit der Tod und völlige Einsamkeit.* Johannes R. Becher, den er in

Berlin traf, schrieb ihm hinterher, dass »über Zonengrenzen und andere Begrenztheiten hinweg doch so etwas wie eine geistige Gemeinschaft besteht«. Becher hatte sich gegenüber dem Berliner Bürgermeister Dr. Freudenberg (wohl Ferdinand Friedensburg) darüber aufgeregt, dass Döblin von Seiten des Magistrats nicht offiziell begrüßt worden war, obwohl der gegenüber Jean-Paul Sartre durchaus auf eine solche Geste sich verstanden hatte. Döblin antwortete mit einem Brief der Versöhnung: *Wir werden furchtbar durch wertlose und verstaubte Schlagworte gestört. Wir sind nicht identisch mit den Staatsformen, in denen wir leben. Immer deutlicher wird mir jedenfalls, daß den Schriftstellern und Künstlern, aber auch vielen, die nicht sprechen und gestalten, jetzt in der nächsten Zukunft eine starke und wichtige Rolle im Sinne des menschlichen Friedens zufällt. Wir müssen uns von niemandem ins Schlepptau nehmen lassen. Man braucht nicht Rebell zu sein, aber man muß festhalten, was man ist und was man will.* Die beiden hatten noch manche Meinungsverschiedenheiten, aber Döblin sah sie im Typologischen, nicht im Ideologischen: *Sie sind mehr aktiv und gehen ins Organisatorische, ich bin mehr philosophisch und metaphysisch veranlagt.* Die beiden hatten sich mehr entwickelt und verändert als viele von den früheren Freunden und Kameraden, die noch im Exil sich befanden. Er suchte nach einem Gleichklang, wenigstens nach einer Brücke, über die sie beide gehen konnten: *So bin ich, ohne meine Grundsubstanz zu ändern, zu tieferen metaphysischen Auffassungen gelangt, gegründet auf weitere und größere Kenntnis unseres schwierigen menschlichen Daseins, und Sie sind menschlich voller, umfassender und auch reifer, genau, reif geworden.*

Das fand er auch in den neuerdings so einfachen Gedichten Bechers. Es nütze nichts mehr zu polemisieren (wie beide in früheren Tagen oft geübt hatten). Hier antwortete gewiss auch ein französischer Kulturoffizier einem führenden Vertreter der SED-Kulturpolitik, aber die diplomatischen Töne blieben in diesem Brief im Hintergrund. Vordringlich war die Entwicklung der beiden Kämpen und ihre Entfernung von einer trennenden Vergangenheit. Döblin hatte dabei einen viel weiteren Weg zurückzulegen als Becher: Er musste über die Hürden persönlicher Verletzungen und Verunglimpfungen hinweg, die ihm marxistische Exegeten der wahren Kunstauffassung unter Federführung Bechers zugefügt hatten. Becher brauchte nur auf der von ihm oft geprobten, oft mit Eleganz exekutierten Position einer literarischen Bündnispolitik zu verharren. Mehr war für ihn als Einsatz nicht nötig, um das herzerwärmende Vertrauen Döblins zu gewinnen. Nach den Niederlagen und Wechselfällen, die sie erfahren hatten, erkannten sie einander aber doch als Gefährten.

1948

Döblin war Mitglied des französischen PEN geworden, aber auch die Gruppe, die eine Neugründung des deutschen betrieb, bemühte sich um ihn. Allerdings ging das nicht ohne Komplikationen: er wollte *erst Nachforschungen* (anstellen) *nach den Personen, die da einladen, von denen mir mehrere gänzlich unbekannt, um nicht zu sagen verdächtig sind.*

Bis zur Währungsreform kam die Veröffentlichung von Döblins Manuskripten und Büchern in Deutschland einigermaßen zügig voran, und auch Übersetzungen waren zu verzeichnen: Einaudi übernahm *Bürger und Soldaten* ins Italienische, *Der blaue Tiger* erschien auf Französisch. Aber es blieb der Bruch zwischen den Erwartungen des Autors, den Hemmnissen durch die französische Bürokratie und dem Papiermangel. Bei anhaltender Publikation von jährlich drei Döblin-Büchern hätte sich die Zeitstrecke, bis das Werk einigermaßen komplett vorläge, auf mehr als 15 Jahre gedehnt. Welcher Verlag hätte an dieser Aufgabe nicht scheitern müssen? Es bleibt für alles, was an ihm in beiden deutschen Staaten nach dem Krieg versäumt und verbrochen wurde, auch die erratische Tatsache übrig: zu viel und zu vielfältig sein Werk, um die 12 Jahre Unterbrechung seiner Wirkung aufholen zu können.

Er ging noch immer in den Dienst wie gewohnt; er klammerte sich daran. Abends gab sein Kopf, wie er sagte, nichts mehr her. In Seiten des *Journals*, die er später vom Manuskript wieder abzog, schildert er ausführlich seine damaligen Malaisen. Schon lange, bereits im amerikanischen Exil, hatte er neuralgische Schmerzen im rechten Arm. Plötzlich bemerkte er, dass er nicht mehr aufstehen konnte. *Es mußte eine augenblickliche Muskelschwäche gewesen sein, es ging vorüber.* Dann knickte ab und zu ein Knie ein, die Finger begannen zu vertauben, an beiden Händen, erst von den äußeren Fingern her, *erst oberflächlich und dann tiefer.* Am Klavier konnte er die Akkorde nicht mehr greifen. Im gleichen Jahr ließ er sich in der Freiburger Psychiatrie- und Nervenklinik vom Direktor Kurt Beringer untersuchen. Er ging dazu für einige Tage in stationäre Behandlung, *und er stellte das Wesen (fest), man sagt wohl die Krankheit, die sich meiner Leiblichkeit bemächtigt hatte und an ihr arbeitete und sich in ihr einfraß.* Spritzen und Medikamente wurden verabreicht, Bäder und Massagen veranstaltet, sein Zustand besserte sich nur für kurze Zeit, aber nicht grundsätzlich. Große Beschwerden hatte er auch wegen seiner rapide nachlassenden Sehkraft. Er musste sich das meiste vorlesen lassen, konnte Korrekturen an seinen Manuskripten nicht mehr richtig ausführen. Neuralgische und arthritische Belastungen kamen hinzu. *Alter und Kränklichkeit sind über meine Schwelle getreten. Sie wohnen unter meinem*

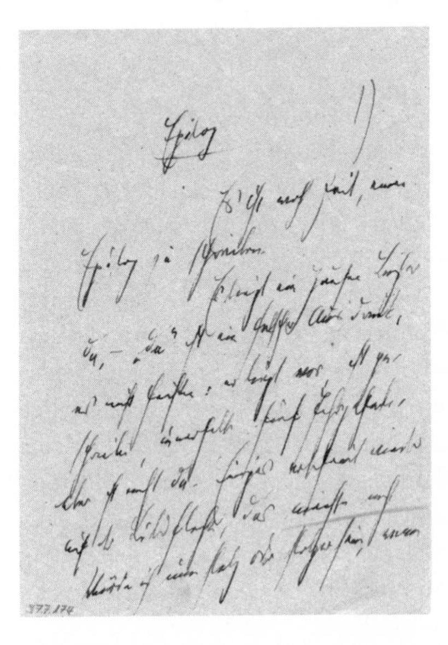
Epilog

Handschrift von *Epilog*
1948

Dach und bereiten mich auf einen neuen großen Umzug vor.

Im April 1948 wurde die Vorzensur von Büchern durch die Militärbehörden – von wenigen Ausnahmen abgesehen – abgeschafft. Damit war ein Teil der Tätigkeit Döblins obsolet geworden, nämlich *das Gros sämtlicher Werke und Manuskripte, die durch mein Büro liefen,* zu sichten und zu prüfen. Anfang Juli 1948 teilte Döblin seiner Vertrauten Elisabeth Reichenbach mit, er sei noch ganztägig im Dienst und komme privat nur zu kleinen Texten, aber er rechnete damit, sich *langsam aus dem Dienst zu ziehen.* Allerdings hatte er sich aus Amt und Würden zu diesem Zeitpunkt bereits verabschiedet. Der Übergang zur Privatexistenz muss ihm enorm schwer gefallen sein. Einher ging damit ein gewisser Überdruss beim Schreiben, *und schließlich so sehr wichtig ist es auch nicht, ob man noch mehr denkt und schreibt.* Doch arbeitete er weiter, als wäre nichts geschehen, und zwar als »Rédacteur en Chef de la Revue ›Das Goldene Tor‹«. Die Militärbehörden wollten ihn eigentlich auslagern und suchten für seine Redaktion im November 1948 in Baden-Baden eine Zweizimmerwohnung. Da nichts Passendes gefunden wurde, blieb er doch im Hotel Stephanie. Er hat sich von seinem Amt und den Vergünstigungen, die es mit einer Sekretärin, einer Dienstadresse und anderen Annehmlichkeiten bot, verständlicherweise nur schwer lösen können. Auch nach dem Ausscheiden aus dem »Bureau des Lettres« blieb er diesem verbunden. Er informierte das Amt über Buchmanuskripte, die ihm – wie Ernst Kreuders Roman »Die Unauffindbaren« – vor Augen kamen, beriet sich mit ihm bei der Gründung der Mainzer Akademie am 9. September 1949.

Am 20. Juni 1948 fand die Währungsreform statt.

Kein anderes Ereignis nach 1945 war für den Absatz von Büchern und für die Entwicklung des Verlagswesens in Westdeutschland einschneidender als dieses. Über Nacht gab es allerhand zurückgehaltene, gehortete Waren zu kaufen, ein erster Konsumrausch trat ein, von dem der Buchhandel freilich nicht profitierte. Döblin wusste den Vorgang genau einzuschätzen: *Diese Reform ist natürlich besonders für Kunst und Literatur schrecklich, Bücher, Zeitschriften, Theater sind enorm betroffen; alles Kapital ist futsch, riesige Steuern, minimale Einnahmen. Dabei liegen die Städte noch in Trümmern und man fordert Reparationen – Freilich ist das neue Geld besser als die frühere Inflation.* Der Verleger Max Niedermayer: »Der Herbst 1948 brachte noch einen annehmbaren Absatz, und die eigentliche Baisse auf dem Büchermarkt setzte erst im Frühjahr 1949 ein, mit Remissionen, Zahlungseinstellungen und dem Ausbleiben von Bestellungen.« Autoren und Verleger waren gleichermaßen davon betroffen. Andererseits blieben vorläufig die verwaltungstechnischen Schwierigkeiten erhalten. Mitte 1948 glossierte Döblin den widersinnigen, von Bürokratismus und wechselnden Bestimmungen gebeutelten Interzonenaustausch auch zwischen dem französischen und dem britischen Gebiet. Wer wisse denn, *was 50 Meilen entfernt von ihm gedruckt* werde? *Man redet von Weltorganisation; wer organisiert die Verbindung mit der Nachbarschaft?*

Zu den nicht absehbaren Schwierigkeiten beim Verkauf seiner Bücher kamen wiederum familiäre Probleme hinzu. Peter Döblin war (im Juni 1948) erneut ohne Stelle. Erna beschwor in dramatischen Worten die Rosins um Hilfe: »Der Junge ist doch in seinem Fach tüchtig. Nun rennt er schon seit ca. 8 Wochen herum, weiß sich keinen Rat mehr. Ihr Sohn ist beteiligt am Book of the M.(onth) C.(lub), Life etc, kennt doch X Fachmenschen und sollte und könnte mit gutem Gewissen etwas für Peter tun. Es macht uns beiden schrecklichen Kummer, den Peter so herumirren zu wissen.« Anscheinend konnten die Rosins etwas vermitteln. Jedenfalls freute sich Erna Döblin gegenüber den Rosins Mitte Oktober 1948, dass sich Peter »gut in seine neue Tätigkeit einzufinden scheint«.

Limes-Verleger Max Niedermayer schickte ihm seine Festschrift zum 70. Geburtstag, und der Geehrte bedankte sich inständig dafür im Juli: *Es sieht wahrhaft repräsentativ aus und ist bestimmt in der Aufmachung und Herstellung das am besten gelungene Buch von mir, das ich seit meiner Rückkehr gesehen habe.* Er sprach in diesem Brief auch von einer gemeinsamen Zukunft und der Erwartung, dass die Beziehung zwischen Autor und Verleger die Währungsreform gut überstehe. Niedermayer hat eine Neuausgabe von *Babylonische Wandrung* veranstalten wollen. Döblin bestand, wohl als gebranntes Kind, auf einer an sich selbstverständlichen Bedingung: *Die Hauptsache ist, daß ein Buch, wenn es angenommen ist und man sich über den Vertrag geeinigt hat, daß es auch gedruckt wird und herauskommt.* Die beiden kamen aus unerfindlichen Gründen nicht überein. Der Absatz seines *Auswahl*-Bandes war freilich mehr als schleppend: Die Währungsreform hatte ihm den Garaus gemacht. Über die *Babylonische Wandrung* kam es zu keinem Abschluss.

In der letzten Juliwoche 1948 traf bei ihm *Der neue Urwald*, der dritte Band der *Amazonas*-Trilogie, ein. Ende September 1948 übermittelte er den Rosins eine alarmierende Nachricht, allerdings in Gleichmut verpackt: *Meine Frau möchte dauernd nach Frankreich, sie mag ja Deutschland ganz und gar nicht.* Erna Döblin hatte eine rabiate Kehrtwendung vollzogen und die Rückkehr nach Deutschland unumstößlich widerrufen. Weihnachten 1948 wurde in Paris gefeiert, mit Frau und Étienne (Stefan). Peter war aus den Vereinigten Staaten gekommen.

Aus Paris schrieb er Yolla Niclas am 24. Dezember 1948 noch einmal; nun war er bedrückt über die Lage in Deutschland, über die Armut, die Zerstörung, den Antisemitismus, die unbelehrbare und verbitterte Bevölkerung, über die Beschwerden des Alters. Und am Schluss noch einmal eine Aufmunterung an sie und eine zärtliche Causerie – *ich, eine kleine weiße Wolke am Himmel.*

UMORIENTIERUNG DER ZEITSCHRIFT

In das Jahr 1948 fällt auch eine programmatische Veränderung des »Goldenen Tors«. Döblin berichtete Mitte Mai Pater Herbert Gorski über die Zeitschrift und über seine Situation. Die erste Nummer des Jahrgangs war erst Anfang April herausgekommen. Sie befinde sich in einem *sehr mäßigen kleinen Verlag*, und er suchte, bisher ohne Ergebnis, nach einem anderen. Auch mit dem Alber Verlag war er unzufrieden. Er sei eben *kein Schoßkind* des Verlags, da war schon die Spannung da. Er hatte das Anschauungsbeispiel des Suhrkamp Verlags vor Augen: Der kümmerte sich um Hesse und auch um Brecht. Er wollte ein Unternehmen, das sich mit der gleichen Konsequenz seines Werks annahm. *Aber ich habe in diesem Lande keine Chance und muß damit zufrieden sein, wie es ist.* Er hatte eine Chance bei Suhrkamp gehabt und sie ausgeschlagen. Erstmals ohne Einschränkung äußerte er einen tiefen Groll über den Stand der Dinge. Und auch mit der Zeitschrift wollte er eine Veränderung vollziehen, die wie eine Art innerer Emigration erscheint: *Die Zeitschrift will ich immer stärker in die christliche Linie führen. Die Auseinandersetzungen müssen langsam offener und unverhüllter werden. Sie werden das ja auch bei den Nummern, hoffe ich, zunehmend bemerken können. Gute kombattive Mitarbeiter sind natürlich rar und man gerät infolgedessen immer in Gefahr, die Linie zu verlieren und das Ziel zu verfehlen.* Er hatte gerade seinen Dienst als Zensor quittiert, der Abschied lag nur einige Tage zurück, und er wolle *als Zivilperson* die Zeitschrift weiterführen. Dem Augustheft 1948 gab er ein neues Geleitwort mit: *Uns liegt in diesen Blättern an einer Bereicherung, Erweiterung und Vertiefung des menschlichen Geistes. Und wir sind gewiß Irrwege gegangen, um zu wissen, welches der Weg ist, den wir zu gehen haben und auf dem die Bereicherung, Erweiterung und Vertiefung des Geistes gewonnen wird: der christliche.* Parallel dazu ließ er zwischen November 1948 und Juni 1949 zehn von 11 Sendungen in »Kritik der Zeit« mit christlichen Themen enden.

Nach diesem zweiten Geleitwort rückte er einen Artikel des Schweizer Essayisten Albert Béguin über »Der Christ und die Dichtung der Zeit« ins Heft ein. Er pointierte offensichtlich die Vorstellungen des Herausgebers: »Es genügt nicht, die Mutter Gottes zu verherrlichen, um ein katholischer Dichter zu sein.« Gegen Dogmatismus und Frömmelei wollte Béguin ein anderes Verständnis vom christlichen Dichter setzen. Er müsse »Arbeiter unter anderen, vor anderen, an einer gewissen Revolutionierung in der geistigen Ordnung« sein. Literatur sei, so noch Béguin, »das Zeugnis einer Menschheit, die ihren Tod nicht will und deshalb aufständig ist«. Das war seinerseits ein Bezug zu dem russischen Philosophen Nikolai Berdjajev, der in seinem französischen Exil eine Verbindung von Christentum und Marxismus und eine Erneuerung des christlichen Menschenbildes angestrebt hatte. Döblin wollte diese Auffassungen teilen. Ihm ging es darum, im Christentum nicht die Spielarten einer unverbindlichen Metaphysik zu deklinieren, sondern es in die Welt zu überführen – letztendlich auf einer Basis, die den Sozialismus einschloss und spiritualisierte. Bei seiner Auswahl christlicher Dichter griff er bevorzugt auf Franzosen zurück; christliche Stimmen der »inneren Emigration« wie Rudolf Alexander Schröder, Jochen Klepper, Werner Bergengruen, Ernst Wiechert und Gertrud von Le Fort fehlen im »Goldenen Tor« weitgehend. Der wahre Christ, so Döblin im Geleitwort, wolle seinen Glauben hier und heute im Handeln verwirklichen. In der katholischen Jugendzeitschrift »Michael« präzisierte er seine Auffassung von *Revolution* und distanzierte sich von politischer Gewalt und ebenso noch einmal vom regierenden Marxismus und seinem Resultat: *Politbüro und die Diktatur, Verkümmerung der menschlichen Substanz.*

Er wollte auch einen anderen Typus hervorheben, nämlich *die Gruppe elementarer Dichter*, zu denen er François Villon, Georg Büchner, Charles Baudelaire und Frank Wedekind rechnete. Ihre Bestimmung sei es, *Ärgernis zu erregen*, indem sie das Böse, das *Untere, jedoch Vorhandene und unehrlich Verheimlichte und idealistisch Verkleidete in der Gesellschaft und im Be-*

wußtsein darstellten. So eine Quintessenz des Aufsatzes *Unterwelt – Oberwelt.*

Auch in der *Schicksalsreise*, die er im gleichen Jahr beendete, nannte er als Ziel, einer *neuen besseren Aufklärung entgegen* – so die Überschrift des letzten Abschnitts. Die Religion solle vernunftkritisch eingesetzt werden.

Es gibt damit eine Verbindung zwischen dem *Religionsgespräch* und dem Lessing-Aufsatz. Zwei Jahre zuvor hatte er noch einen anderen Zusammenhang, nämlich zwischen der Aufklärung und dem Marxismus, proponiert. Rudolf Leonhard hatte ihm im Frühjahr 1946 einen Aufsatz »über das fehlende Verhältnis Deutschlands zur Realität« angeboten, was Döblin ganz ausgezeichnet fand. *Und bitte,* falls *Sie Marxist sind, nicht marxistisch* sprechen, *sondern in der Attacke marxistisch* sein *und den Leuten keine bequeme Angriffsfläche bieten.* Also waren auch Marxisten aus dem Dialog, den er über die Aufklärung führen wollte, nicht ausgeschlossen, es kam nur auf eine gemeinsame Sprachebene an. Wenn man dieses Denkens sich nicht in Sprüngen, als einander ablösende Phasen, vergegenwärtigt, sondern als eine Komplexität in verschiedenerlei Gestalt, so ergibt sich ein faszinierendes Bild: Döblin will Brücken bauen zwischen Marxismus und Christentum unter dem Dach der Aufklärung. Er will sie anwenden für das Rééducations-Programm und dabei kritisch befragen. Die Fragmente dieses Denkens im Prozess sind sichtbar. Sie binden sich an die Dialektik der Aufklärung, an den ethischen Gehalt des Sozialismus und an eine als Humanismus verstandene Religiosität. Systematisch verbunden werden sie nicht, sie ergeben eher eine Art roman fleuve der Überzeugungen.

Döblin vermied eine ernsthafte Auseinandersetzung mit dem Existentialismus. Eine Bekanntschaft mit Jean-Paul Sartre war zehn Jahre zuvor in Paris an den sprachlichen Verständigungsschwierigkeiten gescheitert. Albert Camus sagte ihm nichts. Döblin ließ andere Beiträger vor dem Gift des Existentialismus warnen. Auch Hemingway, der den wohl nachhaltigsten Nachkriegseinfluss eines ausländischen Autors in Deutschland ausübte, kam im »Goldenen Tor« nicht gut weg: er wurde einfach nicht berücksichtigt. Döblin sah in Georges Bernanos einen jener Christen vom Typus der Aufsässigen, denen seine Zuneigung galt: *Das Böse in seinen unabsehbaren Folgen darzustellen und seine oft scheinbar harmlosen Erscheinungsfolgen aufzudecken, war Bernanos' großer dichterischer Auftrag, und ist der Inhalt der Botschaft seiner im tiefen Sinne so aktuellen Bücher. Nichts schien diesem kämpferischen und glühenden Christen mehr von Nöten zu sein, als dem Übel furchtlos in die Augen zu blicken. Auf diese Weise dem Übel begegnen, ihm die Stirne bieten, »fair face«, so sagte er immer wieder, heißt jedoch, bereits das*

Böse überwinden und das Gute möglich machen. Als Bernanos am 5. Juli 1948 starb, widmete ihm Döblin noch am gleichen Abend im SWF einen Nachruf. Literatur ging jedoch für Döblin in Religion nicht auf. Er wollte die Sphären nicht vermischen: Er sah in der Bibel kein poetisches Programm, polemisierte gegen die Aufnahme von Psalmen in Lyrikanthologien. Aber doch verwandte er seine literarische Kraft auf die beiden *Religionsgespräche* und auf die Lehrerzählung *Die Pilgerin Aetheria.* Er war auch in dieser Hinsicht durchaus uneins mit sich.

ABSCHIED VOM DIENST

Mit der Einbürgerung seines alten und seines neu entstandenen Werks ist Döblin nach dem Krieg gescheitert, weniger als Kulturpolitiker. Im Rahmen dessen, was die französische Umerziehungspolitik überhaupt bewirken konnte, war er erfolgreich und hatte trotz seiner ausbrechenden Krankheiten eine stattliche Bilanz aufzuweisen. Seine Erfolge waren ziviler Art, entgegen seinem Auftreten in Uniform. Er hat einiges Institutionen mitbegründet, seine Zeitschrift über eine lange Strecke herausgegeben und damit fast alle Konkurrenzorgane übertroffen; er hatte einiges Verdienst an der Heimholung der Exilliteratur, hat manches Manuskript über die Klippen des französischen Unverständnisses und die Papierknappheit gehievt, literarisches Leben in der französischen Zone kräftig befördert und außerdem neues Vertrauen zwischen Siegern und Besiegten möglich gemacht.

Als Döblin am 1. April 1948 aus dem Dienst bei den französischen Kulturbehörden ausschied, hatte er mit seinen fast 70 Jahren die Altersgrenze bereits überschritten. Die französischen Militärbehörden zahlten ihm keine Pension, aber sie gewährten ihm durch den Hochkommissar André François-Poncet die stattliche Abfindung von sieben Millionen Francs. Er gab als Zivilist mit Halbtagsstelle im Dienst der »Direction de l'Éducation Publique« weiterhin »Das Goldene Tor« heraus. Außerdem durfte er die Amtsanschrift benutzen, vermutlich, weil es leichter ging, mit dieser offiziellen Adresse die Post zu befördern. Er zog sogar mit der Dienststelle von Baden-Baden nach Mainz um und nahm dort – im Spätherbst 1948 – eine Wohnung. Von seinem Büro konnte er sich in der Folgezeit nur schwer trennen; er behielt es bei, bis auch die letzte Nummer des »Goldenen Tors« erschienen war und in der Zitadelle nichts mehr für ihn zu tun war.

Am 18. Oktober wandte sich Erna Döblin an die Rosins um Rat. Vor der Währungsreform hätten sie nicht von der inflationären Reichsmark, sondern von französischen Francs gelebt. Nun fanden sie sich in einer anderen Situation. Sie hatten »große Summen D.Mark, die uns erlauben sollten jahrelang zu leben, dazu noch ungedruckte Bücher. So glaubten wir an unserem Lebensabend nun keine grob materiellen Sorgen mehr zu kennen.« Erna, die Geldgeschäfte betreibend, doch ohne den erforderlichen Überblick, sah die DM schon wieder in Inflationsgefahr und fragte Rosins an, was sie tun sollten. Eine Antwort ist nicht bekannt. Eine aufschlussreiche Bemerkung findet sich in Erna Döblins Brief: »Die bisher unveröffentlichten Bücher müssen wir – scheint uns – leider zurückhalten, das sind unsere einzigsten Sachwerte.«

SIEBZIGSTER GEBURTSTAG

Gegenüber Kurt Oxenius tat er das Feiern von Geburtstagen als ihm nicht gemäß ab, er stellte für sich eine andere Rolle als die des repräsentativen Jubilars vor: *Ich bin ja gegen alles Feiern. Ich war immer gegen alle Aufmachung und habe diese mit Vergnügen anderen überlassen, die sich als Olympier vorkamen und vorkommen, Markt der Eitelkeit.* Der Augenschein bei seinen runden Geburtstagen spricht eine andere Sprache: Er ließ sich gerne in Festansprachen über seinen herausragenden Rang belehren. Sein Fünfzigster war ein literarisches Großereignis in Berlin gewesen. Sein Sechzigster wurde gar mit zwei verschiedenen Feiern in Paris begangen, an seinem Fünfundsechzigsten richtete ihm Helene Weigel in Santa Monica eine große Feier aus, die wegen seines Bekenntnisses zum Christentum etwas verrutschte, aber doch die Prominenz der literarischen Exilgemeinde von Los Angeles versammelte.

Er spielte mit dem Siebzigsten, als wäre das Datum eine Nebensächlichkeit, aber er nahm es denn doch sehr ernst. Sein Spiel hatte etwas von einem alt gewordenen Galan: *Wenn ich mit der Budzi zusammen bin, werde ich prompt 20. Da ist gar nichts wunderbar. Sind Sie jemals in meiner Gegenwart 70 geworden?* Und zwei Wochen später, wiederum an Erna Budzislawski: *Ich bin vor 3 Wochen 2775 Jahre alt geworden und fühle mich, Mutter und Kind, den Umständen entsprechend.* Paul Lüth gab für ihn bei Limes eine Festschrift heraus, in der unter anderen Reinhold Schneider, Hermann Kasack, Günther Weisenborn, Ernst Kreuder, Albert Ehrenstein, Wilhelm Lehmann, Otto Flake und Hermann Kesten schrieben. Im Kleinen Theater gab es am 28. August zu seinen Ehren eine Feier. Das Protektorat hatte General Koenig übernommen. Der Jesuitenpater Gorski hielt die Festansprache: eine Versammlung verschiedener Absichten, die mit der Literatur wohl das wenigste zu tun hatten.

Die Mainzer und die Hamburger Akademie ehrten ihn. Robert Minder huldigte ihm mit einem Aufsatz in »Allemagne d'aujourdhui«; Joseph Breitbach half mit, dass er auch im »Figaro littéraire« gewürdigt wurde, »Carrefour« und »Temps Modernes« kamen hinzu. Die »Cahiers du Sud« veröffentlichten die Übersetzung einer frühen Erzählung, zu der Robert Minder ein Vorwort beisteuerte. Johannes R. Becher fand die Formel, mit der er Döblin seine Achtung bezeugen und doch auf weltanschaulichen Unterschieden bestehen konnte: »Wir sprechen als Freunde gegen uns, und als Gegner sind wir dennoch miteinander befreundet. Solch eine persönliche Haltung könnte für menschliche und politische Beziehungen gerade in der gegenwärtigen Zeit, in unserem armen, zerrissenen Deutschland, ein Vorbild sein.« Die Festschrift für Döblin war unter den Bedingungen der Zuteilungswirtschaft bei den Buchhändlern zunächst sehr begehrt. Niedermayer konnte, wie er in einem Rundbrief des Verlags mitteilte, nicht einmal garantieren, dass jeder der 1200 Sortimenter, die auf einer Liste standen, überhaupt ein Exemplar erhielt. Aber als sie erschien, hatte sich die Lage gründlich geändert. »Das Buch erschien termingerecht, aber kurz nach der Währungsreform, und der ›Bedarf‹ war verschwunden. Außer den Freistücken gingen nur wenige Exemplare weg.« Der überwiegende Rest landete bei einem Großantiquariat.

Auch seine alten Freunde Rosin steuerten Glückwünsche bei, und Elvira Rosin fand dabei zu bemerkenswerter Toleranz gegenüber dem jüdischen Dissidenten Döblin: »Und was ist aus uns und mit uns Menschen dieser so unglückseligen Generation geworden? Nun, die Unerbittlichkeit des zerstörenden Geschehens – vor dem wir macht- und hilflos gestellt wurden – hat uns gezwungen dem Leben und seinem wesentlichen Wert gegenüber Stellung zu nehmen. Diese Anforderungen waren notwendig um diesem Dasein, trotz allem eine Berechtigung zu bewahren. Kein Schwanken war gestattet – keine Kompromisse. Ein jeder mußte vor sich selber sein Bekenntnis ablegen – und auf dem Wege seiner Überzeugungen und seines Glaubens unbeirrt wandeln.«

Die Döblins unternahmen eine Reise nach Nizza. Erna Döblin: »Kurzes Beisammensein der Familie, Wiedersehen mit Claude nach 8 Jahren – leider ohne Peter.« Klaus war inzwischen verheiratet und hatte einen Sohn, dessen Taufe ebenso gefeiert wurde wie der Geburtstag. Zu diesem Doppelereignis war auch der Sohn Stefan mit seiner Frau Natalie aus Paris angereist. Auch die beiden Brüder begegneten einander vermutlich seit 1940 zum ersten Mal wieder. Döblin wurde vor so viel Familienballung doch ein wenig unruhig – *ich habe schon enorm genug von diesen Ferien. »Sich erholen« und das Meer anstarren (das Meer muß uns alle für große Idioten halten.)*

Er hatte eine Masse an brieflichen Glückwünschen abzutragen, als er aus den Familienferien zurück war. Am 18. September antwortete er Johannes R. Becher. Döblin wollte auch diese Front einebnen. Er sah sein Christentum als Bestärkung seiner sozialen Auffassungen: *Ich bin gewiß, nicht erst seit gestern oder vorgestern, kein Parteigänger der marxistischen Idee, aber kann ja wohl auch diese Theorie in der Wurzel verstehen, so wie ich sie immer verstanden habe, und sie noch immer scharf und kämpferisch gegen eine antimarxistische andere Seite abgrenzen.*

Er dankte Hermann Kesten für seinen Jubiläumsartikel, der im »Aufbau« und in der »Münchner Neuen Zeitung« erschienen war: *Er ist, wie Sie sind: freundlich, manchmal sogar liebevoll, manchmal spöttisch und witzig, und unterhaltend. Achten Sie doch bloß, lieber Kesten, wenn Sie für Deutsche schreiben: Sie als Jude! brauchen Sie das Wort »Jude« selten und am besten nicht.*

Es ist aber im Lande hier ein Schimpfwort, und ist es geblieben. Wenden Sie es also nur an, wenn Sie dem Antisemitismus wohl tun wollen. Das ist kein Spaß, aber traurig wahr. Der Antisemitismus sitzt tief und ist böser als zu unseren Zeiten. Er fand nur abschätzige Worte für die Verleger, die mit ihm nicht in Kontakt traten, Unverständnis für Peter Suhrkamp; Max Niedermayer hielt er gleichfalls für daneben, weil er Benn und Ernst Glaeser druckte. Aber auch seine eigenen Verleger Karl Alber und Paul Keppler kamen nicht gut weg. Sie seien nicht an Literatur, nur am Geschäft interessiert. Und die Ostzone mochte er gleich gar nicht in Betracht ziehen.

Die bei Limes erschienene Auswahl aus seinem Werk hatte er doppelsinnig mit einem *Epilog* versehen, den er mit den Sätzen begann: *Es liegt ein Haufen Bücher da, – »da« ist ein falscher Ausdruck, es muß heißen: er liegt vor, ist geschrieben innerhalb von fünf Jahrzehnten, aber nicht da. Einiges erscheint wieder, das meiste ist verschollen. Würde ich nun stolz sein, wenn alles vor meinen Augen stände und wenn es von mir, nach Art sehr geschätzter Autoren, »Gesammelte Werke« gäbe? Ich glaube nicht. Das ist nicht die Zeit für »Gesammelte Werke«, für solchen dicken Prunk. Es soll sich jetzt keiner etwas vormachen.* Aber Döblin spekulierte nach seiner Rückkehr trotz solcher Abwehr auf einen Verleger, der seine Werke insgesamt herausbringen wollte. In einem Vertrag mit Keppler findet sich jedenfalls ein Passus, der in diesem Fall eine andere Rechteregelung als für das Einzelwerk vorschreibt.

Er hätte das Echo auf seinen Geburtstag genießen können. Er war durch Briefe und Artikel hochgeehrt worden, aber es ist unverkennbar: Er war nicht zufrieden und fühlte sich unbedankt. Seit seinem Abschied aus dem Amt häufen sich die scharfen Urteile über die Deutschen, ihren Mangel an Duldsamkeit, ihre Unbelehrbarkeit, das fortwirkende Nazierbe, den grassierenden

Antisemitismus und seinen eigenen Misserfolg. Ein schwarz verhangener Horizont zog vor ihm auf. Anlässe für seinen Ingrimm waren reichlich vorhanden, aber er sah zunehmend weniger Alternativen. Das Urteilsraster, das er fand, wirkte wie ein schleichender Prozess der Autoaggression. Er war als erster prominenter westlicher Heimkehrer ins Nachkriegsdeutschland gekommen, ausdrücklich um zu helfen. Der Bindung an sein Amt ledig, begann er, die Grundlagen und Berechtigung dieser Arbeit und damit sich selbst anzuzweifeln. Dieser instinktive Vorgang hielt ein halbes Jahrzehnt an, dann war er abgeschlossen und unwiderruflich.

Mitte Oktober arbeitete er das aus Amerika mitgebrachte Manuskript der *Schicksalsreise* durch, aber er rechnete wegen des Mangels an Kapital bei den Verlagen infolge der Währungsreform nicht mit einer raschen Drucklegung.

Der große Alb: die Krankheit griff nach ihm. 1948 war er schon in dessen Schatten. Er blickte zurück in dem Text *Und ich habe die siebzig überschritten*. Wie bei seiner Flucht aus Frankreich habe er ein ähnliches Gefühl *des Beraubtseins und der völligen Entblößung*. Die Krankheit schreite fort. *Alter und Kränklichkeit sind über meine Schwelle getreten. Sie wohnen unter meinem Dach und bereiten mich auf einen neuen großen Umzug vor.* Er verglich sich mit einem Baum, dem im Wechsel der Jahreszeiten die Blätter abfallen, der schwarz und kahl herumsteht. Mit den Menschen, so verstand er es, verhält es sich wie mit den Jahreszeiten: im Erneuern der Bäume erneuert sich die Jugend. Nur mit dem Unterschied, dass menschliches Altern Finalität enthalte, den *Schlußstrich*. Er setzte etwas dagegen: die Glaubensgewissheit des dreifaltigen Gottes, den Weg durch die Zeitlichkeit ins Ewige. Er wollte vielleicht Widerspruch herausfordern, als er schrieb: *So erscheinen Glück, Schönheit, Friede und Liebe als der menschliche Normalzustand. Das ist das »Paradies« der Bibel, und ist eine Erkenntnis und ein altes Wissen, eine tief begründete Erinnerung und keine Legende.* Ein stolzes Widerwort. Da werden die Wörter zu Emblemen einer Schubumkehr, einer Aufhebung allen Unglücks im Glauben. Das kommt in lakonischen Sätzen daher, die viel Zwischenraum lassen, jedenfalls nichts Theoretisches anpeilen, sondern nur Sentenz sein wollen. Er wurde am Schluss auch ein wenig glaubensrebellisch: Jesus auf Erden habe nur Einzelne heilen können, nicht die Welt im Ganzen wiederherstellen. Da ist der Erlösungsgedanke ins Privatistische verkleinert, gleichsam vermenschlicht. Diese Eigenart hat sein Glaube oft: die Frömmigkeit der kindlichen Vereinfachung, auch das erzählerische Moment.

1949

Das Alter näherte sich ihm auf vielen Bahnen. Wenn er sich beobachtete, sah er sich im *Schildkrötentempo* gehen. Obwohl Döblin die 70 überschritten hatte, weist sein Arbeits- und Lebensdiarium noch immer die verschlungenen Mäander diverser Tätigkeiten und Fronten auf, die ihn in seinen aktivsten Zeiten getrieben hatten, die Brüche, Rucks und jähen Wechsel des Bewegungshelden. Von einem besonnten, ruhigen Lebensabend war nicht die Rede. Am 10. Januar 1949 wurde er vom französischen Erziehungsministerium als »Officier d'Académie« ausgezeichnet, womit man den aus dem Amt geschiedenen Vertreter der Rééducation mit Ehren verabschiedete.

Wohl in der Nacht vom 13. auf 14. Februar 1949 erlitt er einen schweren Anfall von Angina pectoris und musste für längere Zeit ins Krankenhaus. Er lag bis 15. März 1949 im Sanatorium Quisiana, das von Dr. Max Hedinger geleitet wurde. Man kann in diesen Jahren eine Gleichung zwischen seiner Psyche und seinen körperlichen Malaisen aufmachen. Je mehr Döblin in dieser Rolle als politischer Lehrer und Kulturoffizier der Umerziehung ernüchtert und schockiert wurde, desto mehr häuften sich die Krankheiten. Die Sehkraft ließ 1948 rasch nach, als sich die Zeichen für seine Erfolglosigkeit vermehrten. Die arthritischen Beschwerden nahmen zu, als er sich seine Niederlage im Nachkriegsdeutschland eingestehen musste. Arno Schmidt: »Es war eine rechte Freude, den alten Kirchenvater geistig so beweglich und boshaft zu sehen«, bemerkte er 1951. »Körperlich ist nicht mehr viel da; die Beinchen zittern erbärmlich und lesen muß er mit der Nase.«

Am 18. März 1949 ging Erna schon wieder Arthur Rosin um berufliche Hilfe für Peter an. Der hatte offensichtlich einen schwierigen, unsteten Charakter, war wieder einmal arbeitslos. Auch der älteste Sohn Bodo bat seinen Vater im Frühjahr 1949 um Hilfe, erhielt jedoch keine Zusage. Döblin hatte, wie er am 8. Mai an seinen Sohn schrieb, *an einer Arthritis der Wirbelsäule mit Nervensymptomen* leidend, im Krankenhaus gelegen, ein Herzanfall war dazugekommen, nun hatte man ihn wieder nach Hause entlassen. Er werde das Büro wohl bald aufgeben müssen. *Sogar das Halten der Feder macht mir Schwierigkeiten – aber ich werde schließlich bald 71 Jahre.*

Am 19. April konnte er Pater Gorski das Erscheinen von *Verratenes Volk,* des ersten Bandes von *November 1918,* mitteilen. Der zweite Teil war schon ausgebunden, aber die Auslieferung noch nicht in Sicht. Erst Ende Juni 1949 war der Roman *Heimkehr der Fronttruppen* auf dem Büchertisch. Im September sollte bei Josef Knecht in Frankfurt die *Schicksalsreise* erscheinen. Der letzte Band des *Erzählwerks, Karl und Rosa,* sollte Ende Oktober nachfolgen, aber er verzögerte sich wiederum. Die Erscheinungsfolge gründete zwar auf einen Plan, aber in Wirklichkeit gab es um *November 1918*, ein wirres Hin und Her. Offensichtlich wurde Döblin nicht nur hingehalten, sondern über den Stand der Dinge zeitweilig getäuscht. *Natürlich lasse ich unter den jetzigen Umständen den* Hamlet *noch liegen.* Zermürbt von den Publikationsschwierigkeiten und der Unverkäuflichkeit seiner Bücher wollte er nun das, was er 1945/46 versäumt hatte: sein ganzes Werk in einem Verlag versammeln. *Es wird nicht leicht sein. Vielleicht haben Sie eine Idee?* Im gleichen Moment, in dem die Frage geäußert wurde, ging sie ins Leere: Er fragte im April 1949 ausgerechnet den Jesuitenpater Gorski um Rat. Döblin hatte 1949 nicht einen Trumpf mehr in der Hand: Die großen Verlagshäuser wollten sich an sein Werk nach dem Krieg nicht heranwagen.

Er hatte Schwierigkeiten mit dem Finanzamt, weigerte sich lange und hartnäckig, als französischer Staatsbürger in Deutschland Steuern zu bezahlen. Schließlich schickte ihm das Finanzamt einen Pfändungsbescheid, wonach Döblin anscheinend kapitulierte.

Die *chronische Spondylo-arthritis deformans* machte ihm zu schaffen. Auch Erna war in diesem und den folgenden Jahren immer wieder krank. Sie ging 1949 für mehrere Wochen in die Universitätsklinik Mainz und wurde dort wegen Bauch- und Rückenschmerzen bestrahlt. 1951 kam sie erneut in Behandlung, wobei fälschlicherweise eine »Bauchdrüsentuberkulose« diagnostiziert worden ist. Ein Kuraufenthalt in Bad Dürrheim schloss sich an, dann eine Behandlung in der Freiburger Universitätsklinik. Die Schmerz- und Fieberanfälle wiederholten sich bis zu ihrem Lebensende alle 16 bis 20 Monate.

Ende Juli/August 1949 gingen die beiden für vier Wochen zum Sommerurlaub nach Garmisch-Partenkirchen, in die bescheidene Pension Hospiz am Sportplatz.

Im September 1949 reisten die Döblins nach Venedig, wo er als Ehrengast am Kongress des Internationalen PEN teilnahm. Danach bummelten die Döblins noch drei Tage in Florenz und Fiesole. Insgesamt zwei Wochen hielten sie sich in Italien auf. Robert Neumann, der ihn eingeladen hatte, behielt ein gerührtes Andenken an das Paar: »Sie besuchten Kirchen. Sie ließen sich durch die Kanäle gondeln. Das letzte Mal – sehr spät nachts, die Piazza San Marco war beinahe schon menschenleer – tauchten sie aus dem Torbogen unter der Uhr hervor, von der Merceria kommend, und gingen Arm in Arm, mühselig und ein wenig trunken (aber es war eine tiefere innere Trunkenheit) quer hinüber zur Piazzetta, zu dem steinernen Löwen, der dort am Wasser steht. Ich machte mich nicht bemerkbar. Dort standen sie und blickten hinaus auf

Das Ehepaar in Venedig
1949

die Lagune – zwei alte Leute und ein wenig wackelig.« In Venedig sah Döblin zum letzten Mal den Geist des PEN verwirklicht. Zu den deutsch-deutschen Querelen, die folgten, wollte er nichts beisteuern, die waren ihm verhasst; noch mehr verachtete er sie.

Als Theodor Heuss zum Bundespräsidenten gewählt wurde, konnte Döblin einem alten Weggefährten aus dem SDS gratulieren. Er freute sich, zurückgekehrt vom PEN-Kongress, am 24. September 1949, *daß diesmal einer von der Branche der Schriftsteller ein so hohes staatliches Amt bekleidet,* hielt das für *ein erfreuliches Novum in der Geschichte dieses Landes.* Die beiden hatten nach dem Krieg wieder zu einer »wechselseitig nachsichtigen« Freundschaft gefunden. Döblin dachte an Friedrich Ebert, den ersten Präsidenten der Weimarer Republik, und es schoss die Kritik nur so aus ihm heraus. Heuss solle in seinem *November 1918* blättern, da stehe alles drin. Er hatte ihm die Bände auf die Bühler Höhe geschickt. *Die Auslieferung einer friedenswilligen Partei, die Auslieferung eines friedenswilligen Volkes an militaristische Kreise, an die gefährlichen alten Machthaber: das zu verhindern wäre seine Hauptaufgabe gewesen.* Er merkte selbst, dass ihm der Gratulationsbrief verrutschte, und hielt inne: *Ich weiß, Sie haben es nicht nötig, aus den Fehlern, milde gesprochen, des ersten Präsidenten der ersten Deutschen Republik zu lernen.* In seiner Antwort vier Tage später schob Heuss, »Präsident in Ausbildung«, eine inhaltliche Auseinandersetzung auf: »Das Gespräch über Ebert, das wir ja schon einmal vor Jahren kurz aufnahmen, wird einmal zwischen uns weiter geführt werden können, wenn ich Ihre Bücher gelesen haben werde.« Er hatte andere Sorgen, wusste noch nicht einmal, ob er seinen Amtssitz in Frankfurt oder in Bonn haben würde.

Döblin wollte »Das Goldene Tor« unbedingt fortsetzen und zog mit der Redaktion im Oktober 1949 nach Mainz ins »Centre Mangin«, die Mainzer Zitadelle, dem neuen Sitz der Direction, um. Eine Privatwohnung fand er in der Philippschanze 14; sie bedeutete eine entschiedene Verbesserung, wogegen die Büroräume *in einer Kaserne vor der Stadt, mühsam zu erreichen, kahle Räume* unwirtlich blieben, aber er ging nach wie vor regelmäßig dorthin.

Der bisherige Stand seiner theologischen Kenntnisse reichte ihm nicht. Er wollte sich unter Anleitung eines Geistlichen weiterbilden, weil er sich in ein zweites *Religionsgespräch* einarbeitete. Aber Pater Gorski, mit dem er als Briefpartner eng verbunden war und der seine *Schicksalsreise* mit Verständnis und Zustimmung rezensierte, konnte ihm aufgrund der räumlichen Trennung nicht weiterhelfen. Döblins Defizit war der Stoff des Marianischen. Die Erwähnung Mariens lag viele Jahrzehnte zurück, war in einer seiner frühesten literarischen Arbeiten aufgetaucht: In *Der schwarze Vorhang* hatte sich ursprünglich ein Text über Maria, die in einem Gewitter den göttlichen Samen empfängt, gefunden; er hatte dann die Prosa herausgelöst und als selbständige Erzählung *Mariä Empfängnis* erstmals im Dezember 1911 im »Sturm« veröffentlicht. Aber die Gestalt Mariens verschwand wieder und tauchte lange nicht auf der Spielfläche seines Glaubens auf. Ausschließlich der leidende Christus, der am Kreuz, prägte bisher seine christliche Bildwelt. Schon in der *Schicksalsreise* dringt er in Mende nicht zum eigentlichen Zentrum der Kirche vor, der eindrucksvollen, uralten Muttergottes, der gegenüber das Kreuz weniger auffällig ist. Auch nicht am Wallfahrtsort Le Puy mit seiner schwarzen Madonna. Dieser Komplex wurde im Werk wenig ausgeführt, man glaubt, Reserven und Blockaden des Konvertiten zu spüren.

Vom 18. bis 20. November 1948 konstituierte sich in Göttingen der deutsche PEN neu. Es gab den Exil-PEN in London nach wie vor, nun kam eine innerdeutsche Schwesterorganisation hinzu. Döblin hat sich aktiv in die Suche nach Mitgliedern eingeschaltet. Er fragte beispielsweise bei Gollong nach, ob *etwas über die politische Vergangenheit von Joh. R. Tralow* vorliege. *Ernst Pentzoldt ist doch wohl einwandfrei.* Er fragte, wie es mit Hans Leip stehe. Er wollte sich erst nach einzelnen Mitgliedern erkundigen, bevor er selbst eintrat. Schon die Gründung des Nachkriegs-PEN war überschattet von Ost-West-Gegensätzen. Seinen Sitz hatte der neue deutsche Club in München. Ins Präsidium gewählt wurden: Hermann Friedmann, Johannes R. Becher und Ernst Penzoldt. Als Sekretäre fungierten Erich Kästner und Rudolf Schneider-Schelde. Hermann Friedmann erklärte – etwas verwegen gegen die Realitäten gestemmt – als »unsere Politik die Nichtexistenz einer Ost-West-Spannung im deutschen Schrifttum«. Er wurde rasch eines anderen belehrt: bereits 1951 erfolgte der Bruch, und er selbst sollte wieder einen PEN-Club mitbegründen: diesmal den westdeutschen.

Das Publizieren wurde für Döblin zu einer schwierigen Angelegenheit. *Karl und Rosa*, der Schlussband von *November 1918*, wurde vom Verlag zurückgehalten: *Aber Sie kennen den Buchmarkt und die heutige Krise und nachdem die beiden schon erschienenen Bände schon ein kümmerliches Dasein führen, will der Verlag mit dem letzten erst im Frühjahr 1950 herauskommen. Ich bin einverstanden damit.* Dieses gesamte Erzählwerk war an Haupt und Gliedern amputiert.

Gegenüber dem Freund Ludwig Marcuse, dessen 1949 erschienene »Philosophie des Glücks« Döblin mit der launigen Frotzelei versah, *es liest sich sehr gut und ich billige es nicht*, plädierte er noch immer, die Emigranten sollten zurückkehren: *Ich habe dabei einen doppelten Hintergedanken: einmal, daß sie zeigen, was sie geleistet haben und daß sie hier etwas Neues leisten, zweitens, daß sie etwas lernen, weil doch die alten Situationen nicht mehr gelten.* Es fehlte ihm einfach an Menschen, mit denen er, der alt gewordene Streiter und Diskutant, sich auseinandersetzen konnte, ein Schuss Wehmut schleicht sich ein: *Statt dessen berührt man sich kaum und jeder hockt auf seinem Schemel.*

Er registrierte das Wiedererstarken seiner Gegner. Der Stern Gottfried Benns war nach dem Krieg erneut aufgegangen. In der neu sich formierenden Gesellschaft, die sich um ihr Fortkommen mit dem Fanatismus, die moralische Niederlage in einen ökonomischen Sieg umzumünzen, kümmerte, konnte Döblin nicht Schritt halten. Eine ästhetische Niederlage kam hinzu: Die Öffentlichkeit wollte von seiner Art der dokumentarischen Odyssee eines Emigranten nichts wissen. Über sie triumphierte die artistisch beglaubigte »Ausdruckswelt«; Benns so betitelter Lyrikband von 1956 wurde mit dem Signalgedicht »Kann keine Trauer sein« eröffnet.

Gegenüber Ludwig Marcuse nahm er sich Benn vor. Er wusste von ihm aktuell wenig, hatte allerdings etwas von seinen Nachkriegsschriften gelesen und konnte nicht umhin, ihm *noch ein starkes Sprachtalent* zuzugestehen. Aber er konnte ihn nicht aushalten, verachtete ihn als *Nihilist und Zyniker von Kopf bis zu den Füßen; seine Herkunft aus der Medizin spielt da sehr mit.* Er wollte ihn nicht mehr kennenlernen: *Jedenfalls wird er sein Leben ohne mich verbringen müssen.* Dass ihn die Kommunisten ablehnten, machte ihn für Döblin nicht erträglicher.

Ähnliches galt für Ernst Jünger: Er vertrat das heroische Nichts und registrierte, wenn er vom Ersten Weltkrieg sprach, »etwas Beglückendes und Begeisterndes«. Womöglich hielt das Jünger für preußisch. Döblin hingegen vertrat andere Tugenden: das Pflichtgefühl und den moralischen Imperativ eines preußischen Juden, der von der Grunderfahrung der generationenlangen Assimilation ausging, demnach es sich lohne, Werte einer Gemeinschaft anzunehmen, der man angehören wollte. Er meinte es ernst damit, er hatte dafür keine Verwerfungsgesten parat. Ihm blieb nur Trauer über das Gewesene und das Unverwirklichte im Nachkriegsdeutschland. Aber gerade diese Empfindung wollte auch die überwiegende Mehrheit nicht mit ihm teilen. In einer seiner letzten Aufzeichnungen bemerkte Döblin: *Es ist gar keine Trauer da. Möglicherweise sind einige Millionen Menschen getötet worden, möglicherweise werden einige andere Millionen getötet werden, aber es ist von der Kohlenproduktion die Rede, welche die einzige Sorge der Europabehörde bildet (...). Es muß etwas Furchtbares in den Menschen sein, daß dieses möglich ist.* Von dem Glauben, dass die Literatur zur moralischen und sittlichen Durchdringung der menschlichen Verhältnisse etwas beitragen könne, wollte er nicht ablassen. Er hätte es – ohne den Widerruf seiner ganzen Person – nicht gekonnt. Wie armselig, gedankenarm und verstiegen wirkt dagegen das Statement Hans Daibers, der, vom »Spiegel« nach Döblins Tod nach den Gründen für den Misserfolg befragt, »die Nationalität, den Glauben, das Thema und den Stil« verantwortlich gemacht hat. Das macht Döblins Schmerz aus, dass die Antriebe, die ihn auf seinen langen Weg nach Westen geführt hatten, nun für null und nichtig galten. Das Wort vom *Boykott* seiner Bücher, das Döblin in vielen Briefen in Umlauf brachte, wurde auf diese seltsame Weise bestätigt und erfuhr seine handgreifliche Evidenz.

NOVEMBER 1918

Zu einem aussichtslosen Kampf mit den politischen Widrigkeiten und ästhetischen Begrenztheiten der Nachkriegssituation entwickelte sich der Versuch, mit dem vierbändigen *Erzählwerk* über *November 1918* sein umfangreichstes Opus zu veröffentlichen. 1937 hatte er das (dreibändig geplante) Projekt unter dem Titel *Eine deutsche Revolution* in Frankreich begonnen, der erste Teil *Bürger und Soldaten* war 1939 in Amsterdam veröffentlicht worden, das (später in zwei Bände geteilte) Großmanuskript des zweiten Teils hatte er auf der Flucht durch Frankreich geschleppt, in den USA unbeirrt um alle Nichtbeachtung seines Werks dieses Konvolut ergänzt und mit *Karl und Rosa* bis 1943 einen weiteren Band dazugeschrieben. Kein einziger dieser Bände konnte in den Vereinigten Staaten erscheinen. In Baden-Baden nahm er das Datum, das über den mehr als 2000 Romanseiten steht, als ein mehrfach repräsentatives an. Er verstand den 9. November 1918 als ein Schlüsselereignis für den Aufstieg Hitlers, und überdies war er an einem 9. November nach Deutschland zurückgekommen: *Was sagt das Datum? Wird alles wieder so kläglich wie damals verlaufen, soll und muß es diesmal nicht eine Erneuerung, eine wirkliche, geben? Die Glocke »9. Nov.« hat angeschlagen.* Es waren Portalsätze für seinen Großroman und zugleich für seine Rückkehr nach Deutschland.

Die Hoffnung auf eine Publikation begann für Döblin mit einem Brief von Johannes Maaßen, dem Leiter der Münchner Niederlassung des Verlags Karl Alber, datiert auf Mitte Oktober 1946: man hoffte, wegen der Tetralogie zu einem Vertragsabschluss zu kommen. Wie beschwerlich die Kontakte waren, geht aus dem Schreiben auch hervor: für das zwei Wochen später in Baden-Baden geplante Gespräch waren »Pässe zur Einreise in die französische Zone« nötig, und Maaßen bat um einen »Avis favorable«. Mitte Januar 1947 hatte er den zweiten Teil des Manuskripts vollständig durchgelesen und war beeindruckt, es gab eine feste Zusage. Aber er hatte einen Vorbehalt: Die politischen Folgen der misslungenen Revolution waren ihm nicht deutlich genug entwickelt. In seinem – etwas unterwürfig geratenen – Lob des Textes schwingt eine gewisse Unzufriedenheit mit. Aber Maaßen setzte sich über seine eigenen Bedenken hinweg. Mitte März 1947 traf der Vertrag bei Döblin ein. Vorgeschlagen wurde der Druck bei Karl Alber in Freiburg, »zumal dort mit einer größeren Papierzuteilung zu rechnen ist« (als in der amerikanischen Zone). Eine Schwierigkeit für den Handel war vorhersehbar: Die Verlage, wenigstens die in der französischen Zone, durften lange nicht (etwa in die Schweiz) exportieren, so dass Döblin vom deutschsprachigen Auslandsmarkt abgeschnitten war. Ende Mai 1947 beurteilte er gegenüber dem Verlagsinhaber Herder-Dorneich die Situation noch günstig: das Papierkontingent für zwei Bände lag schon vor, *da es sich um ein favorisiertes Werk handelt.* Für die französische Zone rechnete er mit einer Zeitspanne von zwei Jahren für die vier Bände, was ihm zu lang dünkte. Er unternahm einen etwas gewundenen Vorstoß für eine Vertragsauflösung unter bestimmten Voraussetzungen: *Da mir das rasche und zusammenhängende Erscheinen des ganzen Werkes, also der vier Bände, sehr am Herzen liegt, so möchte ich Sie fragen, ohne die Leistungsfähigkeit Ihres Verlages zu bezweifeln, ob Sie eventuell geneigt sind, wenn ich in einer anderen Zone die Hoffnung auf eine raschere Drucklegung des Ganzen haben kann, ob Ihr Verlag mir eventuell die Rechte wiedergeben will.* Auf diese Bitte ging der Verlag nicht ein. Er reichte das Manuskript am 6. März 1947, noch vor Vertragsabschluss, bei der französischen Zensurbehörde ein. Sie verbot ohne weiteres eine Neuausgabe von *Bürger und Soldaten*, den ersten Band von *November 1918*, der schon 1939 in Amsterdam erschienen war, ohne Rücksprache mit dem Autor. General Schmittlein hat den Band wohl selbst geprüft, denn er ließ ihn kommen und saß ab Anfang April 1946 darüber. Beim General scheint das Buch lange geruht zu haben. Döblin bat Madame Giron, seine Vertraute im Amt, darum, die Entscheidungsblockade, die dadurch eingetreten war, zu beenden; Unmut hatte sich bei ihm angestaut. Curt Fickler vom Alber Verlag berichtete von einem Telefongespräch am 18. Juni 1947: »Herr Döblin hatte gute Lust, hier alles aufzugeben und mit seinem Ms. in die amerikanische Zone zu gehen. Ich konnte ihn dann doch umstimmen und wir wollen versuchen, die Sache hier durchzufechten.« Selbstverständlich besann sich Döblin wieder und unterdrückte den Wunsch, den Franzosen den Bettel hinzuwerfen. Tatsächlich wurde der Druck nach einem halben Jahr endgültig nicht erlaubt.

Das Verbot des ersten *November*-Romans mutet wie ein Schildbürgerstreich an. Dass die Elsässer unter den wechselnden politischen Umständen ein wankelmütiges, gespaltenes Volk gewesen waren, durfte fast 30 Jahre später in der französischen Besatzungszone nicht veröffentlicht werden. Jacques Martin, Chef der Sektion für geistige Beziehungen und das Buchwesen, unterrichtete am 13. November den Verlag, dass die Druckerlaubnis für diesen ersten Band definitiv nicht erteilt werde. Das teilte Curt Winterhalter dem Autor mit; vermutlich erhielt Döblin als Angehöriger der Kulturbehörde, die seinen Roman verbot, nicht einmal eine eigene Benachrichtigung. Döblin musste die Entscheidung akzeptieren, zumal er ja, in französischen Diensten stehend, weisungsgebunden war. Er kürzte den ersten Band auf ein unverfängliches *Vorspiel* (etwa ein Achtel des Buches) zusammen, um wenigstens den historischen Zusammenhang nicht ganz unter den Tisch fallen zu lassen. Er war, die Formulierung ist beinahe nicht zu vermeiden, der zensierte Zensor.

Der Band *Verratenes Volk* erschien erstmals in einer Auflage von 5000 Exemplaren (mit diesem Vorspiel) im Herbst 1948. Im Frühjahr 1949 folgte dann *Heimkehr der Fronttruppen*. Die beiden greifen unmittelbar ineinander und gehören eng zusammen, wären am besten gemeinsam erschienen. Fast ein Jahr danach, im Februar 1950 kam als Nachzügler endlich *Karl und Rosa* heraus. Der Untertitel *Eine Geschichte zwischen Himmel und Hölle,* der auf einen zum Imaginären hin offenen Metarealismus hinweist, findet sich nur auf dem Umschlag, nicht auf dem Titelblatt. Döblin hat ihn zu spät angegeben: der erste Bogen war bereits gedruckt, als er damit ankam. Viel Zeit war zwischen Niederschrift und Drucklegung vergangen, und dann passierte dieses Missgeschick. *Karl und Rosa* wurde zu einem schmählichen Misserfolg bei Kritik und Publikum.

In den Zeiten des Kalten Krieges fand er mit diesem *Erzählwerk* kein angemessenes Echo. Man muss sich vorstellen, um die Gewichte zu verteilen, dass einige Mittäter der Morde an Karl Liebknecht und Rosa Luxemburg in der Bundesrepublik unbehelligt dahinlebten und ihre Renten verzehrten, unter ihnen Waldemar Pabst, damals Erster Generalstabsoffizier der Gardekavallerie-Schützendivision, eines Freikorps, der den Erschießungsbefehl gegeben hat. Zu seinem späteren, internationalen Arbeitsfeld zwischen Rechtsradikalismus, Waffenhandel und Geheimdiensten wäre manches Skandalöse zu sagen. Er kehrte 1955 aus der Schweiz nach Düsseldorf zurück, wo er sich als Waffenschieber betätigte, zeitweilig Schutz aus der Bundeswehr erhielt und ebenso hochbetagt wie schwerreich 1970 in Godesberg starb. Er wurde niemals vor Gericht belangt. In diesem Klima, das die Morde vom Januar 1919 als Rettungstat vor der Bolschewisierung Deutschlands wertete, war Döblins Roman ein fortgesetztes Ärgernis.

Er stieß mit diesem *Erzählwerk* insgesamt ins Leere. Der Stoff war im Westen am Rande der öffentlichen Aufmerksamkeit, im Osten nicht ideologisch konform. In der Bundesrepublik war die Erinnerung an Rosa Luxemburg und Karl Liebknecht unerwünscht. Der ästhetische Umgang mit dem geschichtlich-politischen Material, das für eine metaphysische Sicht dient, ging weit über den Kahlschlag-Realismus hinaus, hatte keinen Anknüpfungspunkt und keine Reibefläche eines analogen Beispiels.

Seine Sicht auf die politischen Ereignisse am Ende des Ersten Weltkriegs hatte Döblin zuletzt in der Broschüre *Die literarische Situation* von 1933 dargelegt. Die Novemberrevolution wurde darin als – später wieder eingeebneter – geschichtlicher Bruch, die Weimarer Republik als schwaches Interregnum dargestellt: *Im deutschen Fall zerriß das Jahr 1918 eine geschichtliche Kontinuität. Der erste Weltkrieg war verloren, die Hohenzollern-Dynastie beseitigt, das Kaisertum zerbrochen. In die Lücke drang der Sozialismus, getragen von Arbeiterparteien. Die sozialistische Idee bekam ihre Chance und versuchte sie zu realisieren. Der Versuch, mit schwachen Kräften unternommen, mißlang. Es gab ein Zwischenstadium, welches den Namen »Weimarer*

Republik« trug. Sie vermochte weder einen neuen geschichtlichen Beginn zu legen, noch die alte unterbrochene Geschichte fortzusetzen. Die Lücke blieb offen. Es wurde der Moment für die andere, die biologische Idee.

Döblin löst die westdeutsche Übereinkunft, dass die Weimarer Republik eine vorbildliche Demokratie gewesen sei, bis sie am Extremismus von rechts und links zerbrach, mit *November 1918* ganz und gar auf. Folgt man seiner Überzeugung, so war die Niederschlagung der Revolution nichts anderes als die Vorstufe für Hitlers Machtübernahme, eine Zwischenzeit, in der sich die rechtsradikalen Kräfte und ihre Finanziers sammeln konnten, bis sie den Staat auf kaltem Weg übernahmen. Folgerichtig werden Ebert, Scheidemann und Noske, die führenden Köpfe der SPD, als Handlanger und Steigbügelhalter des Bündnisses von Militärs, Feudalkaste und Besitzbürgern dargestellt. Der *Autor* Döblin hat seine Tetralogie spätestens seit dem amerikanischen Exil stereotyp mit dieser Deutung versehen.

Aber der *Erzähler* ist dem Kommentator an Differenziertheit weit überlegen. Er zeigt Ebert auch als einen klugen Kopf, der verhindern will, dass Deutschlands radikale Linke ein Sowjetsystem errichtet (wie von Liebknecht gefordert) und mangels militärischer Macht mit den wilhelminischen Generälen zusammenarbeiten muss. Eberts Dilemma besteht im Roman darin, dass – um mit Adorno zu sprechen – das Ganze das Unwahre ist und es keine immanente Lösung gibt. Das tragische Geschehen, das der Erzähler so benannt hat, bezieht sich gerade darauf, dass die Polarität der Machtverhältnisse einen Interessenausgleich ohne die alten reaktionären Kräfte nicht zulässt. Auch die Spartakisten werden nicht geschont. Leo Jogiches wird *Großinquisitor der Partei* genannt, Wilhelm Pieck gilt als bloßer Funktionär, Liebknecht erscheint mehrfach als ein ausführendes Organ von Karl Radek, den Lenin nach Deutschland geschickt hat, als eine Art Aufseher über die Revolution beim ehemaligen Kriegsgegner. Liebknechts Fanatismus wird als Verirrung eines leidenschaftlichen Rhetors gemustert. Er überstürzt die Absicht, eine proletarische Revolution voranzutreiben, anstatt auf die Sammlung der Antikriegskräfte zu setzen. In diesem Sinne ist Liebknecht wie einer der intellektuellen Geistesrevolutionäre, die reden, anstatt mit Umsicht zu handeln, und die sich von ihrem rhetorischen Elan verleiten lassen, anstatt die Massen zu führen. Und doch trägt er wiederum ein Lebensmotto Döblins: »Oportet haereses esse, man muß es wagen, abtrünnig zu sein« – ein Wort des Apostels Paulus. So tief eingesenkt in eigene Dispositionen ist die Charakteristik dieses Revolutionärs. Liebknecht und Luxemburg stehen in *Karl und Rosa* durchaus im feierlichen Licht des Opfers, aber bevor sie ermordet werden, werden sie vom scharfzeichnenden Schlaglicht der Kritik erfasst.

Gegen Döblins Anempfehlung der vier Romane als Exempel für das Versagen der Sozialdemokratie, gegen die These vom direkten Weg, der vom Kasseler Hauptquartier des kaiserlichen Generalstabs zum Braunen Haus führte, gegen die Darstellung der Weimarer Republik als Übungsort für die Machtübernahme lassen sich gewichtige historische Einwände vorbringen, von denen vor allem zwei zählen: Ebert hatte, um freie Reichstagswahlen durchzusetzen und die Auslieferung des Landes an Lenins Bolschewisten zu verhindern, keine andere Option als das Bündnis mit den Militärs, und Hitler war keinesfalls der Nachfolger des preußischen Feudalismus; er beerbte ihn, um auch diese Kaste auszuschalten. Um diesem *Erzählwerk* gerecht zu werden, muss man geradezu den eingeschliffenen Werkkommentar Döblins dementieren, denn die vier Romane sind alles andere als Fahnenstangen für politische Thesen. Sie überragen wegen der Dichte der erzählten Ereignisse, ihrer Massenszenen, ihrer Synchronität von Schauplätzen und ihrer Vielstimmigkeit jedes Vergleichsbeispiel – etwa Bernhard Kellermanns Roman »Der neunte November«. Die hochriskanten Dialoge historischer Figuren sind geradezu glanzvoll gemeistert, die dokumentarischen Texte sind dem Atem des Erzählers einverleibt, politische Geschichte wird in hautnaher Körperlichkeit erfahren. Und auch wenn, vor allem im zweiten und dritten Band, die Einzelheiten oft mehr addiert werden, als dass sie der ordnenden Hand des Erzählers folgen, entsteht doch ein Historienbild von unvergleichlicher Dramatik.

Döblin hat in der Folge der einzelnen Bücher aus der Vielstimmigkeit des Geschehens einige Figuren herausgelöst und einen von ihnen, den Altphilologen und Lehrer Friedrich Becker, zu seinem Stellvertreter ernannt. Er stattete ihn mit der Autorität des eigenen Bekenntnisses aus: *Und es trat mir hier der Mann, als Kranker, hervor, den ich bestimmt hatte, seine (und meine) Last in die Existenz zu tragen.* Döblin verfasste einen eigenen Aufsatz über *Christentum und Revolution,* in dem er Beckers Teilnahme an der Novemberrevolution rechtfertigte. Es dürfe nicht geschehen, dass sich der Christ nur zum Opfer mache. *Der Mann, den meine Geschichte in* Karl und Rosa *darstellt, war bewußter Christ in einer verwahrlosten Zeit; er fühlte sich gedrängt zu bekennen.* Er leitet den wahren Sozialismus vom Christentum ab, wie auch die Untaten, die zur Revolution geführt haben, von Christen mitbegangen worden seien. Aus diesem Kreislauf heraus konnte sich gerade das Christentum nicht herauswinden. *Es gehen immer zwei Dinge zusammen: das tragische Versanden der deutschen Revolution 1918 und der Drang dieses Menschen. Es erhebt sich für ihn die Frage, wie überhaupt zum Handeln gelangen. Er muß es ablehnen, sich zu entscheiden. Er kann nicht zwischen zwei und drei Hilfen wählen. Es wird eine himmlische und höllische Geschichte. Der Mann, Friedrich Becker, muß, von Halluzinationen umgeben, durch das »Tor des Grauens und der Verzweiflung« gehen. Er bleibt am Leben. Er findet sich dann gebrochen und verwandelt, als Christ. Aber er wird aufgehoben.*

Der Offizier Friedrich Becker kommt als Pazifist aus dem Krieg. Er erweist sich als eine Faust-Figur: an ihm wird sichtbar, ob die Welt zu retten ist. Er bleibt der Mensch, der seinem Gewissen folgt und sich lieber auslöschen will, als sich von Trugbildern hinreißen zu lassen. Er unternimmt einen Selbstmordversuch, wird gerettet und erfährt seinen *Rückfall ins Christentum.* In der Schule behandelt er vor reaktionären Jugendlichen – eine Episode von bestechendem Scharfsinn – die Entscheidung der Antigone, die Verantwortung des Einzelnen über die Staatsräson zu setzen. Er wird isoliert und aus der Schule getrieben. Bei den Spartakuskämpfen gerät er ins Berliner Polizeipräsidium und erweist den kämpfenden Revolutionären seine Solidarität. Becker ist in seinem Glauben so unabdingbar, ist als Sinnsucher so kompromisslos, dass er die Grenzen der psychischen Normalität überschreitet. Er wird auf diese Weise mit Rosa Luxemburg parallelisiert. Der vierte Band, *Karl und Rosa,* unterbricht zu Beginn die zeitgeschichtliche Chronologie und blendet zurück: 1915, Rosa Luxemburg sitzt im Gefängnis und verfällt in der Einsamkeit der Zelle einer imaginierten Liebe zu einem jungen Genossen. Es ist eine der Versuchungen, die an sie herantritt, und es ist Satan, der sie heimsucht, wie auch Friedrich Becker von ihm geprüft wird. Dieser Roman spielt am Tag bei den Fakten und der Politik, die mit ihnen gemacht oder unterlassen wird, und in der Nacht der Albträume, der vexierten Bilder, der Wiedergänger und der surrealistischen Begebnisse. Die chronikalischen Vorgänge werden im Folgenden umgemünzt und umgewertet als Handlungszüge eines spirituellen Geschehens. Liebknecht liest Miltons Versepos »Das verlorene Paradies« und sieht sich selbst im Bild des gefallenen Engels Luzifer, der gegen die Schöpfungsordnung rebelliert. Der historische Vorgang der Novemberrevolution wird also mit christlichen Deutungen bestückt, der Realismus des historischen Romans durchbrochen. Rosa Luxemburg ist demnach nicht nur eine scharfe politische Analytikerin, sie ist auch entrückt zu einer mystischen Ekstatikerin, zu einer Heiligen ohne Gott.

Die *Tatsachenphantasie* streift durch ein Gelände zwischen faktischer Historie und imaginärem Innengeschehen. Die Kühnheit der erzählerischen Verschiebung von Idolen der deutschen Revolution ins bengalische Licht des Glaubens ist in der zeitgenössischen Epik ohne Beispiel.

Diese Illumination eines historischen Romans mit den Traumbildern der spirituellen Inbrunst und den Glaubensfiguren zwischen Himmel und

Hölle geht an sich mit den ungemein eindrucksvoll erzählten Morden an den beiden Revolutionsführern zu Ende. Döblin hat den Roman jedoch darüber hinausgeführt und ganz auf die Geschichte des Zivilisten Becker verengt. Er übernimmt die Rolle des Märtyrers und des Missionars, und wenn ihn der Erzähler am Schluss sterben lässt, bereitet er ihm zwar einen jämmerlichen Untergang im Diesseits, aber auch das metaphysische Heil; er vernimmt den Gesang vom Himmlischen Jerusalem, und Becker wird wie Faust erlöst. Das Christentum, das über diesen Roman Mitte des zweiten Bandes gekommen ist, beschwert sein Ende mit Bedeutungsballast ungemein. Aber auch in diesem epischen Fluss ohne Ufer, in dem die Wahrheiten der Geschichte, der Gesellschaft und des Glaubens wie Treibgut in vielerlei Gestalt erscheinen, gibt es zu Becker wiederum eine Gegenfigur: Der Schriftsteller Stauffer, eine Lebendmaske, die sich der Autor vorhält, ist die andere Seite in dem seit *Wang-lun* entfalteten Widerspruch zwischen Handeln und Passivität: Ist Becker von der Tätigkeit des Geistigen erfüllt, von dem Glauben, dass der erkannte Sinn auch Forderungen an die Existenz stellt, streicht der Schriftsteller Stauffer nur in der Nähe der Verpflichtungen herum, übt sich im Vermeiden, bleibt ein Passant und ist durchaus als Objekt Döblinscher Selbstkritik zu verstehen.

So ist dieser Roman in seiner Vieldeutigkeit eine Art Wunderkammer der dauernden Verwandlung, das poetische Gehäuse wiederum eines Proteus und – davor warnt der Erzähler selbst – fern einer geradlinigen Logik.

Brecht, wohl nicht mit der ganzen Anlage, aber mit vielen Passagen vertraut, rühmte *November 1918* als ein Werk, das eine Art Handbuch für Schriftsteller abgeben könnte. Aber es gehört zu den bleibenden Niederlagen Döblins, dass sein *Erzählwerk* nur mit den Beschädigungen erhalten ist, die ihm die Zensur zugefügt hat. Die Unterdrückung des ersten Bandes *Bürger und Soldaten* hat die Proportionen und Gewichte des Ganzen verschoben und machte Zusätze im zweiten Band nötig, die wohl unterblieben wären, wenn der erste nicht zu einem *Vorspiel* gekürzt worden wäre. Die Wiederherstellung der vierbändigen Ausgabe, wie sie endlich 1975 vorgenommen wurde, brachte zwar, wie angekündigt, »die ungekürzte Ausgabe«, aber mit den Überflüssigkeiten, die 1948–1950 notwendig geworden waren, und das darin abgedruckte *Vorspiel* bringt ein retardierendes Moment der Dopplung von elsässischen Ereignissen. Döblins umfangreichstes Romanwerk gibt es nur mit den Entstellungen, die von den Zeitumständen erzwungen wurden.

DIE SCHICKSALSREISE

Wenn die Verweigerung der Erinnerung einen Wall bilden kann gegen die erlebten Abenteuer, den zerreißenden Schmerz, die Abgründe und die anhaltende Trauer, dann war Döblin ein Meister des Dämmebauens. Einmal aber machte er in einem autobiographischen Bericht die Schleusen auf. Er begann kurz nach seiner Ankunft in Amerika seinen Bericht *Robinson in Frankreich* mit der Erzählung seiner Fluchten in und aus Frankreich, seiner existentiellen Randlage und seiner Verzweiflung. In Deutschland fügte er dann einen zweiten über die Geschichte seines amerikanischen Exils und die Rückkehr nach Europa an. Üblicherweise sind die Autobiographien von Emigranten stark auf die Dramatik der Ereignisse fixiert. Döblin jedoch betonte, dass die Aventiuren seiner *Schicksalsreise* auch auf einer zweiten Ebene, oberhalb der kruden Realität, stattgefunden hätten. Nachdem er den ersten Teil sieben Jahre lang hatte ruhen lassen, nahm er ihn wieder auf und schrieb ihn weiter bis in die Nachkriegszeit hinein. Er reflektierte den Nutzen der Niederschrift: *Half es mir? Sicherte es mich?* Es stellte sich wenig Erleichterung ein. Der mächtige Choral, seit etwa 1910 angestimmt von Sigmund Freud, Otto Rank, Theodor Reik sowie von Wilhelm Stekel, dass Dichtung die Therapie von Neurosen sein könne, das gelungene Werk seinen Urheber aus der seelischen Krisenzone herausführe, akzeptierte er keinesfalls. Auch im *Epilog* von 1948 gibt es eine ähnliche Haltung. Die Augen des Epikers seien dazu da, *um nach außen zu sehen*, da gab er in freier Rede seine Auffassungen von 1913 im *Berliner Programm* wieder.

Ein Verlagsvertrag wurde am 30. April 1949 geschlossen. Josef Knecht, der als Verlagsberater tätig gewesen war, druckte die Aufzeichnungen in seinem eigenen Unternehmen: Verlag Josef Knecht, Carolusdruckerei, und ließ sie im November 1949 erscheinen.

Döblins Verleger meinte rückblickend: »Wenn Ihre und meine Hoffnungen nicht alle erfüllt wurden, die wir an die Herausgabe dieses Werkes knüpften, so liegt das wohl weder an dem Werk, noch, wie ich hoffe, an dem Verlag. Es liegt vielleicht an der Zeit, daß die Menschen, die früher Ihre Bücher gelesen haben, Sie nicht mehr so verstehen, wie sie es sollten.« Josef Knecht hatte Grund genug, die Malaise von sich weg zu objektivieren, denn der Absatz war eine Katastrophe: Von den 5000 Exemplaren, die der Verleger drucken ließ, waren Ende Januar 1950, also nach dem Weihnachtsgeschäft, nicht mehr als 700 Exemplare verkauft – und dabei rund 400 Freistücke ausgegeben. Knecht mutmaßte damals: »Es müssen gewisse Kreise Ihrem Schrifttum jetzt passive Resistenz entgegensetzen, vor allem auch gewisse Buchhandlungen.« Zwei

Jahre später waren noch immer nicht mehr als 1600 Exemplare abgesetzt. Die Wirkung des Buches war gering. Döblin hatte sie sich jedenfalls anders vorgestellt, sein Verleger auch.

Als begleitenden Text, gleichsam als Wegbahnung für seine *Schicksalsreise,* schrieb er den Aufsatz *Dichten heißt, Gerichtstag über sich selbst zu halten,* vermutlich im Oktober 1949. Man habe ihm nahegelegt, sich autobiographisch auszusprechen. Er aber folge der Devise: *Ich habe so viel geschrieben, haltet Euch doch an das, was gehe ich euch an. Bin ich eine Primadonna, um deren Privatleben man sich kümmert?* Er halte nichts von der Autobiographie, führte die üblichen Abwehrreflexe auf. Aber warum nun die unverblümt autobiographische *Schicksalsreise?* Er nahm die Frage auf und meinte, er wolle nicht einfach ein Buch schreiben, das von ihm handle, *sondern deutlicher, direkter, offener und entschlossener vorzugehen, als in den früheren Werken. Es geschah, um aus der Dichtung herauszuspringen und zu handeln nach dem Grundsatz: Dichten heißt Gerichtstag über sich selbst zu halten.* Mit dieser Formulierung Ibsens wird das Ich in mehrfacher Gestalt rekonstruiert: als ein Reisender in seinen Notlagen und familiären Verzweiflungen, als ein Flüchtling vor den Nazis, als ein Ahasver auf dieser öden Erde, als Mensch, den es auf seiner Reise nach oben *reißt,* während er glaubt, auf der Ebene der faktischen Realität umherzuirren. Da gibt es, durch welche Ungewissheiten und Schwankungen hindurch, die Wendung zum christlichen Glauben; den außengeleiteten Blick eines Arztes, der seine Verstörungen ironisch mustert und herablassend konterkariert: *Zwei Wochen in ruhiger Umgebung, bei ausreichender Nahrung würden genügen, den Mann von seiner Theologie zu befreien.* Doch ist der Erzähler auch der Reporter seiner eigenen Fluchtabenteuer und eben der philosophische Kopf auf Glaubens- und Gottessuche. Von dieser Technik der Selbstaussprache eines multiplen Ichs ist auch dieses Buch bestimmt.

Der Frankreich-Teil der *Schicksalsreise* ist vielleicht das am meisten beeindruckende autobiographische Zeugnis der Fluchten im Exil und übertrifft in seinem dokumentarischen Furor auch »Transit« von Anna Seghers. Aber seinen Schreibvorsatz unterspielte Döblin, als wäre er ein unerfahrener Anfänger: *Ich schreibe ganz einfach (so denke ich wenigstens), erzähle, was ich weiß.*

Das Buch war mehr oder weniger ein Reinfall, wie er an Ludwig Marcuse im Januar 1957 schrieb, und er sprach wieder von einem *Boykott des Schweigens.* Das Presseecho war verhalten bis unduldsam, und es schallte kräftig aus der vorurteilsgesättigten Provinz. Zum Beispiel ein Sch. in den »Lüdenscheider Nachrichten« (Ende 1950): »Die Deutschen, die in den schwersten Jahren

Alfred Döblin und Sohn Stefan,
Santa Monica
Um 1943

unseres Volkes in unverbrüchlicher Treue zu ihm standen, haben ihre eigenen Gedanken über Wert und Würde eines Mannes, der Deutschland verließ, dessen Söhne in fremder Uniform gegen Deutschland kämpften, und der nach langen Irrungen und Wirrungen in die zerstörte, fremd gewordene Heimat zurückfindet, nachdem ihn auch Amerika, sein letztes Asyl, ›nicht mochte‹.« Im Ost-Berliner »Aufbau« meldete sich ein anderer Konvertit zu Wort: Bodo Uhse, der sich Anfang der dreißiger Jahre vom Nazi zum Kommunisten gewandelt hatte und in der DDR eine Parteikarriere machte, fand an dieser Wendung zum christkatholischen Glauben keinen Gefallen und äußerte sein Unverständnis.

Einem aufmerksamen Leser bleibt nicht verborgen, dass die Kapitel der Flucht in und aus Frankreich stilistisch überzeugender sind als die nachfolgenden. Die atemberaubende Rasanz der Ereignisse ist eindrucksvoll; die Episoden des Exils in Amerika, der Rückkehr und der Nachkriegszeit in Deutschland wirken dagegen blasser. Aber sie sind notwendig, um die ganze Wegstrecke dieser Reise auszuloten und den Weg ins Christentum zu vollenden. Merkwürdigerweise fehlt die Taufe, die Döblin und sein Sohn empfingen. (Erna war bereits protestantisch getauft worden, sie erhielt die »bedingte Taufe«.)

Im Amerika-Kapitel gibt es eine Art sprachlicher Materialermüdung. Im Sprachlichen bildet sich die lähmende Situation ab, die Döblins amerikanisches Exil bestimmte. Die kalifornischen Eindrücke schleichen aus den Sätzen, die geläufig und tonlos werden: Ihr Mangel an Gegenständlichkeit verweist auf das Immergleiche dieser Erfahrung. In einem Widmungsexemplar an die Rosins, datiert auf den Dezember 1949, taucht noch einmal die alte Wunde auf: *Blättern Sie, liebe Freunde, in diesen Erinnerungen und sagen Sie, ob hier ein Verräter spricht.*

8

GLAUBE, ZWEIFEL, TAO UND TRAUER
DIE SPÄTEN JAHRE

1949–1957

Ich muß den Tod über mich ergehen lassen und
das Leben über mich ergehen lassen und
beides unwichtig nehmen, nicht zögern, nicht hassen.

Die drei Sprünge des Wang-lun, 1915

MAINZER AKADEMIE

Durch die politische Spaltung Deutschlands hatten die ehemaligen Akademien der Künste und der Wissenschaften in Berlin ihre zentralen Aufgaben verloren. Die Ost-Berliner Akademie der Künste, noch nicht gegründet, aber erwartet, würde von der sowjetischen Kulturpolitik maßgeblich beeinflusst werden. Die Akademie der Wissenschaften wurde von der sowjetischen Militäradministration Anfang Juli 1946 wieder ins Leben gerufen. Die mit den Direktiven nicht einverstandenen Wissenschaftler und Intellektuellen (vor allem die als ehemalige Nazis Belasteten) suchten Ausweichmöglichkeiten in München, Darmstadt, Göttingen und Mainz, wo im Mai 1946 die alte, aber im 19. Jahrhundert aufgelöste Johannes-Gutenberg-Universität auf französische Initiative neu gegründet worden war. Fragen nach der jeweiligen Vergangenheit der Professoren unterblieben meistens, so dass man in Mainz auch bald von einem »Nazinest« sprach. Döblin trat sehr früh und offensiv für die Gründung einer Akademie in der französischen Zone ein. Die Mitglieder sollten *als höchst verantwortliche Instanz der Kultur* die Rolle von *Richtern* übernehmen, die man nicht absetzen konnte. Er wollte eine Art Rat der Weisen nach dem Vorbild der Académie Française, hatte die Vorstellung, die Mitglieder könnten Diplomatenstatus genießen. Ins »Goldene Tor« hat er 1947 zwei Artikel eingerückt, die diesen Anspruch umrissen: Georges Lecomte, Sekretär der Académie Française, und Alexander Amersdorffer, ehemals Sekretär der Preußischen Akademie der Künste, beschrieben die beiden Institutionen, und Döblin verglich sie in seinem Vorwort miteinander, wobei seine Gunst auf das französische Vorbild fiel, das sich aus *hervorragenden Schriftstellern,* (...) *einigen bedeutenden Prälaten, großen Generälen, Staatsmännern, Advokaten und Diplomaten, also einer Elite der Nation,* ergab. Ein utopischer Entwurf, hoch über den Klüften der Nachkriegszeit. Döblin hielt die Herstellung einer literarischen Tradition für möglich.

Schon sehr früh scheint er bei den französischen Kulturbehörden auf eine solche Einrichtung gedrängt zu haben, und er stieß auf offene Ohren: 1947 richtete auch der Turkologe Helmuth Scheel eine Aufforderung zur Gründung einer Akademie der Wissenschaften an die Besatzungsbehörden. Döblin hat sich früh mit dem Rechtsphilosophen Carl August Emge über den Anschluss einer Literaturklasse beraten. Im April 1949 wurde Emge von General Schmittlein nach Baden-Baden eingeladen und trug ihm seine Pläne vor. Am

15. April besuchte er Alfred Döblin, der seinerseits gerade wegen einer Dichterakademie mit den Franzosen korrespondierte. Mitte 1949 erhielt er die Aufgabe, die Gründung der Mainzer Akademie mit vorzubereiten. Scheel und Emge mussten sich bei ihren Plänen für eine neue Wissenschaftsakademie mit einer literarischen Sektion abfinden. Schmittlein hatte die Gründung von der Existenz einer Literaturklasse abhängig gemacht. Man musste sich den Besatzungsbehörden, damit den Geldgebern, schließlich fügen, was aber, wie noch 1966 Carl August Emge schrieb, zu »Verdauungsbeschwerden« führte.

Die Wissenschaftler waren über die Zwangsehe mit den Literaten nicht erbaut. Döblin brachte als zweiten Gründer der Literaturklasse Walter von Molo ins Spiel; ihn kannte er noch aus der Sektion Dichtkunst in der Preußischen Akademie und lobte ihn als umsichtiges, energisches Organisationstalent.

Die Akademie der Wissenschaften und der Literatur wurde am 9. Juli 1949 in Worms mit drei Klassen gegründet. Döblin war eines von 11 Gründungsmitgliedern, die die Satzung unterzeichneten, mit ihm Walter von Molo. Döblin wurde später auch zum Vizepräsidenten der Gesamtakademie gewählt. Im Gründungsdokument wurden hehre Ziele formuliert: »Die freie Wissenschaft und literarische Leistung, die Person des Wissenschaftlers und Schriftstellers, die Bedingungen für echte Hingabe an Wissenschaft und Literatur sind gefährdet. Unter diesen Umständen wird die Akademie errichtet und ihr die Aufgabe gestellt, als höchste verantwortliche Instanz, unbeeinflusst von Zeitströmungen und dem Willen wechselnder Machthaber zu wirken: durch objektive, ihren Bereich betreffende Stellungnahme, durch Gewährung von Schutz und Förderung für schöpferische Leistung und durch eigene Arbeiten von streng wissenschaftlichem Charakter und solche von hohem literarischen Rang.« Insgesamt 11 Schriftsteller gehörten von Beginn an zur Literaturklasse, nämlich Alfred Döblin, Wilhelm Hausenstein, Manfred Hausmann, Hermann Kasack, Hans Henny Jahnn, Bernhard Kellermann (als einziger Vertreter der Ostzone), Ernst Penzoldt, Annette Kolb, Walter von Molo, Wilhelm Schmidtbonn, Rudolf Alexander Schröder. Im August, auf der ersten Gesamtsitzung der Akademie, sechs Wochen später, wurden weitere fünf, nämlich Ernst Kreuder, Werner Milch, Hans Erich Nossack, Reinhold Schneider und Wilhelm Speyer, zugewählt, außerdem gab es korrespondierende Mitglieder wie Werner Bergengruen und Carl Zuckmayer. Als Ehrenmitglied wurde Heinrich Mann gewählt (dem in Ost-Berlin der Vorsitz angetragen worden war), aber die Benachrichtigung aus Mainz erreichte ihn nicht, so dass er nie offiziell geführt wurde.

Von Anfang an hatte sich Döblin mit ehemaligen Nazis unter den Mitgliedern der beiden Wissenschaftssektionen auseinanderzusetzen. In seinem Bereich verhinderte er die Zuwahl von völkischen Autoren wie Wilhelm Schäfer und Emil Strauß, wie er auch in einem Spruchkammerverfahren 1948 gegen Erwin Guido Kolbenheyer aufgetreten war.

Zur gleichen Zeit betrieb Oskar Jancke auf Empfehlung von Rudolf Alexander Schröder den Plan einer westdeutschen Sprachakademie und wollte Döblin für den Gründungsausschuss gewinnen, ohne Kenntnis der Aktivitäten in Mainz. Döblin lehnte Mitte Juli 1949 ab, obwohl er grundsätzlich für Doppelmitgliedschaften offen war. Die Deutsche Akademie für Sprache und Dichtung wurde dann in der Frankfurter Paulskirche an Goethes Geburtstag am 28. August 1949 gegründet.

Am 3. Oktober 1949 wurde die Wormser Gründung von der Landesregierung Rheinland-Pfalz anerkannt und bezog bereits im Frühjahr 1950 in Mainz ihr eigenes Gebäude. Ein Streitfall war die von Döblin entworfene Präambel der Satzung, die noch stärker die Staatsferne der Institution betonte und den Akademiemitgliedern eine herausgehobene Position zuerkennen wollte. Sie wurde schließlich zum Leidwesen ihres Verfechters gestrichen. Fast gleichzeitig mit den Ereignissen in Worms gründete sich in Ost-Berlin ein vorbereitender Ausschuss für die dortige Akademie der Künste unter dem Vorsitz von Arnold Zweig. Als die Mainzer Literaturklasse (Mitte November 1949) zum ersten Mal tagte, kam auch ein Brief Johannes R. Bechers zur Sprache, der auf die Wiedergründung der ehemaligen Preußischen Akademie verwies. Döblin wollte mit Becher in Kontakt treten. Bernhard Kellermann aber stellte den Antrag, dass man sich zuallererst mit der Einheit Deutschlands befassen solle.

Die Klasse war rasch arbeitsfähig: sie erhielt wie die beiden anderen Klassen ab Januar 1950 eine Zuwendung von 10 000 DM, gründete Ausschüsse, richtete einen großen und zwei kleinere Akademiepreise ein. Döblins Bericht für das Jahrbuch 1950 umreißt die Aufgaben: Aufbau einer Schriftenreihe »Verschollene und Vergessene« mit einer Auswahl von Texten, von denen rasch acht Bände vergeben und in Bearbeitung waren; eine Vortragsreihe von Schriftstellern der Literaturklasse an Hochschulen zur engeren Verbindung von Literatur und Wissenschaft; die Akademie sollte Dichternachlässe sammeln und archivieren und wollte als ersten den Döblinschen Vorlass aufnehmen; junge Autoren wie Karl Krolow und Rolf Schroers sollten mit Arbeitsstipendien gefördert werden, Akademiepreise wurden eingerichtet, Verbindungen zu Autoren anderer Länder waren schon geknüpft.

Ein Jahr später eröffnete Döblin die Reihe »Verschollene und Vergessene« mit einer Auswahl von Arno Holz, die 1951 unter dem Titel »Die Revolution der Lyrik« in Wiesbaden erschien. Die *Vornotiz* von Döblin enthält seine Programmatik der Folge von Wiederentdeckungen: *Wir graben hier keine Toten aus, sondern bewahren Lebendige vor der Einmauerung. Wir sind der Meinung, daß die Achtung und Pflege großer literarischer Leistungen und die Bemühung um Herstellung und Befestigung einer literarischen Tradition – besonders in dem so traditionsarmen und allzu rasch hinlebenden Deutschland – mehr als eine bloß literarische, nämlich eine kulturpolitische Leistung darstellt, welche ihre Wirkung üben wird weit über die Literatur hinaus. Die Fundamente der Häuser, in denen man lebt, werden so gesichert, daß sie den gelegentlich hereinbrechenden politischen Schlammfluten besser widerstehen.* Die Literatur als kulturpolitische Angelegenheit und als ein Damm gegen totalitäre Ideologie: das war zwar gut gemeint, aber Döblin hätte die Forderung sofort von sich gewiesen, wenn sie an seine eigenen Bücher gerichtet worden wäre.

Er hatte von Anfang an mit dem Mittelmaß zu rechnen. Als Molo im Mai 1950 ein Band mit Zueignungen und Wünschen dediziert wurde, fand sich der Beiträger Döblin in der Gesellschaft von Wilhelm von Scholz, Peter Dörfler, Friedrich Schreyvogel und eines Mülheimer Lehrers. Immerhin kamen in der Literaturklasse einige achtbare Namen zusammen: bis 1953 in der Reihenfolge ihrer Aufnahme noch zum Beispiel Hans Henny Jahnn, Martin Kessel, Elisabeth Langgässer, Erich Kästner, Horst Lange und Wilhelm Lehmann. Döblin war in der Akademie zunächst ungemein rege; bis zu seinem Herzinfarkt 1952 ließ er sich die Leitung nicht einer einzigen Sitzung entgehen.

Mitte Januar 1950 trat zum ersten Mal der Arbeitsausschuss in Aktion. Döblin, Kasack und Kreuder trafen einander in Stuttgart und lehnten die von Kellermann geforderte Stellungnahme zum Ost-West-Konflikt ab. Das Triumvirat beschloss neben der allgemeinen Pflege von Literatur die Vergabe von Stipendien. Döblin drang auf die Bestallung eines Sekretärs der Literaturklasse. Günter Eich interessierte sich für den Posten, wollte aber dafür ein Monatshonorar von 500 DM, das nicht zu bezahlen war. Ab Mai 1950 übernahm Hanns Ulbricht das Amt.

Unter den Zuwahlanträgen, die Anfang August 1950 auf den Tisch kamen, befand sich auch ein solcher für Gottfried Benn. Auf Betreiben Döblins wurde er zurückgestellt. Er hatte Benn 1932 gemeinsam mit Oskar Loerke für die Preußische Akademie vorgeschlagen; seine Aufführung dort 1933, sein zeitweiliges Bekenntnis zum Nationalsozialismus und seine Sottisen gegen die Emigranten, die er nach dem Zweiten Weltkrieg erneuerte, konnte ihm Döblin nicht verzeihen. Nossack und Kreuder schlugen ihn nochmals vor, denn er weise »europäisches Niveau« auf, doch wurde nichts daraus, und als Döblin 1953 Deutschland wieder verließ, wollte Benn nicht mehr mitarbeiten.

Es waren vorwiegend konservative Herrschaften, die sich um Döblin sammelten, das muss ihm aufgefallen sein. Er legte Wert darauf, belastete Autoren nicht aufzunehmen, auch wenn er dafür angefeindet wurde. *Aber jedenfalls drang bei uns keiner von früher, keiner der Gelehrten und Gefeierten, keiner der frisch Getarnten ein.* Was die Gesamtakademie betraf, hat er sich allerdings gründlich geirrt, oder er hat einen Duldungsschleier über manche Biographie ausgebreitet.

Döblin hatte von Anfang an eine andere Akademie im Auge gehabt als der Turkologe Helmuth Scheel, der von 1938 bis 1946 Direktor der Preußischen Akademie der Wissenschaften gewesen war und nun als Generalsekretär fungierte. Döblin begründete seine Mitarbeit zweifach: einerseits habe er nicht beiseite stehen wollen, als ihn General Schmittlein rief, zumal das Amt einen guten Zugang zur Öffentlichkeit bot; andererseits wollte er die Mitglieder der Literaturklasse zu einer wirksamen Institution zusammenfassen. Es sollte die Elite der Nation sein, die sich in der Mainzer Akademie versammelte. Daraus ergab sich eine merkwürdig zwittrige Situation: Es stellten sich rasch auch Wissenschaftler ein, die ihre Karrieren im »Dritten Reich« und im Bündnis mit ihm gemacht hatten. Ohne erkennbare Bedenken stimmte Döblin der Regelung zu, dass mit zwei Ausnahmen nur Mitglieder der früheren Preußischen Akademie der Wissenschaften als Gründungsmitglieder berufen wurden; er widersetzte sich erkennbar auch nicht gegen die Zuwahl von Forschern, die dort ab 1938 aufgenommen worden waren. Damit unterstützte er, willentlich oder unwissend, aktive Sympathisanten der NSDAP. Wusste er um den Zusammenhang, kannte er die einzelnen Biographien? Oder ahnte er wenigstens das Problem, das sich da ergab? Wissenschaftler wie Carl August Emge, Friedrich Seewald und Otmar von Verschuer, die von den sowjetischen Behörden entlassen und *durch die neuen Umstände nach dem Westen gekommen* waren, traten als Gründungsmitglieder auf. In einem Fall hat sich Döblin offen der Absicht widersetzt, ein belastetes Gründungsmitglied durchzusetzen. Der Physiker Alexander Nikuradse fand nicht seinen Beifall. *Es war peinlich für mich, es ärgerte mich, man begriff da offenbar nicht, was auf unserer Seite mit einer Akademie gemeint war.* Döblin habe es, bekannte er im *Journal*, nicht gewagt, *den Vorhang der politischen Vergangenheit bei mehreren Herren zu lüften.* Am 29. April 1950 fand die Präsidentenwahl statt. Döblin stimmte gegen Wagner und bevorzugte den Medizinhistoriker Paul Diepgen, der noch 1944 zum Wissenschaftlichen Beirat des Bevollmächtigten für das Gesundheitswesen, Karl Brandt, bestellt worden war. Der Sprachwissenschaftler Franz Specht hatte seine Forschungen über das Indogermanische mit Propaganda für Hitlers Volksstaat garniert. Nach dem Krieg wurde er bei der Säuberung der Berliner Universität aus seinem Amt entfernt und nahm daraufhin eine Professur in Mainz an. Friedrich Seewald, Spezialist für Aerodynamik, stellte sich ab 1942 in den Dienst Görings, um die »Luftrüstung« weiterzubringen. Der Mathematiker Georg Hamel vertrat schon 1933 in seinem Fachverband das »Arierprinzip« und ließ sich selbst zum »Führer« deklarieren. Der spätere CDU-Bundestagsabgeordnete Pascual Jordan verfocht später gegen die »Göttinger 18« um Max Born die atomare Aufrüstung der Bundeswehr. Er war schon im Sommer 1949 zugewählt worden. Den Vogel schoss jedoch der Biologe Otmar Freiherr von Verschuer ab. Er hatte wegen seiner Zwillings- und Blutgruppenforschung mit Mengele zusammengearbeitet, hatte 1935 die »Rassenhygiene als Wissenschafts- und Staatsaufgabe« umrissen, Hitler als »Gnade« bezeichnet, 1941 einen »Leitfaden der Rassenhygiene« veröffentlicht und zuvor eine »Rassenbiologie der Juden« (1938).

Wie wenig Döblin über die Kollegen in den beiden Wissenschaftsklassen Bescheid wusste, geht aus einer schrillen Einzelheit hervor: Er druckte im »Goldenen Tor« offensichtlich nichtsahnend 1950 einen Artikel Verschuers unter dem Titel »Vererbungsproblem beim Menschen« zusammen mit einem Aufsatz von Pascual Jordan unter dem Obertitel »Morgenröte der Wissenschaft«, was man als ganz und gar unfreiwillige Posse ansehen muss. Im Geleitwort zur Zeitschrift hatte Döblin geglaubt: *Jetzt kann sich keiner hinter der »Bewegung« verstecken. Keine Fahne nimmt dem Einzelnen das Nachdenken (...) ab.* Sieben Jahre später bezeichnete er diese Hoffnung als Illusion, als *Wunschtraum.* Er traute der Jugend nicht, über die alle Soziologen schrieben, dass sie ausgenüchtert aus dem Krieg heimgekehrt sei und durchaus die Wende zur Demokratie wolle. Bei den alten Herrschaften, die sich in Nachkriegs-Amt und -Würden gerettet hatten, ließ er Milde oder wenigstens die Gnade des undeutlichen Hinsehens walten. Das gehört zu den Widersprüchen, deren Opfer er bei seiner Beurteilung der Situation am Ende der vierziger Jahre selbst wurde. Einerseits sah er den Nazigeist überall am Werk, rechnete mit der Wiederkehr der Mörder, andererseits ließ er in seiner Nachbarschaft Repräsentanten der Nazi-»Wissenschaft« gewähren – ohne nachzufragen. Im übrigen: er hätte ihnen auch nicht Einhalt gebieten können.

In der Literaturklasse traf man einander meistens viermal im Jahr zu Beratungen, aber die Wissenschaftler und die Schriftsteller fanden zu dieser Zeit nicht richtig zusammen: *Für uns waren die drüben einfach die fest Angestellten, die Pensionsberechtigten und die Professoren, wenn nicht gar Geheimräte. Wir dagegen waren bürgerliche Nullen und Hungerleider.* Im Rückblick war er skeptisch über die eigenen Bemühungen, sah es als einen Fehler an, dass er nicht eine eigene Dichterakademie angestrebt hatte.

Optimistisch schrieb er noch im Oktober 1949 über die Handlungsmöglichkeiten der Literaturklasse an Walter von Molo: *Wir werden darüber nachzudenken haben und Entschlüsse fassen, wie wir über unsere Summen disponieren. Preis, Ehrensold, für kranke und bedürftige Mitglieder, befristete Stypendien für jüngere, Reisestypendien, Jahrbuch etc. Es müssen von uns auch Rücklagen gemacht werden für besondere Zwecke.* 1950 stellte er die erste Nummer des »Goldenen Tors« in den Dienst der Akademie und rückte bevorzugt Beiträge ihrer Mitglieder ein.

Eine etwas naive Unbekümmertheit in der Wahl seiner Bundesgenossen ist bemerkbar: Aus der Gruppe der Molo, Bergengruen, Schnack, Schmidtbonn, Schaeffer und wie sie alle hießen, ragte er turmhoch heraus. Mit ihnen umgab er sich jedoch (oder ließ sich umgeben) und fand sich auch mit ihrer Provinzialität ab. Er war, wie Hermann Kesten feststellte, »gar kein Menschenkenner«.

Mit welchem gesellschaftlichen Klima hatte er zu rechnen? Adenauer hat am 29. September 1949 in seiner Regierungserklärung gefordert, »Vergangenes vergangen sein zu lassen«; er wollte sich bei den Hohen Kommissaren für eine Amnestie der von alliierten Militärgerichten verurteilten Kriegsverbrecher einsetzen. Döblin war da ganz anderer Auffassung: Er war allgemein fürs Jäten, und er konstatierte bei den Deutschen Wahrnehmungsblockaden, führte sie auf das Verdrängen der Schuld und auf weiterwirkenden Nationalsozialismus zurück. Aber er selbst war von solchen Wahrnehmungssperren gegenüber seiner Umgebung nicht frei.

In anderer Hinsicht war er ungnädiger: Er hat wohl selbst dafür gesorgt, dass im August 1951 Theodor W. Adorno nicht in die Literaturklasse aufgenommen wurde. Vielleicht hat er ihm schon in Kalifornien misstraut. Aber auch Adorno, im Gegensatz zu Horkheimer, hatte Döblin nicht gerade auf der Liste seiner literarischen Kanoniker.

DIE PILGERIN AETHERIA

Im Januar 1950 beendete Döblin eine lange Geschichte, an der er seit 1947 gearbeitet hatte. *Die Pilgerin Aetheria* (erst 1978 gedruckt) ist die unmittelbarste Glaubensschrift des späten Erzählers. Gewiss sind auch andere Geschichten aus der religiösen Zentralperspektive erzählt, aber diese ist die festeste Sprosse auf der epischen Himmelsleiter Döblins. In diesem Werk, das seine Frau als Lieblingsbuch ihres Mannes bezeichnete, füllen Zweifel und Gewissheiten über die Existenz des Menschen in Gottes Hand und über das Wirken seiner Gnade auf Erden den epischen Raum ganz aus. Die Erzählung gilt einer Sucherin, die vom Glauben abfällt, die auf einem langen Weg wieder zurückfindet und zur Märtyrerin wird. Aetherias Pilgerreise vollzieht diese Geschichte der Glaubensfindung nach; vermutlich könnte man, hätten sich solche Quellen erhalten, manchen Streit, den sie mit ihrem Schutzengel führt, als Selbstauseinandersetzung des Christen Döblin identifizieren.

Den Namen der Titelfigur hat er in Schotts Messbuch gefunden. Döblin löste sie aus ihrem geschichtlichen Umriss; sie ist bei ihm eine liebende Frau, die im Aufruhr über den Verlust ihres Mannes Valerio, in ihrer Wut auf seinen (unfreiwilligen) Mörder, nach Rom aufbricht, um den Dolch gegen ihn zu heben, und die dann, als ihr das nicht gelingt, zwischen Hass und Frömmigkeit, Rachegelüsten und Glaubensrevolte schwankt. Aetheria ist Christin, ist sich ihres Gottes aber nicht sicher und in Abwehr gegen ihn: Wenn er den Tod ihres geliebten Mannes zugelassen hat, meint er es mit den Menschen nicht gut. In ihrer Heimat zurück, bricht sie die Brücken zu ihrer Gemeinde ab und reist, einer inneren Stimme wie einem Zwang folgend, nach Palästina. Ein Schutzengel hat ihr befohlen, den Weg der Pilger ins Heilige Land zu gehen. Daraus wird der windungsreiche Pfad der Gnadenzeichen, Irrtümer, Prüfungen und vorbestimmten Schritte hin erneut zum christlichen Gott. In einem Brunnen von Bethlehem sieht sie als Einzige das Licht aufleuchten, das den drei Königen auf ihrem Weg zum Jesuskind geschienen hat. Sie erfährt sich wechselnd als Verworfene, die vom Teufel besessen ist, und als Auserwählte, die vom Engel geleitet wird. In der Begegnung mit dem Heiden Pausanias wird sie wiederum mit der Erotik konfrontiert. Aber sie bleibt nicht bei dem Griechen, folgt widerstrebend dem Engel, der ihr einen Auftrag erteilt: Sie soll den alten syrischen Sänger Simri, der sich vom Hof des Herrschers in die Wüste zurückgezogen und seine poetische Stimme verloren hat, Heilung verschaffen. Ihre Begegnung führt zu einer Zwiesprache, die eine Tür in den biographischen Raum von Erna und Alfred Döblin öffnet. Schon die Glaubensodyssee Aetherias gleicht den Stationen von Flucht und Epiphanie, Verwerfung der Existenz Gottes und demütiger Unterordnung, wie sie den existentiellen Kalender der *Schicksalsreise* ausfüllen. Wie Döblin bei seiner Flucht aus Frankreich erlebt Aetheria gleichsam auf den Straßen ihre Bekehrung. Der Dichter Simri kommt einem unscharfen Spiegelbild seines Urhebers am nächsten. Sein Gang in die Wüste, in die Isolation, sein Dasein als Eremit wirken wie ein Orakel, das sich der wissende Döblin selbst stellt: *Ich sitze, ich liege, von Schmerzen überlaufen, die Hände schwer und dick, offen. Sie strahlen Schmerzen. Leeres Wort: Schmerzen. Stacheln obenauf und im Innern Spannung, als sollten die Hände zerspringen. Das rieselt von den Schultern vom Hals her hinauf, hinten im Nacken sprudelt ein Qualenquell und sprudelt sich nicht aus. Wie dumpf meine Beine sind. Ich hebe sie an, sie sind schwer wie Pumpenschwengel. Und wenn ich sie aufsetze, sind sie aus Wachs, die Sohlen stoßen auf, aber ich empfinde sie nicht. Das waren einmal meine Füße, meine Beine. Sie sind von mir abgelöst. (...) In einer Höhle liege ich und bin starr und niemand hilft und nichts hilft. Und ich erreiche mich nicht. Und ich denke, es müsste etwas dasein, was helfen und retten könnte. Aber ich kann nicht einmal meine Arme heben, um zu bitten. Mein Inneres und mein Äußeres sind gelähmt, ich bin mir gestohlen. Ich liege hier und brenne. Draußen das heuchlerische Grün der Bäume. Wie verlogen die Blätter im Wind spielen. Wenn ich doch erst verbrannt wäre, zu Asche, zu Asche.* Ein Dichter am äußersten Rand der Verlorenheit, gelähmt in seiner Matratzengruft, ein Spielball der Verzweiflungen – der sollte Döblin erst noch werden, aber er hat sich sein Kismet in dieser geradezu visionären Hiobsklage vorausgesagt.

Aetheria gelingt es, mit Simri Zwiesprache aufzunehmen, und manches Rückbezügliche wird darin verhandelt. Aetheria sitzt da, bedenkt ihre Liebe zu ihrem toten Mann und bekennt: *Ich bin schuld, ich bin schuldig. Wir waren jung, Valerio und ich. Er liebte mich, und ich reizte ihn. Ich spielte mit ihm die erste Zeit.* Geht man in die Irre, wenn man diese Sätze, verpuppt in der christlichen Erzählung, auch als späten Reflex auf Döblins eigene Ehegeschichte liest? War Erna Reiss anfangs nicht die treibende Kraft gewesen, hatte sie ihn nicht aus einer ziemlich festen Liebesbeziehung geholt? Der Engel fordert von ihr Unterwerfung *auf Gnade und Ungnade,* die Kapitulation. Ist nicht darin ebenfalls eine verschlüsselte Nachricht über die Erzählung hinweg enthalten? Der Engel fordert auch Demut und tätige Hilfe für einen alten, kranken, einsamen Mann. *Geh an ihn heran, Aetheria.* Soll man da nicht aus der Prosa heraus einen Anruf aus der Lebenserzählung Alfred Döblins, einen Hilferuf vernehmen? Und weiter: Ihr gelingt es, gewendet ins Geschick von Bruder und Schwester, ihn von seinen Leiden zu heilen. Durch den gläubigen Gnadenschimmer hindurch vernimmt man die gebrechliche Orpheusstimme des Autors Döblin, eine Stimme, die sich an ein Phantom der Güte und Zuwendung richtet. Wird da nicht die Schattengestalt der Geliebten, werden da nicht *Schwesterseele* und *Brüderlein* noch einmal gerufen? Und falls Frau und Geliebte als biographische Gestalten in einer Figur der Erzählung verschmelzen: ist da nicht vielleicht auch die Erlösung ihres Urhebers vom Geschlechterkampf mitgedacht?

Aetheria selbst wird zum Glauben endgültig zurückgeführt – das ist die Problemlösung eines christlichen Märchens. Der Begleiter durch die Geschichte ist der Engel, der in Streit und Zuwendung mit der irrenden Frau den Weg weist: eine Art Gegenüber des Dichters, wenn nicht gar seine treibende

Kraft. Der Erzähler wäre demnach der Mittler des Wegs zu Gott, ein Erzähler-Engel. Darin gipfelt das Konzept des späten Aufklärers Döblin: der Dichter nicht als Benjamins Engel der Geschichte, der nach rückwärts blickt, sondern als Wegbegleiter, der in eine Zukunft jenseits der Zeit führt.

Vier Fassungen dieser Erzählung haben sich erhalten, und sie weichen erheblich voneinander ab, verweisen damit auf die Komplexität dessen, womit sich Döblin auseinandersetzte. Diese Geschichte, eher ein kleiner Roman, ist vor allem ein offenherziger und feierlicher Ausdruck seiner Gläubigkeit. Kein anderes der Spätwerke bindet so ostentativ die Fragen nach dem strafenden und verzeihenden Gott, nach Sünde und Schuld, Teufel und Engel, nach Glaubensrevolte und frommer Demut zusammen. Er hat nichts anderes als eine lange christliche Lehrerzählung geschrieben, aber die Glaubenszweifel sind mit enthalten, auch wenn sie mit Gewissheitsformeln beschwichtigt werden. *Jenseits von Gott* – die Positionslichter des Atheisten, die er 1919 gesetzt hatte, sind noch immer nicht gelöscht. Und auch etwas anderes ist bemerkenswert: Noch der alte Döblin verstand sich in der Klassizität seines Glaubens auf ein Experiment: den Bibelstoff und den ihm gewährten Trost in die künstlerische Erzählung zu bannen. Dieses Experiment führte allerdings weitgehend heraus aus der ästhetischen Sphäre: es war vorwiegend eine Überzeugungsprobe, die er anstellte. Die Kunstleistung dieser Erzählung, *eine ausgewachsene mittelgroße Person, etwa 180 Schreibmaschinenseiten lang,* wie er sie nach außen hin humoristisch etikettierte, versteckt sich hinter einem Paravent der Innerlichkeit.

Er gab vor, sie vor dem Blick der Öffentlichkeit schützen zu wollen; sie solle *in einer Seidenkammer sanft gebettet werden, um sich da zu ruhen und sich zu erholen, bis das Klima für ihr Erscheinen günstig ist,* aber er wollte unter dieser Ironie nur sein Wissen verstecken, dass auch sie – wie beispielsweise der *Hamlet*-Roman – nicht gefragt war. Dennoch unternahm er Versuche, sie zu veröffentlichen, bis zu seinem letzten Lebensjahr. Im Februar 1950 hoffte er auf eine Publikation: Ein Vorabdruck sollte in der katholischen Zeitschrift »Michael« im gleichen Jahr erfolgen und danach eine Buchausgabe im dazugehörigen Bastion Verlag. Aus beidem wurde nichts. Die Redaktion des »Michael« fand sich erst vier Jahre später zum Druck bereit – und nur mit einschneidenden Textkorrekturen. Döblin hatte dann nicht mehr die Kraft, sich ihnen zu widersetzen, und die Buchpublikation in diesem katholischen Winkelverlag unterblieb zu Lebzeiten wie in jedem anderen. Im F. H. Kerle Verlag Heidelberg, wo das Typoskript ebenfalls hingeraten war, tat sich ein gestrenger Lektor namens Karl-August Götz an Döblin gütlich. Der Text müsse richtiggehend umgeschrieben werden, man wolle dazu gerne nähere

Ausführungen machen. Eine Antwort hat sich nicht erhalten, war aber auch nicht nötig. Das Manuskript wurde ein Teil des Nachlasses zu Lebzeiten, und erst 22 Jahre nach Döblins Tod fand es seinen Weg an die Öffentlichkeit. Auch dieses Beispiel zeigt, wie unzuverlässig dieser christliche Jude der katholischen Restauration erschien.

DIE DICHTUNG, IHRE NATUR UND IHRE ROLLE

Die kulturpolitische Zeitschrift »Aussprache« richtete 1950 an einige Schriftsteller, unter ihnen Döblin, Ernst Kreuder, Ernst Wiechert, Hans Erich Nossack, Alfred Kantorowicz und Walter Kolbenhoff eine Doppelfrage: »Warum schreiben Sie? Für wen schreiben Sie?« Döblin mochte auf solche Simpelfragen nur einsilbig antworten. Die Begründung des Warum geriet ihm gar abweisend: *Das habe ich mich noch nie gefragt.* Er plänkelte vor sich hin: Man habe eben einen *Drang,* man befreie sich dadurch *vom individuellen Druck,* suche, *dies in gewissen Fällen, Absolution* und so fort, so unverbindlich wie möglich. Er roch hinter der Frage autobiographische oder psychologische Neugier; ihr wollte er sich nicht stellen. Zu lange hatte er sich in Abwehrpirouetten auf solche Fragen trainiert. Auch mit der zweiten Frage wollte er nicht weiterkommen. Er führte mit Dickens, Hauptmann und Baudelaire drei unterschiedliche Beispielfiguren an, um eine übergreifende Summe zu vermeiden, und als er sich doch dazu genötigt sah, kam eine gestanzte Antwort heraus: *Aber die eigentliche Aufgabe des Schriftstellers besteht darin, einen Zusatz zu der beobachteten und erfahrenen Realität zu geben.* Das war kein poetisches Bekenntnis, und man hätte bei dieser Einsilbigkeit vermuten können, sie sei ihm über den Glaubensfragen ganz und gar nichtig geworden.

Doch weit gefehlt: Am 4. März 1950 hielt er auf der Gesamtsitzung der Akademie in Mainz einen Vortrag *Die Dichtung, ihre Natur und ihre Rolle.* Es war seine letzte größere Abhandlung über die Literatur und ihre Aufgaben, zugleich der Versuch, eine geistige Brücke über die verschiedenen, spannungsreichen Disziplinen in der Akademie zu bauen oder wenigstens: die versammelten Naturwissenschaftler auf das Feld der Dichtung zu ziehen. Er ging mit einer geradezu zarten Behutsamkeit vor, sprach vom unkontrollierten, vorbewussten Dasein, dem unermüdlich arbeitenden physiologischen Apparat und dem psychischen Unterbau, um die mathematisch-naturwissenschaftliche Fraktion zum dichterischen Wort zu verlocken. Die einzelnen Züge, die er unternahm, waren Reprisen und sind allesamt in früheren Essays und Manifesten schon dingfest gemacht. Aber es fällt auf, wie sehr er Poesie und Erzählung entlastet, bis sie schweben können. Kein Auftrag zum Abbild wird der Poesie zugemutet, als Religionsersatz taugt sie nicht, der Verquickung mit Theologie ist sie bemerkenswerterweise entzogen. Sie hat keine Wirkungschancen, mit ihr komme man politisch nicht weiter, sie führe nicht zum Glauben. Jeder Außensinn wird ihr verwiesen. Ein verhaltener Jubel ist vernehmbar, vom Zauber die Rede. Und im Zentrum steht, gewissermaßen am Ende einer poetologischen Wegstrecke – der so oft verworfene und geschmähte Lyriker Goethe.

Ernst Kreuder hatte diesen Döblin vor sich, als er auf den Akademievortrag zu sprechen kam. Wegen des Schriftstellers Augenleiden war das Manuskript mit einer größeren Type getippt worden, Hans Henny Jahnn blätterte die Seiten um: »Der Vortrag schlug uns alle in seinen Bann. Der eigentliche, der verborgene Döblin kam hier zum Vorschein. Plötzlich wurde aus dem kleinen, unscheinbaren, schon etwas tatterigen Mann ein unsichtbarer Riese. Er sprach nicht laut, fast ein wenig verlegen und nicht ohne spürbare innere Anteilnahme und (mit) einer gewissen Ergriffenheit.«

1950, EIN JAHRESPANORAMA

Aufrichtig freute er sich, wenn er wieder einmal etwas von den Rosins hörte. Als sie ihm zum Jahreswechsel 1949/50 schrieben, antwortete er gerührt auf deren Bitte, dass man wenigstens befreundet sein wolle, wenn man sich schon nicht treffen könne. Er berichtete von seinen Leiden: er reise nicht mehr viel, *diese chronische Arthritis mit Nervenbeteiligung* hindere seinen Bewegungsdrang. Der Name »Parkinson« fiel nicht; er gewöhnte sich eine andere Bezeichnung an. Und er lenkte sofort wieder ab: *Das Alter ist ein Leiden an sich.* Er gehe noch jeden Tag vormittags ins Büro, der Zeitschrift wegen, und war ja nun auch Vizepräsident der Akademie.

Er freute sich über das Lob, das er von den Rosins für die *Schicksalsreise* erfuhr, aber er ging mit dem Buch dilatorisch um, geradezu wegwerfend: Er habe den Bericht nur nebenher geschrieben. *Ich bin kein Mann der Selbstbiographie, ich richte meine Augen und mein Interesse lieber und sogar einzig nach außen und auf andere. Dieses Buch habe ich hingeschrieben, weil ich den größten Teil aus Amerika mitbrachte und weil ich einen Haufen Notizen vorfand.* Ein Ton der Verachtung gegenüber seinem eindrucksvollen Buch schwingt mit. Er wollte den Bericht über seine Wende zur Religion gegenüber den Rosins herunterspielen. Aber die Wunde, die im Verhältnis der beiden Paare eine langjährige Rolle spielte, war wohl durch den Brief der Rosins wieder aufgebrochen. Es ging, wie könnte es anders sein, um Döblins Christentum. Er sah sich wiederum zu Erklärungen herausgefordert: *Die Naturwissenschaften müssen nicht atheistisch sein und nur ein Teil der Naturwissenschaftler ist es.* Man müsse nur in seine alten Bücher hineinsehen, zum Beispiel in *Das Ich über der Natur* oder *Unser Dasein*, um zu verstehen, dass man ganz dem wissenschaftlichen Denken verhaftet sein könne und dennoch nicht als Atheist auftreten müsse. Er arbeitete in der Folgezeit an seinem (zu Lebzeiten ebenfalls ungedruckten) Religionsgespräch *Der Kampf mit dem Engel*, das er im April 1952 abschloss. Davon wollte er, auch wenn es schwerfiel und undiplomatisch war, Zeugnis ablegen.

Er verteidigte sich gegenüber den Rosins mit souveräner Entschlossenheit: *Und es täte mir leid, wenn irgendwann und irgendwo das, was ich schreibe oder geschrieben habe, den Eindruck hervorbrächte, ich wäre intolerant und hätte die Ideen der Inquisition. Keine Spur. Ja, nicht ein einziges Mal nenne ich das Wort katholisch und römisch-katholisch. Ich spreche vom Christentum, und dieses ist natürlich erwachsen aus dem Jüdischen. Es läuft ja, wie tausendmal festgestellt, auch objektiv eine einzige Linie von einem Bekenntnis zum anderen. Der Eine wird durch seine Umstände dahin und der Andere dorthin geschoben. Ich konnte mit dem Nationalen, das am alten Judentum in der Religion noch hängt, schon lange nichts anfangen.* Er nahm das Wort vom »Verräter« wieder auf, das ihm Elvira Rosin fast zehn Jahre zuvor entgegengeschleudert hatte. Er bat noch einmal, ihm nicht mehr zu grollen. Ein großer, meisterhafter Akt der Werbung um Verstehen, bei souveräner Behauptung des eigenen Standpunkts.

Im Februar 1950 reiste er für einige Tage nach Paris und besuchte im Amerikanischen Hospital den todkranken Ywan Goll. Der las ihm aus einem Vorwort zu dem Gedichtband »Traumkraut« vor, mit dem er zur deutschen Sprache zurückkehrte. Claire Goll schrieb im »Goldenen Tor«: »Wie besessen bedeckt er alles Erreichbare: Zettel, Zeitungen, Brief- ja Toilettenpapier mit den kleinen Vögeln seiner schönen Schrift. Noch in seiner Agonie schrie es aus ihm in zwei Sprachen.« Zwei Wochen danach starb der Dichter, und Döblin druckte im April/Mai-Heft seiner Zeitschrift zum Gedenken drei Gedichte sowie die Grabrede von Jules Romains ab. Im darauffolgenden Heft veröffentlichte er außerdem einen Beitrag von Claire Goll über ihren verstorbenen Mann. Hier fällt wieder einmal auf, wie ihn die Verschiedenheit der Existenz, der Auffassung von Poesie, der Lebenswirklichkeit anzog und zur Freundschaft verpflichtete.

Kreuder bat er Ende März, wegen einer Neuausgabe des Romans *Berge, Meere und Giganten* bei Ledig-Rowohlt anzutippen: *Es ist ganz bestimmt, daß das vorzüglich heute in der Zeit steht, inhaltlich und wahrscheinlich auch stilistisch.* Aber auch diese Anfrage verlief im Sande.

Es gab, vom Mainzer Ministerium für Unterricht und Kultus protektioniert, in Koblenz ein »Rheinisches Kulturinstitut«, dessen Vorsitz zunächst Elisabeth Langgässer hatte, der nach ihrem Tod an Döblin überging. Er meinte, Wilhelm Schmidtbonn solle *als wirklich echter Mann aus dem Rheinland* dort Mitglied werden. *Es gibt da nichts zu arbeiten. Sie können ebenso wie ich selber mit gutem Herzen der Einladung folgen.* Döblin wurde von dem dazugehörigen Verband Rheinisch-Pfälzer Schriftsteller mit einem garantiert unbekannten Präsidenten Ernst Quaalt Mitte Januar 1951 in den Ehrenrat der Organisation berufen. Von einem Vereinsleben ist nichts bekannt. Aber Döblin ließ sich auch in diese Provinzhuberei verstricken.

GESETZ ZUM VERTRIEB JUGENDGEFÄHRDENDER SCHRIFTEN

Ende Juni 1950 forderte der Arbeitssausschuss der Mainzer Literaturklasse in Briefen an den Bundespräsidenten, an Bundeskanzler Adenauer und an den Innenminister eine Anhörung wegen des geplanten Gesetzes über den Vertrieb jugendgefährdender Schriften: »Es gehen Gerüchte in der Öffentlichkeit um über das Wiederaufleben des Schund- und Schmutzgesetzes. Es besteht der berechtigte Verdacht, daß die Begriffe ›Schund und Schmutz‹ fallengelassen werden, um den öffentlichen Protest zu beschwichtigen, daß an ihrer Stelle eine viel gefährlichere Formulierung gewählt wird, nämlich der Begriff der ›jugendgefährdenden Schriften‹. Wir müssen ausdrücklich darauf hinweisen, daß dieser neue Begriff alle kulturellen Schriften treffen kann. Solche allgemeinen Formulierungen können Kräften, welche der Kultur feindlich gesinnt sind, Macht über Kunstwerke geben.« Döblin sah in dem Gesetzgebungsverfahren zunächst eine Wiederholung des reaktionären kulturpolitischen Gesetzes aus den zwanziger Jahren, das zwar in der Weimarer Republik keine nennenswerte Wirkung erzielt, aber den Nazis zur Legitimation ihrer Zensur- und Verfolgungsmaßnahmen gedient hatte.

Daraufhin wurde er gemeinsam mit Ernst Kreuder zur 29. Sitzung des Ausschusses »Fragen der Jugendfürsorge« für Ende November nach Bonn eingeladen, um die Bedenken vorzutragen. Nun argumentierte Döblin mit dem Kollegen vor der entsprechenden parlamentarischen Arbeitsgruppe, die am Anfang unter Leitung von Franz Josef Strauß stand. Es war die Kommission »Fragen der Jugendfürsorge«. Döblin bemängelte, dass Werke der Weltliteratur dadurch aus den Buchhandlungen entfernt werden könnten; auch vermisste er die Ächtung kriegsverherrlichender Schriften im Gesetzesentwurf. Man ließ die beiden Herren glatt abfahren. Ernst Kreuder an Döblin: »Der Münchner Vorsitzende war von Anfang an in seiner deppenhaftsicheren Haltung der Akademie gegenüber von verdeckter Geringschätzigkeit.« Am Abend war Döblin bei Theodor Heuss eingeladen. Offensichtlich setzte Döblin das Bonner Vorhaben mit dem Weimarer Gesetz gleich; wenigstens leitete ihn das Misstrauen in die Absichten des Parlaments. Aber er wurde schwankend, nachdem er mit Faktenmaterial konfrontiert worden war: *Was ich da hörte, über die Verbreitung der anderen Literatur, der militaristischen, nazistischen, der obscönen Literatur, überstieg weit das, was ich geahnt hatte. Skrupellos arbeiteten Geschäftsleute im Lande und beuteten niedere Instinkte aus und lebten von der Galvanisierung des Kriegsnazismus.* Allerdings überzeugten ihn die Erwartungen an das neue Gesetz nicht: *Was man zur Eindämmung dieser Schlammflut vorschlug, schien mir wenig wirksam. Den guten Willen mochte ich den Damen und Herren nicht abstreiten. Aber ich vermißte das Positive. Was bot man denn für den Schmutz und den Schund?* Auf diese Frage fand er keine Antwort. Er hat nur an einer einzigen Sitzung teilgenommen; seine Aussagen wurden protokolliert; öfter geladen wurde er nicht. 1953 trat das Gesetz in Kraft und existiert mit Modifikationen bis heute – gewiss ohne nennenswerten kulturpolitischen Flurschaden.

WEITER 1950

Wie kompliziert die Dinge im Nachkriegsdeutschland auch unter guten Bekannten standen, zeigt der Briefwechsel, den Döblin mit Hermann Hesse führte. Er wollte ihn als Mitglied der Akademie gewinnen, aber Hesse lehnte rundweg ab. Er schob den Einwand vor, er sei Schweizer Staatsbürger, um dann doch deutlich zu erklären, er habe sich »in all den vielen Jahren sorgfältig von allen offiziellen deutschen Organisationen zurückgehalten«. Auch an Martin Buber wandte sich Döblin. Jahrzehntelang war die Korrespondenz zwischen den beiden unterbrochen gewesen. Nun lud er ihn im März 1950 offiziell ein, der Mainzer Akademie als korrespondierendes Mitglied beizutreten. Dies war nach einem Brief des Bonner Studiendirektors Josef Minn und nach der Werbung des evangelischen Theologen Karl Heinrich Rengstorf der dritte und prominenteste Versuch, Buber wieder mit Deutschland zu verknüpfen. Er lehnte den Beitritt ab, wollte aber Döblin nicht vor den Kopf stoßen. So fügte er eine Art Ehrenerklärung und eine Versicherung ihrer langjährigen Nähe hinzu. Aber es blieb bei einem unveränderlichen Nein:

»Ich kann mich jedoch nicht dazu entschließen, an der Tätigkeit deutscher öffentlicher Institutionen teilzunehmen, denn dies erfordert einen Grad der Verbundenheit, zu dem ich mich nicht befähigt fühle.« Döblin schrieb ihm Anfang Mai 1950 noch einmal. Er hatte nicht mit einer anderen Antwort gerechnet. Er bekundete seine Hochachtung und seine Freude darüber, dass Buber für die Juden und für Israel so viel tue: *Es ist etwas Schönes und Neues und wahrhaft Gutes, das Sie dort ins Leben gerufen haben, eine Zufluchtsstelle für große Massen schuldloser und gejagter Menschen. Und mehr: Die Sicherung dieser Menschen im Zusammenhang mit einem Boden, der ihnen dann wirklich Heimat wird.* Auch Buber hatte einst die Meinung vertreten, die Juden dürften nicht dem europäischen Grundübel, dem Nationalismus, verfallen. Vielmehr komme es auf sittliche und kulturelle Durchdringung des Judentums an. Da waren die beiden parallele Wege gegangen, und nun wollte er Bubers Wendung zum Staat Israel nicht kritisch kommentieren. Döblin wies aber dennoch auf die Differenz ihrer beider Wege hin: *Für mich steht die Frage, so wie ich einmal gewachsen bin und nun gar in meinem Alter, nicht nach Land und Staat und politischer Heimat, sondern nach Religion, nach Diesseits und Jenseits und nach dem ewigen Urgrund, den Sie und ich Gott nennen. Ich kann darum Ihre Haltung und alles, was Sie betreiben, segnen und kann doch für mich selber sagen, hier im Lande: Ich spreche nicht von Staat und nicht von der Heimat, aber so ist es geworden, und hier stehe ich und kann nicht anders.* Gut lutherisch antwortete der Katholik dem jüdischen Philosophen: gelassen und selbstbewusst in seinem Glauben, den er auch als seine Brücke zum Judentum verstand.

Zum 70. Geburtstag von Molos schrieb er im Mai 1950 einen langen herzlichen Brief, der offiziellen und privaten Charakter hatte. Döblin wandte sich an das neue Mitglied im Club der 70-Jährigen, beschrieb mit leichthändiger Ironie die Malaisen des Älterwerdens und das Unerbittliche der Natur, das man übersehen möchte. Ein anderer Teil des Briefs galt der alten Preußischen Akademie, in der Walter von Molo zeitweilig Sektionsvorsitzender gewesen war. Döblin wollte eine gerade Linie vom Pariser Platz in Berlin nach Mainz ziehen. In seiner Gratulation schwingt – der Brief wäre sonst nicht von Döblin – die Skepsis gegenüber dem literarischen Werk Molos mit. Er kannte nichts von ihm, kam offen damit heraus, aber als er dann doch etwas von ihm gelesen hatte, verstand er dessen Erfolg bei einem Publikum, das sein eigenes Werk nicht goutierte. Die Reserven sind nicht zu überhören, wenn er von der Hoffnung spricht, dass er selbst *auch für andere nicht mehr* (als) *der Mann der Asphaltliteratur* gelte. Da wird der Riss spürbar, den der Rückkehrer empfunden hat, als er sich wieder heimisch machen wollte: einerseits der Wunsch, dort wieder anzuknüpfen, wo einst Vertrauen gegolten hatte, und andererseits die Augen nicht verschließen zu können, trotz aller Bereitschaft, die Vergangenheit ruhen zu lassen.

Gegenüber dem in Amerika lehrenden Germanisten Henry Regensteiner betonte Döblin Ende Mai den religiösen Konnex seiner Romane. Er prolongierte seine Gläubigkeit zurück bis zum *Wang-lun* und zum *Wallenstein.* In der Schublade seines Schreibtisches hatte er einen Spruch der Therese von Avila liegen: Es ging um Ergebenheit, Geduld, Gottvertrauen – eine christlich-mystische Umschrift des Wu-wei: »Nichts verwirre Dich, / Nichts erschrecke Dich, / Alles geht vorüber, / Gott ändert sich nicht. / Geduld erreicht alles. / Wer Gott besitzt, dem mangelt nichts, / Gott allein genügt.«

Er fand Zeit, die katholische Zeitschrift »Michael. Zeitung des jungen Volkes« zu studieren, zumal der Theologe und Historiker Karl Thieme dort einen Artikel über *Karl und Rosa* veröffentlichte. Döblin kam zu keinem guten Ergebnis. Auch in diesem Fall überwog die Reserve gegenüber einem einheimischen Katholizismus. Dass dieses Organ ganz und gar unkritisch Ernst Jünger feierte – für ihn der Inbegriff eines *Unmenschen* –, wollte ihm nicht in den Sinn: *Fällt der »Michael« auch auf diesen verkrampften Elitemann (...) hinein? Denn nachdem der Faschismus hin ist, ist er auch hin, und er weiß es.* Mit Jünger verband ihn eine innige Abneigung. Döblin sah an seinem Gegner nur *Fühllosigkeit,* die sich *als Männlichkeit maskiert.* Als Jünger die Invektiven wahrnahm, nannte er Döblins Abneigung mit mäßig treffsicherer Arroganz eine »Uniformfrage«: »Ich hielt es für richtig, am Kriege auf deutscher Seite und in deutscher Uniform teilzunehmen, in der auch mein Sohn Ernst gefallen ist. Herr Döblin ist in französischer Uniform im Gefolge der fremden Truppen bei uns eingerückt.« Da triumphierte wieder einmal das herrische Ressentiment gegen den Emigranten, wo doch Jünger in Paris mit französischen Hitlerdeutsch-Freunden kollaboriert hatte. Er bekannte zwar rhetorisch seine Anteilnahme am Geschick des Vertriebenen, er habe »wie viele Emigranten aber dieses Leiden nicht zu sublimieren verstanden«. Mit blanker Häme über die materielle Erfolglosigkeit des Kollegen fügte er hinzu, Döblin habe eine »Reihe von eigenen Ladenhütern erscheinen lassen«, die sogleich »Makulatur« gewesen seien, »als das Bajonett nicht mehr dahinter stand«. Jünger behauptete, Döblin habe gar das Erscheinen der »Strahlungen« verhindern wollen. Er fragte den Lektor des Walter Verlags, Peter Stehlin, nach dem materiellen Schaden von Denunziationen. Die Publikationsgeschichte Ernst Jüngers sah jedoch ganz anders aus, als er insinuierte: Er hatte in der britischen Besatzungszone wegen seiner Weigerung, sich dem Entnazifizierungsverfahren zu unterziehen, Schreibverbot erhalten und war dann in die französische Besatzungszone übergewechselt. Bis 1951 hat er nach dem Krieg bereits wieder sechs Bücher veröffentlicht. Sehr erfolgreich können die Verhinderungsbemühungen des Zensors Döblin, wenn es sie überhaupt gab und wenn es sich nicht um bösartiges Ondit handelte, nicht gewesen sein.

Anfang Dezember 1950 tagte der deutsche PEN in Wiesbaden. Unter den Teilnehmern waren Erich Kästner, Günther Weisenborn, Luise Rinser, Stephan Hermlin, Ernst Kreuder, Hans Henny Jahnn, Martin Kessel, Johannes R. Becher. Döblin, im nahen Mainz sitzend, nahm an den Beratungen nicht teil, aber er führte seine Kollegen durch die Akademie, als sie auf seine Einladung hin einen Tagesausflug nach Mainz machten. Er erzählte in seiner Begrüßungsrede von seinem Gang durchs Exil, von seiner Begegnung mit dem Kunsthistoriker Otto Grautoff, der sich um die deutsch-französische Verständigung verdient gemacht hatte und der 1937 in Paris gestorben war; von Ernst Toller, der 1939 in New York den Freitod gewählt hatte, und von dem unauslöschlichen Eindruck, den auf ihn Franklin D. Roosevelt gemacht habe, als er ihm während des PEN-Kongresses in Washington begegnet war. Und über allem breitete Döblin einen Glaubenshimmel aus: angesichts der Adventszeit sei die Geburt des Heilands das *einzige große Ereignis der Weltgeschichte* und die Friedensbotschaft des Christentums sei auch der Grundsatz der Dichter und Schriftsteller. Das werden manche PEN-Mitglieder verdutzt vernommen haben.

Arnold Zweig und Johannes R. Becher richteten an Döblin nach der Tagung einen gemeinsamen Brief, in dem sie noch einmal auf den Verlauf der Sitzungen zurückkamen. Als Präsident und Stellvertreter der neu gegründeten Ost-Berliner Akademie hofften sie auf einen positiven Kontakt zwischen den beiden Institutionen: »Wir halten solch eine Beziehung gerade unter den gegenwärtigen politischen Spannungen im Interesse der Erhaltung und Festigung des Friedens für dringendst erforderlich.« Döblin antwortete ihnen postwendend und stellte fest, *wie segensreich der exilierte Schriftsteller in Paris den Zusammenhang mit dem dortigen* PEN-*Zentrum empfand,* kam auf die *von uns allen begrüßte Gründung der Liga der Nationen in San Francisco* zu sprechen, auf Roosevelt, auf *das schwarze Zeichen eines erneuten kriegerischen Konflikts, eines erneuten Weltbrandes und ein helleuchtendes Zeichen*: auf den christlichen Advent. Die Tagung in Wiesbaden habe ein Beispiel gegeben, dass es trotz aller Meinungsverschiedenheiten im einzelnen möglich sei, eine gemeinsame Grundlage für geistige Auseinandersetzungen zu suchen und zu entdecken, den *Friedenswillen.* Darüber ins Gespräch miteinander zu kommen sei die Aufgabe der Kollegen.

Döblin unternahm mit diesem Schreiben einen diplomatischen Vorstoß; er betonte mit der Berufung aufs Christentum den PEN-Leitsatz des Friedenswillens trotz unterschiedlicher politischer Auffassungen und bewies in diesen schwierigen Zeiten durchaus Geschick. Er wollte die Organisationen und Akademien heraushalten, wohl wissend, dass dann die Gespräche von staatlichen Direktiven beherrscht würden. Er fand geradezu beschwingte Töne, in denen *der direkte persönliche Kontakt in ruhiger Unterhaltung* im Rahmen des PEN zum Maßstab erhoben wurde. Aber sogar solche Selbstverständlichkeiten kamen im Kalten Krieg nicht zustande. Fälschlicherweise glaubte Döblin, *daß wir alten Kameraden immer auf dem Boden dieses Bekenntnisses standen.* In Wahrheit hatten die beiden Ost-Berliner auf dem Boden ihres Staates zu stehen – ansonsten gab es für sie wenig Boden. Ihr Spielraum war gering, aber auch Döblins Handlungsrahmen war ziemlich begrenzt. Denn wegen solcher Vorschläge wurde dem Mainzer Akademiepräsidenten Karl Willy Wagner recht bang. Er forderte Döblin ziemlich rasch und dringlich auf, seine Antwort nicht auf formellem Weg zu geben: »Die Akademie darf das Schreiben der Ostberliner Akademie der Künste nicht beantworten, schon deshalb nicht, weil sie sich sonst auf politisches Gebiet begeben würde, was vermieden werden muß.« Es sei »unbedingt notwendig«, die Akademie herauszuhalten, deshalb solle Döblin »auf völlig privater Basis«, eben als PEN-Mitglied, antworten. Nichts anderes hatte Döblin gewollt und an die Ost-Berliner Briefpartner geschrieben. Nun wurde er kleinmütig darüber belehrt, dass er sich an diesen Rahmen halten solle.

In der Öffentlichkeit klangen Döblins Äußerungen sowieso unabdingbar entschieden. Die »Frankfurter Allgemeine« reportierte seine Wendung gegen den staatlichen Primat, was selbstverständlich gegen die Kollegen in der DDR gerichtet war: *Wir lassen uns von keiner Staatspolitik ins Schlepptau nehmen, und wir werden den bis aufs Messer bekämpfen, der uns die Freiheit nehmen will.* Eine Illustration dessen, wogegen sich Döblin wandte, bot Johannes R. Becher: Er wurde von der Presse nach den Lagern in der Sowjetunion gefragt, leugnete sie nicht, behauptete aber, *doch befinden sich dort nur Kriegshetzer und Feinde der Sache des Friedens.* Die Zeugen Jehovas, die in der DDR verfolgt wurden, seien erwiesenermaßen Instruktionen des amerikanischen Abwehrdienstes CIC gefolgt.

Trotz der Propagandatöne und des Verschwörungsgeraunes herrschte zwischen einigen ostdeutschen Kollegen und Döblin offenbar Einvernehmen. Die alten Herren, einst einander überwiegend spinnefeind, suchten angesichts des Kalten Krieges nach gemeinsamen Spielräumen, und ihre Episteln durchweht neben Bitternis über die politische Teilung und über die Resignation des Alters auch eine anrührende werbende Wärme. Man hätte sich denken können, dass der Briefschreiber Döblin – vom Mainzer Akademiepräsidenten unter Kuratel gestellt – erlahmt wäre. Aber das war ganz und gar nicht der Fall: er nahm noch einmal Schwung auf. Es genüge, dass man sich *als freie Schriftsteller irgendwo nebeneinander* setze und die Institutionen herauslasse. Er nannte jedoch eine Bedingung: *Die absolute Offenheit und Aufrichtigkeit aller, die an solchen Gesprächen teilnehmen und die sich für die beste Sache der Welt, für den Frieden unter den Menschen, einsetzen wollen. Die völlige Unabhängigkeit jedes Einzelnen versteht sich von selbst.* Döblin schlug vor, gerade die Meinungsverschiedenheiten und Misshelligkeiten zum Thema zu machen. Das werde zu praktischen Fragen führen, *wie man den Ton von Polemiken mildert, wie man Bösartigkeiten und Gehässigkeiten vermeidet, Diffamierungen fallen läßt.*

Arnold Zweig antwortete am 21. März 1951 in einem bewegenden Brief voll verhaltenem Zorn und unaufhebbarer Melancholie: »Überhaupt ist ja für so alte Kameraden, wie wir sind, der Zustand pervers, in dem wir uns befinden und mit dem wir leider rechnen müssen: daß wir nicht einfach eine Fahrkarte lösen und zu Döblin hinfahren können, um uns mit ihm auszusprechen, was wir doch noch 1939 in New York tun konnten. Verwickelt zu sein in die Niederlage der Hitlerei, der wir ja doch eigentlich auf gemeinsamer Front gegenüberstanden und jetzt gezwungen zu sein um das Abklingen des Kriegszustandes zu kämpfen – lieber Döblin, wir haben es uns anders gedacht, als Sie in Los Angeles, Becher in Moskau und ich in Haifa.« Er tröstete sich, halb hoffend, halb zweifelnd, mit einem möglichen Wiedersehen im Mai in München. Aber man müsse darüber noch korrespondieren, »wenn die Reiseerschwerungen für uns DDRler in Trizonien konkrete Gestalt angenommen haben«. Er bestätigte Döblin: »Lassen wir erst einmal alle Organisationen beiseite, in welcher Frage wir wie Sie denken und versuchen wir wieder zusammen zu kommen als die freilich gealterten und geprüften, aber auch gereiften Kameraden von anno dazumal.« Er unterschrieb als »Ihr innerlich unveränderter« Zweig, und auch Becher grüßte am Rande dieses Briefes der Resignation mit einem »Herzlichst«. Der deutsche PEN bildete dank der Patriarchen auf beiden Seiten noch eine der letzten, wenn auch äußerst fragilen Brücken über die kulturpolitischen Grenzen hinweg.

Mit seinem ältesten Sohn Bodo Kunke in Wiesbaden hielt Döblin losen Kontakt, schickte ihm das eine oder andere Buch. Sie trafen einander, aber nur, wenn Erna verreist war. Döblin aß in der Bahnhofsgaststätte und ließ sich von Bodo abholen. Hier ist es am deutlichsten ausgesprochen: Ein Treffen war nur ohne die Ehefrau möglich; bis an ihr Lebensende wollte sie sich nicht mit ihres Mannes ältestem Sohn abfinden.

Mit Sohn Bodo
und Enkel Stefan Kunke
1950

Im Juli 1950 befand sich Döblin in Bad Gastein zur Erholung, machte launige Bemerkungen über die Kurgäste, über das ewige Baden und den dortigen Katarakt. Die alte Vergnügtheit stellte sich wieder einmal ein. In einem Brief an seinen Redakteur Wolfgang Lohmeyer malte er sich in sehr komischen Sätzen die Verjüngung der Kurgäste auf das Niveau von Säuglingen aus.

Inzwischen trafen Manuskripte aus Paris, die in der Spedition über die Jahre seiner Flucht aus Europa und seines amerikanischen Exils gelagert hatten, in Mainz ein. Seine Frau hatte die Bestände offensichtlich durchgesehen und festgestellt, *daß das Paket außer der Masse meiner Manuskripte auch noch allerhand anderes Material enthalte, so Zeitungen, die ich aufbewahrte, ferner frühe Manuscripte, die ohne Abschrift sind und nicht gedruckt wurden.* Auf diese Weise konfrontierte er sich mit seiner Vergangenheit. Aber es handelte sich nur um einen Bruchteil des Materials. Die Fährnisse seines Lebens, die Wechselfälle der Emigration bewirkten, dass erst nach und nach andere Teile aus Koffern in einer Schweizer Spedition, aus Hinterlassenschaften hier und dort zusammenfanden. Die Abenteuer des Suchens, Verfehlens und Findens, die ihn prägten, bestimmen auch die Konvolute seiner Texte und Dokumente.

DIE ABSCHAFFUNG DES RADIOKOMMENTATORS

Scheinbar unbehelligt setzte er beim SWF seine regelmäßigen Beiträge für die Sendereihe »Kritik der Zeit« fort. Er plauderte über Bücher, versuchte aber auch, Zeitereignisse und politische Einzelheiten zu kommentieren, seine Vorstellung eines christlichen, sozial engagierten Humanismus zu entfalten. Er setzte sich für den katholischen Schriftsteller Georges Bernanos ein, wusste immer wieder den Europa-Gedanken vorzubringen, ohne sich ins ideologische Prokrustesbett des reaktionären christlichen Abendlandes zu legen: *Was not tut, das ist eine von den Parteien organisierte aktive Europabewegung, hier im Lande, welche europäische Ideen, also die humanistische, christliche, alte nicht nur außenpolitisch, sondern auch dann nach innen in Sozialreform und im Aufbau beweist.* Er wollte den Europa-Gedanken aber auch nicht an die Montan-Industrie abgeben. Die neu eingerichtete »Woche der Brüderlichkeit« nutzte er dazu, die Begegnung zwischen Juden und Christen anzumahnen, nicht nur *das Reden zwischen Ariern und Nichtariern.*

Ab April 1951 wurden Döblins Beiträge unter einer anderen Rubrik »Aus Literatur und Wissenschaft« gesendet und ins Spätabendprogramm verlegt. Insgesamt acht Beiträge sind noch nachweisbar, nicht alle haben sich erhalten. Die Verlegung ins Ghetto des Nachtprogramms passierte auch Reinhold Schneider mit seinen Beiträgen. Mitte Juli 1952 sprach Döblin seinen letzten Text für den SWF. Er befasste sich ausschließlich mit Ereignissen und Büchern im Osten, wollte wie immer zur Erweiterung des Blicks »nach drüben« beitragen. Doch dieser Beitrag wurde nicht mehr ausgestrahlt, aus politischen Gründen. Damit war Döblins Mitarbeit beendet. Die politische Zensur kam jedoch nicht überraschend, sie war nur der Schlusspunkt unter eine schleichende Umorientierung des Programms und der politischen Wertungen. Auf Döblins alten Platz »Kritik der Woche« war Friedrich Sieburg gekommen, der in Frankreich als Botschaftsrat an einer Nahtstelle der Kollaboration gearbeitet hatte und das politische Gegenbild zum Emigranten abgab. Die Freiheiten und den Spielraum, die sich Döblin nahm, passten nicht mehr in die Landschaft. Einige technische Unzulänglichkeiten, die sich aus Döblins Vortragsweise ergaben, werden Vorwände geliefert haben, um ihn als Kommentator im Rundfunk abzuschaffen. Seine Bindung an die französische Besatzungsmacht wird nach der Aufhebung der Vorzensur 1949 eine Ermunterung gewesen sein, den lästigen Kommentator in Siegerdiensten allmählich kaltzustellen und zu entfernen.

AKADEMIEPREIS

Auf Döblins Einfluss zurück ging ein großer Preis der Mainzer Akademie; er sollte alle zwei Jahre, erstmals 1951, vergeben werden. Aber der Initiator verstand sich sogleich auf eine Modifikation: Er setzte sich mit der Absicht durch, statt des Preises in Höhe von 10 000 DM anfangs fünf Stipendien zu je 2000 DM zu vergeben. Ausgewählt wurden im September 1950 Werner Hellwig, Hans Hennecke, Oda Schaefer, Heinrich Schirmbeck und Arno Schmidt. Durchgefallen ist bei der Wahl damals bemerkenswerterweise Karl Krolow. In der Presseerklärung wurde die Aufteilung der Summe mit der Notlage der freien Schriftsteller in Deutschland begründet. Für den 36-jährigen Arno Schmidt war diese Auszeichnung ein überraschender und nicht zu überschätzender Glückstreffer. Er hatte den »Leviathan« vorgelegt, und es trat für ihn mit der Auszeichnung die erste größere Wende ein. Döblin fand, als einer der ersten, anerkennende Worte für diesen jungen Autor: *Ein formal sehr begabter Mann, fähig und unbekümmert, aber bis jetzt ist kein rechtes Fundament und keine Linie sichtbar. Nun, für den Anfang reicht dieses.* Döblins Bücher hatten zur Jugendlektüre Arno Schmidts gezählt. Er schickte ihm noch 1953 nach Paris seine Veröffentlichungen, erhielt vom bewunderten Meister, den er den »›Kirchenvater‹ unserer neuen deutschen Literatur« nannte, viel Zustimmung und Aufmunterung und revanchierte sich mit dem Lob »des ganz großen Prosameisters, durch dessen Schreibtisch wir Alle unseren ersten Meridian zu ziehen haben«. Arno Schmidt stellte gleich nach der Bekanntgabe der Auszeichnung einen Umzugsantrag beim rheinland-pfälzischen Kultusministerium. Der Ostflüchtling wollte, 40 Jahre alt und bettelarm, mit seiner Frau aus der Nähe von Walsrode in den Landkreis Alzey, auf jeden Fall in linksrheinische Gefilde umziehen und bat den Minister um Zuteilung einer Wohnung. Mit der Auszeichnung im Hintergrund wurde dieser Bitte entsprochen.

DER KALTE KRIEG, ANFANG DER FÜNFZIGER JAHRE

Sein politisches Konzept: die deutsche Einheit als Bild des zusammenwachsenden Europa. Aber schon in Amerika müssen ihm Zweifel gekommen sein, ob es politische Nachkriegswirklichkeit werden konnte. Jedenfalls kann man Passagen aus *November 1918* als Vorwegnahme des Kalten Kriegs lesen, z. B. in *Verratenes Volk: Als der Krieg aus war, dachten viele, nun käme der Friede, und das sei die Reihenfolge, und jetzt habe man das gute Ende erwischt. Aber wie ein Mensch, den ein Verrückter oder Verbrecher mit Salzsäure begossen hat, und er brüllt vor Schmerz und man gelangt endlich dazu, ihn festzuhalten, die Wundflächen abzuspülen und zu neutralisieren, aber das Gift hat die Gewebe schon in großer Tiefe zerstört und ist in Lymphspalten eingedrungen, und nun erst fängt die schreckliche Entzündung und Eiterung an, so wurden die Völker, als der Krieg vorbei war, nun erst krank vom Krieg und litten sehr.* Schon am 6. Mai 1946 hatte er, in einem Brief an Paul Lüth, gewarnt: *Es darf kein Graben quer durch Europa gezogen werden. (…) Rußland ist ein frisch modern, ja preußisch concipiertes Gebilde; man kann es das jüngste Kind Europas nennen, – was soll da der Graben.* Diese Meinung hat er allerdings nur in einem privaten Brief kundgetan, keinesfalls in offizieller Funktion. An Peter Rühmkorf, der dem väterlichen Großmogul der Schriftstellerei in Mainz seine Isolation bekundete, schrieb er zurück: *Man ist eingeklemmt, entscheidet sich zwar für den Westen, vermag den Westen aber nicht zu schlucken, so wie er ist und die Literatur im allgemeinen leidet wie das ganze Land an der Ost-Westtrennung, weil Polemik und Auseinandersetzung sprachliche Dinge sind.*

Die politischen Spannungen erreichten auch die Akademie und brachten für den Chef der Literaturklasse manch prekäre Situation. Auf einer Liste für Zuwahlen fanden sich beispielsweise auch die Namen von Bert Brecht und Anna Seghers. Wie weit der Kalte Krieg schon gediehen war und wie konservativ sich die Mehrheit der Wissenschaftler in der Akademie nach ihrem Selbstverständnis verstand, ergab sich aus dem peinlichen Vorfall, der sich mit den beiden Namen verband. Die gebürtige Mainzerin Anna Seghers erhielt bei der Entscheidung drei Gegenstimmen, womit sie zwar gewählt war, aber mit einem unangemessenen Ergebnis, und Bert Brecht gar fünf, womit seine Zuwahl abgelehnt war. Das brachte die Akademie in einige Verlegenheit. Die Vorschlagsliste enthielt mit Ausnahme von Kästner nur noch konservative bis rechte Autoren. Drei Monate lang wurde nach einer Lösung gesucht, die sich aber von selbst nicht einstellen wollte. Dann wurde die Literaturklasse aufgefordert, die Anträge für Anna Seghers und Bert Brecht »zunächst auf sich beruhen« zu lassen, denn das Gros der Wissenschaftler hielt eine gleichzeitige Mitgliedschaft in der Ost-Berliner Akademie und in der Mainzer für unvereinbar. Walter von Molo versah diese Mitteilung Döblins, die seinen Absichten gewiss nicht entsprach, mit einer gallebitteren Replik: »Da wäre es doch vielleicht besser, wir benehmen uns wie es seinerzeit unter dem Nazi-Regime üblich war, wir fragten vorher an, wer genehm ist, – so wurde das damals überall gehandhabt – und dann schlagen wir als freie Demokraten das vor, was den Anderen genehm ist.« Er hielt das Verfahren für höchst undemokratisch und machte aus dieser Haltung keinen Hehl.

An Ostern 1951 fand in Starnberg ein Schriftstellertreffen statt, zu dem unter anderem Brecht und Anna Seghers, Arnold Zweig, Stephan Hermlin und Peter Huchel anreisten, eine höchst prominente Besetzung, wogegen die Westdeutschen nur mit Ernst Penzoldt und Hans Henny Jahnn als bekannten Namen aufwarten konnten. Immerhin haben Walter von Molo, Reinhold

Schneider und Alfred Döblin Grußtelegramme geschickt. Es war schon in dieser Phase ein kompliziertes Unterfangen, zu einer gemeinsamen Sprache zu finden, auch wenn vielleicht die Positionen unter den Schriftstellern nicht allzu weit auseinanderlagen. Walter von Molo wandte sich gegen den Kalten Krieg, aber die Begleitmusik, die er zu seiner Art von Verständigung fand, war schrill. Die »Entnazifizierungen« hätten zu lange gedauert. Er schrieb das Wort nur in Anführungszeichen, genauso wie die Bezeichnung »Kriegsverbrecher«, deren Prozesse sechs Jahre nach Kriegsende Molo schon wieder beendet haben wollte, bevor sie richtig begonnen hatten. Er erinnerte mit Entrüstung »an alle die übereilten und nicht vergessenen Kollektiv-Beschuldigungen«, protestierte gegen die Teilung Deutschlands, gegen westliche Kalter-Kriegs-Propaganda, gegen die ausgebrochene Hysterie im Umgang miteinander und gegen die Remilitarisierung in den beiden deutschen Staaten, aber er plädierte eben auch für einen Schlussstrich unter die Vergangenheit. Wie mag sich Döblin, dies lesend, mit sich selbst über solche Freunde verständigt haben?

Georg Schwarz und Carl August Weber sammelten die Beiträge von 25 deutschen Schriftstellern, die entweder in Starnberg aufgetreten waren oder Grußbotschaften geschickt hatten. Das Fazit: Die Abgrenzung war größer als der Versuch, die Unterschiede auszugleichen. In dieser Umgebung hatte Döblin sich zu behaupten. Er sah nur einen schmalen Korridor für die Ost-West-Verständigung, seitdem der Kalte Krieg in vollem Gange war. Döblin, der bekanntlich an der Tagung selbst nicht teilnahm, schickte einen der Briefe, die er an Becher und Zweig gerichtet hatte. Nur in der *absoluten Offenheit* sah er Möglichkeiten der Verständigung außerhalb der bestehenden Institutionen. Der Vizepräsident der Mainzer Akademie ließ durchblicken, dass auch seine Organisation für eine politische Aufgabe nicht geeignet war.

Dies war das vorläufig letzte größere Zusammentreffen deutscher Schriftsteller aus Ost und West. Hinter allen Bekundungen der Zusammengehörigkeit war die Skepsis unverkennbar. Und Döblin war auch des Streits überdrüssig, wusste sich seit den politischen Auseinandersetzungen in den zwanziger Jahren und den Kontroversen in der Preußischen Akademie durch das Lagerdenken verzeichnet.

Mitte Juli 1951 kommentierte Döblin die Ost-West-Spannungen des PEN in einem Brief an Robert Neumann. Der hatte auf der internationalen Tagung in Lausanne offenen Streit mit Johannes R. Becher gehabt, und Döblin zeigte, dass er keineswegs gewillt war, zwischen der offiziellen Mission Bechers als Kulturfunktionär der DDR und dessen privaten Bekundungen einen Unterschied zu machen: *Aber die Freiheit des Schrifttums im Westen und der kul-*

turelle Beirat im Osten sind und bleiben unvereinbar. Die Herren können sagen, was sie wollen, der Fall Brecht, welcher jetzt sich gehorsam beugt im Falle Lukullus, ist ganz deutlich. Ich bin für eine klare und radikale Friedensidee, sie kann auf humanistischem Boden stehen oder auf christlichem, aber ich verbitte mir die Verkleisterung des Politischen und des Christlichen mit einer bestimmten Politik eines Staates. Damit wandte er sich auch gegen die Restaurationspolitik Konrad Adenauers, der das »christliche Abendland« als Kampfbegriff gegen die DDR und den Osten insgesamt längst in Stellung gebracht hatte.

Die politischen Vorgänge und Entwicklungen in Deutschland beobachtete er genau. An Robert Neumann: *Sie können es mir glauben, es ist seit zwei oder drei Jahren unter der wiedererwachenden nationalistischen Welle mit allen ihren Nebenerscheinungen kein Vergnügen mehr hier. Die alten, gerade gefallenen Größen erheben sich wieder und besetzen breit den Vordergrund des öffentlichen Lebens. Das betrifft Politik wie geistiges Leben, auch die Literatur.* Zum allerersten Mal äußerte er den Gedanken, er könne sich, einer der *Restbestände,* wenn Schmittleins Kulturbehörde aufgelöst werde, nach Frankreich zurückziehen: *Was aus mir alsdann wird, weiß ich nicht, nicht einmal ob wir noch hier im Lande bleiben oder den endgültigen Rückzug nach Frankreich antreten.* Gegenüber dem Exilgefährten Ludwig Marcuse spekulierte er unverhohlen bereits im August 1951 mit der erneuten Emigration: *Wir waren in Paris zusammen zu meinem 60. und in Hollywood zum 65. Ich finde, das waren bessere Zeiten. Ihr habt nichts versäumt, daß Ihr in Amerika geblieben seid. Wie die Dinge hier laufen, innenpolitisch, siehst Du ja selbst, lieber Marcuse. Wir hatten in Deutschland nie eine solche politische Situation, rein nationalistisch und unfrei, reaktionär, wie jetzt. Die Sozis sind nie und nimmer eine linke Partei. Das alte Bürgertum ist hin, die Literaten sind Opportunisten, geistig sehr belanglos und selber mehr oder weniger tief mit nazistischen Ideen imprägniert. Du wirst hier bei längerem Aufenthalt die nunmehr recht deutlich fremde und feindliche Luft spüren. Ich bin nicht mehr jung genug, sonst würde ich schon vor zwei Jahren auf die zweite, endgültige Emigration gegangen sein.* Kein Einspruch gegen dieses Zustandsbild der damaligen Bundesrepublik wäre ganz unberechtigt, aber die Bitterkeit dieser Zeilen könnte durch solche Einschränkungen nicht gelöscht werden.

An Robert Neumann: Das Wort »Frieden« sei ein kommunistisches Monopol geworden; wer es hierzulande vertrete, werde aufgefordert, über die Oder-Neiße-Grenze gehen. Er kommentierte die Niederlage im Kampf um den Gebrauch und um die semantische Aufladung der Wörter ironisch: *Ich habe das Wort aber mehrfach im Alten und Neuen Testament gefunden und kann mir dies plötzliche Schicksal des Wortes nicht denken.* Döblin setzte sich dafür ein, den Fall Becher im Westen weniger aufgeregt zu diskutieren und im PEN aktive Friedenspolitik zu betreiben. Zum Sechzigsten von Johannes R. Becher hatte er Ende Mai 1951 einen persönlichen Brief geschrieben, den er aus Unkenntnis der Anschrift an den Aufbau-Verlag schickte. Er fragte zum Schluss: *Bleiben wir Gegner?* Das Gewicht der gemeinsamen Erinnerungen, auch wenn sie abgelaufene Fehden betrafen, war bei ihm stärker als das Lagerdenken.

SCHWIERIGKEITEN IN DER AKADEMIE

In der Literaturklasse brach wegen ihrer offensichtlichen Bevormundung durch die Wissenschaftler eine Palastrevolution aus, so dass Scheel Ende Januar 1951 der zuständigen Staatssekretärin empfahl, nicht zu opponieren, falls die Schriftsteller sich selbständig machen wollten. Zu diesem Zeitpunkt rechnete der Präsident offensichtlich mit einer Spaltung, denn er sah ein strukturelles Dilemma: »Sicher ist aber, daß die Klasse der Literatur die Überlegenheit der beiden wissenschaftlichen Klassen, die sie jederzeit überstimmen können, als unangenehm und sogar als untragbar empfindet.« Anfang April 1951 entspannte sich die Lage etwas, denn Walter von Molo hatte den diplomatischen Vorschlag gemacht, die Selbständigkeit und eine Zuwahlautonomie der Literaturklasse in der erst noch zu beschließenden Geschäftsordnung unterzubringen. Döblin vertrat solche Auffassungen nur allzu gern.

Als im Sommer 1951 die französische Kulturbehörde aufgelöst wurde, ergab sich eine lang anhaltende und für den Fortbestand bedrohliche Situation: die Finanzierung der Akademie brach weg. Das Land Rheinland-Pfalz übernahm zwar die Trägerschaft, konnte aber die Akademie nicht sichern. Erst im Mai 1952 wurde die weitere Existenz der Institution vom Land garantiert.

Angesichts der bedrohlichen finanziellen Situation forderte die Spitze der Akademie von der Literaturklasse mehr publizistische Tätigkeitsnachweise und die Zuwahl von prominenten Autoren. Der Präsident dachte offenbar an Mitglieder der Gruppe 47, aber die hatte Döblin schon nicht in seiner Zeitschrift schreiben lassen. Er wurde unterstützt von Ernst Kreuder und Hans Erich Nossack, der allerdings über Döblin stänkerte, »das Prestige der Literaturklasse« sei unter seiner Führung »endgültig erledigt«. Worin das Versagen Döblins bestanden haben könnte, wurde von ihm nicht ausgeführt.

In dieser schwierigen Situation erlitt Döblin am 29. September einen Herzinfarkt und fiel für die weitere Arbeit in der Akademie aus. Walter von Molo trat als Vizepräsident an seine Stelle, zunächst kommissarisch, dann nach einstimmiger Wahl. Was der neue Akademiepräsident, der Physiker Eduard Justi, der Ende Oktober 1953 das Amt nach dem Tod Wagners übernahm, von Döblin hielt, geht aus einem Brief an Scheel hervor: »Das Grundübel der Literaturklasse ist wohl erst die Leitung durch den Fanatiker A.(lfred) D.(öblin) gewesen, der keine anderen Gedanken mehr als Antifaschismus hatte und für die einseitige Auswahl der Mitglieder verantwortlich ist.« Nachdem Molo Anfang 1955 als Vizepräsident resignierte, kam der unvermeidliche Frank Thieß in dieses Amt, und bei ihm konnte jedermann sich verbürgen, dass er einer antifaschistischen Gesinnung unverdächtig war.

Er hielt sich zugute, in seinem Buch »Das Reich der Dämonen« den Nationalsozialismus durchschaut zu haben, gab in seiner Autobiographie »Jahre des Unheils« eine offensive Deutung der »inneren Emigration«. Sie habe vor der Aufgabe gestanden und habe sich darin bewährt, die Seele aus der Hölle zu retten. Er verteidigte nicht nur seinen Verbleib im Reich, sondern auch den geistigen Ort, wo man sich befunden hatte. Graf Keyserling, den er 1944 zum letzten Mal getroffen hatte, legte er ein Vermächtnis in den Mund, das seine eigene Botschaft war. Die Wendung gegen das Politische als eine Untiefe tauchte auf: »Man sprach damals in Deutschland nicht mehr über Politik, und warum auch, es gab ja keine mehr.« Die Politik der Nazis wird nicht benannt, sondern umschrieben als »Naturgewalten«, »Katastrophe«, »Götterdämmerung«, durch eine talmihafte Mythologisierung vernebelt. Dem Grafen Keyserling (der sich nicht mehr wehren konnte) unterschob Thieß seinen eigenen Affekt gegen die Emigranten. Was wohl hätte Döblin empfunden, wenn er die schiefe Polemik gelesen hätte: »Es berührte mich tief, daß er nie von der Überzeugung ließ, es werde den Überlebenden die Aufgabe Noahs nach Ablauf der Sintflut zufallen und diese Aufgabe nur auf europäischem Boden bewältigt werden können. Ich kann mich nicht entsinnen, von ihm während dieser zwölfeinviertel Jahre ein einziges Mal den Wunsch vernommen zu haben, etwa in Kalifornien zu sitzen.« Da war noch einmal der Kampfruf gegen die Emigranten. Und Thieß war der Nachfolger Döblins und Molos als Mainzer Vizepräsident. Wer durchkomme im Reich, werde »eines Tages denen voraus sein, die jetzt in Sicherheit sitzen«. Das war, als wörtliche Rede Keyserlings fingiert, noch einmal die üble Philippika aus den Zeiten der Großen Kontroverse. Thieß erwies sich als unbelehrbar, starrsinnig und hochmütig.

DAS ENDE DER ZEITSCHRIFT

Der Verlag Moritz Schauenburg hatte den Vertrieb der Zeitschrift »Das Goldene Tor« gekündigt. Döblin nahm Verhandlungen mit neuen Verlagen auf, war aber in einer gewissen Schwierigkeit. Mit der Änderung des Besatzungsstatus im März 1951, die der westdeutschen Regierung mehr Rechte einräumte, verringerte sich auch das Fundament der Zeitschrift: die Subventionen wurden schlagartig verkleinert. Im Juni 1951 nahm Raymond Schmittlein seinen Abschied, seine Stellvertreterin Irène Giron, die unmittelbare Vorgesetzte Döblins, folgte ihm im Oktober.

Döblin gab sich dem Trugschluss hin, dass die Kosten der Zeitschrift von der Akademie übernommen werden könnten. *Unbedingt soll die Nummer vom Juni schon in einem neuen Verlag erscheinen und in dieser Nummer soll auch die Mitwirkung der Literaturklasse hervortreten.* Das war nichts mehr als ein Wunsch, und auch seine Vorstellungen, die Zeitschrift müsse sich dem Diversum von Meinungen widmen, mehr Polemiken enthalten, war ein nur ungenügender Rettungsvorschlag: sie hatte sich einfach überholt. Kreuder, mit dessen Tatkraft er in der Akademie gerne rechnete, hatte anscheinend die Aquirierung von Manuskripten übernommen, war aber auch nicht recht fündig geworden. Er hatte mehr Kontroversen vorgeschlagen, aber nichts erreicht, wollte literarische Skandale anzetteln. Aber damit war es nicht weit her: Nur eine Filmtagung in München, eine Glosse zum Berliner Fontane-Preis boten sich an, dazu Parodien von Erich Kästner und Gerhard Nebel. Das war nicht viel, um nicht zu sagen: es war kläglich.

Das »Goldene Tor« passte in die unmittelbare Nachkriegszeit, hatte mit dem Nachholbedarf an internationaler Literatur zu tun, war als Forum vor allem der Emigranten angesehen. Aber schon bei der Sondierung der jungen Literatur aus der sogenannten »Flakhelfergeneration« hatte die Zeitschrift keinen Beitrag geleistet. Neue Gruppierungen hatten sich gebildet, die Döblin nicht kannte oder die er für unerheblich hielt. So musste er den Mitgliedern des Arbeitsausschusses – Jahnn, Kasack, Kessel, Kreuder, von Molo und Nossack – mitteilen: *Die Möglichkeiten, die Zeitschrift mit einer solchen Subvention weiter zu führen, scheinen mir gering, und ich glaube nach einigen erfolglosen Bemühungen davon absehen zu können. Die Zeitschrift hat demnach mit ihrer Nummer 2, März 1951, zu erscheinen aufgehört.* Eine denkbar lakonische Mitteilung, nach 37 Heften am 19. Juni. Übrig blieb ein Betrag von 15 000 Mark, den die französischen Behörden vermutlich auf Betreiben Döblins als Einmalzahlung zur Verfügung stellten, ein Betrag, der *dazu dienen soll, die Zeitschrift entweder bis zum April 1952 weiter zu führen oder der in ähnlicher literarischer Weise ausgenützt werden könnte.* (An Hans Henny Jahnn am 18. Juni 1951) Außerdem gab es die Zusage der Akademie für eine monatliche Zuwendung von 500 Mark an den Frankfurter Verleger Vittorio Klostermann, der sich für eine Neuausgabe interessierte.

Zuvor schon hatte Döblin versucht, die Zeitschrift auf eine breitere organisatorische Basis zu stellen. Er veröffentlichte Programmatisches von den Spitzen der Akademie: Christian Eckert, einer der Vizepräsidenten, begründete den Zusammenhang von Wissenschaft und Literatur, C.A. Emge leitete den Anspruch direkt von der vormaligen Preußischen Akademie der Wissenschaften ab. Pascual Jordan plauderte, als wollte er auf direktem Wege Alfred Döblin bekehren, über den »Abscheu vor der Mathematik«, Erich Rothacker skizzierte das Projekt eines akademischen Wörterbuchs der Philosophie, Wilibald Gurlitt schilderte »Deutsch-französische Begegnungen in der Musikgeschichte«, wobei er bis in die ottonische Frühzeit zurückirrte. Döblin veröffentlichte seinen Essay *Die Dichtung, ihre Natur und ihre Rolle,* worin er dem Zusammenhang von Wissenschaft und Dichtung nachspürte. Zusammen ergab diese Präsentation stattliche 117 Seiten.

Aber das Ende war damit nicht aufzuhalten. Doch ist mit diesem Aufmerksamkeitsschwund die Zeitschrift nicht beschrieben. Egon Vietta notierte aus dem Abstand von zwei Jahren noch immer voller Dankbarkeit: »Heute hat sich manches eingespielt. Und unsere Zeit pflegt allzuschnell über das wahrhaft Geleistete hinwegzuleben. Aber *Ihre* Nachkriegsarbeit ist ein Dokument und hat mehr Fäden geknüpft als die kommerziellen und interessierten Bindungen nach der Währungsreform. Es war ein großer und entschlossener Schritt. Wenn manche Ihrer ungünstigen Prognosen über die deutsche Nachkriegsliteratur überholt sind, so nicht ohne Ihr Verdienst.«

DON QUICHOTTE, EIN PLAN

Döblin sah für die Fortführung des »Goldenen Tors« keine Chance, aber er wollte mit der Summe, die von der französischen Kulturbehörde gekommen war, unter dem Dach der Akademie eine neue Zeitschrift herausgeben. Dazu war dreierlei erforderlich: die Zustimmung der Klasse, die Bildung eines Redaktionskomitees und ein inhaltliches Konzept für die Zeitschrift. Für die finanzielle Sicherung glaubte er, auf die in der Gesamtakademie wenig geschätzten Arbeitsbeihilfen, verkappte Unterstützungen für Schriftsteller, zurückgreifen zu können. Bei einer Sitzung der Literaturklasse am 1. März 1951 wurde ein vorläufiges Redaktionskomitee mit Jahnn, Kreuder und Nossack gewählt. Die Anschlussdiskussionen um Machart, Inhalt und Name der neuen Zeitschrift unter dem Dach der Akademie verliefen gereizt, waren kontrovers, ergaben keine Einigung. Erwogen wurde der Titel »Der 50. Breitengrad«. Döblin wollte den Namen »Don Quichotte«, gegen den wiederum Jahnn und der vorgesehene Frankfurter Verleger Vittorio Klostermann waren. Dann kam Döblin auf »Mainzer Beiträge«, war auf einen weltfremd sperrigen Untertitel aus: »Kundgebungen der Literaturklasse zur Kultur und Literatur unserer Zeit«. Man verabredete, dass jedes Heft von einem anderen Redakteur betreut werden sollte, und Ernst Kreuder wurde als solcher für die erste Nummer, ein Europa-Heft, bestimmt. Döblin, Kreuder und Carl Mumm führten darüber ein Gespräch, mit dem das Heft eröffnet werden sollte. Aber die Vorbereitungen zogen sich hin. Die Gesamtleitung der Akademie betrieb die Angelegenheit sehr zögernd, und der Herausgeber kam nicht umhin, dies Mitte August 1951 auch Kreuder mitzuteilen. Döblins Pläne trafen auf vielseitige Skepsis. Ernst Kreuder war über den Diskussionsverlauf verstimmt und legte sein Amt als *der sogenannte Unterredakteur des Heftes* über Europa nieder. Döblin pries gerade als Vorzug, was Kreuder bemängelte: *Ich lese mit Vergnügen, daß Sie den Eindruck haben, das Ganze wirke improvisiert. Man kann nichts Besseres von einem Gespräch sagen.* Gemeint war von Kreuder vermutlich nicht die frische, lebendige Gedankenimprovisation, sondern gerade der Mangel daran. Das Projekt, wie es sich in den erhaltenen Unterlagen zeigt, hat etwas Oberflächliches und Flüchtiges. Und man kann vermuten, dass Döblin selbst einen großen inneren Abstand dazu hatte, zumindest eine Reserve, die auch nicht verwunderlich war, wenn man die lange Beanspruchung durch das »Goldene Tor« und sein Ende bedenkt. Er hat das Vorhaben (Anfang September 1951) erst mal auf die lange Bank geschoben und verwies dabei auf Satzungsformalien. Er wollte den aufgebrachten Kreuder anscheinend beruhigen. Gegenüber Carl Mumm schrieb er vier Tage später durchaus energisch: *Unser Europaheft muß natürlich fortgeführt werden und ich habe bereits erklärt: übernimmt es kein anderer, so mache ich es.* Das klang wie eine Drohung, dass er die Geschäfte niemals aus der Hand geben wolle.

Drei Tage zuvor hatte er an Carl Mumm einen anderen Brief geschrieben, und es bleibt durchaus offen, ob ihn der darin besprochene Stoff nicht mehr interessierte als jedes Europa-Heft. Mumm hatte ihm ein Horoskop übersandt, und das beschäftigte Döblin, für alle Hermetik spielerisch, aber auch mit einem Rest an gläubigem Ernst offen, über alle Maßen. *Gestaunt habe ich, daß ich unter dem bösen Zeichen des Skorpions, dieses bissigen Gifttieres geboren bin. Und dass also nach dem astrologischen Raum, ich ein bis-*

siger, giftiger, zumindest höchst kämpferischer Mensch sein muß. Vielleicht bin ich es und die Polemik und Diskussion schätze ich sehr. Aber sonst bin ich das Gegenteil von kämpferisch, kann im täglichen Leben wenig »nein« sagen etc. Vielleicht unterstützt aber die Skorpion-These mein Auftreten und meine Haltung, etwa in meinem ersten Roman aus dem Chinesischen, welcher den Grundsatz lehrt »nicht widerstreben«, – das ist also eine Aufforderung, die ich an den Skorpion in mir richte. Andere Dinge müssen Sie mir nächstens mündlich explizieren.

Zufrieden äußerte sich Döblin über das Europa-Gespräch, das er mit Ernst Kreuder und Carl Mumm geführt hatte. An Mumm: *Gedanklich steht wohl unser Gespräch fest, wir werden die Proportionen der einzelnen Gesprächspartien noch abwägen, die Hauptsache bleibt Klarheit und Lebendigkeit, Warnung vor Gelehrsamkeit, welche nicht unsere Sache ist.* Ein Datum für die Gesamtredaktion des Gesprächs konnte er Mitte Oktober noch immer nicht vorlegen, denn er musste verreisen. So schleppten sich die Dinge hin. Am 20. November 1951 antwortete er, aus Paris zurück, auf einen Brief von Ernst Kreuder. Er enthielt keine guten Nachrichten. Der Generalsekretär der Akademie hatte die Gelder für die Zeitschrift gesperrt, weil von der französischen Militärbehörde immer noch nicht die versprochenen Mittel eingegangen waren. Sie bildeten die Grundlage für die Anweisung auch des Akademie-Zuschusses. Über die Kompetenzen und die inhaltliche Gestaltung der Zeitschrift häuften sich die Unstimmigkeiten. Noch im November vermeldete Hanns Ulbricht als Sekretär der Literaturklasse, dass sich die Konfusion wegen des Titels und des ersten Heftes nicht gelegt habe. Mehr war darüber auch nicht zu sagen; das Projekt verlief im Sande.

Döblin war damit auf der Schwundstufe seiner Wirkungsmöglichkeiten angelangt. In Amerika hatte er gehofft, er könne die Rolle des Kulturpolitikers, den zweiten oder dritten Part seiner Aktivitäten (neben dem Arzt und Schriftsteller), nach dem Krieg wieder aufnehmen. *Wie war ich früher an Tätigkeit gewöhnt, an Tätigkeiten, an vieles Durcheinander. Ich bewegte mich unter Menschen, griff ein, diskutierte. Das Schreiben stellt nur eine Seite meiner Existenz dar. Das rein Ästhetische und Literarische widerte mich an.* Nun hatte er diesen Kreis ausgeschritten, und einen anderen konnte er nicht mehr betreten.

DER KAMPF MIT DEM ENGEL

Döblin arbeitete seit 1950 an einem zweiten *Religionsgespräch,* die Begründung für diese neuen Dialoge unterschied sich vom ersten Buch. *Der unsterbliche Mensch* war als eine Fortsetzung der theologischen Erörterungen angelegt, die er als Glaubensanwärter mit den Hollywooder Jesuitenpatres geführt hatte. Zwar wird wieder ein Dialog zwischen einem »Jüngeren« und einem »Älteren« geführt, doch wer bei diesem neuen *Religionsgespräch* von einer Fortsetzung des ersten redet, geht in die Irre. Ein halbes Jahrzehnt nach dessen Veröffentlichung hat sich der Hintergrund gründlich geändert. Döblin hatte unangenehme Erfahrungen mit reaktionären katholischen Kreisen gemacht, und sein Kollege Reinhold Schneider wurde von ihnen abgekanzelt, weil er einen Friedensappell aus der DDR unterstützt hatte. Er sprang dem Gescholtenen bei: *Es überrascht mich nicht, aber es zeigt wieder einmal, daß es eine Christenheit in Deutschland gibt, jedoch was das Christentum anlangt –.* In diesem Zusammenhang kam Döblin (Mitte Juli 1951) auch auf sein Manuskript zu sprechen: *Mein neues Buch* Gottes Kampf mit dem Menschen, ein Gang durch die Bibel *wird bestimmt sobald nicht erscheinen, denn ich finde in diesem Lande keinen Verleger.* Darzustellen war das neue Selbstbewusstsein des Gläubigen, aber vor allem der Schriftsteller als Bibelleser ist gefragt und teilt seine Versionen über den Stoff mit. Der Ältere ist der Nacherzähler der Heiligen Schrift. Er stellt sie dem anderen vor Augen, ist erzählender Religionspädagoge, nicht mehr Anwalt des Glaubens im Fragesturm eines Atheisten. Er will die Seiten der Bibel, einzelne Sätze, Figuren und Szenen vor Augen stellen in aller unerschütterlichen Gewissheit. Der Jüngere hingegen ist argumentativ viel schwächer als sein Pendant im vorausgegangenen Religionsgespräch. Er ist *ein Schiffbrüchiger,* der Hilfe braucht. Vom vormaligen *Großinquisitor des Atheismus* ist nicht viel geblieben. Der Jüngere hat sich dem Christentum angenähert, aber er kann das Gewicht, das er damit auf sich lädt, nicht tragen. Die Figur bekennt: *Es gelang mir nicht, mich vor mir als Christ zu behaupten.* Zu viele Fragen sind offengeblieben, der Konvertit ist von ihnen beschwert, alte, nicht abgelegte Forderungen von früher melden sich wieder und zermürben ihn. Die Eremitensehnsucht, die den Dichter Simri in *Die Pilgerin Aetheria* in die Einsamkeit trieb, beherrscht auch ihn, und es wird nichts anderes als ein Zustandsbild des Christen Döblin sein, wenn der Jüngere bekennt: *Wo ist mein wirklicher Platz? Ein Tag, noch ein Tag, ein verlorener Tag nach dem anderen vergeht, und die fürchterlichen Nächte. Ich bewege mich unter der Menschen. Alles ist in Verwirrung geraten. Manchmal mache ich mir Notizen und schreibe auf, was mir durch den*

Kopf geht, daß ich es schwarz auf weiß vor mir habe: Nach Monaten blicke ich hinein, – nichts hat sich geändert! Da sage ich. Nun sehe ich, es ist nichts mit meinem Christentum. Es hat mich verängstigt und ganz und gar verpfuscht. Der Jüngere fragt den anderen, ob das Christentum gar eine Krankheit sei, man habe ihm sein Ich geraubt. Darin erinnert er an den kranken, gezeichneten Christen Friedrich Becker aus *Karl und Rosa.* Zwischen den beiden fehlt die dramatische Spannung wie im ersten Religionsgespräch, das Frage- und Antwortspiel wirkt wie abgekartet. Angehäuft ist in diesem Buch eine Summe von zähen Sonntagspredigten. Diese Schrift ist vom Überbietungseifer des Konvertiten beschwert.

Auch dieses Manuskript wanderte ein wenig herum. Bei Herder konnte man sich ebenso wenig auf eine Veröffentlichung verstehen wie im Mainzer Grünewald Verlag, der trotz eines vom Ministerium angebotenen Druckkosten-Zuschusses absagte. Bei Styria wollte sich Anton Betzner verwenden, aber auch daraus wurde nichts. Die Rundreise des Typoskripts wurde von Döblin Mitte 1955 beendet. Da schickte es der Verleger Josef Knecht auf Anforderung Ernas zurück. So ward auch dieses Buch in die Schublade verbannt, bis es für die Forschung 1980 das Licht der Welt erblickte.

BILANZ DES MISSERFOLGS

Döblin beschäftigte Anfang der fünfziger Jahre mehr denn je sein gründlicher Misserfolg, den man mit Zahlen umschreiben kann. Im Juli 1949 drängte Curt Winterhalter vom Karl Alber Verlag auf eine Modifikation der Abmachung über *November 1918:* »Der Vertrag wurde mit Ihnen zu einer Zeit abgeschlossen, als sich die Absatz- und Zahlungskrise, in die der Buchhandel geraten ist, noch nicht ahnen ließ. Heute mutet uns ein solcher Vertrag wie aus sagenhafter Ferne an.« Statt der aus dem alten Vertrag anstehenden Summe schlug Winterhalter für die drei (der insgesamt vier) Bände eine Pauschale von 3750 DM vor. Am 10. April versuchte der glücklose Verlag einen Schlussstrich zu ziehen: der Verlag Karl Alber bat darum, die Restauflage verramschen zu dürfen. Der Zynismus war wohl unabsichtlich, aber dennoch verletzend: »Wir haben mit dieser Firma bereits außerordentlich gute Erfahrungen gemacht und hätten die Gewissheit, daß Ihre Werke verkauft werden, allerdings zu einem recht ermäßigten Satz.« Für den schleppenden Absatz wurde die Nachkriegsausstattung der Bücher verantwortlich gemacht. Döblin ging nicht darauf ein. Die Honorarabrechnung vom 15. Februar 1954 über sechs Druckwerke fiel vernichtend aus: *Der unsterbliche Mensch* – 22 Exemplare,

Der Oberst und der Dichter – »nur Remittendenstücke«. *Unsere Sorge, der Mensch* – »eine Abrechnung entfällt«, *Verratenes Volk* – 9 Exemplare, *Heimkehr der Fronttruppen* – »nur Remittendenstücke«, 33 Exemplare von *Karl und Rosa.*

Auch die Korrespondenz mit dem Keppler Verlag zeigte diese deprimierende Bilanz. Auf der Frankfurter Buchmesse 1950 waren Döblins Bücher nicht ausgestellt worden. Der Autor beschwerte sich und erhielt von Keppler die unverblümte Antwort, dass Bücher mit holzhaltigem Papier nicht mehr zu verkaufen seien. Von Neuauflagen sprach er nicht. Nur in einem Fall stellte er eine Möglichkeit in Aussicht: die *Amazonas*-Trilogie, vom Autor zusammengekürzt, in einem Band. Aber auch nur für späterhin: »Im Augenblick besteht da keine Aussicht.« Die erworbenen Rechte am *Wang-lun* fielen an den Autor zurück. »Sie können aber auch über alle anderen Titel Ihrer in meinem Verlag erschienenen Bücher verfügen, ich möchte Sie dann in solchem Fall nur bitten, mir kurz Bescheid zu geben.« Die Halbjahresabrechnung 1950 (auf holzfreiem Papier) wies ein Guthaben von 8,25 DM aus. Von *Heitere Magie* wurden in dieser Zeit nur zwei Exemplare verkauft. Döblin hatte seine Bücher Winkelverlagen anvertraut, die nur in der unmittelbaren Nachkriegssituation und unter dem Druck, der von Döblins Stellung als französischer Kulturoffizier ausging, etwas bewirken konnten und wollten. Unter diesen Umständen kann man darüber spekulieren, ob er nicht zu viele Bücher in der unmittelbaren Nachkriegssituation erscheinen ließ und – geopfert hat.

Mitte August 1951 zog er gegenüber Sascha und Ludwig Marcuse eine erste, vernichtende Bilanz über seine Stellung im Land: Für ihn ging die politische Wendung nach rechts mit der literarischen Nichtbeachtung seines Werks einher. Er nahm die frühere Aufforderung an die Freunde, doch zurückzukehren und in Deutschland am kulturellen Wiederaufbau mitzuarbeiten, ausdrücklich zurück. Der Mann, der als einer der allerersten zurückgekehrt war, um im Nachkriegsdeutschland seinen Beitrag zu leisten, musste feststellen, dass er abgemeldet war, und räumte den zuvor ersehnten und beanspruchten Platz beim Wiederaufbau. Er hielt die Bücher vom *November 1918* für *ziemlich allgemein boykottiert.* Er konnte auch an die Jugend nicht mehr glauben, hielt sie für unpolitisch, sie kenne ihren eigenen Ort nicht. Jedenfalls erhoffte er für die Kenntnis seines Werks nichts von ihr. *Eine Masse Bücher, alles in die Luft geredet, aber zur Verfügung der Literaturhistoriker und Totengräber. Es ist eine Lust zu sterben.* Man kann gegen die Berechtigung dieses Urteils manches einwenden: Die Lage des Buchmarkts war nicht nur für Döblin schlecht, der beginnende wirtschaftliche Aufstieg keineswegs animierend für die Kultur, die Förderung durch Schmittleins Kulturbehörde entfallen, seine Stellung, da nicht mehr durch die Autorität des Amts abgesichert, geschwächt. Manche der Schwierigkeiten und Dilemmata, die Döblin auf sich bezog, galten allgemein, aber er hatte Grund genug, die Lage bitterer zu empfinden als andere.

Zu der Enttäuschung kamen körperliche Beschwerden hinzu: Die Sehkraft ließ rapide nach, der leidenschaftliche Spaziergänger konnte sich nur noch mühsam bewegen. Auch gegenüber den Rosins, die sich zwar gerade in Venedig befanden, aber Deutschland nicht besuchen wollten, hielt er mit der politischen Aussage nicht hinter dem Berg: *Man hat nichts gelernt und es ist alles, bis auf die Vertreibung von Hitler, gleich geblieben. Man wird hier ungeheuer lange nichts anderes kennen. In der ersten Zeit sah ich die Dinge optimistischer, und ich dachte, man könnte und müßte helfen. Dann merkte ich, was unter der Oberfläche steckte. Es kam alles langsam heraus, was die Niederlage verdeckt hatte, und das war einfach ein recht solider Nazismus, den man in sich hatte. Sie werden das nicht aus den Deutschen austreiben.* Er wusste um den politischen Zusammenhang von Restauration und Westbindung der BRD. Für ihn war die erneute Emigration nun nur noch eine Frage der Zeit: *Ein Emigrant, im Beginn hofiert, seit zwei Jahren wieder Emigrant, und gar wenn er jüdischer Herkunft ist – das gilt für jede Art Öffentlichkeit.* In dieser Zeit, Mitte 1951, hat sich bei Alfred Döblin ein Bewertungsraster gebildet, das die Äußerungen und Regungen des politischen Alltags nurmehr als Ausdruck weiterlaufender nazistischer Unterströmungen in der Gesellschaft wahrnehmen konnte. Das wurde immer mehr zum Reflexverhalten, und Erna Döblin hat diesen Automatismus mit ihren notorischen Aversionen bestärkt. Sie wollte ihren Mann nach Paris holen.

Seine Vorbehalte erwies er nunmehr auch gegenüber seinem alten Weggefährten Brecht. Der verfasste am 26. September 1951 einen »Offenen Brief an die deutschen Künstler und Schriftsteller« und ließ ihn an viele westdeutsche Kollegen schicken. Er stellte sich hinter die Regierung Grotewohl, die angesichts der drohenden Wiederbewaffnung der BRD in einer Erklärung vor der Volkskammer gesamtdeutsche Beratungen über freie Wahlen für eine Nationalversammlung gefordert hatte. Brecht machte eine einfache, aber rhetorisch wirksame Rechnung auf: »Werden wir Krieg haben? Die Antwort: Wenn wir zum Krieg rüsten, werden wir Krieg haben. Werden Deutsche auf Deutsche schießen? Die Antwort: Wenn sie nicht miteinander sprechen, werden sie aufeinander schießen.« Brecht forderte die völlige Freiheit der Künste mit einer Einschränkung: »Keine Freiheit für Schriften und Kunstwerke, welche den Krieg verherrlichen oder als unvermeidbar hinstellen, und für solche, welche den Völkerhaß fördern.« So weit war sich Döblin mit ihm gewiss einig. Aber ihm war auch etwas anderes gegenwärtig: die Unterdrückung missliebiger Kunstwerke in der DDR. Und Brecht hatte sich im Falle seines »Lukullus« unterworfen. Schon bei den Proben wurde diese Antikriegsoper wegen der »dekadenten« Musik Paul Dessaus und wegen ihres Pazifismus angegriffen, am 17. März 1951 vom Spielplan genommen. Brecht und der Komponist wurden eine Woche später zu einer – angeblich achtstündigen – Sitzung mit Ulbricht, Grotewohl und Pieck geladen und mussten sich wegen ihres »Formalismus« rechtfertigen. Nach Eingriffen durfte dann »Die Verurteilung des Lukullus« im Herbst des Jahres aufgeführt werden. Das taktisch-politische Kalkül Brechts mochte Döblin nicht goutieren. Mitte Oktober 1951 schrieb er an Irma Loos, er habe den »Offenen Brief« erhalten und gelesen, aber nicht zweimal, *die einmalige Lektüre genügte mir in diesem Fall.* Das zeigte Auswirkungen auf seine Gesamteinschätzung der kulturpolitischen Lage; er nahm seine spärliche Hoffnung auf einen Spielraum für Schriftsteller und Intellektuelle zurück. Das Beispiel der undurchsichtigen Zwiespältigkeit, das Brecht für ihn abgab, beschäftigte Döblin über den Anlass hinaus. Gegenüber der DDR-freundlichen Irma Loos sah er sich genötigt, seine Kritik am praktizierten Sozialismus noch einmal darzulegen: *Würden sie drüben mit der äußersten Energie den Gegenwartsstand umändern wollen, das Militärische und den Krieg ausrotten in ihnen, – wie werde ich die Hand dagegen erheben. Aber jetzt entsteht das Dilemma: sie wollen den klassenlosen Staat, von dem sie alles menschliche Heil erwarten, sie wollen ihn unter allen Umständen und mit Gewalt durchsetzen. Sie sind Fanatiker und Gläubige. Aber sie glauben etwas Törichtes. Sie glauben, irgendeine politische Gesellschaft für die Veränderung hier vermöge den Menschen in eine bessere und höhere Welt einzuführen, und zwar ein für allemal. Es ist ihr kindlicher Glaube.* Ihn konfrontierte er mit dem Status der Sowjetunion als Weltmacht: Man trage dort in sich, wogegen man angetreten sei. Er meinte, ohne es auszusprechen, Stalins Imperialismus und zog erneut einen Trennungsstrich auch gegenüber Lenin, dem er in den zwanziger Jahren trotz seines linken Antikommunismus einige Zeit die Bewunderung nicht versagt hatte. Der Staat Lenins sei *mit noch größeren kriegerischen Potenzen geladen als ein anderer.*

Sechs Wochen später antwortete er ihr schon wieder, diesmal noch grundsätzlicher. Er sah sich nicht als »Dichter« im ästhetischen Eigenbezirk, sondern als einen Literaten, *der sich gedrängt fühlt, sich zu äußern, und der einen ethischen, politischen und schließlich auch religiösen Willen hat.* Er habe das Wirken des Kommunismus seit 1920 in Berlin gesehen. Aus der russischen Revolution (die er 1917 emphatisch begrüßt hatte) sei die Diktatur des Proletariats, der einen Partei, des Politbüros geworden. Aber auch gegen die

SPD hatte er eine Menge einzuwenden: *Zu gleicher Zeit verfaulte der Sozialismus, die echte Menschheitsbewegung, und wurde unter Ebert zu einer Angelegenheit der Zahlabende.* Er sei noch einige Zeit in der SPD gewesen und erst ausgetreten, als das Schmutz- und Schundgesetz verabschiedet wurde. In *Wissen und Verändern!* habe er *die Staatsvergottung* und *die Erhebung marxistischer Hetze zu Dogmen* kritisiert. Im Osten regiere der naive Kinderglaube, man könne eine bessere Gesellschaft durch Gewalt erzeugen. Dennoch verbinde ihn mit Kollegen dort *eine langjährige Waffenbrüderschaft.* Das klang wie die Äußerung eines alliierten Offiziers. *Man kann sich nicht auf eine Seite der Krieger begeben. Das sage ich Ihnen als Antwort. Das dürfen Sie nicht, wenn Sie fest bei der Stange bleiben wollen. Es ist schwer, fest dabei zu bleiben, ja bitter.* Man müsse in Kauf nehmen, von beiden Seiten angegriffen zu werden. Sein Fond sei nicht eine Doktrin, sondern der Glaube an die Wahrheiten der Religion. Und noch einmal, *der Lenin-Staat* sei fatal: *Ich kam eben in Versuchung, zu diktieren: Das marxistische Dogma macht ihn zu einer geistigen Atombombe.*

Fünf Monate später akzeptierte er zum ersten Mal die Alternativlogik des Kalten Krieges, dass man sich entweder für Amerika oder für die Sowjetunion entscheiden müsse. Er meinte damit die Entscheidung in der Polarität der politischen und kulturellen Systeme. Aber vom Staat insgesamt wollte er sich fernhalten: *Man soll nicht mit irgendeinem Staat mitmachen, auch an keinen Staat glauben, auch sich auf keine Doktrin festlegen.* Unwirsch beendete er die Diskussion: Irma Loos wisse und beobachte nicht genug. Das spielte vielleicht auch auf den Reisebericht an, den die Journalistin 1952 über Rumänien veröffentlichte und der wegen seiner politischen Ahnungslosigkeit im Westen hart kritisiert wurde.

HERBST 1951

Am 14. Oktober 1951 gratulierte er herzlich seinem Sohn Bodo zum 40. Geburtstag, aber persönlich konnte er nicht anwesend sein. Sein Gesundheitszustand erlaube ihm die kurze Fahrt nicht. Stattdessen bereitete er sich auf eine Reise nach Paris zur Untersuchung von Nerven und Augen vor. Das war dringlich; entsprechend leger ging er mit seinen Rundfunkbeiträgen um. Als er im September 1951 seinen Zehn-Minuten-Text geschrieben hatte, meinte er, sein früherer Redakteur Wolfgang Lohmeyer könne das Manuskript an seiner Stelle sprechen; auch bot er ihm an, *nach Belieben* [zu] *kürzen und zu ändern.*

Einen Monat lang, von Mitte Oktober bis Mitte November 1951, hat sich Döblin in Paris aufgehalten, um sich einem Eingriff am rechten Auge zu unterziehen. Den Rosins berichtete er zwei Wochen danach Einzelheiten: *Die Operation an sich braucht keine 20 Minuten, örtliche Betäubung, bei der Ausführung völlig schmerzlos. Nachher liegt man einige Tage, beide Augen verbunden, im Dunklen, dann wird der Verband gelöst und inspiziert und wenn keine Reaktion entzündlicher Art da ist, kann man nach 10 Tagen schon aufstehen, dunkle Brille. Es ist überraschend, wenn man plötzlich alle Dinge glänzend und sehr farbig sieht, flächenhaft wie Bilder, jedenfalls in meinem Fall, weil ja das andere Auge nicht mitwirkt.* Er hatte sich am gelben Star operieren lassen: *Ich war mit meiner Kurzsichtigkeit nun bei fast 20 Therapien schon auf den Nullpunkt gelangt und tappte im Dunkeln.* Dazu komme die Polyneuritis, die ihn unbeweglich mache; ohne fremde Hilfe könne er nicht mehr reisen. Gegenüber Arnold Zweig kommentierte er: *Es kommt eine Zeit im Leben eines jeden, wo das Persönliche, das ganz Persönliche, sich als das Allgemeinste, Allerwahrste und Allerrealste erweist.* Ein freundlicher Satz, aber wenn man den Döblin-Ton der Ich-Verwerfung im Ohr hat, auch ein geradezu sensationeller: das Autobiographische rückte nach vorne. Wenige Monate später sollte er ein *Journal* anfangen. Der von Döblin gezeichnete Jahresbericht der Akademie von 1951 vermerkt, er habe *die handschriftlichen Erstfassungen nahezu aller seiner poetischen und philosophischen Werke in die Obhut des Archivs gegeben.*

ERTRAG DES EXILS

Die Währungsreform war ein Grund für seine Erfolglosigkeit um 1950. Andere Gründe lagen im intellektuellen Milieu der Bundesrepublik. Mit Döblins Werk im Ganzen war eine Prozessgeschichte des Schreibens über ein halbes Jahrhundert sichtbar – hätte sichtbar sein können. Daran anknüpfen wollte im biederen Kahlschlag-Realismus, der sich als Neusetzung ausgab, fast niemand. Paradoxerweise war Wolfgang Weyrauch, der sich nach dem Krieg für Döblin eingesetzt hat, derjenige, der das Programm des »Kahlschlags« (1949 im Nachwort zur Anthologie »Tausend Gramm«) formulierte. Der regierende Antikommunismus hatte das frühere Werk des Sozialisten Döblin unter Generalverdacht gestellt und konnte sich mit dem Konvertiten nicht anfreunden. Das katholische Milieu war mit nichts anderem als mit seiner Durchsetzung beschäftigt. Zum kritischen Nachvollzug dieser reaktionären Strömung kann man noch heute Heinrich Bölls Roman »Ansichten eines Clowns« studieren.

Die jungen Autoren, die sich in der Gruppe 47 als Kollektivperson formierten, trugen dazu bei, den Generationen- und Erfahrungsbruch zu vertiefen. Alfred Andersch hat in seiner Schrift »Deutsche Literatur in der Entscheidung« (1948) ausdrücklich Döblin als nicht anknüpfungsfähig genannt. Aber auch Hans Werner Richter dezidierte bündig, warum er bei der vorherigen Generation nicht anschließen wollte. Döblin verkörperte andere Erfahrungen als die Generation der späten Hitlerjungen, und seinen pädagogischen Impuls, ausgedrückt in seinem Satz *Ich möchte helfen* (am Schluss von *Abschied und Wiederkehr*), empfanden die Davongekommenen als Anmaßung und Kränkung. Die Gegensätze prallten unweigerlich aufeinander, die Reibungsflächen waren durch diplomatisches Geschick nicht zu glätten. Hinzu kam das Schisma des Kalten Krieges, und Döblins Roman *Karl und Rosa* stemmte sich ihm entgegen. Zwei kommunistische Revolutionshelden, von einem christlich gewordenen Juden als Opfer mit unverkennbarer Sympathie gemustert: sie passten in kein manichäisches Schwarzweiß. Ein solches Buch wandte sich grundsätzlich gegen die gesellschaftliche Konstruktion vom jeweils richtigen Teilsystem. Unabhängig von der Gruppe 47 hatte die lang anhaltende Regierungszeit einer »Literatur der metaphysischen Winterhilfe«, wie Friedhelm Kröll mit polemischer Genauigkeit bemerkte, eingesetzt. Versammelt wurden »die Trost- und Erbauungsliteraten, später die Seinsmetaphysiker und ästhetischen Artisten«. Döblins Werk blieb parzelliert. Daran hatte er selbst einen gewissen Anteil: Er fand keinen Plan, wie er das Werk, das vor seiner Konversion entstanden war, wieder präsentieren konnte. Der christliche Glaube, lange geheimgehalten, um weder sozialistische noch jüdische Exilgefährten vor den Kopf zu stoßen, wurde spätestens 1946 in Büchern wie *Der unsterbliche Mensch* offenbart. Damit hatte Döblin eine Möglichkeit durchkreuzt, die vor allem auf die Wiederveröffentlichung seiner früheren Bücher und damit auch auf die Berufung seines vormaligen unabhängigen Sozialismus bezogen war. Er selbst war unentschieden, welchem Teil seines Werks er den Vorrang geben sollte, aber es überwog der Wille, mit seinem in Amerika neu geschriebenen Werk einen spirituellen Humanismus zu begründen.

Döblin ist nach dem Krieg nicht nur an der Gleichgültigkeit seiner Landsleute, an seiner Verschollenheit, an der Unterbrechung der kulturellen Traditionen, an der westdeutschen Restauration gescheitert, sondern auch – an sich: Er hatte kein Konzept, den eigenen Ruf, ja Ruhm zu erneuern, und falls er einen Plan dafür fasste, durchkreuzte er ihn selbst. Sein Gesamtwerk war überdies zu reich und zu vieldeutig, als dass er sich mit seinen Lesern hätte darüber verständigen können. Er kam nicht mit einem kanonisierten Œuvre aus dem Exil zurück. Welch absurdes Verhängnis, das diesen Autor traf: zu viele zu gute Bücher geschrieben zu haben, so dass sie nun als zu schweres Gepäck für eine Wiedereinbürgerung seines Gesamtwerks erschienen. Dazu kam ein weiteres, gemeinhin nicht beachtetes Dilemma: Die Nachkriegsausgaben mit ihrer schlechten Ausstattung waren nach der Währungsreform unverkäuflich geworden. Für Neudrucke fehlte es jedoch an Kapital und an Nachfrage. In dieses Loch ist Döblin mit seinem Spätwerk gefallen, und zu seinen Lebzeiten kam er nicht mehr heraus.

Die Wendung zum Katholizismus erzeugte bei linken Freunden nur Befremdung, sie erschien ihnen als Revision seines Mutes, seiner lebenslangen moralischen und ästhetischen Autarkieerklärung. Sein ganz und gar eigenständiges Christentum passte nicht in die westdeutsche und nicht in die französische katholische Restauration. Er begegnete den neuen Spießern.

Elisabeth Langgässer verglich seinen Glauben mit dem eines alten Bauern, der das Knie beugt und nicht nach Gründen fragt. Auch in dieser Hinsicht hat sie sich geirrt: die fortlaufende Glaubensbegründung, die Döblin in seinen Büchern suchte, war durch das Bildnis des Gepeinigten am Kreuz ausgelöst, aber sie vollzog sich auf diskursiven, ja intellektuellen Wegen. Überhaupt fällt auf, an wie wenige Gestalten des damaligen Katholizismus er anknüpfen konnte. Mit der restaurativen rheinischen Auffassung eines Konrad Adenauer und seines geistlichen Hoflieferanten Kardinal Frings hatte er nichts zu schaffen. Die mit Antikommunismus betonierte Ideologie vom »christlichen Abendland« als dem Bollwerk über den Zeiten hat er nicht geteilt. Es fällt auf, dass ihn kaum ein katholisches Blatt zu Beiträgen aufforderte. Die Wochenzeitung »Rheinischer Merkur«, 1946 mit französischer Lizenz gegründet, öffnete ihm unter dem Chefredakteur Otto B. Roegele die Spalten nicht. Aber auch gegenüber den linkskatholischen Herausgebern der »Frankfurter Hefte«, Eugen Kogon und Walter Dirks, fand er nicht zu einem intensiveren Verhältnis. Döblin als Katholik: das ist ein Kapitel der verpassten Gelegenheiten und der aneinander vorbeiredenden Partner, auch eines der inneren Emigration im katholischen Milieu. Im übrigen musste er gerade in diesen Kreisen mit jenem nachwirkenden religiösen Antisemitismus rechnen, den Friedrich Heer fünfzehn Jahre später in seinen Büchern »Gottes erste Liebe« und »Der Glaube des Adolf Hitler« attackiert hat.

Dazu kam Döblins ererbter Ruf als Sozialist, als Spötter, als Modernist aus den zwanziger Jahren, eine unklare, nicht dementierbare Gemengelage des Verdachts, er meine es mit seinem Christentum nicht ernst, sei gerade als Katholik eine zwielichtige Gestalt. Mit Reinhold Schneider und dem bereits 1940 zum Katholizismus übergetretenen Wilhelm Hausenstein konnte er sich am besten über den Glauben verständigen.

SPALTUNG DES PEN-CLUBS

Bei der Düsseldorfer Tagung des PEN-Clubs im Herbst 1951 kam es zur Spaltung zwischen den ost- und westdeutschen Schriftstellern. Sie wiederum ging auf Auseinandersetzungen über eine Resolution zur Meinungsfreiheit auf dem Internationalen Kongress in Lausanne zurück. Eine Gruppe von aktiven Westautoren, unterstützt ihrerseits vom Stab des Kongresses für kulturelle Freiheit, hinter dem die CIA stand, hat sie vorangetrieben, doch war die Trennung in zwei Zentren nichts anderes als die logische Konsequenz der Spannungen, die bereits 1947, beim Ersten Deutschen Schriftstellerkongress, zutage getreten waren. Im November 1948 hatte Wilhelm Sternfeld vom Londoner Exilzentrum privat die Mitgliedschaft kommunistischer Autoren kritisiert, Günther Birkenfeld und Rudolf Hagelstange folgten dieser Linie. Döblin und Kästner hingegen waren noch Ende 1949 die Garanten für einen ausgleichenden Kompromiss zwischen den Fronten gewesen.

Im Vorfeld des Düsseldorfer Kongresses waren einige Autoren wegen Johannes R. Becher ausgetreten und entfachten viel propagandistischen Wind, er wiederum verstieg sich zu haltloser Gegenpropaganda. Döblin hingegen, der an der Tagung nicht teilnehmen konnte, betonte immer wieder die Zusammengehörigkeit der deutschen PEN-Mitglieder. In Düsseldorf erschienen nur wenige westdeutsche Autoren, entsprechend fielen die Wahlen aus: die Autoren aus dem Osten setzten sich durch. Die bisherigen westdeutschen Vertreter des Einheitsgedankens wie Hermann Friedmann, Hermann Kasack, Erich Kästner und Kasimir Edschmid erkannten, dass ihre Vorstellungen überholt waren, und traten nun ihrerseits aus. An Johannes Tralow, den Westdeutschen an Bechers Seite, schrieb Döblin von Frankreich aus Anfang Dezember 1951: *Der Vorgang selber ist höchst bedauerlich, er hätte, gerade auch im Interesse der Kollegen aus der Ostzone, unter allen Umständen vermieden werden müssen und die Gruppe unter Becher hätte sich zweckmäßigerweise stiller und vernünftiger verhalten sollen, als unter Benutzung von Formalien einen Pyrrhussieg davonzutragen. (…) Sehr übel ist der* PEN-*Club ins politische Fahrwasser abgeglitten. Seine Charta sollte ihnen gebieten ein anderes Prinzip über das fatale Prinzip der streitenden Staatengruppen zu stellen.* Noch im Dezember 1951 wurde ein neues, westdeutsches Zentrum gebildet: das »Deutsche PEN-Zentrum der Bundesrepublik Deutschland«, das seinen Sitz in Darmstadt nahm, mit Erich Kästner als Präsidenten und Kasimir Edschmid als Generalsekretär. Diese Gruppe wurde auf dem Internationalen Kongress in Nizza im Sommer 1952 formell in den Internationalen PEN aufgenommen. Die verbliebene Rumpforganisation benannte sich in »Deutsches PEN-Zentrum Ost und West« (seit 1967 PEN-Zentrum Deutsche Demokratische Republik) um, nahm ihren Sitz in Berlin und wählte den Journalisten und Historiker Heinz Kamnitzer zum ersten Präsidenten.

Als die Spaltung unausweichlich war, blieb kein Zweifel, auf welcher Seite sich Döblin wusste. An Hermann Kesten, der aus der Ferne Anteil nahm, schrieb er am 12. Januar 1952: *Die Herren drüben wollen ja den* PEN-*Club nur benutzen, um den Westen zu infiltrieren. Außerdem ist der* PEN-*Club ein Club, und sein Grundsatz ist Toleranz, da kann man sich nicht eine Führung von der Intoleranz anbieten lassen. Es ist in der Tat ein Scheiden der Geister.* Döblin wählte und entschied sich für die westdeutsche Filiale.

1952

Ernst Kreuder überliefert ein komisches Bild: das Überwuchern von Döblins Schreibtisch in Mainz mit den Blumen-, Frucht- und Dornenstücken seiner Frau. Mehr als die Hälfte seines Schreibtisches sei schon von Kakteen bevölkert. »›Sie rücken immer weiter vor‹, sagte er flüsternd und sah mich an, vergnügt, wie mir schien, aber doch mit jenem stillen Fatalismus, der sich ergibt, wenn man eingesehen oder erfahren hat, daß sich in dieser Welt im Grunde doch nichts aufhalten läßt. ›Nächstens‹, sagte er mit einem mitwisserischen Lächeln, das bedeuten konnte, man zieht nicht nur im Leben den Kürzeren, sondern auch zuhause, ›nächstens werde ich nur noch auf diesem Ausziehbrett schreiben können.‹ Er zog das Brett heraus, betrachtete es und schob es leise wieder hinein.«

Seine Frau wollte Ende Januar 1952 in Paris an Ort und Stelle ein Provisorium beenden. Sie hatte vor allem von der französischen Abfindung im Sommer 1951 am Boulevard Grenelle eine Wohnung gekauft. Mit dem Wohnungserwerb waren die äußeren Voraussetzungen für einen Umzug geschaffen. Sie ließ die Möbel von der Spedition holen, die dort seit 1939 auf einem Speicher lagerten, und richtete sich in der gekauften Wohnung häuslich ein. Ein folgenreicher Entschluss war damit getroffen, vermutlich noch gegen den Widerstand ihres Mannes. Da er aber nicht von seiner Frau getrennt leben wollte und die kulturpolitischen Tätigkeiten auf die Arbeit für die Mainzer Akademie reduziert waren, kündigte sich sein Umzug nach Paris an.

Döblin hatte jedoch keineswegs nur einen privaten Grund für seine erneute Übersiedlung ins Ausland, nämlich die Aufhebung der faktischen Trennung von seiner Frau, die nicht in Deutschland leben wollte. Zwei weitere Gründe kamen dazu, ergaben eine unauflösliche Mischung aus Enttäuschung, Vorbehalt und Verbitterung. Vor allem in diesem Jahr 1952 besiegelte er seinen Glauben an die Veränderbarkeit der westdeutschen Gesellschaft, wie er sie kennengelernt hatte. Er sah mit der Restauration im Adenauer-Deutschland auch die Nationalsozialisten wieder auftauchen. An seinen ehemaligen Redakteur Anton Betzner schrieb er im März 1952 unverblümt: *Sie wissen, lieber Betzner, die alte Garde ist weder gestorben, noch hat sie sich ergeben, und hier zu Lande, so kommt einem manchmal vor, wartet sie nur darauf, sich wieder im dröhnenden Schritt und* (mit) *Vehemenz auf die Straße zu begeben.* Drei gewichtige Manuskripte lagen unverwendet in der Schublade, seit etwa 1950 ging er daran, sie zahlreichen Verlagen anzubieten. Es häuften sich die Absagen – mit unterschiedlichen Gründen, aber er sah immer nur einen Generalnenner: Desinteresse, stillschweigender oder offener Boykott seiner Bücher aus politischen Gründen. Er konnte und wollte nicht mehr warten, aber diese verständliche Haltung kollidierte mit den schwierigen Verhältnissen für Bücher und Zeitschriften Anfang der fünfziger Jahre. Viele Nachkriegsgründungen waren zu diesem Zeitpunkt bereits wieder eingegangen, und der ungehemmte Konsumismus der Bevölkerung galt nicht der Literatur.

Döblin besuchte in der zweiten Maihälfte 1952 den »Kongreß für kulturelle Freiheit« in Paris. Als die Veranstaltung zwei Jahre zuvor in Berlin mit scharfen antikommunistischen Tönen und in rabiater Frontstellung gegen die Autoren östlicher Provenienz in Berlin stattgefunden hatte, war Döblin nicht dabei gewesen. Ihm ging es damals um die vorsichtige Rettung seines Handlungsspielraums und seiner Gesprächsfähigkeit. 1952 verfolgte die kulturelle Tarnorganisation des amerikanischen Geheimdienstes, die mit einem faszinierend globalen und differenzierten Konzept der kulturellen Erneuerung auftrat, auch eine andere, offenere Linie. Nicolas Nabokov, Generalsekretär des von der CIA gesteuerten »Kongresses für kulturelle Freiheit« in Paris und Cousin des Schriftstellers Nabokov, ein Musiker von Rang, hatte ein ambitioniertes Konzept vorgelegt. Es ging ihm um eine Musterung und Diskussion moderner Kunst, die von den beiden Diktaturen gleichermaßen verworfen worden war. Avantgardistische Musik sollte neben Künstlern und Schriftstellern der Moderne vertreten sein – ein Gipfelgespräch über die Landesgrenzen hinweg und dazu ausersehen, dem hegemonialen Kunstanspruch des Stalinismus mit seinen Verdikten gegen den »Formalismus« einen kühnen und souveränen Akt kultureller Offensive entgegenzusetzen. Der späte Stalinismus entfaltete mit seiner Formalismusdebatte noch einmal einen Propagandakrieg gegen fortgeschrittene ästhetische Praxis und suchte eine monopolistische Auffassung von Realismus durchzusetzen. Nabokovs Pläne waren in den eigenen Reihen sehr umstritten, und Döblin, mit der Konzeption früh bekannt, protestierte gegenüber Günther Birkenfeld (am 26.3.1952), dass auch Gottfried Benn eingeladen war: *Mir scheint, man täte besser daran, auf die Teilnahme dieses Menschen zu verzichten.*

Der Kongress trug den Titel »Meisterwerke des XX. Jahrhunderts« und fand vom 21. bis 30. Mai 1952 im Pariser Théâtre des Champs-Élyssés nach dem Konzept Nabokovs statt. Atonalität und Abstraktion, die von der marxistischen Orthodoxie verworfenen Prinzipien der Moderne, wurden als antitotalitäre künstlerische Prinzipien gewürdigt, ästhetische Überlegungen und Antikommunismus in eine immerhin interessante Gleichung gebracht. Döblin berichtete den Rosins von eindrucksvollen Veranstaltungen: *Es war sehr abwechslungsreich, Ausstellungen, Vorträge, Diskussionen, auf Französisch, Englisch, Italienisch. Deutsch hat keiner gesprochen.* Döblin wurde zum Thema »Das Individuum und die Gesellschaft« von einer französischen Rundfunkanstalt interviewt. Im Rahmen der propagandistischen Erwartungen, die von den amerikanischen Geldgebern kamen, wurde der Kongress, der auch einer »reorientation« der Deutschen dienen sollte, als ein Fehlschlag eingestuft: er galt als snobistische Veranstaltung ohne greifbaren Nutzen.

Vom 29. Juni bis zum 7. Juli fand in Saarbrücken eine »Woche des zeitgenössischen Kulturschaffens« statt. Auf Einladung seines ehemaligen Redakteurs Anton Betzner nahm Döblin an diesen Veranstaltungen, die vom Saarländischen Rundfunk organisiert wurden, teil und hielt eine vom Rundfunk übertragene Rede über Europa. Seine Sehkraft hatte so stark nachgelassen, dass Anton Betzner in seinem mit Großlettern ausgestatteten Manuskript die Zeilen weisen musste. Die Beine waren fast vollständig ertaubt, er konnte nur mühsam Schritt vor Schritt setzen. Aber er griff an, setzte sich, ausgehend von einem Bibelwort, für die übernationale Gestaltung Europas ein: *Der gegenwärtige Zustand ist überaltert, ist undurchdacht, ist eigentlich der Männer und Frauen, die hier wohnen, unwürdig, eigentlich sind wir ja alle Europäer, ob wir deutsch, französisch oder italienisch sprechen.* Die schlechte Vergangenheit, die nicht vergehen will, beraube die Gesellschaft einer besseren Gegenwart. In einem von den Franzosen ängstlich gehüteten staatlichen Provisorium namens Saarland muss dieses leidenschaftliche, bibelsichere Plädoyer für ein grenzüberschreitendes Europa wie ein flammendes Zeichen gewirkt haben. Es war sein letzter großer öffentlicher Auftritt. Knapp drei Monate später erlitt er einen Herzinfarkt.

Peter wollte erneut heiraten, und das gab dem Vater Gelegenheit, wenigstens kurz von der Ehe als Institution zu sprechen (im Brief an Rosins, 8. Juni 1952): *Ich habe ihm so oft gesagt, er solle sich doch zufrieden geben, und wer sagt, daß die Ehe so allemal glücklich mache, es könne so und so ausfallen.*

Aber er hat auch Recht, er ist ein Familienjunge, er braucht etwas wie ein Heim und ich hoffe, er hat es geschafft. Stefan (Étienne) war zum gleichen Zeitpunkt als Manager bei einer Fluggesellschaft engagiert, Klaus (Claude) baute sein Geschäft für Dekorationsartikel aus, und Bodo war wieder im Polizeidienst tätig.

Arnold Zweig hat sich zu seiner neuen Heimat DDR bekannt, war aber durch Habitus und geistigen Zuschnitt alles andere als ein Repräsentant des neuen Staates. Das konnte Döblin nicht verborgen bleiben. Für ihn war der Gefährte aus alten Tagen sowieso irgendwo anders verortet: am Schnittpunkt jener Fragen, die ihn selbst so oft bewegt hatten. Gegenüber Arnold Zweig bekannte er Mitte Juni 1952, dass er oft an Palästina und das Judentum denke. Er formulierte noch immer den alten Einwand: Das Judentum sei geistig weit über die nationale Selbstbestimmung hinausgetreten, *wir haben die Pflicht und den Willen, für eine größere und neue Gesellschaft den Rahmen zu formen; um in einem Wort des Evangeliums zu sprechen: das alte Salz war würzlos geworden.* Warum nur hat er die immergleichen Einwände gegen das national gesinnte zionistische Judentum vorgebracht, wenn er es schon Anfang der dreißiger Jahre hinter sich gelassen hatte? Warum war diese Frage nicht stillgelegt, warum drängte sie immer wieder auf Wiederholung? Mit Arnold Zweig führte er eine ausgedehnte Korrespondenz über seine Enttäuschungen, über die Mühen des Alters und ihrer beider Augenkrankheiten; er gab ihm Ratschläge, korrigierte einige Ansichten, war in seinem Element, denn er glaubte, helfen zu können.

Unverzüglich kondolierte er Theodor Heuss zum Verlust seiner Frau Elly, die am 19. Juli 1952 gestorben war. Er fand innige Trostworte, die etwas von seiner Hingabe ausdrücken und die auch rückbezüglich für ihn sind. *Rechts und links sterben einem alte Kameraden und Freunde weg. Wäre ich jünger und schon nicht erheblich über siebzig, so hätte ich dafür nicht die Perspektive von heute. Nun schmerzt das wohl und macht mich traurig, aber es schrickt mich nicht. Es ist etwas Unfaßbares und Wundersames dabei in diesem Kommen und Gehen, wirklich, es hat etwas von einem Ährenfeld oder einer Graswiese. Aber es ist für uns doch mehr als für die Gräser, es macht uns demütig, aber nicht klein. Wir bescheiden uns. Wir werden darunter menschlicher, geduldiger, reifer. Wir werden mehr zu dem geführt, was unfaßbar für uns, unser Geschick leitet.* Da werden zwei Kontexte sichtbar: die alte Naturreligion und das Christentum in Gestalt eines lenkenden Bibelgotts, ohne dass von ihm in der Façon einer bestimmten Lehre die Rede ist.

Die Verbindung zu Becher wollte er nicht abreißen lassen, aber für dessen Sammlung »Deutsche Sonette« fand er nur Worte des Abscheus: *Was Bechers*

Gedichtband, den letzten, anlangt, die Sonette, über die Sie sprechen, so sind sie so grauenhaft und minderwertig, schlechte Fabrikware, dass man wirklich keine Worte darüber verlieren soll. Man fragt sich wo da die Grenze zwischen westlichem und östlichem Nationalismus liegt, so schlimm war Becher noch nie. Der angestaute Groll über seine eigene Wirkungslosigkeit und sein allmähliches Verschwinden aus der Gegenwart machte sich Luft. Peter Huchel hatte ihn gebeten, zum 65. Geburtstag von Arnold Zweig für »Sinn und Form« einen Jubiläumsartikel zu schreiben, und daran die Bemerkung geknüpft, dass es doch »nicht bei dieser einmaligen Zusammenarbeit bleiben« solle; er solle ihm doch gelegentlich eine Erzählung oder ein Romankapitel zum Vorabdruck schicken. Es war ein rührendes Zeichen, über die Grenzen hinweg, und ein mutiges dazu: Döblin stand ja nicht gerade auf der literaturpolitischen Präsentationsliste der DDR-Behörden. Am 10. September antwortete ihm der Adressat seiner Bitte, schickte ihm seinen persönlichen Beitrag zu Arnold Zweig und redete sich dann in den Groll hinein; recht verbittert und ohne auf das liebenswürdige Angebot zurückzukommen. *Warum soll ich mich plötzlich mit einem Beitrag in Ihrer Zeitschrift melden, wo ich doch in der Ostzone mit keinem Buch, weder einem neuen noch einem alten sichtbar bin und zu den »Verschollenen und Vergessenen« gehöre, in Ihrer Zone, wie auch bald in den anderen. Und 2., wenn Sie, ein Schriftsteller, noch einiges von mir kennen, so werden Sie wissen, wer ich bin, wo ich stehe und was ich hinter mir habe. Was soll das nun plötzlich für eine Geste von mir sein, wenn ich, der im Westen ja kaum mehr sichtbar ist, plötzlich im Osten mit einer Erzählung oder einen Romankapitel mich zeige, und wenn ich mich nun auf einem Boden zeigte, dem marxistischen, auf dem ja Ihre Zeitschrift steht, den zu betreten ich aber schon vor 20 Jahren klar und entschieden, mit Bewußtsein und Begründung, abgelehnt habe.* Huchel antwortete ihm mit einem gewinnenden Schreiben der Verehrung: Viele junge Leute würden in der DDR etwas von seinen Werken kennen, er sei keineswegs so verschollen, wie er glaube. Das rührte den alten Herrn: Er wolle ihm, wenn es erst seine Gesundheit wieder erlaube, etwas für »Sinn und Form« schicken, *ein religiöses Stück oder ein Kapitel aus einem neuen Roman,* wie er nicht ohne List und Lust, den Schwierigkeitsgrad eines Abdrucks zu erhöhen, hinzufügte. »Sinn und Form« hatte ein westdeutsches Pendant: den kurz zuvor gegründeten »Monat«, mit dem der amerikanische Journalist Melvin J. Lasky die intellektuelle Debatte in Deutschland wie ein Magnet anziehen und versammeln wollte. Von Döblin erschien dort zu Lebzeiten keine Zeile.

In den ersten drei Augustwochen 1952 machte das Ehepaar Döblin Urlaub in Oberstdorf, wo die beiden zum ersten Mal seit 1945 wieder mit Ludwig

Marcuse und seiner Frau Sascha zusammentrafen. Bald nach der Rückkehr klappte er am 20. September 1952 im Büro zusammen und erlitt einen Herzinfarkt. Auf eigenen Wunsch wurde er zunächst nach Hause geschafft, wo er noch einige Tage lag, dann erst kam er ins Krankenhaus. Die Ärzte haben ihn zeitweilig aufgegeben, dann aber mit Spritzen wieder ins Leben zurückgeholt.

Den Schriftsteller Viktor Wittkowski, der ihm wohl von einer Depression geschrieben hatte, versuchte er, mit rührenden Worten des Gleichmuts zu trösten. Anfang März 1952: *Müde und deprimiert und alt geworden sind wir alle. Es ist schon kein persönliches Schicksal mehr, nichts Privates daran. So sieht eben der Mensch und so sieht eben das Leben aus. Ich will nicht sagen, das ist meiner Weisheit letzter Schluß, aber der vorletzte.* Manchmal, wie in diesem Fall, war er sogar zu müde, um von seiner Bekehrung zu schreiben.

Es gelang ihm nicht, für den *Hamlet,* für die *Pilgerin Aetheria* oder für das zweite Religionsgespräch einen Verleger zu finden. Der Herder Verlag habe ihm das Manuskript *mit Krokodilstränen,* zurückgeschickt und Karl Alber habe mit *November 1918* kein Glück gehabt.

Hitlers Wirkung auf das Volk sei ungeheuer gewesen. Er revidierte damit seine in Amerika und unmittelbar nach der Rückkehr gehegten Auffassungen vom Akzidentiellen des Nationalsozialismus gründlich: *Die Wirkung war ungeheuer tief und wäre nicht so tief gewesen, wenn sie nicht so gut vorbereitet gewesen wäre und am geeigneten Objekt erfolgte. Zwei Völker in einem, das eine, das wir kannten und pflegten und kulturell machten und so erhielten, und das zweite, das die Herrschaft über das erste hatte, nur herrschgierig, gewalttätig, machtlüstern und dieses zweite Deutschland benutzte schon früh das erste, um sich mystisch freche Träume vorzumachen.* Statt der deutschen Schande spreche man im Westen nur von der deutschen Einheit. Er hörte in all den Äußerungen um sich herum schon wieder das Horst-Wessel-Lied. Er übermittelte dem Briefpartner seinen rabenschwarzen Pessimismus: Zweig könne nichts ausrichten, da die Verhältnisse auch im Osten so seien wie im Westen. Am besten wäre er, Zweig, trotz seiner israelkritischen Sätze dort geblieben, *in Deutschland macht man Sie zu Schutt und Asche.* Mit ähnlicher Tendenz schrieb er aus dem Krankenhaus an Hans W. Eppelsheimer. Und er gab einen Kommentar zu seinen Büchern und Manuskripten. Er sei *nach einem anfangs wohlwollenden Empfang* bei seiner Rückkehr aus Amerika *langsam aber sicher wieder abgeschaltet* worden. Er könne sich, da er ganz allein sei, nicht dagegen wehren. *Ich kann nur konstatieren, daß meine neuen Werke erst garnicht akzeptiert werden, ich schreibe seit Jahren wieder für das Schubfach. Das wäre das Ende vom Lied.* Er wollte mit Arnold Zweig im Reinen sein, denn wenige Tage danach erschien sein Glückwunsch zum 65. Geburtstag seines Partners. *Ich freue mich wirklich und sehr, lieber Zweig, daß wir nach so vielen Katastrophen, der eine geschleudert dahin, der andere verschlagen dorthin, im Zusammenhang geblieben sind, und zwar nicht nur, wie ich aus dem Ton Ihrer Briefe ersehe, in einem bloß schriftlichen, sondern wirklichen und persönlichen.* Er hob den Primat des Persönlichen vor den politischen Gegebenheiten hervor, umriss die Wandlungen, die sie beide erlebt hatten, ohne dass sie deshalb auseinandergekommen seien. Das war für ihn gelebte und erfahrene Toleranz, ein Zeichen, das über den Systemen und der deutschen Spaltung strahlte. Noch einmal bekannte sich der alte, kranke Döblin auf seinem Klinikbett zum Aufbruch, zu einem Jungsein jenseits der Jugend. Wer die 60 überschritten habe, befinde sich in einer neuen Situation, die bisher kaum beschrieben sei: *Unsere Bücher, unsere Gedichte und Lieder, unsere Essays sind voll von den Gedanken der Jugend. Wer unsere Literatur ansieht – wo begegnet er aber dem reifen, dem älteren und gar dem alten Menschen, den es doch auch gibt? Dieser ältere und alte Mensch, hören Sie, ist faktisch der jüngste. Er hat die längste Zeit vorher damit zugebracht, zubringen müssen, das Alte, Überlieferte zu durchlaufen, so daß es schließlich hinter ihm liegt und nur eine Hülle ist, die er ablegt. Vielleicht ist sie nur die Puppe, aus der sich erst jetzt der Schmetterling löst.* Er umspielte eines seiner Hauptwörter: das Beginnen. Er sah diesen Aufbruch nicht mehr in Büchern und literarischen Werken, sondern *in einer Tönung der Existenz, der Äußerungen, des Gehabens.* Aber er wusste um seine Einsamkeit und dass sie auch ein wenig selbstverschuldet war: *es scheint, ich war immer zuviel Einzelläufer und das ist jetzt das Ergebnis.*

ENTSCHÄDIGUNG

Mitte April 1951 stellte er beim Berliner Entschädigungsamt einen Antrag auf Ausgleich für Vermögensverlust und Schädigung des beruflichen Fortkommens. Die Korrespondenz, die sich daraus ergab, zog sich hin wie ein Lindwurm an Akten, hielt mit den Söhnen noch an, als Döblin längst gestorben und auch seine Frau tot war, und war in nichts anderem begründet als in dem Wunsch nach Satisfaktion für ein Geschehen, das mit Geld nicht aufzuwiegen war. In der bedrängten Lage des Kranken, der nichts mehr einnahm außer Almosen da und dort, wurde aus dem Entschädigungsgesuch ein fortgesetzter schriller Hilferuf Erna Döblins.

Wie ein krauses Gespinst ziehen sich die handschriftlichen, mehrfarbigen Vermerke der Sachbearbeiter über das Deckblatt der Papiere mit der Registriernummer 1099. Bevor der amtliche Blick auf die Lebensgeschichte des Autors fällt, widmet er sich der Passform der Persönlichkeit. Eingeholt wird »unbeschränkte Auskunft, auch über bereits gelöschte Strafen politischer Art«, konsultiert wird auch das »Auslandsstrafregister«; nachgefragt wird in Mainz und in Baden-Baden, ob dort ein Wiedergutmachungsantrag gestellt worden ist. Im Berliner Document Center wird sogar ermittelt, ob Döblin der NSDAP oder einer ihrer Gliederungen angehört hat, mithin also der Verfolgte vielleicht sein eigener Verfolger war. Ein halbes Jahr lang wurden in die Vordrucke nur Häkchen und Stempel gemacht. Am 22. November 1951 fragte Döblin an: Er habe seit dem 29. April nichts vom Amt gehört, *nicht einmal die Mitteilung erhalten, daß mein Antrag der Feststellungsbehörde übergeben worden ist.* Und er fügte nur wenig ironisch hinzu: *Ich stehe in meinem 74. Lebensjahr. Wann denken Sie eigentlich mit den Wiedergutmachungszahlungen zu beginnen?* Unverzüglich erhielt er die Antwort mit dem klassischen Vertröstungssatz, dass er »zu gegebener Zeit weitere Nachricht« erhalte. Gegen Jahresende aber beschleunigte sich der Vorgang: Döblin schickte eine eidesstattliche Erklärung: Bei der Deutschen Bank habe er 1933 ein später eingezogenes Guthaben von ca. 2000 RM zurückgelassen; er machte für die Zeit der zwangsweisen Emigration in Hinblick auf schriftstellerischen und ärztlichen Verdienst einen Ausfall von 410 100 RM geltend. Bevor diese Summe überhaupt in Frage stand oder bestritten werden konnte, ging es dem Amt noch um die Prüfung der richtigen Gesinnung. Döblin wurde auf einem Zusatzfragebogen-Vordruck nach kommunistischen Unterwanderungsabsichten gefragt: von der SED bis zur »Nationalen Front« kamen 19 Gruppierungen für konspirative Tätigkeit in Frage. Auch der DGB war als Tarnorganisation verdächtig: Döblin wurde gefragt, ob er dessen Funktionär gewesen sei.

Das Wunder, das danach geschah, ist auf den 19. Januar 1952 datiert: Der Entschädigungsantrag wurde bewilligt. Wer die ernorme Beschleunigung erreicht hatte, geht aus den nachfolgenden Blättern hervor: Der Bundespräsident hatte sich an den Berliner Regierenden Bürgermeister Ernst Reuter gewandt und aufs Tempo gedrückt. Im Frühjahr 1952 erhielt Döblin eine erste Rate von 7000 DM überwiesen.

Am 20. Mai 1952 wurde ihm vom Berliner Entschädigungsamt ein finanzieller Vergleich angeboten. Das Exil hieß nun »Schädigungszeit«. Im Oktober erhielt er eine zweite Rate von 5000 DM. Seine von ihm formulierten Ansprüche waren weder berücksichtigt noch bestritten worden. Eine größere Zahlung scheiterte an der damaligen Unterfinanzierung des Amtes.

Von nun an schweigen die Akten, ziemlich lange. Grund waren die Überlastung der Mitarbeiter, also die ungenügende personelle Ausstattung des Entschädigungsamts, und juristische Unklarheiten, denn das bundeseinheitliche Entschädigungsgesetz wurde erst 1954 verabschiedet. Ende Juli des Jahres wurde der Vermögensschaden insgesamt beziffert. Nehmen wir bei diesem weiterhin kurvenreichen Ämterweg eine Abkürzung: Döblin erhielt weitere Zahlungen in Höhe von 16 000 DM, seit dem 1. November 1953 eine monatliche Rente von 500 DM, gegen deren Höhe Erna Döblin vergeblich polemisierte. Das Amt zweifelte, ob der Empfänger überhaupt noch am Leben war, was das Sanatorium Wiesneck im Mai 1955 bestätigte.

Später strengten die Döblins noch ein Verfahren wegen Gesundheitsschäden infolge der Extremsituation des Exils an, aber zu Lebzeiten Döblins kam es nicht mehr zu einer ärztlichen Untersuchung. Der medizinische Gutachter beurteilte den Patienten post mortem. Der Direktor der Freiburger Neurophysiologischen Universitätsklinik, Professor Richard Jung, in seinem Fach eine Kapazität, mit dem Patienten Döblin wohlvertraut, attestierte dem drei Monate zuvor Gestorbenen, dass all seine Gebrechen erblich bedingt und nicht auf äußeres Geschehen zurückzuführen seien. Anscheinend hat er bei seinem Gutachten die psychosomatischen Ursachen von körperlichen Gebrechen vergessen. Und der Einfall, dass dieser malträtierte Körper die Membran des Erlebten war, ist ihm nicht gekommen. Jung ersparte dem Amt erweiterte Zahlungen. 1962, fünf Jahre nach Döblins Tod, wurde diese Entschädigung an seine erbberechtigten Söhne abgelehnt. Erna Döblin hat ihre chronische Amöbenruhr, die sie sich bei ihrer erneuten Einreise in die USA aus Mexiko zugezogen hatte, geltend gemacht. Der Ausgang des Verfahrens ist vorläufig nicht zu ermitteln: Er bleibt in dem Teil des Materials verborgen, das wegen Datenschutzes bislang noch gesperrt ist.

MINOTAURUS

Im Herbst 1953 erschien der von Döblin herausgegebene Sammelband *Minotaurus. Dichtung unter den Hufen von Staat und Industrie* im Wiesbadener Franz Steiner Verlag. Noch einmal hatte er seine Kräfte zusammengenommen und diesen Band mit Beiträgen der Akademiemitglieder seit 1952 vorbereitet. Er wollte mit dieser Publikation den zögernden Mitgliedern der Literaturklasse ein Beispiel geben. Als das Buch erschien, lebte er schon wieder in Paris, so dass er sich mit ihm aus Deutschland verabschiedete. Wer die Folge der Essays mustert, die er eingesammelt hat, kommt nicht umhin festzustellen, dass sich Döblin als Einziger dem von ihm formulierten Thema gestellt hat. Die Autoren folgten seiner Autorität nicht mehr, hielten sich nicht an seine Vorgabe. Er selbst kam auf das Thema in zwei Aufsätzen zurück. Noch einmal, ein letztes Mal, schrieb er, in der süddeutschen Provinz ausharrend, eine Sehnsuchtsepistel über die vergangene Großstadt, *in der Mark Brandenburg gelegen unter dem 52. Grad 31. nördlicher Breite, 13. Grad 25. östlicher Länge, 36 Meter über dem Meeresspiegel,* über Berlin, *ist ein großes Wesen.* In diesem Artikel über *Großstadt und Großstädter* nahm er auf, was ihn in mehreren Jahrzehnten hingerissen hat. Seine von allen Neugieradern durchzogene Beschreibungslust galt der Tatsachenkomik der Stadt, ihrem *Stoffwechsel* dem vergangenen, unzerstörten, ungeteilten Berlin, dem Versprechen der Häuser, den Magnetfeldern der Straßen, den einander übertrumpfenden Zahlenrekorden, dem Großbild von 1928, den Klassenspannungen. Das alles nahm er wieder auf, um den zerstörerischen Anprall des Kapitalismus zu registrieren, die Zerstückelung und Funktionalisierung der Menschen. Er argumentierte durchaus politökonomisch, aber die Rationalität, wie sie Heinrich Mann 1923 in seinem Essayband »Diktatur der Vernunft« gefordert hatte, half Döblin nach Hitler und dem Zweiten Weltkrieg nicht weiter. Er griff zur allgemeinsten aller christlichen Bekundungen: *Bleibt Glauben, Hoffen, Lieben, diese Drei.* Daraus erwuchs für Döblin ein bescheidener Trost, aber die Botschaft ist zeichenhaft und abstrakt. Jean-Paul Sartre ließ den Text übersetzen und publizierte ihn in seiner Zeitschrift »Les Temps modernes«.

In den Gesprächen *Mireille oder zwischen Politik und Religion* will ein Schriftsteller, den es unter die Caféhaus-Literaten verschlagen hat, mit Zahlen beweisen, dass die Literatur noch immer dem Agrarzustand des Landes im 19. Jahrhundert nachhänge. Döblin nahm seine inzwischen klassizistisch gewordene Rolle des Volksaufklärers in der Kühle des Lebensabends und der Verjährung ein, aber animiert vielleicht durch die Erfahrungen der Volkstümlichkeit französischer Literaten, und zugleich wollte er ein Fazit über die Entfremdung des Publikums von seinem Autor ziehen. Er wollte seinen eigenen Aufenthalt im Niemandsland bereden.

Dieser Autor wirkt wie ein neurotischer Vielsprecher und wird von seinen Kollegen nicht gehört, vielmehr aus dem Café hinausgeworfen. Seine Behauptung: *Die Literatur, sie, sie tritt auf der Stelle. Sie steht. Man hat den Eindruck, vor Staunen ist ihr das Wort im Munde steckengeblieben.* Zwei Antipoden halten das Gespräch in Gang: ein Fräulein namens *Mireille,* das den Statthalter ausgreifender Meinungen, der sich als *Ich* tituliert, zunächst spöttisch, dann aber mit großen Erwartungen mustert und das sich als Lehrerin erweist, sowie ihr möglicher Liebhaber Paul, ein Intellektueller und Zyniker. Das Paar und der Schriftsteller reden aufeinander ein: über politisch engagierte Literatur, ihre Verpflichtung gegenüber der Gegenwart, aber auch über ihre

Lage zwischen den Zeiten. In der Literaturgeschichte suchen die Diskutanten nach Beweisen: *Es war, als ob wir Särge öffneten, aber wenn wir die Deckel abhoben, so lag da kein Toter. Sie atmeten, traten hervor, und sprachen mit uns. Sie waren lebendig, aber traten dann still wieder an ihren Platz, legten sich hin. Merkwürdiges Leben zwischen Leben und Tod!* In diesem Bild zeigt sich Döblins verdeckte Hoffnung auf eigene Nachwelt, der Dichter, akuter Aufgaben enthoben, zwischen den Zeiten, tot und doch lebendig, anwesend in verschiedenen Zeitschichten. In dieser Vorstellung von einer Eigenzeit der Literatur, die nie nur der Gegenwart, aber auch nicht allein dem Retro verpflichtet ist, findet der Schriftsteller zu seiner Kritik: Die Literatur hat keinen zeitgemäßen Humanismus entwickelt.

Der alte, fragwürdige Gedanke von einer Senkung des literarischen Niveaus, den Döblin in den zwanziger Jahren einmal vertreten hatte, wird noch einmal aufgerufen und nun verworfen. Döblin dementiert ausdrücklich – Döblin vor 30 Jahren. Die drei Stimmen sind sich aber einig, dass eine Wand zwischen der Bevölkerung und der Literatur steht. *Ich*, der Schriftsteller, hebt an zu einer Kritik der Aufklärung und des Fortschritts. Das geistige Potential habe in der deutschen Geschichte nur dazu gedient, die Herrschenden zu stabilisieren. *Wem also diente der alte, einst kämpferische Humanismus? Seinen Widersachern von heute.* Auch der Ironiker Paul bestätigt diesen Sachverhalt. Die beiden verfehlen mit ihrem Pessimismus allerdings die hohen Erwartungen Mireilles an die Literatur, die sich daraufhin von den Dichtern lossagt. Das letzte Wort, ein vorsichtig optimistisches, hat der Ironiker: Er raunt davon, dass der Dichter *Keime in seinem Durcheinander, in seinem ungeklärten schöpferischen Chaos vieles vom ursprünglichen und echten Menschen* berge. Das Gespräch wirkt wie eine schüttere Montage der Motive, die Döblin nach dem Krieg über einen möglichen Humanismus in sich ausgetragen hatte – wie ein Selbstgespräch von Kritik, Skepsis, Zynismus und nie aufgegebener Erwartung besserer Möglichkeiten zur sozialen und moralischen Entwicklung der Gesellschaft. Wie ein Nachspiel des Aufklärers im Parlando, verschattet von den Einsichten in die Ohnmacht des Intellektuellen.

JOURNAL 1952/53

Die Krankheiten, aber auch die veränderte Haltung gegenüber dem Ich verleiteten ihn wieder zu autobiographischen Notaten. Aber die Niederschrift fiel ihm schwer, so diktierte er die Bemerkungen für sein *Journal 1952/53*. Er rückte sich allmählich mit seiner biographischen Person ins Repräsentative, wenigstens in die Nähe davon, da er die Niederlage erlitten hatte: ins Repräsentative des nichtbeachteten Außenseiters, den es in Deutschland nicht mehr litt. Dieses *Journal* gehört zu den traurigsten Zeugnissen Döblins. Es zeigt einen Mann, der das große Spiel verloren hat: die Rückkehr misslungen und sein Werk mit hartnäckiger Gleichgültigkeit bedacht, als Person von Krankheiten wie von einer Armee des Unheils besetzt, zerfallen das Netzwerk des Vertrauens, auch das Zutrauen in die Lebenskraft der eigenen Ehe; in den Schubladen, wiederum *stille Bewohner des Rollschranks* wie in seiner Frühzeit, die ungedruckten Manuskripte; außer Amt und Würden bei den Franzosen, die hinter ihm herredenden Kollegen in der Mainzer Akademie, auf dem Sinkflug des Alters. Das Trauerjournal ist das späte Signum seiner Existenz: nach dem Experimentalschriftsteller, dem grandiosen Romancier, dem Mythensucher, dem Glossenschreiber und Erzberliner, dem Arzt und Psychologen und Gläubigen jeder Richtung. Er hat an den Textkorrekturen gearbeitet, sofern es seine Kräfte zuließen, er wollte es zum Druck fertig machen – ohne zu wissen, wem er es anbieten könnte.

Döblin memoriert die Schicksale *meiner Toten*. Gegenwart ist für ihn in diesem Journal nicht ohne sie zu beschreiben. Sie hängen an seinem Dasein. Der Vorsatz der stoischen Betrachtung der Dinge lässt sich nicht durchhalten. Er erinnert an Mitglieder seiner Familie, die in Auschwitz verschwunden sind. Im Roman *Pardon wird nicht gegeben* war er auf die Umstände des Selbstmords seines ältesten Bruders nicht eingegangen, aber nun im *Journal*. Der eigene tote Sohn wird erneut gerufen: *Wolfgang, du warst der zweite unter den Brüdern, der ernsteste, reifste, klügste und tiefste, auch der verschlossenste. Deine Mutter brach in Hollywood auf dem Bett zusammen, als nach den langen Jahren des Wartens endlich ein Wort über dich kam.* Des Publizisten Robert Breuer wird gedacht, der es mit seinem Kollegen Kurt Kersten noch aus einem französischen Internierungslager schaffte, aber nicht auf ein rettendes Schiff in die USA, sondern nur nach Martinique. Das Fieber und die Unterernährung, Krankheit, Hunger und das heiße Klima zermürbten Breuer in kurzer Zeit, *die sozialistische Pressesäule zerbarst in der heißen Südsee.* Er vergegenwärtigt den Schauspieler Alexander Granach, den ehemaligen Schauspielintendanten Leopold Jessner, denkt an die Schriftsteller Franz Werfel und Bruno Frank: *Sie nahmen sich gewiß noch sehr viel vor. Sie gingen in den Boden.* Nur wenn er an den Schöpfer dachte, fügten sich die Toten ins Bild seines Lebens, waren sie wieder anwesend. Die Wegbegleiter seiner Jugend und Dichtergötter wie Arno Holz wurden aufgerufen. Seitenblicke wenden sich den Malern wie Kandinsky, Klee und Kokoschka zu. Franz Marc wird im Besonderem gedacht. In diesem Reigen des Gespenster sah er sich mittanzen. Die Trauer über die hingeschiedenen Gefährten ist kaum ausgesprochen. Sie nistet zwischen den Worten, ist der Palimpsest zwischen den zeilenkurzen Erinnerungen an die vielen Einzelnen. Ausführlicher wurde er im Falle Ernst Tollers. Ihn hatte er jahrzehntelang besonders gut gekannt. Zuletzt hatte er ihn auf dem PEN-Kongress von 1939 in New York getroffen. Toller sei *in einem psychotischen Zustand* gewesen, sei *Abend für Abend* zu Gesprächen zu Döblin ins Hotel gekommen. Als er eines Tages nicht gekommen sei, habe man ihn, Döblin, am nächsten Vormittag angerufen und in Kenntnis gesetzt, dass sich Toller am Gurt seines Bademantels aufgehängt habe. Döblin widersprach der Deutung Ferdinand Bruckners, Toller sei ein Opfer der Zeitumstände wie Stefan Zweig, doch fand er für seine Deutung des Geschehens kein Gehör: *Mit meiner medizinischen Auffassung konnte ich hier nicht durchdringen.* Noch einmal spricht der um Sachlichkeit bemühte Diagnostiker.

Dieses *Journal* hat er im Juni 1952 begonnen und bis Mai 1953 weitergeführt. Eine Unterbrechung gab es Ende September 1952 durch seinen Herzinfarkt. Anfang Dezember führte er es weiter.

Er war vom 23. September 1952 bis zum 8. Januar 1953 im Hildegardis-Krankenhaus, bei Benediktinerinnen. Die Krankheit hat bei ihm eine Zäsur gesetzt … Zum einen ging es um äußere Veränderungen: *Meine Finger sind klamm und steif, mit großer Mühe gelingt es mir, einen Bleistift zu halten.* Aber sie bewirkte auch seelische und darstellerische Verschiebungen: *Ich mag nicht mehr gern an konkrete Themen herangehen nach dem massiven Schlag, der aus einer geheimnisvollen, über mir stehenden Region auf mich gefallen ist. Dieser Schlag hat bewirkt, daß mich jetzt nur ganz allgemeine Themen beschäftigen, nur Fragen allgemein menschlicher und religiöser Art brennen mir auf den Nägeln.* Er lässt seine Gedanken schweifen, bringt Gott ins Spiel, kommt aber damit nicht weiter. Er schildert das Krippenspiel im Krankenhaus, und ein kleines Mädchen, das Christkind, bohrt – oh boshafter Beobachter Döblin – in der Nase.

Erna berichtete am 16. Januar 1953 an Anton Betzner besorgt, dass es ihm nicht gut gehe, »er hat viel Schmerzen und ist furchtbar schwach«. Sein Blick bleibt in seinem Arbeitszimmer hängen: an einem Christuskopf, einer Schwarzwälder Schnitzerei, und an der Reproduktion eines Gemäldes von Petrus Christus, Der heilige Eligius in der Goldschmiedewerkstatt. Solche Realien sind das letzte Bild dieses Abschnitts; von den Fragen, die er deuten wollte, hat er keine beantwortet. In einem neuen Anlauf kommt er weiter, das heißt: er wird auf seine Religiosität zurückgeführt. Angesichts des Jammers, den er sieht, des Siechtums, das ihn befallen hat, liegt die Versuchung zum

Selbstmord nahe. Aber er weist ihn von sich mit einer Gebetsformel: *Herr, erlöse uns von der unsinnigen Trauer, von der wirren Verzweiflung, von dem Tumult der falschen Gedanken.* Ihm waren ja die Umstände seiner Parkinson-Krankheit und ihr Verlauf vor Augen durch das Beispiel seiner Mutter. Umso weniger wollte er sich in diese Unausweichlichkeit schicken, und er wollte nicht kapitulieren.

Im Rückblick auf die Nachkriegsjahre in Deutschland stellte er sich, ohne sie direkt beantworten zu wollen oder zu können, eine bange Frage: *Was, frage ich mich, habe ich inzwischen geleistet, was ist geschehen, quasi wie einer, der wund aus einer Schlacht heimgebracht wurde. Trübe erhebt sich im Hintergrund die Frage: wäre es nicht besser gewesen, ich wäre damals der Einladung, hier zu arbeiten, nicht gefolgt?* Vor sich hatte er nur den Rückblick, das Journal ist von der Retrospektive bestimmt. Aktuelle Datierungen fehlen weitgehend. Aber wenn sie sich doch auf die chronikalische Gegenwart beziehen, hängt an ihnen das Gewicht des Sinnierens, Grübelns und der Reflexion. Der Aschermittwoch 1953 wird ihm zu einem Gang durch die 40 Tage christlicher Fastenzeit und des Auferstehungsfestes an Ostern.

Eine versteckte Polemik richtet sich gegen Thomas Mann. Ohne seinen Namen zu nennen, zitiert er dessen Worte über »Vergänglichkeit« und stellt ihnen das Sündenwissen des Apostels Paulus entgegen. Aber die Gedanken Thomas Manns, die aus dessen Essay »Lob der Vergänglichkeit« stammten, berühren sich mit ähnlichen Gedanken Döblins: weit weg war also der Ungeliebte nicht von eigenen Auffassungen.

Es schien so, als wolle er sich mit Apostelworten sowohl gegen Thomas Mann als auch gegen eigene Anfechtungen wappnen. Dahinter kommt ein bestimmter Entwurf bzw. eine spezifische Auffassung von Zeitlichkeit zum Vorschein. Nicht als Präsens, sondern als Prozesshaftes in mehreren Dimensionen tritt uns demnach die Welt entgegen. *Ablauf ist die Realität dieser Welt. Dieses ist ihr zugefallen, oder wenn man will, ist ihr auferlegt und über sie verhängt. Der ewig wiederholte Wille und Anspruch der Gegenwart, etwas zu leisten und zu vollenden, diesem Anspruch wird nie stattgegeben, er wird abgewiesen, und schon stehen neue Anwärter da.* Solche Gedankengänge, die er theologisch oder wenigstens metaphysisch verstand, haben Berührungspunkte mit mehreren anderen Filialen seiner Existenz. War Döblin nicht, um erzählerischen Raum zu gewinnen, in seinem ersten großen Roman über *Wang-lun* ins chinesische 18. Jahrhundert getaucht? Im *Wallenstein*, um das bedrückende Kriegserlebnis gestalten zu können, in die Wirren des Dreißigjährigen Krieges? Und in *Berge, Meere und Giganten* in die Zeitferne einer Zukunft jenseits jeder menschlichen Erfahrung? War nun diese Schöpferlust auf die Eigenzeit im epischen Kosmos delegiert an den Gottesglauben?

Er hatte bei seiner Betrachtung nur unverbundene Fäden in der Hand. Er brach mit seinen Diktaten ab, war zu müde, den Gedanken auszuführen. Er sprang zu einem anderen Thema über: zum Deutschland des Wirtschaftswunders, des monetären und des konsumistischen Denkens. Er vermisste, was die Mitscherlichs einige Jahre später vermissten: Trauerarbeit. Ihre Untersuchung über die »Unfähigkeit zu trauern« ergab eine Epochenüberschrift für die Kollektivübung des Verdrängens und Vergessens, Döblin hat den beiden mit einigen luziden Passagen bereits vorgedacht. Und er ging weiter: *Das Schrecklichste aber ist, daß in dieser Welt uns nichts von dieser Trauer entlastet und daß offenbar alle Weltgeschichte vergeblich gearbeitet hat und solche höhnischen und mörderischen Figuren nun in Serien produziert.* Er wollte beten und noch mehr beten, um dann doch nur hinzuzufügen, dass auch diese *Lippen- und Gedankenbewegung* nichts helfe. Je älter er wurde, desto mehr mischt sich in seinen Glauben die Verzweiflung. Der Kern der fundamentalen Niederlage, die er empfand, besteht im Zerfall des Fortschritts: dass die Aufklärung bereits den Keim der Zerstörung in sich barg. Da half auch der Gedanke an den großen Zusammenhang von Natur und Gott nicht mehr weiter. Vermutlich hat Döblin keine Zeile von Adornos und Horkheimers 1947 erschienener Schrift »Dialektik der Aufklärung« gelesen, aber er hielt sich mit seinen Diktaten in ihrer Nähe auf.

Und dann, ohne jede Vorbereitung, die schockierenden Sätze: *Meine Ausreise aus diesem Land nähert sich.* In seinen Briefen hatte er bislang nur wenigen Partnern diese Absicht als Gedankenspiel mitgeteilt. Gewiss hatte er oft betont, dass er nur halbwegs warm geworden war, dass seine Bücher bei den Verlagen hängenblieben, dass manche Nazis wieder den Kopf hoben, dass ihm Ressentiments begegnet waren, dass nach anfänglicher Offenheit das Klima wieder restaurativ und nationalistisch geworden war. Er trug schwer an den Dumpfheiten der Adenauer-Zeit, an der rheinischen Selbstgefälligkeit. Aber für einen solchen Entschluss, das Land wieder zu verlassen, reichten die formulierten Vorbehalte nicht aus. Er setzte hinzu: *Es ist geblieben, wie es war. Ich finde hier keine Luft zum Atmen. Es ist nicht Exil, aber etwas, was daran erinnert. Nicht nur ich, sondern meine Bücher haben es auch erfahren: im Beginn mit einem unwahren Freudengeschrei begrüßt, bleiben sie zuletzt verhungert liegen. Ich will nicht ungerecht sein, am Anfang und später habe ich manche gute Stimme gehört.* »Wer Emigrant ist, muss Emigrant bleiben«, hat Heinrich Mann einmal behauptet. An kaum einem anderen Schriftsteller hat sich dieser Satz so erwiesen wie an Alfred Döblin. Und doch hängt an diesem »Umzug« noch ein anderes Gewicht: Erna Döblin, die Druck auf ihren Mann ausgeübt hat. Sie wollte mit Deutschland nichts mehr zu tun haben und wollte auch ihren Mann diesem Land entreißen. Sie wollte seine innere Zugehörigkeit zu Deutschland tilgen. Eine unveröffentlichte, bisher nicht beachtete Notiz ohne Anrede, undatiert, aber wohl vor 1953 geschrieben, vielleicht ein Briefentwurf, sicher aber eine eherne Aussage, gewiss auch als Erpressungsversuch zu deuten, zeigt dies unverhüllt: »Du bist ein Jude gewesen – wirst, willst und kannst es niemals leugnen, Deine Zugehörigkeit zu der Rasse ist jedem auf den 1. Blick klar. Aber geistig betrachtest Du Dich als Christen und sagst nicht: ›Als Jude bin ich geboren, das muß ich bleiben, die Juden müssen meine Gemeinschaft sein.‹

Als Deutscher bist Du geboren, hast fliehen müssen 33 um nicht umgebracht von den Deutschen zu werden, hast 40 nach Amerika zum 2. Mal fliehen müssen vor den Deutschen. Du hast nach Europa und nach Deutschland zurückkommen können. Du kannst hier arbeiten und existieren, wohnen, essen, trinken leben --- als franz. Bürger. Wirst auch vor Allem noch dank Deiner Stellung gedruckt. Die Masse der Deutschen kennt Deinen Namen gar nicht. Was Du jetzt bist und hast, dankst Du der Zugehörigkeit – mindestens des äußeren – zu der franz. Gemeinschaft. Die Deutschen wären gern Deine Mörder gewesen – so wie sie die Mörder Deines Sohnes sind und Deines Bruders und von Millionen anderer.

Es ist nicht an mir Justiz zu üben. Aber es ist mein Recht und meine innere Notwendigkeit, ehrlich dankbar mich zu der Gemeinschaft zu bekennen, die mir Schutz geboten hat, mich erst hat geistige Werte – fest verankert in einem Volk – hat erkennen lassen. Und ob ich ein schlechtes Französisch spreche macht gar nichts. Es geht um eine geistige und nicht um eine grammatikalische Gemeinschaft.

Wenn Du all dies nicht verstehst und Dich nun wieder so deutsch fühlst, so graust es mich, ich kann das nicht mitmachen. Und Du scheinst mir von einem sehr falschen und sinnlosen, auch unchristlichen Hochmut erfüllt. Hättest Du hier eine *Mission* – dann sagte ich bravo, hast Du einen Stolz auf diese Barbarenzugehörigkeit – so sage ich um Gotteswillen, ich will für Dich beten, Dir alles Gute wünschen, aber mit Dir existieren nicht mehr. Du kannst jedem erzählen, Du bist als Deutscher und als Jude geboren, macht nichts. Bist Du da ein Deutscher, ach Gott wäre das entsetzlich –« Das Schauerlichste an dieser Darstellung bleibt, dass sie so verständlich ist.

In den letzten Jahren durfte angeblich in Ernas Anwesenheit nur Französisch gesprochen werden.

ERKRANKUNG AN PARKINSON

Schon in der Erzählung *Die Pilgerin Aetheria* hatte er eine Prognose über seinen körperlichen Befund versteckt, und das Orakel, das er sich gab, ließ an schonungsloser Härte nichts zu wünschen übrig. 1950 wurde seine Erkrankung an Parkinson, an dem auch seine Mutter gelitten hatte, festgestellt, nachdem von einem behandelnden Arzt bereits 1948 das Wort ahnungsvoll gefallen war. Hat sich Döblin selbst als Patient diagnostizieren können? Er zitiert nur aus seinen Krankenakten. Er verhält sich wie ein geschulter Papagei, was die Befunde der Kollegen betrifft. Die Nüchternheit des Arztes obsiegt in ihm, und sie wird als heroischer Gleichmut gegenüber der Krankheit erscheinen.

In seinen Tagebuchnotizen hielt er Herbst 1952 fest, er habe *den Sinn für den Alltag verloren* Ein anderer sei eingekehrt, und den schilderte er, in seinem Zimmer gefangen, als taoistisches Betrachten, als unwillkürliches Geschehen, das seine Bedeutung in sich verschließt, ohne sie nach außen zu verkünden: *Und so geschieht das Vorrücken, das man Tag nennt. Er wird davongegangen sein, der Tag, der jetzt noch ist. Er wird geschehen sein. Aber er war nicht da als Tag, – es geschah Tag.* Weil Döblin kaum mehr das Haus verlassen konnte, wollte er von nichts anderem mehr berichten als von der Nähe der Dinge und ihrem unwillkürlichen Dasein: Blumen, das Zimmer, Möbel, die Aussicht auf die Straße, Zimmerpflanzen. *Kein allgemeines Geschehen in der Welt. Das Geschehen hat sich zu diesen Gewächsen zusammengezogen, es ist individuell geworden.* 1953 notierte er: *Das lange Spiel ist ausgespielt. Aus einem Winkel, in meinem Rücken hat sich der Feind erhoben und hat mich ergriffen. Er hat mich hart vom Gestern abgeschnitten, indem er sich des Körpers, meiner Stofflichkeit in einer Aktion von langem Atem bemächtigte. Aus den anfänglichen Neuralgien der Hände sind Vertaubungen geworden, das hat übergegriffen auf die Arme, es ist von den Fußsohlen aufgestiegen über die Knie hinweg zu den Hüften, und man hat von einer allgemeinen Polyneuritis gesprochen. Und nun ist es nicht bei den Schmerzen geblieben, die Finger spreizen sich nun nach Belieben auf eine sonderbare Weise. Wenn ich aus dem Schlaf erwache und das Bewußtsein sich wieder einstellt und ich meine Arme beugen will, finde ich sie verkrampft und muß sie langsam aus ihrer Spannung herausholen. Die Finger befinden sich in einem verworrenen Zustand, in einer chaotischen Verwirrung, sie sind wie Früchte, die vom Baum abgefallen sind und am Boden eintrocknen. Betrachte ich dann die Hände, so finde ich an den Fingern Veränderungen, die kleinen Gelenke sind aufgerieben. Davor nun stehe ich und rätsele: was bedeutet dies?*

Besucher konnten ein völlig anderes Bild von ihm gewinnen. Hermann Kesten, der im Sommer 1953 nach Mainz kam, schildert einen Mann, der »kaum sitzen und sehen« konnte und der »offenbar ständig Schmerzen« hatte, aber er habe komische Geschichten erzählt »und er lachte scheinbar ganz fröhlich, am lautesten von uns allen, seine Frau lachte freilich gar nicht«.

ERNEUTE EMIGRATION

Anfang 1953 besuchte Heuss den Kranken. Offenbar haben sie kein Wort über die Absicht zur neuerlichen Emigration gewechselt. Jedenfalls teilte Döblin dem Bundespräsidenten seinen Entschluss am 28. April als Neuigkeit mit. *Ich kann nach den sieben Jahren, jetzt, wo ich mein Domizil in Deutschland wieder aufgebe, mir resumieren: es war ein lehrreicher Besuch, aber ich bin in diesem Lande, in dem ich und meine Eltern geboren sind, überflüssig, und stelle fest, mit jeder erdenklichen Sicherheit: »Der Geist, der mir im Busen wohnt, er kann nach außen nichts bewegen.«*

Einen Tag später nahm er seinen erneuten Abschied von Deutschland und zog nach Paris um. Heuss antwortete ihm trotz einiger dazwischen liegender Reisen schon nach sechs Tagen. Er versuchte zu verstehen, den »Erwartungen und Enttäuschungen hinter seinen Worten« nahezukommen, wollte sich keine Illusionen machen über die Schwierigkeit, noch auf eine sichere Schicht von Lesern bauen zu können. Aber er vertraute doch auf die Jugend, auf ihre »Festigung von Gesinnungen und auch ein Fordern nach Qualität«. Das war nicht viel, klang ein wenig gewunden in seinem Bemühen um Verständnis. Aber was sollte oder konnte er auch mehr sagen? Aber der Abgang Döblins nach Paris ließ ihm keine Ruhe. Schon am 7. August wandte er sich erneut an den Schriftsteller. Es fiel ihm nicht leicht, ihn in Paris zu wissen: »Aber ich möchte dieses hoffen dürfen, dass die Atmosphäre, die Sie über das Sie tragende Familiäre hinaus umgibt, Ihnen über die Resignation hinaus, die den neuen Abschied aus Deutschland beschattet hat, eine Kräftigung und innere Freiheit zugleich geben und bestätigen wird.« Er beließ es nicht nur beim Briefwechsel, er schöpfte den Rahmen seiner gesetzlichen Möglichkeiten zur materiellen Hilfe für den Schriftsteller ganz aus.

Es gibt ein eindrucksvolles Schlussbild Döblins für seine Jahre in Baden-Baden und Mainz. Hanns Ulbricht, Sekretär der Literaturklasse in der Akademie, berichtet: »Auf einer Bahre brachten ihn zwei blaubeschürzte Bedienstete des Zentralhotels auf den Bahnsteig. Dort saß er, während sich seine Gattin um die Beförderung des Gepäcks etc. bekümmern musste, zusammengekauert, eine Decke auf die Beine gebreitet, auf einem wackeligen Stuhl – nahe der Geleise – im nur gespenstig erhellten Bahnhofsdunkel und in kalter rauchiger Zugluft, ein Großer der deutschen Literatur (...), verraten und verkauft, jedenfalls vereinsamt und verbittert, krank und müde, wenngleich sehr wachen Geistes. Mein Ohr zu seinem Mund geneigt (der alte Mann war erkältet, heiser und hustete), hörte ich ihn sagen: ›Das ist der Abschied!‹«

In der Nacht des 29. April 1953 fuhr das Ehepaar nach Paris. Er habe fest geschlafen und nichts geträumt, was er festhalten wollte. Er spielte den Vorgang eisern herunter, wollte keine Gefühle aufkommen lassen. Der jüngste Sohn, Stefan, erwartete die beiden. Im Rollstuhl fuhr Döblin in seine letzte eigene Behausung ein: eine Dreizimmerwohnung in der Nähe des Eiffelturms – 31, Boulevard de Grenelles im 15. Bezirk, am Marsfeld.

Man kann darüber rechten, ob sein Umzug nach Paris hinreichend begründet, notwendig oder sachlich gerechtfertigt war, aber die Antworten darauf zählen nicht. Was allein ins Gewicht fällt, ist die Versenkung in Trauer, die er bedeutete, die Ergebung in eine Einsicht, dass ihm unter den Nachkriegsdeutschen nicht zu helfen war und er bei ihnen nicht willkommen war, eine unüberwindliche Melancholie, der schwarz verhangene Horizont der Vergeblichkeit. Er war der Überlebende seiner verschollenen Bücher geworden und der Archivar seiner ungedruckten.

Manche Verbindungen rissen wie von selbst ab. Weder Ernst Kreuder noch der Sekretär der Literaturklasse, Hanns Ulbricht, wussten Arno Schmidt die Pariser Anschrift zu nennen, als er danach fragte. Sie hatten den Zettel verlegt. Es gab noch einmal ein Lebenszeichen von Brecht: Hans Henny Jahnn berichtete Döblin Mitte Mai, also wenige Wochen nach der erneuten Emigration, von einem wichtigen Gespräch, das er mit Becher und Brecht geführt habe. Er hatte Döblins traurige Abreise aus Deutschland beschrieben. Brecht fragte danach beim Direktor Engel der Deutschen Akademie der Künste an, was man für ihn tun könne. Brecht schlug vor, ihn nach Berlin zu holen, denn »wir schulden meiner Meinung nach die Einladung«. Jahnn übermittelte Döblin: »Man würde Ihnen ein Haus zur Verfügung stellen, ein akademisches Gehalt – ohne jede Verpflichtung, sodaß Sie sorgenfrei und angenehm leben könnten.« Johannes R. Becher, der an der Beratung auch teilnahm, schätzte die Lage realistischer ein: Er glaubte nicht daran, dass Döblin ein solches Angebot annehmen würde, und wollte ihm stattdessen »eine ständige Unterstützung aus der DDR« zukommen lassen. Davon war allerdings später nicht mehr die Rede. Döblin lehnte gerührt, aber unmissverständlich eine Übersiedelung in die DDR ab. Selbst wenn er sich überwunden und die politischen Vorbehalte hintangestellt hätte (was für sich schon nicht denkbar war), wäre ein unüberwindlicher Punkt geblieben: Erna Döblins nicht mehr stillzulegender Hass auf die Deutschen.

Im Juli 1953, nach seiner Entpflichtung vom Amt in der Mainzer Akademie, wurde er zu ihrem Ehrenpräsidenten gewählt. Ein Jahr später wurde ihm der Große Literaturpreis verliehen, um »den Dank der deutschen Nation (zu) bekunden«.

Zu seinem Geburtstag schickte ihm Günther Anders einen Gruß, der wie aus dem historischen Archiv anmutet. Er erinnerte voller Dankbarkeit daran, dass er selbst mehr als 20 Jahre zuvor mit einem Aufsatz über *Berlin Alexanderplatz* einen ersten Versuch unternommen hatte, vom akademischen Terrain ins Literarische hinüberzuspringen, »und dieser Sprung, den Sie letztlich veranlaßt haben, hat für mich entscheidende Folgen gehabt«.

IN PARIS

Am 24. Juli 1953 begründete er gegenüber Herbert Lewandowski noch einmal die erneute Emigration: *Mir kam vor, ich hatte in der Bundesrepublik wirklich nichts mehr zu suchen.* Der Dienst in der französischen Stelle war beendet. Döblins Bücher blieben in den Buchhandlungen liegen, verkamen zu Remittenden. Drei Bände *November 1918*: *mit dem Boycott des Schweigens* belegt, der *Hamlet* ungedruckt wie *Der Kampf mit dem Engel*, die Erzählung *Die Pilgerin Aetheria* und übriges. Die Öffentlichkeit, so sein Ingrimm, befasse sich mit Benn und Carossa. *Mit dem Fischer Verlag haben Sie recht, er hat schon in Amerika für mich keinen Finger krumm gemacht, Bermann ist ein Mann, an dem keine Beere hängt.* Ein kalauerndes Urteil; nicht zu entscheiden ist bisher, wie sehr es sachlich gerechtfertigt war. Niedermayer von Limes und Keppler hätten ihn fallengelassen; beide seien sie ins *Nazifahrwasser* gekommen. Ein wilder und höchst unangebrachter Vorwurf. Und dann (es war im Juli 1953) eine vergiftete Selbstironie: *Erfreulicherweise bin ich jetzt ziemlich kränklich, so daß ich nichts Neues produziere.* Gegenüber Pater Gorski nannte er als Grund: *Die Luft drüben wurde mir bedrückend,* allerdings erwähnte er noch einen anderen, privaten und durchaus erfreulichen: der jüngste Sohn mit seiner Familie wohnte ja auch in Paris. Diese erneute Emigration hatte trotz der zahlreichen Gründe, die man auflisten kann, etwas Planloses: Döblin nahm sich jeden Einfluss auf mögliche Verleger, er kappte die vorhandenen persönlichen Beziehungen, und er unterbrach seine medizinische Betreuung.

Er wohnte in dem ein Jahr zuvor erworbenen Appartement im ersten Stock.

Dem leidenschaftlichen Städtebewohner und Flaneur war der Blick auf Menschen verwehrt. Von seinem Fenster aus sah er nach oben, wo auf Höhe des zweiten oder dritten Stocks im Minutentakt die Metrozüge vorbeirauschten und das Mobiliar erzittern ließen. Die Züge auf ihrem stählernen Gerüst waren seine Passanten. Sie spielten ihm die Bewegung vor, zu der er selbst nicht mehr fähig war. Die Menschen in den Waggons konnte er nur als verwischte Schemen wahrnehmen. 13 Jahre zuvor war er noch ein passionierter Parisbewohner gewesen. Die Stadt hatte ihm zwar nicht den Verlust Berlins ersetzen können, aber doch davon abgelenkt. Mühsam und nur gelegentlich konnte er, mit Hilfe seiner Frau, zu einem nahen Kinderspielplatz schlurfen und sich von der Sonne wärmen lassen: *Sie ist erfreulicherweise kein nationales Monopol, man kann auf dem Kinderspielplatz unter dieser Sonne von Politik absehen.* Gelegentlich wurde der Gottesdienst in der nahen Kirche besucht.

Seine Klause, die man sich als Asyl des Nachdenkens, als Zelle einer mönchischen Abgeschiedenheit, als Fremdlingsgehäuse vorstellen kann, war mitbewohnt von einem betagten Kampfgefährten: seinem Schreibtisch. Schon in der vermutlich ersten selbständigen Wohnung, die der junge Kassenarzt in der Blücherstraße bezog, hatte er daran geschrieben und Rezepte ausgefertigt; das Möbel machte die Umzüge in Berlin mit, eine verschnörkelte Trophäe aus dem schnitzwerkverliebten Historismus. Zur vorläufigen Ruhe war der Schreibtisch auf dem Pariser Speicher einer Spedition gekommen – eingelagert vor der Flucht 1940. Nun also war er wieder im Dienst, wenn auch in einem stark eingeschränkten: Döblin konnte den Bleistift kaum mehr halten: *Ich sitze an meinem Schreibtisch, und wahrhaftig, ich schreibe hier oder tue so, als ob ich schreiben will. Es ist kein Wunder geschehen an meinen Händen, aber ich habe eine kleine Bobachtung gemacht. Infolge der Vereisungsgefühle in den Händen trage ich gelegentlich im Zimmer einen Handschuh, und so nahm ich auch einmal einen Bleistift in die Hand, und siehe da, er rollte und sprang mir nicht einfach weg, er blieb an seinem Platz. Das war eine Entdeckung. Und so schreibe und notiere ich jetzt. Mir scheint, es ist zwar nicht meine alte Handschrift, aber sie ist, verzerrt, doch immerhin lesbar.*

Der Autor, der früher den triumphalen Sieg seiner Schreibkraft zu allen Gelegenheiten und an allen Orten betont hatte, der sich als stets präsente Ambulanz seiner Stoffe und seiner Phantasie verstand, lobte nun seinen stationären Ort und dessen Symbol, den Schreibtisch. Er hatte ihn in den zwanziger Jahren fotografieren lassen, und Döblin, obwohl ansonsten ein Modernist, liebte dieses vorsintflutliche Stück im Stil der Neorenaissance. In seinem Gesichtsfeld stellten sich auch andere Teile des Mobiliars wie Sessel und Bücherregal wieder ein, und sie schufen die Illusion, man könne von vorne anfangen. Die Bücher, erworben zum Teil noch in seiner Studienzeit, bildeten seine Klagemauer: *Ich kann, wenn ich dieses großmächtige Bücherregal mit seinen hunderten Büchern betrachte und vor ihm stehe, täglich und stündlich beten, und habe alle Weisheiten der letzten Jahrhunderte schwarz auf weiß vor mir und kann mir an die Brust schlagen und mir einen Gebetsmantel über die Stirn ziehen und die alten Psalmen weinen.* Er dachte über den Tod nach, nicht nur vom ärztlichen Standpunkt aus: Er fragte nach der Verbindung des Geistes mit den inneren Organen, die er *das anmaßende kuriose Pack* nannte – die verschollene Frage des Studenten der Psychiatrie. Weitere, nicht von der Stelle kommende Gedankenspiele kreisten um die Spannung von Geist und Natur, um den Charakter der *Lust.* Das Leben? *Unübersichtlich für uns läuft es ab, unser Schicksal entscheidet sich nicht. Man soll diese Mischung nicht überblicken.* Eine andere Szene folgt: die Erstkommunion von Mädchen in einer Kirche. Döblin beschreibt den Auftritt der Schülerinnen, hält ihre Choreographie fest, ihren Ausdruck. Ein religiöses Bild, aber das Bezeichnende ist, dass es isoliert steht, dass die Reflexionen über Gott und die Betrachtungen über Natur und Geist durchaus getrennt voneinander existieren, dass sie sich nicht mischen. Und doch drängten die beiden Bereiche der Natur und der Religion auf Berührung. Ihn bewegte wieder die Vorstellung eines prozesshaften Denkens, das gleich weit entfernt ist von den Gewissheiten der Philosophen wie von der christlichen Orthodoxie.

Die Einsichten der Naturwissenschaftler reichten ihm nicht aus. Für ihn galt, auch von der Botschaft der Mystikerin Therese von Avila auszugehen, dass Gott die unveränderliche, über die Zeit erhabene Größe sei und wir an ihr teilhaben sollen. Aber Döblin wusste, dass ihm diese Versöhnung von Wissenschaft und Gottesglaube nicht gelingen sollte: *Von sich aus kann der Einzelne die Lösung des Rätsels und die Befreiung nicht finden.*

Diese Notate waren von Anfang an mit der Versuchung zum Verstummen infiziert. Das *Journal* will sein Vorhandensein rechtfertigen, ist aber vom Versiegen der Worte gefährdet. Sein Urheber möchte sich in philosophischer Reflexion der Aufklärung widmen, aber es ist von seinem nicht mehr aufhebbaren Unglück verdunkelt. Es markiert Lücken, die als die Satzzeichen des Schweigens lesbar sind. Selten nur leuchten Reminiszenzen an gesteigerte Pariser Augenblicke auf. Einige Male unternahm er in Begleitung seiner Frau den Abstieg auf den Boulevard, aber meistens saß er zu Hause und blickte nach draußen. Er nannte das Meditieren. *Wir sind tausend Fäden Irrsinn, meine Erinnerung wird schattenhafter, und ich denke, oder es denkt in mir, spielend, willkürlich, – ich lasse es gehen. Ich schlafe ein, abends, ich nehme selten ein Medikament. Und im Schlaf kommen Träume, besser entwickeln sich, wie in einer Wüste Oasen von Existenzen, die vor mich gebracht werden und an denen ich teilnehme. So erschienen in der letzten Zeit Oasen, die förmlich Glück ausstrahlten, wie ich es nie kannte. Ein wundervolles Dasein. Was war es eigentlich, was ist das eigentlich? Ich hatte die Antwort bald bei der Hand. Ich dachte ja viel auf meine Weise über Tod und Leben nach, und ich hatte nun die himmlische Grenze des Lebens überschritten und strömte in das Reich des Überlebens ein. Wie endet das Leben? Mit dem Tod? Aber der Tod ist ein leeres Wort.*

Außer Wilhelm Hausenstein und Robert Minder, der ihn zwei- bis dreimal in der Woche besuchte, kam kaum jemand vorbei. *Natürlich bin ich hier völlig einsam, lebe wie in einer Mönchszelle, aber das gehört wohl zu meinen 75 Jahren; in Mainz machte* (ich) *noch immer Anstrengungen, dem Boycott des Schweigens auszuweichen.* Das schrieb er an Heuss bereits am 31. Mai 1953 aus Paris. Dort hatte er kaum noch Gelegenheit, der Stille um ihn herum zu entrinnen.

Er wollte das *Journal* nicht mehr lange weiterführen. *Es lohnt nicht, zu lange auf die Zeit zu blicken. Klarheit über das Grundsätzliche tut not.* Noch 15 dichte Buchseiten lang führte er sie fort. Es sind schüttere Notizen: die Zitate stammen aus dem Ungefähr der Erinnerung, ihr Zusammenhang ist nicht stringent ausgeführt.

Er dachte über den Ursprungsgrund Gott und über die menschliche Existenz nach, musste seine Aufzeichnungen unterbrechen, denn er wurde erneut krank. Als er wieder kritzeln oder diktieren konnte, nahm er den Gedanken *vom Ursprung und der Geschichte* sofort wieder auf, aber er fand nicht in diesen Zusammenhang hinein. Er registrierte vielmehr die Art seines Denkens, eine Art Wachträumen in Bildern: *Wie Lichtgebilde flossen sie oft über- und durcheinander, sie nahmen auch verschiedene Farben an. Bisweilen glühten sie und blühten bunt auf, es war herrlich anzusehen. Und daß ich es nicht vergesse: sie stellten sich nicht stumm hin, sondern erwiesen sich bald als ein tönendes Ensemble, als ein ganzes Orchester, manchmal war es ein bloßes reines, fast stoffloses Summen und langgezogenes Zirpen, das schlug aber um und nahm größere und größere Stärke an in Momenten bis zur Stärke einer Orgelmusik von einer großen nie zu beschreibenden Schönheit.* Er hielt es für die *Urgedanken, die Urgebilde,* für etwas dem Garten Eden Ähnliches. Das Bemühen, diese Bilder und Musiken in einem göttlichen Kosmos zu verankern, kann man auch als flehenden Versuch lesen, einen schwindenden oder löchrig gewordenen Glauben mit zusätzlichem Stoff zu versehen. Das *Journal* ist sein vorletztes Schreibexperiment. Es richtete sich nicht mehr auf die Erschaffung einer fiktionalen Welt, sondern darauf, über der Betrachtung seiner

Existenz ein Netzwerk von Hauptsätzen zu bilden. Zum Abschluss konnte ein solches Unterfangen nicht kommen, der lag außerhalb der Sprache.

LOCKRUF AUS BERLIN

Seine Isolation wurde am 10. August 1953 in Paris mit der Feier des 75. Geburtstages unterbrochen. Viele Briefe und Karten trafen ein, zahlreiche Würdigungen erschienen in der Presse, er war keineswegs so vergessen, wie er unterstellte oder wie sich an den geschrumpften Auflagenzahlen seiner Bücher vermuten ließ.

Unter den Gratulanten befand sich auch der West-Berliner Senator für Volksbildung, Joachim Tiburtius. Mit seinem Namen verbindet sich ein bisher nicht beachteter, nobler Versuch, Döblin wieder mit Berlin zu verbinden. Tiburtius erinnerte in seinem Schreiben an Gespräche bei Döblins erstem Berlinbesuch 1947 und an Unterhaltungen in Baden-Baden ein Jahr später. Er hielt die religiösen Schriften, vor allem das Religionsgespräch über den *Unsterblichen Menschen,* »für unsere Besinnung gerade in dieser Stadt, die gegenwärtig an der Grenze des Bereiches der persönlichen Freiheit liegt, von unschätzbarer Bedeutung«. Sechs Wochen später, am 18. September 1953, kam er mit einem Vorschlag. Er stellte Döblins Verbundenheit mit Berlin und seine literarischen Zeugnisse über die Stadt heraus. »Vom Bewußtsein dieser Verbundenheit ist nur ein Schritt zu der Frage, ob Sie nicht Berlin zum künftigen Wohnsitz wählen möchten. Ich würde eine schöne Verpflichtung darin sehen, im Rahmen der gegebenen Möglichkeiten (die freilich nicht von mir allein abhängen) alles zu tun, was Ihrer wirtschaftlichen Sicherung dienen kann.« Der Brief ist ein Zeugnis guter Gesinnung, überlegenen Takts und der Zuneigung für den Autor; vermutlich war er mit der Rückendeckung des Regierenden Bürgermeisters Ernst Reuter (der wenige Monate danach starb) geschrieben. Kurz vor Weihnachten antwortete Tiburtius auf (bisher nicht wörtlich bekannte) Einwände der Döblins ausführlich. Am 2. Oktober hatte Erna Döblin wohl mitgeteilt, dass die beiden ihren Wohnsitz nicht nach Berlin verlegen könnten und dass wohl der Verlust der französischen Staatsbürgerschaft drohe, wenn ihr Mann die deutsche wieder annähme und die beiden in Berlin wohnen würden. Tiburtius hielt dagegen und machte einen Kompromissvorschlag, der fast nicht abzulehnen war: »Nach den Feststellungen meiner Senatsverwaltung wäre es jedoch möglich, daß Sie in Berlin einen sogenannten zweiten Wohnsitz nehmen, ohne Ihren ersten Wohnsitz in Paris aufzugeben. Außerdem haben Sie als Emigrant einen Rechtsanspruch auf die deutsche Staatsangehörigkeit. Den Verlust Ihrer französischen Staatsangehörigkeit würde die erneute Zubilligung der deutschen Staatsangehörigkeit nicht zur Folge haben.« Tiburtius baute goldene Brücken: Er wollte eine »zusätzliche wirtschaftliche Sicherung für Sie« erwirken, die Bedingung sei nur der zweite Wohnsitz in Berlin, »vielleicht im ganzen ein Drittel- oder Vierteljahr«. Auch wollte er sich um ein Sanatorium kümmern. Aus dem Entschädigungs- und Wiedergutmachungsverfahren war in nächster Zeit nichts zu erwarten. Er sprach jedoch nachdrücklich von einem »Rechtsanspruch«, den Döblin habe, und schlug zunächst einen anderen Weg vor, wozu der Exilant allerdings seine deutsche Staatsangehörigkeit wieder beanspruchen musste. Da diese Entscheidung Döblins auf sich warten ließ (oder von Erna verhindert wurde), fand Tiburtius eine Zwischenlösung: Er ließ ihm am 22. Februar 1954 eine Ehrengabe von 5000 DM aus dem Kulturfonds der landeseigenen Zahlenlotterie übermitteln. Daraufhin wollten sich die Döblins auf den Weg machen, um die Lebensmöglichkeiten in Berlin wenigstens zu erkunden, aber die schwere Krankheit des Schriftstellers und seine Einweisung in die Freiburger Universitätsklinik verhinderten die Reise. Tiburtius quittierte die Nachricht mit großem Bedauern und überwies telegrafisch einen »Restbetrag«: weitere 3000 DM aus Lottomitteln.

Nachdem eine Übersiedelung gescheitert war, brachte sich Tiburtius immer noch mit Hinweisen auf den Berliner Döblin in Erinnerung: »Berlin und die Berliner haben allen Anlaß, Ihnen für Ihre Anhänglichkeit aufrichtig dankbar zu sein.« Noch am 15. Januar 1957 dankte er Döblin mit bewegten Worten für die Zusendung des *Hamlet* und schickte ihm Neujahrsgrüße. So ist dieser einzige Versuch, Döblin aus Paris wieder zurückzuholen, zwar gescheitert, aber er steht im Widerspruch zum Mythologem vom gänzlich missachteten Nachkriegsschriftsteller und der sorglosen Nichtbeachtung seiner Person.

GERÜCHT VOM HUNGERSTREIK

Erna Döblin dramatisierte die materielle Lage in einem Brief an Walter von Molo und behauptete, dass ihr Mann in Hungerstreik getreten sei. Sie setzte damit eine Fama in die Welt, die sich sofort der Presse bemächtigte. In der DDR kursierten Meldungen, Döblin lebe unter der Armutsgrenze, woraus ein Indiz für die Refaschisierung Westdeutschlands herausgegründelt wurde. Die kommunistische Presse, auch die in der Bundesrepublik, druckte die Behauptungen reichlich nach und steigerte die Elendsprosa zu schrillen Gerüchten: »Heute und morgen« behauptete, er liege »mit Hungerödemen völlig entkräftet über vier Monate in einer Freyburger (!) Klinik«. Aber auch in der »Welt« erschien eine Tatarenmeldung, die mit der Überschrift versehen war: »Kapital aus dem Armengrab. Ein deutscher Schriftsteller trat in den Hungerstreik.« Als der letzte preußische Kultusminister in der Weimarer Republik und nunmehrige Generaldirektor des NWDR, Adolf Grimme, ihm zum Geburtstag gratulierte, schickte er ihm den Geldbriefträger. Vom Unterschreiten der Armutsgrenze konnte jedoch keine Rede sein. Der Generalsekretär der Mainzer Akademie, Helmuth Scheel, war seit 1953 mit großer Umsicht und Zähigkeit darauf bedacht, von allen möglichen Stellen Unterstützung zu besorgen. Er koordinierte in den letzten Lebensjahren Döblins die Hilfe für das Paar, übernahm die Sammlung und Auszahlung der Spenden. Er organisierte, dass den Döblins von der Akademie 7500 DM in drei Raten als Darlehen gewährt wurden. In der Akademie wurde später eine elegante Lösung für das Darlehensproblem gefunden: Döblin wurde einstimmig der mit 10000 DM dotierte Akademiepreis zugesprochen, die ausgezahlten Summen wurden als Vorauszahlungen deklariert, und eine vierte Rate in Höhe von 2500 DM war damit fällig. Döblin dankte Ende Oktober für diese Ehre und flocht einen Sarkasmus ein: *Lassen Sie sich die Hand schütteln, aber rücken Sie dazu etwas näher, sonst falle ich aus den Pantinen.* Im Oktober 1954 trat der Schriftsteller den auswildernden Gerüchten mit einer Klarstellung entgegen: *Ich bin also niemals aus Protest und Verzweiflung über meine hoffnungslose Lage in Hungerstreik getreten. Ich bin mit 76 Jahren ein alter Mann, aber keiner von denen, über die man zur Tagesordnung übergehen kann, weil sie vom Leben zermürbt sind. (…) An die Öffentlichkeit habe ich mich nicht gewandt. Mir wurde private materielle Hilfe zuteil, und ich habe keine Schulden hinterlassen. Ich bin nicht gesund geworden, vermag nicht selbst zu schreiben noch zu essen, noch allein zu gehen, vom Herzen schweige ich, aber ich sitze wieder in meinem eigenen Zimmer in Paris.*

Am 4. Juli 1954 erhielt er in der Freiburger Universitätsklinik durch Scheel die Urkunde der Akademie über seine Ehrenmitgliedschaft ausgehändigt. Von den literarischen Qualitäten des Geehrten hielt der Mainzer Generalsekretär wenig, aber er ließ es bei der technischen Bewältigung des Problems Döblin an nichts fehlen. Er verschaffte ihm Medikamente, die in Paris fehlten oder zu kostspielig waren wie »Cedilanid 2 Flaschen« für den Kreislauf, »Medinal« und »Evipan« zu je »4 Röhren«. Erna Döblin wusste das zu schätzen und zu loben: »Die Akademie verhält sich großartig«, schrieb sie am 8. August 1954 an Walter von Molo. Auch ein Oberstadtdirektor E.W. Lotz aus Braunschweig kümmerte sich um die finanzielle Ausstattung Döblins. Er hatte in Erfahrung gebracht, dass Hessen für Schriftsteller in Not eine Monatsrente von 600 DM aussetzen konnte und wollte nun wissen, ob Döblin bereit sei, dauerhaft nach Hessen zu übersiedeln, um die Voraussetzung zu erfüllen. Bei der entschiedenen Weigerung Erna Döblins, in Deutschland zu leben, war der Erfolg dieser Bemühung von vornherein illusorisch. Hans Henny Jahnn war über ihre Rolle zeitweilig sehr erbost. Er hatte erwirkt, dass die Funklotterie des NWDR mehrere Monate lang 300 DM zahlen wollte, aber Döblins Frau wies die Summe mit der Bemerkung zurück, sie wollten keine Almosen, und verwies auf den Wiedergutmachungsanspruch, der allerdings nicht das Geringste mit der karitativen Geste aus Hamburg zu tun hatte.

Erna Döblin ging die Rosins ein letztes Mal um Hilfe an. Sie wollte die Finanzierung einer amerikanischen Übersetzung von *Berge, Meere und Giganten* erreichen. »Würden Sie sich dafür interessieren? Ein Erfolg wäre nicht nur eine Quelle der Freude für meinen Mann, sondern würde uns materiell eine gewisse Beweglichkeit im wahrsten Sinne erlauben, z. B. meinem Mann gestatten, öfter mal ein Taxi zu nehmen und eine andere Ecke der Stadt zu betrachten. Taxis sind das einzige Vehikel mit dem er sich noch bewegen kann.« Arthur Koestler hatte in einem Artikel, der in »Preuves« erschienen war, auf den Roman Bezug genommen. Ein Kollege als Arzt, Schriftsteller und Emigrant, Karl Theodor Bluth, schickte ihm einen Gedichtband »Der Gang des Lebens«, und Döblin bedankte sich Anfang November 1953 dafür. Er bedauerte, dass das Buch in London erschienen sei und nicht in Deutschland. *Lieber Kollege, es ist gänzlich hoffnungslos; ein tief verdorbenes, von seiner Oberschicht mißleitetes hilfloses Volk. Aber lassen Sie uns ruhig weiterdichten; es fällt ins Leere.* Zu diesem Zeitpunkt, 1954, begann sich jedoch das Blatt allmählich wieder zu wenden. Eine Lizenzausgabe von *Berlin Alexanderplatz* beim Ost-Berliner Verlag »Das Neue Berlin«, abgeschlossen im Mai 1955, erbrachte ein Pauschalhonorar von 6000 DM, ein Taschenbuchvertrag über den gleichen Titel beim Frankfurter Verlag »Das Goldene Vlies« 4000 DM Garantiesumme. Es bleibt fraglich, ob Döblin diese Vorgänge überhaupt noch zur Kenntnis bekam. Er beschrieb dem Arztkollegen seinen Gesundheitszustand – *und hoffe sehnlich auf den coup mortel.* Gegenüber seinem ehemaligen Mitarbeiter im »Goldenen Tor«, Wolfgang Lohmeyer, der nun im Bertelsmann Lesering in Gütersloh arbeitete, fand er noch einmal zu alter, aber klirrender Launigkeit: *Wie mich meine eigenen Bücher vom Regal angähnen. Und die Klassiker gähnen mit, und endlich versteht man das Wort ›gähnial‹. Sie fragen nach Paris; ich höre, es soll hier herum liegen, ich stör es nicht.*

In den späten Briefen gibt es einen Findling: einen auf Französisch geschriebenen kurzen Brief an seine Frau Erna, »Noel 53«, in dem auf Auseinandersetzungen verwiesen werde, aber auch auf unveränderliche Zuneigung. Ein

Schreiben der Demut und der Entschuldigung für Misshelligkeiten, zu Weihnachten 1953. Er behauptete, dass er für seine Umgebung *immer nur fast eine Last* gewesen sei, aber sie habe *diese Felsenlast getragen*. Gegenüber Minder, so dessen Erinnerung, behauptete er hingegen, seine Frau habe immer nur die Manuskripte abtippen wollen – verstanden habe sie nie etwas davon.

1954

Als er im Januar 1954 Theodor Heuss zum 70. Geburtstag gratulierte, konnte er auf eine lange gemeinsame Wegstrecke zurückblicken: *Ich habe Sie, lieber Heuss, schon in Berlin gekannt, wir standen in den besten kameradschaftlichen Beziehungen, wir gehörten als Schreiber beide zum Hauptvorstand des Schutzverbandes deutscher Schriftsteller, saßen an der Potsdamer Brücke zahllose Male zusammen und bedachten und berieten unsere Angelegenheiten. Es kam der Riß*. Der Brief zeigt Döblin auf der Höhe seiner menschlichen Wärme, seines Verständnisses und seiner Hochachtung. Unverkennbar grüßte er Heuss als den Zeugen einer besseren Vergangenheit. Er selbst war zur Untätigkeit verurteilt und konnte Anfang 1954 Walter von Molo nur mitteilen: *Ich will von uns noch in dem nur angebrochenen neuen Jahr melden, daß ich nichts zu melden habe.*

Erna Döblin war mit der Betreuung überfordert und suchte nach Entlastung. An die Molos berichtete sie Mitte Februar 1954 über den Zustand ihres Mannes in den vergangenen zehn Monaten, die er in Paris verbracht hatte. Es gehe ihm sehr schlecht, sein Parkinson sei so weit fortgeschritten, »daß er weder gehen noch stehen kann«. Sie habe in Paris keine entsprechende Klinik gefunden. »Nur die letzten 3 Nächte hatte ich eine Wache (kostet ein Vermögen), der Arzt warnte mich, der hiesige Neurologe hatte schon voriges Jahr verlangt, daß ich ihn in ein Heim gebe. Damals konnte ich es nicht über mich bringen, es sollte gehen.« Niemand habe in Paris den Patienten zu erträglichen Kosten aufnehmen wollen. Mit ihren bescheidenen Mitteln sei auch keine Hauspflege möglich. Es bleiben Zweifel an dieser Darstellung Erna Döblins. Die beiden verfügten in Paris noch immer über ausgezeichnete Verbindungen, mit deren Hilfe eine medizinische Betreuung des Kranken doch wohl auch in Frankreich möglich gewesen wäre. Vielleicht wollte Erna Döblin mit der Spekulation auf deutsche Kliniken und Sanatorien eine zeitweilige räumliche Distanz zu ihrem Ehemann schaffen. Im übrigen war der Kranke in Paris der öffentlichen Aufmerksamkeit entzogen. Die erneute Emigration nach Frankreich kaum ein Jahr zuvor erwies sich nun als eine peinigende Sackgasse: Der Versuch, Deutschland endgültig hinter sich zu lassen, war misslungen, der Widerruf dieser Entscheidung erschien unausweichlich, um eine materielle Basis aufrechterhalten zu können. Döblin hat, so Anton Betzner, einst den Wunsch gehegt, sein Schreibtischstuhl müsse aus Granit sein und im Erdmittelpunkt verankert. Nun wurde er selbst zum Transportgut auf der Bahre und eine ambulante Existenz. Rasch fortschreitende Krankheiten zwangen ihn zu langen Aufenthalten in Freiburger Kliniken, wo er ein halbes Jahrhundert zuvor Psychiatrie studiert hatte, und in Schwarzwälder Sanatorien, erstmals von Februar bis September 1954. Seine letzten dreieinviertel Jahre brachte Döblin fast die ganze Zeit in deutschen Krankenhäusern und Kurheimen zu.

Der letzte Abschnitt begann, und er könnte die Überschrift tragen: Der Passionsweg des Körpers. Das Martyrium, das Alfred Döblin von Ende Februar 1954 an für einen Erdenrest von 40 Monaten erlitt, exerzierte noch einmal das Unglück und die Katastrophen dieses Lebens vor. Ein halbes Jahrhundert zuvor hatte der Medizinstudent die inneren Organe und ihre Funktionen studiert, nun erlernte er sie noch einmal: als Stationen des Kreuzwegs, die Namen tragen wie Augen, Gehör, Wirbelsäule, Blase, Prostata und Herz. Nach und nach wurden sie untüchtig und stillgelegt. Es sind Abschnitte im Atlas seiner Leiden, aber es wäre würdelos, seine Gebrechen und Hinfälligkeiten mit aller Gründlichkeit zu beschreiben … Ein immer engerer Kreis zog sich um den Nullpunkt seiner Existenz.

Im April 1954 wurde Döblin für drei Wochen im Baden-Badener Sanatorium Quisiana aufgenommen. Es sollte sich nur um eine Zwischenstation zur Regeneration für den Probeaufenthalt in West-Berlin handeln, aber es kam anders, und Tiburtius musste seine Pläne, Döblin wieder an die alte Hauptstadt zu binden, fallenlassen.

Unter Lebensgefahr wurde er wegen starker Blutungen nach Freiburg verlegt. Erna fuhr wieder nach Paris, um sich nach Unterbringungsmöglichkeiten zu erkundigen, aber alles scheiterte am Geld. So stellte sie es wenigstens dar: »Was aus uns werden soll, weiß ich nicht. Ich habe mich an Heuss gewandt, den wir ja seit langen Jahren gut kennen, wir haben Entschädigungsansprüche von 53 000 M, aber es scheint, daß d. Gesetz noch immer nicht die anerkannten Forderungen zur Zahlung freigibt – an Nazigenerale werden aber Renten bezahlt. Man muß sich ergeben, es hilft alles nichts. Literarische Hoffnungen haben wir auch nicht mehr.« Gemessen an den Bemühungen, die von vielen Seiten für das Paar unternommen wurden, handelte es sich bei solchen Behauptungen um eine stereotype Verkennung der Realität. Döblin erhielt in diesen schwierigen Jahren Zuwendungen vom Schutzverband deutscher Schriftsteller, aus der Funklotterie, der Künstlerhilfe des NWDR, von einer Buchgemeinschaft, der Rudolf-Alexander-Schröder-Stiftung, auch aus dem Präsidialfonds des Bundespräsidenten Heuss und von einigen anderen Stellen mehr. Die Künstlerhilfe des Süddeutschen Rundfunks, von Thomas Mann und Wilhelm Sternfeld gedrängt, beteiligte sich ebenfalls mit Zuwendungen, und auch André François-Poncet trug mit nochmals 2000 DM sein Scherflein bei. Ein Ehrensold der Akademie scheiterte an den gesetzlichen Bestimmungen: Einem Mitglied der Institution durfte keine laufende Vergütung ausbezahlt werden.

Döblin gratulierte Ende April 1954 Hans Henny Jahnn zu seinem 60. Geburtstag und mahnte ihn zum Stoizismus. Die politischen Verhältnisse tat er ab: *Es werden uns Schriftstellern und Dichtern weder Geburtstage noch Todestage etwas helfen, um in Deutschland unsere Vereinsamung zu zerbrechen. Man wird sich unverändert weiter um die sogenannte Vereinigung Deutschlands, um eine neue Uniform, um Wachstum der Industrie und um den Glanz des Staates bemühen.* Es komme einzig darauf an auszuharren: *Die Dinge werden nicht immer so bleiben.* Da hatten sich zwei Gleichgesinnte in ihrer Kränkung durch Nichtbeachtung gefunden.

Was Alfred Döblin (am 14. Juni 1954) seiner abwesenden Frau mitteilen ließ, war sein Geschick geworden: nicht mehr mit eigener Hand schreiben zu können, sondern ganz auf fremde Hilfe angewiesen zu sein: (...) *ich wollte Dir jeden Tag schreiben, aber, keine Möglichkeit für mich, keine Hände, kein Papier.* Er lag ziemlich lange allein. Eine Frau Wehrle, die seine Briefe schrieb, war außer dem Klinikpersonal die einzige Besucherin. In dieser Isolation fragte er bang nach Paris: *Wie geht es Dir? Was hast Du also mit mir vor? Ich bin ja nur noch ein Objekt und rebelliere auch nicht.* Er wäre gerne bei der Gedächtnisfeier dabei gewesen, die für Wolfgang in Paris am 17. Juni 1954 veranstaltet wurde. Frau Wehrle arrangierte in seinem Krankenzimmer etwas für ihn. Zu diesem Datum ließ er an seine Frau voller Ergebung schreiben: *Liebe, liebe Erni, laß Dich herzlich umarmen und küssen und sei ein gnädiger Gott mir, der mir meine Schuld nicht nachträgt.* Was konnte mit der erwähnten »Schuld« wohl gemeint sein? War es die Formel aus dem Vaterunser, die er übte: »Und vergib uns unsere Schuld wie auch wir vergeben unseren Schuldigern«? War es so gemeint? Oder buchstabierten die beiden das Mäander ihrer Ehe nach? Sehr wahrscheinlich aber bezog er sich auf die Schuld, die er gegenüber dem toten Wolfgang empfand, eine Schuld der persönlichen Kälte und der abweisenden Distanz, von der er auch schon früher gesprochen hatte. Erna Döblin hat sie ihm immer wieder vorgeworfen, so dass sie als Gefühl der Vergeblichkeit und der Verzweiflung verdoppelt auf ihn zurückschlug.

Bis Ende Juli 1954 lag er in der Freiburger Klinik. Erna Döblin berichtete: »Dabei ist er von einer unerschöpflichen geistigen Frische, ja Heiterkeit, voll Interesse, ja dankbar für jeden Menschen, der zu ihm kommt.«

Robert Minder wollte einen Coup landen und forderte die Mainzer Akademie im ersten Drittel 1955 auf, Döblin für den Nobelpreis vorzuschlagen. Zahlreiche Briefe wurden in dieser Angelegenheit gewechselt. Die Naturwissenschaftler nahmen sich der Sache an. Sie hatten zwar Verbindungen nach Stockholm, aber nicht zum Komitee, das für den Literaturnobelpreis zuständig war. So verlief die Angelegenheit nach einiger Zeit im Sande.

Döblin nannte Deutschland nun neutral das Land, *in dem meine Sprache wurzelt.* Erna Döblin wusste um die Verlegenheit, die darin bestand, dass er sich nach seiner erneuten Emigration wieder in Deutschland einfinden musste, weil ihm nach ihrer Auffassung in Paris nicht zu helfen war. Sie wollte gegenüber den Rosins den Punkt umschiffen und legte Wert auf die Behauptung, ihr Mann sei nicht nach Deutschland gefahren, um sich kurieren zu lassen. Vielmehr habe er eine Ehrengabe der Stadt Berlin erhalten, »um ihm einen Aufenthalt von einigen Wochen dort zu ermöglichen, da ein Volkssenator sich dafür interessierte«. Das war eine vage Umschreibung des Angebots, das Tiburtius gemacht hatte. Auch die Freundlichkeit aus Berlin passte nicht in das Bild, das sie sich über die Deutschen zurechtgelegt hatte.

Am 7. September 1954 besuchten ihn im Schwarzwaldort Friedenweiler Peter Huchel, Hans Mayer und der Lyriker Eberhard Meckel. Huchel und Hans Mayer kannten das Gerücht, er sei bedürftig und sei wegen seiner ausweglosen Situation in Hungerstreik getreten. Sie wollten sich durch Augenschein von seiner Lage überzeugen. Der Tag verdient besondere Beachtung. Hans Mayer hat noch nach zehn Jahren den Eindruck memorieren können, als wäre der Besuch am Vortag geschehen: »Er hatte ein schönes Zimmer, wirkte sehr klein und ausgezehrt, wie er so dalag auf dem Sofa, zurückgelehnt, oft mit geschlossenen Augen, in Decken gehüllt. Er wirkte beim ersten Anblick wie ein Sterbender, aber der Anblick täuschte. Natürlich war zu erkennen, daß man einen unheilbar Kranken vor sich sah, sehr matt und erschöpft sah er aus. In Wirklichkeit hatte ihn unser Besuch merklich belebt. Er freute sich über das Gespräch, was heißen sollte: er war zum Streiten aufgelegt. Sein Gedächtnis war nach wie vor großartig. Er hatte alles gelesen und wußte, wovon er sprach. In Dingen der Literatur und Politik war er von Altersmilde und Nachsicht weit entfernt.«

Huchel trug zwölf Tage später an Erna Döblin seinen Eindruck nach: »Professor Mayer und mir ist die Stunde, die wir mit Ihrem Mann verbringen durften, unvergeßlich. Welche Kraft, Klarheit und Heiterkeit des Geistes gingen von ihm aus. Wir waren sehr bewegt, als wir uns von ihm trennten.« Bei den Unterhaltungen kam man auch auf den *Hamlet* zu sprechen. Die Besucher konnten nicht verstehen, dass Döblin bislang keinen Verlag für den Roman gefunden hatte. Huchel versprach neben Teildrucken zweier Kapitel in der Ost-Berliner Zeitschrift »Sinn und Form« eine Publikation des *Hamlet* in der DDR. Das war, gemessen an den kulturpolitischen Widrigkeiten, die er selbst erfuhr, ein geradezu kühnes Versprechen. Alfred Döblin hatte, was dieses *Erzählwerk* betraf, anscheinend nach drei Jahren der Suche die Waffen gestreckt, aber nun trat unerwartet eine Wende ein. Eberhard Meckel holte das Manuskript beim Alber Verlag ab und schickte es an den Herausgeber von »Sinn und Form«, Huchel beeilte sich mit der Lektüre. Bereits zwei Wochen nach Erhalt des Konvoluts kündigte er Döblin den Abdruck eines Kapitels in »Sinn und Form« an und fügte hinzu: »Hochverehrter Herr Dr. Döblin, wie altbacken, wie erfindungsarm kommt einem plötzlich die ganze vielgerühmte modische Epik vor, wenn man Ihren Roman gelesen hat, der, ich kann es nicht anders sagen, einen im Tiefsten aufrührt und dessen Wert sich keineswegs mit rein literarischen Maßstäben bestimmen läßt – obwohl ich niemanden weiß, der wie Sie so souverän die vielfältigen Möglichkeiten der Komposition beherrscht und dabei so sparsam im Ausdruck und so reich an Sinndeutung ist –.« Aber ein konkretes Angebot ließ vorläufig auf sich warten.

Acht Monate hat Döblin in Kliniken und Sanatorien verbracht, bis er am 16. September 1954 nach Paris zurückkehren durfte. Von dort ließ er zwei Wochen später an Peter Huchel schreiben; das Wichtigste war ihm die Entscheidung über eine Publikation des Buches. Er ließ es sich nicht nehmen zu mahnen und verband damit einen Rückblick auf den bisherigen Misserfolg seines Manuskripts. Nach seiner Darstellung war es *lange Monate* bei Piper gelegen, sodann beim Kiepenheuer Verlag, zuletzt beim Wiener Herold Verlag, schon *über 1 Jahr*.

Der fast aufgegebene Patient erholte sich auf wundersame Weise ein wenig. Erna Döblin Ende Dezember 1954: »Seit 2 ½ Monaten sind wir wieder in Paris. Es ist ja ein Wunder, daß Döblin sich noch einmal durchgerappelt hat. Der Hochschwarzwald hatte ihn wieder etwas zu Kräften gebracht. Nun geht es leider wieder recht kläglich, aber man muß zufrieden sein mit dem, was man hat. Er steht täglich auf, kann aber allein keinen Schritt, keine kleinste Bewegung mehr machen. Er hört viel, hört Radio, nachmittags kommt von 3–6 Uhr eine Dame, um mich abzulösen, sie plaudert, liest vor; unsere Kinder und Enkel und wenige Freunde machen Besuche, das ist alles, was man ihm bieten kann.«

1955

Minder erklärte später, Döblin habe im Frühjahr 1955 »nach fast tödlichen Auseinandersetzungen mit seiner Frau« ihm gegenüber Lebensbekenntnisse abgegeben und sie zur späteren Veröffentlichung vorgesehen. Er habe Minder »eine Reihe von unbekannten oder weniger bekannten Erinnerungen und Erlebnissen (diktiert), um etwaigen Vertuschungen und Verfälschungen vorzubeugen«. Das Material ist bisher, abgesehen von einem schmalen Ausschnitt, den Minder in einem Prozess bekanntmachte, den Klaus Döblin gegen ihn anstrengte, nicht zugänglich geworden.

Mitte Mai 1955 kam er wieder in die Neurologische Klinik Freiburg, einen Monat später wurde er in die Medizinische verlegt, dann wieder zurück in die Neurologische. Seitdem galt er als Pflegefall.

Die Kalamitäten des Kalten Krieges drangen noch einmal bis ins Krankenzimmer vor. Döblin war von der Ost-Berliner Akademie der Künste zum korrespondieren Mitglied ernannt worden und wusste nicht, wie er sich verhalten sollte. Erna Döblin wandte sich an Scheel, den Mainzer Generalsekretär, um Rat: »Was tun? Sagt Döblin ›ja‹, greift ihn der Westen an, sagt er ›nein‹ tut es der Osten?« Scheel fand einen diplomatischen Ausweg aus der kleinlichen Alternative: Döblin sei ja Mitglied der alten Preußischen Akademie auf Lebenszeit gewesen, und die Ost-Berliner verstünden sich als ihre Nachfolger. Deshalb komme es nur darauf an, die Veränderung im Status der Mitgliedschaft zu akzeptieren …

Er begann im Mai 1955, die Notate *Vom Leben und Tod, die es beide nicht gibt* zu diktieren. Es handelt sich um die allerletzten Bemühungen, als Schriftsteller den Krankheiten zu trotzen, und sei es nur durch gelegentliche Diktate. Er machte Professor Richard Jung, Ordinarius für Neurologie und Chef der Universitätsklinik, auf ein seltsames Jubiläum aufmerksam: Ein halbes Jahrhundert zuvor war er in Freiburg promoviert worden. *Er prüfte meine Mitteilung, fand sie bestätigt. Das goldene Doktor-Jubiläum war da. (…) und eines Tages erschien er bei mir an meinem Krankenbett zur Visite. Diesmal trug er eine mächtige riesige Papprolle und überbrachte mir dazu mit einigen schmeichelhaften Worten einen verschlossenen Brief des jetzigen Dekans.* Darauf wurde der »Viro egregio« Alfred Döblin lateinisch vom Rektor und vom Dekan beglückwünscht. *Es war sehr nett, bescheiden, sang- und klanglos. Es gab keine Folgen, keine Zeitungsnotiz und schließlich auch: warum? Sie mochten mich in diesem Lande nicht sehr.* In einem lichten Moment diktierte er, August 1955, die Einsicht: *Bisher hat sich bei mir leider keine akute und fortschreitende Krankheit gezeigt, ich muß offenbar noch mehr Geduld haben.*

Der Kranke
1955

Mitte Juni 1955 wurde er von Friedenweiler nach Höchenschwand verlegt. Dort machten sich Halluzinationen bemerkbar: »Er hörte alte Berliner Gassenhauer, unter Begleitung von Marschmusik (…). Dann wieder ›Stille Nacht, heilige Nacht‹, mehrfach hintereinander.« Wiederum besserte sich sein Gesamtzustand; er genoss die frische Luft und war weniger isoliert als in Paris.

Im September 1955 kam Döblin zurück nach Frankreich. Er benötigte jetzt Pflege rund um die Uhr. Im November trat eine akute Verschlimmerung ein, so dass die Ärzte Erna Döblin aufforderten, sie solle ihre Söhne benachrichtigen. Sie ließ ihn liegend mit dem Nachtschnellzug über Basel nach Freiburg transportieren. Er konnte das Bett nicht mehr verlassen, hatte Zustände von Verwirrtheit, Gedächtnisstörungen und Angst. Die Staatskanzlei von Rheinland-Pfalz erklärte sich im Frühjahr 1956 bereit, Döblin in einem staatlich geleiteten Sanatorium des Landes aufzunehmen, aber das scheiterte an Erna. Walter von Molo, mit der Sachlage vertraut gemacht, fasste das Dilemma in einer wütenden Replik zusammen: »Ich lasse auch Justi (den Präsidenten) herzlich bitten, das Möglichste zu tun; denn kein Mann kann je etwas für seine Frau. Von allen Seiten höre ich, daß Frau Döblin immer wieder Sachen zerstört, die sich anbahnen, auch im Verlagswesen.« Der einzige Platz, den Erna Döblin für ihren Mann fand und der sich als der richtige erweisen sollte, war im anthroposophischen Sanatorium Wiesneck bei Buchenbach im Schwarzwald. Döblin wurde am 17. März 1956 dorthin verlegt und blieb bis zum 1. Juni 1957.

Am 12. August 1955 ist Thomas Mann in der Schweiz gestorben. Döblin erfuhr davon wenige Tage später und diktierte einen schauerlichen Nachruf auf seinen Widersacher: *Zum Verschwinden von Thomas Mann: er soll nach Zeitungsnotizen vor einigen Tagen an einer Venenentzündung in einem Örtchen bei Zürich, in Kilchberg, gestorben sein, alt etwas über 80 Jahre. Ich könnte achselzuckend darüber hinweggehen, da ich schon vorher für seine schriftstellerische Existenz nur ein Kopfschütteln und Achselzucken, manchmal auch ein wirkliches Staunen gehabt habe. (...) Es gab diesen Thomas Mann, welcher die Bügelfalte zum Kunstprinzip erhob, erheben wollte, und mehr brauchte man von ihm nicht zu wissen. Er vertrat nämlich das gesamte mittlere und höhere Bürgertum im Lande, das über eine mäßige Bildung verfügte (...). Von den realen Menschen hatte er wenig Kenntnis (...) er schrieb die Bügelfaltenprosa, darauf bedacht, daß sein Frack keinen Staubfleck zeigte.* Das war das letzte Wort über den ebenbürtigen Kollegen seines Ranges als Erzähler. Ein Hass irrlichtert in diesen Schmähungen, der selbst wie eine Krankheit erscheint. Er bündelt die inneren Stimmen der Enttäuschung über den Misserfolg seines Werks, sein politisches Außenseitertum, den nach seiner Auffassung ausgebliebenen Ruhm, seine so empfundene Isolation, seine hinter stoischem Gleichmut gut kaschierte Lebensangst. Aber auch ein altes, komplexes Motiv der Abwehr, reflexartig, kam zum Vorschein: Döblin reagierte gereizt auf Wohltaten, die man ihm erwies; er wähnte sich sofort in Abhängigkeit. Und Thomas Mann hatte ihm oft und großmütig geholfen oder sich für ihn eingesetzt. Ähnlich verhielt sich Döblin bei Samuel Fischer, den er bis aufs Blut sekkiert hat, und bei seiner Frau Erna wird es nicht anders gewesen sein.

DAS VORLETZTE JAHR

Nach Ernas Bericht kam ihr Mann im Sanatorium Wiesneck auf wundersame Weise noch einmal zurück: »Er wachte wieder auf, aß, nahm zu, wurde treulichst von Ärzten, Pflegepersonal versorgt, er ist der Stolz des Hauses geworden. Arbeiten kann er nicht mehr, aber er diktiert Briefe, ist geistig munter und interessiert, die Schwester muß vorlesen so lange ihre Stimme reicht.« In Wiesneck wurde er integriert, obwohl er ein Pflegefall war und nur 18 Betten zur Verfügung standen. Man wandte homöopathische Mittel an und verbesserte damit seinen Gesamtzustand: Er konnte wieder einige Schritte gehen, ansonsten wurde er im Rollstuhl herumgefahren. Nach Paris konnte und wollte ihn seine Frau nicht mehr nehmen. Sie selbst kam jeweils nach fünf Wochen für eine her, mehr hielt sie aus Kostengründen nicht für möglich. Die Zahlungen des Entschädigungsamtes deckten die Pflegekosten nicht, sie betrugen nach Erna Döblins Rechnung das Dreifache, doch sind ihre Zahlen nicht zuverlässig. Auch wenn die Unterbringung des Patienten vermutlich weitaus preiswerter war, als sie Erna veranschlagte, blieben doch sehr hohe Vorauszahlungen zu leisten.

Sie rüstete sich für eine Dauerlösung des Pflegefalls. Alfred Döblin diktierte keine Briefe mehr an sie, weil sie ihm mitgeteilt hatte, dass er in Wiesneck oder in einem anderen Sanatorium dauerhaft bleiben müsse. Sie besorgte sich ein ärztliches Attest, demnach eine Hauspflege nur mit geschultem Fachpersonal möglich sei – das selbstverständlich nicht zu bezahlen war.

14 Monate sollte er in Wiesneck bleiben.

Döblin nahm am äußeren Geschehen immer noch viel Anteil, und sein geistiger Zustand widersprach den ärztlichen Befunden mindestens zeitweilig. Zum 70-jährigen Jubiläum des S. Fischer Verlags Anfang September gratulierte er, und Gottfried Bermann-Fischer dankte gerührt, bat ihn um Auskunft, wie man ihm sein »Kranksein« erleichtern könne. Die Zeit heilte auch diese Wunden. Er panzerte sich mit einer Gelassenheit, die nicht nur Notbehelf und Ausflucht oder Maske war, sondern eine innere Verkapselung beschrieb. *Still und einsam verlebe ich hier im Sanatorium meine Krankheitswochen, ich blicke um mich, es hat alles seine unbeschreibbare Ordnung unter der Herrschaft der Zeit.* Der Tag, an dem er diese Bemerkungen diktierte, war Mariä Himmelfahrt, er hielt diesen christlichen Feiertag für ein Geschenk an alle. So friedlich ins Ungefähr lief sein Christentum aus.

Als er am Radio die Meldung von Brechts Tod am 14. August 1956 hörte, ließ er an Johannes R. Becher über *die bittere und leidvolle Nachricht* schreiben. Eine Entfremdung war schon in Kalifornien eingetreten: Brecht konnte sich mit dem Christen Döblin nicht abfinden; der war nicht einverstanden damit, dass Brecht sich hatte als Aushängeschild der DDR benutzen und dabei kujonieren lassen. Im übrigen war er auch mit Brechts Selbstgestaltung als moderner Klassiker nicht in Übereinstimmung zu bringen. Der Vorrat an weitreichenden Gemeinsamkeiten war aufgebraucht oder vernutzt. Dennoch fehlte es nicht an Gesten der Hochachtung, denn man war sich seiner Bedeutung wechselseitig bewusst. Nun also ging mit Brecht eine Epoche zu Ende. Das hat Döblin wohl mehr berührt, als er ausdrücken wollte oder konnte. Er rekapitulierte die frühe Begegnung mit ihm und auch mit Arnolt Bronnen. Er erinnerte an die »Gruppe 1925«, an gemeinsame Arbeit und Diskussionen; wieder war ein Gefährte hingegangen. Sehnlichst wartete er am 20. Oktober 1956 noch immer auf Belegexemplare des *Hamlet,* konnte die Verzögerungen der Interzonenpost nicht verstehen. Döblin interessierte sich immer noch für die Meldungen vom Tage. Er erwähnte *die tapfere Erklärung* der 18 Göttinger Professoren gegen die Atomrüstung, *ein höchst wichtiges Ding, und wer weiß wie das endet.*

SPÄTES GLÜCK: HAMLET

Huchel hatte als Interessenten für den *Hamlet*-Roman in der DDR zwei Verleger genannt: Rütten & Loening, der auch »Sinn und Form« verlegte, schloss schließlich im Dezember 1955 mit Döblin einen Vertrag über den Roman. Der Autor dankte ihm mit bewegten Worten Ende Januar 1956: *Zerdrückt hat sich das Manuskript durch 3 Jahre in den Verlagsbureaus herumgetrieben und war schon kaum haltbar geworden: Sie haben frisch zugegriffen und ich danke Ihnen sehr dafür. Ich danke Ihnen auch, daß Sie mir für den Vorabdruck einer Stelle einen bestimmten Betrag zuweisen wollen, – bevor man vor die Hunde geht und nachdem man hoffnungslos verramscht wird, wirklich ein menschliches Zeichen.* Von Anfang an habe er Sympathie für den Gast empfunden, weil ihn sein Name an die von ihm hochgeschätzte Ricarda Huch erinnerte. Zum Abschluss aber dann noch einmal eine Mahnung: *Ich bin u. bleibe ziemlich krank, sehen Sie zu, lieber Huchel, da ich bald 78 werde, daß mein Buch mich noch lebend erreicht.* Aber die Dinge entwickelten sich schleppend, Briefe wurden nicht beantwortet, Mahnungen ebenso wenig, und auch die Vorauszahlung scheint nur sehr zögernd eingelaufen zu sein. Den Schwierigkeiten lag wohl kein außergewöhnlicher Vorgang oder gar Ranküne zugrunde, handelte es sich wohl um die üblichen bürokratischen Mühlen des Genehmigungsverfahrens, um die bekannten Kalamitäten im Ost-West-Verkehr und außerdem um damals normale Produktionsmängel. Doch kommt dahinter auch eine schwierige kulturpolitische Landschaft zum Vorschein, in die sich dieser Roman nicht einfügte. Huchel betrieb, wohl immer noch gemeinsam mit Hans Mayer, ein Vabanque-Spiel, was den *Hamlet* betraf. Dass die Veröffentlichung in der DDR nicht auch auf die lange Bank geschoben wurde und der Roman in diesem Jahr erscheinen konnte, verdankt sich wahrscheinlich vor allem dem vehementen Einspruch, den Stephan Hermlin auf dem vierten Schriftstellerkongress im Januar 1956 erhoben hatte: Er kritisierte die häufige Ablehnung westdeutscher Autoren, vor allem von Wolfgang Koeppen, und forderte, dass auch Sartre, Hemingway, Faulkner und Steinbeck in der DDR gedruckt würden. Hinzu kamen ab Februar die Auswirkungen des XX. Parteitags in der Sowjetunion mit der Rede Chruschtschows über Stalins Verbrechen. Das Klima war günstig, der »neue Kurs« schien einer zu werden. In dieser Situation wurde Döblins Roman imprimiert, und auch der Roman »Empfang bei der Welt« von Heinrich Mann, bislang allein schon wegen seines Titels unter dem Verdacht des »Kosmopolitismus«, ward unversehens gedruckt. Aber die Monate gingen darüber ins Land, Döblin hingegen wollte und konnte nicht warten. So staute sich auch in diesem Fall sein Unmut. Er fühlte

Der letzte Roman
1956
Schutzumschlag von H. Parschau

sich im Unklaren gelassen, was den *Hamlet* betraf. Man habe ihm nur einmal mitgeteilt, dass an einer Stelle ein Kapitel fehle, und den Schaden habe er repariert, aber sonst habe er von dort nichts Spezifisches gehört. Wie recht er mit seinen Bemerkungen hatte, erfuhr er fast gleichzeitig an anderer Stelle. Die New Yorker Agentur Benford Jerome Greenburger hatte seit sechs Jahren das *Hamlet*-Typoskript liegen und wollte es nun zurückgeben – wenn man ihr das Porto erstattete.

Alfred Kantorowicz wurde von den DDR-Kulturbehörden aufgefordert, ein Gutachten über den Roman zu erstellen, und vertraute die Probleme am 5. August 1955 seinem Tagebuch an: »Man hat Bedenken und Vorbehalte gegen diese Dichtung, die man mit dem nachgerade zum Klischee gewordenen Begriff Existentialismus abtun will. Andererseits scheint einigen verständigen Leuten daran zu liegen, den letzten Roman Döblins (der sich übrigens in materieller Notlage befinden soll) hier bei uns zu publizieren. Mein Gutachten wird den Ausschlag geben, und selbstverständlich werde ich die Veröffentlichung ausdrücklich empfehlen. Nur, wie sage ich's meinem Kinde, damit es mir nicht bockig wird, nicht Verdacht schöpft? Das will bedacht sein.«

Eine Klippe war im Frühjahr 1956 bereits umschifft: das christliche Ende, das Edward in der eingereichten Fassung des Typoskripts in ein belgisches Kloster führt. Wolfgang Richter, Cheflektor im Ost-Berliner Verlag Rütten & Loening, hatte es am 31. August 1955 auf sich genommen, den verehrten Autor um eine entscheidende Änderung dieses Schlusses zu bitten. In einem meisterhaften Brief der Zuneigung und Verehrung, aber auch der Ehrlichkeit bat er um Korrektur: »Gibt es eine andere Fassung des Schlusses, d. h. der letzten beiden Absätze? Der Eintritt Edwards in ein Kloster – er erscheint uns als Flucht vor der Verantwortung, fast wie ein Selbstmord. Diese, in unseren und unserer Leser Augen, pessimistische und hoffnungslose Lösung widerspricht nach unserer Meinung auch der Gesamttendenz Ihres Romans.« Selbstverständlich ging es um eine ideologische Frage. Beim Autor hingegen kam sie in anderer Façon an. Er hatte wenig Bedenken, den Schluss zu ändern. Fast zehn Jahre hatte das Manuskript in der Schublade oder in den Manuskriptschränken von Verlagen gelegen, nun war es seinem Urheber so weit entwachsen, dass es nach seiner Auffassung ein anderes Ende vertrug.

Eine Woche später diktierte Döblin seiner Frau eine Neukonzeption: *Revision d. Verhaltens von Edward am Schluß. Die Wendung ins Kloster kann nur als vorübergehend, flüchtig, als eine Anwandlung genommen werden. Der ganze vorangegangene Vorgang, die Hamlet-Existenz, ist für ihn ja nur Beseitigung eines Komplexes, der ihn ganz ausgefüllt hatte, die Beherrschung durch das Bürgerliche-Familiäre. Jetzt erst tritt Edward selbst in Erscheinung. Es ist kein Grund anzunehmen, daß er sich von d. Welt abwendet und daß er verzagt und Pessimist wird. Im Gegenteil: jetzt in ihm ein ungewohnter glücklicher und freudiger Ton, jetzt auch in ihm, gerade aus Ehrfurcht gegen die beiden Toten, ein Wille zur Aktivität. Er wird weltoffen. Dies ist nur in Strichen anzudeuten. Also der Abschluß im Stil der früheren Kapitel hymnisch und freudig, auch gegenüber der Natur.* In der großen Zeitspanne seit Beendigung des Manuskripts war der Roman in seinem Autor weitergelaufen, hatte er eine andere Wendung genommen, hatte er sich in die Beispielreihe seiner offenen Schlüsse und des antitragischen Daseinsmuts eingereiht. Und deshalb wird in den letzten Sätzen des Buches nicht mehr gebetet und gesühnt, sondern es heißt frohgemut: *Und so fuhren sie in die wimmelnde und geräuschvolle Stadt hinein. Ein neues Leben begann.* Diese andere Wendung scheint Döblin nach einigem Nachdenken leichtgefallen zu sein. Das deutet auf ein Verblassen seiner Frömmigkeit hin.

Döblin hat die Änderung des Schlusses durchaus mit Freunden besprochen. Wilhelm Hausenstein, damals deutscher Botschafter in Paris, hat sie gekannt und gebilligt, ebenso Robert Minder. Ein faszinierender Vorgang, wie ein Autor mit wenigen Sätzen, gleichsam mühelos und so, als wäre diese erste Fassung bereits durch ihre Niederschrift entwertet, den Roman nachträglich in ein anderes Fahrwasser treibt. Aber das heißt wohl nicht, dass er den Konvertiten in sich verwerfen wollte. Bei allen geistigen Wandlungen war immer etwas in ihm zurückgeblieben: von chinesischer Schicksalsergebung, vom Sozialisten sowieso, vom Antiklassiker auch, vom Buddhisten und Naturmystiker zweifellos, überdies etwas vom jüdischen Selbstverständnis. Aber wenn ein Roman fertig war, erschien auch das geistige Gehäuse, dem er sich verdankte, als zu klein. Doch allen Mutmaßungen steht ein Satz aus dem *Epilog* wie ein Siegel des Schweigens entgegen: *Aber einmal endet alles Fragen,* hat er 1948 geschrieben.

Wolfgang Richter, der diese Änderung erbeten und provoziert hatte, war, als sie im Manuskript eintraf, bereits auf die andere Seite gewechselt: der Cheflektor von Rütten & Loening flüchtete im Februar 1956, noch vor Veröffentlichung des Romans, in den Westen. Die Korrekturen besorgte Robert Minder, ohne den Autor damit zu behelligen. Döblin bezeichnete das Buch deshalb unwirsch als *eine Geburt hinter dem Rücken der Mutter.* Es war für den Kranken und seine Frau ein ungemein bewegendes Zeichen, dass es doch noch zu Lebzeiten des Autors herauskam. Im September 1956 hielt Döblin das Belegexemplar seines letzten Romans in Händen. Es fiel ihm manches Positive ein, als er jetzt in seiner Schwarzwaldverlorenheit darin las: *Ich selbst hätte allerlei dazu zu sagen, beneidenswert frisch und elastisch war ich noch damals, es brach nur so wie ein Sturm aus mir, und nun steht es auf dem gedruckten Papier und ist in vielen Teilen nicht schlecht; was doch noch alles in einem steckt und glimmt und gelegentlich zu brennen beginnt.*

Erna Döblin bescheinigte dem Ost-Berliner Verlag eine ausgezeichnete Arbeit, freute sich über die Ankündigung von Übersetzungen ins Italienische, Slowakische und Polnische. Sie schrieb an Harald Kohtz Mitte Februar 1957: »Ohne die erheblichen Summen, die nun zuflossen, hätte ich nicht gewußt, wie ich die hohen Krankenkosten hätte decken sollen. Richtig ist leider, daß der Westen weiter versagte, sowohl das Sortiment wie auch die Zeitungen.« Angekündigt wurde für Herbst 1957 auch eine westdeutsche Lizenzausgabe. Auch diese Auflage beim Münchner Verlag Langen-Müller mit 3000 Exemplaren wurde rasch verkauft, weitere 2000 wurden kurzfristig gedruckt. Döblin selbst erlebte diese Zweitausgabe nicht mehr.

Der Roman wurde vielfach besprochen, der gemutmaßte Presseboykott im Westen fand nicht statt. Mehr als zwei Dutzend gehaltvolle Besprechungen in den führenden Zeitungen und Zeitschriften sind zu verzeichnen. Bedeutende Kritiker und Essayisten wie Günter Blöcker, Robert Minder, Walter Muschg, Benno Reifenberg und Walter Widmer beteiligten sich an einer Debatte, die über die Verbindung von Nachkriegssituation und Avantgarde der zwanziger Jahre geführt wurde, die der Komplexität und dem Perspektivenreichtum des Buches galt, dem Typus Heimkehrerroman, der mythologischen Verschlüsselung des Werks und dem annoncierten psychoanalytischen Erzählverfahren. Es handelte sich um eine nachgeholte Debatte: als ein Jahrzehnt zuvor die drei Bände *November 1918* erschienen, hätte sie mit noch größerem Materialreichtum geführt werden können (oder müssen), war aber unterblieben. Der Tiefpunkt der Wirkung Döblins war jedenfalls ein knappes Jahrzehnt nach der Währungsreform überwunden.

Aber Döblin zog sich, zum ersten Mal, offensiv zurück in einem Brief an seinen Verehrer Harald Kohtz vom 19. Februar 1957, vier Monate vor seinem

Tod, offensiv von seinem Autorendasein zurück: *Mein ganzes Schreiberleben gehört der Vergangenheit an, mit Recht und mit Grund bin ich physisch so gelähmt, daß ich keinen Strich mehr ziehen kann. Ich mag nun in keinem Kampf mehr stehen.* Es war der Rückzug ins Schweigen, den er noch mit Kraft betrieb.

Ludwig Marcuse veröffentlichte spät, nämlich erst Ende Februar 1957, seine Kritik des Romans im New Yorker »Aufbau«, aber er verband sie noch einmal mit einem stürmischen Appell: »In Preis-freudigster Zeit ist Döblin der ungekrönteste Dichter-Fürst unserer Tage. Was die Leser lesen und die Doktoranden untersuchen, bestimmt jene Hierarchie, an deren Spitze die Herren vom Nobelpreis regieren. Noch ist es nicht zu spät, diesem großen deutschen Dichter zu gewähren, was ihm gebührt: ein Publikum.«

In Basel promovierte jemand über Döblin, das Radio interessierte sich für ihn, Minder hielt am Collège de France seine Antrittsvorlesung über Döblin. All das kam ihm noch zu Ohren, und Erna frohlockte. Er schien über seine Widersacher – die unwilligen Verleger, die gleichgültige Presse und das abwehrende Publikum – noch einmal zu triumphieren.

LETZTE KONTAKTE

In seine Krankenasyle hinein kamen regelmäßig die Briefe des Studienassessors Harald Kohtz, der Döblin verehrte und der auch von seiner eigenen Wendung zum Glauben schrieb. Döblin verwies auf die *Schicksalsreise,* die damals, im Oktober 1956, immer noch im Buchhandel zu kaufen war. Der Frankfurter Verlag Josef Knecht hatte im November 1949 5000 gedruckt, aber nur 3000 oder 4000 abgesetzt. Die Verkaufszahlen waren bis Mitte der fünfziger Jahre wieder etwas angezogen, ein winziges Indiz für ein wiedererwachendes Interesse an Alfred Döblin.

Einer der wenigen jungen Autoren, mit denen er Kontakt fand, war Walter Höllerer. Der kündigte Ende 1953 das baldige Erscheinen seiner Zeitschrift »Akzente« an und erbat einen Beitrag, erneuerte seine Anfrage noch einmal im Februar 1954. Döblin sagte zu, wollte aber ein wenig informiert werden. Eine Publikation in dieser Zeitschrift kam aber dann doch nicht mehr zustande.

Am 20. Mai 1957 ließ er an den 28-jährigen Peter Rühmkorf schreiben; von ihm hatte er noch im »Goldenen Tor« einige Gedichte gedruckt. Rühmkorf betrachtete das als seine Reifeprüfung. In seinen Erinnerungen »Die Jahre die Ihr kennt« hat er dem alten Magier ein getreues Andenken gewidmet. Fürs Abitur hatte er sich nicht Rilke oder Hesse, die geläufigen Figuren, sondern

Döblin ausgesucht. Rühmkorfs Mutter wandte sich an ihn, weil es ihrem Sohn seelisch nicht gut ging und sie wusste, dass Döblin auch Psychiater war. Er, Rühmkorf, selbst habe »lange autoanalytische Tiraden« an den Psychiater geschickt, der habe ihn weiterverwiesen an Hans Henny Jahnn. Döblin begrüßte den »Studentenkurier« der Freunde um Rühmkorf, freute sich über *die alte Antimilitärhaltung,* über die ihm vertrauten Namen von Mitarbeitern wie Kurt Hiller, über den *guten alten bekannten Ton.* Er hatte auch das eine oder andere zu bemängeln, bedauerte, dass Rühmkorfs Freund Werner Riegel so früh gestorben war, ermunterte zu einer Besprechung des *Hamlet.* Mit einem Wort: er plänkelte, orientierte, warb wie früher, wenn auch mit schwachen Kräften. Dabei betonte er seine Verschollenheit, *daß ich selbst in die Ecke gedrängt bin und schon als Friedhofsgemüse verwelke.* Aber er wollte mit seinem Sarkasmus durchhalten: *Man fand, ich pfiffe auf dem letzten Loch, aber es war nicht das letzte, ich pfeife noch immer.*

Die Rosins wollten etwas gegen die Erfolglosigkeit Döblins unternehmen und empfahlen den Agenten Horch für Amerika. Erna hingegen wich ein wenig aus: Man habe schon früher mit ihm zusammengearbeitet und nichts sei herausgekommen. Auch Koestler, der alles Mögliche in England und den USA unternehmen wollte, scheiterte: Die Bücher seien zu lang.

Seit mehr als einem Jahr war er getrennt von Paris, seinem Arbeitszimmer und seinen Manuskripten. In seiner Schwarzwälder Solitude vergingen die Tage ereignislos vor sich hin, er hatte wenig Abwechslung. Die Frau ging die meiste Zeit nach Paris, um sich von den Anstrengungen zu erholen, vielleicht auch, um ein eigenes Leben ohne ihn einzuüben. Walter von Molo bedankte sich für die Zusendung des *Hamlet,* und Döblin erzählte die wundersame Geschichte von der Drucklegung dieses christlichen Romans im Ost-Berliner Aufbau-Verlag: *Dies sollen Herren aus der Ostzone sein, hinter dem Eisernen Vorhang, und kamen mich zu besuchen, aber wer saß hinter einem Eisernen Vorhang? nämlich unser Verleger. Tatsächlich werden ja meine Bücher nicht mehr verlegt, die Bestände werden verramscht etc. etc.* Sein Weltbild war mit dieser Publikation nach fast zehnjährigem Wartestand ausgerechnet in Bezug auf die DDR ein wenig ins Wanken geraten.

VOM LEBEN UND TOD, DIE ES BEIDE NICHT GIBT

Bis Ende Februar 1957 diktierte der kranke Döblin im Asyl der Sanatorien und Krankenzimmer seine Betrachtungen *Vom Leben und Tod, die es beide nicht gibt.* Er tauchte zurück, zunächst in eine der Gestalten seines Spätwerks: er wurde zum Dichter Simri aus der Erzählung *Die Pilgerin Aetheria.* Er diagnostizierte seinen körperlichen Verfall mit unnachsichtiger Härte. Es gibt faszinierende Textkorrespondenzen zwischen diesen späten Diktaten und den erzählten Passagen, die möglicherweise noch auf die Zeit des amerikanischen Exils zurückgehen. Nun war eingetreten, was er damals – spätestens neun Jahre zuvor – über den kranken, alten, klagenden Hiob als dessen Monolog vor Aetheria geschrieben hatte. Wiederum hat er vorauserzählt, was aus ihm werden sollte, das Revier des Kreises beschritten.

Schon in *November 1918* ist der Tod eine Latenzphase zwischen Sein und Nichtsein. Er hatte den Faden, den er ausbreitete, bereits in der Mitte der zwanziger Jahre aufgenommen: *Es darf niemand das Leben preisen, der nicht auch den Tod preist, niemand die zarte, blanke Hand loben, der nicht auch die Verwesung lobt.* Das war, lang vorbereitet, sein »Sang« an die Natur, an ihre bildende und zerstörerische Kraft. Nun kam er darauf zurück.

Die Dinge stellen sich bei der Betrachtung der Einzelheiten etwas anders dar, als der höchst verdienstvolle Herausgeber Anthony W. Riley sie zeichnete. Döblin verharrte mit seinem Katholizismus dort, wo der sakrale Raum mit dem Wort »Ausgang« versehen ist. Krankheit und Tod, das Versagen der eigenen Schreib- und damit der Entwicklungsmöglichkeit verwiesen ihn auf diesen Platz. Riley hingegen (wie fast alle anderen) haben dieses späteste Werk nicht mehr von dem Bannkreis eines knapp anderthalb Jahrzehnte, mehrere Werke umgreifenden Bekenntnisprozesses lösen wollen. Riley hält den Christen Döblin für eine unveränderliche Größe: »Jedes Werk Döblins nach seiner Konversion zum Katholizismus im Jahre 1941 in Hollywood zeugt von seiner festen religiösen Wandlung, einem Glauben, der bis zum Ende seines Lebens das entscheidende, alles andere überflügelnde Element seines Künstlertums blieb.« Schroff dagegen steht Robert Minders Feststellung: »Sein Christentum ist bis zuletzt von einer sehr freien, schweifenden Art geblieben, die ihn immer wieder auch zu Asien zurückkehren ließ.« Es gibt in all diesen verstreuten Briefen, die als Zurücknahmen, als Reversionen der Resignation, als stoische Episteln zu lesen sind, keinen direkten Hinweis, dass er seinem christlichen Glauben offen abgesprochen hätte. Und doch bleiben die Zweifel, ob das Christentum für ihn nicht auch nur eine Durchgangsstation gewesen ist, schließlich ein Paravent aus bedrucktem Papier, durch den man hätte gehen können, um zu einem neuen Roman zu gelangen. Nur dass ihm die Möglichkeit, ihn zu schreiben, aus den Händen geschlagen war. Wie zur Probe eines verspäteten Mutwillens fragte er, um einen halblauten Scherz bemüht, nach einem letzten, noch ungeschriebenen Werk: (…) *welches wird mein endgültig letzter Roman sein, man gebe mir Zeit, Gesundheit und ein*

Sanatorium Buchenbach im Schwarzwald
Mitte der fünfziger Jahre

bißchen weniger Schmerzen, ich fühle Lust, mich in die Welt zu wagen, der Erde Glück, der Erde Weh zu tragen, mit Stürmen mich herumzuschlagen und in des Schiffsbruch Knirschen nicht zu zagen. Noch einmal wurde mit Goethes »Faust« die Fahne des Epikers gehisst, wohl wissend, dass er sie nirgendwohin mehr tragen konnte.

In den Diktaten *Vom Leben und Tod, die es beide nicht gibt* findet sich eine andere Demut als die vor der ordnenden Hand eines waltenden Bibelgottes: *Gibt es noch ein anderes Überbleibsel als die Schuttmassen, die Denkmäler, die längst zerfallene Grenze? Man sagt, es leben Erinnerungen fort, auch Dichtungen und Heldenlieder leben fort, eine kleine, ganz kleine Weile.*

Er repetierte einen Gedankengang, den er bereits 1918 in seiner ersten Autobiographie *Doktor Döblin* ausgesprochen hatte. Das Sterben sei nicht das Schlimmste, das Leben jedenfalls halte Schlimmeres bereit. Der Tod habe für ihn keinen Stachel, er sei seines eigenen Wesens Kern. Deshalb hatte er sich in dem Text von 1918 den Dingen und der Natur nahe gewusst: *Darum fühl ich mich auch in manchen Stunden dem Wald so nahe, den Tieren so freundlich, wahrhaft brüderlich, auch der Luft, dem Donner, dem Eisen, Stein: so unberührbar stolz ist all dieses Tote, Bewußtlose, und doch Seiende.«* 40 Jahre später findet sich ein vergleichbarer Passus über das kreatürliche Verständnis wieder in seinem Manuskript.

Die Diktate brachen anscheinend in immer kürzeren Abständen ab, ohne dass ihnen die Durchsichtigkeit abging. Man kann Döblin in diesen Sätzen, die er nur noch undeutlich ausgesprochen haben mag, gut vernehmen. Er ließ die Gedanken schweifen, das nannte er: sie durch sich durchgehen lassen: *Ich biete mich allem willig zum Opfer an. Ich habe keinen Grund, an dies und jenes zu denken, kein festes Thema will ich mir gestellt haben, was das ist, kann ich nicht sagen. Ach, die Zeit der Ich-Suche ist vorbei, soll vorbei sein.* Er wandte sich zum Schluss wieder einem seiner Lieblingsthemen zu – dem Verschwinden des Ichs. In seiner großartigen Lakonik nannte er das Ich nun *eine Verunreinigung des Denkens.* Seine letzte Behauptung: dass er – *Nichts* habe: *Als Cartesius in der Ulmer Straße in Paris stand und ihn eine Erleuchtung überkam, stand er vor dem Satz: »Ich denke, also bin ich.« Er war auf der Suche nach seinem Fundament. Er hatte jetzt in und durch die Erleuchtung den sicheren Boden erkannt: er dachte, – alles andere mochte zweifelhaft sein, was er dachte, welche Schlüsse er zog, aber daß er dachte und sich ihm im Denken alles näherte, stand fest. Was meine ich dazu? Ich meine nicht, ich bin, sondern ich meine: Dieses ist, aber ich weiß es nicht, ich kann es nicht Denken nennen, das greift zu weit. Aber was habe ich denn? Antwort: Nichts. Das ist auch etwas, ein Vorgang, der mit dem Ichgefühl verknüpft ist, ein völlig durchsichtiger Vorgang. Auf diesem Punkt also bin ich geführt. Das ist mein kartesischer Punkt im Februar 1957, im verschneiten und verregneten Schwarzwald. Laß mich beginnen.* Das kann man als eine Rückkehr etwa zu philosophischen Markierungen Anfang der zwanziger Jahre deuten. *Das Motto heißt: Ich-bin-nicht.* So hatte er schon 1922 an den Revolutionär Gustav Klingelhöfer geschrieben. Und noch einmal waren die Sinne auf den Anfang gerichtet: *Laß mich beginnen.* Wie so oft in seinem Werk wollte er aufbrechen, aber es reichte nur noch zur Formel, die wie ein rätselhaftes Fundstück in diesen späten Diktaten herumsteht.

Er durchlebte noch einmal einen Roman, doch ohne Romanstoff. Dieses Nacherleben gilt den inneren Bedingungen des Werks, auf welchen Wegen der Roman zu ihm gekommen war. Das Signal vom Anfang, die frei werdende Schicht der Bilder und Töne, das Zeichengestöber der Wirklichkeit, eine halluzinatorische Versenkung, das Ich-Erleben als Medium der flutenden Phantasie, all diese Kräfte pulsierten auch im späten, kranken Döblin oder gaben wenigstens Echos. In seinem Schwarzwälder Asyl mochte er als gelähmter Körper daliegen, aber die Geister der Erzählung hatten sich von ihm nicht abgewandt. Das ist den Äußerungen zu entnehmen, die er auf seiner Lagerstätte über die Sensorik und die Bilderkammern seines Ichs diktierte. Der ungeschriebene Roman ist, ein finales Paradox, sein letztes, imaginäres Werk.

Welche Abräumarbeit: von den Glaubensgewissheiten; vom sicheren Trost der Erlösungsreligion war nicht mehr die Rede. Im Februar 1957: *Ich dachte, das kleine Tagebuch fortsetzen zu können, aber nicht ich, sondern die Krankheit macht große Schritte, ich habe nur ab und zu jemanden zur Verfügung zum Schreiben. Es kann keine Rede davon sein, daß jemand ständig in meiner Nähe ist, bereit ein Diktat zu empfangen. Ein wüster Winter mit Übergang in einen Frühling, der nicht weniger wüst beginnt. Ich wollte das von meinem Fenster aus Zug um Zug beschreiben, aber ich gebe es auf. Und was will ich jetzt in diesem Heft? Ein neuer Absatz, ein neuer Ton.* Noch einige Diktate, eine Betrachtung über den *Ursinn und die Vielheiten,* ein Blick aus dem Fenster, dann ein Abbruch mitten im Satz. Ein großer Kämpfer verstummte, ein Schöpfer, der seit dem allerersten *Roman von den Worten und Zufällen* die Welt an epischen Fäden gehalten hatte, gab auf, musste abdanken.

Ein Abglanz des biblischen Gottes, der die Welt mit Worten erschuf, hat ihn als Erzähler oft gestreift. Aber er starb doch als arme Kreatur, geschlagen mit Leiden und Krankheiten seit langem. Er starb als Christ, aber schon halb auf dem Weg nach anderswohin. Wer könnte die Richtung angeben, wenn ihn nicht einfach der Zweifel zum Organ nahm? Alle Äußerungen sprechen dafür: er akzeptierte seinen Weg nach unten mit Demut, wie es die Lehre vom Wu-wei in seinem ersten großen Roman vorschrieb. In seiner stillen Geste der Ergebenheit raunen die unverjährten Geister seines Denkens mit: neben dem Tao auch die Spiritualität der Natur, die Hoffnung auf eine gerechtere Gesellschaft – in Gottes Hand. Nur: welchen Gott meinte er?

Er hat seiner bezwingenden Leidenschaft, von den unerschöpflichen Farben und der Fülle der diesseitigen Welt zu erzählen, wie kein anderer deutscher Schriftsteller seines Jahrhunderts gefrönt. Die Töne und Reden, die Laute und die Skalen der Wörter in einer verschwenderischen Fülle sind seine Art, die Dinge zu beseelen und ihnen Transzendenz zu verleihen. Es ist etwas Heidnisches in ihm: Dieser modernistische Schriftsteller ist der wahre Schriftzeuge des vielstimmigen Animismus in der Welt.

Er wollte »Naturalist« sein in einem emphatischen Sinn, in dem noch die Steine und der Humus beseelt sind und nicht einfach Materie. Er war vielen Göttern nahe: kreiste mehrere Jahrzehnte als Zweifler und Häretiker um die Götzenbilder des Sozialismus, mit der gleichen Ausstattung um den jüdischen Vätergott, gab sich in mystischer Versenkung und im Bild des Amazonenstroms der Natur hin, heftete Hoffnungen an den ans Kreuz geschlagenen Gottessohn, verstand sich lebenslang auf die mythischen Dämonen, die den Menschen mit Irrsinn und Sprachnot, unterschiedlichen Zungen und sprachmächtigen Ängsten schlagen.

Seinem eigenen Tod hat der Erzähler von *Berlin Alexanderplatz* 1929 vorgeredet: *Franz Biberkopf hört den Tod, und hört ihn langsam singen, der wie ein Stotterer singt, immer mit Wiederholungen, und wie eine Säge, die in das Holz fährt.*

1957

Am 7. Januar 1957 ließ er noch einmal an Hans Henny Jahnn schreiben. Er zog Bilanz, das heißt: er wiederholte, wenn auch mit interessanten Verschiebungen, seine Sicht auf seine Erfolglosigkeit. Nur *ganz wenige* seiner Bücher seien im Nachkriegsdeutschland erschienen. Er sei durch den Eisernen Vorhang isoliert (er erwähnte als Grund nur ihn), habe deshalb wieder *die alte Einsamkeit des Künstlers zu tragen.* Sein Erzählwerk *November 1918* habe *kaum durch das Schlüsselloch Deutschland betrachten dürfen.* Seine Bemerkungen über seinen Misserfolg kamen ohne Emphase, ohne Zorn daher, wie längst versteinerte Tatsachen, an denen keine Emotion mehr hing. Das Wichtigste am Schluss – er sei Christ geworden: *In diesen Hafen gelangt kein eiserner Vorhang. Die Starre und Lähmung, die meine Organe progressiv befallen, besagt: Es ist genug mit deiner physischen Existenz, von jetzt ab hast du eine andere Blickrichtung nötig.* Er muss zumindest geahnt haben, dass ihm keine längere Frist mehr blieb. Noch einmal bekannte er sich zu seinem Christentum, aber nur mehr in Form einer Gewohnheitsversicherung. Im gleichen Jahrbuch, in dem dieser Brief posthum abgedruckt wurde, widmete Robert Minder dem Gedächtnis seines Freundes einige Seiten und kam ebenfalls auf sein Christentum zu sprechen, nannte es vorsichtig »Ringen um die Herausarbeitung eines unwandelbaren stillen Kerns, einer Lichtgestalt inmitten der menschlichen Ausbrüche und kosmischer Schauer«.

Ostern 1957 besuchte ihn Robert Minder in Wiesneck für einen Tag. Man sprach über eine Werkausgabe, über das für den Juni vorgesehene und auf Döblin bezogene Heft von »Allemagne d'aujourdhui«. Noch kurz vor seinem Tod habe er den Wunsch geäußert, Yolla Niclas wiederzusehen. Aber er habe, so Minder, an die Verwirklichung nicht mehr geglaubt. Der Freund wurde beauftragt, Grüße an die *Schwesterseele* zu übermitteln; Peter verfügte über die Anschrift. Nach dem Tod Döblins hat Yolla Niclas von 1962 bis 1970 22 Briefe an Bodo Kunke geschrieben. Sie wollte, so der einhellige Tenor dieser Zeugnisse, dem Sohn Alfred Döblins nahe sein, wenn sie schon dessen geliebten

Vater verloren hatte. Diese Stimmung ist mehr als der Inhalt: Geheimnisse sind darin nicht zu erfahren.

Es war die letzte Begegnung zwischen Döblin und Minder, und sie wird, so kann man vermuten, für beide schmerzlich gewesen sein. Das Glück einer intimen geistigen Nähe hatten sie erlebt, der Jüngere hatte dem von ihm so verehrten Dichter oft helfen können. An Impulsivität standen sie einander nicht nach. Minder war der Mitwisser und Vertraute vieler Familien- und Ehegeheimnisse, ein exzellenter Kenner des Werks. Gemeinsam hatten sie 1940 die Flucht vor den Nazis angetreten. Minder hatte eine glänzende Universitätskarriere vor sich, während der Freund sich ins Sterben schickte. Im gleichen Jahr erhielt der Germanistikprofessor seine Berufung ans Collège de France. In den 16 Jahren, in denen er dort lehrte, hat er unermüdlich auf den Rang Döblins hingewiesen. Wenige Tage nach dem Tod des Schriftstellers erschien schon Minders großer Aufsatz »Doeblin en France«. Zum 100. Geburtstag des Freundes hielt der französische Germanist in der West-Berliner Akademie der Künste den Festvortrag. Umso belastender ist die Tatsache, dass er später in einen Prozess wegen Verletzung der Persönlichkeitsrechte Döblins verwickelt wurde und darüber am 10. September 1980 starb. Minder schränkt Döblins Christentum ein: Gibt es nicht doch viele Götter, habe Döblin beim Abschied gefragt.

Dem Sohn Klaus dankte Döblin für einen zurückliegenden Besuch, und er kam auf eine Heine-Frage zurück, die er selbst so oft gestellt hat, dass sie zu seinem Repertoire gehörte: *Wo wird einst des Wandermüden letzte Ruhestätte sein, in den Alpen, in dem Süden –?* Unter dem Schild eines Zitats versteckte er seine Altersangst; offen kam sie nie zum Ausdruck. Das gehört zum Habitus dieses Schriftstellers, den das Leben gebeutelt und schließlich geschlagen hatte: Die Wunden wollte er nicht vorzeigen, die Märtyrerverzückung lag ihm nicht, war nicht sein Fach.

Er diktierte etwas, was einen Zusammenhang ergeben sollte; aber wer weiß, ob nicht das Sinnieren, das Schweigen, die Lücken zwischen den einzelnen Sätzen den Text vor allem anderen bestimmen? Er schaute nach innen: *Das Draußen wird ihm unfaßbar, so, sah ich, steht es um das Erkennen. Was ist damit geholfen, wenn ich vom Spiegel rede. Gewiß, wir sehen uns da, aber gerade da wird uns das Rätselhafte unserer Situation deutlich. Denn was habe ich zu tun mit diesem verborgenen Wesen, das sich mir da im angeblichen Spiegel zeigt. Meine Augen sind mit im Komplott. Der Spiegel bringt mich nicht weiter.* Die Anordnung der Bilder, die er sah, hatte kein inneres Zentrum mehr. Wie sich seine Gliedmaßen verselbständigt hatten, so taten es nun auch die Wahrnehmungen. Linke Poot war vom einen zum anderen gesprungen, hatte mit seinem anekdotischen Hin und Her eine tänzerische Linie des Spotts und der Satire gefunden. Dem späten Döblin ging es wie den meisten anderen Parkinson-Patienten. Sie hören Stimmen, die sich verselbständigen, oder Töne. Tief innen vernahm er Musik. Es ging ihm wohl auch wie den Eidetikern, den Menschen mit dem absoluten Bildgedächtnis: Er erfuhr sich als eine Existenz, durch die das Sehen hindurchgeht, als ein transitorisches Wesen.

Erna Döblin erholte sich auf einer Kur in Abano von den Strapazen und von den Folgen ihrer Amöbenruhr. Sie machte auf der Rückreise Zwischenstationen in Padua, Venedig und Florenz. Anfang Mai 1957 kam sie wieder in der Klinik an. Sie bemerkte die Verschlechterung seines Gesundheitszustandes, aber auch die anhaltende geistige Regsamkeit, »das Höchste: denken, ist ihm geblieben – sonst gar nichts«. Die Spanne vom 17. März 1956 bis 1. Juni 1957 hat er in der Privatklinik Wiesneck, Buchenbach bei Freiburg, verbracht. Er hatte dort eine Privatpflegerin, mehr als ein Jahr lang, die aus den erbettelten Mitteln bezahlt wurde.

Der letzte bekannte Brief Döblins ging am 25. Mai 1957 an die Marcuses. Döblin verfolgte das Geschick seines *Hamlet* zwischen Ost und West; nun wurde auch eine westdeutsche Lizenzausgabe angekündigt, aber nur eine kleine Auflage, *zum Sterben zuviel, zum Leben zu wenig.* Das meinte er bemerken zu müssen, aber es entsprach nicht ganz den Tatsachen, seine Vorbehalte spielten ihm einen Streich. Die Freude bewegte ihn, dass er im Jahr seines 80. Geburtstages, also im kommenden, die Marcuses vielleicht in Deutschland begrüßen könne. Noch ein trotziger Reflex, *die Gesellschaft bringt mich noch lange nicht um.* Es ging ihm wie jedem anderen Sterbenskranken auch: Die letzte Stunde konnte er nicht vorhersehen.

EMMENDINGEN

Noch einmal beantwortete er einen Brief seiner alten Freunde Rosin. Am 7. Mai 1957 gab er ihnen wieder ausführliche Auskunft über seinen Zustand aus Wiesneck. Es sprach über sich der Arzt: mit aller nicht korrumpierbaren Schärfe der Diagnose, obwohl er das Wort »Parkinson« ausklammerte. Er nahm noch Anteil am Familiengeschehen, schickte an Klaus einen Gratulationsbrief zum 40., berichtete von dessen Kindertagen und von Peter.

Er musste Wiesneck verlassen, und Erna Döblin brachte am 13. Juni 1957 eine Darstellung vom Rauswurf Döblins aus dem Sanatorium in Umlauf: Der Chef des Sanatoriums habe den unveränderlichen Pflegefall Döblin nicht mehr als seine Aufgabe angesehen. Sie setzte den Vorwurf in die Welt, Döblin sei todkrank aus dem Sanatorium hinausexpediert worden. Jahrzehntelang blieb diese Darstellung unwidersprochen, bis der damalige Oberarzt Werner Priever den Vorgang 1971 richtigstellte: Man habe Erna Döblin bereits ein halbes Jahr vor der Kündigung auf verschiedene Plätze in Baden-Württemberg hingewiesen, aber sie habe die Fristen untätig verstreichen lassen und eine Lösung ohne weitere Rücksprache mit den Ärzten in der Klinik angestrebt.

Diese Darstellung klingt überzeugend, aber man kann sich dennoch nicht der Vorstellung erwehren: der Umzug wirkt wie der letzte Beweis seiner Heimatlosigkeit. Döblin meditierte gegenüber Harald Kohtz am 15. Mai 1957 vor sich hin: *Ich habe ja nicht wie Sie dauernd Vorgänge und Menschen mit mir, ich sitze und liege in dem kleinen Zimmer, das meine Krankenstube, Wohnstube usw. ist, schräg durch das Zimmer blicke ich durch das Fenster, wo sich der Wald bäumt und die Vögel um Futter betteln, – was soll ich da melden aus den Stunden, wo ich nicht in Schläfrigkeit versinke und mich wieder auf mein Bett bringen lasse.* Die Frau war in Freiburg und versuchte, irgendwo einen Pflegeplatz aufzutreiben. Zum Beispiel im Glottertal, eine halbe Busstunde von Freiburg weg, bei jenem Professor Grote, der einst mit Erna Reiss Medizinalassistent im Berliner Krankenhaus Am Urban gewesen war. Doch der lehnte die Aufnahme des Patienten ab.

Erna Döblin hatte nach eigener Aussage schließlich nur die Wahl zwischen einem Sanatorium in Kreuzlingen (wo er die ersten Tage seines Exils verbracht hatte) mit dem unerschwinglichen Monatspreis von 2500 DM und das Psychiatrische Landeskrankenhaus Emmendingen. Sie hat die Entscheidung mit ihm besprochen: »Mein Mann erwiderte: ›Als Anstaltsarzt habe ich meine Laufbahn begonnen, so kann ich sie auch abschließen. Ich wähle Emmendingen.‹«

Am 1. Juni 1957 wurde er ins Psychiatrische Landeskrankenhaus Emmendingen eingeliefert, 28 Kilometer von Wiesneck entfernt. Den Transport vertrug er nach Aussage seiner Frau nur schwer, es habe für ihn kritisch ausgesehen. Man räumte ein Zimmer für ihn frei, ein Mitarbeiter des Karl Alber Verlags besorgte Bilder für das Krankenzimmer, eine Pflegerin wurde mit einer nahen Unterkunft versorgt; sie kündigte jedoch bald wieder, denn sie fühlte sich den Anforderungen und den Unbotmäßigkeiten des Patienten nicht gewachsen. Er war nicht verrückt, er hatte inmitten all seiner Absencen Zeitspannen hellster Klarheit, wollte wohl noch selbst Medikamente und Behandlung bestimmen.

Er registrierte noch den plötzlichen und unerwarteten Tod Wilhelm Hausensteins am 3. Juni 1957 und war darüber geradezu schockiert. Erna Döblin titulierte es gegenüber der Witwe als »eine Gnade – scheint mir – aus vollem Schaffen hinweggenommen zu sein«. Unverhohlen suchte sie damit den Vergleich zu Döblins langem Siechtum und den Schwierigkeiten, die zu bestehen waren. Am 4. Juni 1957 erfreute ihn noch die Nachricht, dass ihm der Literaturpreis der Bayerischen Akademie der Schönen Künste zugesprochen worden war. Die Verleihung sollte am 27. Juni 1957 stattfinden. 11 Tage nach der Einlieferung traten innere Beschwerden wieder auf. Erna Döblin, die nach Paris gefahren war, kam am 22. Juni zurück.

Er hatte Fieber, und Erna Döblin bat noch einmal Professor Heilmeyer, den Direktor der Medizinischen Uniklinik, ans Krankenbett. Er besuchte den Todkranken am 23. Juni und verschrieb ihm Antibiotika. Die schlugen aber nicht mehr an. Der letzte Kreis schloss sich: der 40-Jährige hatte sich 1918 ein Orakel gestellt, das sich nun erfüllte: *Wie schmählich werde ich noch hinsterben. Wie meiner unwürdig wird da vieles sein. Es hilft mir nichts, daß ich schreibe und schreibe und schreibe.* Der Bewegungslose hatte eine Lungenentzündung, der Kreislauf versagte. Custos, quid de nocte – Wächter, was hat die Stunde geschlagen? Alfred Döblin starb am 26. Juni im Beisein seiner Frau, zur Mittagsstunde, in des heidnischen Naturgott Pans Stunde. Erna Döblin schickte ein Telegramm an den Sohn Stefan nach Paris: »papa heute beendet, komm Emmendingen.« Aus der Universitätsklinik meldete sie sich und gab einen Bericht: »Er ist eingeschlafen, im Tode sehr jung geworden, ein lichtes Lächeln war auf seinem Gesicht, schöner Friede.« Ein Schlussbild der Begütigung, nach all dem Kampf und Jammer.

Die Leitung der Klinik von Emmendingen wurde von der Witwe angewiesen, den Tod und den Ort der Beerdigung zu verschweigen. Die Mainzer Akademie wollte entsprechende Angaben haben und wurde am 1. Juli mit dem Bescheid »schon beigesetzt« bedacht. Die Todesnachricht kam über eine amerikanische Nachrichtenagentur, die von Peter Döblin informiert worden war, verspätet in die deutsche Öffentlichkeit. Es war vielleicht ein Indiz für die Verschollenheit dieses Schriftstellers, dass kein Nachrichtenbüro und kein angefragter Fotograf mit einem Foto dienen konnte, als zwei Wochen später der Bertelsmann Verlag danach suchte.

Der wohl schönste Nachruf auf Alfred Döblin stammt von Hermann Kesten. Er fasste beinahe 30 Jahre der Freundschaft zusammen, als er wenige Wochen nach Döblins Tod ein bewegt widersprüchliches Bild von ihm entwarf: »Mit seiner nervösen, geschwinden Art, mit den flinken und beschäftigten Blicken hinter seiner dicken Brille, mit seinem menschenfreundlichen Lachen und seinem preußischen Witz trat Döblin behände unter die Patriarchen der deutschen Literatur. Das war ein sonderbarer Greis, vergnügt wie ein Berliner Gassenjunge, grollend wie ein alttestamentarischer Prophet, berauscht von Kosmologien und der eigenen überquellenden Phantasie, ein fröhlicher Schwimmer in der stets strömenden Sprache, ein Zauberer und ein Eulenspiegel. Da war er mit zweiundsechzig Jahren gar fromm geworden, aus dem ›Großinquisitor des Atheismus‹ ward ein Zögling der Jesuiten – und war so lange schon ein Meister. Seiner schöpferischen Natur nach gehört er zu den Propheten und hat viele ihrer seltsamen Eigenschaften; er ist dunkel und spricht in den Wind und hockt gegen die Götter; er ist kurzsichtig und tiefblickend, inmitten mancher Verworrenheit spricht er nüchtern und sieht klar, bei vieler Vernunft ist er eine große, trunkene Stimme.« Es gab noch ein lächerliches Signal aus dem Kalten Krieg. Willi Bredel kondolierte im Namen der Ost-Berliner Akademie den Kollegen in Mainz zum Tod ihres Ehrenmitglieds. Der Mainzer Generalsekretär Scheel überlegte gegenüber Frank Thieß, wie man dieses Telegramm beantworten könne: entweder gar nicht »oder wieder in der privaten Form, wie wir es früher schon einmal getan haben«. Die Kontaktsperre verzerrte noch den Umgang miteinander im Angesicht eines Toten.

Alfred Döblin wurde am 28. Juni nach Housseras, zum kleinen Bauerndorf in den westlichen Ausläufern der Vogesen, überführt. Er hatte verfügt, an der Seite seines Sohnes Wolfgang zu ruhen. Erna wollte ihren Mann, ohne Anteilnahme von Freunden, geschweige denn der Öffentlichkeit, in die Erde bringen. In ihrer Hast waren ruhige Überlegung und Abwägung nicht vorgesehen. Die Bestattung hat sie so eilig betrieben, dass nur ihr Jüngster, Stefan, anwesend sein konnte. Robert Minder, über den Termin verständigt, konnte nicht kommen. Die Mutter wollte nicht warten. Der Sohn Klaus traf erst am nächsten Tag ein, da lag der Vater schon unter der Erde. Stefan Döblin hat von traumatisierenden Umständen der Beerdigung erzählt. Es war kein Priester anwesend, keine Totenmesse wurde gelesen. »Ich mußte dem Fahrer des Wagens dabei helfen, die Riemen anzubringen und den Sarg in den Boden zu senken. Da war niemand.« Erna Döblin war nach dem Zeugnis ihres Sohnes Stefan »voller Zorn auf alle Intellektuellen«. Sie fühlte sich rundum im Stich gelassen und verraten und handelte nun als rabiate Solipsistin. »Ich weiß, daß es sie tief im Inneren getröstet hätte, hätte sie dies richtig gemacht. Weil sie es so vorantrieb, alles sehr schnell erledigte und niemand etwas erfuhr, waren wir am Ende vollkommen einsam.« In diesem unwürdigen Begräbnis exerzierte Erna Döblin ihr eigenes Unglück. Das Bild einer tiefen Verstörung ist unabweisbar. Es bleibt die Ahnung, dass sie den Toten nun in Besitz nahm, nachdem sie ihn ungezählt viele Tage und Nächte an die Literatur hatte abgeben müssen, so vollständig in Besitz nahm, dass er sie mit seinem Tod infizierte.

Es ist unbekannt, wie viele Briefe Erna Döblin danach noch geschrieben hat, nur wenige sind gedruckt. Am 3. Juli dankte Erna Döblin der Direktion des Psychiatrischen Landeskrankenhauses: »Ich habe Sehnsucht nach Emmendingen, würde mich am liebsten dort aufnehmen lassen.« Ihr Wunsch galt dem Aufenthalt in einer Irrenanstalt. Am 5. Juli dankte sie noch einmal Peter Huchel, der mitgeholfen hatte, den *Hamlet* ans Licht zu bringen: »Ihr Name wird für mich immer einen rettenden Klang behalten.« Sie empfand um sich herum »eine schmerzliche Leere«. War es der gleiche Horror vacui, der nach ihrem Lebenswillen griff und ihn zerstörte? Eine Woche nach der Beerdigung schrieb sie an Theodor Heuss und kam dabei auf die von ihr bestimmten Umstände der Beerdigung zu sprechen: »Beim Hinscheiden meines Mannes habe ich keine Trauerbriefe verschickt, den Ärzten Schweigepflicht auferlegt, um in aller Stille mit meinem Sohn unseren lieben Vater in das kleine französische Dorf zu bringen.« Im Widerspruch zu ihrem Verhalten, ihren Mann wie einen unbekannten Soldaten des Wortes in die Erde zu bringen, wies sie den Bundespräsidenten auf den Rang des Verstorbenen hin. Döblin sei »einer der wenigen ganz Großen Ihres Landes« gewesen. Dass Deutschland auch ihr Land war, wollte sie nicht mehr wissen. Sie erinnerte Heuss an die Beziehungen, die die beiden unterhalten hatten: »Er hat Sie immer für einen anständigen Menschen gehalten in dem Deutschland, das ihn so gemein behandelt hatte. Er war der erste, der zurückkam, weil er helfen wollte, er kannte beide Mentalitäten. Er hat trotz seiner Bemühungen, denen er jahrlang sein Schreiben opferte und dafür Büroarbeit tat, von allen Seiten nur Undank erfahren, die einen sahen in ihm den Franzosen, die anderen den Deutschen, die einen den Realisten, die anderen den Katholiken. Er saß zwischen allen Stühlen. (…) Er sah in Ihnen den alten Kameraden aus Berlin. Gedenken Sie seiner. Ihr Land hat ihn ein Jahrzehnt totgeschwiegen.« Sie machte Heuss denn doch mit einer Bemerkung einen Vorwurf: Er habe geschwiegen, als die Presse über Döblins Tod schrieb und Reporter über den letzten behandelnden Arzt hergefallen seien. Heuss antwortete am 17. Juli, erklärte den Sachverhalt schlüssig. Er selbst habe die Wiederbegegnung mit dem Schriftsteller 1945/46 wie seine Frau »stark und dankbar« empfunden. Die mangelhafte Rezeption seines Werks im Nachkriegsdeutschland sei kein individuelles Schicksal gewesen. Er gab sich zuversichtlich, »daß die geschichtliche Würdigung, die sich aus den Verworrenheiten der Zeit erheben wird, dem Werk des Heimgegangenen den gemäßen Rang zuweisen wird«.

Die Gräber von Alfred, Wolfgang und Erna Döblin
Dorffriedhof von Housseras / Vogesen
Zustand um 2000

NACHSTERBEN

In einigen Briefen, die sie an Anton Betzner und Robert Minder schrieb, berichtet Erna Döblin von heftigen Erbstreitigkeiten zwischen ihr und den Söhnen. Bei der Regelung der Angelegenheiten hat sich herausgestellt, dass Alfred und Erna Döblin bei ihrer Hochzeit 1912 Gütertrennung vereinbart hatten. Damit habe die Witwe keinen Zugriff mehr auf Konten und Erbmasse ihres Mannes gehabt. Wie das Ende eines losen wirren Fadens steht der Vorwurf an die Söhne in der Welt. Doch war wohl nichts davon haltbar. Ihr Sohn Klaus erklärte sie in ihrer letzten Lebensetappe trocken für verrückt. Sie selbst hat in ihren letzten Monaten einige Verfügungen über das Werk getroffen, die ihren Besitz an den Rechten voraussetzen. Fest steht vor allem eines: Erna Döblin hat sich in den Wochen nach dem Tod ihres Mannes in das Logbuch der Vertreibung, der Fluchten, der Verzweiflung der Familie eingetragen. Am 28. Juli 1957 hat sie an Anton Betzner, den früheren Redakteur des »Goldenen Tors«, aus den Vogesen geschrieben. Vor die Datumsangabe setzte sie ein Kreuz, als sei nicht ihr Mann, sondern der Kalender gestorben. »Für wenige Tage bin ich hier.« Sie könne nur im Gebet, im Glauben Trost finden, »sonst müßte ich verzweifeln«. Sie habe mehr als 45 Jahre mit ihrem Mann gelebt und vier Söhne geboren – »und nun stehe ich allein«. Sie arbeitete an einer neuen Abschrift der *Pilgerin Aetheria,* bei der auch zweifache Korrekturen Döblins zu berücksichtigen waren. Die Mainzer Akademie erwäge Neuauflagen des *Wang-lun,* von *Berge, Meere und Giganten* und des *Wallenstein.* »Das ist gewiß schon sehr schön – und doch völlig unzureichend.« Sie zeigte sich in diesem Brief aktiv, werbend um das Werk, tätig für seine Nachwirkung, keineswegs von einer Depression überwältigt, mit fester, klarer Handschrift.

Knapp zwei Monate später (am 21. August 1957) lebte sie unverändert in Döblins Projekten: die Abschrift der *Pilgerin Aetheria* sollte in wenigen Tagen fertiggestellt werden, Betzner wurde aufgefordert, seinen Plan einer Döblin-Freundesgesellschaft zu verfolgen. Sie fragte wegen des Manuskripts von *Der Kampf mit dem Engel* an, Joachim Tiburtius, der West-Berliner Senator für Volksbildung, habe »dieser Tage« einen guten Brief geschrieben. Pater Gorski wollte die *Pilgerin Aetheria* im Leipziger Benno Verlag veröffentlichen. Aber diese Tätigkeiten und Überlegungen haben etwas von einer mechanischen Aktion. Sie sind eingelagert in die Depression: »Um mich herum ist alles leer geworden. Man kann nur beten und arbeiten.« Sie hat nach Minder in ihren letzten Wochen noch »eine Reihe von Schenkungen und Verfügungen« getroffen, die nicht realisiert wurden. Am 6. September kam sie erneut (wieder gegenüber Betzner) auf die Angelegenheit zu sprechen, und dann, kaum verklausuliert, die Ankündigung des Selbstmords: »Oft bin ich im Begriff zu enden, dann bete ich wieder, lese in meines Mannes Briefen. Lange kann ich nicht mehr. Ich glaube auch, daß Gott allmächtig, allwissend und auch allesverzeihend ist – und wenn mir Menschen und auch die Kirche nicht vergeben – Gott wird mir vergeben. Aber eine kleine Weile will ich ja noch kämpfen.«

Erna Döblin öffnete in der Nacht vom 14. auf 15. September des gleichen Jahres in ihrer Pariser Wohnung den Gashahn und nahm sich das Leben. Das Überleben ist ihr anscheinend nach 10 Wochen zur unerträglichen Last geworden. Auch sie wurde, 14 Tage danach, auf dem Dorffriedhof von Housseras in den Vogesen beigesetzt, bei ihrem Mann und ihrem Lieblingssohn Wolfgang, der sich dort im Juni 1940 erschossen hat, um nicht in die Hände der Deutschen zu fallen. So hatte sie es schon 1949 verfügt. Selbdritt liegen sie seitdem im Niemandsland. Sie haben drei einzelne Gräber, kein Familiengrab. In der Mitte ruht Wolfgang, er scheidet das Ehepaar voneinander. Es ist ein exterritorialer Ort im Abseits, an dem die drei liegen.

»Dona nobis pacem«, »gib uns Frieden«, hat sich Erna Döblin als Grabspruch gewählt. »Fiat voluntas tua« steht auf der Grabplatte Alfred Döblins.

Döblin hatte sich einen anderen Spruch gewünscht, Erna Döblin hat sich darüber hinweggesetzt und die Gebetsformel aus dem Vaterunser gewählt: »Dein Wille geschehe.« Aber der Satz ist folgerichtig: Es könnte sich bei diesem Spruch auch um eine Devise des Wu-wei handeln, der Ergebung, die Döblin seinem chinesischen Roman *Die drei Sprünge des Wang-lun* eingeschrieben hat. Demnach wäre das Leben dieses Schriftstellers als Rückkehr zu beschreiben, als der Weg eines Wanderers, der sich seiner Losung sicher ist, der im Gewirr der Pfade, im Mäander der Routen, auf die er sich unfreiwillig verwiesen sah, doch immer wieder zu seinem Ausgangspunkt zurückgekommen ist. Er wurde von der Fremdheit und Vielzahl der Ereignisse, die ihm tiefe Lebenslinien eingruben, bewegt und getäuscht; er glaubte sie wiederzuerkennen und sie sich vertraut machen zu können, aber sie blieben fremd, folgten den Regeln des Fatums wie eine Blindenschrift. Doch unwillkürlich vollzog er einem Rundweg und fand den Anfang wieder: die Ergebung des Rebellen. Wie hatte er doch, in der Abgeschiedenheit eines Krankenzimmers im Schwarzwald, notieren lassen: *Laßt uns beginnen.* Darin sind Anfang und Ende dieses Lebens beschlossen. Welche Kenntnis vom Kreis, dem sich alles in Demut fügt, der Grundfigur seines Lebens, war ihm eingebrannt? Der Beginn ist das Ende, sie überlagern einander. Der Abschluss war nichts anderes als die Erschöpfung eines Wanderers, der die unermessliche Landschaft der Worte erkundet hat. Noch immer liegt dieses Werk vor uns: als Vorrat an erinnerter Zukunft, geschichtet über die Tragödien dieses Lebens.

NACHWEISE UND ANMERKUNGEN

Zitate aus früheren, Jahrzehnte zurückliegenden Notizen über Döblin, die in das Buch eingearbeitet worden sind, konnten in einigen wenigen Fällen nicht verifiziert werden. Sie sind hier mit dem Vermerk »Ohne Nachweis« versehen.

Siglenverzeichnis

Amazonas	*Amazonas.* Romantrilogie. Hg. von Werner Stauffacher, 3 Bde., Olten und Freiburg i.Br. 1988
BA	*Berlin Alexanderplatz. Die Geschichte von Franz Biberkopf.* Hg. von Werner Stauffacher, Zürich und Düsseldorf 1996
BMG	*Berge, Meere und Giganten.* Hg. von Gabriele Sander, Düsseldorf 2006
BW	*Babylonische Wandrung oder Hochmut kommt vor dem Fall.* Hg. von Walter Muschg, München 1997
Briefe I	*Briefe.* Hg. von Heinz Graber, Olten und Freiburg i.Br. 1970
Briefe II	*Briefe II.* Hg. von Helmut Pfanner, Düsseldorf und Zürich 2001
DHF	Drama, Hörspiel, Film. Hg. von Erich Kleinschmidt, Olten und Freiburg i.Br. 1983
DMB/WV	*Der deutsche Maskenball von Linke Poot, Wissen und Verändern!* Hg. von Heinz Graber, Olten und Freiburg i.Br. 1972
EB	*Die Ermordung einer Butterblume.* Hg. von Christina Althen, München 2004 (Die Erzählungen nach dieser Ausgabe zitiert)
EB/SE	*Die Ermordung einer Butterblume. Sämtliche Erzählungen.* Hg. von Christina Althen, Düsseldorf und Zürich 2001 (Die späten Erzählungen nach dieser Ausgabe zitiert)
Freundinnen	*Die beiden Freundinnen und ihr Giftmord.* Mit einem Nachwort von Jochen Meyer, Düsseldorf 2007
GT	Das Goldene Tor
Griffe	Griffe ins Leben. Berliner Theaterberichte 1921–1924. Hg. und eingeleitet von Manfred Beyer, Berlin 1978
Hamlet	*Hamlet oder Die lange Nacht nimmt ein Ende.* Hg. von Walter Muschg, München 2000
IüN	*Das Ich über der Natur,* Berlin 1927
JR/SV	*Jagende Rosse, Der Schwarze Vorhang und andere frühe Erzählwerke.* Hg. von Anthony W. Riley, Olten 1981
KdZ	*Kritik der Zeit. Rundfunkbeiträge 1946–1952.* Hg. von Alexandra Birkert, Olten und Freiburg i.Br. 1992
KS I	Kleine Schriften I (1902–1921). Hg. von Anthony W. Riley, Olten und Freiburg i. Br. 1985
KS II	Kleine Schriften II (1922–1924). Hg. von Anthony W. Riley, Olten und Freiburg i.Br. 1990
KS III	Kleine Schriften III (1925–1933). Hg. von Anthony W. Riley, Zürich und Düsseldorf 1999
KS IV	Kleine Schriften IV, (1933–1953). Hg. von Anthony W. Riley und Christina Althen, Düsseldorf 2005

LB	*Die Lobensteiner reisen nach Böhmen.* Hg. von Christina Althen, München 2006
LS	*Die literarische Situation,* Baden-Baden 1947
Manas	*Manas. Epische Dichtung.* Hg. von Walter Muschg, Olten und Freiburg i.Br. 1961
NLP	Hans Fiedeler, *Der Nürnberger Lehrprozess,* Baden-Baden 1946
Nov. 1918	*Nov. 1918. Eine deutsche Revolution.* Erzählwerk in drei Teilen und vier Bänden. Hg. von Werner Stauffacher, München 1995
OD/PAE	*Der Oberst und der Dichter oder Das menschliche Herz, Die Pilgerin Aetheria.* Hg. von Anthony W. Riley, Olten und Freiburg i.Br. 1978
Pardon	*Pardon wird nicht gegeben.* Hg. von Walter Muschg, München 1964
RiP	*Reise in Polen.* Hg. von Heinz Graber, Olten und Freiburg i. Br. 1968
SÄPL	Schriften zu Ästhetik, Poetik und Literatur. Hg. von Erich Kleinschmidt, Olten und Freiburg i.Br. 1989
SjF	Schriften zu jüdischen Fragen. Hg. von Hans Otto Horch in Verbindung mit Till Schickedanz, Solothurn und Düsseldorf 1995
SLW	Schriften zu Leben und Werk. Hg. von Erich Kleinschmidt, Olten und Freiburg i.Br. 1986
SPG	Schriften zur Politik und Gesellschaft. Hg. von Heinz Graber, Olten und Freiburg i.Br. 1972
SR	*Schicksalsreise. Bericht und Bekenntnis.* Hg. von Anthony W. Riley, Solothurn und Düsseldorf 1993
UD	*Unser Dasein.* Hg. von Walter Muschg, München 1988
UM/KE	*Der unsterbliche Mensch, Der Kampf mit dem Engel.* Hg. von Anthony W. Riley, Olten 1980
Wadzek	*Wadzeks Kampf mit der Dampfturbine.* Hg. von Anthony W. Riley, Olten 1982
Wallenstein	*Wallenstein.* Hg. von Erwin Kobel, Düsseldorf und Zürich 2001
WL	*Die drei Sprünge des Wang-lun.* Hg. von Gabriele Sander und Andreas Solbach, Düsseldorf 2007

11 *Monaden sind wir:* JR/SV, 160.
Von meiner seelischen Entwicklung: SLW, 37.
12 *Familiengeschichte:* SLW, 314.
Das Werk, das ich war: SLW, 305.
13 *Wo fängt es an:* SLW, 305.
hergerufen: SLW, 420.
Und nicht ich: SLW, 195.
14 *Es ist aus einem mitgeborenen Zentralpunkt:* SLW, 106 f.
Kilometerfresser: Briefe II, 33.
Eine wirkliche Autobiographie: SLW, 330 f.
15 penetrante Besserwisserei: Kurt Tucholsky, Der neue Remarque. In: K.T., Gesamtausgabe. Bd. 14: Texte 1931. Hg. von Sabina Becker, Reinbek b.H. 1998, 276.
16 *Ich habe einen Bahnhof:* SLW, 76.
23 *Stettin:* SLW, 17.
Die Stadt – Die Häuser waren niedrig: SLW, 138 f.
24 *Ich stellte fest:* SLW, 138 f.
Dorfkaufmann – Wie einem ein Haus: SLW, 126.
er macht eine gute Partie: SLW, 120.
25 *Gearbeitet wurde:* SLW, 18.
Fürst Bismarck: SLW, 18.
mit dem Dampfer: SLW, 138.
26 *verfügte über ein ganzes Arsenal:* SLW, 120.
27 *Es ist in ihm:* UD, 317.
Er war mit vielen Neigungen: SLW, 112.
Er war – ethnologisch: SLW, 123.
28 *Ich hatte zwischen:* SR, 127.
Eine zusammenschmelzende Familientradition: SjF, 285.
29 *Ich hörte zu Hause:* SR, 126 f.
eine Farce – Diese Rede hatte: SLW, 61.
Negativ aber: SLW, 63.
Aber ich muß Ihnen: SLW, 168.
30 *Dickkopf:* SLW, 18.
Ich weiß dann: SLW, 138 f.
Verflucht soll Stettin sein: Wadzek, 12.
Er sagte träumerisch: Wadzek, 345.
31 *die gemeinsame Heimatstadt:* Vgl. E.A.: Alfred Döblin liest in der Volkshochschule. In: Stettiner General-Anzeiger vom 3.11.1930.
Die drei Romane: Briefe II, 64 f.
Später – nur ganz ungefähr: Briefe II, 65.
Wie kommen auch wir: Briefe II, 65.
grell bemalte Leinwand: SLW, 19.
33 *Meine Mutter hatte ihr aufgelauert:* SLW, 117.
Zuletzt nach der Familienkatastrophe: SLW, 139.
34 *Sie erzählen da von Freud:* SLW, 110.
Du sollst noch einmal: SLW, 119.
Der Mann lebte: SLW, 116.
35 *Der Mann hat sich in verbrecherischer Weise:* SLW, 118.
Das waren alles: SLW, 141.
ein triebhaftes Wesen: SLW, 121.
gebildeter Hausknecht: SLW, 121.
Nein, nicht bloß unbekannt: SLW, 121.
36 *Er rückt, er rückt:* SLW, 124.
Ich kann davon sprechen: SLW, 121.
Man gelangt zu keinem: SLW, 125.
Es ist mir nicht viel: Jochen Meyer, Katalog der Ausstellung »Alfred Döblin 1878–1978« des Deutschen Literaturarchivs, Marbach a.N. 1998, 59.
37 *Meine Mutter unterhielt:* SLW, 110 f.
Nachher fuhren wir: SLW, 111.
38 *ein Unhold:* Pardon, 13.
Sie nahm mit: Pardon, 14.
Julius Hart: Heinrich und Julius Hart, Lesebuch. Zusammengestellt und mit einem Nachwort von Gertrude Cepl-Kaufmann, Köln 2005, 41.
nur vorgeboren: SLW, 110.
ganz kleine finstere: Pardon, 16.
39 *Sie sah gewiß nicht nach Milde:* Pardon, 52 f.
Er hat das Gesicht: Alfred Kerr, Wo liegt Berlin? Briefe aus der Reichshauptstadt 1895–1900. Hg. von Günther Rühle, Berlin 1997, 6.
40 *Denn bin ich nicht selber:* SLW, 521.
Verlangen nach einem Aufenthalt: KS IV, 517.
41 die Uhr der Kunst: Else Lasker-Schüler, Die kreisende Weltfabrik. In: Gesammelte Werke, Bd. 2, München 1962, 638–40.
Und das rebelliert: SLW, 39.

Was es da unten im Keller: KS IV, 517 f.

42 *Mir fällt ein:* SLW, 108.
Hier kam ich nicht: Alexander Granach, Da geht ein Mensch. Autobiographischer Roman, Augsburg 2003, 186.

43 *im Exil in Berlin – die an Türkisch:* SLW, 126.
in Alfred Döblin erfüllt: Siehe: Hans Magnus Enzensberger, Von der Unaufhaltsamkeit des Kleinbürgertums. In: Kursbuch 45, 1976, 1–8.
Man wohnte viel schöner als: SLW, 22.
Die Mutter hatte: SLW, 23.

44 *Es war ein schöner Sommerausflug gewesen:* SLW, 23.
Mein Vater hat später: SLW, 114.

45 *Der Mann hatte – es ging sonst keiner mit:* SLW, 118.
Die Familie trat langsam: Ohne Nachweis.
Ernährer der Familie: SLW, 127.

46 *Im Übrigen las ich:* Briefe II, 64.
Daran waren die geistigen Physiognomien: Umfrage »Was waren Sie für ein Schüler?« 1926 im »Berliner Börsen-Courier«. Zit. nach: SLW, 66.

47 *Er spielte glänzend:* SLW, 354.
Er war älter als wir: Moritz Goldstein, Berliner Jahre. Erinnerungen 1880–1933, München 1977, 35.

48 *Wir beteten evangelisch:* KS III, 106.
Da saß nun auf dem Katheder: Ebenda.
Turnen zwischendurch: Ebenda.
traurige Figur: SLW, 146.
Die Herren brauchten: SLW, 156.

49 *Ich bin nicht von Haus aus:* SLW, 159 f.

50 *allgemeine, politische:* SLW, 357.
Gott sei das Gute: SLW, 289.
Und die Hauptursache: SPG, 17.

51 *Geschäftiges Leben:* JR/SV, 7.

52 *Straße nach Straße:* JR/SV, 10.
zwischen ihnen: SPG, 13.
Den »Hyperion« von Hölderlin: SLW, 194.
Diese beiden: SR, 128.

53 Die wahren Nothelfer: Minder, Dichter in der Gesellschaft. Erfahrungen mit deutscher und französischer Literatur, Frankfurt a. M. 1983, 180.
fiel Dostojewski – Abend für Abend: SLW, 40. Vgl. auch Monique Weyembergh-Boussart, Alfred Döblin und F. M. Dostojewski. In: Revue des langues vivantes/Tijdschrift voor levende Talen 35, 1969, 381–404; 505–30.
die disziplinscharfe Schule – Widerstreben, Energie: SLW, 40.
und wie richtete sich mein Zorn: SR, 128.
unliterarisch: SLW, 40.

54 *Ich »las« die Bücher wie die Flamme das Holz:* SLW, 31.
Ungeheuer regte mich – Ich erinnere mich: SR, 129.
Kameraden, wie Brüder: SR, 208.
muffigen Gottes der Gebildeten: SLW, 42.
das Nüchterne, Skeptische: SLW, 42.

55 *während ich bisher:* Ebenda.
am liebsten Spinoza: SLW, 306.
Der Wechsel seiner seelischen Färbung: SLW, 43 f.
Er wurde zwischen Schularbeiten: SLW, 80.
Ein lyrischer Ich-Roman: SLW, 80 f.

56 *Auf weißem Rosse:* JR/SV, 35.
stillen Bewohnern: SLW, 80.
Sehr Bitteres, Sonderbares: SLW, 81.

57 *ein Narr und irr:* JR/SV, 27.
Oh Lust und Weite: JR/SW, 30.
Jetzt gilts die Qual: JR/SV, 44.

58 *Es war ihr eine Spielerei:* SLW, 58.
Er schwenkte über mich: SLW, 158.

59 *Sein Betragen:* SLW, 139.
Seine Aufsätze: SLW, 139 f.
in gewöhnlicher Weise: SLW, 167.
Ich kannte schon eine andere: SLW, 167.
Wir zeigten einander: Moritz Goldstein, Döblins Wallenstein-Roman. Ein Brief an den Verfasser. In: Ingrid Schuster/Ingrid Bode, Alfred Döblin im Spiegel zeitgenössischer Kritik, Bern und München 1973, 99.
Er war nicht von seiner: SLW, 158.

60 *Ich diene noch heute:* SLW, 150 f.
Ich hatte mich aber: SLW, 359.

61 *damals völlig toten Hegel:* Briefe II, 54 f.
Aber vielleicht bemerken Sie: Briefe II, 54.
62 *Ich gestehe offen:* SLW, 240.
was die Welt: Ebenda.
das Staunen: SLW, 240.
nicht durch Begriffe: SR, 130.
63 *Auch von meinem eigenen Schreiben:* SLW, 92.
damit ich nicht: JR/SV, 84.
Menschenseelen: JR/SV, 90.
Wie ein Stern: JR/SV, 102.
altes: JR/SV, 105.
64 *Daß ich nun als Mediziner:* SLW, 359.
Ich erinnere mich: SR, 129.
65 *Es war immer Leben:* SLW, 354.
66 *Damals galt uns Politik gar nichts:* SLW, 359.
Er war ein grundgütiger: KS IV, 367.
In einem kleinen runden Raum: Julius Bab, Richard Dehmel, Berlin 1913, 268 f.
67 *Und da ist mir in Erinnerung:* SLW, 356.
68 *Er war im Tiergarten:* SLW, 356.
69 *Johannes schenkte ihm:* JR/SV, 115.
Absicht ist: eine Geschichte: Briefe I, 23.
Ja, als er das erste Semester: SLW, 19 f.
70 *Menschenstöhnen:* JR/SV, 171.
Trabanten: JR/SV, 150.
Buchstaben – Erpreßt: JR/SV, 198.
Stichflamme: JR/SV, 126.
71 *den Ihnen bekannten:* Briefe I, 23.
Betrachtet man aber den Styl: SLW, 15.
72 daß bisher der Versuch: Alfred Erich Hoche, Die Freiheit des Willens vom Standpunkte der Psychopathologie, Wiesbaden 1902, 99.
73 *solche entsetzlichen Abende:* SLW, 15.
in der letzten Studienzeit: Robert Minder, Wozu Literatur, 108.
73 f. Alle Zitate aus dem Brief an Else Lasker-Schüler: Briefe I, 25–7.
Meine *schönen Blutdruckuntersuchungen:* Briefe I, 28.
eine seltene Geisteskrankheit: Ebenda.
76 *Abenteuerliche Räubergeschichte:* Alfred Döblin, Gedächtnisstörungen bei der Korsakoffschen Psychose. Mit einem Nachwort von Susanne Mahler, Berlin 2006, 12.
Gedächtnistäuschungen: Döblin, Gedächtnisstörungen, ebenda.
Poetik des Vergessens: Susanne Mahler in: Döblin, Gedächtnisstörungen, 91–106.
Ich bin nicht Ich: SÄPL, 122 f.
77 *wie ein Steinklopfer:* Briefe I, 28.
ich möchte meine Kinder: Briefe I, 29.
ich stelle mir das so vor: SLW, 485.
es war ein großes Gedränge: Döblin, Gedächtnisstörungen, 54.
Constantinopolitan: Döblin, Gedächtnisstörungen, 64.
Einen Monat lang: Ebenda.
Damals bemerkte ich: SLW, 92.
78 *schwachem kontrahierten Puls:* Döblin, Gedächtnisstörungen, 48.
Aber ich bewahre dem schlanken: SLW, 106.
finster drohende: Siehe: Oliver Pfohlmann, »Eine finster drohende und lockende Nachbarmacht«? Untersuchungen zu psychoanalytischen Literaturdeutungen am Beispiel von Robert Musil, München 2003.
79 *Man lerne von der Psychiatrie:* SÄPL, 120.
Ihre Grundlage ist: Zit. nach Harald Neumann: Alfred Döblin. Leben und wissenschaftliche Studien, Krankheiten und Tod, 2. Aufl., Mainz 1987, 16.
80 *lieblich trivial – Ich sitze hier:* Briefe I, 33.
81 nichtpragmatische Beamte: Nach: A. Fuchs, Alfred Döblin in Regensburg. In: Verhandlungen des Historischen Vereins für Oberpfalz und Regierungsbezirk Regensburg 118, 1978, 287–92. Hier: 288.
Einstellung: Wolfgang Schäffner, Die Ordnung des Wahns. Zur Poetologie psychiatrischen Wissens bei Alfred Döblin, München 1995, 276.
Feldkirchners großes Verdienst: Jutta Großhauser, Die Entwicklung der

Heil- und Pflegeanstalt Karthaus-Prüll in der Zeit von 1852 bis 1939 unter besonderer Berücksichtigung der Behandlungs- und Pflegemethoden, Diss. Erlangen-Nürnberg 1973, 25.
Ich treibe hauptsächlich: Briefe I, 42.
82 *Kräftige Person:* Schäffner, 285.
83 *Also Schwachsinn:* Schäffner, 285 f.
nicht zu sehr beschäftigt: Briefe I, 34.
Indessen habe ich: Briefe I, 37.
84 *eine Reihe Bemerkungen:* Briefe I, 38.
in ihrem Wandel: Briefe I, 32 f.
85 *Jeh, wie ich mich darüber ärgere:* Briefe I, 24.
Als Kunst der Zukunft: Zit. nach: Briefe I, 512 f.
A propos: Briefe I, 38.
86 *Das Weib als Fallstrick:* Siehe: DHF, Nachwort von Erich Kleinschmidt, 528 f., Anm. 5.
Die Situation hab ich nur aus Trotz: Briefe I, 43 f.
Ich geh in nicht zu langer Zeit: Briefe I, 43.
Würde mich recht freuen: Briefe I, 43.
87 *Das feste Haus liegt:* BA, 419 f.
88 Die Hallen schritt ich: Archiv Buch, gegenwärtig unzugänglich.
89 *Es ist mir eine schreckliche:* UD, 36.
Es handelt sich um: Briefe II, 23.
90 *Die Frau markiert:* KS I, 84.
91 *Er hat sich als kenntnisreicher:* Ulrich Flotmann, Über die Bedeutung der Medizin in Leben und Werk von Alfred Döblin, Münster 1976, 20.
eine Bluttat der Apachen: KS I, 57.
92 *pseudologica phantastica:* KS I, 58.
Persönlichkeitsbewußtsein: KS I, 59.
affektvoll verlebte Folgezeit: KS I, 61.
gummigekräftigt: KS I, 80.
Er gestattet sich seine Privatsache: KS I, 137.
93 *Betriebswerkzeuge:* KS I, 123.
Ich trieb mich Jahre hindurch: SLW, 93.
94 *Das Dunkel:* SLW, 93.
95 der grassierende Antisemitismus: So auch von Klaus Schröter, Döblin, 50.
96 Mutter Henriette: Geburtsurkunde Nr. 553/1888, Personenstandsbuch des Standesamtes Berlin, noch DDR.
97 Den Vater im Schlechten: Wolfgang Koeppen, Alfred Döblin oder Die lange Flucht. In: Wolfgang Koeppen, Gesammelte Werke. Hg. von Marcel Reich-Ranicki, Bd. 6, Frankfurt a. M. 1990, 234.
Der Brief hat A. D. zerschmettert: Notiz Minders von Gesprächen mit Döblin 1955 in Paris. Prozessakten vom 3.8.1979 B Rep. 039, Nr. 91, Landesarchiv Berlin, 61.
Da Erna an der Verlobung: Notiz Minders, Prozessakten, 62.
98 Die ersten Jahre der Ehe: Notiz Minders, Prozessakten, 62.
wilde Königin: EB, 33.
99 *Ich habe mir vor acht Jahren:* KS I, 274.
Die ersten Jahre der Ehe: EB, 33.
Wenn die Ehe: KS I, 117.
Er war ja ein Lump: LB, 19.
Er war solch Lügner: Ebenda.
kultiviert, erotisch: Minder, Wozu Literatur, 107.
furchtbare Ehe: Ebenda.
Sohn Stefan: In: Neue Rundschau, 120. Jg., 2009, H. 1, 150.
100 Epilepsie: Minder, Notiz in Prozessakten, 11.
Taufe, protestantisch: Nach einem Zeugnis von Stefan Döblin in: Neue Rundschau, 145.
Dem Assistenzarzt: Personalakten der Klinik Am Urban, gegenwärtig nicht zugänglich.
101 *nicht freiwillig die Geborgenheit:* Zeitgemäßes aus der »Literarischen Welt« von 1925–1932. Hg. von Willy Haas, Stuttgart 1963, 152.
fürchterlich abstoßende Tagespraxis: Döblin in: Welt und Wort, 8. Jg., 1963, 11.
es war fast ein Dammbruch: SLW, 36.
102 *Die Kientopps:* KS I, 72.
Deutlich erhellt: KS I, 73.
Schriftstinker – m. E. völlig: Briefe I, 50.
so ausgesprochener Theaterfeindlichkeit: Briefe, 49.
Es muß irgendwo: Briefe I, 49 f.
Mir gefiel: Briefe I, 51.

103 f. Alle Zitate aus *Das märkische Ninive:* KS I, 77.

104 *Walden, der unermüdliche:* SLW, 361.
Plakatentwurf: Originalbild in Budapest, Museum der bildenden Künste. Abb. bei Georg Brühl, Herwarth Walden und »Der Sturm«, Leipzig 1983, Abb. 30.
Lieber H. W.: Briefe I, 53.

105 *Es werden da Personen:* SLW, 360.
Dieser Nutzen liegt: KS III, 270.

106 *Man kann in der Musik:* SÄPL, 273.

107 *Diese männliche Gouvernante – dem Eiertänzer:* Briefe I, 55.
Ein behender, kleiner Mann: Rudolf Kayser, Dichterköpfe, Wien 1930, 150.

108 *fundiere insgleichen:* Briefe I, 56.
tröpfelnden Novellen: SLW, 36 f.

109 *Parterregymnastiker:* EB, 100.
Klag- und Warnschrift – Es müßte von Staatswegen: EB, 113 f.

110 *In diesen unscheinbaren Bestimmungen:* SÄPL, 66.

111 *Zwangsvorstellungen – Es liefen da:* SLW, 360.
Fischer alias Hoche: Siehe auch: Yvonne Wübben, Unterwegs nach St. Ottilien. Zur Literarisierung von Psychiatrie und Hirnforschung in Alfred Döblins Erzählung »Die Ermordung einer Butterblume. In: literaturkritik.de, Nr. 8, August 2007.

112 Schriftsteller, die zeitraubende Romane: Schuster/Bode, 13.

113 Heute nur ein paar Neuigkeiten: Else Lasker-Schüler zit. nach: Meyer, Katalog, 103.
Arbeitsplatz an der Charité: Siehe vor allem: Norbert Klause, Medizinisch-wissenschaftliche Apperzeption. Betrachtungen zu Alfred Döblins Œuvre. In: Tatsachenphantasie – Alfred Döblins Poetik des Wissens im Kontext der Moderne. Internationales Alfred-Döblin-Kolloquium Emmendingen 2007. Hg. von Sabina Becker und Robert Krause, Bern 2008, 55–67.

114 *Die Menschen sind eine wunderbare Gesellschaft:* SLW, 95.
Ich war jetzt praktischer Arzt: SLW, 93 f.
Gelehrsamkeit – Behandlung, Einfluß: SLW, 94.

115 *notorisch zu Kurpfuschern:* SLW 94.
auf dem Nullpunkt: SLW, 94 f.
Wir wollen den Krieg verherrlichen: Wikipedia: Futurismus.

116 Es waren hinreißende Stunden: Nell Walden, Lothar Schreyer (Hg.), Der Sturm. Ein Erinnerungsbuch an Herwarth Walden und die Künstler aus dem Sturmkreis, Baden-Baden 1954, 14 f.
Wir rühren immerwährend: KS I, 102.

117 *Mit einem Ruck:* KS I, 114.
Heimlichkeit: KS I, 113.
Der Futurismus ist: KS I, 116 f.

118 Man muß täglich: Das Manifest im Oktober 1912 im »Sturm«. Wortlaut der futuristischen Manifeste Marinettis in: Peter Demetz, Worte in Freiheit. Der italienische Futurismus und die deutsche literarische Avantgarde 1912–1924, München 1990, 171–208.
Rascheln durch Momentmillionen: KS I, 140.
keine Verschönerung: SÄPL, 113.
Kameraden: SÄPL, 116.

119 *Vormund der Künstler:* SÄPL, 114.
Phonographie – Meckern, Paffen: Säpl, 115.
Monomanie: SÄPL, 116.
Naturalisten: SÄPL, 117.
Leichtigkeit: SÄPL, 119.
Pflegen Sie ihren Futurismus: Ebenda.

120 War sehr gut: Meyer, Katalog, 109.
Kunst ist Gabe – Der Maler malt: Herwarth Walden, Erster Deutscher Herbstsalon, Berlin 1913, Köln 1988, Vorrede.
Allem Singen: SLW, 167.

122 *So zahlreiche Bücher:* SLW, 29.
samt Vorarbeiten: SLW, 36.
Sittenschilderungen: Briefe I, 58.

123 *Nichts Neues:* Briefe I, 59.
Bevor ich mich daran mache: Claude

Simon, Der blinde Orion, Frankfurt a. M. 2008, 11.
Die Straßen haben sonderbare Stimmen: WL, Zueignung, 7.
Neigung zu Narrenstreichen: 32, WL, 33124
Geht mit mir: WL, 82.

125 *Stille sein:* WL, 495.
so daß nach Erlöschen: SLW, 29.

126 *Die Welt erobern wollen:* WL, 49.
irrte von Verleger: SLW, 95.
Der Verleger schielt: KS I, 150.
Der Roman bei Kurt Wolff: Siehe K. Wolff, Briefwechsel eines Verlegers 1911–1963, Frankfurt a. M. 1963, 163 f.

127 *Wenn es auch lang dauerte:* Briefe I, 60.
bei allen Einschränkungen: S. Fischer Verlag, von der Gründung bis zur Rückkehr aus dem Exil. Katalog einer Ausstellung des Deutschen Literaturarchivs. Hg. von Friedrich Pfäfflin und Ingrid Kussmaul, Marbach a. N. 1986, 286.
eine Leistung: Schuster/Bode, 19.
in den Promenaden: Schuster/Bode, 20.

128 *kein Wort äußerte:* SLW, 290 f.

129 *Sie schreiben viel:* Briefe I, 74.
Walden: Vgl. M. S. Jones, From Protegé to Künstler. Alfred Döblins Break with »Der Sturm«. In: New German Studies (hull), vol. 6, no. 2, Summer 1978, 117–126.

131 *Psychologie ist – dürftigsten:* SÄPL, 120.
Man lerne von: SÄPL, 120 f.
Rapide Abläufe: SÄPL, 122.

132 *Die Hegemonie des Autors:* SÄPL, 122.
Entselbstung: SÄPL, 123.
Mut zur kinetischen Phantasie und *Der Naturalismus:* SÄPL, 123.
Erholung: SLW, 37.

133 *nachts auf der Rettungswache:* SLW, 24 f.

137 f. Gedichtzitate in: Thomas Anz und Joseph Vogel (Hg.), Die Dichter und der Krieg. Deutsche Lyrik 1914–1918, München, Wien 1982.

138 Was die Dichter begeisterte: Thomas Mann. Aufsätze, Reden, Essays, Bd. 2, 10.
Der Krieg ist nicht der Verneiner: Expressionismus. Manifeste und Dokumente zur deutschen Literatur 1910–1920. Hg. von Thomas Anz und Michael Stark, Stuttgart 1982, 312.

139 *Dies ist das Jahr 1:* KS IV, 65.
Wir brauchen: KS IV, 66.
Ich fuhr mit Russen: KS IV, 67.
Über den Küstriner Platz: DMB/WV, 57.

140 Kirgisen, Japaner: Thomas Mann, Aufsätze, Reden, Essays, Bd. 2, Berlin 1983, 28.
Inmitten eines Krieges: SPG, 21.
fertige Nationen an derselben Stelle: SPG, 17.
Eine süße dünne Stimme: SPG, 19.

141 *Gebaut war:* SPG, 20.
Von allen Seiten bedrückt: SPG, 21.
Die Kultur leidet nie: SPG, 20 f.

142 *Nämlich gerecht sein:* SPG, 19.

143 *Ich tadle das verwirrende Vibrieren:* WL, Zueignung, 7.
ganze Berge von Maschinenstudien: Oskar Loerke, Das bisherige Werk Alfred Döblins. In: Im Buch – Zu Haus – Auf der Straße, Berlin 1928, 141.

144 *das heiße Verwirrtheitsgefühl:* Wadzek, 68.
Psychologie, Takt: Wadzek, 9.
vierzylindrische: Wadzek, 30.

145 *R 4 gegen Modell 65:* Wadzek, 31.
Wenn ich schon mal: Wadzek, 92.
Windstöße über den Ozean: Wadzek, 321.

146 *Bodenständig:* Wadzek, 304.

147 *Ich sehe keine Autos:* Briefe I, 61.

148 *Diese Kaserne ist:* Ebenda.
dissident: Schock, Saargemünd, 210 f.
Ich bin ordinierender Arzt: Briefe I, 61 f.
Unterordnen: Briefe I, 62.
auf dem Isolierschemel: Ebenda.
Geht man in die Umgebung: Briefe I, 62.

149 *faktisch wie ein Badeaufenthalt:* Briefe I, 63 f.

nicht Oberstabsärzten: Briefe II, 41.
Schluß, für den ganzen Tag: Briefe I, 69.
immerhin viel zweifelhaftes Gemüse: Briefe I, 70.
Ich habe danach und *famos scharf:* Briefe I, 65.
Hurrah die russen in der Tinte: Briefe I, 66.
150 *und das hockt zusammen:* Briefe I, 67.
Wenn Du was aus den »Lobensteinern«: Briefe I, 70.
151 *Wie begeistert viele:* Briefe I, 67.
Im Grunde sollte ich: SÄPL, 116.
den zerschossenen Soldatenleibern: LB, 39.
152 *es fehlte der letzte Mumm:* Briefe I, 71.
Ändern Sie: LB, 166.
mehrere kleine Märchen: Briefe I, 72.
153 *Erholung:* SLW, 37.
Hoffentlich kommt: Briefe I, 86.
Mein neues Müllersches: Briefe I, 87.
Ergo wanzt man: Briefe I, 69.
154 *zwei Berliner Ärztinnen:* Briefe I, 61 f.
Eine Kollegin: Briefe I, 72 f.
Kommt nun: Briefe I, 71.
155 *eine Machtpartei:* Briefe I, 71.
Es ist so schöner Frühling: Briefe I, 72.
Ach, Kinder: In: August Stramm, Briefe an Nell und Herwarth Walden, Berlin 1988, 85.
156 *Das unausdenkbar Brutale:* Briefe I, 75.
Fall von Wahrträumen: Briefe I, 102.
Ich würde Dir: Briefe I, 103.
Zum Auswachsen ist: Briefe I, 78 f.
157 *Siebenjähriger oder dreißigjähriger Krieg:* Briefe I, 81.
wurde ganz anders: Briefe I, 77.
158 *Bevor ich an den Wallenstein:* DHF, 106.
Die Rede des Autors: Briefe I, 80.
von dem schlecht unterrichteten Papst: Ebenda.
159 *Man hat sich:* SLW, 308.
160 Der Geschmack der chinesischen Landschaft: In: Oskar Loerke, Vier Bücher vom Schicksal. In: Die Neue Rundschau, Jg. 27, H. 5, Mai 1916, 703.
Wie stählet sich: Schuster/Bode, 45.
Mit bewundernswerter Phantasie: Schuster/Bode, 18 f.
161 *Durchschnittlich brauche ich:* JR/SV, 107.
Ich möchte jetzt nichts: Briefe I, 85.
Wenn der Krieg noch länger: Briefe I, 83.
Wahnsinnig viel Arbeit: Briefe I, 83.
162 *Aber wohin, wohin:* Briefe I, 83.
und so stark war die Kanonade: Briefe I, 84.
nur garnisonsdienstfähig: Briefe I, 92.
Sie erzählen – Ich habe keine Erinnerung: Briefe I, 84.
163 Maschinengewehren: Peter Riedesser, Axel Verderber, Maschinengewehre hinter der Front. Zur Geschichte der deutschen Militärpsychiatrie, Frankfurt a. M. 2004, Anm. 29.
164 *Sie drangen in langsamer Minierarbeit:* Hamlet, 19.
Hochindustrialist: Briefe II, 39.
gräßliche Wassersuppe: Briefe I, 82.
recht solides: Briefe I, 85.
Im übrigen: Briefe I, 86.
sehr deutschfreundlich: Briefe I, 87.
165 *wehrlos, als wenn wir:* Ebenda.
Die Politik wird uns Unpolitischen: Briefe I, 87.
Gegen Börsianer: Ebenda.
ziviler Mensch werden: Briefe I, 89.
Gustav Adolf: Zit nach: Meyer, Katalog, 148.
166 *Ich habe in den letzten:* Briefe I, 92.
breiteres Fahrwasser: Briefe I, 9.
ein Seelenzustand: SÄPL, 231 f.
Nachdem die Böhmen: SÄPL, 242.
das war der Anfang: Ebenda.
Jetzt nicht mehr siegen: Briefe I, 95.
167 *Tagesroman:* SÄPL, 127.
schichten, häufen: SÄPL, 124.
Kellermann: KS I, 286–288.
168 *Wenn ein Roman:* SÄPL, 126.
Man schuldet das: KS I, 227.
Meine Patienten: SLW, 72 f.
169 *Ich stand spontan auf:* SLW, 72.
Verdacht eines Geschwürs: Lt. Akten Krankenbuchlager Berlin.
170 *Meine Schwiegermutter:* Briefe I, 96.

Jetzt habe ich drei und *in absoluter Tag- und Nachtruhe:* Briefe I, 97.
171 *Die Weltlage erfüllt mich:* Briefe I, 97.
Und jetzt: der Parlamentarismus: Briefe I, 99.
Hinwendung zum Menschlichen: SPG, 28.
172 *dritten Revolution*: SPG, 88.
Nach dem Kriegstoben: SPG, 27.
Nichts was diese Generation: SPG, 28.
173 *Da gehen sie herum:* SPG, 26.
Sieh zu, was Du tun kannst: Briefe I, 99.
Über Roman und Prosa: In H. 3, Nov./Dez. 1917, in der Zeitschrift »Marsyas« veröffentlicht.
Unmittelbares Sprechen: KS I, 227.
174 *Es war eine ganz und gar unverständliche:* SLW, 72.
in einem Zustand: In: Döblin/Loerke, Im Buch, zu Haus, auf der Straße, Marbach a. N. 1998, 157.
Hoffentlich kommt das Buch: Briefe I, 86.
175 *Von Müller das Buch:* Briefe I, 91.
Es gibt nur einen Vergleich: Schuster/Bode, 50.
176 *um die sich diese gesamte:* SLW, 337.
Es sind nicht leichte Erschütterungen: SLW, 14.
es ist ein schöner Gedanke: SLW, 15.
Oder ist sie verstümmelt: Robert Minder, Wozu Literatur? Reden und Essays, Frankfurt a. M. 1971, 109.
Wie schmählich: SLW, 16.
177 *Dieser ziemlich kleine:* SLW, 17.
Abgrund von Bosheit bis *Prediger des Hasses:* SPG, 35.
vulgäre Machtpolitiker: SPG, 36.
nehmet diese Männer: SPG, 37.
Wir werden Ruhe: SPG, 37 f.
178 *das triumphierende Gesicht:* SPG, 38.
So redet ein Freund: Ebenda.
Wir stehen vor einem Fiasko: SPG, 44.
179 Gesundheitskontrolle: Alle Einzelheiten nach Schock, Saargemünd, 15–88.
180 *Furchtbar stört mich:* Briefe II, 27.
181 *Matrosen seien:* SPG, 59.
Hier sitze ich: SPG, 61.
Die Gesichter dieser Elsässer: SPG, 60.
so feiert man Revolution: SPG, 63.
der Krieg ist verschlungen: SPG, 64.
182 *Man schreibt sich:* SPG, 67.
In dem endlos langen Zug: SPG, 71.
wie ich ihn enden: SLW, 49.
Aber ich sollte und mußte: SLW, 50.
183 *Im Westen hatten sich:* Wallenstein, 737.
nach dem ewig unvergleichlich schönen: Briefe II, 28.
184 Der Waffenstillstand: Zit. nach Briefe I, 536.
Anklang oder Nachklang: Briefe I, 103.
Ich zweifle aber nicht: Briefe I, 104.
185 herrenmäßige Extrawurst: Zit. nach: Ulrich Linse, Gustav Landauer und die Revolutionszeit 1918/19, Berlin 1974, 251.
Aber es ging unaufhaltsam: Nov. 1918, I, 286.
186 *Was den verflossenen Wolfgang Goethe:* KS I, 93.
Mit Ehrfurcht denke ich: DMB/WV, 54.
187 *allerdings sehr roten Erguß:* Briefe I, 105.
Fühlung: SPG, 71.
die Schamlosigkeit – heilloser Prinzipienreiter: SPG, 72.
188 *Erstaunte frohe Tage:* SPG, 73.
Machtexpansion: SPG, 74.
uralte Kamellen – diese Leichen: SPG, 82.
Nationalgefühl: SPG, 80.
189 *Wenn dies ausgeführt wird:* SPG, 79.
den ungesellschaftlichen: SPG, 80.
Geisteskapital: SPG, 81.
Leben gezeugt: SPG, 82.
190 *Surre – surre:* Nov. 1918, IV, 586.
192 *und da konnten sich* bis *Wie werden sie:* Nov. 1918, IV, 572.
193 *Die Straßen werden:* DMB/WV, 15 f.
193 f. Alle Zitate zur Schwester: SLW, 129 f.
194 *Wer diese Menschenmassen:* SLW, 128 f.
195 *Mit Schlappschwänzen:* SLW, 128.
Der Tod ist etwas: SLW, 43.

Ich bekenne als Farbe: Briefe I, 107.
196 *unter dem Damoklesschwert:* Briefe I, 107.
Missachtung Döblins: So vor allem von Schröter, Döblin.
Ich fand meine Kranken: SLW, 95.
Die Kassenpraxis: SLW, 97.
Es wird Sie interessieren: Briefe II, 30.
Alle Menschen haben Ansichten und *Rededelirien:* SPG, 84.
Es gibt viele Wege: SPG, 90.
197 *Wir haben eine Überproduktion:* SPG, 95.
Wie macht man eine Revolution: SPG, 83.
Sehr schön: Briefe I, 107.
198 *die Dinge:* SPG, 99.
199 *Ruinen, neues Leben:* DMB/WV, 239–42.
200 *Wo seid ihr jetzt:* DMB/WV, 23.
201 *Also, ich bin einverstanden:* Samuel und Hedwig Fischer, Briefwechsel mit Autoren. Hg. von Dierk Rodewald und Corinna Fiedler, Frankfurt a.M. 1989, 789.
Es ist ein altes Buch von mir: Briefe II, 30.
er ist nun hoffentlich: JR/SV, 107.
unausgegorenen Buch – ein höchst verworrenes Werk: Schuster/Bode, 63–5.
202 *Eine ganz interessante Tätigkeit:* Briefe I, 110.
es bleibt alles: Briefe I, 111.
Ja, Bie macht alles: Briefe I, 112.
Ein Jammer: Ebenda.
ständiger Mitarbeiter: Vgl. Briefe I, 113.
203 *Als ich im Sarge*: DMB/WV, 114.
Republik, Demokratie – Entthronung des Leutnants: SPG, 110.
Weisheit der Verbohrten: SPG, 113.
Die Revolution hat nicht: SPG, 112.
204 *die Vertrottelung:* SPG, 114.
Den sogenannten Parteien: SPG, 114.
hinzudrängen: SPG, 117.
Man sage nicht: KS I, 246.
ich will ihn nicht: Ebenda.
205 *Ich fühle die Süße:* KS I, 247.
ein absurdes Philosophem: Ebenda.
Man entfernt sich: KS I, 256.
Die Religionen sitzen: KS I, 258.
was in uns religionsbedürftig: KS I, 260.
In einem unhaltbaren: KS I, 247.
Eine üble und peinliche: KS I, 251 f.
206 *Ton der Enterbten:* KS I, 254.
Wir fordern uns: KS I, 260.
209 *Nessushemd der Freiheit:* SPG, 120.
Selbstgliederung des Volkes: Ebenda.
Räte: das ist: SPG, 122.
Die Verselbständigung: SPG, 119.
Kräfte des Volkes: SPG, 119.
Unser Leben wagt sich: SPG, 125.
210 *Der Bürger wird:* SPG, 117.
Freunde der Freiheit: SPG, 126.
Tragödie eines Klassenlosen: Pardon, 95.
Freud-Jünger: Vgl. Veronika Füchtner. In: Heike Bernhardt/Regine Lockot (Hg.), Mit und ohne Freud. Zur Geschichte der Psychoanalyse, Gießen 2000, 30–50.
211 *Bei allen, ja allen Vorträgen:* KS II, 262.
Wie gut wäre es doch: KS II, 271.
Tendenzen: KS II, 273.
In der Psychoanalyse: KS II, 341.
212 Die Freigabe: Karl Binding/Alfred Hoche, Die Freigabe der Vernichtung lebensunwerten Lebens. Ihr Maß und ihre Form, Leipzig 1920. Siehe auch: Gustav Wilhelm Schimmelpenning, Alfred Erich Hoche, Das wissenschaftliche Werk: »Mittelmäßigkeit«?, Göttingen 1990.
Zeiten höherer Sittlichkeit: Binding/Hoche, 53.
diese armen Menschen: Binding/Hoche, 30.
die Beseitigung: Binding/Hoche, 53.
Das Bewußtsein: Binding/Hoche, 55.
213 Ballastexistenzen u.a.: Binding/Hoche, 49–52.
Freigabe der Tötung: Siehe auch: Walter Müller-Seidel, Alfred Erich Hoche. Lebensgeschichte im Spannungsfeld von Psychiatrie, Strafrecht und Literatur, München 1999.
Alle Linien münden: Robert Musil, Der Mann ohne Eigenschaften, Reinbek b.H. 1978, 1851.

Man hatte vorher: SÄPL, 173.
Vielleicht ist etwas: SLW, 185.
214 *die Münder zu öffnen:* SÄPL, 310.
Anfang 1919: SLW, 49.
215 *Potenz aller Potenzen:* SLW, 34
Er war im Begriff: DMB/WV, 111.
216 Nach der ausbleibenden Revolution: Ähnlich schon gedeutet von: Leo Kreutzer, Alfred Döblin. Sein Werk bis 1933, Stuttgart, Berlin, Köln, Mainz 1970, 59.
Hier kann ich nichts unklar lassen: SLW, 33.
ein moderner Industriekapitän: Briefe I, 533.
Zum *Wallenstein:* Die beste Arbeit ist: Joseph Quack, Geschichtsroman und Geschichtskritik: Zu Alfred Döblins »Wallenstein«, Würzburg 2004.
Krieg ist sehr, sehr vieles: SLW, 185.
217 *Die kaiserlich deutsche Republik:* DMB/WV, 24.
Ich möchte Kaiser sein: DMB/WV, 112.
kein Einziger in Deutschland: SLW, 74.
218 Es ist nur das erste Epos: Schuster/Bode, 95.
Wer in dieser leeren: Schuster/Bode. 95 f.
219 *Man liege Monate:* SLW, 25.
immer als ein Unfug: SLW, 18.
aus einem liebenden: SLW, 19.
versiegeltes Buch: SLW, 31.
So zahlreiche Bücher: SLW, 21.
220 *Mir geht es so:* SLW, 50.
Ich lese heute früh: Brecht, Werke, 26, 152 f.
Es ist eine große Kraft drinnen: Brecht, Werke, 26, 167.
Material: Ebenda, 262.
221 »Mann ist Mann«: Siehe: Kreutzer, Döblin, 43 f.
Es handelt sich doch wirklich nur – Ich habe immer gewußt: Bert Brecht, Briefe I, 145.
wider die Parteilinie: Größere Diskussion über Wirkung Döblins auf Brecht bei Roland Links, Alfred Döblin, München 1981, 101–06.
Nach einem halben Jahr: SLW, 131 f.
222 *Im Trubel der Kriegsgefahr:* SLW, 132.
Das ist sie, die »Oma«: SLW, 132 f.
Unbehilflichkeit: SLW, 133.
Auf ihren Grabstein: SLW, 133 f.
223 *Kinostils:* SÄPL, 121.
Der Vater eines jungen Grafen: DHF, 562.
224 *zu meiner Unterhaltung:* Briefe I, 116.
quel honneur: Briefe I, 115.
225 heute mehr als je: Zit. nach: Fischer, Schutzverband, 72.
226 *Wir vertreten die Rechte:* KS I, 309.
Die Lage des deutschen Schriftstellers: Kurt Tucholsky, Schriftsteller. In: Kurt Tucholsky, Gesamtausgabe, Bd. 4: Texte 1920. Hg. von Bärbel Boldt/Gisela Enzmann-Kraiker/Christian Jäger, Reinbek b. H. 1996, 240.
227 *Die wirtschaftliche Not:* KS I, 261.
Einesfalls schadet es nichts: KS I, 262.
Der Künstler begreift seit langem: KS I, 264.
Enterbte waren die Künstler: KS I, 285 f.
228 *Man konnte nämlich – Alles Gute wächst nebenbei:* SLW, 24.
kämpfend mit den Verlagsunternehmen – Bekanntlich bedroht: SLW, 25.
Ergo war ich zufrieden: Briefe I, 109.
Ich habe vom letzten Heft: Fischer, Briefwechsel, 355.
229 *ich habe genug:* Briefe I, 115.
nicht bekannt gewordene Vorstellungen: Siehe: Wolfgang Grothe, Die neue Rundschau des Verlages S. Fischer. Ein Beitrag zur Publizistik und Literaturgeschichte der Jahre 1890 bis 1925, Frankfurt a. M. 1961.
Das Format ist verkehrt: Briefe I, 120.
Rente von 40 000 Mark: Briefe I, 119.
aber Fischer machte: Briefe I, 119.
Die völlige Secessio: Briefe I, 118.
230 *Ein Optimum an Wirkungsmöglichkeiten:* SÄPL, 158.
Zusammenzuhalten: SÄPL, 159.
Schon in ruhiger Zeit: SÄPL, 160.
Was wird gefordert: SÄPL, 158.

humanisieren und kultivieren: SÄPL, 163.

231 *Man muß wissen:* SÄPL, 162.
Man beobachtet, was man will: DMB/WV, 65.

232 *Die Revolution hat nicht:* SPG, 112.
Es demaskierte sich: DMB/WV, 97.
Es genügt mir, Banderillero: DMB/WV, 65.

233 *Ich habe nie versäumt:* DMB/WV, 113.
die Monarchisten nicht vor den Kopf: DMB/WV, 100.
die Wut und den Schauder: DMB/WV, 23.
Die Drahtzieher: DMB/WV, 46.
Augenblicklich: SPG, 193.

234 *ein Bummern:* WL, Zueignung.
Das Ich wird Publikum: SÄPL, 233.
Es ist entschieden: DMB/WV, 32 f.
Dieser Linke Poot: Kurt Tucholsky, Der rechte Bruder. In: Die Weltbühne, Jg. 18, Nr. 4 vom 26.1.1922, 104.
Jahrzehntelang hatte ich: KS I, 274.

235 *Der Expressionismus ist:* KS I, 280.
es war eine Republik: DMB/WV, 100.
Man blase hinter mir: DMB/WV, 113.
Bild: Franz Blei, Das große Bestiarium der modernen Literatur, München 1963, 16.

236 Stefan Döblin: In einem Interview erklärte er 2009: »Ich habe jetzt signalisiert, dass alles – außer, wenn es in dieser Korrespondenz extrem schockierende Dinge geben sollte, was ich mir nicht vorstellen kann – veröffentlicht wird. Ich sähe sie sogar gern veröffentlicht, weil sie dabei helfen könnte, die familiären Beziehungen und ihren Einfluss auf die Texte meines Vaters besser zu verstehen.« (»Er strebte immer nach Verbesserung«. Gespräch mit Stefan Döblin. In: Die neue Rundschau, 120. Jg., 2009, H. 1, 153).

237 Mir war, als ob die Hand: dieses Bild und alle weiteren Zitate von Yolla Niclas aus ihrem Lebensbericht, DLA, 76.1634.

238 *Hier, im Metropol-Theater:* Griffe, 73.
zugleich enthusiastische und diskrete: Robert Minder, Dichter in der Gesellschaft, 189 f.

239 *Lieber Walden:* Briefe I, 127.
Den Versuch, sich um ihretwillen: Minder, Dichter, 189.
Krankenlagerakte Döblins. Handschriftliche Eintragung.

240 *Revision der Mönchs- und Nonnenklöster:* DHF, 155.
für nichts: DHF, 163.
Er ist in uns: DHF, 163.

241 *Tausendfuß:* BMG, Zueignung, 9.
Sünde büßen – Ein Hauptbahnhof: SLW, 45.
ein schönes Wesen: SLW, 43.
Offenbar bin ich: SLW, 47.
Ich ging noch: SLW, 48.

242 *Zwischen dem Politischen:* SLW, 50.
Mir ist keine seelenlose Materie: Alfred Döblin, *Die Natur und ihre Seelen*. In: Der neue Merkur 6, 1922/23, 8.

243 *Hang zu der ausgebreiteten:* Briefe I, 123 f.
Sicher weiß ich: Die Natur und ihre Seelen. In: Der neue Merkur 6, 1922/23, 8.
Reinigung der Gesellschaft: Buddho und die Natur. In: Die neue Rundschau, Jg. 32, 1921, 1199.

244 *Formeljargon der Mathematik:* JüN, 19.

245 *Witterung:* JüN, 201.
Man bedenke: Die Natur und ihre Seelen. In: Der neue Merkur 6, 1922/23, 8 f.
In der Dichtung wird: KS I, 291.

246 *Wir haben keine Kunstprodukte:* KS II, 135.
Die Steine an der Ostsee: SLW, 50.

247 *Ich liege eben über:* Briefe I, 119 f.
Ich erlebte die Natur: SLW, 51.
Hymne auf die Stadt: SLW, 53.
»Sang« an die große Natur: Briefe I, 123.
Hacke ich nicht täglich: Briefe II, 33.

248 *Ich war bisher durch allerlei:* Briefe II, 32.
die Phantasien waren zu wild: SLW, 349.

249 *Ein Zuchthausknall ohne Zuchthaus:* Briefe II, 35.
Vor der stampfenden Wucht: Undatierter und unbezeichneter Zeitungsausschnitt, DLA, Mappe Döblin.
Was tue ich – Ich nenne dich: BMG, 9.
250 Ich konnte gar nicht verstehen: Niclas-Memoiren, 8.
Wenn ich daran denke – Immer gerüstet sein: Niclas, Memoiren, 9.
denn wie sie sagte – Bald fing ich an: Niclas-Memoiren, 19.
251 Wenn es mir hin und wieder: Niclas-Memoiren, 21.
ein zitternder Frieden – Es war mir schon lange: Niclas-Memoiren, 24.
Ich hatte den Traum: Niclas-Memoiren, 3.
252 *Das war das prächtigste Feld:* SLW, 52.
zum Heil: SLW, 267.
Ich sage immer »Natur«: SLW, 54.
253 *Jetzt spreche ich:* BMG, Zueignung, 9.
Turmalinschleier: BMG, 342 ff.
255 *Ein Buch, das sich:* DMB/WV, 110.
daß Sie, der viel Ältere: Briefe I, 121.
Ich freue mich sehr: Briefe I, 122.
256 *naturalistische Geist:* SÄPL, 170.
Die Tierart Mensch: SÄPL, 171.
Ferrosilizium, Ferrovanadium: SÄPL, 175.
Die Dynamomaschine: SÄPL, 176.
257 *Es ist freilich schon heute:* SÄPL, 174.
der Korallestock: SÄPL, 180.
Nur so ist es verständlich: SÄPL, 185.
Umseelung: SÄPL, 173.
die stärkste Scheuklappe: SÄPL, 169.
abgelebtes Dörrgemüse: SÄPL, 172.
Gesellschaftstrieb: SÄPL, 171.
Freiheitsgefühl: SÄPL, 172.
258 *die neu erweckten Sinnesorgane:* SÄPL, 182.
Man bewahrte nur auf: SÄPL, 186.
Die Riesenkapitel der Elektrizität: SÄPL, 176.
Das Mystische: SÄPL, 188.
Früher drehte sich die Welt – Dies Geheimnis zu fühlen: SÄPL, 190.
259 *ich bin schauderhaft:* Briefe I, 114.
260 *Die Tausende im Ozean:* DHF, 94.
Nicht zu dieser Welt: JüN, 141.
Pygmäen-Skandälchen: Schuster/Bode, 72.
Nach einigem Zögern: Vorkritik der Darmstädter Zeitung vom 18.1.1926.
Tatsächlich, was an Idee: Schuster/Bode, 69.
261 ein überalterter Fall: Schuster/Bode, 69.
Kenner, Auch-Kenner: Schuster/Bode, 71 f.
Ah, ich merke: Briefe I, 125.
262 *Ich habe wirklich nicht vor:* Griffe, 15.
Laternenanzünder: Griffe, 15.
Das Theater ist nicht: Griffe, 17.
Ressortverwischung: Griffe, 52.
Es ist ein Unglück: Griffe, 53.
Die Mark sinkt: Griffe, 92.
Ich überlasse die Alpen: Griffe, 260.
263 *Denn es ist das Wichtigste:* Griffe, 57.
Weichlingen: Griffe, 43.
Solche Stücke: Griffe, 115.
schludert enorm: Griffe, 28.
Da wird ein Ei gelegt: Griffe, 266.
schon lang reif: Griffe, 266.
264 *Sie wollen ihr Krankengeld:* SLW, 100.
Unter unserer Wohnung: Typoskript Claude Doblin, DLA.
Das Sprechzimmer: Peter Bamm, Eines Menschen Zeit, München 1972, 194.
man ist Arzt: SLW, 100.
an einem kritischen: SLW, 102.
wir können die Wirtschaftsordnung: SLW, 101.
265 Dora Benjamin: Vgl. G. Loewenstein, Kommunale Gesundheitsfürsorge und sozialistische Ärztepolitik zwischen Kaiserreich und Nationalsozialismus – autobiographische, biographische und gesundheitspolitische Anmerkungen, Bremen 1980.
dichterische Freiheit: Vgl. *Von einem Zahnarzt und seinem Opfer,* SLW, 83–89. Und: *Von Prozessen und Vergleichen,* KS III, 137–42.
und ich bin es nicht im Nebenberuf: SLW, 92.
Sie müssen einmal: SLW, 96.

266 *Die Kassenpraxis – ich spreche es aus:* SLW, 97.
Die Tuberkulösen: DMB/WV, 118–22.
267 unter ungeheurem Andrange: Deutsche Allgemeine Zeitung, 13.3.1923.
widerliche Zumutungen: Ebenda.
268 *geschlechtliche Abneigung:* Freundinnen, 12.
Heftiges, Wildes, Besonderes – Ekelgefühl: Freundinnen, 13.
Masse von unbefriedigten Gefühlen: Freundinnen, 21.
269 *Bei alldem drehte es sich:* Freundinnen, 84.
Man muß die Tatsachen: Freundinnen, 93 f.
gar nicht mehr auf dem Gebiet: Freundinnen, 85.
270 *in einer bestimmten Hinsicht dunkel:* Briefe I, 126.
oder: was sich: Briefe I, 126.
271 *Wilhelm Lehmann:* Der Kleist-Preis 1912–1932. Eine Dokumentation. Hg. von Helmut Sembdner, Berlin 1968, 83.
die Weite, den Reichtum: Ebenda.
Er besitzt: Zit. nach Meyer, Katalog, 190 f.
272 Westheim: *Kunst, Dämon und Gemeinschaft*, SÄPL, 192–96.
Sie kommen weder: SÄPL, 193.
273 Kurz, er liegt schon: Manfred Georg, Reiner Tisch. In: 8-Uhr-Abendblatt, Nr. 73, 27. März 1926, 2. Beibl., 4.
Während der Schlacht singen die Musen: KS II, 329–33.
Große Verängstigung: KS II, 330.
Deutsche Zustände – jüdische Antwort: SLW, 60–66.
aber mehrmals: SLW, 61.
das Benehmen der Leute aber: SLW, 62.
Von hier aus also: SLW, 63.
274 *Die Kehrseite des Judeseins:* SLW, 63.
Was die Herren – Aber ich war: SLW, 65.
275 *Das Ideal:* SjF, 267.
Warnung vor dem Rabbinismus: SjF, 268.
Das jüdische Volk: SjF, 270.
meine erste zu kurze Flucht: Briefe I, 127.
276 *anonyme Gerechte:* RiP, 252.
Wächst aus dem alten Glauben: RiP, 255.
277 *Polen muß sich fürchten:* RiP, 312.
Ich frage: Wer hungert: RiP, 47.
278 *Ich ahne Unruhe:* RiP, 248.
Judenstadt: RiP, 74.
350 000 Juden: RiP, 73.
Ich freue mich über das Plakat: RiP, 82.
279 *Man soll sie stehen lassen:* RiP, 159.
Ein Grauen ist diese Straße: RiP, 189.
Die Führer haben die Pflicht: RiP, 189.
Die heutigen Staaten: RiP, 179.
Naphtarevier: RiP, 227.
280 *Unter der Decke hängt er:* RiP, 239.
Und wie trage ich – Von dem Gehenkten: RiP, 261.
281 *Fenster neben Fenster*: RiP, 258.
Könnte ich: RiP, 258. Siehe Heinz Grabers Nachwort zu RiP, 356.
282 *Wie groß, wie stark:* RiP, 221.
Die Menschen sind Personen: RiP, 312.
Es gibt eine gottgewollte: RiP, 333.
Welch imposantes Volk: RiP, 137.
284 *Assimilation erfolgt:* Briefe I, 129.
starken und unterhaltsamen Buch: Ilja Ehrenburg, Visum der Zeit, Leipzig 1982, 114.
287 *fixsternsichere Wahrheit:* KS I, 132.
288 mit allem Ernst: Siehe: Klaus Petersen, Zensur in der Weimarer Republik, Stuttgart, Weimar 1995.
ein Optimum von Wirkensbedingungen: SÄPL, 158.
fortdauernden unerträglichen Eingriffe: Vgl. Petersen, Zensur.
Alle Zitate über die »Gruppe 1925«: Klaus Petersen, Die »Gruppe 1925«. Geschichte und Soziologie einer Schriftstellervereinigung, Heidelberg 1981.
Metierkritik – in größerer Ruhe: Zitate nach einem Bericht Rudolf Leonhards.
In: Petersen, Gruppe 1925, 168.
288 f. Döblin-Zitate: Unveröffentlichter Bericht, DLA, 97.7558.

291 Ohne uns mit den Becherschen Thesen: Die Welt am Abend, Nr. 70, 24.3.1926, Beilage.
292 Zensurbestimmungen: Siehe vor allem: Petersen, Zensur, 1995.
293 *Unsere Funktion ist da allemal:* Alfred Döblin, Grundsätzliche Erklärungen führender Mitglieder der Aktionsgemeinschaft. In: Die Stimme der Freiheit 1, 1929, Nr. 1, 13.
Die Kunst ist heilig: SÄPL, 249.
ars militans: Wiederherstellung: SÄPL, 251.
die Vertretung der deutschen Schriftsteller: Die literarische Welt 2, 1926, Nr. 20, 2.
Angriff auf den PEN: Siehe auch: Fred Hildenbrandt in: Berliner Tageblatt, Nr. 240, 23.5.1926.
294 Es wäre wunderbar: Brecht, Briefe, 145.
295 *Ich stellte mich auf die sozialdemokratische Seite:* SLW, 337.
Das Kino war schon ein Fortschritt: KS III, 19.
296 Das Hotel Weber: Arnolt Bronnen gibt zu Protokoll. Beiträge zur Geschichte des modernen Schriftstellers, Berlin und Weimar 1985, 192.
Dresdner Volkszeitung: Zeitungsausschnitt in Döblin-Mappe, DLA.
297 *Normalhaltung:* Briefe II, 45.
Er war in die große Lücke: KS III, 46.
298 *Ich will da eine Meinung:* KS III, 53.
Das greift über die Wissenschaft hinaus: KS III, 54.
Er war Berliner: SLW, 17.
teils ist es Geschick: SLW, 45.
Ich bin weder in Paris: SLW, 67 f.
299 *Er hat keine Ahnung vom Roman:* SLW, 69.
Juan-les-Pins ist, vor allem im Sommer: Erika und Klaus Mann, Das Buch von der Riviera, Reinbek b. H. 2002, 83.
300 *Die Verlegerindustrie:* Die Böttcherstraße 1, 1928, H. 1, 19.
wertlos bis schädlich: Ebenda.
Döblin ist ein großes, zu pflegendes Talent: Samuel und Hedwig Fischer, Briefwechsel mit Autoren. Hg. von Dierk Rodewald und Corinna Fiedler, Frankfurt a. M. 1989, 367.
301 *Ich selbst, ein Einzelner:* Briefe I, 129 f.
im Charakter schwer und gediegen: Fischer, Briefwechsel, 259.
Die soziale Gerechtigkeit erfordert doch: Fischer, Briefwechsel, 1103.
302 *Aber das beweist mir nichts:* KS III, 92.
303 *Seelenhaftes von früher und jetzt:* SÄPL, 193.
Einbrüche des Dämonischen: SÄPL, 194.
Eigentümlich die Befangenheit: SLW, 288.
304 *Das indische in freien Rhythmen:* Briefe II, 354.
305 *Salze, Säuren, Wasserstoff:* Buddho und die Natur, später ohne Änderung in: IüN, 150.
Von hier aus datieren: SLW, 312.
von metaphysischen Gewittern: Oskar Loerke, Schuster/Bode, 184.
Ein indischer Held: SLW, 338.
306 Mit begeistertem Entzücken: Loerke, Tagebücher, 149.
es ist sicher die kühnste: Schuster/Bode, 190.
307 *Wie sind Sie nur darauf gekommen:* SLW, 312.
Ausstattungs- und Zauberfilm: Schuster/Bode, 178 ff.
also weniger als ein kleiner Angestellter: Zeitgemäßes aus der Literatur. Hg. von Willy Haas, Stuttgart 1963, 151 f.
Bei ununterbrochener literarischer Arbeit: SLW, 78.
Ich frage mich nur: Ebenda.
308 *auf Vorschuß:* SLW, 96.
Und da muß ich: SLW, 97.
309 *Es ist, um einfach:* SLW, 96.
absolut schwul: Brecht, Werke, 21, 158.
Lesung in Zürich: Vgl. Der Lesezirkel 15, 1927, H. 3,1, und NZZ vom 8.12.1927.
310 *erst als die erwartete:* Briefe II, 55.
die Dinge sind physikalisch und historisch: IüN, 63.
311 *wo doch unmittelbar um uns:* SLW, 208.

Unzeitlichkeit des Sinns: IüN, 65.
unglücklichen Bewusstseins: Ich folge hier: Helmuth Kiesel, Literarische Trauerarbeit. Das Exil- und Spätwerk Alfred Döblins, Tübingen 1986.
niemals werde ich: IüN, 216 f.
Wiedergeburt der Hauptwissenschaft Theologie: IüN, 242.
Sammi Fischer: Briefe I, 140.

313 Auf meiner Privatliste: Zit. nach Jens, Dichter, 66.

314 *Die Akademie wird klug genug sein:* KS III, 114.
offizielle Lorbeerstall: KS III, 115.
Er wandelt durch die Flur: KS III, 115.
Hexameter sind: KS III, 116.
Er geht doch nicht im Walde – Er tritt nicht: KS III, 116.
des Vereins gekrönter – Die geistige Zentrierung: KS III, 117.

315 *Ertüchtigung:* KS III, 118.
Ich will nicht vergessen: SLW, 102.

316 ›Beargwöhnt‹ und ›beneidet‹: Walter von Molo, Zwischen Tag und Traum. Gesammelte Reden und Äußerungen, Berlin, Bielefeld, München o. J., 194 f.
hochkomisches und lächerliches Produkt: SÄPL, 204.

317 *der Zwischenhändler:* SÄPL, 201 f.
Man kann den Prozeß: SÄPL, 203.
Die Werke Homers: SÄPL, 206.
Schriftstellereiroman: SÄPL, 209.
Daß man so: Briefe II, 350.

318 in ihrem häuslichen Umfeld porträtiert: Zwei Kinder-Theater werden eröffnet. Stimmen aus dem Parkett. Was sagen z. B. die Kinder Alfred Döblins? In: Berliner Tageblatt, Jg. 58, 1929, Nr. 490, 17. Okt. Die drei Träume. Ein Märchen von Karl Simrock. Von Kindern zu Ende gedichtet. In: Berliner Tageblatt, Jg. 58, 1929, Nr. 268, 9. Juni (u. a. Klaus Döblin).
Die Väter hätten gestern: R. L., Rundfunk von gestern und heute. Undatierter und unbezeichneter Zeitungsausschnitt, Marbach a. N.

319 *Der wirklich schauende Anblick:* IüN, 17.
Eine lächerliche Sache: SLW, 152.

320 *wie ein Kleinbürger:* Briefe I, 140.
die philosophische und metaphysische: Briefe I, 141.
Ich bin kein Philosoph: Briefe I, 141.
aber die »Neue Rundschau« druckte ihn ab: NR, 1928, II, 161–73.

321 *sexuelle Erniedrigung der Frau:* SLW, 108.
Impotenz – wir Arbeitsmänner: SLW, 109.
Nach denen entwickelt sich: SLW, 110.

322 *Ich bin eine Kröte:* SLW, 110.
Erblichkeitslehre: SLW, 169.
daß man doch nur: SLW, 175.

323 *Liebhabereien:* SLW, 172.
Ich wollte eigentlich: SLW, 176.

324 Der hohe, von geschwungenen feinen Linien: SLW, 137.
Und nun adje, Kinderchen: SLW, 175.

325 *Ethnologisch ist er:* SLW, 135.
Er ist 160 Zentimeter groß: SLW, 134.
ethnologisch [für] *das Opfer:* SLW, 123.

326 der meisterhafte und dokumentarische Beitrag: Schuster/Bode, 250.

327 *Sie glauben, der Autor berichtet Ihnen:* SÄPL, 235.
Summa: das Filmmaterial: KS II, 125.
Es geht nicht an: In: Film-Kurier 12, 1930, 16.8.1930.

328 *die infamen Detektiv- und Konfliktfilme:* KS II, 224.
Wir sind mit Chaplin identisch: KS II, 13.
Man hatte in den Stadtschaften: BMG, 21.
Man hatte damals ein Verfahren: BMG, 128.

329 *Ich war eine ganze Zeit:* KS III, 146.
Daß aber von einem Sender: KS III, 187.
rein mit dem Mikrofon: KS III, 148.
erstickt: KS III, 147.
Ich möchte bemerken: KS III, 203.

330 *für etwas Vulgäres:* SÄPL, 252.
das akustische Medium: SÄPL, 255.
kleinen, gebildeten Klüngel – funkformalen Ansprüche: SÄPL, 256.
Buchroman: SÄPL, 258.
Hörbarkeit, Kürze: SÄPL, 261.

331 Dienstag, 1.10.: Loerke, Tagebücher, 194.
Man solle Gerichtsverhandlungen: Sendung 5, 1928, 451.
In einer Rundfunkdebatte: Walter von Molo, So wunderbar ist das Leben. Erinnerungen und Begegnungen, Stuttgart 1957, 78.
332 *Vierunddreißig Jahre laufe ich hier herum:* SLW, 38 f.
eine sonderbare Lust- und Sündenstadt: KS I, 77.
Ich gehe wie schon tausende: KS I, 240.
333 [Ich bin] *zugehörig zu dem wahren Berlin*: Ohne Nachweis.
Zahlensprung um Zahlensprung: Fred Hildenbrandt, Großes schönes Berlin, Berlin 1928, 118.
Die gesamte höhere deutsche Kultur: SÄPL, 266.
Senkung des Gesamtniveaus: SÄPL, 270.
daß hier jemand schlechter geschrieben: Rudolf Arnheim, Döblins Oratorium. In: Die Weltbühne, 27. Jg., Nr. 17 vom 17.4.1931, 626.
am Bülowplatz: Vgl. Fritz Sternberg, Der Dichter und die Ratio. Erinnerungen an Bert Brecht, Göttingen 1968.
Wir trafen uns auch: Briefe I, 476.
335 *Wir debattierten nun:* Briefe I, 476.
von döblin habe ich: Brecht, Geburtstagsrede. Zit. nach Meyer, Katalog, 294.
Mit Brecht verlief es: Briefe I, 476.
Wenn Brecht und Döblin: Siehe: Sternberg, Der Dichter und die Ratio, 16 f.
Ich schrieb auf meine Art: Briefe I, 476.
336 *Freunde, liebe Freunde:* DHF, 261.
Der Sprecher geht durch alle Szenen: DHF, 172.
die Idee und der dramaturgische Rahmen: Schuster/Bode, 312.
Nur ich – setzte mich eines Tages: SLW, 199.
In einer Provinzzeitung: SLW, 200.
auf Döblin für seine eigene Auffassung vom Theater verwiesen: Vgl. Piscator, Das politische Theater, Berlin 1968, 58 f.
337 eine geradezu pathetische: Schuster/Bode, 322.
Dieser Tiefstand einer Nutzdramatik: Schuster/Bode, 313.
Völlig und vollkommen: Briefe II, 61.
338 *Ich habe ein unvergeßliches Faktum:* Briefe II, 61.
Trennung: Vgl. Jürgen Serke: Der unbekannte Döblin: Drei Frauen und nur ein Leben. In: Zeit-Magazin vom 26. Mai 1978, Nr. 22, 18–29.
das Versöhnungskind: »Er strebte immer nach Verbesserung«. Gespräch mit Stephan Döblin. In: Neue Rundschau, 120. Jg., 2009, H. 1, 141.
Bild: Wolfgang Koeppen. Zit. nach Meyer, Katalog, 512.
340 Man hat ein Werk auf Berliner Boden: Schuster/Bode, 217.
Ich kann viel besser schreiben: SLW, 79 f.
341 *Eine stilistische Analyse:* Briefe I, 165.
342 Wenn es Döblin Spaß macht: Meyer, Katalog, 238 f.
Ich selbst bin ja inzwischen: Briefe II, 58.
343 Ich hatte damals Teile: Gottfried Bermann-Fischer, Bedroht – Bewahrt. Der Weg eines Verlegers, Frankfurt a. M. 1971, 45.
anständig zu sein: BA, 13
Verflucht ist der Mensch: BA, 211 f.
Da erhob sich in seiner Mitte: SLW, 277 f.
344 *Als ich die Stadt verließ:* SLW, 278.
Das zweite sollte: Briefe I, 165 f.
345 Sie sind nur Feinde: Brecht, Briefe, 402.
346 Döblin hat in diesem Buch – Auch die Literatur: In: 1929. Ein Jahr im Fokus der Zeit. Ausstellungsbuch. Hg. von Herbert Wiesner und Ernest Wichner, Berlin 2001, 219 f.
mächtigen Aufschwung: SPG, 249.
Sie hassen die Realität: SPG, 252.
Kommunistenhäuptling: SPG, 252.
Ich habe mich an den einfachen Berliner: SPG, 251.
das Bekenntnis eines Kulturnihilisten: Otto Biha, Herr Döblin verunglückt

in einer »Linkskurve«. Siehe: Linkskurve, Jg. 2, Nr. 6, Juni 1930, 21–4

347 Dichter des volkstümlichen Lebens: Zit. nach: Jens, Dichter, 102.
Hässlicher als vordem: Zit. nach: Molo, So wunderbar, 338. Vgl. auch: Jochen Meyer, Berlin – Provinz. Literarische Kontroversen um 1930, Marbacher Magazin Nr. 35, Marbach a. N. 1985.

348 Sie wurde interessant – dieser musste: Loerke, Tagebücher, 196.
Sehr ausfällig Döblin: Loerke, Tagebücher, 197.
Sonderbare politische Rede Döblins: Loerke, Tagebücher, 199.
Also k = n – x: SÄPL, 264.
Die Rede des Herrn Döblin: Berliner Lokal-Anzeiger. Morgenausgabe, 15. Dez. 1929.
Das wäre eine Tat: Zit. nach Meyer, Katalog, 29.

349 Alles steht Kopf: Loerke, Tagebücher, 198.
[Döblin hat] jetzt ganz sich: Thomas Mann, Werke. Hg. von Hans Bürgin, Miszellen, Frankfurt a. M. und Hamburg 1968, 167.
daß dank der Propaganda: Thomas Mann, Briefe I, 656.

350 bis zu Ende läsen: Nach: German Life and Letters, 40. Jg., H. 2, 15.
Millionen Hörer: Die Sendung, Nr. 40 vom 3. Oktober 1930.

351 Ich glaube, ich kann Ihnen: Zit. nach: Jeanpaul Goergen, Die Suche nach dem Eigenkunstwerk des Hörfunks. Zur Entstehung von Alfred Döblins *Alexanderplatz*-Hörspiel. NDR-Sendung 18.10.1986. Siehe auch: Christian Hörburger, Rotstift und Wiedergutmachung – Die lange Geschichte eines Hörspiels. In: Funk-Korrespondenz, 54. Jg., Nr. 26, 2007, Bonn 2007.

352 Statt daß die literarischen Gestaltungskräfte: Siegfried Kracauer, Von Caligari zu Hitler. Eine psychologische Geschichte des deutschen Films, Frankfurt a. M. 1984, 466.
siehe auch zum Film: 508–10.

353 *ältester Sohn, der kräftigste:* SLW, 352.
In den kritischen Wochen: SLW, 353.

354 Der unsichtbare Ring: Niclas-Memoiren, 17.

355 Brüderlein, dies kleine: Notiz von Yolla Niclas, DLA 97.7625.
Sag Du mir: Brief von Yolla Niclas, DLA, 97.7625.
Es war faszinierend: Niclas-Memoiren, 43.
Brüderlein, wenn ich mir von Dir: Brief von Yolla Niclas vom 23.12.1931, DLA, 97.7949.

356 *ein starres, isoliertes und gefrorenes Tier:* UD, 39.
Ich kann nicht leugnen: UD, 35.
Ich denke manchmal: UD, 37.
ein sich Hinwerfen: UD, 38.

357 *Das habe ich erreicht:* UD, 39.

358 *Tiefseetaucher:* SLW, 190.

359 *einen eklatanten politischen Erfolg:* SPG, 258 f.
eine gerade Linie: KS III, 223.
Mann von Weltruf: KS III, 222 f.

360 *gestiftet von einer modernen Stadt:* Briefe I, 163.
Ich bin durch öffentliche Ehrungen: Sigmund Freud, Briefe 1873–1939. Ausgew. und hg. von Ernst und Lucie Freud, Frankfurt a. M. 1968, 416.
weder viel praktischen Wert: Sigmund Freud – Arnold Zweig. Briefwechsel. Hg. von Ernst L. Freud, Frankfurt a. M. 1968, 18 f.
Die Festgesellschaft wird nichts: Freud, Briefe, 416. Siehe auch: Tomas Plänkers: Goethe contra Freud? Erinnerungen an einen Streit um den Begründer der Psychoanalyse im Jahr 1930. Siehe auch: Thomas Anz.

361 *Ich habe doch nach Wasser:* DHF, 266.
Paul Hindemith: Siehe: H. Burkard, Vorschau auf die ›Neue Musik Berlin 1930‹. In: Musik und Gesellschaft I, 1930/31, 71 f., auch 162–65.
Das Meer, meine Damen und Herren: DHF, 265–69.
im amerikanischen Exil bestätigte: Vgl. Ernst Toch, Über meine Kantate »Das Wasser« und meine Grammophonmusik. In: Melos, Jg. 9, 1930, 221 f.

362 durch einige kluge Worte: DMB/WV, 129.
Sehr geehrter Herr: DMB/WV, 132.
Wort des Führers: DMB/WV, 129.
363 wie Johannes R. Becher: Siehe: Wulf Köpke, Alfred Döblins Überparteilichkeit. In: Koebner (Hg.), Weimars Ende, 318–29.
Am Marxismus ist: DMB/WV, 199.
reine Kraft: DMB/WV, 144.
Staatskapitalismus: DMB/WV, 140 u.ö.
Freiheit, Ablehnung des Zwangs, Empörung gegen Unrecht: DMD/WV, 230.
Sie haben hier: DMB/WV, 139.
365 *sehr sicher und autoritativ:* Briefe I, 476.
Freiheit, spontaner Zusammenschluß: DMB/WV, 141.
eine entschlossene Lobpreisung des Denkens: DMB/WV, 134f.
Sehen und erkennen: DHF, 182.
Döblin, Briefe I, 476.
Kracauer: Schuster/Bode, 284.
eines Gönners: Der Autor als Produzent. In: Walter Benjamin, Gesammelte Schriften, Bd. II, 2. Hg. von Rolf Tiedemann und Hermann Schweppenhäuser, Frankfurt a.M. 1977, 691.
366 *Es ist die Zeit der Erhebung:* DMB/WV, 208.
367 Armin Kesser: Schuster/Bode, 278.
Kracauer: Schuster/Bode, 284.
Herbert Blank: Schuster/Bode, 273
Mehnert: Schuster/Bode, 288.
368 *Instrument der Selbsterklärung:* SPG, 262.
nämlich der positive Wille: SPG, 265.
Die Punkte sind: DMB/WV, 282.
Liest man: Riley, Nachwort zu DMB/WV, 316.
369 *Welch sauberen, geschmückten Läden:* KS II, 327.
370 Sie hatte einen Bann über mich: Niclas-Memoiren, 42.
keiner vermochte: Niclas-Memoiren, 44.
Wie rührend: Der Bücherwurm, 16. Jg., H. 10 vom Sept. 1931, 290.
Die »besseren« Leute: SLW, 221.
371 *Diese Notverordnung:* Briefe II, 70f.
Krankenkassen: Vgl. »Das gesamte deutsche und preußische Gesetzgebungs-Material. Die Gesetze und Verordnungen sowie die Ausführungs-Anweisungen, Erlasse, Verfügungen usw. der preußischen und deutschen Zentralbehörden. Hg. von Dr. Diepgen, Jg. 1931, Düsseldorf 1931.
372 *versuchsweise die im Frühjahr:* Briefe I, 166.
Mir sind diese Abende: Briefe I, 555f.
Man wird die Sache: Briefe I, 167.
373 *Unter diesen Umständen* bis *Es geht immer:* Briefe I, 168.
374 *Ein Aufruf bei der heutigen:* Briefe I, 170.
Ferner befinde ich mich: Zit. nach: Briefe I, 557.
375 Die spezielle Ursache: Jens, Dichter, 104.
als zugehörig zu dem wahren Berlin: Jens, Dichter, 104.
376 Montag, 12.: Loerke, Tagebücher, 214.
olympische Hoheit: KS III, 238.
der Provinzialismus, Heimatkunst: KS III, 241.
377 *Sie sind nicht ganz Leute:* KS III, 263.
Diese Bilder und *ahnungslose Gemüter:* KS III, 264.
Mißgeburt der Natur: KS III, 265.
378 *Das wäre nun etwas:* KS III, 278.
379 ihre ständige gutachtliche Heranziehung: Zit. nach Jens, Dichter, 170.
Man braucht das Kulturerbe: SPG, 339.
Im Papierkorb des Ministeriums: Siehe: *Zwei Akademien,* KS IV, 298–301.
der Inhalt: Heinrich Mann, Ein Zeitalter wird besichtigt, Stockholm 1945, 339f.
380 Akademie. Eine Fibel wird geprüft: Loerke, Tagebücher, 231.
das Gesetz: G, 372.
Laßt uns eine neue Fahrt: G, 373.
381 *Im Buch war als ein Hauptthema:* G, 375.

Wir haben ein stolzes: G. 377.
Sie sehen wie ich: Briefe II, 72.

382 verteufelt menschlich-gütigen Zug: Briefe II, 73.
teurer Mitbösewicht: Briefe II, 73 f.
Wo die Öffentlichkeit anfängt: Zit. nach Meyer, Katalog, 314.

383 Donnerstag Akademiesitzung: Loerke, Tagebücher, 239.

384 *Hinter allem Nein:* KS III, 304.
weil er urologisch dichtete: SLW, 369.
Ricarda Huch: Siehe auch: Erich Kleinschmidt, Alfred Döblin und Gottfried Benn. Mit der Edition einer Rede Döblins auf Benn von 1932. In: DVJS 62, 1988, 131–47.

384 f. Alle Antworten auf eine Umfrage: Das Land, in dem ich leben möchte. Umzugsgedanken. In: Die literarische Welt, Nr. 18 vom 29.4.1932

385 die Vertretung und den Schutz: Zit. nach: Peter W. Leers, Vom künstlerischen und sozialen Kampf der Rundfunkschaffenden. In: Funk, H. 29, 1932.
Lebendiges und Totes im Marxismus: Siehe: Wolfdietrich Rasch, Bertolt Brechts marxistischer Lehrer. Zum ungedruckten Briefwechsel zwischen Bertolt Brecht und Karl Korsch. In: Wolfdietrich Rasch, Zur deutschen Literatur seit der Jahrhundertwende. Gesammelte Aufsätze, Stuttgart 1967, 243–74.
Die Dinge gehen mir ja auch – im Februar: Briefe II, 75.
Und zuletzt saß ich: SR, 133.

386 *Wie ich lebe, wer ich bin:* UD, 5.
Ich bin, o größte aller Gaben: UD, 54.

387 Geheimnisse des Daseins: Die bisher beste Untersuchung zum Thema ist: Thomas Keil, Alfred Döblins *Unser Dasein*. Quellenphilologische Untersuchungen, Würzburg 2005.
Aber wir erkennen: UD, 444.

388 Kurzrezension: Herbert Marcuse in: Zeitschrift für Sozialforschung 2, 1933, 273.
Klaus Manns Rezension: Abgedruckt in: Klaus Mann, Zahnärzte und Künstler. Aufsätze, Reden, Kritiken 1933–1936. Hg. von Uwe Naumann und Michael Töteberg, Reinbek b. H. 1993, 34–7.

389 *rechtzeitig eine Arche Noah:* UD, 474.
Sie schaffen es einzeln nicht: UD, 451 f.

391 *Zuletzt, Ende 1932:* SLW, 267.

392 ansteigenden Woge der Kulturreaktion: Zit. nach: Jens, Dichter, 350.
Dieser weite Raum: Zit. nach Jens, Dichter, 289.

393 Döblin fragt: Jens, Dichter, 209.
von Berlin läßt sich: Briefe II, 75.
zur Vorbereitung über mögliche Maßnahmen: Werner Hecht, Brecht Chronik, Ergänzungen, Frankfurt a. M. 2007, 24.
ausgezeichneten und in seiner Überzeugung: SLW, 366.

394 *Aufrecht saß er dahinten:* SLW, 367.
Ja, er hatte abgedankt: SLW, 368 f.
Mühewaltung: Zitate nach: Jahrbuch der Deutschen Schillergesellschaft. Hg. von Fritz Martini, Walter Müller-Seidel, Bernhard Zeller, 20. Jg., Stuttgart 1976, 585.

395 *wegen der schlechten Witterung:* Briefe I, 172.
und zwar auf mein Wort: Briefe I, 174.
Heinrich Mann abserviert: Jens, Dichter, 189–228. Siehe auch: Hildegard Brenner: Ende einer bürgerlichen Kunst-Institution. Die politische Formierung der Preußischen Akademie der Künste ab 1933. Eine Dokumentation, Stuttgart 1972.
Jedenfalls möchte ich wünschen: Ricarda Huch, Briefe an die Freunde. Hg. von M. Baum, Tübingen 1955, 162.

396 Große Nervosität: Harry Graf Kessler, Das Tagebuch. Hg. von Sabine Gruber und Ulrich Ott, Bd. 9, 543.
Mit beißendem Hohn u. ätzender Ironie: Kessler, Tagebuch, 9, 543.
Es lag in der Situation: Kessler, Tagebuch 9, 543 f.
Listen über Personen: Zit. nach Günter Morsch (Hg.), Konzentrations-

lager Oranienburg. Ausstellungskatalog, Oranienburg 1994, 35.
397 Sofortige Verhaftung: KZ Oranienburg, ebenda.
399 Ich empfand an diesem Abend: Alfred Kerr, Die Diktatur des Hausknechts, Brüssel 1934, 11.
401 *unbekümmert:* SLW, 265.
Das leuchtete mir alles: SLW, 265.
Man besuchte mich: SLW, 265 f.
402 *Als ich abfuhr – Überlingen:* SLW, 266.
Tout seul: Briefe II, 78.
403 in der verwöhnte Irrsinnige: Joseph Roth, Radetzkymarsch. Roman, Berlin 1932, 328.
Nun kam ich in der mir komisch: SLW, 266.
daß sie von ihrer Häuslichkeit: SLW, 267.
404 *nach oben:* SLW, 267.
wie ich ahnend – ich möchte bald: Briefe I, 174.
Unser Dasein: Briefe I, 176.
andere sollen sich: Briefe I, 177.
Es ist das große wahre gestaltende Ich: Briefe I, 177.
Ich bin, hoffentlich nur noch: Briefe I, 177.
405 Wir beschlossen – Billiger: Hecht, Brecht Chronik, 351 f.
406 *am Donnerstag voriger Woche:* Briefe I, 174.
Walter Muschg, Nachwort zu BW, 668.
noch sicher 3 Monate: Briefe II, 79.
Nach dem Erwachen: Thomas Mann, Tagebücher 1933–1934. Hg. von Peter de Mendelssohn, München 1977, 8 f.
407 *in keinem Fall den Eindrücken:* Briefe I, 177 f.
Mein Buch rückt mächtig und *möglicherweise ist es:* Briefe I, 178.
Wir sitzen zu dritt: Briefe I, 178 f.
408 Benn-Zitate: Jens, Dichter, 203.
Mit Recht kann von den – ergebenst: Briefe I, 175.
schon nach der Unschädlichkeit – katholischen Max Mell: KS IV, 62.
409 *in der Ehrung ihrer Gegner:* KS IV, 63.
Aber man saß drin: KS IV, 64.
Am 10. Mai: Briefe I, 179.
410 wie bei einem Reserveoffiziersehrenrat: Zit. nach: Der deutsche PEN-Club im Exil 1933–1948, Ausstellungskatalog, Frankfurt a. M. 1980, 11.
aufs Schärfste: PEN-Club im Exil, 13.
in Gestalt einer: Ebenda.
412 Warum ich mit meiner Antwort: PEN-Club im Exil, 82.
Ausbürgerungslisten: Vgl. M. Hepp (Hg.), Die Ausbürgerung deutscher Staatsangehöriger 1933–1945 nach den im Reichsanzeiger veröffentlichten Listen, München, New York, London, Paris 1985.
Die deutsche Staatsbürgerschaft: SLW, 338.
413 Döblin ist ausgewiesen worden: Thomas Mann, Tagebücher 1933–1934, Frankfurt a. M. 1977, 163.
Die Reichsfluchtsteuer: Siehe: Dorothee Mußgnug, Die Reichsfluchtsteuer, Berlin 1993; Martin Friedenberger, Fiskalische Ausplünderung. Die Berliner Steuer- und Finanzverwaltung und die jüdische Bevölkerung 1933–1945, Berlin 2008.
So ist mir die Kassenpraxis: Briefe II, 79.
414 *Hier draußen lernen Akademiker:* Briefe II, 80.
Die zionistische Lösung: Ebenda.
*Also dies, nicht mehr:*Ebenda.
daß nicht wir, die Flüchtigen: SLW, 363.
Sie schrieb da aus der Ferne: SLW, 370.
415 *Ich müßte lügen:* Briefe I, 180.
Anfang September: Briefe II, 79.
Einen abgeschlossenen Essay – Die Schweiz ist teuer: Briefe I, 181.
416 Der Auslieferung im Ausland: Fischer-Katalog, 413.
417 *Da ich noch Kinder:* Briefe II, 81.
418 Thomas Mann und »Die Sammlung«: Siehe: Wilfried F. Schoeller, Sammlung der Kräfte. Ein Zeitschriftenprojekt. In: Veit J. Schmidinger/Wilfried F. Schoeller, Transit Amsterdam. Deutsche Künstler im Exil 1933–1945, München 2007, 78–8.

das in geeigneter Form: KS IV, 13. Kommentar, 562.
sehr schmähliche Angelegenheit: Klaus Mann, Tagebücher 1931–1933. Hg. von Joachim Heimannesberg, Peter Laemmle und Wilfried F. Schoeller, München 1989, 168.
dessen feige Haltung: Klaus Mann, Tagebücher 1931–1933, 171.
Nicht alle, die Herr Hitler verbrannt: Zit nach: Die Sammlung. Amsterdam 1933–1935. Bibliographie einer Zeitschrift. Bearbeitet von Reinhardt Gutsche, Berlin und Weimar, 1974, 14.

419 alle (ihre) subjektiv: Hans Günther, Vom antifaschistischen Kampf der deutschen Schriftsteller. In: Internationale Literatur, 3. Jg, 1933, H. 5, 155.
überspitzten, krankhaften: In: Albin Stübs, Der babylonische Narziß. In: Neue Deutsche Blätter I, 1933/34, H. 10, 640.
kurzsichtig: Stübs, 641.
Sehr beschäftigen mich: Briefe I, 184.
O. R. T.: Im Französischen für Organisation, Reconstruction, Travail.
Auszug und Aufbau: Ein Manuskript ist nicht vorhanden, aber in einem Pressebericht im Israelitischen Wochenblatt für die Schweiz vom 21.4.1933, Nr. 16, findet sich ein Referat.

420 *weltliche Zentrale der Juden:* UD, 398.
Sie hat zweierlei Aufgaben: SjF, 61 f.
Glaube sich keiner, keiner: UD, 400.

421 *Grob gesehen kam das daher:* SjF, 13.
in das strudelnde Nichts – Kein Wort kann: SjF, 12 f.
Ablösung vom Abendland: SjF, 55.
Die Emigration hier ist nicht besonders: Brecht, Briefe, 179.

422 *Ich bin noch völlig unklar:* Briefe II, 82.
erstens und zweitens: SLW, 67.
Ihr Freiheitssinn: SLW, 70.

423 *Es ist etwas von Monomanie:* SLW, 71.
Ich bin dabei, eine neue Stellung: SLW, 70.
Wir wohnen nun hier: Briefe I, 182.

424 *Ich selbst mußte:* Briefe I, 182.
Aber es kommen natürlich: Briefe I, 182 f.
Wie lange noch: Briefe I, 183.

425 *Und nun keine ärztliche Praxis mehr:* SLW, 338.
Ich verehre und schätze Sie: Joseph Roth, Brief vom 27.9.1938 an Alfred Döblin. BArch N22861/20/45. Bundesarchiv Berlin.
kleinbürgerlicher jüdischer Berliner: Roth, Briefe, 285.
Vertreter der literarischen Chuzpe: Roth, Briefe, 216.
manchmal irritierenden Infantilismus: Roth, Briefe, 285.
David Luschnat: Siehe: Sabine Thiel Kaynis: Der SDS in Berlin und Paris. Die Geschichte eines freiheitlichen Verbandes und seines Schriftführers David Luschnat, Diss. Cincinnatti 1973.

426 *Sehen Sie: das eigentliche Blut:* Briefe I, 183 f.
chômeur, Arbeitsloser: Briefe I, 188.
Die Welt ist so auseinander: Briefe I, 189.
Dies eine Jahr – Bin ich derselbe: Ebenda.
Die Widmungsmappe: Loerke, Tagebücher, 294.

427 *wüst einsam – Na, was soll das Klagen:* Briefe I, 190.
Eine große Hälfte ist überwunden: Briefe I, 179.
Es ist allerlei stilistisches Abenteuer: Briefe I, 192.
Das Ganze will eine Abfolge: Briefe I, 192.

428 *Aber die verfluchten Juden:* Briefe I, 192.
ein umfangreiches Geschöpf: Briefe I, 184.

429 *daß sich alle am Abgrund:* BW, 68.
Unmutsausbruch: BW, 605.

430 *Eine große Führung:* BW, 665.
Riesencapriccio: Robert Minder in: Das Einhorn, Hamburg 1957, 7.

431 *Wühlt nicht ein fürchterliches Fieber:* KS IV, 14.

Schließlich stand er: KS IV, 14 f.
Inmitten hundert Spiegeln: Albin Stübs in: Neue deutsche Blätter I, 1933/34, H. 10, 642.

432 *was weiter kommt:* Briefe I, 193.
kernfaul, dabei bedeckt: Briefe I, 196.
Döblin erscheint jetzt: PEN im Exil, 91.
Z. B. Bert Brecht: PEN im Exil, 98 f.
Lieber Olden: Briefe II, 100.

433 *Alle jetzt auf einem Haufen:* Briefe I, 196.
Ist die Situation – Es heißt im Meer: Briefe I, 195.
kommandierte Dichtung: SPG, 307 f.
Das ist nun ein enges Pariser Zimmer: SLW, 230.

434 *Vielleicht nützt die nun offen ausgesprochene:* Briefe I, 184 f.
kehrt die 1918 geschlagene Armee: Briefe I, 186.
Wahrscheinlich giebt es einen: Briefe I, 186.
Es wäre ja schön: Briefe I, 185.

435 *Von dem deutschen Geschwür:* Briefe I, 186.
Ich selbst bin jetzt arbeitslos: Briefe I, 186.
tägliches Arbeitsgebiet: Briefe I, 207.
Wir haben hier in Paris: Briefe I, 198 f.

436 *centrale Thema der Menschen:* Briefe I, 199.
Im Ernstfall: Briefe I, 200.

437 Ludwig Marcuse: Das Neue Tage-Buch 33, 1935, 733–35.
fasste noch einmal seine Auffassungen zusammen: Das Neue Tage-Buch, 42, 1935, 1004 f.
sich irgendwie an praktischer: Briefe II, 87.

438 ganz ausgezeichnet – auf Nichterkenntnis: Zit. nach Michael Kühntopf-Gentz, Nathan Birnbaum. Biographie, Diss. Tübingen 1990, 231.
diese Sackgasse: Ebenda.
in unseren Elementarfächern: Kühntopf-Gentz, 232.

439 Das, was Sie in Ihrem Schreiben: Kühntopf-Gentz, 233.
Sie haben vor Jahren: Kühntopf-Gentz, 234.

440 *Nationallos, entgottet:* SjF, 286 f.
Absonderung von den alten: SjF, 288.
Es ist der Augenblick da: SjF, 290.
sich ganz enthüllt: SjF, 292.

442 Ich zweifle manchmal sogar: Brecht, Briefe, 261.
daß er sich ärgere: Briefe I, 276.
In diesem bemerkenswerten Roman: Links, Döblin, 155.

443 *Das Werk ist 1934:* Zit. nach Minder, Begegnungen, 61.
hält die Tasche zu: Pardon, 83.

444 *sich schuldig für den alten Sündenfall:* Pardon, 71.
Sie hatte kräftige Backenmuskeln: Pardon, 52 f.

445 *Freiheitsbataillone:* Pardon, 352.

446 Diese Pranke des Löwen: Walter Muschg, Alfred Döblin heute. In: Text und Kritik 13/14, Nov. 1972, 1.
Das Besondere und Auszeichnende: Schuster/Bode, 342 f.

447 *Im Übrigen sieht man – Meiner, wenigstens:* Briefe I, 201.
Yolla Niclas: Vgl. Robert Minder, Begegnungen mit AD in Frankreich. In: Text und Kritik, Nr. 13/14, 58.
War das von früher: Briefe I, 204.

448 *Heute »dichten« wollen:* Briefe I, 204 f.
Antithese zwischen Ihnen und mir: Briefe I, 206.
Ich finde (ich nehme mich nicht aus): Briefe I, 206 f.

449 *Aber vielleicht kann man doch mehr:* Briefe I, 207.
Seien Sie versichert: Briefe I, 208.
Und man denkt wieder einmal: KS IV, 33.
die Rechnung, die die Geschichte: SjF, 322.
Was so viel beklemmender: Briefe I, 206.

450 Das ist gar nicht so wenig Geld: Brecht, Briefe, 252.
Und gerade wir hätten: Brecht, Briefe, 665.
die Jungen, von denen: Briefe I, 208.
Man ist ja ein Rädchen: SLW, 226.

451 *dies dunkle Wort:* SLW, 227.
hypnotisch: SLW, 228.

das pythische Orakel: SLW, 229.
Mordbrenner – Die Juden: SjF, 115.

452 *Ich selbst habe nur eine halbe Freude:* Briefe I, 199.

453 *verschlang ich einen Band:* SLW, 299.

454 *Welche literaturinteressierte Kulturschicht:* KS IV, 68.
Im Kampf gegen den Nazismus: KS IV, 71.

455 *Gestern gab es die Frankenabwertung:* Briefe I, 215.

456 *Jetzt heißt es bei uns:* Briefe II, 117.
Wolf, der unnahbare: Briefe II, 117 f.
und so lebte man: Briefe I, 212.
zu stark –nd *Vielleicht habe ich mich:* Briefe I, 213.
Ich wollte helfen: Briefe I, 214.

457 Ausstellung, die Johannes Graf Welczek*:* Vgl. SPG, 343–45.
der Gegengeist, das Menschenfeindliche: SPG, 345.

458 *ich nehme zur Kenntnis:* Briefe I, 217.
Abgesehen von kleinen Arbeiten: Briefe II, 111.

459 *Wer fremde Länder entdeckt:* Nov. 1918, III, 228.
Für den Beginn des ersten Bandes: Zit. nach Minder, Dichter in der Gesellschaft, 201 f.
Döblin ist der wandlungsfähigste: Zitat von Jorge Luis Borges, der als einziger prominenter lateinamerikanischer Schriftsteller Deutsch lesen konnte. Hinweis von Hans Jürgen Schmitt. Besonders aufschlussreich ist in diesem Zusammenhang: Hans Jürgen Schmitt, Alfred Döblins Lateinamerika. Seine »Amazonastrilogie« und ihre Nachfolger Asturias, Roa Bastos, García Marquez. In: Rowohlts Literaturmagazin 38, 1996, 28–40.

460 *wie eine Krankheit in einem Körper:* WL, 179.

464 Nicht befähigt: Schuster/Bode, 350.
sein Gegenstand: Schuster/Bode, 352.
in einem gesteigerten Maß: Schuster/Bode, 356.
Die beiden mythischen Romane: Schuster/Bode, 348.

465 Hermann Kesten. Er pries: Das Neue Tage-Buch. 5. Jg., H. 21 vom 22. Mai 1937, 500 f.
erste (Indianerbuch) voll wahrer: Kesten, ebenda, 500.
Das infame jüdische Cliquenwesen: Thomas Mann, Tagebücher 1937–1939. Hg. von Peter de Mendelssohn, Frankfurt a. M. 1980, 64.
an dem Epigonen: Briefe I, 225.
Ihnen selbst bleibe ich: Briefe I, 229.
Lion Feuchtwanger, Vom Sinn des historischen Romans: In: Das Neue Tage-Buch 3, 1935, 640–43.

466 *als kein Boden ihn festhielt:* SÄPL, 290.
Die Sturzbäche historischer Bücher: SÄPL, 290.
die Mitteilungsform: SÄPL, 293.
eines Als ob, einer Scheinrealität: SÄPL, 295.
Mischgattung: SÄPL, 299.
der Historiker hängt sich: SÄPL, 302.
der geschichtliche Roman ist: SÄPL, 303.

467 *Wissenschaftler:* SÄPL, 306.
Aufgeweckte und Eingeschlafene: SÄPL, 307.
Resonator: Mit jedem gelungenen Werk: SÄPL, 309.
von der Parteilichkeit des Tätigen: SÄPL, 311.
Prometheus und das Primitive: In: Maß und Wert 1, H. 3, Jan./Febr. 1938, 331–51.
Die Ahnung von der: KS IV, 347.

468 *Kämpfen, Unterwerfen:* KS IV, 354.
skelettartigen, ja schattenhaften: KS IV, 361 f.
die Verkümmerungsepoche: KS IV, 363.
Es laufen lauter kleine: KS IV, 364.
Masse der Hirnblüten: KS IV, 365.

469 *So schön, so wirklich schön:* Ohne Nachweis.
Wolfgang und Klaus: Vgl. Ruth Fabian, Zur Integration der deutschen Emigranten in Frankreich 1933–1945. In: Wolfgang Frühwald/Wolfgang Schieder (Hg.), Leben im Exil: Probleme der Integration deutscher

Flüchtlinge im Ausland 1933–1945, Hamburg 1981, 200–06

470 *eine große Ermattung*: alle Döblin-Zitate über Lukács: KS IV, 87–90.

471 *wieder erheblich ins Dunkle:* Briefe I, 215.
Brief an Hilde Walter, zit. nach Dieter Schiller, Der Traum von Hitlers Sturz. Studien zur deutschen Exilliteratur 1933–1945, Frankfurt a. M. 2010, 150.
Wir sind ein nichtkommunistischer Verband: Briefe I, 219.
Paris oder Frankreich: Briefe I, 219.

472 *Von unserer territorialistischen Gruppe:* Briefe I, 217.
Es ist doch eine merkwürdige Freude: Zit. in: Anne Kwaschik, Auf der Suche nach der deutschen Mentalität. Der Kulturhistoriker und Essayist Robert Minder, Göttingen 2008, 97.
Von vornherein – Merkwürdiger ist: Minder, Begegnungen, 59.

473 Minders unschätzbare Verdienste: Vgl. Manfred Beyer, Alfred Döblin und Robert Minder. Eine Freundschaft. In: Literaturkritik.de, Nr. 4. Und: Anne Kwaschik, Robert Minder, Göttingen 2008.
Den Verfasser von *Berlin Alexanderplatz*: Minder, Begegnungen, 60.

474 *Sie raten mir zur Historie:* Briefe I, 192.

475 *Ich habe einen großen wachsbleichen Alten:* SjF, 346 f.
Ein Anreger, ein Aufbrauser: SjF, 347.
Ich reiste, schrieb und sprach: SR, 133.
Recht ab bin ich vom Jüdischen: Briefe I, 224.

476 *erbärmliches Intrigantentum:* SjF, 351 f.
Ränkeschmiede: SjF, 354.

477 die in der Volksfront vereinigt sind: Becher, Publizistik I, 1912–1938, Berlin und Weimar 1977, 538.
Seine Kenntnisse von den tausend Qualen: Deutsche Zentral-Zeitung 14, 1938, Nr. 183 vom 11.8.1938, 3.

479 *eine konservative – geistesrevolutionäre Gruppe:* SÄPL, 317.
Manche hatten sich: SÄPL, 320.

480 *schwache Gesellschaftswesen:* SÄPL, 333.
Man soll uns in Ruhe: SÄPL, 337.
Man wirft uns solche Bücher: Briefe I, 224.

481 Die Anstalt verfügt: Jutta Großhauser, Die Entwicklung der Heil- und Pflegeanstalt Karthaus-Prüll in der Zeit von 1852 bis 1939 unter besonderer Berücksichtigung der Behandlungs- und Pflegemethoden, Diss. Erlangen-Nürnberg 1973, 71.
Allerdings hat Brecht: Siehe: Kraft und Schwäche der Utopie. In: Bert Brecht, Schriften zur Literatur und Kunst, Bd. 2, Berlin und Weimar, 212–18.

482 Zweifel an den Moskauer Schauprozessen wischte z. B. Ernst Bloch weg. Siehe: Feuchtwangers »Moskau 1937«. Kritik einer Prozeßkritik, Bucharins Schlußwort. In: Ernst Bloch, Vom Hasard zur Katastrophe. Politische Aufsätze 1934–1939, Frankfurt a. M. 1972, 230–35.
die Entwicklung des Sowjetstaates: SPG, 375.

484 *gewaltigster Realist:* SPG, 368.
Es war Größeres gedacht: SPG, 369.
Bruch- und Fuschwerk: SPG, 371.
gegen den Leerlauf: SPG, 372.
Cyklopentum der Diktatoren: SPG, 373.
Beide Fakta – von einer kompaßartigen: SPG, 375.

485 Wir alle gingen durch die kritische Periode: Arthur Koestler, Als Zeuge der Zeit. Das Abenteuer meines Lebens, Frankfurt a. M. 2005, 387.
Vakuum nach dem Sozialismus: SPG, 367–74.

486 *Krieg ist absolut:* SPG, 394.

487 *diese Welt von keinem Dämon:* SPG, 395.
Die Psychoanalyse. Zu einer Deutschen Kritik. In: Die Zukunft 2, 1939, Nr. 8, 8.

488 *Es muß ein Missionswille:* SPG, 421.
Konfusionsrats*:* Siehe: Helmuth Kiesel, Literarische Trauerarbeit: das Exil-

und Spätwerk Alfred Döblins, Tübingen 1986, 40.
regulative Idee: Kiesel, Trauerarbeit, 129.
führende leitende Rolle: SPG, 376.
seinem Charakter: SPG, 370.
Arthur Koestler, Gesammelte autobiographische Schriften, 2. Bd., Wien, München, Zürich 1971, 330.

489 Ich halte Ihr Werk: Brecht, Briefe, 375.
Von allen deutschen Schriftstellern: Stefan Zweig, Briefe 1932–1942. Hg. von Knut Beck und Jeffrey B. Berlin, Frankfurt a. M. 2005, 233.
Was für eine klassische Ironie: Hermann Kesten: Das Neue Tage-Buch, 6. Jg., H. 33 vom 13. August 1938, 784 f.
es heißt ja – Wir wohnen zu dritt: Briefe II, 126.
schon wie eine Provinzpflanze: Briefe II, 130.

490 Einladungen: Vgl.: Dieter Schiller, Döblin-Feier. Zu einem Briefwechsel Döblins mit Hans Siemsen. In: Zeitschrift für Germanistik, N. F. I, 1991, 145–55.
Er erfreut sich infolgedessen: In: Freie Kunst und Literatur, Paris, Nr. 2. Hier zit. nach Hans Siemsen, Schriften III, Essen 1988, 253 f.
einer der streitbarsten: Kurt Kersten in: Deutsche Volkszeitung, Nr. 34 vom 21. August 1938, 4.

491 *Was sagen Sie dazu:* Briefe I, 231.

492 Rückständigkeit: Thomas Mann, Politische Schriften und Reden, 3. Bd., Frankfurt a. M. 1968, 29.
Wir haben jetzt: Briefe II, 132.
Das ewige Handel und Gebändel: Briefe I, 230.

493 *Will Bermann:* Briefe I, 230.
Da schlendert nun: SÄPL, 351.

494 *Wie wird:* SLW, 274.
Er erschütterte mich: SLW, 298.
Ich schreibe, erzähle: Briefe II, 129.

495 *gut und fast zu flüssig voran:* Briefe I, 229.

496 *Mariental, Bischweiler:* Nov. 1918, I, 85.

497 *War es Schmerz:* Nov. 1918, I, 160.
Schiffbrüchige auf einem Floß: Nov. 1918, I, 183.

498 *wie der Siebenjährige Krieg:* Nov. 1918, I, 183.
Die sind die Puffer: Nov. 1918, I, 282.
Oh guter Christ: Nov. 1918, I, 140.

500 *Sie erzählten alle*: SLW, 245.
Das Gefühl des Drucks: SLW, 245.

501 *New York begann:* SLW, 249.
Man war wie in einem Wald: SLW, 251.
Ja, man bekommt: SLW, 255.

502 Jeder wurde ihm vorgestellt: PEN im Exil, 297.
in keinem guten Zustand: Briefe II, 137.
triste, ja echt tragische Sache: Briefe I, 234.

503 *Liebe Rosins:* Briefe I, 233.
so sanft, fröhlich: Briefe I, 235.
Krawallsätze gegen Freud: Die Psychoanalyse. Zu einer deutschen Kritik. In: KS IV, 124 f.

504 Stipendium: Vgl. auch: Deutsche Intellektuelle im Exil. Ihre Akademie und die »American Guild for German Cultural Freedom«. Eine Ausstellung des Deutschen Exilarchivs 1933–1945 der Deutschen Bibliothek, Frankfurt a. M., München, London, New York, Paris 1993.
Wir anderen und *enorm viel stärker:* Briefe II, 140 f.
Blick für das faule – Hoffen wir: Briefe II, 141.
Der Berliner Historiker: Briefe II, 139 f.

505 Kriegsgefahr: Zit. nach Manfred Flügge, Die vier Leben der Marta Feuchtwanger. Biographie, Berlin 2008, 258.

506 *freigelassene Feld:* SPG, 407.

507 *Schreckvorstellungen* und *Panikstimmung:* SPG, 410.
Das stark vom Nazismus: SPG, 411.
4. *Waffe im Krieg – Wie es die Gedanken::* SPG, 415.

508 *Bündnis zwischen Hakenkreuz:* SPG, 417.

508 *Sie haben Erdöl:* SPG, 417.
Kunst ist nicht frei: SÄPL, 245–51.

Er gibt selbst an: SPG, 403.
Döblin fühlte sich in die Zeit: Minder, Begegnungen, 62.
Die Deutschen standen: Minder, Begegnungen, 61.
509 als Arzt registrieren: Briefe I, 237.
510 *Die beiden Brüder schreiben:* Briefe I, 238.
Es kommt eine Zeit: Zit in: Briefe I, 596.
511 *Unruhe und Spannung:* SLW, 258.
Berlin: Briefe I, 240.
Lieber Peter, ich hoffe: Briefe I, 240.
Brüderlein, ich sende Dir: Niclas-Memoiren, DLA 79.2489.
Da meine Schwiegermutter wußte: Niclas-Memoiren, DLA, 79.2489. 12.
512 *Circus ohne Bluff:* SR, 85.
Aus den unsichtbaren Welten: SR, 135.
Der Ansager meldete – Der herrliche Park: SR, 17.
So sah auf dieser Flucht: SR, 19.
513 *Die wunderbare Stadt:* SR, 19.
Gerümpelkammer: SR, 25.
Da saß ich: SR, 20.
514 *Lohnt es, das niederzuschreiben:* SR, 65.
515 *gestrandeten Robinson:* SR, Kapitelüberschrift, 93.
unter Zuspruch: Minder, Begegnungen, 65.
Ich erinnere mich nicht: SR, 29.
Ich selbst hatte mir: SR, 414.
516 *Es bricht über uns herein:* SR, 21.
sein himmelblaues Käppi: SR, 27.
Ich stehe in dem Haufen: SR, 27.
517 *Aber was vorging:* SR, 35.
Ich hatte den Eindruck: SR, 36.
Ein bißchen Fahnenflucht: SR, 39.
518 *irgendwie Südwesten:* SR, 44.
120 bis 150 Menschen – Man war Zivil: SR, 44 f.
Es war vorerlebt: SR, 378.
die Situation: SR, 378.
519 *Was für ein eigentümliches Gemisch:* SR, 51.
Die Finsternis, die Unruhe: SR, 57.
Es war eine unbewußte Geste: SR, 379.
so rasch triebhaft: SR, 62.
520 den letzten, überfüllten Zug: Minder, Begegnungen, 63.
An Händen und Füßen: SR, 66 f.
523 *Es ist ein Lasso:* SR, 76.
Ich fühle wie die andern: SR, 54.
524 *Ich könnte sofort gestehen:* SR, 89.
525 *konfus und wie betäubt:* SR, 97.
ich will von mir selbst: SR, 99.
geradezu eine Dämonenlehre und *Beziehungswahn:* SR, 100.
Ich habe mir einen zu leichten Kahn: SR, 133.
Welche ehrlichen Waffen: SR, 124.
526 *Ich fühle mich gezwungen:* SR, 125.
im Gewand der Sprache – Bauen, Spielen und Bilden: SR, 134.
Ich bin vom Schicksal gehetzt: Vgl. Drei Briefe an Robert Minder. In: Verbannung. Aufzeichnungen deutscher Schriftsteller im Exil. Hg. von E. Schwarz und M. Wegner, Hamburg 1964, 86–88. Vgl. auch: Anthony W. Rileys Nachwort in SR, 483–505. Helmut F. Pfanner, Döblins Schicksalsreise: wessen Schicksal? In: Jahrbuch für Internationale Germanistik, Reihe A, Bd. 41, 1995, 85–94.
527 *Zum Beispiel habe ich mich:* Briefe I, 241.
Ich blicke mich im Raum um: SR, 105.
528 *Urgrund:* SR, 145.
sich auch in die Gestalt – zum Zittern unbegreiflich: SR, 107.
Aber es – gelingt mir nicht: SR, 142.
Prometheisch sein: SR, 145.
Zwei Wochen in ruhiger Umgebung: SR, 146.
529 *die strahlende Wärme:* SR, 168.
Das Schreiben, meine ich: SR, 139.
Die Reise ins Ungewisse: SR, 203.
530 *Unter normalen Umständen:* SR, 164.
wie eine Krankheit: SR, 173.
Zusammenbruchserlebnisse: SR, 173.
äußerlich verwahrlost: SR, 204.
Sie stehen an der Bahn: SR, 203.
531 Da entschließe ich mich: SR, 196.
ziemlich verfallen: SR, 203.
Meine Frau führt mich: SR, 203.
Nicht das Mindeste: SR, 445.

532 *unser Sohn sollte:* SR, 205.
Wir, die hier herumgehen: SR, 211.
In diesen Wochen stand sie: SR, 215.
Das Land hatte – Man hat die Pässe: SR, 215.

533 *Was für alte – Man hat die Pässe:* SR, 215.

534 Wir müssen die Tränen: Zit. nach: Kurt Richard Grossmann, Emigration. Geschichte der Hitler-Flüchtlinge 1933–1945, Frankfurt a. M. 1969, 258.

535 Cablez*:* Briefe II, 145.
Alle diese: SR, 218.
Merkwürdig, wie die Unruhe: SR, 219.

537 *Langsam stellte sich Beruhigung:* SR, 221.
Wir widersprachen nicht: SR, 223.
Wir flohen auf die Post: SR, 224.
diesen Kampf: SR, 224.

538 *Nun waren es noch:* SR, 225.
Er tat es gewiß nicht gern: SR, 226.
Wir saßen in der Falle: SR, 227.
Aber – er fuhr: SR, 230.

539 *Wie es uns schwer wurde:* SR, 230.
Ein neuer Abschnitt der Geschichte: SR, 239.

540 *Portugal ist ein wunderbares Land:* SR 240.
Lissabon ist: SR, 254 f.
Die Poste restante-Ecke: SR, 246 f.

541 *Dann standen wir:* SR, 251.
Ich habe Vertrauen in die Zukunft: SR, 265.

542 *Einem Gottesdienst:* SR, 261.
Was Jesus wollte: SR. 262.
Das Schiff rüstete sich: Remarque, Die Nacht von Lissabon, Berlin und Weimar 1986, 7.

543 Der Blick auf Lissabon: Heinrich Mann, Ein Zeitalter wird besichtigt, Berlin 1947, 481.
In der Dunkelheit: SR, 266.

548 Pflichtgemäß habe ich dann: SR, 444.
Ich stellte fest – Was mich beschäftigte: SR, 268.

549 *Aber ich kann mich:* SR, 458.
wie fröhlich Döblin: Hermann Kesten, Lauter Literaten. Porträts, Erinnerungen, Wien, München, Basel 1963, 421 f.
denn diese Verträge: SR, 269.
Konfuzius: Vgl. Anthony W. Riley, *The living thougths of Konfuzius.* In: IADK Lausanne 1987, 9–24.

550 *nach einer Durchquerung:* Briefe I, 242.

552 Unterstützung durch Brecht: Brief vom 28.10.1942. In: Briefe I, 284.
Am Wilshire Boulevard: Raymond Chandler, Die kleine Schwester, Zürich 1975, 210.
Er ist über sechzig: Alexander Granach, Du mein liebes Stück Heimat. Briefe an Lotte Lieven aus dem Exil. Hg. von Angelika Wittlich und Hilde Recher, Augsburg 2008, 322.
Das Schicksal wirft uns: Briefe II, 146.

553 Amerika weiß: Leopold Jessner, Schriften zum Theater. Hg. von Hugo Fetting, Berlin 1979, 210.
Orgel vorher und nachher: Briefe I, 245.
Zuletzt redete ich auch: SR, 353 f.
Wie Leopold Jessner hoffte: Vgl. Jessner, Schriften zum Theater, 207.

554 *Man hat am Meer – Die Menschen finden sich:* Briefe I, 242 f.

555 *Wir fangen an:* Briefe II, 148.
einen »lustigen« Unsinn auszuhecken: Briefe I, 243.

556 Der Gott in Hollywood ist: Curt Goetz und Valérie von Martens, Memoiren, Stuttgart 1989, 375.
die Autorenfabriken: Briefe I, 243.
hier aus der Welt: Briefe I, 245.
Es läßt sich gar nicht sagen: Briefe I, 244 f.

557 *Tun tut man nichts – nur für ein Gerücht:* In: Hermann Kesten (Hg.), Dt. Literatur im Exil. Briefe europäischer Autoren 1933–1949, Wien, München, Basel 1964, 172.
wo ich jetzt meine Tage: Briefe I, 246.
Sitzhaft: Briefe I, 248.
Täglich holte ich Döblin: Georg Fröschel in: Die Zeit, Nr. 24 vom 15.6.1962, 14.
Also – schreibe ich für mich: Briefe I, 147.

558 In der damaligen Welt- und Film-

situation: Fröschel, zit. nach Briefe I, 585.
Bereits zwei Tage später: Fröschel, ebenda.
Es handelt sich um einen Machtkampf: Synopsis, in: DHF, 418.
Die »storys«, die man für den Film schreibt: Briefe I, 252.
559 *Verkaufen heißt:* Briefe I, 253.
Die charity, die einen hergebracht: Kesten, Deutsche Literatur im Exil, 195.
560 *Sonderbar versunkenes Leben:* Briefe I, 254.
Lieber Kesten: Briefe I, 255.
561 *daß man gleichzeitig – Voilà eine Slaverei:* Briefe I, 256.
viel mühsamer – vielleicht reüssiert das: Briefe I, 592.
Ich hatte fürchterlich: Briefe I, 592.
562 *Filmschriftsteller:* SR, 274.
verrückt zu tun: Briefe I, 260.
Heitere Variation: Zit. nach Stefan Keppler/Gabriele Sander, »Mühsamer als Romanschreiben«. Alfred Döblin als Filmschriftsteller und sein Projekt *Queen Lear.* In: Jahrbuch der Deutschen Schillergesellschaft 52, 2008, 163–9.
mehrere Herren: Briefe I, 260.
nur Hohngelächter: Golo Mann in: Die Zeit vom 15.6.1962.
den zweitausend Viechern: Götz/Martens, Memoiren, 306.
563 Verachtung für diese Gewerbe: Ludwig Marcuse, Mein zwanzigstes Jahrhundert, München 1960, 275.
das große Malheur: Briefe I, 281.
564 Zusammenfassend: Alfred Polgar in: Aufbau vom 4. Sept. 1942.
Döblin spricht mitunter: Brecht, Briefe, 439.
tief verschuldet: Siehe: Briefe II, 155.
Mexiko-Reise: Vgl. zum Datum der Einreise Klaus Weissenberger: Alfred Döblin. In: Deutsche Exilliteratur seit 1933. Bd. 1.1. Hg. von John M. Spalek und Joseph Strelka, Berlin 1976.
565 *Wir haben sonst schon:* Briefe I, 257.
sie müssten (jetzt hören Sie): Briefe I, 266.
in die Schweiz fliehen: Huguet I, 230; Briefe I, 311.
Schuldgefühle: Vgl. Harold von Hofe, German Literature in Exile: Alfred Döblin. In: German Quarterly XVII, 1944, 31.
566 *Thomas Mann zückte:* Briefe I, 256.
567 *Nichts ist mir widriger:* Briefe I, 26.
Der Finger Gottes: SR, 281.
Und wenn sich jetzt nicht Gerechtigkeit zeigt: SR, 135.
568 *Wie ich sie hasse:* DMB/WV, 109.
569 *Ich war in ein uraltes, weitläufiges Gebäude:* SR, 247.
sein Lachen war da nur weiser: Walter Muschg, Alfred Döblin heute. In: Text und Kritik, H. 13/14, Nov. 1972, 4.
Wenn auch über meine Gedanken: SR, 278.
ohne Weg und ohne Halt: SR, 243.
Pater Harold E. Ring: Nach Anthony W. Riley, Zum umstrittenen Schluss von Alfred Döblins »Hamlet« in: Literaturwissenschaftliches Jahrbuch der Görres-Gesellschaft, N. F., Bd. 13, 1972, 331–58.
wenig Fragen gehabt: Riley, Zum umstrittenen Schluß, 333.
570 *Es gibt mir ein merkwürdiges Gefühl:* Briefe I, 591.
Was würden diese Demokraten: SR, 207.
571 Ich denke oft an Sie beide: Briefe II, 157.
mit christlicher Mystik – mißverstanden oder übertrieben: Briefe I, 258 f.
572 Wir haben neulich – *hier glatt jede Erwerbsmöglichkeit:* Briefe I, 591.
Lassen Sie mich: Briefe I, 261.
Ich kann nicht sagen: Briefe I, 260.
Wir bekamen Nachricht: Briefe I, 261.
Petrus, die Mamma: Briefe I, 262.
wie soll man sich selbst: SR, 259.
574 *Ja, nicht ein einziges Mal:* Briefe I, 406.
Abends bei Döblins: Brecht, Werke, 27, 17.
Es ist eben Krieg – Heinrich Mann: Briefe I, 262 f.

zusammengestellt: Briefe I, 266.
Das machtvolle Talent des Verfassers: Thomas Mann, Die Entstehung des Doktor Faustus. Große kommentierte Frankfurter Ausgabe, Bd. 19,1: Essays VI (1945–1950). Hg. von Herbert Lehnert, Frankfurt a. M. 2009, 444.
alten Dreiser: Vgl. Briefe I, 320.
Alsdann die Sintflut: Briefe I, 268.

576 *für spezielle Arbeiten:* Ebenda.
Diesmal ist es ein amerikanischer Krieg: Briefe I, 266 f.

577 *Wir treten in die zweite Kampfrunde:* Briefe I, 268.
Waffen und Gewissen: Briefe I, 269.

578 *Ich wollte Sie bitten:* Briefe I, 270.
Erste Schicht des Romans: Briefe II, 176 f.
Immerhin hätten wir dann noch: Briefe I, 269.
Sie luden mich quasi: Ebenda.
Wir sprechen nun einmal deutsch: Ernst Bloch, Politische Messungen, Pestzeit, Vormärz, Frankfurt a. M. 1977, 277.

581 *sich die Haut abziehen:* KS IV, SLW, 270.
oft schlemmten: Briefe II, 274.
Wir bedenken jetzt ernsthafter: Briefe I, 273.
Ein Sohn in der französischen Armee: Brecht, Werke, 27, 82.

582 *Verjüngung:* Briefe II, 163.
Schließlich ist der ein Narr: Briefe II, 164.

583 *Da lasse ich mich nicht mehr:* Briefe I, 279.
Die ganze Schwere des Exils: Briefe I, 296.
Sie, liebe Rosins: Briefe I, 282.
es ist ja auch etwas sehr Schönes: Briefe I, 275.

584 *Ein feiner Mann – Wie fern und verschollen:* Briefe I, 276.
marxistisch versumpften Leuten: Briefe I, 277.
Lieber Herr Rosin: Ebenda.
denn ich bin nun einmal: Briefe I, 279.

585 *Es ist eine fatale Sache:* Briefe I, 280.
Ich steure mit den letzten Schwimmstößen – man hört und sieht keinen: Briefe I, 281.
Almosenempfänger: Briefe I, 282.

586 *Ich bin so weit vom Schuß:* Ebenda.
Wie andre hier habe ich: Briefe I, 596.
Worauf meine Frau prompt: Briefe I, 283.
Nun, das Letztere: Briefe I, 283.
So steht es, lieber Rosin: Briefe I, 284.

587 *Ist für mich:* Briefe I, 284.
Is Thomas Mann his real name: Alexander Stephan, Im Visier des FBI. Deutsche Exilschriftsteller in den Akten amerikanischer Geheimdienste, Stuttgart 1995, 187.
Nun, ich ziehe einen »Zauberkreis«: Briefe I, 286.
Nun kann das Jungchen: Briefe II, 166.
Wir sind oft sehr down: Briefe I, 286.

588 *uns, ich darf sagen, Gestrandeten:* Briefe II, 166.
Ich selbst bin, wie gesagt: Briefe II, 167.
durch die Heirat: Vgl. Minder, Begegnungen, 60.

589 *Meine Gedanken haben sich gewiß:* Niclas-Memoiren, 59.
Geduld und Vertrauen Schwesterchen: Niclas-Memoiren, 60.
Erna war mir gegenüber: Niclas-Memoiren, 58.
Ein Staunen, eine tiefe Befremdung: Nocturno, Los Angeles 1944, 5.
Der Ring, Erwin, der zwischen dir und mir: Nocturno, 6.

590 das grausame Spiel: Niclas-Memoiren, 60.
Es geht in Himmel und Hölle: Niclas-Memoiren, 61.

591 *Nach einer Pause:* SR, 289.
Die Gebetsworte tragen: UM/KE, 483 f.

592 *Und mein Inneres:* UM/KE, 37.
Dieses Buch, von dem Sie sprechen: Briefe II, 334.
Oportet haereses: Nov. 1918, IV, 456.
Adhortation: Siehe: Paul Lüth, Alfred Döblins Religiosität. In: Paul E. H. Lüth (Hg.), Alfred Döblin zum siebzigsten Geburtstag, 1948, 84–99.

die Wiederherstellung: Günter Niggl, Zeitbilder. Studien und Vorträge zur deutschen Literatur des 19. und 20. Jahrhunderts, Würzburg 2005, 119.
theologisch orientierten Anthropologie: Wilhelm Hausenstein in: Schuster/Bode, 392.

593 *Mir war sicher:* SR, 244.
Es war ein eigenartiger Lernprozeß: SR, 254.

594 Überwachung: Nach: Alexander Stephan, Personal and Confidential. Geheimdienste, Alfred Döblin und das Exil in Südkalifornien. In: IADK Leiden 1995, Bern 1997, 182.
Wie andre hier habe ich: Briefe II, 168.

595 *Lieber Kesten, ich glaube:* Briefe II, 169.
nebst Nelly: Ebenda.
Bei uns Älteren: Briefe I, 300.
man ist eingesperrt: Briefe II, 170.
Stellen Sie sich bitte meinen Fall vor: Ebenda.

596 *Da gewinnt das Ich:* Briefe I, 288.
Das ist wirklich: Briefe I, 290.
Voraussetzung jeder Verbindung ist: Briefe I, 291.

597 Streitexerzitien: Siehe: »Er strebte immer nach Verbesserung«. Gespräch mit Stephan Döblin. In: Neue Rundschau, 120. Jg., H. 1, 2009, 141–58.
Ein entsetzlich opportunistischer Quark: Brecht, Werke, 27, 181.
Die Schriftsteller werden: Brecht, Werke, 27, 182.

598 Gleichviel, der Jubilar: Heinrich Mann, Essays III, Berlin 1961, 496.
Von Döblin habe ich mehr: Brecht, Werke, 23, 23 f.
Der Ehrentag: Thomas Mann, Das essayistische Werk. Miszellen, Frankfurt und Hamburg 1968, 199.
Nachmittags Versuche: Thomas Mann, Tagebücher 1940–1943, 610 f.

599 *Wir gehen alle, die wir deutsch:* Briefe I, 294.
im Tagebuch extra: Thomas Mann, Tagebücher 1940–1943, 616.
und am Schluß hielt Döblin: Brecht, Arbeitsjournal, 165 f.
immer noch Asche im Mund: Brecht, Briefe, 473.

600 Der niedrige Idealismus: Hanns Eisler, Fragen Sie mehr über Brecht. Gespräche mit Hans Bunge, Darmstadt und Neuwied 1986, 79.
Die Dankesworte des Jubilars: In: Thomas Mann, Briefe 1937–1947. Hg. von Erika Mann, 1963, 330.
gewandt und sympathisch: In: Die Entstehung des Doktor Faustus, Amsterdam 1949, 48.
very decently – ein Poet: In: Briefe I, 598.
Dann trat Döblin: Zit. nach: Briefe I, 599.
in betretener, zwiespältiger Stimmung: Briefe I, 599.
Ich nahm mich und uns alle: SR, 354.

601 Peinlicher Vorfall: Brecht, Werke, 1591 f.
Ich habe nach dem Abschluß: Briefe I, 297.

602 *mehr reluctant:* Briefe I, 293.
so nötig hat wie Brot: Briefe I, 297.
auf der Einsicht: Ebenda.
Diese Abwesenheit des Gehorsamgeistes: Briefe I, 300.
Kongress über »Writers in Exile«: Thomas Mann, Tagebücher 1940–1943, 633.

603 *massenhaft Schwierigkeiten:* Briefe I, 298.
die keine Jazzkapelle: OD/PAE, 9.
Herr Sonderbar, Herr Tiefverstört: OD/PAE, 19.
Deutschland ist hin: OD/PAE, 11.

604 *blutigen Wahn:* OD/PAE, 23.
Er wollte ihn umkehren: OD/PAE, 29.
Gaukler: OD/PAE, 30.
Nun zog sich diese grausige Fläche: OD/PAE, 38.

605 *Vergleichen Sie das mit dem:* OD/PAE, 48.
Er ist nicht aufzuhalten: OD/PAE, 51.
Das menschliche Herz: OD/PAE, 55.
Schatten neben Schatten: OD/PAE, 59.

Es ereignete sich wirklich: OD/PAE, 63.
an den kein Plan: OD/PAE, 116.
606 *die ich zur Ergänzung meines Exemplars:* Briefe II, 187.
Glauben Sie mir: Ebenda.
Der Mann ist bestimmt: Briefe I, 301 f.
work of genius: Briefe I, 302.
Seine Agentur scheint: Briefe I, 303.
607 *Ich mache jetzt wirklich:* Briefe I, 304.
Abgeschlossen am siebzehnten: Heinrich Mann, Ein Zeitalter wird besichtigt, Stockholm 1945, 555.
Das Gefühl, in guter Hut: Fritz Kortner, Aller Tage Abend, München 1959, 352.
angeblich eigenen Bemühungen: Briefe I, 304.
gewiß Frieden: Briefe I, 304 f.
im 11. Jahre der deutschen Barbarei: Briefe II, 181 f.
aus der Schreckenskammer: Ebenda.
608 *Wenn Sie sich zu Tisch – Mit Ehrerbietung:* Briefe II, 182.
Wie ein Töpfer – Gewiß, das sieht man: Briefe II, 180.
609 *Lieber Petrus:* Briefe I, 307.
im OSS-Büro: Siehe: Alexander Stephan, Im Visier des FBI. Deutsche Exilschriftsteller in den Akten amerikanischer Geheimdienste, Stuttgart 1995.
that a good portion: Stephan, Im Visier, 184.
kommunistische Eseleien: Siehe: Thomas Mann, Tagebücher 1944–1.4.1946. Hg. von Inge Jens, Frankfurt a.M. 1986, 132.
610 wanted for the commission: Stephan, Im Visier, 186.
Überraschend schossen ein paar Erzählungen: SLW, 318.
Gespensterparodie: Briefe I, 307.
611 *Thomas Mann wünsche ich:* KS IV, 170.
612 *der Unheimliche, aus Milet:* EB, 432.
Elektronen, Wellen: Ebenda.
hinter den harten menschlichen: EB, 476.
Petrus, das ist keine Parabel: Briefe I, 306.
614 Das FBI überwachte: Vgl. Briefwechsel zwischen Brecht und Thomas Mann. In: Sinn und Form 16, 1964, 691–694. Siehe auch: Ursula Langkau-Alex und Thomas M. Ruprecht (Hg.), Was soll aus Deutschland werden? Der Council for a Democratic Germany in New York 1944–1945. Aufsätze und Dokumente, Frankfurt a.M. 1995. Petra Liebner: Paul Tillich und der Council for a Democratic Germany (1933 bis 1945), Frankfurt a.M. 2001.
Im April 1944: Werner Hecht, Brecht Chronik. Ergänzungen, Frankfurt a.M. 2007, 45.
unreif, teils hat es keinen Sinn: Briefe I, 302 f.
Ich verfluche Sie keineswegs: Zit. nach Hecht, Brecht Chronik. Ergänzungen, 45. Siehe auch Briefwechsel zwischen Bert Brecht und Thomas Mann. In: Sinn und Form. Beiträge zur Literatur 16, 1964, 691–94.
Lieber Herzfelde: Briefe II, 174.
615 *ob Ihr Verlag* und *Brecht z.B.:* Briefe I, 305.
Er besaß, wie wir alle: SLW, 384.
616 *denn Deutsch kann er ja nicht:* Briefe I, 308.
Daß wir also nach Europa: Briefe I, 308.
Es war die Aufhellung: SR, 293.
617 *Mit dem Gedanken, daß der Wolf:* Briefe I, 312.
Eine träge, unwahre, schwere Existenz: Briefe I, 313.
Er war jung, ernst, bemüht: Briefe I, 314 f.
618 *Man brachte ihn zurück:* Hamlet, 9.
Und entschuldigen Sie: Briefe II, 191.
619 *Sie steht, bis ihr Herz bricht:* Hamlet, 129.
620 *Eine lächerliche Sache überhaupt:* SLW, 152. Ähnlich in IüN, 17 f.; KS III, 34 f.
Wolf, der unnahbare: Briefe II, 117 f.
Ich habe eine neue große Romanarbeit: Briefe I, 320.
621 blödsinnigen Gehässigkeiten: Thomas Mann, Tagebücher 1944–1.4.1946, Frankfurt a.M. 1986, 199.

Das undankbare Benehmen Döblins: Mann, Tagebücher 1944–1.4.1946, 217.
bergehohe – Dann burleske Dinge: Briefe II, 189–91.
Ich war damals: Neue Texte. Almanach für deutsche Literatur, Berlin 1967, 399f.

622 abgehauste Lump: Heinrich Mann, Verteidigung der Kultur. Antifaschistische Streitschriften und Essays, Berlin und Weimar 1971, 358.
So erleben wir denn jetzt: Briefe I, 315.

623 *Ich zögerte. Was sollte mich locken:* SR, 295.

624 *Wie schön, daß er sich in den letzten Jahren:* Briefe I, 321.
May be wir haben die Partie: Briefe I, 320.
Man teilt mir mit: Briefe I, 322.
Im übrigen bin ich nicht mehr jung: Ebenda.

625 The unknown woman: Stephan, Im Visier, 189.

626 Laßt Euch sagen: Johannes R. Becher in: J.R.B, Publizistik II, 1939–1945, Berlin und Weimar 1978.
Immerhin hatten Sie auch damals: Briefe I, 309.
Kein Wunder, daß etwas Unedles: Brecht, Werke, 23, 51.

627 *ein freundliches, stilles Kunstpaar:* Briefe II, 192.
das gibt neue Perspektiven: Ebenda.
Wir sahen allerhand Leute: Briefe II, 192f.
In einer zweiten Kopie: Niclas-Memoiren, 65.

628 *Mein liebes Schwesterlein:* Niclas-Memoiren, 65.
Als ich einmal im Beginn: SR, 300f.
jede Kabine: Briefe II, 194.
Aber wie unvergleichlich ist es: KS IV, 516.

631 *Es verlief ganz maschinell:* SR, 306.
Man kam recht gebrochen – Ja, die Häuser sind: Briefe II, 194.

632 *Die Wohnungsverhältnisse hier:* Briefe I, 324.
Was ich dachte, was ich fühlte: SR, 307–09.

633 *Ich sitze auf meiner:* Zit. nach Bernhardt, Döblin, 142.
Und als ich wiederkam: SLW, 267f.
Privatleben: Briefe I, 330.
Ich habe hier langsam Berührung: Briefe II, 202.

634 *mit Behelfsbüchern:* Ebenda.
Entsetzlich die Schwierigkeit: Briefe II, 203.
eine Wochen- oder Monatsschrift: Briefe II, 199.
mir doch bald eine Liste: Briefe II, 199.
Beiträge aus Ihrer laufenden Produktion: Briefe II, 201.
Also, unser allgemein-demokratisches: Briefe II, 201.
die Autoren um Sie: Briefe I, 330f.

635 *Die Deutschen sind dieselben – Sie sind wie eingerostet:* SR, 321.
Es ist aus mit dem Befehlen: KdZ, 84.

636 *Wahnideen:* KdZ, 76–8.
Er war von Liebe und gutem Willen: Max Niedermayer, Pariser Hof, 34.
Aber war das wirklich eine Stadt: SLW, 384.
Es hieß kulturell: SLW, 385.

637 *Wen auch immer ich:* SLW, 385.
die Deutschen mit den Nazis identifiziert, *Vor diesen Leuten:* SLW, 386.
Erna ist grade: Briefe I, 326.
kaum sichtbar: Briefe II, 202.

638 *Chère erni:* Briefe II, 203f.

639 *Ich spiele keine große Rolle:* SLW, 262.
die Taube mit dem grünen Zweige: Briefe I, 340.
Trübe das Sitzen bei Tisch: SLW, 259.
Ein ungeheurer Hunger: Briefe I, 327.
Was für eine sonderbare Existenz: Briefe I, 327.
Der zündende Funke: SLW, 387.

640 *Aber man trägt es tapfer:* Briefe I, 326.
Die Aktionsformel, die ich von draußen: SLW, 389.

641 *Auf der deutschen Stufe:* Alfred Döblin, Die literarische Situation, Baden-Baden 1947, 62.
Übrigens bin ich: Briefe I, 346.

643 Ich stecke in einem Übermaß: DLA, 73484.
Aufklärungsgruppe: SLW, 394.

In einer besseren Zukunft die Aufgabe: Siehe: Die Zukunft, Jg. 2, Nr. 17 vom 28.4.1939, 1.
um mit ihr: SLW, 391.
Herder-Sammlung: Sieger in Fesseln. Christuszeugnisse aus Lagern und Gefängnissen. Hg. von Konrad Hofmann, Reinhold Schneider, Erich Wolf, 1947. Text bei Birkert, Das Goldene Tor, 250.
unter ihnen: Vgl. Helene Henze, Unbarmherziger Augenblick. Reinhold Schneider und Alfred Döblin 1946. In: FAZ Nr. 260 vom 7.11.64.

644 *Sie wollten nicht zu einer Gruppe:* SLW, 392.
Unsere Erfahrungen dieser Jahre: Henze, Unbarmherziger Augenblick, 4.
ihnen ein Bild von der gesamten Lage: SLW, 392.
1/3 der schönen Stadt: Briefe I, 334.
Ich sprach da viele Leute: Briefe II, 206 f.

645 *Man möchte gerne dies:* Briefe II, 206 f.
Sie sind die erste Deutsche: Briefe I, 335.

646 *Döblin ist inzwischen:* Elisabeth Langgässer, Briefe 1924–1950, Hamburg 1954, 694.
Niete: Langgässer, Briefe, 970.
oder Döblin ließ sie liegen: Vgl. Anthony W. Riley: Elisabeth Langgässers frühe Hörspiele (mit bisher unbekanntem biographischen Material). In: Literatur und Rundfunk 1923–1933. Hg. von G. Hay, Hildesheim 1975, 363–83.
Ich bin hier nichts: SLW, 264.

647 *Es macht auch nichts:* Briefe I, 338.
Die Stockholmer Verlage: Briefe I, 336.
in Erinnerung an verflossene Zeiten: Briefe II, 209.
Historisches z. B.: Briefe II, 210.
Man wird in der Tat: Briefe II, 210.

648 den intensiven Wunsch: Katalog Fischer Verlag, 686 f.
unverändert einer aus Worpswede: Briefe II, 302.
durch die Vordringlichkeit: Otto Flake, Es wird Abend. Bericht aus einem langen Leben, Frankfurt a. M. 2005, 533.
sein Finanzblatt – Zeitschrift: Flake, Abend, 543.

649 Vorerst hatte ich nur eines: Flake, Es wird Abend, 565.
Logen- und Parterreplätzen: Frank Thieß, Die Innere Emigration. In: J. F. G. Grosser, Die grosse Kontroverse. Ein Briefwechsel um Deutschland, Hamburg, Genf, Paris 1963, 24.
Döblin verteidigte die Emigranten unabhängig vom aktuellen Disput in dem eindrucksvollen Bericht *Abschied und Wiederkehr (Februar 1946).*
aber es dreht sich wohl: Briefe II, 211.
Ich selbst habe über Mann: Briefe II, 211 f.

650 *Sie kennen natürlich:* Briefe I, 353.
ein totes Nest: Zit. nach: Niclas-Memoiren, 66.
Weil ich völlig kaputt: Niclas-Memoiren, 67.

651 *Es ist ein Name:* Briefe II, 215.
Es ist aber, scheint mir: Briefe II, 223.

652 *Viele ernste, ja sogar viele religiöse Gespräche:* Briefe II, 217.
nicht schlecht – Wer nicht mitspielt: Briefe II, 218.
Die Leute sind ja geistig: Briefe I, 348.

653 Minder hatte ihn gewarnt: Minder, Begegnungen, 64.

654 *Man kann so viel Verleger:* Briefe II, 228.
Ich vermisse unverändert: Briefe II, 231 f.
die schon drüben: Briefe II, 231.
Sie haben einen tiefen Groll – als man mir Papier: Briefe II, 235.

655 *die das letzte Jahrzehnt:* NLP, 1.
die persönliche Haftbarkeit: NLP, 15.
jeder Name eine Totenglocke: NLP, 1.

656 *Wiederherstellung:* NLP, 6.
eine unscheinbare, zivile: NLP, 12.

657 *Hatten diese Hefte:* SLW, 386 f.
Es kamen nach Kriegsende: SLW, 396.
weil ohne Stenodactylo: Briefe I, 339.

658 *Das Goldene Tor – Wir werden in diesen Blättern:* KS IV, 226.
Er kämpfte für Humanität: KS IV, 223 f.
659 Manès Sperber: Nach: Mirjana Stancic, Der lange Marsch durch die Institution. Alfred Döblin und Manés Sperber als Zeitschriftenherausgeber in Mainz. In: IADK Mainz 2005, Bern 2007, 81–90.
661 *Ich war gar nicht:* SR, 310 f.
Gejätet wird: SLW, 391.
Welche Hilflosigkeit: SR, 311.
Gutachten: Alexandra Birkert hat in ihrer Arbeit über »Das Goldene Tor« auch die Geschichte des Zensors Döblin akribisch gesichert. Nach ihrem Material, das sie mir dankenswerterweise zur Verfügung stellte, lässt sich – außer einem Statement über die Wiederzulassung der Hölderlin-Gesellschaft – kein einziger bemerkenswerter Eingriff feststellen.
Man könnte sagen: Zit. bei Birkert, Das Goldene Tor, 222.
663 *ärgerlich kryptogamen Form:* Briefe I, 346.
Meine Arbeit hier: SLW, 264.
Eigentlich hat keiner den Posten: SLW, 264.
beim Jäten des Unkrauts – in alle Ecken zu leuchten: SLW, 391.
eine Freude und Erholung: Briefe I, 382.
Von seinen Zensurvorschlägen: Minder, Dichter in der Gesellschaft, 209.
664 *Inzwischen hat sich in den Zensurverhältnissen:* Briefe I, 389.
Es geht ja alles: Briefe I, 390.
Sie können sicher sein: Briefe II, 288.
Ihre Werke könnten: LS, 36.
665 *So ist meine Schreiberei:* SLW, 181.
666 *ruchlos und herausfordernd:* UM/KE, 91.
Wir teilen dazu mit: DLA, 2007.73.4.
Ich will gerne Colporteur: Briefe I, 364.
wirklich nur ein Kellner: Briefe I, 369.
667 Zerstörung auch der letzten Illusionsmöglichkeiten: DLA, 2007.73.8.
ich ziehe Consequenzen: Briefe I, 366 f.
668 wichtig als innere Dokumente: Minder, Dichter in der Gesellschaft, 207.
faul und stickig: UM/KE, 12.
669 *Sehn Sie die Frau:* KS IV, 219.
Die »Duschen« rauschen: KS IV, 221.
Siehe auch: Götz Ahly (Hg.), Aktion T4 1939–1945. Die »Euthanasie«-Zentrale in der Tiergartenstraße 4, Berlin 1989.
Miniatur: Siehe auch: Hans-Dieter Heilmann, Döblins Fahrt ins Blaue. In: Feinderklärung und Prävention, Berlin 1988, Bd. 6, 206–08.
670 Spielzeug-Soldat: Irmgard Keun, Wenn wir alle gut wären, Köln 1983, 183.
Richard Thieberger. In: IADK Paris 1993. Hg. von Michael Grunwald, Bern u. a. 1995, 3.
Günther Weisenborn: Meyer, Katalog, 430 f.
671 *man ist nur assimilé:* Briefe I, 386.
Döblin war in einer tragischen Lage: Flake, Abend, 531.
672 Über allem Glanz der einzelnen Werke: Walter Muschg in: Text und Kritik 13/14, November 1972, 5.
Ich hatte aber: SLW, 318 f.
673 *Immer der Gedanke – Habe schon lange nicht:* SLW, 260.
Der Tod hat es leicht: Hamlet, 19.
674 *eine rätselhafte Figur:* Hamlet, 42.
Sie glauben, frei zu phantasieren: SLW, 403 f.
Sitzt er nicht wie der Staatsanwalt: Hamlet, 371.
Sein Gewissen treibt ihn: SR, 131.
675 *Da trägt man die Kriegsopfer:* KS IV, 165.
676 *die lange Nacht der Lüge:* Hamlet, Kapitelüberschrift, 420.
Jetzt umgaben andere sein Bett: Hamlet, 19.
Nein, es war keine Ehe: Hamlet, 55 f.
677 Sein in der Emigration: Niedermayer, Pariser Hof, Wiesbaden 1965, 33.
Sie müssen begreifen: Briefe I, 639.
Döblin galt als erledigt: Minder, Dichter in der Gesellschaft, 212.

Nein, mein Hamlet: Zit. nach: Schock, Saargemünd, 161.
678 *Politisches, Literarisches:* SLW, 390.
679 *wo so ungeheuer viel Ernst:* KdZ, 26.
eine Art Leipziger Allerlei: KdZ, 33.
680 *Anreiz zu einer besseren, richtigeren Verweltlichung:* SÄPL, 367.
überhaupt nicht mehr innerlich, geistig: Ebenda.
Kern, der formativ: SÄPL, 367.
Idee des weißen arischen Mannes: SÄPL, 373.
mit der Revancheidee – dem alten Pangermanismus: SÄPL, 373.
Vollkommenheitszustand: SÄPL, 410.
feste Sicherungen: KdZ, 24.
681 *Die Aufgabe eines Schriftstellers:* KdZ, 23.
eine trübe Selbstverständlichkeit – Ich sah: dieser Mann: SLW, 389.
die Enttrümmerung und das Abräumen: KS IV, 227.
Man wird nicht auf den Einfall: Die literarische Situation, 39.
ewigen abstrakten Streit: Hamlet, 38.
682 *konkrete Fälle:* Hamlet, 38.
Es wäre sehr wünschenswert: Briefe I, 358.
drüben weiter – Man muß doch nicht glauben: Briefe I, 359.
Ich hoffe, Sie bleiben nicht in Paris: Briefe I, 386 f.
Konferenz der Ministerpräsidenten: Siehe: Stuttgarter Zeitung vom 24. März 1961.
683 *nach langen Jahren:* Briefe I, 367.
Natürlich waren wir zur Hochzeit: Briefe II, 249 f.
So viel Bücher – aber alle: Briefe I, 374.
Zehn Verleger: Briefe I, 348.
684 Flucht in die Zeitschrift: Hartmann Goertz am 13.1.1947 in »Die Neue Zeitung«. Siehe: Wilfried F. Schoeller, Diese merkwürdige Zeit. Leben nach der Stunde Null. Ein Textbuch aus der »Neuen Zeitung«, Frankfurt a. M. 2005, 680.
685 Meine Antwort ist: Zit. nach: Hans A. Neunzig, Hans Werner Richter und die Gruppe 47, München 1979, 45.
686 bei der Addition der Teile: Hans Werner Richter (Hg.), Almanach der Gruppe 47. 1947–1962, Reinbek b. H. 1962, 9 f.
Als man hier vorige Woche: Briefe II, 425.
an solcher Liaison: Briefe I, 376.
687 *Daß wir das Fenster nach dem Ausland:* KS IV, 227.
Existenz starker außerdeutscher Leistungen: LS, 35.
kompletten Menschentyp: LS, 35.
eine fürchterliche Neigung: Ebenda.
Man jagt uns jetzt: KS IV, 259.
688 *ein dickes Buch:* Briefe, 354.
den aufgeblasenen Hermann Broch: Briefe I, 353 f.
Paul Wenger, Caesarenkult in der Emigrantenliteratur? Das Goldene Tor, 2. Jg., 1947, H. 11/12, 1101 f.
Leichengift der deutschen politischen Romantik: Wenger, ebenda, 1102.
Brochs Roman zu loben: Siehe auch: Manfred Durzak, Hermann Broch und Alfred Döblin. Begegnung und Kontroverse oder Der deutsche Roman am Scheideweg. In: Neue Deutsche Hefte 34, H. 1, 1987, 101.
Noch niemals gab es: Briefe I, 356.
Langsam hört ja: Briefe II, 250.
689 *Ich bin ganz Ihrer Meinung:* Briefe I, 372.
vielleicht aus Briefen von Musil: Briefe I, 395.
Tauschhandel: Briefe II, 332.
Und besteht noch eine Kontinuität: SLW, 277.
690 *ich habe etwas Furcht:* Briefe I, 360.
Da fuhr man früher öfter – Eine Art Kühle: SLW, 280.
691 *Ein Abgrund lag zwischen – fürchterlichen Verwüstung:* SLW, 281.
Manche Passanten: SLW, 283.
Es hat etwas Symbolisches: SLW, 284.
Nichts mehr davon: SLW, 286.
Unglaubwürdigkeit: Siehe auch: C. S., »Hier lebten, liebten und litten sie … Mit Alfred Döblin von Lichtenberg bis zur Münzstraße«. Interview im »Telegraf«, Nr. 162/2 vom 15.7.1947.
Ich bin wie Diogenes: SLW, 279.

Was für ein unvorstellbarer Anblick: Briefe I, 374 f.

692 *Nirgendwo bei ihnen Begeisterung:* Briefe I, 375.
Presseecho: Siehe: Pressespiegel darüber in Riley, SR, Anm. S. 474.
Es kümmerte mich nicht: SR, 350.
Kulturbund: Vgl. h.p., Alfred Döblin in Berlin. Der Kulturbund empfängt den Dichter. In: Der Tagesspiegel, 3. Jg., Nr. 159, 11. Juli 1947, 3.
Ich war im Juli: Briefe II, 274.

693 *den bequemen Weg:* Briefe II, 259.
Der Kongreß entspricht: Briefe II, 260.
diese Frage: Briefe II, 259.
Beobachter geschickt: Siehe auch: Ulrike Buergel-Goodwin, Die Reorganisation der westdeutschen Schriftstellerverbände 1945–1952. In: Archiv für Geschichte des Buchwesens 18, 1977, 414 f.
Es darf kein Graben: Briefe I, 343.
ein frisch modern, ja preußisch concipiertes: Ebenda.
Europa war einmal eine Halbinsel: Briefe I, 344.

694 *Sie fragen, Pater Gorski:* Briefe II, 263.
Ebenso von anderen aus New York: Briefe II, 267.
diesem irischen Experimentator: Briefe I, 377.

695 *Ich erfuhr selber:* Briefe I, 379.
Wissen Sie, daß es jetzt: Briefe I, 376.

696 *Ich dachte, mit zwei Weltkriegen:* Ebenda.
wiederherzustellen: LS, 3.
in der Außerstaatlichkeit – dieses eigentümliche: LS, 13.
Literaturreste im Kümmerzustand: LS, 32.
Schriftsteller im Land und die Exilierten: LS, 25, Kapitelüberschrift.

697 *Schweigend hielten im Lande:* LS, 28.
Es ist in dem letzten Jahrzehnt: KS IV, 359.
in das Symbolische: LS, 32.
Der VSA: Vgl. U. Buergel-Goodwein, Die Reorganisation der westdeutschen Schriftstellerverbände 1945--1952. In: Archiv f. Geschichte des Buchwesens 18, 1977, Sp. 362–523.

698 *Gewiß, die größten Nazischlagworte:* SLW, 388.

699 *Geltung und Nichtgeltung:* KS IV, 283.
pessimistische Prophezeiung: Wolfgang Grothe, »Tod in Venedig«, Das Goldene Tor, 2. Jg., 1947, H. 8/9, 758.
mit schlechtem Gewissen: Paul E. Lüth, Über das Werk Thomas Manns. Ebenda, 743.

700 als das zu jedem Dienste erbötige Werkzeug: Paul Rilla, Literatur und Lüth. Eine Streitschrift, Berlin 1948, 6.
Döblinschen Literaturpolitik: Rilla, Literatur und Lüth, 70.
die [nach Lüth] das taktloseste: Rilla, Literatur und Lüth, 7.
in die Waagschale der literarischen Unehre: Rilla, Literatur und Lüth, 71.
ungesunde Manier: Erika Mann, Briefe und Antworten. Hg. von Anna Zanco Prestel, München 1984, 238 f.

701 *Am 5. Februar:* Briefe II, 177 f.
Die roten Herrschaften: Briefe I, 383 f.
Einem Bericht: Siehe: Kurier Nr. 33 vom 9.2.1948.
L'art pour l'art verlangte Döblin: Zit. nach: Briefe I, 622.
mit denen Döblin selbst: Zit. nach: Tägliche Rundschau, Nr. 35 vom 11.2.1948.
Berlin ist ganz unvorstellbar: Briefe I, 383.
über Zonengrenzen: Briefe I, 622 f.

702 *Wir werden furchtbar:* Zit. nach: Briefe I, 384 f.
Sie sind mehr aktiv: Briefe I, 384.
So bin ich, ohne meine Grundsubstanz: Briefe I, 385.

703 *erst Nachforschungen:* Briefe I, 382.
Es mußte eine augenblickliche Muskelschwäche: SLW, 451.
erst oberflächlich: SLW, ebenda.
und er stellte das Wesen: SLW, 452.
Alter und Kränklichkeit: SLW, 322.

704 *das Gros sämtlicher:* Briefe I, 389.

sich langsam aus dem Dienst zu ziehen: Briefe II, 291.
und schließlich so sehr wichtig: Briefe II, 291.

705 *Diese Reform ist natürlich:* Briefe II, 289.
Der Herbst 1948: Niedermayer, Pariser Hof, 39.
was 50 Meilen entfernt: KS IV, 368 f.
Der Junge ist doch: Briefe II, 289.
gut in seine neue Tätigkeit: Briefe II, 299.
Es sieht wahrhaft repräsentativ: Briefe II, 292.
Die Hauptsache ist: Briefe II, 300.

706 *Meine Frau möchte dauernd:* Briefe I, 394.
ich, eine kleine weiße Wolke: Zit. nach: Niclas-Memoiren, 69.
sehr mäßigen kleinen Verlag: Briefe II, 287.
kein Schoßkind – Die Zeitschrift will ich: Briefe II, 287.
als Zivilperson: Briefe I, 386.

707 *Uns liegt in diesen Blättern:* KS IV, 404.
Es genügt nicht: Zit. von Döblin. In: KS IV, 405.
Arbeiter unter anderen: Ebenda.
das Zeugnis einer Menschheit: Zit. in: KS IV, 405.
Politbüro und die Diktatur: KS IV, 453.
die Gruppe elementarer Dichter – das Untere, jedoch Vorhandene: KS IV, 297.

708 *Und bitte, falls Sie Marxist sind:* Briefe I, 340.
Das Böse in seinen unabsehbaren Folgen: Ohne Nachweis.
stattliche Abfindung: Nach Minder, Dichter in der Gesellschaft, 213.

710 große Summen D.Mark: Briefe II, 298.
Die bisher unveröffentlichten Bücher: Briefe II, 299.
Ich bin ja gegen alles Feiern: Briefe II, 279.
Wenn ich mit der Budzi: Briefe II, 294.
Ich bin vor 3 Wochen: Briefe II, 295.

711 Wir sprechen als Freunde gegen uns: Zit. nach: Niedermayer, Pariser Hof, 36.
Das Buch erschien termingerecht: Niedermayer, Pariser Hof, 37.
Und was ist aus uns und mit uns Menschen: DLA, 97.7.1003.
Kurzes Beisammensein: Briefe II, 290.
ich habe schon enorm genug: Brief an Anton Betzner, zit. nach: Schock, Saargemünd: 149 f.

712 *Ich bin gewiß:* Briefe I, 391.
Er ist, wie Sie sind: Briefe II, 301.
Es liegt ein Haufen Bücher da: SLW, 304.

713 *des Beraubtseins:* SLW, 321.
Alter und Kränklichkeit: SLW, 323.
Schlußstrich: SLW, 325.
So erscheinen Glück, Schönheit: SLW, 328. Ein Auftrag, 154.

714 Es war eine rechte Freude: Arno Schmidt, Brief vom 24.1.1951 an Heinz Jerofsky. Archiv der Arno-Schmidt-Stiftung.
Sogar das Halten der Feder: Ebenda.

715 *Natürlich lasse ich unter den jetzigen Umständen:* Briefe II, 310.
Es wird nicht leicht sein: Briefe II, 310.
chronische Spondylo-arthritis: Briefe II, 314.
Schmerz- und Fieberanfälle: Laut Brief Erna Döblins vom 13. Juli 1957 an das Entschädigungsamt Berlin. B 38. Unveröff. (Beglaubigte Abschrift).
Sie besuchten Kirchen: Robert Neumann, Bericht über mich selbst und Zeitgenossen, Wien, München, Basel 1963, 388 f.

716 *daß diesmal einer von der Branche:* Briefe I, 400.
wechselseitig nachsichtigen: Heuss, Erinnerungen 1905–1933, Tübingen 1963, 341.
Die Auslieferung einer friedenswilligen Partei: Briefe I, 400 f.
Ich weiß, Sie haben es nicht nötig: Ebenda.

717 Das Gespräch über Ebert: Original des

Heuss-Briefes im Döblin-Nachlass in DLA.
in einer Kaserne vor der Stadt: Briefe I, 401.
etwas über die politische Vergangenheit: Briefe II, 283.

718 unsere Politik die Nichtexistenz: PEN im Exil, 400.
Aber Sie kennen den Buchmarkt: Briefe I, 402.
es liest sich sehr gut: Briefe I, 403.
Ich habe dabei einen doppelten Hintergedanken: Briefe I, 404.
Statt dessen berührt man sich: Ebenda.
noch ein starkes Sprachtalent: Briefe I, 403.

719 *Jedenfalls wird er sein Leben:* Briefe I, 404.
etwas Beglückendes und Begeisterndes: Norbert Elias, Kriegsbejahende Literatur der Weimarer Republik. In: Norbert Elias, Studien über die Deutschen. Machtkämpfe und Habitusentwicklung im 19. und 20. Jahrhundert. Hg. von Michael Schröter, Frankfurt a. M. 1992, 278.
Es ist gar keine Trauer da: SLW, 561.
die Nationalität, den Glauben: Hans Daiber, Döblin. Hamlet bei Nacht. In: Der Spiegel Nr. 34, vom 21.8.1957, 52.

720 *Was sagt das Datum:* SLW, 271.
Avis favorable: DLA. Nachlass 2007, 73.11.
zumal dort mit einer größeren: DLA. Nachlass 2007.73.11–12.
da es sich um ein favorisiertes Werk: DLA. Nachlass 2007.73.2.
Da mir das rasche: Ebenda.

721 Herr Döblin hatte gute Lust: DLA, Nachlass, 2007, ebenda.
nicht einmal eine eigene Benachrichtigung: DLA, Nachlass. 2007, 73.9.

722 *Im deutschen Fall:* LS, 9.

723 *Großinquisitor der Partei:* Nov. 1918, IV, 456.

724 *Und es trat mir hier der Mann:* SLW, 299.
Der Mann, den meine Geschichte: KS IV, 452.
Es gehen immer zwei: SLW, 299 f.

725 *Rückfall ins Christentum:* Nov. III, 285.

726 *Vorspiel:* Siehe im einzelnen: Werner Stauffacher, *November 1918*. Zum Erscheinen der Neuausgabe. In: IADK, Münster 1989, Marbach a. N. 1991. Hg. von Werner Stauffacher, Bern u. a. 1993, 356–69.

727 *Half es mir:* SR, 133.
Wenn Ihre und meine Hoffnungen: DLA, 97.7869.
Es müssen gewisse Kreise: DLA, 97.71073/2.

728 *Ich habe so viel geschrieben:* SLW, 329 f.
sondern deutlicher, direkter: SLW, 331.
Zwei Wochen in ruhiger Umgebung: SR, 146.
Ich schreibe ganz einfach: Briefe I, 197.
Boykott des Schweigens: Briefe I, 485.
Die Deutschen, die in den schwersten Jahren: Schuster/Bode, 423.

730 *Blättern Sie, liebe Freunde:* Mitgeteilt von Anthony W. Riley, Nachwort zu SR, 501.

733 Nazinest*:* Siehe: Jens Kleindienst, Zur Hochschulpolitik Frankreichs in seiner Besatzungszone (1945–1949), Diss. Frankfurt a. M. 1987, 107.
als höchst verantwortliche Instanz: Kleindienst, Hochschulpolitik, 112.
hervorragenden Schriftstellern: KS IV, 299.
Demokratisierung der Literatur: KS IV, 301.

734 Verdauungsbeschwerden*:* Brief an Helmuth Scheel vom 5.5.1966, ADWL.
Molos Organisationstalent: Siehe: Babette Dietrich, Ein Auftrag, 235–50.
Die freie Wissenschaft*:* Zit nach: Petra Plättner (Hg.), Der schwierige Neubeginn. Vier deutsche Dichter 1949, Mainz 2009, 70.

735 Zwei kleinere Akademiepreise: Vgl. Orientierungstext zur Gründung: Briefe II, 562–64.

Wir graben hier: KS IV, 478.
736 europäisches Niveau: Zit. nach: Schäfer bei Plättner, 49.
wollte Benn nicht mehr mitarbeiten: Vgl. zur Akademiegründung: Das Goldene Tor 5, 1950, 83–86. Ernst-Dieter Hehl, Zur Entstehung und zu den Anfangsjahren der Akademie. Typoskript. ADWL.
737 *Aber jedenfalls drang:* SLW, 408.
im Bündnis mit ihm gemacht hatten: Siehe: Hans Dieter Schäfer, Rückkehr ohne Ankunft. Alfred Döblin in Deutschland 1945–1947, Warmbronn 2006, 19 ff.
durch die neuen Umstände: Briefe II, 328.
Es war peinlich: SLW, 407.
den Vorhang der politischen Vergangenheit: SLW, 407.
738 *Jetzt kann sich keiner:* KS IV, 223.
Wunschtraum: SLW, 398:
Für uns waren: SLW, 408.
739 *Wir werden darüber:* Briefe II, 325.
gar kein Menschenkenner: Hermann Kesten, Lauter Literaten, 418.
Vergangenes vergangen: Norbert Frei (Hg.), Hitlers Eliten nach 1945, München 2003, 276.
Theodor W. Adorno: Protokoll vom 2. August 1951, ADW.
740 *Ich sitze, ich liege:* OD/PAE, 236 f.
741 *Ich bin schuld:* OD/PAE, 222 f.
auf Gnade und Ungnade: OD/PAE, 227.
Geh an ihn heran: OD/PAE, 222.
Der Erzähler wäre demnach: Ähnlich gedeutet auch von Andreas Solbach, Poetik der Grenzüberschreitung in Alfred Döblins *Die Pilgerin Aetheria*, In: IADK Strasbourg 2003, Bern u. a. 2006, 153–70.
742 *eine ausgewachsene mittelgroße Person* und *in einer Seidenkammer:* Briefe II, 333.
743 *Das habe ich mich – individuellen Druck:* SLW, 332.
Aber die eigentliche Aufgabe: SLW, 333.
744 Der Vortrag schlug uns alle: Zit. nach: Meyer, Katalog, 474.
Diese chronische Arthritis – Ich bin kein Mann: Briefe I, 405 f.
745 *Die Naturwissenschaften:* Briefe I, 405 f.
Und es täte mir leid: Briefe I, 405 f.
Claire Goll in: Das Goldene Tor, Jg. 5, 3. H., Juni 1950, 221.
Es ist ganz bestimmt: Briefe II, 342.
746 *als wirklich echter Mann:* Briefe II, 374.
Gesetz zum Vertrieb jugendgefährdender Schriften: Vgl. Emil Belzner, Ein wichtiger Schritt der Mainzer Akademie. Alfred Döblin warnt vor Schmutz- und Schundgesetz. In: Rhein-Neckar-Zeitung, Jg. 6, Heidelberg 1950, Nr. 176 vom 2.8. (mit Briefpublikation). Vgl. auch: Der Tagesspiegel 6, Nr. 1488 vom 3.8.1950.
Es gehen Gerüchte: Zit. nach: Petra Plättner (Hg.), Der schwierige Neubeginn, 73.
Der Münchner Vorsitzende: Babette Dietrich, Ein Auftrag, 150.
747 *Was ich da hörte – Was man zur Eindämmung:* SLW, 398.
In all den vielen Jahren: Brief Hermann Hesses: DLA, 97.7809.
748 *Es ist etwas Schönes:* Briefe I, 411.
Für mich steht die Frage: Briefe I, 412.
auch für andere: Briefe II, 352.
749 *Unmenschen:* Briefe I, 410.
Fühllosigkeit: Briefe II, 216.
Jünger-Zitate in einem Brief vom 25.5.1970. Zit. nach: Hans Dieter Schäfer, Rückkehr ohne Ankunft, 8.
750 *einzige große Ereignis:* Zit. nach: Na. in: Mainzer Allgemeine Zeitung vom 8.12.1950.
Wir halten solch eine Beziehung: Zit. nach: Briefe I, 632.
wie segensreich – Friedenswillen: Briefe I, 415.
751 *der direkte persönliche Kontakt:* Briefe I, 415 f.
Brief von Karl Willy Wagner: Zit. nach: Briefe I, 634.
Wir lassen uns von keiner Staatspolitik: Zit. nach: FAZ, Nr. 285 vom 8.12.1950
doch befinden sich: Briefe I, 417.

752 *als freie Schriftsteller:* Briefe I, 417 f.
Die absolute Offenheit – wie man den Ton: Briefe I, 417 f.
Überhaupt ist ja für so alte Kameraden: Akademie der Künste, Berlin. Arnold-Zweig-Archiv, 10205.
753 *daß das Paket:* Briefe I, 412.
754 *Was not tut:* KdZ, 275.
das Reden zwischen Ariern und Nichtariern: KdZ, 315.
755 *Ein formal sehr begabter Mann:* Briefe II, 409.
Arno-Schmidt-Zitate in: Arno Schmidt, Briefwechsel mit Kollegen. Hg. von Gregor Strick, Frankfurt a. M. 2007, 40–5.
Als der Krieg aus war: November 1918 II, 149.
756 *Es darf kein Graben:* Briefe I, 343.
Man ist eingeklemmt: Zit. nach: Peter Rühmkorf, Die Jahre die Ihr kennt. Anfälle und Erinnerungen, Reinbek b. H. 1999, 376.
zunächst auf sich beruhen: Plättner, Der schwierige Neubeginn, 73.
Da wäre es doch: Plättner, Der schwierige Neubeginn, 74.
757 Molos Stellungnahme in: Wir heißen euch hoffen. Schriftsteller zur deutschen Verständigung. Hg. von Georg Schwarz und Carl August Weber, München 1951, 33.
Die absolute Offenheit: Wir heißen euch hoffen, 48.
Aber die Freiheit: Briefe I, 426.
758 *Sie können es mir glauben:* Briefe I, 427.
Restbestände: Briefe I, 427.
Was aus mir alsdann wird: Briefe I, 427.
Wir waren in Paris zusammen: Briefe I, 429.
Ich habe das Wort: Briefe I, 427
759 *Bleiben wir Gegner:* Briefe I, 422.
Sicher ist aber: Plättner, Der schwierige Neubeginn, 74.
das Prestige der Literaturklasse: Zit. nach Babette Dietrich, 511.
760 Das Grundübel der Literaturklasse: Plättner, Der schwierige Neubeginn, 78.
Man sprach damals in Deutschland: Frank Thieß, Jahre des Unheils, Wien, Hamburg 1972, 291.
Es berührte mich tief: Thieß, 291.
eines Tages: Thieß, 292.
761 *Unbedingt soll die Nummer:* Briefe II, 377.
Die Möglichkeiten: Briefe II, 386.
dazu dienen soll: Briefe I, 422.
762 Egon Vietta: Zit. nach: Meyer, Katalog, 441.
763 *der sogenannte Unterredakteur:* Briefe II, 394.
Ich lese mit Vergnügen: Briefe II, 394.
Unser Europaheft: Briefe II, 397.
Gestaunt habe ich: Briefe II, 395.
764 *Gedanklich steht wohl*: Briefe II, 397.
Wie war ich früher: SR, 295.
765 *Es überrascht mich nicht – Mein neues Buch:* Briefe I, 425.
Schiffbrüchiger – Großinquisitor: UM/KE, 290.
Es gelang mir nicht: UM/KE, 292.
Wo ist mein wirklicher Platz: UM/KE, 293.
766 Der Vertrag: DLA, 97.71077/7.
Wir haben mit dieser Firma: DLA, 97.71082/2.
767 Im Augenblick: DLA, 97.7963/1.
Sie können aber auch: Ebenda.
ziemlich allgemein boykottiert: Briefe I, 429.
Eine Masse Bücher: Briefe II, 399.
768 *Man hat nichts gelernt:* Briefe I, 431.
Ein Emigrant: Briefe I, 431.
Offener Brief: Brecht, Werke, 23, 155 f.
Werden wir Krieg haben: Brecht, Werke, 23, 155.
Keine Freiheit: Brecht, Werke, 23, 156.
769 *die einmalige Lektüre:* Briefe I, 432.
Würden sie drüben: Briefe I, 438.
mit noch größeren: Briefe I, 439.
der sich gedrängt fühlt: Briefe I, 436.
770 *Zu gleicher Zeit:* Briefe I, 437.
die Staatsvergottung und *eine langjährige:* Briefe I, 438.
Man kann sich nicht: Briefe I, 439.
Der Leninstaat: Briefe I, 439.
Man soll nicht mit irgendeinem Staat: Briefe I, 452.
nach Belieben: Briefe II, 393.

771 *Die Operation an sich:* Briefe II, 405 f.
Ich war mit meiner Kurzsichtigkeit: Briefe I, 435.
Es kommt eine Zeit: Briefe I, 436.
die handschriftlichen Erstfassungen: Jahresbericht der AKW 1951, Wiesbaden 1952, 98. Es handelte sich wohl eher um eine Absichtserklärung.

772 *Ich möchte helfen:* SLW, 272.
Zitate Friedhelm Kröll: Friedhelm Kröll, »... und die ich nicht in den Wolken geschrieben hatte.« Warum Alfred Döblin in der westdeutschen Nachkriegsliteratur nicht angekommen ist. In: Nachkriegsliteratur in Westdeutschland. Hg. u.a. von Jost Hermand, Bd. 2: Autoren, Sprache, Traditionen, Berlin 1983, 66 f.

774 *Der Vorgang selber:* Briefe II, 407.

775 *Die Herren drüben:* Briefe II, 409.
Sie rücken immer weiter: Ernst Kreuder, Wie ich ihn kannte. Manuskript »Döblin V«. NDR, 21.11.1961, 4.

776 *Sie wissen, lieber Betzner:* Zit. nach Schock, Saargemünd, 155.

777 *Mir scheint, man täte besser:* Zit. nach Michael Hochgeschwender, Freiheit in der Offensive? Der Kongreß für kulturelle Freiheit und die Deutschen, München 1998, 285.
Es war sehr abwechslungsreich: Briefe II, 413.
Der gegenwärtige Zustand: Ansprache bei der Eröffnungsfeier der von Radio Saarbrücken initiierten »Woche des zeitgenössischen Kulturschaffens« im Saarbrücker Rathausfestsaal, 29.6.1952. Zit. nach: Ralph Schock, Alfred Döblin. »Meine Adresse ist: Saargemünd. Spurensuche in einer Grenzregion, Merzig 2010, 196.
Ich habe ihm so oft: Briefe II, 412 f.

778 *wir haben die Pflicht:* Briefe I, 453.
Rechts und links: Briefe II, 415.
Was Bechers Gedichtband: Briefe II, 416.

779 nicht bei dieser einmaligen Zusammenarbeit: Peter Huchel, Wie soll man da Gedichte schreiben. Briefe 1925–1977. Hg. von Hub Nijssen, Frankfurt a. M. 2000, 123.
Warum soll ich mich plötzlich: Briefe II, 419.
ein religiöses Stück: Briefe II, 424.

780 *Müde und deprimiert:* Briefe I, 446 f.
mit Krokodilstränen: Briefe I, 448.
Die Wirkung – in Deutschland: Briefe I, 456.
nach einem anfangs wohlwollenden Empfang: Briefe I, 457 f.
Ich kann nur konstatieren: Briefe I, 458.

781 *Ich freue mich wirklich:* Briefe II, 422.
Unsere Bücher: Briefe II, 423.
in einer Tönung: Briefe II, 423.
es scheint, ich war immer: Briefe II, 421.

782 *nicht einmal – Ich stehe:* Zitate aus den Entschädigungsakten.
Schädigungszeit*:* Briefe II, 416.

784 *in der Mark Brandenburg:* KS IV, 507.
Stoffwechsel: KS IV, 507.
Bleibt Glauben: KS IV, 528.
Die Literatur, sie: SÄPL, 561.

785 *Es war, als ob:* SÄPL, 576.
Wem also diente: SÄPL, 596.
Keime in seinem Durcheinander: SÄPL, 600.
stille Bewohner: KS III, 80–2.

786 *Wolfgang, du warst:* SLW, 351.
die sozialistische Pressesäule: SLW, 364.
Sie nahmen sich gewiß – in einem psychotischen: SLW, 365.

787 *Mit meiner medizinischen Auffassung:* SLW, 366.
Meine Finger sind: SLW, 375.
er hat viel Schmerzen: Brief Erna Döblins vom 16.1.1953 an Anton Betzner. Archiv Saar – Lor – Lux Elsass-ß. Nachlass Anton Betzner.

788 *Herr, erlöse uns:* SLW; 382.
Was, frage ich: SLW, 383.
Ablauf ist die Realität: SLW, 444.

789 *Das Schrecklichste aber:* SLW, 462.
Lippen- und Gedankenbewegung: SLW, 462.
Meine Ausreise – Es ist geblieben: SLW, 412.

790 Du bist ein Jude: DLA, 06.67.11/8.

791 *den Sinn für den Alltag:* SLW, 342.
Und so geschieht: Ebenda.

Kein allgemeines Geschehen: SLW, 343 f.
Das lange Spiel: SLW, 443.
792 kaum sitzen: Kesten, Lauter Literaten, 421 f.
Ich kann nach den sieben Jahren: Briefe I, 458.
Erwartungen und Enttäuschungen: Briefe I, 642.
Festigung von Gesinnungen: Briefe I, 643.
Aber ich möchte dieses: DLA, 97.7811/3.
Auf einer Bahre: Hanns Ulbricht an Hanns Henny Jahnn, 5.5.1953, in: Briefe I, 642.
793 wir schulden meiner Meinung nach: Zit. nach: Hecht, Brecht Chronik, Ergänzungen, 124.
Jahnn- und Becher-Zitat: Briefe I, 644.
den Dank der deutschen Nation: Jahrbuch der Akademie 1954, Mainz 1955, 146.
794 und dieser Sprung: DLA, 977669/2.
Mir kam vor: Briefe II, 425 f.
mit dem Boykott – Mit dem Fischer Verlag – Nazifahrwasser – Erfreulicherweise: Briefe II, 426.
Die Luft drüben: Briefe II, 427.
795 *Sie ist erfreulicherweise:* SLW, 425.
Ich sitze an meinem Schreibtisch: SLW, 417 f.
796 *Ich kann, wenn ich:* SLW, 419.
das anmaßende kuriose Pack: SLW, 422.
Unübersichtlich für uns: SLW, 424.
Von sich aus: SLW, 431.
Wir sind tausend Fäden Irrsinn: SLW, 465.
797 *Natürlich bin ich hier:* Briefe II, 425.
Es lohnt nicht: SLW, 432.
vom Ursprung: SLW, 437.
Wie Lichtgebilde: SLW, 438.
798 für unsere Besinnung: DLA, 97.71059/1.
Vom Bewußtsein dieser Verbundenheit: DLA, 97.71059/2.
Nach den Feststellungen: DLA, 97.71059/4.
799 Berlin und die Berliner: DLA, 97.71057/6.
unter der Armutsgrenze: Vgl. Sonntag, 19.9.1954.
mit Hungerödemen: Fotokopie in: ADW, Personalakte Döblin.
800 Kapital aus dem Armengrab: Welt am Sonntag, Nr. 38 vom 18.9.1954.
Lassen Sie die Hand schütteln: Unveröffentl. Brief, ADW, Personalakte Döblin.
Ich bin also niemals: Unveröffentl. Brief an Otto Hieth, Redakteur des »Michael«, am 16. Oktober 1954.
Cedilanid, 2 Flaschen: Scheel an Erna Döblin, 3.11.1955, ADW, Personalakte Döblin.
Die Akademie verhält sich: ADW, Personalakte Döblin.
801 Würden Sie sich: Briefe II, 428.
Lieber Kollege: Briefe II, 430.
und hoffe sehnlich: Briefe II, 429.
Wie mich meine eigenen Bücher: Briefe I, 467.
802 *immer nur fast:* Briefe II, 467 f.
Ich habe sie, lieber Heuss: Briefe II, 430 f.
Ich will von uns noch: Briefe II, 441.
daß er weder gehen – Nur die letzten 3 Nächte: ADW, Personalakte Döblin
803 Was aus uns werden soll: Briefe II, 441.
804 *Es werden uns Schriftstellern:* Briefe I, 469 f.
ich wollte Dir jeden Tag: Briefe II, 438.
Wie geht es Dir – Liebe, liebe Erni: Briefe II, 439.
Dabei ist er: Briefe II, 437.
805 *in dem meine Sprache:* Briefe II, 439.
um ihm einen Aufenthalt: Briefe II, 440.
Der Tag verdient besondere Beachtung: Vgl. Hans Mayer, Fahrt zu Döblin. In: Literarium. Hauszeitschrift des Walter Verlags, Nr. 14, Olten und Freiburg 1966, 3 f.
Er hatte ein schönes Zimmer: Hans Mayer in: Literarium 14, 1966, 3.
Professor Mayer: Huchel-Briefe, 164.
806 Hochverehrter Herr Dr. Döblin: Huchel, Briefe, 164.

lange Monate: Briefe II, 442.
Seit 2 ½ Monaten: Briefe II, 444.

807 nach fast tödlichen Auseinandersetzungen: Minder, Wozu Literatur, 102.
Was tun: Brief vom 4.4.1955. ADW, Personalakte Döblin.
Er prüfte meine Mitteilung – Es war sehr nett: SLW, 486.
Bisher hat sich bei mir: SLW, 497.

808 Er hörte: Harald Neumann, Alfred Döblin. Leben und Werk, Krankheit und Tod, 2. Aufl. Mainz 1987, 78.
scheiterte an Erna: Siehe Brief Scheels an von Molo, 5. Juni 1956, ADW, Personalakte Döblin.
Ich lasse auch Justi: Brief Walter von Molos vom 11.6.1956, ADW, Personalakte Döblin.
Zum Verschwinden von Thomas Mann: SLW, 498 f.

809 Er wachte wieder auf: Briefe I, 657.
Brief Bermann-Fischers: DLA, 97.7690.

810 *Still und einsam verlebe ich hier:* Briefe I, 474.
die bittere und leidvolle Nachricht: Briefe, 475.
die tapfere Erklärung: Briefe II, 453.

811 *Zerdrückt hat sich das Manuskript:* Briefe II, 448.
Ich bin u. bleibe: Briefe II, 448.

812 Man hat Bedenken und Vorbehalte: Alfred Kantorowicz, Deutsches Tagebuch, 2, München 1961, 562.
Gibt es eine andere Fassung: Zit. in: Meyer, Katalog, 488.

813 *Revision des Verhaltens:* Zit. nach: Meyer, Katalog, 489.
Und so fuhren sie: Hamlet, 573.
Verblassen seiner Frömmigkeit: Vgl. auch: Riley, Zum umstrittenen Schluß, 331–33.
Aber einmal: SLW, 319.

814 *eine Geburt hinter dem Rücken:* Briefe I, 484 f.
Ich selbst hätte allerlei: Briefe I, 485.
Ohne die erheblichen Summen: Briefe I, 654 f.
kurzfristig gedruckt: Nach Verlagsmitteilung Dr. Sch. vom 22. Okt. 1957.

815 *Mein ganzes Schreiberleben:* Briefe I, 489.
In Preis-freudigster Zeit: Zit nach Meyer, Katalog, 490 f.

816 lange autoanalytische Tiraden: Peter Rühmkorf, Die Jahre die Ihr kennt, 54.
die alte Antimilitärhaltung – daß ich selbst in die Ecke: Briefe II, 454 f.
Man fand, ich pfiffe: Briefe II, 455.
Dies sollen Herren aus der Ostzone: Briefe I, 480.

817 Latenzphase: Nov. 1918, I, 161.
Es darf niemand: IüN, 143.
Jedes Werk Döblins: Riley, Nachwort zu OD/PAE, 312.
welches wird mein endgültig: Briefe I, 495.

818 *Gibt es noch ein anderes Überbleibsel:* SLW, 467.
Darum fühl ich mich: SLW, 16.

819 *Ich biete mich allem willig zum Opfer:* SLW, 472.
eine Verunreinigung des Denkens: SLW, 507.
Als Cartesius: SLW, 506.
Das Motto heißt: Ich-bin-nicht: Briefe II, 34.

820 *Ich dachte, das kleine Tagebuch:* SLW, 507 f.

821 *Franz Biberkopf hört:* BA, 430.
Brief an Jahnn: Dem Gedächtnis Alfred Döblins. In: Das Einhorn. Jahrbuch Freie Akademie der Künste in Hamburg, Hamburg 1957, 3 f.
Ringen um: Zit. nach: Das Einhorn, ebenda.
Yolla Niclas wiederzusehen: Minder, Begegnungen, 61.
viele Götter: Minder, Begegnungen, 66.

822 *Wo wird einst des Wandermüden:* Briefe I, 494.
Das Draußen wird ihm unfaßbar: Briefe I, 488.

823 Das Höchste: denken: Briefe I, 658.
zum Sterben zuviel – die Gesellschaft bringt mich: Briefe I, 500.

824 *Ich habe ja nicht wie Sie:* Briefe I, 498.
Mein Mann erwiderte: Briefe I, 658.

Eine Gnade, scheint mir: Briefe II, 456.

825 *Wie schmählich:* SLW, 16.
papa heute beendet: Neumann, Döblin, 86.
Er ist eingeschlafen: Briefe I, 500 f.
Mit seiner nervösen, geschwinden Art: Hermann Kesten in: Neue Zürcher Zeitung, 5.7.1957.

826 oder wieder in der privaten Form: Unveröffentlichter Brief Scheels vom 2.7.1957, ADW, Personalakte Döblin.
Ich mußte dem Fahrer: »Er strebte immer nach Verbesserung«. Gespräch mit Stephan Döblin. In: Neue Rundschau, 120. Jg., 2009, H. 1, 156 f.
voller Zorn auf alle: Ebenda, 156.
Ich weiß, daß: Ebenda, 157.

827 Ich habe Sehnsucht: Neumann, Döblin, 87.
Ihr Name wird für mich: Briefe II, 456.
Beim Hinscheiden: Zit. nach Schock, Saargemünd, 279.
einer der wenigen ganz Großen – Er hat Sie immer: Briefe II, 457.
stark und dankbar: Briefe II, 598.
Für wenige Tage – Das ist gewiß: Brief Erna Döblins an Anton Betzner vom 6.9.1957. Zit. nach: Schock, Saargemünd, 282.

829 Um mich herum: Unveröffentl. Brief Erna Döblins an Anton Betzner. Archiv Saar – Lor – Lux Elsass. Nachlass Anton Betzner.
eine Reihe von Schenkungen: Robert Minder, Brief an die Mainzer Akademie vom15.10.1957. ADW, Personalakte Döblin.
Oft bin ich im Begriff: Unveröffentl. Brief Erna Döblins an Anton Betzner in dessen Nachlass.

LITERATURVERZEICHNIS

Eine Auswahl

Es ist hier nicht möglich, den seit langem fehlenden Forschungsbericht zu liefern, nicht einmal eine annähernd vollständige Liste der zu Rate gezogenen Literatur zu erstellen. Ein laufendes Verzeichnis der Neuerscheinungen zum Thema findet sich in den Tagungsbänden der Internationalen Alfred-Döblin-Konferenzen (IADK), ansonsten sei verwiesen auf den Katalog der Deutschen Nationalbibliothek und auf Kallias, das Bücherverzeichnis des Deutschen Literaturarchivs Marbach a. N. (DLA). Gedankt sei auch all jenen, deren Arbeiten einzelne nützliche Hinweise enthalten, ohne dass sie hier gesondert verzeichnet sind.

Dokumente und Erinnerungen

E.A., Alfred Döblin liest in der Volkshochschule. In: Stettiner General-Anzeiger vom 3.11.1930

Götz Ahly (Hg.), Aktion T41939–1945. Die »Euthanasie«-Zentrale in der Tiergartenstraße 4, Berlin 1989.

Günther Anders, Die Schrift an der Wand. Tagebücher 1941–1966, München 1967

Günther Anders, Erinnerungen an Döblin. In: Die Neue Rundschau, Jg. 94, 1983, 5–9

Alfred Andersch, Scheinwerfer auf einen Seiltänzer. In: Der Ruf, Jg. 1, H. 13 vom 15.2.1947, 13 f.

Alfred Andersch, »The real thing«. In: Horizont, Jg. 3, H. 18 vom 26.9.1948, 4 f.

Rudolf Arnheim, Döblins Oratorium. In: Die Weltbühne, 27. Jg., Nr. 17 vom 17.4.1931, 626

Julius Bab, Richard Dehmel. Die Geschichte eines Lebens-Werkes, Leipzig 1926

Karl Bindung/Alfred Hoche, Die Freigabe der Vernichtung lebensunwerten Lebens. Ihr Maß und ihr Ziel (1920). Mit einer Einführung von Wolfgang Naucke, Berlin 2006

Harald Braun (Hg.), Dichterglaube. Stimmen religiösen Erlebens, Berlin 1931

Claude Doblin, Alfred Döblin in Berlin – und nachher. In: IADK Marbach 1984, Berlin 1985, 118–26

Otto Flake, Es wird Abend. Bericht aus einem langen Leben, Gütersloh 1960

Daniela Frickel, Adele Gernhard. Spuren einer Schriftstellerin, Köln 2007

Georg Fröschel, Döblin in Hollywood, In: Die Zeit, Nr. 24 vom 15.6.1962, 14

A. Fuchs, Alfred Döblin in Regensburg. In: Verhandlungen des Historischen Vereins für Oberpfalz und Regierungsbezirk Regensburg 118, 1978, 287–292

Ruth Glazer, Berliner Leben 1870–1940, Berlin 1963

Curt Goetz und Valérie von Martens, Memoiren, Stuttgart 1989

Moritz Goldstein, Berliner Jahre. Erinnerungen 1880–1933, München 1977

Alexander Granach, Da geht ein Mensch. Autobiographischer Roman, Augsburg 2003

Adolf Grimme, Briefe. Hg. von Dieter Sauberzweig, Heidelberg 1967

J. F. G. Grosser, Die grosse Kontroverse. Ein Briefwechsel um Deutschland, Hamburg, Genf, Paris 1963

Fred Hildenbrandt, Großes schönes Berlin, Berlin 1928

Peter Huchel, Wie soll man da Gedichte schreiben: Briefe 1925–1977. Hg. von Hub Nijssen, Frankfurt 2000

Rudolf Kayser, Dichterköpfe, Wien 1930

Alfred Kerr, Wo liegt Berlin? Briefe aus der Reichshauptstadt 1895–1900. Hg. von Günter Rühle, Berlin 1997
Hermann Kesten, Lauter Literaten. Porträts, Kritik an Zeitgenossen, Erinnerungen, Wien u.a. 1963
Irmgard Keun, Wenn wir alle gut wären. Hg. und mit einem Nachwort von Wilhelm Unger, Köln 1983
Helmut Kindler, Zum Abschied ein Fest. Die Autobiographie eines deutschen Verlegers, München 1991
Wolfgang Koeppen, Alfred Döblin oder Die lange Flucht. In: W.K., Gesammelte Werke. Hg. von Marcel Reich-Ranicki, Bd. 6, Frankfurt a.M. 1990
Arthur Koestler, Als Zeuge der Zeit. Das Abenteuer meines Lebens, Frankfurt a.M. 2005
Fritz Kortner, Aller Tage Abend. Autobiographie, München 1959
Horst Krüger, Spötterdämmerung. Lob- und Klagelieder zur Zeit, Hamburg 1981
Horst Krüger, Tiefer deutscher Traum, Reisen in die Vergangenheit, Hamburg 1984
Elisabeth Langgässer, Briefe 1924–1950. Hg. von Elisabeth Hoffmann, Düsseldorf 1990
Else Lasker-Schüler, Die kreisende Weltfabrik. In: E. L.-S., Gesammelte Werke, Bd. 2, München 1962, 638–40
Peter W. Leers, Vom künstlerischen und sozialen Kampf der Rundfunkschaffenden. In: Funk, H. 29, 1932
Ferdinand Lion, Geist und Politik in Europa. Verstreute Schriften, Heidelberg 1980
Klaus Mann, Tagebücher 1931–1933. Hg. von Joachim Heimannsberg, Peter Laemmle und Wilfried F. Schoeller, München 1989
Klaus Mann, Zahnärzte und Künstler. Aufsätze, Reden, Kritiken 1933–1936. Hg. von Uwe Naumann und Michael Töteberg, Reinbek b.H. 1993, 34–37
Thomas Mann, Die Entstehung des Doktor Faustus. Große kommentierte Frankfurter Ausgabe, Bd. 19,1: Essays VI (1945–1950). Hg. von Herbert Lehnert, Frankfurt a.M. 2009
Thomas Mann, Das essayistische Werk: Miszellen, Frankfurt a.M. und Hamburg 1968
Thomas Mann, Tagebücher 1940–1943. Hg. von Peter de Mendelssohn, Frankfurt a.M. 1982
Thomas Mann, Aufsätze, Reden, Essays, Bd. 2, Berlin 1983
Thomas Mann, Tagebücher 1944–1946. Hg. von Inge Jens, Frankfurt a.M. 1986
Ludwig Marcuse, Mein zwanzigstes Jahrhundert. Auf dem Weg zu einer Autobiographie, München 1960
Hans Mayer, Fahrt zu Döblin. In: Literarium, Nr. 14, 1966, 3 f.
Walter von Molo, Zu neuem Tag. Ein Lebensbericht, Berlin, Bielefeld, München 1950
Max Niedermayer, Pariser Hof. Limes Verlag, Wiesbaden 1945–1965, Wiesbaden 1965
Max Niedermayer, Briefe an einen Verleger. Max Niedermayer zum 60. Geburtstag. Hg. von Marguerite Valerie Schlüter, Wiesbaden 1965
Max Pulver, Erinnerungen an eine europäische Zeit, Zürich 1953
Hartmut Rambaldo und Joachim W. Storck, Als der Krieg zu Ende war. Literarisch-politische Publizistik 1945–1950. Ausstellungskatalog, Marbach a.N. 1986
Dierk Rodewald und Corinna Fiedler (Hg.), Samuel und Hedwig Fischer, Briefwechsel mit Autoren, Frankfurt a.M. 1989
Ingrid Schuster/Ingrid Bode, Alfred Döblin im Spiegel der zeitgenössischen Kritik, Bern und München 1973
Manès Sperber, Bis man mir Scherben auf die Augen legt, Wien 1977
Fritz Sternberg, Der Dichter und die Ratio. Erinnerungen an Brecht, Göttingen 1968
August Stramm, Briefe an Nell und Herwarth Walden. Hg. von Michael Trabitzsch, Berlin 1988
Richard Thieberger, Begegnung mit Alfred Döblin. In: IADK Paris 1993. Hg. von Michel Grunewald, Frankfurt a.M. 1995, 3–6

Ernst Toch, Über meine Kantate »Das Wasser« und meine Grammophonmusik. In: Melos, Jg. 9, 1930, 221 f.
Kurt Tucholsky, Gesamtausgabe. Bd. 14: Texte 1931. Hg. von Sabina Becker, Reinbek b. H. 1998
Salka Viertel, Das unbelehrbare Herz. Ein Leben mit Stars und Dichtern des 20. Jahrhunderts, Reinbek b. H. 1987
Herwarth Walden, Erster Deutscher Herbstsalon, Köln 1988
Theresia Wittenbrink (Bearb.), Schriftsteller vor dem Mikrofon. Autorenauftritte im Rundfunk der Weimarer Republik. 1924–1932. Eine Dokumentation, Berlin 2006
Kurt Wolff, Briefwechsel eines Verlegers 1911–1963. Hg. von Bernhard Zeller und Ellen Otten, Frankfurt a. M. 1966
Margo H. Wolff, Die Brüder Alfred und Hugo Döblin, Typoskript, Marbach a. N., 15 Bl. (unveröffentlicht, DLA)

Döblin-Literatur

Christina Althen, Machtkonstellationen einer deutschen Revolution. Alfred Döblins Geschichtsroman *November 1918*, Frankfurt a. M. 1993
Thomas Anz, Der Wahnsinn macht den Bürger weich. Über Alfred Döblin, Wadzeks Kampf mit der Dampfturbine. In: Marcel Reich-Ranicki, Romane von gestern – heute gelesen. Bd. 1, 1900–1918, Frankfurt a. M. 1989, 245–55
Thomas Anz, Alfred Döblin und die Psychoanalyse. Ein kritischer Bericht zur Forschung. In: IADK Leiden 1995, 9–30
Thomas Anz (Hg.) in Zusammenarbeit mit Christine Kanz und Oliver Pfohlmann, Psychoanalyse in der literarischen Moderne. Eine Dokumentation. Marburg 2006
Thomas Anz/Michael Stark (Hg.), Expressionismus. Manifeste und Dokumente zur deutschen Literatur 1910–1920, Stuttgart 1982
Thomas Anz/Joseph Vogl, Die Dichter und der Krieg. Deutsche Lyrik 1914–1918, München und Wien 1982
Armin Arnold, Les styles, voil'l'homme! Döblins sprachliche Entwicklung bis zu »Berlin Alexanderplatz«. In: Ingrid Schuster, Zu Alfred Döblin, Stuttgart 1980, 41–56
Arnim Arnold, Alfred Döblin, Berlin 1996
Walter Aue, Auf eigene Faust. Spurensuche in Berlin, Frankfurt a. M. 2001
Manfred Auer, Das Exil vor der Vertreibung. Motivkontinuität und Quellenproblematik im späten Werk Alfred Döblins, Bonn 1977
Barbara Baerns, Ost und West – Eine Zeitschrift zwischen den Fronten. Zur politischen Funktion einer literarischen Zeitschrift in der Besatzungszeit (1945–1949), Münster 1968
Johannes Balve, Ästhetik und Anthropologie bei Alfred Döblin. Vom musikphilosophischen Gespräch zur Romanpoetik, Wiesbaden 1990
Eva Banchelli, Alfred Döblin und die Photographie. In: IADK Leiden 1995, 131–42
Christoph Bartscherer, Das Ich und die Natur. Alfred Döblins literarischer Weg im Licht seiner Religionsphilosophie, Paderborn 1997
Christoph Bartscherer, »Der ungezogene Liebling der Grazien«. Alfred Döblin und Heinrich Heine: Politische und religiöse Analogien in Leben und Werk. In: Steffan Davies/Ernest Schonfield (Hg.), Alfred Döblin, Paradigms of Modernism, Berlin und New York 2009
Hans-Peter Bayerdörfer, »›Ghettokunst‹. Meinetwegen, aber hundertprozentig echt.« Alfred Döblins Begegnung mit dem Ostjudentum. In: Im Zeichen Hiobs. Jüdische Schriftsteller und deutsche Literatur im 20. Jahrhundert. Hg. von Gunter E. Grimm und Hans-Peter Bayerdörfer, Königstein/Ts. 1985, 161–177

Hans-Peter Bayerdörfer, *Berlin Alexanderplatz*. In: Romane des 20. Jahrhunderts, Bd. 1, Stuttgart 1993, 158–94

Sabina Becker, Urbanität und Moderne. Zur Großstadtwahrnehmung in der deutschen Literatur 1900–1930, St. Ingbert 1993 [zu *Berlin Alexanderplatz*]

Sabina Becker (Hg.), Alfred Döblin im Kontext der Neuen Sachlichkeit. In: Jahrbuch zur Literatur der Weimarer Republik, Bd. I, St. Ingbert 1995, 202–29 In: Ebenda, Bd. II, St. Ingbert 1996, 157–81

Sabina Becker, Robert Krause, »Tatsachenphantasie«. Alfred Döblins Poetik des Wissens im Kontext der Moderne. In: IADK Emmendingen, 2007. Hg. von Sabina Becker und Robert Krause, Bern 2008, 9–26

Violante Bergel, Gespräch mit Alfred Döblin. In: Der Standpunkt, Jg. 1, Nr. 11 vom 1.12.1946

Oliver Bernhardt, Alfred Döblin, München 2007

Oliver Bernhardt, Alfred Döblin und Thomas Mann. Eine wechselvolle literarische Beziehung, Würzburg 2007

Werner Berthold/Brita Eckert (Bearb.), Der deutsche PEN-Club im Exil 1933–1948. Ausstellungskatalog, Frankfurt a. M. 1980

Olaf Berwald/Gregor Thuswaldner (Hg.) Der untote Gott. Religion und Ästhetik in der deutschen und österreichischen Literatur des 20. Jahrhunderts, Köln, Weimar, Wien 2007

Albrecht Betz, Exil und Engagement. Deutsche Schriftsteller im Frankreich der dreißiger Jahre, München 1986

Manfred Beyer, Die Entstehungsgeschichte von Alfred Döblins Roman *Berlin Alexanderplatz*. In: Wissenschaftliche Zeitschrift der Friedrich-Schiller-Universität Jena. Gesellschafts- und sprachwissenschaftliche Reihe 20, 1971, 391–423

Manfred Beyer, Alfred Döblin und Robert Minder. In: IADK Paris 1993. Hg. von Michel Grunewald, Bern u. a. 1995

Walter Biedermann, Die Suche nach dem Dritten Weg. Linksbürgerliche Schriftsteller am Ende der Weimarer Republik, Diss. Frankfurt a. M. 1981

Heinz Bielka, Streifzüge durch die Orts- und Medizingeschichte von Berlin-Buch, Berlin 2007

Alexandra Birkert, »Kritik der Zeit« (1946–1951). Anmerkungen zum »neuen Aufklärungsfeldzug«, Alfred Döblins im Südwestfunk Baden-Baden. In: IADK Marbach a. N./Berlin 1984/85. Hg. von Werner Stauffacher, Berlin 1985, 76–92

Alexandra Birkert, Das Goldene Tor. Alfred Döblins Nachkriegszeitschrift. Rahmenbedingungen, Zielsetzung, Entwicklung, Frankfurt a. M. 1989. (Sonderdruck aus »Archiv für Geschichte des Buchwesens«, Bd. 33)

Alexandra Birkert, Sieger und Besiegte. Alfred Döblin in Baden-Baden. In: IADK Paris 1993. Hg. von Michel Grunewald, Bern 1995, 53–65

Thomas Bleicher, Weltliteratur in der Provinz – Mainz kurz nach 1945. In: Komparatistik in der Provinz – Friedrich Hirth zum 100. Geburtstag. Hg. von Thomas Bleicher, Joachim Knollmann und János Riesz, Mainz 1978, 22–38

Marion Brandt, Die verschlossene Tür. Alfred Döblins Zugang zum Ostjudentum vor dem Hintergrund seiner Notizen zur Reise in Polen. In: IADK Emmendingen 2007. Hg. von Sabina Becker und Robert Krause, Bern 2008, 227–38

Donald Brinkmann, Mensch und Technik. Grundzüge einer Philosophie der Technik, Bern 1946

Georg Brühl, Herwarth Walden und »Der Sturm«, Leipzig 1983

Ulrike Buergel-Goodwin, Die Reorganisation der westdeutschen Schriftstellerverbände 1945–1952. In: Archiv für Geschichte des Buchwesens 18, 1977, Sp. 361–524

H. Burkard, Vorschau auf die »Neue Musik Berlin 1930«. In: Musik und Gesellschaft I, 1930/31, 71 f.; auch 162–65.

Arnold Busch, Faust und Faschismus. Thomas Manns *Doktor Faustus* und Alfred Döblins

November 1918 als exilliterarische Auseinandersetzung mit Deutschland, Frankfurt a. M. 1984
Arnold Busch, Überlegungen zu Döblins Konversion zum katholischen Glauben. In: IADK, Lausanne 1987. Hg. von Werner Stauffacher, Bern u. a. 1991, 36–50
Klara Pomeran Carmely, Das Identitätsproblem jüdischer Autoren im deutschen Sprachraum. Von der Jahrhundertwende bis zu Hitler, Königstein/Ts. 1981
René Cheval, Die Bildungspolitik in der Französischen Besatzungszone. In: Umerziehung und Wiederaufbau. Die Bildungspolitik der Besatzungsmächte in Deutschland und Österreich. Hg. von Manfred Heinemann, Stuttgart 1981
Herbert Claas, Psychologischer Familienroman in gesellschaftskritischer Absicht: Alfred Döblins *Pardon wird nicht gegeben*. In: Christian Fritsch/Lutz Winckler (Hg.), Faschismuskritik und Deutschlandbild, Berlin 1981, 53–64
Cleens Cording, Die Regensburger Heil- und Pflegeanstalt Karthaus-Prüll im »Dritten Reich«. Eine Studie zur Geschichte der Psychiatrie im Nationalsozialismus, Würzburg 2000
Hans Daiber, Nachwort. In: Alfred Döblin: Märchen vom Materialismus, Stuttgart 1959, 63–68
Peter Demetz, Worte in Freiheit. Der italienische Futurismus und die deutsche literarische Avantgarde 1912–1924. Mit einer ausführlichen Dokumentation, München 1990
Horst Denkler/Karl Prümm (Hg.), Die deutsche Literatur im Dritten Reich. Themen – Traditionen – Wirkungen, Stuttgart 1976
R. Denkwitz, Chronik der Psychiatrischen Uniklinik Freiburg, Neuss 1987
Roland Dollinger, Totalität und Totalitarismus im Exilwerk Döblins, Würzburg 1994
Roland Dollinger, »Amerika« als Kindheitstrauma und Exilerfahrung. In: IADK, Strasbourg 2003. Hg. von Christine Maillard und Monique Mombert, Bern 2006, 217–30
Wolfgang Düsing, Döblins *Hamlet oder Die lange Nacht nimmt ein Ende* und der Novellenroman der Moderne. In: IADK Münster 1989, Marbach a. N. 1991. Hg. von Werner Stauffacher, Bern u. a. 1993, 271–83
Wolfgang Düsing, Der Intellektuelle zwischen Ideologien und Institutionen. Döblins Essayistik in der Weimarer Republik, In: IADK Mainz 2005. Hg. von Yvonne Wolf, Bern u. a. 2007, 153–166
Manfred Durzak, Flake und Döblin. Ein Kapitel in der Geschichte des polyhistorischen Romans. In: Germanisch-Romanische Monatsschrift 20, 1970, 286–305
Manfred Durzak (Hg.), Die deutsche Exilliteratur, 1933–1945, Stuttgart 1973
Manfred Durzak, Hermann Broch und Alfred Döblin. Begegnung und Kontroverse, oder: Der deutsche Roman am Scheideweg. In: Neue Deutsche Hefte 34, 1987, 92–105
Hansjörg Elshorst, Mensch und Umwelt im Werk Alfred Döblins, Diss. München 1966
Friedrich Emde, Alfred Döblin. Sein Weg zum Christentum, Tübingen 1999
Hans Magnus Enzensberger, Von der Unaufhaltsamkeit des Kleinbürgertums. In: Kursbuch 45, 1976, 1–8
Jacob Erhardt, Alfred Döblins Amazonas-Trilogie, Worms 1974
Walter Erhart (Hg.), Wolfgang Koeppen & Alfred Döblin. Topographien der literarischen Moderne, München 2005. [Darin Aufsätze von Gabriele Sander, Karol Sauerland, Manfred Durzak, Grazina Kwiecinska, Oliver Simons, Dietmar Voss]
Reinhard Febel, Das Werk Alfred Döblins und die Musik. In: IADK Marbach 1984, Berlin 1985, Bern 1988, 256–72
Hans-Joachim Fliedner (Hg.), Dichter am Oberrhein, Offenburg 1993 [darin Volker Pirsich, Nachkrieg]
Ulrich Flotmann, Über die Bedeutung der Medizin in Leben und Werk von Alfred Döblin, Münster 1976
Wolfgang Frühwald, Rosa und der Satan. Thesen zum Verhältnis von Christentum und

Sozialismus im Schlußband von Alfred Döblins Erzählwerk *November 1918*. In: IADK Basel 1980, New York 1981, Freiburg 1983, 239–56
Wolfgang Frühwald/Wolfgang Schieder (Hg.), Leben im Exil: Probleme der Integration deutscher Flüchtlinge im Ausland 1933–1945, Hamburg 1985
A. Fuchs, Alfred Döblin in Regensburg. In: Verhandlungen des Historischen Vereins für Oberpfalz und Regierungsbezirk Regensburg 118, 1978, 287–92
Veronika Füchtner, »Östlich um den Alexanderplatz«: Psychoanalyse im Blick von Alfred Döblin. In: Heike Bernhardt/Regine Lockot (Hg.), Mit ohne Freud. Zur Geschichte der Psychoanalyse in Ostdeutschland, Gießen 2000, 30–50
Walter Gebhardt, Das »Sturm-Archiv« Herwarth Waldens. In: Jahrbuch der Deutschen Schillergesellschaft 2, 1958, 348–365
Marion Gees, Schreibort Paris. Zur deutschsprachigen Tagebuch- und Journalliteratur 1945 bis 2000, Bielefeld 2006
Rolf Geissler, Die Suche nach Wahrheit in Döblins Hamlet-Roman. In: Literatur für Leser, 1982, 110–28
Rolf Geissler, Zu den Rundfunkkommentaren von Thomas Mann und Alfred Döblin, Halle 1996
Jeanpaul Goergen, Die Suche nach dem Eigenkunstwerk des Hörfunks. Zur Entstehung von Alfred Döblins Alexanderplatz-Hörspiel. NDR-Sendung vom 18.10.1986. Sendemanuskript
Herbert Gorski, Nachwort zu: Schicksalsreise, Leipzig 1983
Catherine Gouriou, Vom Fatum zum Heiligen. Untersuchungen zur Mythopoetik in Döblins Spätwerk. In: IADK Strasbourg 2003. Hg. von Christine Maillard und Monique Mombert, Bern 2006, 127–52
Heinz Graber, Alfred Döblins Epos *Manas*, Bern 1967
Günter Grass, Über meinen Lehrer Döblin. Rede zum 10. Todestag Döblins. In: Werkausgabe in zehn Bänden. Hg. von Volker Neuhaus. Bd. 10: Essays, Reden, Briefe, Kommentare, Neuwied 1987, 236–55
Liselotte Grevel, Provokation und Institution: Alfred Döblin und die Preußische Akademie der Künste. In: IADK Mainz 2005, Bern 2007, 35–64
Liselotte Grevel, Spuren des Ersten Weltkriegs in Alfred Döblins Feuilletons der 1920er Jahre. In: IADK Saarbrücken 2009, Bern 2010, 159–176
Gunter E. Grimm/Hans-Peter Bayerdörfer (Hg.), Im Zeichen Hiobs. Jüdische Schriftsteller und deutsche Literatur im 20. Jahrhundert, Königstein/Ts. 1985, 161–77
Jutta Großhauser, Die Entwicklung der Heil- und Pflegeanstalt Karthaus-Prüll in der Zeit von 1852 bis 1939 unter besonderer Berücksichtigung der Behandlungs- und Pflegemethoden, Diss. Erlangen-Nürnberg 1973
Wolfgang Grothe, Die Neue Rundschau des Verlages S. Fischer. Ein Beitrag zu Publizistik und Literaturgeschichte der Jahre 1890 bis 1925, Frankfurt a. M. 1961
Michel Grunewald, Die Rezeption des Werkes von Alfred Döblin im europäischen Exil (1933–1940). In: IADK Paris 1993. Hg. von Michel Grunewald, Bern 1995, 7–23
Gerhard Hay (Hg.), Literatur und Rundfunk 1923–33, Hildesheim 1975
Werner Hecht, Brecht Chronik 1898–1956, Frankfurt a. M. 2003
Werner Hecht, Brecht Chronik. Ergänzungen, Frankfurt a. M. 2007
Ingrid Heinrich-Jost, Linke Poot – Alfred Döblins satirische Kommentare zur Zeit (1919–1922). In: Juden in der Weimarer Republik. Skizzen und Porträts. Hg. von Walter Grab und Julius H. Schoeps, Darmstadt 1998, 88–106
Jost Hermand, Engagement als Lebensform. Über Arnold Zweig, Berlin 1992 [über utop. Messianismus]
Jost Hermand/Wigand Lange, »Wollt ihr Thomas Mann wiederhaben?« Deutschland und die Emigranten, Hamburg 1999

Michael Hochgeschwender, Freiheit in der Offensive? Der Kongreß für kulturelle Freiheit und die Deutschen, München 1998
Christian Hörburger, Rotstift und Wiedergutmachung – Die lange Geschichte eines Hörspiels. In: Funk-Korrespondenz, 54. Jg., Nr. 26, 2007, Bonn 2007
Louis Huguet, Pour un centenaire 1978–1957. Chronologie Alfred Döblin, Abidjan 1978
Thomas Isermann, Der Text und das Unsagbare. Studien zu Religionssuche und Werkpoetik bei Alfred Döblin, Idstein 1989
Thomas Isermann, Zu einer Physiologie des Schreibens bei Alfred Döblin. In: IADK, Münster 1989, Marbach a. N. 1991. Hg. von Werner Stauffacher, Bern u. a. 1993, 36–43
Michael Jaeger, Autobiographie und Geschichte, Stuttgart 1995 [zu *Schicksalsreise*]
Harald Jähner, Erzählter, montierter und soufflierter Text. Zur Konstruktion des Romans *Berlin Alexanderplatz* von Alfred Döblin, Frankfurt a. M. 1984
M. S. Jones, From Protegé to Künstler. Alfred Döblins Break with »Der Sturm«. In: New German Studies (hull), vl. 6, no.2, Summer 1978
Hermann Kasack, Mosaiksteine. Beiträge zu Literatur und Kunst, Frankfurt a. M. 1956, 275–88
Thomas Keil, Alfred Döblins *Unser Dasein*. Quellenphilologische Untersuchungen, Würzburg 2005
Otto Keller, Döblins Montageroman als Epos der Moderne. Die Struktur der Romane *Der schwarze Vorhang, Die drei Sprünge des Wang-lun* und *Berlin Alexanderplatz*, München 1980
Stefan Keppler-Tasaki, »Which Great War?« Alfred Döblin, der Romancier James Hilton und der Propagandafilm *Random Harvest*. In: IADK Saarbrücken 2009, Bern 2010, 381–400
Stefan Keppler/Gabriele Sander, »Mühsamer als Romanschreiben«. Alfred Döblin als Filmschriftsteller und sein Projekt *Queen Lear*. In: Jahrbuch der Deutschen Schillergesellschaft 52, 2008, 163–90
Hermann Kesten (Hg.), Deutsche Literatur im Exil. Briefe europäischer Autoren 1933–1949, Frankfurt a. M. 1973
Helmuth Kiesel, Literarische Trauerarbeit. Das Exil- und Spätwerk Alfred Döblins, Tübingen 1986
Helmuth Kiesel, Döblin und das Kino. Überlegungen zur *Alexanderplatz*-Verfilmung. In: IADK, Münster 1989, Marbach a. N. 1991. Hg. von Werner Stauffacher, Bern 1993, 284–97
Helmuth Kiesel, Geschichte der literarischen Moderne. Sprache, Ästhetik, Dichtung im zwanzigsten Jahrhundert, München 2004
Bettine Kircher, Alfred Erich Hoche (1865–1943). Versuch einer Analyse seiner Psychiatrischen Krankheitslehre, Freiburg 1987
Norbert Klause, Der Mediziner Alfred Döblin. Die Jahre 1900–1911. In: IADK Marbach a. N. 1984, Berlin 1985, Bern 1987, 102–15
Norbert Klause, Medizinisch-wissenschaftliche Apperzeption. Betrachtungen zu Alfred Döblins Œuvre. In: IADK Emmendingen 2007. Hg. von Sabina Becker und Robert Krause, Bern 2008
H. E. Klein, Dichter und Nervenarzt. Psychiatrie im Leben und Werk von Alfred Döblin. In: Psycho 1992, 18, 55/35–61/41
Jens Kleindienst, Zur Hochschulpolitik Frankreichs in seiner Besatzungszone (1945–1949), Diss. Frankfurt a. M. 1987
Erich Kleinschmidt, Döblin-Studien II. »Es gibt einen eisklaren Tag und unseren Tod in den nächsten 80 Jahren«. Alfred Döblin als politischer Schriftsteller. In: Jahrbuch der Deutschen Schillergesellschaft 26, 1982, 401–27
Erich Kleinschmidt, Alfred Döblin und Gottfried Benn. Mit der Edition einer Rede Döblins auf Benn von 1932. In: Deutsche Vierteljahrsschrift 62, 1988, 131–47

Erich Kleinschmidt, Roman im »Kinostil«. Ein unbekannter »Roman«-Entwurf Alfred Döblins. In: Deutsche Vierteljahrsschrift 63, 1989, 574–86
Erich Kleinschmidt, Semiotik der Aussparung. »Vergessendes« Erzählen bei Alfred Döblin. In: IADK, Münster 1989, Marbach a.N. 1991. Hg. von Werner Stauffacher, Bern 1993, 123–39
Erich Kleinschmidt, Die Erfahrung des Fremden. Schreibdispositionen Alfred Döblins im Exil. In: IADK Paris 1993. Hg. von Michel Grunewald, Bern 1995, 95–112
Erich Kleinschmidt, »Die Zeit dringt verschieden tief in unsere Poren ein.« Alfred Döblin als politischer Autor 1914. In: IADK Leipzig 1997. Hg. von Ira Lorf und Gabriele Sander, Bern 1999, 17–32
Wolfgang und Grazyna Kling, Stettin – Szczecin. Metropole in Pommern, Berlin 2006
Volker Klotz, Die erzählte Stadt. Ein Sujet als Herausforderung des Romans von Lesage bis Döblin, München 1969, 372–418 [zu *Berlin Alexanderplatz*]
Volker Klotz, Döblins epische Penetranz. Zum sinnvoll-sinnlichen Umgang mit *Berge, Meere und Giganten*. In: Sprache im technischen Zeitalter 63, 1977, 213–31
Erwin Kobel, Was heißt »Dasein« in Döblins Roman *Pardon wird nicht gegeben*? In: IADK, Münster 1989, Marbach a.N. 1991. Hg. von Werner Stauffacher, Bern 1993, 340–55
Thomas Koebner (Hg.), Weimars Ende. Prognosen und Diagnosen in der deutschen Literatur und politischen Publizistik 1930–1933, Frankfurt a.M. 1982
Thomas Koebner, Arthur Koestlers Abkehr vom Stalinismus. In: Exilforschung. Ein internationales Jahrbuch I, München 1983, 95–108
Thomas Koebner, Diesseits der »Dämonischen Leinwand«: neue Perspektiven auf das späte Weimarer Kino, München 2003
Thomas Koebner/Erwin Rotermund (Hg.), Rückkehr aus dem Exil. Emigranten aus dem Dritten Reich in Deutschland nach 1945. Essays zu Ehren von Ernst Loewy, München 1990
Barbara Köhn, Alfred Döblins Katholizismus – Kontinuität oder Diskontinuität? In: IADK Lausanne 1987. Hg. von Werner Stauffacher, Bern 1991, 51–67
Wulf Köpke, Alfred Döblins Überparteilichkeit. Zur Publizistik in den letzten Jahren der Weimarer Republik. In: Thomas Koebner (Hg.), Weimars Ende. Prognosen und Diagnosen in der deutschen Literatur und Publizistik 1930–1933, Frankfurt a.M. 1982, 318–29
Wulf Köpke, Die Irrfahrt durch Frankreich 1940 und die Identität des Exils. In: IADK, Lausanne 1987. Hg. von Werner Stauffacher, Bern 1991, 25–35
Wulf Köpke, Kritik des Abendlandes. In: IADK Emmendingen 2007. Hg. von Sabina Becker und Robert Krause, Bern 2008, 149–72
Wulf Köpke/Michael Winkler (Hg.), Deutschsprachige Exilliteratur. Studien zu ihrer Bestimmung im Kontext der Epoche 1930 bis 1960, Bonn 1984
Helmut Koopmann, Der klassisch-moderne Roman in Deutschland. Thomas Mann, Alfred Döblin, Hermann Broch, Stuttgart 1983
Leo Kreutzer, Alfred Döblin. Sein Werk bis 1933. Mit einem Anhang: Dokumente aus einem Berliner Döblin-Kreis 1931/32, Stuttgart 1970
Friedhelm Kröll, »...und die ich nicht in den Wolken geschrieben hatte.« Warum Alfred Döblin in der westdeutschen Nachkriegsliteratur nicht angekommen ist. In: Jost Hermand (u.a.Hg.), Nachkriegsliteratur in Deutschland. Bd. 2: Autoren, Sprache, Traditionen, Berlin 1983, 65–72
Michael Kühntopf-Gentz, Nathan Birnbaum. Biographie, Diss. Tübingen 1990
Beat Kuttnig, Die Nietzsche-Aufsätze des jungen Alfred Döblin. Eine Auseinandersetzung über die Grundlagen von Erkenntnis und Ethik, Bern 1995
Anne Kwaschik, Auf der Suche nach der deutschen Mentalität. Der Kulturhistoriker und Essayist Robert Minder, Göttingen 2008
Sabine Kyora, »Das Döblinsche Syndrom«. Die Döblin-Rezeption als Beispiel für die Rezep-

tion der klassischen Moderne in der DDR. In: IADK Leipzig 1997. Hg. von Ira Lorf und Gabriele Sander, Bern 1999, 179–89
Sabine Kyora, »Ich kannte die Deutschen«. Alfred Döblins Auseinandersetzung mit Nationalsozialismus und Holocaust. In: IADK, Strasbourg 2003. Hg. von Christine Maillard und Monique Mombert, Bern u.a. 2006, 187–198
Ursula Langkau-Alex/Thomas M. Ruprecht (Hg.), Was soll aus Deutschland werden? Der Concil for a Democratic Germany in New York 1944–1945, Frankfurt, New York 1995
Dino Larese (Hg.), Philosophen am Bodensee, Friedrichshafen 1999
Petra Liebner, Paul Tillich und der Council for a Democratic Germany (1933 bis 1945), Frankfurt a.M. 2001
Roland Links, Alfred Döblin, München 1981
Ulrich Linse, Gustav Landauer und die Revolutionszeit 1918/19, Berlin 1974
Oskar Loerke, Das bisherige Werk Alfred Döblins. In: Alfred Döblin, Im Buch – Zu Haus – Auf der Straße, Berlin 1928 und Marbach a.N. 1998
Paul E.H. Lüth (Hg.), Alfred Döblin zum 70. Geburtstag, Wiesbaden 1948
Paul Lüth, Alfred Döblin als Arzt und Patient, Stuttgart 1985
Ingrid Maaß, Regression und Individuation. Alfred Döblins Naturphilosophie und späte Romane vor dem Hintergrund einer Affinität zu Freuds Metapsychologie, Frankfurt a.M. 1997
Helmut Mader, Sozialismus- und Revolutionsthematik im Werk Alfred Döblins mit einer Interpretation seines Romans *November 1918*, Diss. Mainz 1977
Susanne Mahler, Nachwort. In: Alfred Döblin, Gedächtnisstörungen bei der Korsakoffschen Psychose, Berlin 2006
Manfred Maiwald, *Die beiden Freundinnen und ihr Giftmord.* Juristische Betrachtungen zu einem literarischen Prozeßbericht. In: Ulrich Mölk (Hg.) Literatur und Recht. Göttingen 1996, 356–69
Fritz Martini, Das Wagnis der Sprache, 6. Aufl., Stuttgart 1970, 336–72 [zu *Berlin Alexanderplatz*]
Regina Elisabeth May, Medizinisches im Werk von Alfred Döblin, Diss. Köln 2003
Andrea Melcher, Vom Schriftsteller zum *Sprachsteller?* Alfred Döblins Auseinandersetzung mit Film und Rundfunk (1909–1932), Frankfurt a.M. 1996
Jochen Meyer (Hg.), Berlin Provinz. Literarische Kontroversen um 1930, Marbach a.N. o.J.
Jochen Meyer, Katalog der Ausstellung »Alfred Döblin 1878–1978« des Deutschen Literaturarchivs, 4. veränd. Aufl., Marbach a.N. 1998
Jochen Meyer, *Babylonische Wandrung* und *Schicksalsreise*. Alfred Döblin im Exil. In: Mare Balticum 1999, 122–33
Burkhard Meyer-Sickendiek, Was ist literarischer Sarkasmus? Ein Beitrag zur deutsch-jüdischen Moderne, München 2009
Robert Minder, Alfred Döblin. In: Deutsche Literatur im zwanzigsten Jahrhundert. Gestalten und Strukturen. Hg. von Hermann Friedmann und Otto Mann, Heidelberg 1954, 249–68
Robert Minder, Hommage à Alfred Doeblin. Doeblin en France. In: Allemagne d'aujourd'hui, Nr. 3, 1957, 5–19
Robert Minder, *Die Segelfahrt* von Alfred Döblin. Struktur und Erlebnis. Mit unbekanntem biographischem Material. In: Helmut Kreutzer (Hg.), Gestaltungsgeschichte und Gesellschaftsgeschichte, Stuttgart 1969, 461–86
Robert Minder, Begegnungen mit Alfred Döblin in Frankreich. In: Text und Kritik 13/14, 1972, 57–66
Robert Minder, Dichter in der Gesellschaft. Erfahrungen mit deutscher und französischer Literatur, Frankfurt a.M. 1972

Robert Minder, Deutsche Kultur seit 1945 in Frankreich. In: Süddeutsche Zeitung, Nr. 196, 27./28.8.1977
Robert Minder, Beitrag zur authentischen Lebensgeschichte. Aus Gesprächen mit Alfred Döblin. In: Süddeutsche Zeitung, Nr. 178, 5./6. August 1978, 95 f.
Robert Minder, Alfred Döblin zwischen Osten und Westen, In: R. M., Dichter in der Gesellschaft. Erfahrungen mit deutscher und französischer Literatur, Frankfurt a. M. 1983, 175–213
Robert Minder, Die Entdeckung deutscher Mentalität. Hg. von Manfred Beyer, Leipzig 1992
Robert Minder, Wozu Literatur? Reden und Essays, Frankfurt a. M. 2002
Robert Minder, Festvortrag zum 100. Geburtstag Alfred Döblins in der Westberliner Akademie der Künste (unveröffentlicht)
Hanno Möbius/Jörg Jochen Berns, Die Mechanik in den Künsten. Studien zur ästhetischen Bedeutung von Naturwissenschaft und Technologie, Marburg 1990 [Futurismus, auch Musil und Jünger]
Walter von Molo, Erinnerungen, Würdigungen, Wünsche, Berlin, Bielefeld, München 1950
Monique Mombert, »Das Inokulieren frischer Keime zur Anregung eines neuen Wachstums« in der Zeitschrift *Das Goldene Tor.* In: IADK, Strasbourg 2003. Hg. von Christine Maillard und Monique Mombert, Bern 2006, 199–216
Karlheinz Müller, »...nicht gerade sympathischer trotz seiner Bekehrung«: Elisabeth Langgässers zwiespältige Aussagen über Alfred Döblin. In: IADK Mainz 2005. Hg. von Yvonne Wolf, Bern 2007, 91–8
Klaus Müller-Salget, Alfred Döblin im Exil. In: Literatur und Germanistik nach der »Machtübernahme«. Colloquium zur 50. Wiederkehr des 30. Januar 1933. Hg. von Beda Allemann, Bonn 1983, 118–42
Klaus Müller-Salget, Alfred Döblin. Werk und Entwicklung, 2. erweit. Auflage, Bonn 1988
Klaus Müller-Salget, Verfehlte Heimkehr – Alfred Döblin im Deutschland der Nachkriegszeit. In: Rückkehr aus dem Exil. Emigranten aus dem Dritten Reich in Deutschland nach 1945. Essays zu Ehren von Ernst Loewy. Hg. von Thomas Koebner und Erwin Rotermund, Marburg 1990, 55–65
Klaus Müller-Salget, Alfred Döblin und das Judentum. In: Deutsch-jüdische Exil- und Emigrationsliteratur im 20. Jahrhundert. Hg. von Itta Shedletzky und Hans Otto Horch, Tübingen 1993, 153–64
Klaus Müller-Salget/Gabriele Sander, »eine Fahne, die ich nicht halten konnte«. Alfred Döblin und das Judentum. In: Else-Lasker-Schüler-Jahrbuch 1, 2000, 217–35
Walter Müller-Seidel, Alfred Döblin. Die beiden Freundinnen und ihr Giftmord. Psychiatrie, Strafrecht und moderne Literatur. In: Ulrich Wölk (Hg.), Literatur und Recht. Literarische Rechtsfälle von der Antike bis in die Gegenwart, Göttingen 1996, 356–69
Walter Müller-Seidel, Alfred Erich Hoche. Lebensgeschichte im Spannungsfeld von Psychiatrie, Strafrecht und Literatur, München 1999 (Bayerische Akademie der Wissenschaften. Sitzungsberichte, Jg. 1999, H. 5)
Walter Muschg, Alfred Döblin heute. In: Text und Kritik, H. 13/14, Nov. 1972, 1–6
Friedrich Mutschler, Alfred Döblins politische Schriften 1918–1933. Zeitdokumente eines Weimarer Intellektuellen, Zulassungsarbeit Tübingen 1978
Friedrich Mutschler, Alfred Döblin, Autonomie und Bindung. Untersuchungen zu Werk und Person bis 1933, Frankfurt a. M. 1993
Harald Neumann, Alfred Döblin. Leben und wissenschaftliche Studien, Krankheiten und Tod, 2. Aufl., Mainz 1987
Reiner Niehoff, Materialschlacht. Der Krieg in Alfred Döblins *Wallenstein.* In: IADK Saarbrücken 2009. Hg. von Ralf Georg Bogner, Bern 2010, 177–96
Günter Niggl, Zeitbilder, 2005 [zum Spätwerk]

Heinz D. Osterle, Alfred Döblins Revolutionsroman. In: Alfred Döblin, *November 1918*, Bd. 4: *Karl und Rosa*, München 1978, 665–95
Klaus Petersen, Die »Gruppe 1925«. Geschichte und Soziologie einer Schriftstellervereinigung, Heidelberg 1981
Marc Petit, Die verlorene Gleichung. Auf den Spuren von Wolfgang und Alfred Döblin, Frankfurt a. M. 2005
Friedrich Pfäfflin/Ingrid Kussmaul (Hg.), S. Fischer Verlag. Von der Gründung bis zur Rückkehr aus dem Exil. Katalog einer Ausstellung des Deutschen Literaturarchivs, Marbach a. N. 1986
Helmut F. Pfanner, Die Widerspiegelung der Exilerfahrung in Alfred Döblins *Babylonischer Wandrung*. In: IADK Lausanne 1987. Hg. von Werner Stauffacher, Bern 1991, 68–82
Oliver Pfohlmann, »Eine finster drohende und lockende Nachbarmacht«? Untersuchungen zu psychoanalytischen Literaturdeutungen am Beispiel von Robert Musil, München 2003
Tomas Plänkers, Goethe contra Freud? Erinnerungen an einen Streit um den Begründer der Psychoanalyse im Jahr 1930. In: Frankfurter Allgemeine Zeitung, Nr. 197, 25.8.1990
Petra Plättner (Hg.), Der schwierige Neubeginn – Vier deutsche Dichter 1949, Stuttgart 2009 (Abhandlungen der Klasse der Literatur, Jg. 2009, Nr. 4)
Jacqueline Plum, Französische Kulturpolitik in Deutschland 1945–1955, Diss. Bonn 2005
Fritz Pohle, *Das Land ohne Tod*. Alfred Döblins Kolumbusfahrt in der Pariser Nationalbibliothek. Versuch einer Annäherung. In: Alfred Döblin, Das Land ohne Tod, Bd. 2, Frankfurt a.M 1991, 561–1034
Matthias Prangel, Die rundfunktheoretischen Ansichten Alfred Döblins. In: Gerhard Hay (Hg.), Literatur und Rundfunk 1923–1933, Hildesheim 1975, 221–29
Matthias Prangel, Alfred Döblin, 2. neubearb. Auflage, Stuttgart 1987
Matthias Prangel, Alfred Döblins Konzept von der geistigen Gesamterneuerung des Judentums. In: Sjaak Onderdelinden, Interbellum und Exil, Amsterdam 1991, 162–80
Matthias Prangel, Zwischen den Stühlen und Fronten? Kritische Anmerkungen zur Deskriptionsleistung eines verbreiteten Topos der Döblin-Forschung am Beispiel von Döblins Schrift *Wissen und Verändern*. In: IADK, Münster 1989, Marbach a. N. 1991. Hg. von Werner Stauffacher, Bern 1993, 217–32
Matthias Prangel, Alfred Döblins Überlegungen zum Roman als Beispiel einer Romanpoetologie des Modernismus. In: IADK, Strasbourg 2003, Bern u. a. 2006, 11–30
Harry Pross (Hg.), Deutsche Presse seit 1945, Berlin, München, Wien 1965
Priska Pytlik, Okkultismus und Moderne, Paderborn 2005
Joseph Quack, Geschichtsroman und Geschichtskritik: Zu Alfred Döblins *Wallenstein*, Würzburg 2004
Wolfdietrich Rasch, Bertolt Brechts marxistischer Lehrer. Zum ungedruckten Briefwechsel zwischen Bertolt Brecht und Karl Korsch. In: W. R., Zur deutschen Literatur seit der Jahrhundertwende. Gesammelte Aufsätze, Stuttgart 1967, 243–74
Ernst Ribbat, Die Wahrheit des Lebens im frühen Werk Alfred Döblins, Münster 1970
Ernst Ribbat, Autonome Prosa? Zur Wertung der »expressionistischen« Novellen Alfred Döblins. In: IADK Basel 1980, New York 1981, Freiburg 1983. Hg. von Werner Stauffacher, Bern 1986, 293–306
Ernst Ribbat, »Tatsachenphantasie«. Über einige Mischtexte Alfred Döblins. In: IADK, Münster 1989, Marbach a. N. 1991. Hg. von Werner Stauffacher, Bern1993, 84–101
Ernst Ribbat, Wissen und Erzählen. Zu Werken Alfred Döblins. In: IADK Emmendingen 2007. Hg. von Sabina Becker und Robert Krause, Bern 2008, 41–54
Gabriel Richter (Hg.), Die Fahrt ins Graue(n). Die Heil- und Pflegeanstalt Emmendingen 1933–1945 – und danach, Emmendingen o. J.
Peter Riedesser, Axel Verderber, Maschinengewehre hinter der Front. Zur Geschichte der deutschen Militärpsychiatrie, Frankfurt a. M., 2004

Anthony W. Riley, The Profession Christian and the Ironic Germanist. A Comment on the Relationship of Alfred Döblin and Thomas Mann. In: Michael S. Batts and M. Goetz Stankiewicz, Essays on German Literature in Honour of G. Joyce Hallamore, Toronto 1968
Anthony W. Riley, Zum umstrittenen Schluss von Alfred Döblins *Hamlet.* In: Literaturwissenschaftliches Jahrbuch der Görres-Gesellschaft, N.F., Bd. 13, 1972, 331–58
Anthony W. Riley, Jaufré Rudel und die Prinzessin von Tripoli. In: Festschrift für Friedrich Beißner. Hg. von U. Gaier und Werner Volke, Bebenhausen 1974, 341–58
Anthony W. Riley, »...zwischen Himmel und Erde«. Zu Alfred Döblins *Schicksalsreise.* In: Akten des VIII. Internationalen Germanisten-Kongresses Tokyo 1990; Bd. 9: Erfahrene und imaginierte Fremde. Hg. von Yoshinori Shichijii, München: iudicum 1991, 317–26
Anthony W. Riley, »Das Wissen um ein moralisches Universum«. Alfred Döblins *The Living Thoughts of Confucius.* In: IADK, Lausanne 1987. Hg. von Werner Stauffacher, Bern 1991, 9–24
Judith Ryan, From Futurism to »Döblinism« In: The German Quarterly, Bd. 54, 1981, Nr. 4, 415–42
Gabriele Sander, »An die Grenzen des Wirklichen und Möglichen ...« Studien zu Alfred Döblins Roman *Berge, Meere und Giganten,* Frankfurt a.M. 1988
Gabriele Sander, Spurensuche in »döblinener Waldung«. Über den Einfluß Alfred Döblins auf die Literatur der zwanziger Jahre und der Nachkriegszeit. In: IADK, Münster 1989, Marbach a.N. 1991. Hg. von Werner Stauffacher, Bern 1993, 128–53
Gabriele Sander, Alfred Döblin, *Berlin Alexanderplatz.* Erläuterungen und Dokumente, Stuttgart 1998
Gabriele Sander, Döblin und Berlin: Lebens- und werkgeschichtliche Stationen. In: Mare Balticum 1999, 102–11
Gabriele Sander, »eine Fahne, die ich nicht halten konnte«. Alfred Döblin und das Judentum. In: Else-Lasker-Schüler-Jahrbuch 1, 2000, 217–35
Gabriele Sander, Alfred Döblin, Stuttgart 2001 (Reclams Universitätsbibliothek Nr. 17632)
Gabriele Sander, Döblin im Urteil seiner Zeitgenossen: Provokateur und Vermittler. In: IADK Mainz 2005. Hg. von Yvonne Wolf, Bern 2007, 17–34
Gabriele Sander, Döblins Gedächtnistexte. Der Erste Weltkrieg im Spiegel seiner literarischen Produktion 1914/15. Mit einer Edition des *Bauernkriegroman*-Fragments. In: IADK Saarbrücken 2009. Hg. von Ralf Georg Bogner, Bern 2010, 39–56
Karol Sauerland, »Das ostjüdische Antlitz« in den Augen von Gustav Landauer, Arnold Zweig, Alfred Döblin und Joseph Roth. In: Convivium. Germanistisches Jahrbuch Polen 1996, 107–32
Karol Sauerland, Döblins *Reise in Polen.* In: Peter J. Brenner (HG.), Reisekultur in Deutschland. Von der Weimarer Republik zum »Dritten Reich«, Tübingen 1997, 211–26
Hans-Dieter Schäfer, Rückkehr ohne Ankunft. Alfred Döblin in Deutschland 1945–1957, Warmbronn 2006
Wolfgang Schäffner, Psychiatrisches Schreiben um 1900. Dr. Alfred Döblin in Regensburg. In: Jahrbuch der Deutschen Schillergesellschaft 35, 1991, 12–29
Wolfgang Schäffner, Logistik der Dichtung. Döblins kriegs- und medientechnische Erprobung der Literatur im Commissariat à l'Information. In: IADK Paris 1993. Hg. von Michel Grunewald, Bern 1995, 127–40
Wolfgang Schäffner, Die Ordnung des Wahns. Zur Poetologie psychiatrischen Wissens bei Alfred Döblin, München 1995
Christian Schärf, Artistik und Theologie. Zu Alfred Döblins Spätwerk. In: IADK Mainz 2005. Hg. von Yvonne Wolf, Bern 2007, 297–310
Claus Scharf/Hans-Jürgen Schröder, Die Deutschlandpolitik Frankreichs und die Französische Zone 1945–1949, Wiesbaden 1983

Klaus R. Scherpe, »Ein Kolossalgemälde für Kurzsichtige«. Das Andere der Geschichte in Alfred Döblins *Wallenstein*. In: Hartmut Eggert (Hg.), Geschichte als Literatur. Formen und Grenzen der Repräsentation von Vergangenheit, Stuttgart 1990, 226–41

Dieter Schiller, Döblin-Feier. Zu einem Briefwechsel Döblins mit Hans Siemsen. In: Zeitschrift für Germanistik N. F. 1, 1991, H. 1, 145–55

Dieter Schiller, »Der Sozialismus muß ganz von vorne anfangen«. Reaktionen von Döblin, Koestler und Sperber auf die Krise der sozialistischen Bewegung im Jahr 1938«. In: Jahrbuch der Deutschen Schillergesellschaft, 36. Jg., Stuttgart 1992, 333–49

Dieter Schiller, Alfred Döblins Beziehung zu den Exilzeitschriften »Das Neue Tage-Buch« und »Die Zukunft« 1937–1940. In: IADK Paris 1993, 37–51

Dieter Schilller, Der Traum von Hitlers Sturz. Studien zur deutschen Exilliteratur 1933–1945, Frankfurt a. M. 2010

Gustav Wilhelm Schimmelpfennig, Alfred Erich Hoche, Das wissenschaftliche Werk: »Mittelmäßigkeit«? Göttingen 1990

Hansgeorg Schmidt-Bergmann, Der historische Roman und das Exil – Überlegungen zu Döblins *Amazonas*-Roman. In: IADK Lausanne 1987. Hg. von Werner Stauffacher, Bern 1991, 90–102

Hansgeorg Schmidt-Bergmann, Futurismus. Geschichte, Ästhetik, Dokumente, Reinbek b. H. 2008 (Rowohlts Enzyklopädie)

Hans Jürgen Schmitt, Alfred Döblins Lateinamerika. Seine *Amazonas*-Triologie und ihre Nachfolger Asturias, Roa Bastos, García Marquez. In: Rowohlts Literaturmagazin 38, 1996, 28–40

Cornelius Schnauber, Spaziergänge durch das Hollywood der Emigranten, Zürich 1992

Uwe M. Schneede, Umberto Boccioni, Stuttgart 1994

Ralph Schock, »Meine Adresse ist: Saargemünd«. Spurensuche in einer Grenzregion, Merzig 2010

Wilfried F. Schoeller, Sammlung der Kräfte. Ein Zeitschriftenprojekt. In: Veit J. Schmidinger und Wilfried F. Schoeller, Transit Amsterdam. Deutsche Künstler im Exil 1933–1945, München 2007, 78–88.

Lothar Schreyer (Hg.), Der Sturm. Ein Erinnerungsbuch an Herwarth Walden und die Künstler aus dem Sturmkreis, Baden-Baden 1954

Klaus Schröter, Alfred Döblin. In Selbstzeugnissen und Bilddokumenten, Reinbek b. H. 1978

Ingrid Schuster, Zu Alfred Döblin, Stuttgart 1980

Ingrid Schuster, Die Wirkungen des *Wang-lun* in der Weimarer Republik. In: IADK Basel 1980, New York 1981, Freiburg 1983. Hg. von Werner Stauffacher, Bern 1986, 45–53

Ingrid Schuster/Ingrid Bode, Alfred Döblin im Spiegel der zeitgenössischen Kritik, Bern und München 1973

Winfried Georg Sebald, Der Mythus der Zerstörung im Werk Döblins, Stuttgart 1980

Eduard Seidler, Alfred Erich Hoche (1865–1943). Versuch einer Standortbestimmung. In: Freiburger Universitätsblätter, H. 94, Dez. 1986, 65–75

Jürgen Serke, Der unbekannte Döblin: Drei Frauen und nur ein Leben. In: Zeit-Magazin vom 26. Mai 1978, Nr. 22, 18–29

Claude Simon, Der blinde Orion, Frankfurt a. M. 2008

Andreas Solbach, Poetik der Grenzüberschreitung in Alfred Döblins *Die Pilgerin Aetheria*. In: IADK, Strasbourg 2003. Hg. von Christine Maillard und Monique Mombert, Bern 2006, 153–70

Claudia Sonino, Eine andere Rationalität. Döblins Begegnung mit den Ostjuden. In: IADK Bergamo 1999. Hg. von Torsten Hahn, Bern 2002, 141–56

John M. Spalek/Joseph Strelka (Hg.), Deutsche Exilliteratur seit 1933. Bd. 1: Kalifornien, Berlin und München 1976

Bernhard Spies, Alfred Döblin und Heinrich Mann in der Weimarer Republik. Die »Geistigen« und die Demokratie. In: IADK Mainz 2005, Bern u.a. 2007, 139–52
Mirjana Stancic, Der lange Marsch durch die Institution. Alfred Döblin und Manès Sperber als Zeitschriftenherausgeber in Mainz. In: IADK Mainz 2005. Hg. von Yvonne Wolf, Bern 2007, 81–90
Werner Stauffacher, Hamlet oder Die lange Nacht nimmt ein Ende. In: Ingrid Schuster, Zu Alfred Döblin, Stuttgart 1980, 177–86
Werner Stauffacher, »Komisches Grundgefühl« und »scheinbare Tragik«. Zu *Wadzeks Kampf mit der Dampfturbine.* In: IADK, Basel 1980, New York 1981, Freiburg 1983. Hg. von Werner Stauffacher, Bern 1986, 168–83
Werner Stauffacher, Zwischen altem und neuem Urwald. Zum Geschichtsbild von Döblins *Amazonas.* In: IADK Lausanne 1987. Hg. von Werner Stauffacher, Bern 1991, 103–11
Werner Stauffacher, *November 1918.* Zum Erscheinen der Neuausgabe. In: IADK, Münster 1989, Marbach a.N. 1991. Hg. von Werner Stauffacher, Bern 1993, 356–69
Alexander Stephan, Personal and Confidential. Geheimdienste, Alfred Döblin und das Exil. In: IADK Leiden 1995. Hg. von Gabriele Sander, Bern 1 997 181–91
Alexander Stephan, Überwacht. Ausgebürgert. Exiliert. Schriftsteller und der Staat, Bielefeld 2007
Dieter Stolz, Alfred Döblin, Berlin und New York 2010
Christa Tebbe, Harald Jähner, Alfred Döblin zum Beispiel. Stadt und Literatur, Berlin 1987 [Ausstellungskatalog]
Reinhard Tgahrt (Hg.), Zeitgenosse vieler Zeiten. Zweites Marbacher Loerke-Kolloquium 1987, Mainz 1998
Richard Thieberger, Begegnung mit Alfred Döblin. In: IADK Paris 1993. Hg. von Michel Grunewald, Bern 1995, 3–6
Heidi Thomann Tewarson, Alfred Döblin und Bertolt Brecht. Aspekte einer literarischen Beziehung. In: Monatshefte 79, 1987, Nr. 2, 172–85
Herwarth Walden, Erster Deutscher Herbstsalon. Berlin 1913, Köln 1988
Nell Walden, Lothar Schreyer (Hg.). Der Sturm. Ein Erinnerungsbuch an Herwarth Walden und die Künstler aus dem Sturmkreis, Baden-Baden 1954
Nell Walden/Herwarth Walden. Ein Lebensbild, Berlin und Mainz 1963
Hans-Albert Walter, Deutsche Exilliteratur. Bd. 1: Die Vorgeschichte des Exils und seine erste Phase, Stuttgart 2003
Hans-Albert Walter, Deutsche Exilliteratur, Bd. 2: Europäisches Appeasement und überseeische Asylpraxis, Stuttgart 1984
Hans-Albert Walter, Deutsche Exilliteratur, Bd. 3: Internierung, Flucht und Lebensbedingungen im Zweiten Weltkrieg, Stuttgart 1988
Hans-Albert Walter, Deutsche Exilliteratur, Bd. 4: Exilpresse, Stuttgart 1978
Hans-Albert Walter, Fritz H. Landshoff und der Querido-Verlag 1933–1950. Ausstellungskatalog, Marbach a.N. 1997
Friedrich Wambsganz, Das Leid im Werk Alfred Döblins. Eine Analyse der späten Romane in Beziehung zum Gesamtwerk, Frankfurt a.M. 1999
Klaus Weissenberger, Döblins Exil in Amerika. In: Ingrid Schuster, Zu Alfred Döblin, Stuttgart 1980, 57–81
Monique Weyemberg-Boussart, Alfred Döblin und F. M. Dostojewski. In: Revue des langues vivantes 35, 1969, 381–404; 505–30
Monique Weyemberg-Boussart, Alfred Döblin. Seine Religiosität in Persönlichkeit und Werk, Bonn 1970
Ernest Wichner/Herbert Wiesner, Industriegebiet der Intelligenz. Literatur im Neuen Berliner Westen der 20er und 30er Jahre, Berlin 1990

Adalbert Wiechert, Alfred Döblins historisches Denken. Zur Poetik des modernen Geschichtsromans. Mit einem Geleitwort von Walter Müller-Seidel, Stuttgart 1978
Theresia Wittenbrink, Schriftsteller vor dem Mikrofon: Autorenauftritte im Rundfunk der Weimarer Republik 1924–1932. Eine Dokumentation, Berlin 2006
Livia Z. Wittmann, Zur Funktion des Dichters und Intellektuellen im Roman
(CH CL = CH 3) As (Levisite) oder Der einzig gerechte Krieg. In: Seminar, XYI, 1980, Nr. 1, 26–36
Yvonne Wolf, Alfred Döblin zwischen Institution und Provokation. In: IADK Mainz 2005. Hg. von Yvonne Wolf, Bern 2007, 9–16
Horst-Peter Wolff/Arno Kolonich, Zur Geschichte der Krankenhausstadt Berlin-Buch, Frankfurt a. M. 2006
Yvonne Wübben, Unterwegs nach St. Ottilien. Zur Literarisierung von Psychiatrie und Hirnforschung in Alfred Döblins Erzählung *Die Ermordung einer Butterblume*. In: Literaturkritik.de, Nr. 8, August 2007
Wolf-Ulrich Zeller, Alfred Döblin als Journalist und seine Zeitschrift *Das Goldene Tor*. Masch. Magisterarbeit, München 1968
Fritz Zierl, Geschichte der Heil- und Pflegeanstalt Regensburg 1852–1932, Regensburg 1932

BILDNACHWEIS

Wir danken allen Rechteinhabern für ihre freundliche Genehmigung zum Abdruck.

Autor: S. 28, 656, 828

Bibliographisches Institut GmbH, Mannheim: S. 524

Carl Werner Schmidt-Luchs, Hamburg: S. 341, 371

Deutsches Literaturarchiv Marbach a.N.: S. 24, 26, 34, 44, 72 (Foto: A. Wertheim), 76, 82, 88 (Foto: Bodo Kunke), 94, 98, 110, 130, 148, 182, 238, 244, 295, 308 (Foto: Lotte Jacobi), 318 (Foto: Yolla Niclas), 319 (Foto: Yolla Niclas), 321 (Foto: Chris Korner), 341 (Foto: Joseph Schmidt, Berlin), 342, 343, 352, 355 (Foto: Heide Frankenstein), 356 (Foto: Hess), 357 (Foto: Lotte Jacobi), 358 (Foto: Max Glauer), 363 (Foto: Suse Byk), 371 (Foto: Joseph Schmidt, Berlin), 428, 448 (Foto: Henry G.), 450, 490, 496, 514, 521, 522, 542, 556, 617, 642, 658, 671, 684, 690, 704, 716, 729, 753 (Foto: Bodo Kunke), 808, 812, 818

Jean P. Mautner, Kingston N.Y., USA: S. 238, 355

Marianne Raschig: S. 323

S. Fischer Verlage, Frankfurt a.M.: S. 76, 321, 342, 343, 428, 496, 542, 658, 704, 812

Stephan A. Doblin, Louveciennes, Frankreich, für die Erbengemeinschaft Döblin: S. 24, 26, 34, 72, 94, 98, 130, 148, 244, 295, 308, 318, 319, 341, 356, 357, 358, 363, 371, 448, 450, 490, 514, 521, 522, 556, 617, 642, 671, 684, 716, 729, 753, 808

The Lotte Jacobi Collection, The University of New Hampshire, Durham, NH, USA: S. 308, 357

Thomas Kunke, Wiesbaden: S. 88, 753

Ullsteinbild – Bildarchiv, Berlin: S. 339 (Foto: A. Wertheim)

DANK

Dieses Buch hätte ohne die tätige Mitwirkung von Handschriftenabteilung und Bibliothek des Deutschen Literaturarchivs (DLA) in Marbach a.N. nicht geschrieben werden können. Bei der Durchsicht von Teilen des Döblin-Nachlasses wurde ich nachhaltig unterstützt – wie schon früher bei der Erarbeitung einer Döblin-Ausstellung und zweier Fernseh-Dokumentationen über diesen Schriftsteller für Arte. Zu danken habe ich außerdem für jahrzehntelange Zusammenarbeit, liebenswürdige Kollegialität und Gastlichkeit.

Ähnliches gilt für die Deutsche Nationalbibliothek in Frankfurt a.M., in deren Räumen diese Arbeit zum großen Teil geschrieben worden ist. Für die Beschaffung unzähliger Bücher habe ich den Bibliothekarinnen zu danken, ebenso den Mitarbeiterinnen des Exilarchivs, die mir manche unbekannte Fährten ins Material wiesen.

Die Akademie der Wissenschaften und der Literatur in Mainz hat mir in großzügiger Weise die unerschlossene Personalakte Döblins zur Verfügung gestellt.

Mein Dank gilt auch dem Archiv der Akademie der Künste in Berlin für zurückliegende Recherchen, dem Landesarchiv Berlin, dem Berliner Entschädigungsamt, dem Landesamt für Gesundheit und Soziales (Versorgungsamt – Krankenbuchlager), dem Archiv Saar – Lor – Lux Elsaß sowie dem Bundesarchiv in Koblenz und dem Freiburger Militärarchiv.

Die Universität Siegen hat meine Recherchen mit einem Diesterweg-Forschungsstipendium für ein halbes Jahr großzügig unterstützt.

Dieses Buch geht auf eine Anregung von Michael Krüger zurück. Ihm, meinem Lektor Tobias Heyl und seiner Mitarbeiterin Martha Bunk bin ich außerordentlich verpflichtet.

Schließlich gilt mein Dank Herrn Stephan Döblin für seine in der Öffentlichkeit öfter bekundete Bereitschaft, der Forschung keine Grenzen zu stecken.

PERSONENREGISTER